Les mangeurs de rêves

Gordon Dahlquist

LES MANGEURS DE RÊVES

roman

Traduit de l'anglais par
Véronique Dassas et Alexandre Sanchez

LES NTOUCHABLES

Les Éditions des Intouchables bénéficient du soutien financier de la SODEC, du Programme de crédits d'impôt du gouvernement du Québec et sont inscrites au Programme de subvention globale du Conseil des Arts du Canada.

Nous reconnaissons l'aide financière du gouvernement du Canada par l'entremise du Programme d'aide au développement de l'industrie de l'édition (PADIÉ) pour nos activités d'édition.

LES ÉDITIONS DES INTOUCHABLES
816, rue Rachel Est
Montréal, Québec
H2J 2H6
Téléphone : (514) 526-0770
Télécopieur : (514) 529-7780
info@lesintouchables.com
www.lesintouchables.com

DISTRIBUTION : PROLOGUE
1650, boulevard Lionel-Bertrand
Boisbriand, Québec
J7H 1N7
Téléphone : (450) 434-0306
Télécopieur : (450) 434-2627

Impression : Transcontinental
Infographie : Geneviève Nadeau
Correction : Carole Mills Pernet
Illustration et conception de la couverture : Shasti O'Leary Soudant
Photographie de l'auteur : Jerry Bauer

Titre original : *The Glass Books of the Dream Eaters*
The Glass Books of the Dream Eaters © 2006 par Gordon Dahlquist

Avec l'aimable autorisation de l'agent Danny Baror

Dépôt légal : 2006
Bibliothèque et Archives nationales du Québec
Bibliothèque nationale du Canada

ISBN-10 : 2-89549-243-3
ISBN-13 : 978-2-89549-243-6

Remerciements

Je tiens à exprimer ma gratitude aux gens, aux lieux et aux événements qui ont inspiré ce livre, et ma reconnaissance à tous pour m'avoir permis de passer autant de temps dans ce monde imaginaire.

Liz Duffy Adams, Danny Baror, Karen Bornarth, Venetia Butterfield, CiNE, Shannon Dailey, the Dailey family, Bart DeLorenzo, Mindy Elliott, Evidence Room, Exquisite Realms, Laura Flanagan, Joseph Goodrich, Allen Hahn, Karen Hartman, David Levine, Beth Lincks, Todd London, le Lower Est Oval, Honor Molloy, Bill Massey, John McAdams, E. J. McCarthy, Patricia McLaughlin, Messalina, David Millman, Emily Morse, New Dramatists, Octocorp@30th & 9th (RIP), Suki O'Kane, Tim Paulson, Molly Powell, Jim et Jill Pratzon, Kate Wittenberg, Mark Worthington, Margaret Young.

Mon père, ma sœur, mon cousin Michael.

CHAPITRE 1

MISS TEMPLE

Trois mois s'étaient écoulés entre son arrivée sur les docks et le jour où elle avait reçu la lettre de Roger, rédigée sur un fin papier à l'en-tête du ministère et signée de ses nom et prénom. La femme de chambre la lui avait remise au petit-déjeuner, sur un plateau d'argent. Ce matin-là, des œufs pochés gélatineux et luisants fumaient dans leur coupelle d'argent et miss Temple n'avait pas vu Roger Bascombe depuis une semaine. On avait requis sa présence à Bruxelles, puis au manoir de son oncle infirme, lord Tarr. Après quoi, il s'était vu convoqué à toute heure par le ministre, puis par le vice-ministre, avant de céder aux appels d'une cousine en mal de conseils au sujet d'une affaire de succession. Or il se trouve que miss Temple alla prendre le thé dans le même salon que ladite cousine – Pamela, dont la perruque époustouflante n'égalait que la corpulence gargantuesque –, au moment même où Roger était censé apaiser ses angoisses. De toute évidence, les seules angoisses de Pamela avaient trait à sa provision de pains au lait qui lui semblait loin d'être suffisante.

Miss Temple commençait à se sentir nerveuse. Un jour passa sans nouvelles. Au huitième jour de silence, au petit-déjeuner, elle reçut la lettre de Roger qui se disait au regret de rompre leurs fiançailles et lui enjoignait poliment de s'épargner l'effort d'essayer de le revoir ou de le joindre de quelque façon que ce fût jusqu'à la fin de ses jours. La lettre ne fournissait aucune espèce d'explication.

Jamais elle n'avait subi un tel rejet. Ce n'était pas tant la manière qu'il avait eue de la congédier – elle avait déjà eu à plusieurs reprises l'occasion d'agir ainsi et de façon aussi humiliante –, mais le fait même la blessait. Elle tenta de relire la lettre, mais sa vue se troubla et, quelques secondes plus tard elle fondit en larmes. Elle renvoya la femme de chambre et tenta en vain de beurrer un toast. Elle plaça soigneusement pain et couteau sur la table et se précipita vers son lit, où elle se recroquevilla, son corps secoué de sanglots silencieux.

Pendant une journée entière, elle resta cloîtrée dans ses appartements, refusant tout sauf un Lapsang Souchong des plus amers, et encore, dilué, sans lait ni citron, ce qui conférait à ce breuvage rouille clair le double mérite d'être à la fois léger et désagréable au goût. Pendant la nuit, elle pleura encore, seule dans l'obscurité, vide et à la dérive, jusqu'à ce que son oreiller soit si trempé qu'elle ne puisse plus le supporter.

Mais le lendemain après-midi, alors qu'elle se réveillait dans la lumière blême de l'hiver – pour cette jeune femme au sang chaud, c'était une saison nouvelle et qu'elle trouvait épouvantable –, ses yeux gris clair cernés de rouge et les anglaises défaites, au milieu du désordre de ses draps, elle était de nouveau alerte et décidée à vaquer à ses affaires.

Son univers venait de chavirer. Elle était prête à admettre que ces choses-là pouvaient arriver dans la vie, puisqu'elle avait reçu l'éducation classique que l'on donne aux jeunes filles, mais cela ne signifiait pas qu'elle dût se soumettre. Ce à quoi, d'ailleurs, miss Temple ne consentait qu'en de très rares occasions. D'aucuns la considéraient comme une sauvageonne provinciale, voire comme un véritable petit monstre, sous prétexte que, du haut de sa modeste taille, son inclination naturelle la poussait à l'intransigeance. Elle avait grandi sur une île ensoleillée et chaude, avec des esclaves pour lui faire de l'ombre. Comme c'était une jeune fille sensible, elle en était restée marquée comme par un coup de fouet, et elle devait entre autres à cette marque d'être immunisée contre tous les coups et, croyait-elle, d'avoir toutes les chances de le rester.

Miss Temple avait vingt-cinq ans, âge canonique pour une femme célibataire, mais comme elle avait passé son temps, sur son île, à éconduire des prétendants avant qu'on ne l'envoie outre-mer se mêler à une société plus raffinée, on ne lui en tenait guère rigueur. Elle était aussi riche que ses plantations le lui permettaient, possédait un esprit assez fin pour estimer naturel que les gens s'intéressent plus à son argent qu'à sa personne, et ne se souciait d'aucune considération matérielle. À vrai dire, il existait bien peu de choses dont elle se souciât ne serait-ce qu'un tout petit peu. Roger était l'exception, bien qu'elle eût désormais un certain mal à se l'expliquer et qu'elle fût vexée de ne disposer d'aucun argument pour le justifier.

Miss Temple avait une suite à l'hôtel Boniface, au goût du jour sans l'être trop, comprenant deux salons, une salle à manger, une garde-robe, une chambre à coucher, une autre pour ses deux femmes de chambre, une seconde garde-robe et une chambre à coucher pour sa vieille tante Agathe qui vivotait des revenus d'une petite plantation, partageait son temps entre repas et sommeil, mais inspirait suffisamment le respect pour faire office de chaperon convenable malgré le peu d'attention qu'elle semblait accorder au monde. Agathe, que miss Temple avait rencontrée pour la première fois lorsqu'elle avait débarqué, connaissait la famille Bascombe. Roger avait été le premier homme au statut et au physique acceptables qu'on lui eût présenté, et comme elle était une jeune femme franche et loyale, elle avait jugé inutile d'aller chercher ailleurs. Pour sa part, Roger semblait la trouver à la fois jolie et charmante, donc ils se fiancèrent.

À tous égards, ils formaient un beau couple. Même ceux qui reprochaient à miss Temple son franc-parler reconnaissaient qu'elle était d'une beauté tout à fait acceptable. Ils reconnaissaient aussi, non sans plaisir, qu'elle était riche. Quant à Roger Bascombe, il faisait figure d'étoile montante au ministère des Affaires étrangères et gravissait le chemin escarpé menant au vrai pouvoir. Élégant, l'allure altière, dénué de tout défaut flagrant, il avait plus de menton et moins de bedaine que les deux précédentes générations de Bascombe.

D'après miss Temple, les quelques moments qu'ils avaient passés ensemble avaient été intenses. Ils avaient partagé une variété étourdissante de dîners en ville, s'étaient promenés dans les parcs et les musées, s'étaient regardés intensément les yeux dans les yeux, et avaient échangé de tendres baisers. Tout offrait pour elle l'attrait de la nouveauté, en particulier les restaurants et les tableaux, dont les proportions et l'étrangeté la laissaient sans voix de longues minutes ; la diversité des gens et des odeurs ; la musique, les bruits, les manières et tous ces mots qu'elle n'avait jamais entendus. Tout était inédit, jusqu'à la force particulière des mains de Roger, ses bras autour de sa taille, son gentil rire discret – qui ne l'incommodait même pas lorsqu'elle en faisait les frais – et ses odeurs : celle de son savon, de la brillantine qu'il se mettait dans les cheveux, de son tabac ; celle des jours entiers qu'il passait en salle de réunion, entouré de piles de documents, d'encre, de cire et de bois vernis et, finalement, ce qu'elle estimait être le mélange irrésistible des sensations qu'elle tirait de sa lèvre délicate, de sa fine moustache hérissée et de sa langue chaude et insatiable.

Ainsi, le lendemain, au petit-déjeuner, bien qu'elle eût le visage rougi et les yeux gonflés, miss Temple accueillit ses œufs et ses toasts avec la voracité qui lui était coutumière et elle croisa sa femme de chambre en lui décochant un regard si mauvais qu'il aurait découragé quiconque se serait risqué à lui dire un mot... surtout un mot de réconfort. Sa tante Agathe dormait encore. Miss Temple s'était rendu compte à son souffle puissant, insistant et fleurant la violette, que sa tante l'avait guettée toute la journée de l'autre côté de sa porte, mais elle ne voulait pas s'entretenir avec elle.

Elle sortit précipitamment du Boniface, vêtue d'une robe à fleurs vert et or, simple mais très seyante, avec des bottines en cuir et un sac à main verts, et elle se dirigea prestement vers le quartier des boutiques de luxe qui longe les berges du fleuve. Elle n'avait pas l'intention d'acheter quoi que ce fût, mais elle espérait que la diversité des étalages, leurs provenances aussi variées qu'exotiques, l'obligerait à porter un regard plus positif sur son sort. Forte de cette idée, elle se hâta, avide, impatiente même, courant d'étal en étal, ses yeux examinant sans s'y attarder les tissus, les coffrets ouvragés, la verrerie, les chapeaux, les bibelots, les gants, les soieries, les parfums, les papiers, les savons, les jumelles de théâtre, les épingles à cheveux, les plumes, les perles et les objets laqués de toutes sortes. Sans jamais vraiment s'arrêter, miss Temple se retrouva à l'autre extrémité du quartier plus vite qu'elle ne l'aurait cru, devant St. Isobel's Square.

Le ciel était gris et nuageux. Elle fit demi-tour et revint sur ses pas, regardant plus attentivement encore chacun des étalages exotiques sans jamais trouver d'objet qui, eût-elle été poisson, aurait appâté son attention. En regagnant le Boniface, elle se demanda ce qu'elle faisait au juste. Puisqu'elle acceptait clairement ce sentiment d'échec, nouveau pour elle, et le tournant que prenait sa vie, comment se pouvait-il que rien ne parvînt à l'intéresser, pas même un ravissant canard en laque? Au contraire, devant chaque objet, elle se sentait poussée en avant, en proie à une pulsion indéfinissable, comme vers une récompense. Quelle récompense? Elle l'ignorait, mais l'idée que celle-ci existait bel et bien la réconfortait.

Alors, avec un soupir résolu, elle passa devant les boutiques une troisième fois, l'esprit ailleurs, certaine, alors qu'elle traversait le square en direction des bâtiments de pierre blanche du ministère, que son intérêt pour Roger était, en un mot comme en cent, désintéressé. Le problème ne venait pas de ses défauts personnels, si tant est qu'il en eût, ni de la supériorité d'une éventuelle rivale dont elle essayait vaguement de deviner l'identité, par simple curiosité; le problème venait simplement de ce que son propre cas était le meilleur exemple dont elle disposât. Et peut-être même le seul. Cela ne signifiait pas, cependant, qu'elle s'en désolât ou qu'elle n'eût plus aucune perspective d'avenir ou encore qu'elle se souciât le moins du monde de l'affection de ce Roger Bascombe dans le futur. Il était désormais sorti de sa vie.

Malgré ces pensées très rationnelles, miss Temple s'arrêta au centre du square et, au lieu de continuer vers l'immeuble où Roger était sans doute encore en train de travailler, elle s'assit sur un banc en fer forgé face à l'imposante statue de sainte Isobel. Nullement dévote, ne sachant rien de cette sainte martyre, miss Temple était simplement dérangée par la vulgarité de son extravagance : la bienheureuse s'accrochait à un baril sur une mer en furie, les vêtements déchirés, les cheveux en bataille, parmi les vestiges d'une épave, dans une eau que faisait écumer un nœud de serpents enroulés autour de ses membres agités, grouillant sur ses haillons pour mieux l'étouffer alors qu'elle ouvrait la bouche en un cri silencieux et que deux chérubins impassibles la toisaient du haut des cieux. Miss Temple avait beau apprécier les dimensions de la chose et les prouesses techniques qu'elle impliquait, une telle vulgarité la dérangeait. Fille des îles, elle pouvait accepter le naufrage, le martyre par les serpents, mais les anges lui semblaient exaspérants de prétention.

Bien sûr, tandis qu'elle scrutait les yeux de pierre de cette Isobel suppliciée par les serpents, elle était parfaitement consciente que cette dernière lui était tout à fait indifférente. Son regard se dirigea alors vers ce qui l'intéressait vraiment, les immeubles de pierre blanche, et elle se mit à élaborer rapidement un plan dont chacune des étapes était scrupuleusement raisonnée.

Elle acceptait d'être séparée de Roger à jamais et n'avait du reste aucune intention de le convaincre de changer d'avis. Non, ce qu'elle voulait, c'était la vérité. Roger l'avait-il tout simplement rejetée parce qu'il préférait rester seul plutôt que d'avoir à la supporter? Était-ce une question d'ambition personnelle, fallait-il qu'il l'écartât de son chemin pour être promu et acquérir de nouvelles responsabilités? Une autre femme l'avait-elle tout simplement supplantée? Ou existait-il un élément impossible à imaginer pour l'instant? Toutes ces hypothèses se valaient, toutes avaient une valeur émotionnelle neutre, mais chacune était essentielle pour permettre à miss Temple de se situer dans cette nouvelle existence perturbée par la perte de Roger.

Il fut assez simple de le prendre en filature. Roger était un homme d'habitudes, et même lorsque ses heures de travail étaient irrégulières, il s'efforçait de déjeuner toujours au même restaurant. Chez un antiquaire, dont elle avait trop longtemps regardé la vitrine pour ne rien acheter, elle choisit une édition complète, en quatre volumes, des *Vies illustrées des martyrs de la mer*. Les ouvrages contenaient assez de détails pour lui permettre de rester là un long moment devant la vitrine, à feindre d'examiner les planches en couleurs tout en guettant Roger, qui entra puis sortit une heure plus tard seul, par les lourdes portes de l'autre côté de la rue. Il regagna directement à pied la cour du ministère. Miss Temple fit livrer ses achats au Boniface et se retrouva dans la rue, avec le sentiment de s'être comportée comme une idiote.

Avant même d'avoir retraversé le square, elle comprit qu'elle était moins une nigaude qu'une espionne sans expérience : à quoi bon surveiller le restaurant de *l'extérieur*? C'était seulement à l'intérieur qu'elle pouvait espérer obtenir des renseignements importants : Roger avait-il déjeuné seul ou en compagnie? Avec qui en particulier avait-il échangé des propos qui lui auraient fourni des indices? De surcroît, à moins qu'il ne l'eût abandonnée à cause de son travail, ce dont, non sans quelque sarcasme à son endroit, elle doutait, elle n'apprendrait rien en l'espionnant pendant la journée. C'était évidemment après le travail qu'elle pourrait recueillir des indices.

Brusquement, comme elle se trouvait sur la place au beau milieu des boutiques, elle entra dans l'une d'elles, dont la vitrine était pleine de bagages de toutes les formes, de paniers, de vêtements de toile cirée, de guêtres, de casques coloniaux, de lanternes, de télescopes et d'une collection impressionnante de cannes. Elle en sortit quelque temps plus tard, au terme d'âpres négociations, avec une cape de voyage noire munie d'un large capuchon et de nombreuses poches particulièrement astucieuses. Une visite dans une deuxième échoppe dota l'une de ces poches de jumelles de théâtre et une troisième boutique fournit à une autre poche un calepin recouvert de cuir et un solide crayon. Miss Temple put alors aller prendre le thé.

Entre les tasses de Darjeeling servies l'une après l'autre et les scones généreusement tartinés de crème, elle commença à prendre des notes, préambule à toute son entreprise, et elle inscrivit tous les détails des événements de la journée. Cette nouvelle tenue et ces accessoires rendaient tout plus facile en faisant une moindre part à ses états d'âme, parce que les tâches qui requièrent des vêtements particuliers et de l'équipement sont par définition objectives, voire scientifiques. Dans cette optique, elle prit soin de rédiger ses notes dans une sorte de langage codé, remplaçant les noms de personnes et de lieux par des synonymes ou des jeux de mots qui, elle l'espérait, ne seraient compréhensibles que par elle-même. Ainsi, « Minsk » ou simplement « Russie » désignait le ministère. Quant à Roger, après une longue chaîne d'associations d'idées où elle avait songé à lui comme à un serpent en pleine mue, puis à un serpent fasciné par un charmeur, puis à l'Inde, elle finit par l'appeler, à cause de son charisme encore évident, le « Rajah ». Au cas où elle aurait à poursuivre ses observations encore longtemps et dans des conditions inconfortables, elle commanda un petit pain fourré à la saucisse, pour plus tard. On le lui apporta sur la table, enveloppé dans du papier ciré, et il disparut bientôt dans l'une des poches de sa cape.

Malgré un hiver qui touchait à sa fin, la ville était encore détrempée à certains endroits, avec des soirées plus fraîches que ne le promettaient les jours qui allongeaient. Sachant que Roger quittait généralement son bureau à dix-sept heures, miss Temple quitta le salon de thé à seize heures et loua un fiacre. Elle donna ses ordres au cocher à voix basse, d'un ton direct, après l'avoir assuré qu'il serait grassement payé : ils allaient suivre un homme, celui-ci serait vraisemblablement lui aussi dans un fiacre ; elle frapperait au plafond pour signaler l'arrivée de l'individu en question. Le cocher acquiesça sans un mot. Elle interpréta son silence comme la preuve qu'il s'agissait là d'une pratique assez courante et, rassérénée, elle s'installa au fond de la voiture pour préparer ses jumelles et son carnet de notes, en attendant l'apparition de Roger.

Quarante minutes plus tard, elle faillit le manquer : pour patienter, elle s'amusait à regarder avec ses jumelles par la fenêtre ouverte près d'elle. Néanmoins, une intuition la poussa à jeter un regard derrière elle, vers les grilles de la cour intérieure du ministère, juste à temps pour apercevoir Roger héler lui aussi un fiacre. Il était là, debout dans la rue, l'air confiant et déterminé, ce qui permit à miss Temple de reprendre ses esprits. Elle frappa vivement au plafond de la voiture et le cocher se mit en route.

L'excitation de la poursuite, amplifiée par celle de voir Roger – exaltation qui, elle en était presque certaine, était liée à ce qu'elle était en train de faire et non à une quelconque trace de ses sentiments pour lui –, se calma très vite quand, après quelques virages, il devint évident que Roger n'avait d'autre coupable destination que son domicile. Une fois de plus, miss Temple fut bien obligée d'admettre que nulle rivale ne l'avait évincée et que le rejet qu'elle avait subi était bel et bien moralement irréprochable. Il en était même peut-être mieux ainsi. En fait, tandis que le fiacre se dirigeait vers la maison de Roger Bascombe, elle réfléchit à la probabilité qu'une autre femme eût pris sa place dans le cœur du jeune homme. Franchement, la probabilité lui sembla bien mince. Considérant l'emploi du temps de Roger ce jour-là, son parcours de spartiate le menant de son bureau au restaurant puis encore au bureau, et enfin chez lui où, sans aucun doute, il retournerait à quelque activité professionnelle après le dîner, il était plus raisonnable de conclure qu'il lui avait préféré son ambition démesurée. Cela lui semblait être un choix stupide : elle aurait pu l'aider de bien des façons, avec intelligence et subtilité, mais elle en percevait la logique bancale et puérile. Elle était en train d'imaginer que Roger comprenait enfin ce qu'il avait si durement, si bêtement, si aveuglément rejeté et qu'elle, étonnamment, se précipitait pour le consoler de sa détresse quand elle se rendit compte qu'ils étaient arrivés. Le fiacre de Roger s'était arrêté devant sa porte d'entrée et le sien, derrière, à une distance prudente.

Roger ne sortit pas du fiacre. Quelques instants plus tard, la porte d'entrée s'ouvrit et Phillips, son valet de chambre, s'en approcha, avec un paquet volumineux enveloppé de papier noir. Il le tendit à Roger par la porte ouverte du fiacre et reçut en échange une serviette noire et deux dossiers en carton bien ficelés. Phillips transporta le tout à l'intérieur de la maison et referma la porte derrière lui. Peu après, le fiacre de Roger avança en cahotant, retournant à vive allure au cœur de la ville. Miss Temple donna un coup sur le plafond de la voiture et fut plaquée contre le dossier de son siège quand les chevaux s'élancèrent pour reprendre la filature.

L'obscurité étant maintenant complètement tombée, miss Temple devait se fier à son cocher pour savoir s'ils étaient sur la bonne route. Même quand elle se penchait à la fenêtre, la tête couverte de son capuchon pour qu'on ne la reconnût pas, elle ne réussissait qu'à entrevoir les fiacres qui précédaient le sien, sans pouvoir reconnaître avec certitude celui de Roger. Plus ils roulaient, plus ce sentiment d'incertitude grandissait alors que les premières nappes de brume nocturne s'élevant du fleuve commençaient à les atteindre. Quand ils s'arrêtèrent de nouveau, elle pouvait à peine distinguer les chevaux de sa propre voiture. Le cocher se pencha et désigna un porche haut et sombre en surplomb d'un escalier qui conduisait à une sorte de caverne, à un tunnel éclairé par des becs de gaz. En le regardant fixement, elle se rendit compte que le sol mouvant qu'elle avait d'abord pris pour un flot de rats ruisselant vers un égout n'était autre qu'une foule de gens aux vêtements sombres s'engouffrant dans les profondeurs. C'était un spectacle tout à fait digne de l'enfer : un portail d'un jaune blafard surgissant des ténèbres et conduisant à des profondeurs hideuses.

– Stropping, miss, annonça le cocher.

Et pour répondre à l'impassibilité de miss Temple, il précisa :

– La gare.

Elle eut la sensation d'une gifle, ou du moins elle éprouva la brûlure de la honte, celle que l'on devait éprouver, à son avis, lorsqu'on en recevait une. Bien sûr. C'était la gare. Un accès subit d'excitation la fit sauter hors du fiacre. Elle mit à la hâte de la monnaie dans la main du cocher et se précipita vers les lueurs du porche. La gare de Stropping. C'était exactement cela qu'elle cherchait. Roger faisait donc quelque chose *d'autre*.

Ayant perdu de précieuses secondes à rester bouche bée dans le fiacre, elle eut quelques instants de désespoir. Le tunnel débouchait sur une cage d'escalier plus vaste qui menait vers le hall principal et, au-delà, aux voies elles-mêmes, surmontées d'une voûte en ferronnerie et en briques recouvertes de suie. « Comme les forges de Vulcain. » Miss Temple sourit devant cette perspective qui s'offrait à elle, assez fière de garder l'esprit alerte. Elle eut également la présence d'esprit de monter sur le muret qui bordait les marches et d'utiliser le socle d'un lampadaire pour se hisser sur la balustrade. De là, elle se servit de ses jumelles de théâtre pour regarder au-dessus du flot de la foule, ce que sa taille seule ne lui aurait jamais permis de faire.

Il ne lui fallut que quelques instants pour localiser Roger. De nouveau, au lieu de se précipiter vers lui, elle suivit sa progression à travers le hall vers un train précis. Dès qu'il fut monté dans son wagon, elle descendit de la balustrade pour s'enquérir de la destination du train et s'acheter un billet.

Elle ne s'était jamais trouvée dans une gare d'une telle dimension – Stropping desservant en effet la totalité du réseau vers le Nord et vers l'Ouest – et encore moins à une heure de grande affluence, à la fin de la journée de travail. Pour miss Temple, cela revenait à être plongée dans une fourmilière. D'ordinaire, sa petite taille et sa constitution frêle passaient inaperçues, on les considérait comme normales tout en leur trouvant rarement d'usage particulier, un peu comme la réticence à manger des anguilles. À la gare de Stropping, cependant, bien qu'elle sût où elle se dirigeait, vers le grand tableau des quais et des destinations, miss Temple se sentit poussée par la cohue, à son corps défendant, la vue qu'elle avait depuis l'intérieur de son capuchon étant bouchée par une nuée de coudes et de gilets. La seule image qui lui vint à l'esprit fut celle de nager à contre-courant d'une marée puissante et aveugle.

Elle leva les yeux et trouva des repères sous la voûte, des constellations métalliques, qui lui permirent d'évaluer sa progression, de savoir la direction qu'elle prenait, et ainsi de localiser le kiosque qu'elle avait remarqué depuis les escaliers. Elle se fraya un chemin et se lança dans une autre direction, en essayant de calculer le degré de dérivation qui lui permettrait d'atteindre un autre socle de lampadaire pour pouvoir grimper assez haut et voir le tableau d'affichage.

Quand elle l'eut atteint, miss Temple commença à s'inquiéter de l'heure. Autour d'elle, en raison des très nombreux quais, des sifflets signalaient avec ardeur les arrivées et les départs ; elle n'avait pas la moindre idée, dans son périple quasi souterrain, de l'heure ni si le train de Roger avait déjà quitté la gare. En levant les yeux vers le tableau, elle fut heureuse de constater que les informations y apparaissaient de façon rationnelle, en colonnes indiquant le numéro du train, la destination, l'heure et le quai. Le train de Roger, au quai numéro 12, partait à 18 h 23 pour Orange Canal. Elle tendit le cou pour apercevoir l'horloge centrale, une autre de ces choses affreuses avec des anges entourant l'énorme cadran, comme s'ils le retenaient de leurs ailes, regardant impassiblement vers le bas, l'un tenant une balance et l'autre brandissant une épée. Entre ces deux spectres du jugement, sculptés dans du métal sombre, miss Temple vit avec effroi qu'il était 18 h 17.

Elle se rua du socle du lampadaire vers le guichet, en s'enfonçant résolument dans une mer de manteaux. Elle réapparut, deux minutes plus tard, au bout d'une file d'attente et, une minute après, elle avait atteint le guichet. En guise de destination, elle donna le terminus de la ligne et demanda un aller-retour.

Sur le marchepied de la dernière voiture, un contrôleur levait sa lanterne, prêt à monter. Il était 18 h 22. Elle lui sourit avec autant d'amabilité que sa respiration haletante le lui permettait et s'engouffra dans le wagon. À peine eut-elle atteint le haut du marchepied que le train s'ébranla brusquement, lui faisant presque perdre l'équilibre. Elle projeta ses bras contre le mur pour rester debout et entendit un éclat de rire dans son dos. Le contrôleur, hilare, se tenait, sur la première marche, dans l'embrasure de la porte, tandis que le quai défilait derrière lui. Miss Temple n'avait pas du tout l'habitude que l'on rie à ses dépens mais, entre sa mission, son déguisement et son manque de souffle, elle fut incapable de trouver une répartie adéquate. Aussi, au lieu de rester là bouche bée comme un poisson, elle se contenta de se diriger vers le couloir pour trouver un compartiment.

Le premier était vide, elle ouvrit donc la porte vitrée et s'assit sur le siège du milieu, dans le sens de la marche. À sa droite s'ouvrait une grande fenêtre. Tandis qu'elle retrouvait son calme, la dernière vision fugitive de la gare de Stropping, le quai, les trains alignés, la voûte en brique de la caverne s'évanouirent, avalés par l'obscurité du tunnel.

Le compartiment était tapissé de bois sombre et les banquettes à trois places, de chaque côté, étaient recouvertes d'un velours rouge relativement luxueux. Un globe de verre d'un blanc laiteux diffusait une lueur blafarde mais suffisante pour renvoyer le reflet de miss Temple dans la vitre de la fenêtre sombre. Son premier réflexe avait été d'ôter sa cape pour pouvoir respirer plus à l'aise. Bien qu'elle fût en sueur, un peu confuse et qu'elle ne sût pas exactement où elle allait, elle en savait cependant assez pour pouvoir s'asseoir et rester tranquille jusqu'à ce que ses idées s'éclaircissent.

Orange Canal se situait à quelque distance de la ville, près de la côte, avec Dieu sait combien d'arrêts entre les deux, chacun d'entre eux pouvant être la destination de Roger. Elle ignorait qui d'autre voyageait dans ce train, si on la connaissait, si quelqu'un connaissait Roger – et même si Roger s'acheminait vers une véritable destination. Et s'il s'agissait pour lui d'un simple rendez-vous dans le train ? Dans tous les cas, il fallait absolument le trouver. Dès que le contrôleur aurait poinçonné son billet, elle commencerait ses recherches.

Le contrôleur ne se présenta pas. Cela faisait déjà quelques minutes qu'elle l'avait rencontré et il n'était qu'à quelques pas. Elle ne se souvenait pas l'avoir vu passer, peut-être l'avait-il fait quand elle était en train de s'installer, et elle sentit sa colère monter, le petit rire aigu de cet homme le lui ayant fait détester. Elle se rendit dans le couloir. Personne. Elle commença à avancer avec précaution : ce qu'elle souhaitait éviter à tout prix, bien que dissimulée sous sa cape, c'était de tomber sur Roger à l'improviste. Elle se glissa jusqu'au compartiment suivant et, en tournant la tête, elle s'efforça de jeter un coup d'œil à l'intérieur. Là encore, personne. Le wagon comprenait huit compartiments, tous déserts.

Le train avançait dans un vacarme de ferraille, toujours dans l'obscurité. Debout dans l'embrasure de la porte qui menait au wagon suivant, miss Temple essaya de voir au travers de la vitre. Il ressemblait exactement à celui où elle se trouvait. Elle franchit la porte et, de nouveau, trouva huit compartiments vides. Elle entra dans le wagon suivant sans rencontrer âme qui vive. Les trois wagons de queue étaient inoccupés. Certes, cela expliquait l'absence du contrôleur, mais il devait bien se douter qu'elle voyageait dans le dernier wagon et il aurait pu avoir la courtoisie de venir poinçonner son billet. Peut-être simplement s'attendait-il à ce qu'elle réagisse comme elle le faisait à présent, c'est-à-dire avancer vers l'endroit où elle aurait dû se trouver dès le début si elle n'avait pas été aussi en retard. Il y avait peut-être quelque chose qu'elle ignorait au sujet des wagons de queue ou une consigne particulière pour les autres voyageurs ou pour ce voyage, ce qui pouvait expliquer le ricanement du contrôleur ? Peut-être les autres étaient-ils en groupe ? Peut-être ne s'agissait-il pas d'un voyage, mais d'une excursion ?

Elle se mit à détester le contrôleur pour sa prétention autant que pour sa grossièreté et elle avança dans le couloir pour le trouver. Encore un wagon vide, le quatrième, et miss Temple s'arrêta à la porte du cinquième pour se souvenir exactement du nombre de wagons qu'elle avait parcourus, mais elle n'en eut aucune idée; et du nombre normal, pas plus; ou de ce qu'elle pourrait dire au contrôleur quand elle le croiserait, pour ne pas lui révéler son ignorance. Il ne lui venait rien en tête pour le moment. Tandis qu'elle était là, debout, à méditer, le train freina.

Elle se précipita dans le compartiment le plus proche et ouvrit grand la fenêtre.

Le quai était désert, nul ne monta dans le train, nul n'en descendit. Plongée dans l'obscurité, la gare semblait fermée. Un panneau indiquait «Crampton Place».

Un coup de sifflet retentit, projetant miss Temple en arrière, sur la banquette, et le convoi s'ébranla.

Le train prenant de la vitesse, un courant d'air froid entra par la fenêtre; miss Temple la referma. Elle n'avait jamais entendu parler de Crampton Place et elle se réjouissait maintenant de ne pas avoir à s'y rendre, car l'endroit lui était apparu aussi désolé qu'une steppe sibérienne. Elle aurait aimé qu'il y eût une carte de cette ligne ferroviaire, une liste des arrêts. Sans doute pourrait-elle les obtenir auprès du contrôleur, ou au moins il pourrait lui indiquer une liste qu'elle noterait dans son calepin. Comme elle y pensait, elle sortit son calepin et, en humectant la mine de son crayon, elle nota «Crampton Place» d'une écriture ronde et volontaire. N'ayant rien à ajouter, elle le remit à sa place et retourna dans le couloir puis, avec un soupir résolu, elle s'aventura dans le cinquième wagon.

À l'odeur, elle sut tout de suite qu'il ne ressemblait pas à ceux qu'elle avait traversés. Tandis que le couloir des autres wagons était imprégné d'effluves industrielles, de mélanges de fumée, de graisse, de lessive et d'eau sale, le couloir du cinquième sentait la fleur de frangipanier, un parfum enivrant pour elle qui avait connu cette plante dans son pays natal. Dans un accès d'enthousiasme, miss Temple se glissa dans le premier compartiment et se pencha lentement pour en voir l'intérieur. Les sièges du fond étaient occupés par deux hommes en pardessus noirs; entre eux riait une femme vêtue d'une robe jaune. Les hommes, qui fumaient le cigare, portaient une barbe soignée et taillée en pointe. Avec leur visage rond et rougeaud, on aurait dit deux spécimens de la même race de chien, râblés et robustes. La femme portait un masque en plumes de paon qui dépassaient du haut de sa tête, ne laissant percer que les pierres étincelantes de ses yeux. Le fard carmin de ses lèvres soulignait son sourire. Tous trois regardaient quelqu'un d'autre sur la banquette d'en face, sans remarquer la présence de miss Temple.

Elle se déroba à leur vue et, avec le sentiment de revenir à l'enfance mais sans savoir ce qu'elle pouvait faire d'autre, elle se mit à quatre pattes et passa, en ayant soin de bien rester en dessous de la vitre de la porte. Une fois de l'autre côté, elle se releva et se retourna pour voir qui était cette quatrième personne. Et se figea. Roger Bascombe se tenait en face d'elle.

Il ne regardait pas dans sa direction. Il portait une cape noire, fermée au cou, et fumait un fin cigare coupé; ses cheveux châtains et pommadés s'aplatissaient sur son crâne. Sa main droite était gantée de cuir noir et la gauche, qui tenait le cigare, était nue. En y regardant à deux fois, miss Temple se rendit compte que la main droite gantée tenait le gant gauche. Elle vit également que Roger ne riait pas, que son visage était résolument dépourvu d'expression, attitude qu'elle lui avait déjà vu adopter en présence du ministre, du vice-ministre, de sa mère ou de son oncle lord Tarr, c'est-à-dire devant ceux à qui il devait le respect.

Assise du côté de la fenêtre, le siège entre eux étant inoccupé, se trouvait une autre femme, vêtue d'une robe rouge qui brillait comme du feu sous une cape noire à col de fourrure. Miss Temple observa les chevilles pâles de la femme et sa gorge délicate comme une braise blanchie sous la robe de flammes, qui apparaissaient et disparaissaient quand elle bougeait sur son siège. Sa bouche carminée arborait un sourire à la fois provocant et désabusé et elle tirait sur un long fume-cigarette de laque noire. Elle aussi portait un masque. Il était en cuir rouge et les clous d'argent qui formaient les sourcils dessinaient, à la pointe externe de l'œil, une larme brillante prête à tomber. C'est elle qui visiblement avait provoqué l'hilarité des autres. La femme envoya à dessein une grande bouffée de fumée en direction des sièges opposés. Comme si ce geste venait conclure son trait d'esprit, les autres éclatèrent de rire encore une fois, tout en agitant leurs mains pour éloigner la fumée de leur visage.

Miss Temple s'éloigna de la vitre et plaqua son dos à la paroi du wagon. Elle ne savait plus quoi faire. Elle aperçut un autre compartiment à sa droite. Elle y risqua un coup d'œil : les sièges du fond étaient occupés par trois femmes, toutes trois drapées dans des capes de voyage qui recouvraient, à en juger d'après leurs souliers, d'élégantes tenues de soirée. Deux d'entre elles portaient des masques de plumes d'autruche, tandis que la dernière, visage découvert, tenait le sien sur ses genoux, s'acharnant sur une attache récalcitrante. Miss Temple s'enfonça un peu plus dans son capuchon et tendit le cou. Sur l'autre banquette, étaient assis deux hommes, l'un en queue-de-pie, l'autre dans un lourd manteau de fourrure qui faisait penser à un ours. Tous deux portaient un simple masque noir. L'homme en queue-de-pie sirotait une flasque d'argent, tandis que l'homme à la fourrure tapotait du bout des doigts le pommeau serti de perles de sa canne en ébène. Miss Temple se recula en arrière. L'homme en queue-de-pie regarda en direction du couloir. Elle fila à toute allure en passant devant le compartiment de Roger, à la vue de tous, et franchit la porte qui menait au wagon précédent.

Elle ferma la porte derrière elle et s'accroupit sur le plancher. D'interminables secondes s'écoulèrent. Personne ne vint. Personne ne se lança à sa poursuite ou ne la suivit par simple curiosité. Elle se détendit, prit une bonne respiration et se mit vivement à la tâche. Elle sentait qu'elle avait perdu pied, qu'elle s'égarait dans un univers inconnu mais, à vrai dire, qu'avait-elle découvert qui pût le lui confirmer?

Bien qu'assaillie de sinistres pensées, elle n'avait véritablement appris qu'une chose: que Roger participait, sans plaisir apparent, avec la mine de quelqu'un qui se conforme de toute évidence à une obligation, à une fête d'un certain type où les invités étaient masqués. Était-ce là chose si étrange? Même dans ce cas, elle savait qu'elle ne devait pas en tenir compte, car tant de choses lui semblaient si étranges, vues de sa petite vie bien à l'abri des soucis, que son jugement ne pouvait être objectif. Si elle avait passé toute une saison en société, elle aurait sans doute considéré ce divertissement comme habituel, ou au moins comme quelque chose de connu. De plus, elle repensa au fait que Roger n'était pas assis *à côté* de la femme en rouge, mais à bonne distance d'elle, en fait à bonne distance de tous. Était-ce la première fois qu'il se trouvait en leur compagnie? Qui pouvait bien être cette femme? L'autre, celle qui portait la robe jaune et le masque en plumes de paon l'intéressait beaucoup moins, tout simplement parce qu'elle s'était montrée si vulgairement réceptive au trait d'esprit de la plus élégante.

De toute évidence, les hommes ne se souciaient pas de cacher leur identité, ils devaient tous se connaître et voyager en groupe. Dans l'autre compartiment, où tous étaient masqués, ce n'était peut-être pas le cas. Ou peut-être se connaissaient-ils en effet mais à leur insu, à cause des masques, tout le plaisir de la soirée consistant à identifier autrui tout en restant caché. Il sembla tout à coup à miss Temple que tout cela pouvait en effet être très amusant, même si elle savait que sa propre robe, parfaite pour le jour, n'était pas du tout ce qu'il fallait porter pour ce genre de soirée et que sa cape et son capuchon, qui lui permettaient de ne pas être reconnue pour le moment, n'avaient rien à voir avec les véritables masques de fête que les autres portaient.

Ses pensées furent interrompues par un bruit métallique. Elle jeta un coup d'œil et elle vit l'homme à la fourrure, très imposant une fois debout et occupant presque tout l'espace du couloir de sa large carrure, qui sortait du compartiment de Roger et fermait la porte derrière lui. Sans un regard dans sa direction, il retourna d'où il venait.

Elle soupira et relâcha une tension dont elle n'avait même pas eu conscience. Il ne l'avait pas vue. Il avait simplement rendu visite aux occupants de l'autre compartiment. Il doit connaître cette femme, conclut-elle, même s'il était évident qu'il avait pu aller dans l'autre compartiment pour parler à l'un ou l'autre de ses occupants, y compris à Roger. Roger rencontrait tant de gens influents dans une seule journée, des membres du gouvernement, des personnalités du milieu des affaires, des étrangers également, et elle mesura avec consternation à quel point son propre cercle de relation était minuscule. Elle en savait si peu sur le monde, si peu sur la vie, et elle était là tapie au fond d'un compartiment, dans un train vide, si petite, si ridicule... Et alors que miss Temple se mordait les lèvres, le train, de nouveau, s'arrêta.

Encore une fois, elle se précipita à la fenêtre et, encore une fois, elle vit un quai désert, une gare fermée et sombre. Sur le panneau, on pouvait lire « Packington », encore un lieu dont elle n'avait jamais entendu parler, mais elle prit quand même un moment pour le noter dans son calepin. Quand le train se remit en mouvement, elle ferma la fenêtre. Quand elle se retourna, le contrôleur se tenait dans l'embrasure de la porte. Il souriait.

– Votre billet, miss ?

Elle pêcha son billet dans les plis de sa cape et le lui tendit. Il le prit et inclina la tête pour examiner la destination, toujours en souriant. De l'autre main, il tenait une drôle de pince métallique. Il leva les yeux.

– Alors, vous allez jusqu'à Orange Canal ?

– Oui. Combien d'arrêts y a-t-il encore ?

– Pas mal.

Elle lui rendit un léger sourire.

– Combien exactement s'il vous plaît ?

– Sept. Cela prendra presque deux heures.

– Merci.

La pince troua le billet avec un bruit de morsure d'insecte métallique. L'homme le lui rendit, mais ne bougea pas pour autant. Miss Temple rajusta sa cape d'un geste théâtral et le défia du regard, réclamant le compartiment pour elle seule. Le contrôleur la regarda, jeta un œil vers l'avant du train et se passa la langue sur les lèvres. À cet instant, elle remarqua l'allure porcine de son cou massif, boudiné dans le col étroit de sa veste bleue. Son regard se reposa sur elle et les doigts de ses mains firent un geste nerveux, des doigts dodus et pâles comme des saucisses crues. Devant cet étalage de maladresse, son mépris fit place à une simple indifférence, elle ne voulait plus le blesser, elle voulait seulement qu'il s'en aille. Mais il ne bougeait pas. Il se pencha plutôt vers elle, avec une expression hésitante.

– Vous ne voyagez pas avec les autres, n'est-ce pas ?

– Comme vous pouvez le voir, non, je ne voyage pas avec les autres.

– C'est quelquefois dangereux, pour une jeune demoiselle seule…, dit-il sans terminer sa phrase et en souriant.

Le sourire accroché aux lèvres, il tripota sa poinçonneuse, son regard glissant en direction de ses mollets bien faits. Elle soupira.

– Dangereux pourquoi ?

Pas de réponse.

Avant même qu'il ait pu tenter un geste quelconque, paume en avant, miss Temple l'arrêta d'un geste de la main qui ne souffrait aucune réplique, et elle lui posa une autre question.

– *Savez*-vous où ils… où *nous* allons tous ?

Le contrôleur recula comme si on l'avait mordu, comme si elle avait proféré une menace pour sa vie. Il battit en retraite dans le couloir, toucha sa casquette et tourna les talons brusquement pour se hâter vers l'avant du train. Miss Temple resta sur son siège. Que venait-il de se passer ? L'homme avait interprété sa question comme une menace. Il doit savoir, en déduisit-elle, ce train doit être réservé aux gens riches et influents, en tout cas il doit en savoir assez pour qu'un mot de leurs invités puisse lui coûter son poste. Cette petite conversation ne lui avait pas déplu, finalement. Et elle sourit, à la pensée de ce qu'elle venait d'apprendre, même si ce n'était pas vraiment une surprise. Que Roger participât à tout cela dans un rôle subalterne ne faisait que renforcer la possibilité que des membres importants du gouvernement puissent être présents.

Une sorte de nervosité latente avertit miss Temple qu'elle était vraiment en train de se mettre en colère. Elle extirpa de sa poche le petit pain à la saucisse.

Dans l'heure qui suivit, il y eut cinq autres arrêts, Gorsemont, De Conque, Raaxfall, St-Triste et St-Porte, autant de noms qu'elle nota dans son calepin avec la description de ses compagnons de voyage. Chaque fois qu'elle avait regardé par la fenêtre, elle avait aperçu les quais déserts et les gares fermées, personne n'était monté ou descendu du train. Chaque fois, elle avait senti l'air se rafraîchir progressivement, jusqu'à St-Porte où il lui sembla qu'il devenait carrément glacial, charriant avec lui l'odeur forte de la mer ou des grands marais salants dont elle connaissait l'existence dans cette région du pays. Le brouillard avait disparu, mais n'avait laissé filtrer qu'un mince filet de lune et la nuit était restée d'encre.

Chaque fois que le train était reparti, miss Temple s'était glissée dans le couloir et avait regardé attentivement dans le cinquième wagon, juste pour vérifier s'il s'y passait quelque chose. Une fois, elle avait distingué une silhouette qui entrait dans l'un des compartiments de tête. Impossible de savoir qui, car toutes les capes noires se ressemblaient. Puis, plus rien.

L'ennui commença à la tenailler, au point qu'elle voulut retourner à l'avant du train et jeter encore une fois un coup d'œil dans le compartiment de Roger. Elle savait qu'il s'agissait là d'une idée stupide à laquelle elle avait pensé uniquement parce qu'elle était nerveuse et qu'il y avait des moments comme ça dans la vie, où l'on commet les erreurs les plus monumentales. Tout ce qu'elle avait à faire, c'était prendre son mal en patience encore quelques minutes, puis tout s'éclaircirait. Sa main se trouvait à peine sur la poignée qui menait au cinquième wagon lorsque le train freina.

Elle la lâcha précipitamment, surprise de constater qu'au fond du couloir, les portes des compartiments s'ouvraient. Miss Temple s'esquiva dans son compartiment et ouvrit grand la fenêtre.

Le quai était plein de fiacres qui attendaient et, derrière, les fenêtres de la gare étaient éclairées. Comme elle lisait le nom inscrit sur le panneau, Orange Canal, elle vit des voyageurs descendre du train et passer juste à côté d'elle. Sans fermer la fenêtre, elle s'élança dans le couloir, des voyageurs sortaient par une porte, à l'autre bout du wagon, et la dernière personne, un homme en uniforme bleu, l'avait presque atteinte. Avalant sa salive nerveusement, des papillons dans l'estomac, miss Temple sortit de son compartiment, et, tout en prenant beaucoup de précautions, elle emprunta le couloir à pas feutrés en vérifiant chaque compartiment au passage. Tous vides. Les invités de la fête de Roger étaient partis les premiers, tout comme l'homme au manteau de fourrure.

Le contrôleur en uniforme bleu n'était pas en vue non plus. Miss Temple avait repris son allure normale et atteint l'autre extrémité du wagon où une porte et quelques marches menaient hors du train. Les derniers voyageurs, à quelques mètres d'elle, se dirigeaient vers les fiacres. De nouveau, elle hésita. Si elle restait dans le train, elle pourrait continuer le voyage jusqu'au terminus et effectuerait sans encombre le trajet du retour. Si elle descendait, comme elle n'avait aucune idée de l'horaire, que se passerait-il si la gare d'Orange Canal fermait comme les cinq autres? En même temps, la poursuite l'exaltait.

Comme pour la décider, le train se mit en branle. Sans réfléchir, miss Temple sauta et se retrouva sur le quai où elle trébucha avec un petit cri rauque. Quand elle put se rattraper et regarder derrière elle, le train repartait déjà à vive allure. À la porte du dernier wagon se tenait le contrôleur, l'air glacial; il tendait sa lanterne dans sa direction, comme on brandit un crucifix devant un vampire.

Le train était parti et le grondement de son passage s'estompa dans le brouhaha des conversations, les tintements, les claquements des fouets et le tapage des voyageurs montant dans les fiacres qui les attendaient. Des fiacres pleins s'en allaient déjà et miss Temple devait se décider sur-le-champ. Roger n'était nulle part, pas plus que les autres voyageurs de son compartiment. Ceux qui restaient portaient de lourds manteaux, des capes ou des fourrures, presque autant d'hommes que de femmes, peut-être une vingtaine en tout.

Un groupe d'hommes se répartit dans deux fiacres, puis des hommes et des femmes s'entassèrent dans deux autres. Il ne restait qu'un seul fiacre. Trois femmes, dissimulées par des capes et des masques, s'en approchaient. Miss Temple redressa les épaules, ramena un peu plus son capuchon sur son visage et se mit en marche pour se joindre à elles.

Elle put atteindre le fiacre avant qu'elles ne fussent toutes montées. Quand la troisième femme fut à l'intérieur et qu'elle se retourna pour refermer la porte, elle aperçut miss Temple, petite silhouette noire encapuchonnée qu'elle était désormais, elle s'excusa et prit place un peu plus loin sur la banquette du fiacre. Miss Temple répondit par un signe de tête, grimpa à son tour et, se serrant sur le siège, elle ferma la porte derrière elle. À ce signal, le cocher laissa le temps à sa dernière passagère de s'asseoir, puis il fit claquer son fouet et le fiacre s'ébranla. Avec son capuchon rabaissé, miss Temple avait du mal à distinguer les visages des autres passagères et encore plus à voir ce qui défilait à la fenêtre mais, de toute façon, si elle avait pu voir quelque chose, elle aurait été bien en peine de l'interpréter.

D'abord, les autres femmes gardèrent le silence et elle supposa que c'était en raison de sa présence. Les voyageuses assises en face d'elle portaient toutes deux un masque de plumes et une cape de velours sombre ; quant à sa voisine de gauche, elle arborait un luxueux col de plumes noires. Alors qu'elles s'installaient dans le fiacre, sa voisine de droite ouvrit sa cape et commença à s'éventer, comme si elle souffrait de la chaleur après un effort, découvrant une robe ajustée, taillée dans une soie chatoyante et qui ressemblait vraiment à la peau d'un reptile. Tandis que son éventail voletait dans l'obscurité comme un oiseau de nuit tenu en laisse, le fiacre se remplit d'une odeur sucrée de jasmin. La voisine de miss Temple, celle qui l'avait précédée pour monter, portait une sorte de tricorne négligemment épinglé à ses cheveux, comme celui d'un pirate. Son châle était simple mais sans doute très chaud, tricoté dans une laine noire. Comme il n'était pas vraiment somptueux, miss Temple se permit d'espérer que sa mise ne serait pas tout à fait déplacée, au moins tant qu'elle continuerait à se cacher. Elle était sûre que ses bottines d'un vert espiègle, si on les apercevait, ne la trahiraient pas.

Elles roulèrent un moment en silence, mais miss Temple comprit très vite que ces femmes étaient tout aussi excitées et impatientes qu'elle, sans partager pour autant son inquiétude. Peu à peu, elles commencèrent à faire entre elles de petits commentaires afin de lier connaissance, d'abord sur le train, puis sur le fiacre ou sur les vêtements des unes et des autres et enfin, à demi-mot, sur leur destination. Pour commencer, elles ne s'adressèrent pas à miss Temple ni d'ailleurs à personne en particulier, elles parlaient à la cantonade et répondaient sur le même mode. C'était comme si elles ne devaient à aucun prix parler de leur soirée, qu'elles ne pouvaient le faire que progressivement, chacune d'entre elles faisant clairement sous-entendre qu'elle serait d'accord pour enfreindre la règle. Bien entendu, miss Temple était tout à fait d'accord, mais elle n'avait rien à dire. La femme pirate et la femme vêtue de soie échangèrent des compliments sur leurs tenues et approuvèrent le choix du masque de la troisième. Elles se tournèrent ensuite vers elle. Jusqu'ici, elle n'avait rien dit, ou à peine hoché la tête une fois ou deux en signe d'assentiment, mais elle sentait maintenant qu'elles étaient en train de l'examiner de très près. Alors elle prit la parole.

– J'espère avoir choisi les bonnes chaussures pour une soirée aussi froide.

Elle allongea les jambes, souleva sa cape, et exhiba ses bottines en cuir vert, au laçage compliqué. Les trois autres se penchèrent pour les examiner, et la femme pirate qui se trouvait à côté d'elle lui confia :

– C'est tout à fait ce qu'il vous faut parce qu'il va faire froid, j'en suis sûre.

– Et votre robe est verte aussi, avec des fleurs, remarqua la femme au col de plumes dont le regard était passé des souliers au pan de la robe qui dépassait de la cape.

La femme vêtue de soie émit un petit rire.

– Vous vous êtes déguisée en jeune provinciale !

Les autres s'esclaffèrent à leur tour et, encouragée de la sorte, elle poursuivit.

– En une de ces petites bonnes femmes qui préfèrent les romans à la vie et les sachets de fleurs séchées à ses jardins. Nous voici toutes bien déguisées !

Miss Temple, qui n'appréciait pas de se faire qualifier de petite provinciale, eut un peu de mal à avaler ça. En outre, elle était tout à fait convaincue que les gens qui dénigrent les romans sont les premiers à les dévorer. Dans sa situation, bien qu'offensée, elle ne pouvait tout de même pas se ruer de l'autre côté du fiacre pour tirer l'oreille délicate de la harpie qui s'y trouvait. Elle s'obligea à sourire et, ce faisant, elle sut qu'elle devrait sacrifier sa fierté à ce qu'elle avait entrepris et accepter le plus important : le mépris de cette femme venait de lui trouver un costume, un rôle à jouer. Elle s'éclaircit la voix et reprit.

— Parmi toutes ces dames qui rivalisent d'élégance, je me suis dit que ce genre de costume serait d'autant plus remarqué.

La femme pirate qui se trouvait à ses côtés pouffa de rire. Le sourire de la femme en soie était un peu plus figé et sa voix plus froide. Elle dévisagea miss Temple, cachée dans l'ombre de son capuchon.

— Et comment est votre masque, je ne le vois pas...

— Ah non ?

— Non. Il est vert aussi ? Il ne peut pas être bien recherché s'il tient sous ce capuchon.

— C'est vrai, il est très simple.

— Mais nous ne pouvons pas le voir.

— Ah non ?

— Et nous aimerions bien le voir.

— Mon idée était de le rendre encore plus mystérieux en étant très simple.

Pour toute réponse, la femme en soie se pencha comme si elle voulait mettre son visage directement dans le capuchon de miss Temple qui instinctivement se recroquevilla en arrière. La situation devenait vraiment intenable et miss Temple ne savait plus très bien où résidait vraiment la maladresse, dans son refus à elle ou dans l'insistance grossière de cette femme. Les deux autres se taisaient, elles se regardaient, mais leurs masques cachaient toute expression. En une seconde, la femme pouvait s'approcher suffisamment pour l'examiner ou lui retirer son capuchon : il fallait l'arrêter tout de suite. Et là, ce qui lui facilita la tâche, ce fut cet éclair de certitude : ces femmes n'avaient sans doute jamais vécu dans une maison où les punitions cruelles étaient quotidiennes. Sans hésiter, miss Temple pointa deux doigts de sa main droite et les enfonça dans les trous du masque à plumes, directement dans les yeux de la femme.

Surprise, la femme en soie recula sur son siège, en crachotant comme une bouilloire trop pleine. Elle poussa quelques soupirs plaintifs, enleva son masque et plaqua les mains sur ses yeux afin d'apaiser la douleur dans l'obscurité. Miss Temple l'avait à peine touchée et elle savait bien qu'elle ne lui avait pas fait grand mal, ce n'était pas comme si elle s'était servie de ses ongles. La femme en soie releva son regard vers elle, les yeux rouges et ruisselants de larmes, la bouche tirée par l'indignation, prête à frapper. Les deux autres femmes regardaient la scène, muettes de stupeur. Miss Temple savait qu'elle devait conserver l'avantage. Alors elle se mit à rire.

Puis elle tira un mouchoir parfumé et le tendit à sa victime en lui disant de sa voix la plus charmante, comme si elle voulait consoler un chaton :

– Oh! ma chère... excusez-moi... veuillez me pardonner d'avoir protégé la... *chasteté* de mon déguisement!

La femme n'ayant pas pris le mouchoir, miss Temple se pencha et, avec autant de douceur qu'elle le put, elle sécha ses larmes en lui tamponnant les yeux lentement, puis elle lui laissa le mouchoir entre les mains. Elle se renfonça dans son siège. Quelques minutes plus tard, la femme se tamponna elle-même le visage, puis la bouche et le nez et, en lançant aux autres un regard morose, elle remit son masque. Toutes se taisaient.

Le bruit des sabots venait de changer et miss Temple jeta un coup d'œil à l'extérieur. Le fiacre roulait sur une espèce de chemin pavé. La campagne alentour était plate et sans attrait particulier, on y distinguait peut-être un champ ou un marais. Elle ne voyait pas d'arbres mais, avec l'obscurité, elle n'aurait sans doute pas pu les voir. S'il y en avait eu un jour, ils avaient dû être coupés pour nourrir des feux oubliés depuis longtemps. Elle se tourna vers ses compagnes qui semblaient plongées dans leurs pensées. Elle regrettait d'avoir gâché la conversation et elle ne voyait pas comment arranger les choses. Elle pensa qu'il fallait quand même essayer de se faire pardonner et elle tenta de donner à sa voix une note claire.

– Je suis sûre que nous sommes sur le point d'arriver.

Les autres opinèrent, la femme pirate allant jusqu'à sourire, mais personne ne pipa mot. Miss Temple ne se laissa pas abattre.

– Nous sommes arrivées sur les pavés.

Comme elles l'avaient fait plus tôt, les trois femmes opinèrent de la tête, la femme pirate sourit, mais elles ne prononcèrent toujours pas l'ombre d'une phrase. Le silence s'installa, chacune s'enfonça plus profondément dans ses pensées, un sentiment de solitude les avait subitement envahies. À l'excitation précédant la soirée avait désormais fait place une sorte de rumination inquiète, cette agitation particulière, lancinante et profonde, qui mène à la cruauté de la nuit. Miss Temple n'était pas à l'abri de sombrer elle-même dans un tel état d'esprit, elle qui avait aussi bien des choses à ruminer. Rattrapée par la dure réalité : elle ne savait absolument pas ce qu'elle faisait, où elle allait ni comment elle pourrait rentrer, et, surtout, elle ne savait pas du tout à quoi elle devait s'attendre. La pierre de touche qui assurait la stabilité de ses pensées avait disparu. Même ses petites victoires, quand elle avait fait peur au contrôleur ou qu'elle l'avait emporté sur la femme en soie lui paraissaient lointaines et tout à fait futiles. Elle venait juste de se poser la question suivante, plutôt déprimante : « ce genre de satisfaction est-il toujours en conflit avec le désir ? » quand elle se rendit compte que la femme qui portait la cape à plumes parlait doucement, calmement, comme si elle répondait à une question qu'elle seule avait entendue.

– Je suis déjà venue ici. C'était l'été. Il faisait clair dans le fiacre... Oui, tard dans la soirée, il faisait encore clair. Il y avait des fleurs sauvages. Il faisait froid, le vent est toujours froid par ici, parce qu'on est près de la mer, et le paysage est si plat. C'est ce qu'ils m'ont dit... Parce que j'avais froid... même en été. Lorsque nous avons atteint la route pavée, je m'en souviens parce que le mouvement de la voiture avait changé, le rebond, le rythme... j'étais dans le fiacre avec deux hommes... Je leur avais donné la permission de déboutonner ma robe. On m'avait dit à quoi m'attendre... On m'avait promis cela et davantage encore... et cependant, quand c'est arrivé, quand leurs promesses ont commencé à devenir réalité... dans un lieu aussi reculé... tout mon corps en a eu la chair de poule.

Elle se tut, releva les yeux et croisa le regard des autres. Elle se blottit dans sa cape et regarda par la fenêtre en souriant timidement.

– Et me revoilà... Vous voyez, cela m'a donné un tel choc.

Personne ne dit mot. Le bruit sec des sabots avait encore changé, le fiacre roulait sur des pavés inégaux. Miss Temple regarda par la fenêtre. Le fiacre pénétrait dans une cour, par une grille en fer forgé aussi haute que large. Le fiacre ralentit. D'autres s'étaient déjà arrêtés alentour, leurs passagers en descendaient en désordre, ajustant leurs capes, mettant leurs chapeaux, frappant le pavé de leurs cannes avec impatience.

Elle jeta un premier regard vers la demeure elle-même : superbe, en pierres, à trois étages et sans décorations superflues à l'exception de larges fenêtres d'où ruisselait une accueillante lumière dorée. De l'ensemble se dégageait une impression de simplicité qui, à une telle échelle, témoignait d'une rudesse sûre d'elle-même, un peu comme une prison, un arsenal ou un temple païen. Elle sut qu'il s'agissait de la demeure d'un lord.

Leur fiacre s'arrêta et, comme elle avait été la dernière à y monter, miss Temple fut la première à le quitter. Elle ouvrit la portière et accepta la large main du cocher qui l'aida à descendre. Au fond de la cour, à l'entrée, des domestiques encadraient une double porte largement ouverte où s'engouffrait un flot d'invités. La splendeur massive des lieux la stupéfia et elle fut une fois de plus assaillie par le doute : si elle entrait, il faudrait bien qu'elle enlevât sa cape et son capuchon et qu'elle se montrât.

Elle cherchait une solution tandis que des yeux elle scrutait la foule pour apercevoir Roger. Il devait déjà être à l'intérieur.

Ses trois compagnes étaient toutes descendues du fiacre et se dirigeaient vers les portes. La femme pirate s'arrêta un moment, elle se retourna pour voir si miss Temple était là et celle-ci, se décidant en un éclair, lui fit une petite révérence pour leur signifier de ne pas l'attendre. La femme pirate se redressa, puis hocha la tête et se retourna pour suivre les deux autres. Miss Temple resta seule.

Elle se demanda s'il y avait d'autres portes qui menaient à l'intérieur de la maison, mais elle comprit que son seul espoir, si elle voulait vraiment découvrir ce que faisait Roger et ce qui l'avait amené à l'abandonner, était de se présenter à l'entrée. Elle lutta contre l'envie irrésistible de courir se cacher dans le fiacre, puis contre celle de tout interrompre, le temps de noter dans son calepin ce qu'elle venait de vivre. Si elle devait entrer, autant choisir le bon moment. Elle força donc ses jambes à la porter avec une assurance que son cœur, qui battait à tout rompre, ne partageait pas. Comme elle s'approchait, elle passa entre les fiacres ; les palefreniers dirigeaient les cochers vers l'autre extrémité de la cour et elle dut les éviter de justesse à plusieurs reprises.

Elle eut finalement la voie libre, les derniers des invités, peut-être ses trois compagnes, venaient juste de quitter le perron et étaient désormais hors d'atteinte de son regard. Miss Temple baissa la tête, laissa flotter plus d'ombre sur son visage et grimpa les marches entre deux rangées de valets de pied dont elle remarqua la livrée et les grandes bottes noires : on eût dit un escadron de cavalerie sans monture. Elle marchait avec précaution, en soulevant sa cape et sa robe pour monter les escaliers sans tomber, tout en prenant soin de ne pas avoir la vulgarité de montrer ses chevilles. En haut du perron, elle aperçut un sol de marbre clair d'où partaient de longs couloirs tapissés de miroirs et éclairés au gaz de chaque côté.

– Je pense que vous êtes censée venir avec moi.

Miss Temple fit volte-face : devant elle se tenait la femme en rouge qui voyageait dans le compartiment de Roger. Elle ne portait plus sa cape à col de fourrure, mais elle tenait toujours son fume-cigarette en laque à la main ; ses yeux brillants fixaient miss Temple au travers du masque de cuir rouge et faisaient mentir ses larmes de strass.

Miss Temple fut incapable de dire un mot. La femme était incroyablement jolie, grande, robuste, bien faite, sa peau poudrée scintillait au-dessus du décolleté délicat de sa robe écarlate. Ses cheveux noirs étaient coiffés en boucles qui cascadaient sur ses épaules dénudées et pâles. Miss Temple retrouva l'odeur des fleurs de frangipanier et faillit défaillir à leur parfum. Elle ferma la bouche, avala sa salive et vit que la femme lui souriait. Le même sourire sans doute que celui qu'elle avait adressé plus tôt à la femme vêtue de soie jaune. Sans un mot, la femme se retourna et s'avança dans l'un des couloirs. Miss Temple la suivit, elle aussi muette.

Au loin résonnait un écho de conversations, de réception, mais il s'estompait dans le claquement aigu de leurs talons sur le marbre. Elles avaient parcouru une cinquantaine de mètres, ce qui équivalait à la moitié du couloir, quand la femme en rouge s'arrêta et se retourna en indiquant de sa main tendue une porte ouverte, à la gauche de miss Temple. Elles étaient seules. Ne sachant pas à cet instant précis ce qu'elle aurait pu faire d'autre, miss Temple entra. La femme en rouge la suivit et referma la lourde porte derrière elles. Tout était silencieux.

Le sol de la pièce disparaissait sous d'épais tapis rouge et noir qui absorbaient le bruit de leurs pas. Les murs étaient tapissés de placards fermés entre lesquels se trouvaient des rangées de crochets, comme des patères, et un grand miroir. Une longue table en bois était poussée contre l'un des murs. On se serait cru dans un vestiaire de théâtre ou de gymnase. Elle songea qu'on pouvait trouver de tout dans une maison de cette taille, selon les fantaisies de son propriétaire. Sur le mur du fond se découpait une autre porte, plus simple, placée là pour qu'on la prenne au premier regard pour l'une des portes des placards. Peut-être menait-elle au gymnase proprement dit.

La femme en rouge derrière elle ne disait rien. Miss Temple se retourna, la tête penchée en avant pour garder son visage dans l'ombre et vit qu'elle ne la regardait pas du tout, mais qu'elle était en train d'installer une cigarette dans son fume-cigarette. Elle avait laissé tomber celle qu'elle venait de fumer sur le tapis avant de l'écraser du bout de sa chaussure. Elle leva les yeux vers miss Temple, l'ombre d'un sourire aux lèvres, se dirigea à grands pas vers le mur où elle approcha sa cigarette de l'une des lampes à gaz et aspira pour l'allumer. Elle rejeta la fumée, revint vers la table où elle s'appuya, en examinant miss Temple avec beaucoup de sérieux.

– Gardez vos bottines, dit la femme.

– Je vous demande pardon?

– Elles sont pittoresques. Laissez le reste dans l'un des casiers.

De son fume-cigarette, elle désigna l'un des grands placards. Miss Temple se tourna vers le casier et elle l'ouvrit. Suspendu à un crochet juste en face d'elle, comme pour répondre à ses inquiétudes, se trouvait un masque blanc, recouvert de petites plumes blanches disposées en rangées serrées, comme celles d'une colombe, d'une oie ou d'un cygne. Le dos tourné à la femme en rouge, elle ôta son capuchon et ajusta le masque blanc, attacha les rubans par-dessus ses boucles, et serra fort. Elle se débarrassa alors de sa cape, regarda derrière elle la femme qui semblait sourire en approuvant ce qu'elle faisait non sans une pointe d'ironie, et elle suspendit son vêtement à une patère. Elle choisit ce qui ressemblait à une robe et qui pendait à un autre crochet, elle était en soie blanche, et elle la mit devant elle. Il ne s'agissait pas du tout d'une robe, mais d'une tunique, une tunique très courte, sans boutons ni ceinture, et très légère.

– C'est Waxing Street qui vous a envoyée? demanda la femme sur un ton dégagé, comme pour passer le temps.

Miss Temple se retourna vers elle, décida rapidement de ce qu'elle devait répondre et parla sans ambages.

– Je ne connais pas de Waxing Street.

– Ah!

La femme en rouge prit une bouffée de sa cigarette. Miss Temple ignorait si elle avait donné une mauvaise réponse, si, toutefois, il existait une bonne ou une mauvaise, mais elle avait senti qu'il valait mieux dire la vérité plutôt que d'essayer bêtement de deviner la réponse qu'on attendait d'elle. La femme souffla la fumée de sa cigarette qui monta vers le plafond en un nuage long et fin.

– Alors, ce doit être l'hôtel.

Miss Temple ne dit rien, puis elle fit un petit signe de la tête, lentement. Son esprit s'agita. Quel hôtel? Il y a des centaines d'hôtels. Son hôtel? Savaient-ils qui elle était? Son hôtel fournissait-il des jeunes femmes pour participer à des soirées de gala? Certains hôtels proposaient-ils ce genre de chose? De toute évidence oui, le simple fait qu'on le lui eût demandé le prouvait. Cependant, miss Temple ne comprenait pas du tout le lien que cela pouvait avoir avec son déguisement ni ce qu'elle devait dire ou ce que l'on attendait d'elle. Elle ne savait pas non plus ce que cela impliquait vraiment pour la réception. Mais elle commençait à avoir des soupçons. Elle regarda encore la tunique qui ne lui convenait pas du tout.

Elle se retourna vers la femme.

– Quand vous dites hôtel…

Elle s'arrêta net. La femme était en train d'écraser sa deuxième cigarette sur le tapis et sa voix tout à coup prit le ton de la colère.

– Il est très tard. *Vous* étiez en retard. Je n'ai pas envie de servir de bonne d'enfant. Changez-vous, et vite, et quand vous serez présentable, vous pourrez venir me trouver.

Elle marcha droit vers miss Temple, s'approcha pour la prendre par les épaules, ses doigts avaient une force surprenante, elle lui fit faire demi-tour et lui mit la tête dans le placard.

– Voilà qui devrait vous aider à commencer, vous allez voir, et, avec le tissu que vous avez là, prenez ça pour un geste de pitié.

Miss Temple eut un petit cri rauque. Quelque chose de pointu lui toucha le creux des reins, changea d'angle et remonta. Quand elle sentit le tissu se déchirer et sa robe tomber, miss Temple comprit que la femme venait de couper le lacet de sa robe. Elle se retourna, et retint sur sa poitrine sa robe qui se détachait de ses épaules et de son dos. La femme en rouge remit quelque chose de petit et de brillant dans son sac, traversa la pièce vers la petite porte du fond et fixa une troisième cigarette à son fume-cigarette:

– Vous passerez par ici.

Sans un regard pour miss Temple, elle ouvrit la porte d'un geste impatient, s'arrêta un instant pour allumer sa cigarette à l'applique murale la plus proche et disparut non sans avoir claqué la porte derrière elle.

Miss Temple se figea, complètement abasourdie. Sa robe était fichue ou en tout cas inutilisable sans un nouveau lacet et sans une femme de chambre pour le serrer… Elle en dégagea le haut de son corps et fit ce qu'elle put pour ramener le dos de la robe devant elle et voir ce qu'il en était. Des morceaux de lacets étaient tombés par terre.

Elle regarda vers la porte donnant sur le couloir. Difficile de sortir dans cette tenue. Pas question non plus de sortir en corset ou dans cette tunique en soie, transparente et pitoyable.

Elle se rappela avec soulagement qu'elle avait encore sa cape et qu'elle pourrait sûrement s'en servir pour cacher sa tenue pour le moins inconvenante. Cela la rassura quelque peu et lui permit de reprendre sa respiration. Elle était moins pressée de s'enfuir et elle recommença à se poser des questions sur la femme en rouge, la soirée, et, bien entendu, sur Roger qui n'était jamais bien loin dans ses pensées. Si elle pouvait à tout moment revenir chercher sa cape et simplement s'en servir pour couvrir son corset ou sa robe déchirée, quel mal y avait-il à poursuivre ses investigations ? Elle était aussi intriguée par cette histoire d'hôtel et fermement décidée à savoir si ce genre de chose se passait effectivement au Boniface. Comment pourrait-elle réaliser son plan audacieux autrement qu'en poursuivant l'enquête ? Elle retourna devant le placard. Peut-être contenait-il autre chose que la tunique.

Elle vit effectivement d'autres vêtements, sans toutefois se sentir beaucoup plus à l'aise à l'idée de les porter. Plusieurs d'entre eux ressemblaient à des dessous, probablement destinés à être portés sous des cieux plus cléments (en Espagne, à Venise, à Tanger ?) : un corsage en soie claire, plusieurs jupons très fins, et une très jolie culotte en soie dont la couture était ouverte à l'entrejambe, une autre tunique, semblable à la première, mais plus longue et sans manches. Tout était blanc, sauf la seconde tunique dont le col et l'ourlet du bas étaient ornés de petits cercles brodés de vert. Miss Temple supposa que c'était en raison de cette couleur qu'on l'avait autorisée à garder ses bottines.

Elle jeta un coup d'œil sur sa propre lingerie : une combinaison, un jupon, une culotte en coton et un corset. Elle nota peu de différences entre ses vêtements et ceux qu'elle voyait dans le placard, sinon que ceux-là étaient en soie. Or miss Temple n'avait pas l'habitude de porter de la soie. Et il était rare qu'elle se retrouvât dans une situation où elle devait choisir quelque chose qui n'était pas dans ses habitudes. La principale difficulté consistait à sortir de son corset puis à le renfiler sans aide. Elle prit la culotte en soie entre ses doigts pour sentir la finesse du tissu et décida de la mettre.

Elle arracha le nœud du corset dans son dos, craignant que tout cela ne lui prenne trop de temps et que quelqu'un n'entre dans la pièce pour venir la chercher alors qu'elle était à moitié nue. Une fois qu'elle s'en fut libérée, elle respira plus profondément que d'habitude et tira sur son corset et sa combinaison pour les passer par-dessus sa tête. Elle enfila le corsage en soie sans manches, garni de fines bretelles, et tira un peu pour bien le mettre en place sur ses seins. Contre toute attente, cela lui procura une sensation tout à fait délicieuse. Elle baissa jupons et culottes et, en prenant appui sur une jambe puis sur l'autre, elle en libéra ses bottines. Elle attrapa la petite culotte et sentit un émoi incompréhensible à se tenir ainsi debout dans cette pièce immense, avec pour tout costume ce corsage, qui lui couvrait à peine les côtes, et ses bottines vertes.

Plus étrange encore, quand elle enfila la culotte de soie, elle se sentit plus nue, avec cette fente qui s'ouvrait sur sa toison. Elle y passa la main et trouva cette ouverture à la fois exquise et un rien effrayante. Elle retira ses doigts, les sentit par habitude, attrapa les jupons de soie, les tint ouverts et glissa ses pieds dans le cercle qu'ils formaient. Après quoi elle les remonta, les attacha et reprit son corset.

Miss Temple se plaça devant le grand miroir. La femme qu'elle y découvrit lui était inconnue. Sans doute à cause du masque. Se voir ainsi avec un masque constituait une expérience très singulière et proche de ce qu'elle avait éprouvé en passant ses doigts dans la fente de la culotte. Un frisson lui parcourut l'échine et s'installa entre ses hanches, un frisson d'avidité fébrile. Elle passa la langue sur ses lèvres, la femme au masque de plumes blanches l'imita, mais cette femme, les bras pâles, les jambes musclées, la gorge nue, les mamelons roses très apparents sous le corsage, passait la langue sur ses lèvres d'une façon qui ne semblait guère normale à miss

Temple. Or, dès qu'elle eut entrevu ce reflet, ce fut comme s'il entrait en elle et elle repassa la langue sur ses lèvres comme si elle avait effectivement changé. Ses yeux brillaient.

Elle reposa le corset dans le placard et enfila les deux tuniques, d'abord la plus courte avec les manches, puis la plus longue par-dessus, un peu comme une chasuble, avec ses ourlets bordés de broderie verte et qui se fermait grâce à plusieurs crochets. Elle constata avec plaisir que les deux épaisseurs de tissu lui assuraient une certaine décence. Ses bras et le bas de ses jambes restaient visibles, puisqu'ils n'étaient couverts que d'une seule épaisseur de tissu, mais on ne pouvait voir en détail le reste de son corps. Par précaution – elle n'avait ni perdu son sens de l'orientation ni oublié ses plans –, miss Temple tira d'une poche de sa cape son argent et son crayon encore assez aiguisé. Elle glissa son argent dans l'une de ses bottines puis cala son crayon dans l'autre. Elle fit quelques pas pour vérifier si c'était suffisamment confortable, ferma le placard et franchit la petite porte.

Un long couloir s'étendait devant elle. Elle fit quelques pas vers une source lumineuse qui s'intensifiait graduellement et atteignit un angle qui la fit remonter vers la lumière. Tout en regardant autour d'elle, elle leva la main pour se protéger de cet éclairage aveuglant.

En contrebas se dressait une estrade, et en surplomb, sur trois murs de la salle, courait une galerie haut perchée et remplie de sièges. Sur l'estrade elle-même, qu'elle prit d'abord pour une scène de théâtre, se trouvait une grande table équipée d'un lourd mécanisme qui, à en juger d'après ses roues métalliques crénelées, pouvait s'incliner selon différents angles pour permettre aux spectateurs de la galerie de bien voir. Derrière, sur le mur sans gradins, se dressait un tableau noir qui, sans ses dimensions gigantesques, eût paru tout à fait banal.

C'était une salle d'opération. Des deux côtés de la table pendaient des courroies de contention en cuir. Un tuyau métallique gisait à terre. Miss Temple sentit une odeur de vinaigre et de lessive, mais au-delà, elle en perçut une autre qui lui piqua la gorge. Les tableaux noirs servent généralement à l'enseignement ou à l'étude, mais quel homme de science pouvait s'offrir une maison pareille? Peut-être ce lord se faisait-il soigner, mais quel patient voudrait que des spectateurs assistent à ses traitements? Peut-être parrainait-il quelque génie de la médecine? Ou exerçait-il lui-même en amateur?

Peut-être n'était-il qu'un simple spectateur? Tout son corps en tremblait.

Elle avala sa salive et remarqua une inscription sur le tableau, qui lui avait échappé en entrant à cause de la lumière. On avait effacé le texte tout autour, en fait on avait supprimé la moitié du mot, mais elle put le reconstituer: « Orange », tracé à la craie en caractères d'imprimerie.

Quelqu'un se racla la gorge au fond de l'estrade, dans l'ombre, miss Temple en fut surprise et peut-être poussa-t-elle même un petit cri. Une passerelle en pente partait du plancher, cachée par la table. Un homme surgit; il portait une queue-de-pie noire, un masque noir et fumait un cigare. Sa barbe était élégamment taillée et son visage rougeaud lui sembla familier. C'était l'un des deux hommes à tête de chien, assis en face de Roger dans le train. Il étudia le corps de miss Temple le plus naturellement du monde et de nouveau s'éclaircit la voix.

– Oui? demanda-t-elle.

– On m'envoie vous chercher.

– Très bien.

– Oui.

Il prit une bouffée de son cigare, mais ne bougea pas.

– Je suis désolée de ce retard.

– Peu importe. J'aime jeter un coup d'œil.

De nouveau, il la détailla sans aucune gêne et fit un pas de la passerelle à l'estrade, la main qui tenait son cigare au-dessus des yeux pour se protéger de la lumière. Son regard passa des gradins à la table.

– Quel drôle d'endroit!

Miss Temple adopta sans difficulté un ton condescendant.

– Pourquoi? C'est la première fois que vous venez?

Il l'étudia encore, décida de ne pas répondre et porta son cigare à ses lèvres. Il tira une montre de gousset de sa veste noire et consulta l'heure.

Miss Temple reprit la parole avec le plus de désinvolture possible.

– J'ai toujours trouvé que c'était une maison raffinée. Mais assez… particulière.

Il sourit.

– En effet.

Ils se regardèrent. Elle aurait beaucoup aimé lui poser des questions sur Roger, mais ce n'était pas le moment. Si Roger, comme elle le supposait, n'avait qu'un rôle secondaire, poser des questions à son sujet en le nommant, surtout venant d'elle, dans la position étrange qu'elle occupait mais dont elle ne comprenait pas la nature exacte, n'aurait fait qu'éveiller les soupçons. Elle attendrait donc d'être dans la même pièce que lui et s'enquerrait à son propos.

La présence de cet homme représentait quand même une occasion à ne pas manquer et, malgré son inquiétude et son malaise terribles, elle essaya de provoquer un peu plus ce type à tête de chien, et dirigea son regard vers le tableau noir, fixant le mot à moitié effacé, puis revint à lui comme pour indiquer que quelqu'un avait fait son travail à moitié. L'homme aperçut le mot sur le tableau. Son visage se contracta en une grimace furtive, il s'avança vers le tableau et effaça les lettres avec sa manche noire, qu'il secoua ensuite pour essayer, mais en vain, d'ôter les traces de craie. Il porta son cigare à ses lèvres et offrit son bras à miss Temple.

– Ils attendent.

Elle prit son bras en hochant la tête. Le bras de l'homme était vraiment très robuste et serrait celui de la jeune femme d'une drôle de façon car il était beaucoup plus grand qu'elle. Tandis qu'ils descendaient la passerelle pour se retrouver dans l'ombre, il dit quelques mots en désignant de la tête la salle derrière eux.

– Je me demande pourquoi ils vous ont fait passer par là. Ce doit être le chemin le plus court. Vous avez dû être étonnée par ce que vous avez vu.

– Cela dépend, répondit miss Temple, Et *vous*, à quoi vous attendez-vous ?

En guise de réponse, l'homme éclata de rire et resserra son étreinte. Ils atteignirent une autre porte. L'homme l'ouvrit et fit entrer vivement miss Temple qui trébucha, puis il referma derrière eux. Ils n'étaient pas seuls.

La pièce était l'exacte réplique de celle où elle avait changé de vêtements. De l'autre côté de l'amphithéâtre, elle devait donc être réservée à un autre usage. L'endroit rappelait une cuisine, avec un sol dallé, des murs carrelés de blanc, et plusieurs lourdes tables en bois, munies elles aussi de courroies. Au mur, des écrous et des colliers. Cependant, curieusement, sur l'une des tables, trois femmes étaient assises sur des coussins. Masquées de plumes blanches, elles balançaient leurs mollets dénudés, leurs tuniques ne leur arrivant qu'au-dessous du genou. Toutes étaient pieds nus. Il n'y avait pas trace de la femme en rouge.

Personne ne dit un mot quand son guide l'abandonna pour se diriger vers une autre table. Là, le second homme à tête de chien, debout, buvait au goulot d'une flasque. Celui qui avait escorté miss Temple accepta la flasque que l'autre lui tendait, avala d'un trait quelques gorgées et la lui rendit en s'essuyant la bouche. Il prit une bouffée de son cigare et le tapota contre la table, faisant tomber un peu de cendre sur le sol. Les deux hommes examinèrent avec un plaisir évident celles dont ils avaient la charge. La situation était de plus en plus étrange. Miss Temple ne s'était pas dirigée vers la table où il n'y avait du reste pas de place pour elle, et les femmes n'avaient pas bougé pour lui en faire une. Elle sourit plutôt et préféra oublier son malaise pour entamer la conversation.

— Nous venons de voir l'amphithéâtre. Je dois dire que c'est impressionnant. Je me demande combien il y a de places assises, comparé à d'autres salles de ce genre en ville, mais je suis sûre qu'il y en a beaucoup, au moins une centaine. Le fait que tant de gens aient pu se rendre dans un lieu aussi éloigné est un bel hommage à l'œuvre en cours, à mon avis. Je suis très honorée de prendre part à une telle entreprise scientifique, même si j'y tiens un rôle secondaire ou très ponctuel, parce que le raffinement des lieux va sûrement de pair avec le travail qu'on y fait. Qu'en pensez-vous ?

Silence général. Miss Temple continua à pérorer. Elle en avait souvent fait l'expérience dans les conversations en société, elle était experte dans l'art de bavarder sans répit tout en prenant la pose de la femme d'expérience qui en sait long.

— Et bien entendu, c'est une occasion de plus de porter de la soie et j'en suis enchantée.

Elle fut interrompue par l'homme à la flasque qui se leva et traversa la pièce pour atteindre la porte du fond. Il avala une gorgée et fourra sa flasque dans la poche de sa veste noire avant de sortir. Miss Temple examina l'autre homme : son visage était entre-temps devenu encore plus rouge, si toutefois cela était possible. Elle se demanda s'il allait avoir une attaque, mais il sourit mollement et continua à fumer. La porte se rouvrit : l'homme à la flasque passa la tête, fit un signe à son compagnon et disparut. L'homme au cigare leur sourit, traversa la pièce en direction de la porte, suivi du regard par chacune des femmes.

– Quand vous serez prêtes, dit-il en sortant, et il referma la porte derrière lui.

Un instant plus tard, miss Temple entendit le déclic sec de la serrure : il avait fermé la porte à clé. La seule voie libre qui leur restait menait à l'amphithéâtre.

– Vous avez gardé vos bottines, observa l'une des femmes, assise à droite.

– En effet, rétorqua miss Temple.

Mais ce n'était pas de cela dont elle voulait parler.

– L'une d'entre vous est-elle déjà allée dans l'amphithéâtre ?

Elles secouèrent la tête sans un mot. Miss Temple leur désigna les courroies, les écrous, les colliers.

– Vous avez vu cette salle ?

Elles lui firent signe aimablement que oui. Elle se mit presque en colère.

– Cet homme a fermé la porte !

– Ça ira, répondit la femme qui avait parlé un instant plus tôt. Miss Temple sursauta : cette voix ne lui était-elle pas familière ?

– C'est une pièce comme les autres, ajouta la femme du milieu, en donnant un coup de pied à la courroie qui pendait près de sa jambe. On s'en sert pour autre chose, *maintenant*.

Les autres hochèrent la tête, le regard vide, comme s'il était inutile d'ajouter quoi que ce fût.

– Et pour *quoi* s'en sert-on exactement ? demanda miss Temple.

La femme émit un petit rire stupide. Ce rire-là aussi, miss Temple l'avait déjà entendu. Dans le fiacre. C'était la femme qui avait laissé des hommes déboutonner sa robe. Miss Temple regarda les deux autres, elle les voyait avec des vêtements et un éclairage si différents, s'agissait-il de la femme pirate et la femme en soie à qui elle avait mis les doigts dans les yeux ? Impossible d'en avoir la certitude. Elles lui souriaient comme si sa question leur avait paru complètement idiote. Étaient-elles ivres ?

Miss Temple s'approcha et lui pinça la joue pour lui faire relever la tête, ce que curieusement la femme accepta sans réagir, et puis elle se pencha et sentit son haleine. Elle connaissait très bien les relents de l'alcool, et en particulier du rhum, elle connaissait également son influence terrible. La femme portait un parfum, peut-être du bois de santal, mais il se dégageait d'elle un autre effluve que miss Temple ne parvenait pas à identifier. Ce n'était pas de l'alcool ni même quelque chose qu'elle connaissait et, en plus, cette odeur ne venait pas de la bouche de la femme, de cette bouche qui s'employait de nouveau à ricaner, mais plutôt du haut de son visage. Cette odeur faisait penser à une machine, à un produit industriel, mais ce n'était pas du charbon, du caoutchouc, de l'huile de lampe ni de l'éther, pas même une odeur de poils brûlés, quoique cela pût se rapprocher de toutes ces odeurs désagréables. Miss Temple ne pouvait pas la situer, ni sur la tête ni sur le corps de la femme. Autour des yeux, derrière le masque ? Miss Temple lâcha prise et s'éloigna. Comme sur un signal, les trois femmes sautèrent de la table en même temps.

– Où allez-vous ? s'enquit miss Temple.

– Nous y allons, répondit celle du milieu.

– Mais que vous ont-ils dit ? Que va-t-il se passer ?

– Il ne va rien se passer, dit la femme de droite, rien, seulement tout ce que nous désirons.

– Ils nous attendent, déclara la femme de gauche, jusqu'alors silencieuse.

Et miss Temple fut certaine qu'il s'agissait là de la femme à la robe de soie bleue. Elles la bousculèrent pour s'empresser vers la porte de l'amphithéâtre. Miss Temple avait encore tant de choses à leur demander ! Avaient-elles été invitées ? Est-ce qu'elles connaissaient « l'hôtel » ? Miss Temple se mit à bredouiller, renonçant à ses grands airs :

– Attendez ! Attendez ! Où sont vos vêtements ? Où est la dame en rouge ?

Toutes trois furent saisies d'un fou rire vite étouffé. Celle qui se trouvait devant ouvrit la porte et la dernière repoussa miss Temple d'un petit geste moqueur. Après leur départ, le silence retomba.

Dans cette pièce glaciale et pleine de menaces, la confiance et le courage qui l'avaient animée jusqu'ici s'effondrèrent. De toute évidence, si elle avait de l'audace, poursuivre son enquête devait la mener à remonter la passerelle sombre pour regagner l'amphithéâtre. N'était-ce pas pour en arriver là qu'elle avait relevé le défi de changer de vêtements, de poser des questions, de parcourir *tout ce chemin* ? En même temps, elle n'était pas idiote, et elle en savait assez sur cette pièce, sur l'amphithéâtre, sur cette réception tout à fait inquiétante pour conclure que tout cela pouvait représenter un danger immense autant pour sa vertu que pour sa vie. La porte extérieure était fermée à clé et les deux hommes qui se tenaient sans doute derrière devaient être aux aguets. Dans la pièce, il n'y avait ni placard ni alcôve où se cacher. Elle se fit la remarque que les autres femmes, mieux informées qu'elle, ne semblaient pas inquiètes. Et s'il s'agissait de prostituées?

Aussitôt, elle se reprocha d'avoir porté un jugement aussi tranchant: après tout, ces femmes étaient très élégantes quand elle les avait rencontrées dans le fiacre. Elles ne menaient peut-être pas une vie très chaste, on les avait peut-être effectivement envoyées ici par l'intermédiaire d'un hôtel quelconque, qui donc peut connaître la complexité de la vie d'autrui? La vraie question était de savoir si tout cela devait forcément la mener à une situation qu'elle ne pourrait pas assumer. Bien des choses de la vie lui échappaient, ce qu'elle aurait volontiers reconnu si on le lui avait demandé. Par toutes sortes de déductions et de suppositions, elle arrivait à combler ces lacunes. Sur la plupart, elle sentait qu'elle avait une petite idée. Sur les autres, elle préférait se laisser le plaisir du mystère. Mais à propos de cet étrange amphithéâtre, cependant, elle jugea qu'il valait mieux ne pas s'en tenir à des suppositions.

Du moins pouvait-elle écouter à la porte. Avec précaution, elle tourna le loquet et entrebâilla la porte. Elle n'entendit rien. Elle l'ouvrit un peu plus, juste assez pour y passer la tête. La lumière semblait toujours aussi vive. Les autres femmes venaient à peine de sortir, et elle-même n'avait pas hésité plus d'une minute avant d'ouvrir la porte. Était-il possible que l'assistance eût été captivée aussi vite et que la concentration expliquât ce silence? Était-elle saisie d'horreur par ce qu'elle voyait? En cherchant à voir ce qui se passait sur le côté, cependant, elle fut aveuglée par la lumière. Elle recula de quelques pas. Toujours rien. Elle s'accroupit dans une position très inconfortable. Elle ne voyait rien, n'entendait rien. Elle s'arrêta. Si elle s'avançait davantage, on la verrait de l'estrade, si toutefois il y avait quelqu'un là. Elle jeta un coup d'œil à la table. Personne n'y était allongé. Il n'y avait absolument personne.

À la fois contrariée et soulagée, mais aussi terriblement curieuse de savoir ce qu'il était advenu des trois femmes, elle s'interrogea: étaient-elles simplement sorties de l'autre côté? Elle décida d'aller dans cette direction mais, en traversant l'estrade, son regard se porta encore une fois sur le tableau noir. Avec les mêmes caractères que précédemment, quelqu'un avait écrit: « ET ILS SERONT CONSUMÉS ». Miss Temple sursauta, comme si quelqu'un lui avait sifflé dans l'oreille. Ces mots n'étaient pas là tout à l'heure.

Elle fit le tour pour atteindre les gradins de la galerie, en vérifiant que personne ne se cachait quelque part à quatre pattes. Pas âme qui vive. Sans attendre, elle emprunta le premier passage en pente, descendit, puis tourna en direction de la porte. Fermée. Miss Temple y colla son oreille et n'entendit aucun son, mais cela ne voulait rien dire, car les portes étaient épaisses. Lasse de toutes ces précautions inutiles, elle tourna encore une fois le loquet avec une infinie patience et entrouvrit la porte pour jeter un coup d'œil. Elle l'ouvrit alors un peu plus, écouta, n'entendit rien et l'ouvrit davantage. Toujours rien. Agacée, elle ouvrit alors complètement la porte et ce qu'elle vit lui coupa le souffle.

Le sol était jonché des restes de sa cape, de sa robe, de son corset et de ses dessous presque méconnaissables : des lambeaux irrécupérables. Même son calepin neuf était en morceaux, les pages éparpillées par terre comme des feuilles mortes, la reliure cassée, le cuir de la couverture troué et tailladé. Miss Temple se mit à trembler d'indignation et de frayeur.

Manifestement, on l'avait découverte. Elle était en danger et devait s'enfuir au plus tôt. Elle attendrait une meilleure occasion pour suivre Roger ; elle engagerait des détectives privés, des professionnels qui connaîtraient leur affaire, de solides gaillards qui ne se laisseraient pas piéger aussi facilement. Ce qu'elle avait essayé de faire était ridicule et cela aurait fort bien pu la mener à sa perte.

Ses vêtements étaient hors d'usage, mais peut-être les placards contenaient-ils quelque chose qui pourrait lui servir à se couvrir. Ils étaient tous fermés à clé. Elle essaya de les ouvrir, en vain. Elle chercha alors autour d'elle quelque chose qui pût l'aider à forcer les portes, à les arracher, mais la pièce était vide. Miss Temple enrageait. Et si on la découvrait et qu'on dévoilait son nom ? Comment pourrait-on ne pas la confondre avec ces autres femmes accoutrées comme elle ?

Et si elle croisait Roger ? Roger ! C'était exactement ce qu'il lui fallait pour ressusciter sa détermination vacillante. Ce qu'elle voulait éviter à tout prix, c'était qu'il la vît dans cette tenue, et cette seule pensée la mettait en rage. D'une façon générale, Roger la mettait en rage.

À cet instant précis, elle méprisa Roger Bascombe et retrouva la détermination qui lui donnerait la force de se sortir de ce mauvais pas pour se consacrer ensuite à le détruire et à triompher de lui en l'écrasant d'un sourire de mépris. Mais au même moment, miss Temple fut prise de pitié, envahie par une inquiétude toute maternelle pour cet homme insensé qui s'était mis dans d'aussi mauvais draps. Pourquoi tant d'inconscience? Pourquoi s'exposer ainsi à toute cette dépravation, à tous ces dangers, ces scandales, bref, à tout ce qui pouvait détruire sa carrière? Si seulement elle pouvait lui parler. Mais parviendrait-elle à le prévenir du péril qui le menaçait? Arriverait-elle au moins à deviner ce qu'il avait en tête?

Miss Temple ouvrit la porte du couloir. Il semblait vide. D'un côté, il ramenait vers l'entrée de la demeure, au cœur de la réception, et, selon toute vraisemblance, il la ferait passer directement devant les autres invités, les domestiques, devant *tout le monde*. Mais c'était aussi la direction des fiacres, du moins si, costumée comme elle l'était, elle réussissait à sortir sans s'exposer aux regards, sans se ridiculiser ou pire encore.

L'autre direction la menait aux portes du danger mais aussi plus loin dans l'intrigue. Peut-être y trouverait-elle des vêtements de rechange. Ou un autre chemin qui la mènerait aux fiacres. Elle pourrait même obtenir plus de renseignements sur Roger, sur la femme en rouge ou le lord des lieux. Ou trouver la mort. Elle s'y précipita en rasant les murs.

Elle atteignit trois portes dans un couloir tapissé de miroirs. Toutes étaient fermées à clé. Elle continua, avec l'impression que ses bottines faisaient un bruit impossible sur le sol dallé. Il restait encore deux portes. Après, elle devrait faire demi-tour. Mais, de l'autre côté du couloir, elle aperçut encore une autre porte: elle se retourna et, ne voyant personne, s'y précipita. La poignée ne bougea pas. Le couloir se terminait sur un immense miroir à carreaux semblable aux grandes fenêtres de la maison, mais ici la perspective était tournée vers l'intérieur, comme pour signaler que ce qui était le plus important se trouvait là, derrière ces portes. Miss Temple fut désespérée de se voir ainsi, silhouette pâle embusquée à l'orée de toute cette opulence. Elle n'avait certes pas oublié son plaisir intense quand elle s'était vue masquée, mais ce plaisir était désormais tempéré parce qu'elle comprenait mieux maintenant le danger auquel il était associé.

Devant la dernière porte, sa chance tourna. En approchant, elle perçut une voix étouffée et des bruits qui donnaient une impression de mouvement. Elle essaya de tourner la poignée, mais la porte était verrouillée. Il n'y avait rien d'autre à faire. Miss Temple se redressa et inspira profondément. Elle frappa.

La voix se tut. Elle s'attendit au pire mais rien, ni bruits de pas vers la porte ni cliquetis de serrure. Elle frappa encore, plus fort, jusqu'à en avoir mal à la main. Elle recula, secoua les doigts et attendit. Des pas rapides se firent entendre, le bruit d'un verrou, et la porte s'ouvrit d'un pouce. Un œil vert la toisa de haut.

– Que se passe-t-il? demanda une voix masculine, manifestement irritée.

– Bonjour, dit miss Temple en souriant.

– Que diable voulez-vous?

– Je voudrais entrer.

– Bon sang, qui êtes-vous?

– Isobel.

Elle avait d'instinct choisi le nom de la sainte. Mais s'il existait une autre Isobel, une grosse femme pleine de couperose et toujours en sueur, par exemple? La porte n'avait pas bougé. L'œil cligna, glissa rapidement sur son corps, se plissa avec méfiance.

– Cela ne me dit pas ce que vous voulez.

– On m'a envoyée ici.

– Qui vous a envoyée? *Qui*?

– Qui voulez-vous que ce soit?

– Pour quelle raison?

Même si miss Temple était prête à poursuivre cet échange et, en effet, il se poursuivait, elle était bien consciente qu'on pouvait la voir depuis le couloir. Elle se pencha, regarda l'œil et chuchota:

– Pour me *changer*.

L'œil demeura fixe. Elle chuchota encore:

– Je ne peux quand même pas le faire *devant tout le monde*…

L'homme s'écarta pour la laisser entrer. Elle fit bien attention de se faufiler hors de sa portée. C'était une étrange créature, un domestique, supposa-t-elle, même s'il ne portait pas la livrée noire. Par contre, elle remarqua que ses chaussures, qui avaient dû être élégantes, étaient sales et abîmées. Il portait une blouse blanche sur une chemise et un pantalon marron, élimés eux aussi. Il avait les cheveux gras et sales, plaqués derrière les oreilles. Sa peau était blanche, son regard, acéré et scrutateur, et ses mains, noires, comme tachées d'encre de

Chine. S'agissait-il d'un imprimeur ? Elle lui sourit et le remercia. Pour toute réponse, il déglutit bruyamment en triturant l'ourlet défait de sa blouse et l'étudia en respirant la bouche ouverte, comme un poisson.

La pièce était jonchée de caisses en bois, moins longues ou profondes que des cercueils, mais capitonnées. Elles étaient ouvertes, leurs couvercles disposés çà et là contre le mur, mais on ne distinguait pas leur contenu. Elles paraissaient toutes vides. Miss Temple décida d'y jeter un coup d'œil, mais l'homme, furieux, aboya en postillonnant.

– Arrêtez-moi ça !

Il désignait les caisses, mais la pointait elle aussi, son masque, ses vêtements.

– Pourquoi vous a-t-il envoyée ici ? Tout le monde est censé être ailleurs, dans les autres pièces ! J'ai du travail, moi ! Je ne peux pas… je ne veux pas faire les frais de ses plaisanteries ! Il n'en a pas déjà assez fait ? Ce Lorenz, son petit caniche, il ne lui suffit pas ? Fais ceci, Crooner ! Fais cela, Crooner ! J'ai suivi les instructions ! Je ne suis responsable que de… mes propres plans, que d'une seule regrettable erreur, momentanée, et en plus j'ai accepté toutes les conditions, je me suis entièrement soumis et pourtant…

Il fit un geste d'impuissance en postillonnant sur miss Temple.

– …pourquoi ce supplice ?

Quand il se tut, elle attendit qu'il arrêtât de haleter comme un terrier mal nourri. Elle hocha gravement la tête, fit une révérence puis indiqua la porte de l'autre côté de la pièce et murmura :

– Je ne vous dérangerai pas plus longtemps. Si jamais *qui vous savez* me questionne à votre sujet, je répondrai que vous étiez absorbé par votre travail.

Elle fit un autre signe de la tête et se dirigea vers la porte, en priant pour que ce ne fût pas un placard. Elle pénétra alors dans un couloir étroit. Après avoir refermé derrière elle, elle s'adossa au mur, soulagée.

Comme elle n'avait pas le temps de se reposer, elle se força à continuer. Elle se trouvait dans un corridor de service, très dépouillé, conçu pour faciliter les déplacements rapides et discrets entre les pièces principales de la maison. Reprenant espoir, miss Temple se dit qu'il menait peut-être à la buanderie. À pas feutrés, autant que ses bottines le lui permettaient, elle en atteignit l'extrémité. Avant de tourner la poignée de la porte du fond, elle aperçut un disque métallique, de la taille d'une pièce de monnaie, fixé dans le bois de la porte par une petite vis. Elle le fit glisser et découvrit un œilleton. Il permettait de toute évidence aux domestiques scrupuleux de ne pas interrompre leur maître en entrant au mauvais moment, ce que miss Temple approuvait entièrement. Elle se mit sur la pointe des pieds et y jeta un coup d'œil.

Au centre d'une salle de bain luxueuse trônait une grande baignoire en cuivre. Sur une petite table était disposé un ensemble d'accessoires : éponges, brosses, flacons, savons et piles de serviettes blanches. Elle ne vit personne, se glissa à l'intérieur. Elle perdit l'équilibre quand son talon dérapa sur le carrelage mouillé et atterrit violemment sur le sol dans un grand écart pour le moins maladroit. Elle entendit le bruit d'un tissu qui se déchire : sa tunique. Elle se figea, tendit l'oreille. L'avait-on entendue ? Avait-elle vraiment poussé une espèce de glapissement ? À travers la porte, seul le silence lui fit écho. Miss Temple se tint aux aguets. Le plancher avait été copieusement arrosé et l'on avait négligemment laissé par terre plusieurs serviettes de bain mouillées et froissées. Elle trempa les doigts dans l'eau du bain : tiède. Personne n'avait trempé dans cette baignoire depuis au moins une demi-heure. Aucun domestique n'était passé là non plus, sinon tout aurait été ramassé et essuyé. Cela signifiait que la personne qui s'était trouvée là n'était pas loin ou que les domestiques avaient reçu l'ordre de ne pas intervenir.

Miss Temple remarqua alors l'odeur qui venait de la pièce d'à côté. Si elle ne l'avait pas encore perçue, c'était sans doute à cause du parfum des savons et des huiles. C'était la même odeur, étrange et si peu naturelle, qu'elle avait sentie sur le visage de la femme au masque de plumes. Mais l'odeur était ici encore plus forte. Elle se couvrit le nez et la bouche. Cela ressemblait à un mélange de cendres et peut-être de liège calciné ou de caoutchouc fondu. Elle se demanda tout à coup à quoi pouvait ressembler l'odeur du verre fondu. Comment pouvait-il y avoir de telles odeurs dans les appartements privés d'un manoir de campagne ? Elle passa la tête dans une antichambre. Un coup d'œil rapide lui permit de repérer des chaises, un guéridon, une lampe, un tableau, mais aucun vêtement. Elle allait sortir, quand un bruit la fit sursauter.

Des pas lourds s'approchaient. Lorsqu'ils l'eurent presque rejointe, au moment où elle allait retourner à la hâte dans la salle de bain, elle entendit le bruit de quelqu'un qui titube puis clairement le fracas de quelque chose de lourd qui heurte autre chose qui, à son tour, se renverse et se casse. Un morceau de verre bleu de Chine glissa par la porte entrouverte et passa devant ses pieds. Un temps d'arrêt. Les pas reprirent, toujours titubants, puis s'éloignèrent.

Miss Temple se risqua à jeter un coup d'œil. À ses pieds s'étalaient les débris d'un énorme vase, les lys qu'il avait dû contenir, le socle en marbre cassé sur lequel il avait reposé ainsi qu'une petite table renversée.

Dans la chambre se dressait un grand lit à baldaquin dont on avait enlevé les draps. Sur le matelas, trois caisses, des caisses semblables à celles ouvertes par l'étrange domestique dans la pièce de l'autre côté du couloir. Celles-ci étaient également ouvertes et capitonnées de feutre orange, comme miss Temple pouvait maintenant le constater en se souvenant des mots inscrits au tableau noir. Les caisses étaient toutes vides mais, sur l'un des couvercles qui avaient été retirés, elle lut, écrit au pochoir en lettres orange : « OR-13 » et sur les deux autres couvercles : « OR-14 » et « OR-15 ».

De nouveau, des pas résonnèrent, plus chancelants. Avant que miss Temple eût pu faire quoi que ce fût pour se cacher, un bruit plus fort retentit : la chute d'un corps. Puis le silence.

Elle rampa vers la porte. L'odeur devenait entêtante. Elle eut un haut-le-cœur et se couvrit le nez et la bouche avec sa manche. Elle se trouvait maintenant sur le seuil d'une autre pièce, dont chaque meuble était couvert d'un drap blanc, comme si cette partie de la maison était fermée. Sur le sol, à l'arrière d'un buffet recouvert d'un drap, une paire de jambes : un pantalon rouge vif à liseré jaune rentré dans des bottes noires. Un uniforme militaire. Le soldat ne bougea pas.

Miss Temple prit le risque d'entrer dans la pièce et de le regarder en entier. Sa veste était rouge aussi, avec des épaulettes et des boutons dorés. L'homme arborait une épaisse moustache noire et des favoris. Le reste de son visage était caché par un masque de cuir rouge. Ses yeux étaient clos. Elle ne vit de sang nulle part ni de signe évident qu'il se fût cogné la tête. Peut-être l'inconnu était-il ivre. Ou terrassé par l'odeur. Elle le toucha du pied. Il ne bougea pas mais, elle vit au mouvement de sa poitrine qu'il était vivant.

Il tenait, serrée dans ses mains, une cape noire dans laquelle il s'était peut-être empêtré. Avec un sourire de satisfaction, miss Temple s'agenouilla, libéra le vêtement et l'examina. La cape n'avait pas de capuchon, mais pouvait très bien couvrir son corps. Elle sourit de nouveau avec malice, s'accroupit près de la tête de l'homme, puis dénoua le masque et sursauta.

Les yeux de l'homme étaient cerclés d'une marque étrange, creusée dans la peau, comme si on lui avait enfoncé une paire de lunettes de métal sur le visage et les tempes. La chair n'était pas brûlée mais délavée, de cette couleur de viscère qu'ont certaines prunes, comme si on avait enlevé une couche de peau. Miss Temple examina l'intérieur du masque avec dégoût. Il ne paraissait pas souillé et ne portait pas de marques de sang. Lorsqu'elle l'essuya sur la housse de l'une des chaises, il ne laissa pas de trace. Mais c'est quand même avec méfiance qu'elle retira son propre masque blanc et l'échangea contre le rouge. Elle ôta ensuite ses tuniques blanches et se drapa dans la cape noire. Même sans pouvoir le vérifier dans un miroir, elle sentit qu'elle avait retrouvé un peu de sa contenance. Elle enfourna les vêtements qu'elle venait de quitter dans le buffet et poursuivit son chemin.

La porte suivante, assez grande – sans doute l'entrée principale de la suite de pièces –, la mena directement à une foule d'invités élégants qui se déplaçaient le long d'un large couloir bien éclairé. Un homme remarqua miss Temple sur le seuil, lui adressa un signe de tête mais ne s'arrêta pas. Personne ne s'arrêtait, en fait, tous semblaient pressés. Heureuse de n'avoir alerté personne, miss Temple se fondit dans la masse ondoyante et se laissa emporter par le courant. Elle prenait soin de garder sa cape fermée, non sans examiner les gens qui l'entouraient. Ils portaient tous des masques et des tenues de soirée élégantes mais de styles différents.

Alors qu'elle suivait le flot, plusieurs lui firent un signe de tête ou un sourire, mais personne ne lui parla. En fait, personne ne parlait, mais elle eut le sentiment de percevoir de façon fugitive quelques sourires d'impatience. Elle était convaincue qu'ils se hâtaient vers quelque chose de merveilleux, mais que très peu d'entre eux savaient ce dont il s'agissait vraiment. Ils n'étaient pas si nombreux dans le couloir, peut-être quarante ou cinquante. À en juger par le nombre de fiacres devant la demeure, il n'y avait là qu'une partie des invités. Où pouvaient être tous les autres et comment expliquer leur absence ? Et où se rendaient-ils tous? Jusqu'où allait ce couloir? L'architecte qui avait dessiné cette demeure devait avoir été obsédé, et de façon maladive, par la *longueur*.

Soudain, elle trébucha et heurta la personne qui se trouvait devant elle, une femme plutôt petite, c'est-à-dire de la même taille qu'elle, vêtue d'une robe vert pâle, de la même couleur que la sienne, remarqua-t-elle non sans un petit pincement de cœur, dissimulée par un masque particulièrement astucieux, fait de fils de perles.

– Oh! je suis navrée! murmura miss Temple.

– Je vous en prie, répondit la femme tout en pointant son menton vers un homme devant elle, c'est moi qui ai marché sur *son* talon à lui.

Ils étaient maintenant tous arrêtés dans le couloir.

– Nous n'avançons plus, observa miss Temple en essayant d'entretenir la conversation.

– On m'a prévenue que l'escalier était très étroit et qu'il fallait faire attention avec mes chaussures. Les architectes ne pensent jamais aux dames.

– C'est terriblement vrai, acquiesça miss Temple.

Mais son regard s'éloignait déjà au-dessus de leurs têtes, où elle aperçut des silhouettes gravissant un escalier en colimaçon construit dans un métal brillant.

Son cœur bondit. Roger Bascombe, car ce ne pouvait être que lui malgré le loup noir sur ses yeux, montait la spirale supérieure et se trouvait en face d'elle. Une fois de plus, son visage était inexpressif, sa main tapotait impatiemment la rampe parmi d'autres invités. Sachant qu'il n'aimait pas être pris dans une foule, elle le devinait malheureux. Où allait-il? Où *croyait-il* se rendre? Puis, soudain, Roger parvint à la mezzanine en haut de l'escalier et il disparut.

Elle avait encore un peu avancé, alors que ses pensées se bousculaient dans sa tête, quand elle s'aperçut que la femme en vert avait chuchoté quelque chose.

– Désolée, murmura miss Temple, j'ai tout à coup été distraite par l'émotion.

– C'est vraiment très excitant, n'est-ce pas? lui confia la femme.

– Je dois dire que oui.

– Je me sens vraiment comme une enfant!

– Je crois bien que nous en sommes tous là, lui assura miss Temple.

Puis, avec désinvolture, elle ajouta :

– Je ne m'attendais pas à ce qu'il y ait autant de monde.

– Bien sûr, répondit l'inconnue, ils ont été très prudents : ils ont fondu notre groupe dans une assemblée plus large, lancé les invitations avec beaucoup de discrétion et dissimulé nos identités.

– Tout à fait, approuva miss Temple, et quel masque astucieux vous avez !

– Vous trouvez, vous aussi ?

La femme sourit. Elle avait reculé d'un pas pour marcher à côté de miss Temple et elles pouvaient désormais parler plus bas, sans attirer l'attention.

– Mais moi, je tiens à vous féliciter pour votre cape.

– Oh ! C'est très aimable de votre part.

– Elle est tellement *théâtrale*, murmura-t-elle en effleurant le ruban noir qui bordait le col et que miss Temple n'avait pas remarqué. On dirait une cape de soldat.

– C'est la mode, non ?

– En effet, et la femme baissa le ton… mais à notre façon, ne sommes-nous pas désormais des soldats ?

Miss Temple opina du bonnet et, pour manifester une solidarité discrète, ajouta :

– C'est aussi mon avis.

La femme lui lança un regard qui semblait en dire long, puis détailla sa cape avec enthousiasme :

– Et elle est plutôt longue, elle vous couvre jusqu'aux pieds.

Miss Temple s'approcha d'elle.

– C'est pour que personne ne sache ce que je porte dessous.

La femme eut un sourire coquin et se rapprocha encore :

– Ou si vous portez quelque chose…

Avant que miss Temple eût le temps de répondre, elles se trouvèrent au pied de l'escalier. Elle fit signe à la femme de passer devant, elle ne voulait surtout pas que ces paroles prononcées sous l'impulsion du moment donnent à sa compagne la mauvaise idée de regarder sous sa cape. Pendant qu'elles montaient, elle nota qu'en bas il ne restait plus que quelques douzaines de personnes dans le couloir. Puis elle ravala sa salive en apercevant la femme en rouge.

Elle se trouvait derrière tout le monde, la démarche lente, comme un berger derrière ses moutons. Son regard s'arrêta sur miss Temple qui ne put s'empêcher de tressaillir, puis il glissa vers la balustrade de la mezzanine. Miss Temple continua à monter et fut très vite de l'autre côté de la spirale, à l'abri de son regard. Lorsqu'elle se trouva de nouveau à découvert, elle se raidit pour ne fixer que le dos de la femme en vert qui la précédait. Sa nuque la démangeait. Il n'était pas question qu'elle se retourne mais, certaine qu'on l'avait découverte, elle s'accrocha à cette résolution. Puis la femme en vert s'arrêta, tout le monde avait ralenti.

Miss Temple se sentit complètement exposée aux regards, comme si elle ne possédait ni cape ni masque. Encore une fois, elle se sentit transpercée par le regard de la femme en rouge et elle reconnut le bruit des pas qu'elle avait entendus dans le vestiaire aux miroirs. La femme était près d'elle... plus près encore... elle s'était arrêtée juste derrière. Miss Temple regarda vers le bas et, en un éclair terrible, elle croisa ces yeux qui scintillaient. Encore un déplacement infime et la femme en rouge regarderait sous la cape noire empruntée au soldat, mais elle en fut empêchée par la marche sur laquelle se trouvait miss Temple. Celle-ci retint sa respiration.

La femme devant elle continua à monter et miss Temple la suivit, sachant bien que, lorsqu'elle bougeait, sa cape s'ouvrait à la hauteur de ses pieds. Elle n'arrivait pas à regarder plus bas pour vérifier si la femme en rouge l'avait bien reconnue, elle, ou si elle ne l'avait fixée que par hasard. Trois marches plus haut, elle atteignit le balcon, le traversa et parvint devant une petite porte sombre. La femme en vert marqua une pause comme pour lui proposer de continuer avec elle, mais miss Temple, craignant de se faire remarquer, lui sourit puis s'éloigna dans la direction opposée. Alors seulement, elle se rendit compte de l'endroit où elle se trouvait.

Devant elle, une allée longeait des gradins, en surplomb de la salle d'opération. La tribune était très pleine et elle s'obligea à chercher une place libre. Sur l'estrade, elle vit l'homme au manteau de fourrure ; il avait ôté son vêtement mais tripotait toujours sa canne à pommeau d'argent. Il lança un regard mécontent vers l'assistance, impatient que tout le monde s'installât. Elle connaissait l'intensité de la lumière qu'il recevait dans les yeux, elle savait que cette lumière l'aveuglait, mais elle sentit quand même son regard fixé sur elle, dur comme un râteau sur du gravier. Elle n'osa pas s'éloigner de la dernière rangée, car plus on s'asseyait vers le bas, plus on pouvait vous voir depuis l'estrade, et elle fut soulagée de trouver une place libre à trois sièges de l'allée, entre un homme en queue-de-pie noire et un autre aux cheveux blancs, en uniforme bleu avec une ceinture en tissu. Comme tous deux étaient plus grands qu'elle de quelques centimètres, miss Temple se dit qu'ainsi placée on la verrait moins, mais elle se sentit complètement prise au piège. Derrière elle, la femme en rouge avait dû entrer. Elle se força à regarder vers l'estrade, mais ce qu'elle y vit n'apaisa en rien ses craintes.

L'homme imposant tendit une main dans l'ombre et en ramena par l'épaule une femme masquée, vêtue d'une tunique de soie blanche. La femme marchait avec précaution, aveuglée par la lumière, et se laissait guider par l'homme. Puis, sans cérémonie aucune, il la hissa à deux mains pour l'asseoir sur la table, lui saisit les jambes qui pendaient dans le vide et la fit pivoter en la tirant vers l'avant de la table. Il lui parlait, trop bas pour que quiconque pût entendre ; avec un sourire timide, elle s'allongea et se déplaça pour être bien au centre de la table.

Pendant qu'elle s'installait, l'homme lui plaça très calmement les chevilles à chaque coin de la table et les entrava à l'aide d'une courroie en cuir. Après quoi, il serra d'un coup sec et en laissa tomber les extrémités. Il s'approcha ensuite des bras de la femme. Elle ne disait rien. Pendant que miss Temple essayait de deviner laquelle des trois voyageuses se trouvait là – peut-être la femme pirate –, l'homme lui attacha les bras. Puis, avec une certaine délicatesse, il repoussa sa chevelure élégamment bouclée et passa une courroie autour de sa gorge pâle et gracile. Il serra fermement mais avec moins de force.

Après l'avoir immobilisée, l'homme se plaça derrière elle et saisit un manche métallique, semblable à celui d'une pompe. Il tira. La machine répondit avec un claquement sonore, aussi sec qu'un coup de feu. Le dessus de la table bascula vers le haut et pivota vers les tribunes. En trois coups, la femme fut déplacée à quarante-cinq degrés. Il relâcha le manche, quitta l'estrade et disparut dans l'obscurité.

Le visage de la femme n'exprimait rien, si ce n'est un sourire mièvre, mais cela ne pouvait faire oublier que ses jambes tremblaient. Miss Temple risqua un regard par-dessus l'épaule de son voisin, ramena rapidement les yeux vers l'estrade. La femme en rouge se tenait juste dans l'embrasure de la porte, comme si elle montait la garde, armée de son porte-cigarettes.

Si miss Temple voulait s'enfuir, elle devrait sauter sur l'estrade et se précipiter vers l'une des sorties sur les côtés, ce qui était difficilement envisageable. Nerveuse, elle examina la foule en tâchant de trouver une idée, une nouvelle issue de secours. C'est ainsi que ses yeux tombèrent sur Roger, juste au centre de l'hémicycle, assis entre une femme en jaune, probablement la femme qui riait dans le train et, comme par hasard… un siège vide. C'était sans doute le seul de tout l'amphithéâtre.

Venant de quelque part derrière elle, miss Temple sentit une odeur de tabac. Le siège vide était assurément celui de sa funeste rivale en rouge, mais comment Roger Bascombe était-il lié à cette femme-là ? Était-elle diplomate, s'agissait-il d'une mystérieuse courtisane ou d'une riche héritière corrompue ? En interceptant miss Temple à la porte, elle avait prouvé son implication dans ce qui allait se produire et à quoi tous ces gens allaient assister. Roger l'accompagnait dans le train. Cela signifiait-il que lui aussi était au courant du spectacle qui les attendait ? Peut-être le siège qu'elle occupait en ce moment était-il destiné à la femme en rouge. Mais alors, que pouvait-elle y faire désormais ?

L'homme imposant revint dans la lumière, portant dans ses bras une autre femme vêtue de blanc. C'était certainement celle qui portait une robe en soie bleue, car ses longs cheveux étaient défaits et pendaient presque jusqu'au sol. Il s'avança vers le centre de l'estrade, face à la table, et se racla la gorge.

– Je crois que nous sommes prêts, annonça-t-il.

Loin d'être brusque ou autoritaire, sa voix était plutôt éteinte, presque rauque, dans le registre des basses. Elle sortait de sa gorge comme quelque chose de lacéré, de brisé. Il ne haussait pas la voix, mais sa prestance était telle que l'audience l'écoutait attentivement. Il se racla encore la gorge, souleva la femme et la tint devant lui comme un livre ouvert.

– Comme vous pouvez le constater, cette femme est totalement soumise. Vous comprendrez qu'aucun opiacé ni aucune autre drogue n'ont été utilisés. En outre, si elle semble tout à fait passive, c'est simplement parce que c'est l'état qu'elle préfère. Il ne s'agit pas d'une nécessité, au contraire, elle peut atteindre un niveau élevé de réactivité.

Il déplaça la femme en soulevant la partie supérieure de son corps et en faisant basculer ses jambes avant de laisser tomber ses pieds sur le sol. Puis il recula. La femme chancela, les yeux encore vitreux, sans tomber pour autant. Contre toute attente, il la gifla très brutalement.

Dans les tribunes, l'assistance en eut le souffle coupé. La femme tituba mais ne s'effondra pas, au contraire : elle lança un bras vers le visage de l'homme, prête à lui décocher un coup de poing. Il lui saisit facilement la main au vol, il était clair qu'il avait prévu sa réaction, puis il rabaissa lentement son bras et le lâcha. Elle n'essaya plus de le frapper et, en fait, son calme donnait l'impression qu'elle n'avait jamais tenté de le faire. L'homme regarda la galerie comme pour faire remarquer la chose, retourna vers la femme et posa cette fois-ci une main sur son cou. Il serra. La femme réagit violemment, elle lui griffa les doigts, lui donnant des coups de poing sur les bras, des coups de pied dans les jambes. Tout en la tenant à bout de bras, l'homme ne bronchait pas. Elle ne pouvait l'atteindre. La femme avait le visage écarlate, sa respiration était pénible et son combat complètement sans espoir. Il était en train de la tuer.

Le spectateur en uniforme à côté de miss Temple émit un murmure de consternation, repris par la foule; elle le sentit s'agiter sur son siège comme pour se lever. Anticipant ce moment précis où les protestations allaient se faire entendre, l'homme sur l'estrade lâcha prise. La femme tituba, respira en émettant quelques râles irréguliers et cessa très vite de se débattre. À aucun moment, elle ne sembla prêter attention à l'homme. Une ou deux minutes pour reprendre son souffle et elle retrouva son attitude placide et son expression neutre.

L'homme releva les yeux vers les tribunes, insistant sur ce qu'il venait de démontrer, puis il se plaça derrière son sujet. En un mouvement rapide, il retroussa le dos de sa tunique, plongea sa main en dessous et se mit carrément à fouiller. La femme se raidit, remua les lèvres et les mordit, alors que le reste de son visage restait impassible. L'homme se tenait derrière elle, c'était ses doigts invisibles qui la travaillaient. Il restait de marbre, et aurait pu tout aussi bien être en train de réparer une horloge, tandis que la respiration de la femme devenait plus profonde, et qu'elle changeait imperceptiblement de position, vers l'avant, tout son poids sur les orteils. Miss Temple regardait, fascinée par le spectacle. Elle connaissait exactement le genre d'accès que les culottes de soie de la femme pouvaient offrir et l'endroit précis où les doigts de l'homme s'activaient. La montée lente du plaisir pouvait se lire sur le visage de la femme, elle émit un soupir sonore, sa gorge rougit et ses doigts se crispèrent.

D'un mouvement brusque, l'homme retira sa main et s'écarta, non sans s'essuyer les doigts sur la tunique. Quant à la femme, elle retrouva immédiatement son attitude passive et son expression neutre quand l'homme s'éloigna. Il claqua à peine des doigts que quelqu'un sortit de l'ombre et prit la femme par la main. Miss Temple reconnut l'homme à tête de chien qui l'avait escortée plus tôt. Il s'éclipsa avec elle.

– Comme vous pouvez le constater, poursuivit l'homme sur l'estrade, le sujet est à la fois prêt à réagir et content de se tenir sur son quant-à-soi. Ce sont là les premiers effets qui s'accompagnent de divers degrés de vertige, de nausée et de narcolepsie. C'est pourquoi, lors de ces premières étapes, la supervision, la protection même sont vitales.

Il claqua encore des doigts et du côté opposé de l'estrade surgit le deuxième homme à tête de chien, qui escortait la dernière des trois femmes en blanc. Elle marchait tout à fait normalement, et elle lui fit une révérence. Elle se redressa, se tourna vers le public et esquissa une autre révérence.

– Cette femme, poursuivit-il, a été notre sujet pendant trois jours. Comme vous pouvez le constater, elle a gardé une maîtrise parfaite de ses facultés. Mieux encore, elle a été *libérée* des entraves de la pensée. Depuis trois jours, elle a adopté *un nouveau mode de vie*.

Il marqua une pause pour que l'on comprenne bien l'importance de ses propos, puis il poursuivit avec une note de mépris glacial dans la voix :

– Voilà trois jours, cette femme, comme tant d'autres, comme tant d'autres ici ce soir, je présume, se croyait *amoureuse*. Aujourd'hui, c'est elle, grâce à notre aide, qui détient le *pouvoir*.

Il s'arrêta et lui adressa un signe de tête.

Quand elle se mit à parler, miss Temple reconnut la voix grave de la femme au masque de plumes. Son ton était le même que lorsqu'elle avait raconté son aventure avec les deux hommes dans un fiacre, mais la distance rêveuse et froide qu'elle adoptait pour parler fit frissonner miss Temple.

– Je ne peux expliquer comment j'étais, car cela équivaudrait à décrire le comportement que j'avais quand j'étais enfant. Tout est plus clair à présent, tant de choses ont changé que je ne puis que vous dire ce que je suis devenue… Il est vrai que je croyais être amoureuse. Amoureuse parce que je ne pouvais pas voir au-delà de ma dépendance, parce que je me figurais, dans ma servitude, que cet amour me libérerait. Quelle était ma vision du monde à l'époque ? Il s'agissait de l'inutile attachement à l'autre, du désir de le sauver, et qui usurpait la place de mes propres actions. Ce que je percevais comme la simple conséquence de cet attachement : l'argent, le statut, le respect, le plaisir, je le vois aujourd'hui comme une simple composante de mes capacités illimitées. Au cours des trois derniers jours, j'ai connu trois nouveaux prétendants, j'ai obtenu assez d'argent pour refaire ma vie à Genève et un emploi agréable dont je n'ai pas le droit de parler, ajouta-t-elle en souriant. Et en même temps, j'ai réussi à gagner et à dépenser plus d'argent que je n'en avais possédé de toute ma vie.

Elle avait fini de parler. Elle inclina la tête à l'intention des tribunes et recula de quelques pas. L'escorte réapparut, lui prit la main et l'entraîna dans l'ombre. L'homme imposant la regarda sortir.

– Je ne peux pas vous donner de détails, comme je ne pourrais fournir de détails sur aucun d'entre vous. Je ne cherche pas à convaincre, mais bien à offrir une *possibilité*. Vous avez vu des exemples des différentes étapes de notre Procédé. Ces deux femmes, l'une métamorphosée il y a trois jours, l'autre, ce soir même, ont accepté notre invitation et elles pourront donc profiter des avantages qu'elle offre. La troisième… vous allez constater par vous-mêmes les transformations qu'elle va connaître et vous pourrez vous décider en toute connaissance de cause. Gardez bien à l'esprit que la dureté du Procédé correspond à la profondeur de la transformation. Je ne demande que votre attention ainsi qu'un silence complet.

Sur ce, il s'agenouilla pour ramasser une des caisses en bois. Pendant qu'il traversait l'estrade, il souleva le couvercle avec désinvolture et le jeta sur le sol. Un bruit sourd résonna. Il regarda la femme qui déglutissait nerveusement, et posa la caisse sur la table, à côté de sa jambe. Il en sortit une épaisse couche de feutre orange, le laissa tomber par terre, puis plissa le front pour ajuster quelque chose à l'intérieur. Satisfait, il en sortit ce qui parut à miss Temple être une paire de lunettes beaucoup trop grandes, munies de verres incroyablement épais, dont la monture, gainée de caoutchouc noir, laissait pendre des pelotes de fil de cuivre. L'homme se pencha sur la femme, la cachant ainsi aux spectateurs, et lui ôta son masque blanc. Avant que l'on pût la reconnaître, il appliqua l'étrange appareil sur son visage et l'ajusta par petits mouvements énergiques, ce qui fit remuer les jambes de la femme.

Il revint à la caisse. La femme respirait fort, ses joues étaient humides, ses poings serraient les manches de sa tunique. L'homme sortit deux horribles pinces à dents, en fixa une au fil de cuivre et l'autre à l'intérieur de la caisse, sur quelque chose que miss Temple ne pouvait distinguer. Mais quand il eut fini, ce qui se trouvait dans la caisse se mit à briller d'une pâle lueur bleue. La femme reprit sa respiration et gémit de douleur.

À cet instant précis, miss Temple l'imita, car elle eut la très vive sensation que quelque chose s'enfonçait dans son dos, juste entre les omoplates. Alors qu'elle faisait volte-face pour s'apercevoir que la femme en rouge ne se tenait plus dans l'embrasure de la porte, elle sentit le souffle de celle-ci dans son oreille.

– Je crains que vous ne deviez me suivre.

Tandis qu'elles descendaient l'escalier en colimaçon, la femme maintint la pression de la lame entre ses épaules, ce qui convainquit miss Temple de ne pas appeler à l'aide, de ne pas feindre de s'évanouir ni même de s'évader en sautant par-dessus la balustrade. Quand elles atteignirent le long couloir de marbre, la femme s'écarta et mit une main dans sa poche, non sans montrer à miss Temple la lame brillante qu'elle tenait entre ses doigts. Elle leva les yeux vers la balustrade pour s'assurer que personne ne les suivait, puis fit signe à miss Temple de passer devant pour suivre le couloir qui menait au reste de la maison. Miss Temple s'exécuta, en espérant trouver une porte ouverte dans laquelle s'engouffrer, ou croiser quelqu'un qui pourrait intervenir. Elle savait qu'un groupe plus nombreux d'invités se réunissait ailleurs dans la maison, ce qui dissimulait ainsi aux regards extérieurs les activités de l'amphithéâtre. Si elle pouvait au moins le rejoindre, elle était sûre d'y trouver de l'aide.

Elles dépassèrent plusieurs portes closes mais, lorsqu'elle était arrivée en sens inverse, miss Temple s'était tellement concentrée sur les gens autour d'elle qu'elle ne se souvenait de rien. Elle ne savait donc pas où elle allait ni par quelle porte elle était sortie. La femme en rouge la guida, la bousculant sans ménagement quand miss Temple se risqua à ralentir. Miss Temple sentit à ce moment-là que son sens des convenances avait été englouti par la peur. Elle était totalement terrifiée par ce qui allait lui arriver. Que l'on pût la malmener ainsi prouvait dans quelle déchéance elle avait sombré et à quel point sa situation était désespérée.

La deuxième fois qu'elle se fit bousculer, son niveau d'indignation était à son comble. Mais que faire? Elle n'était pas de constitution très robuste, la femme en rouge portait une arme et, de toute évidence, lui voulait du mal. Et puis elle savait qu'on pouvait l'accuser de vol et d'effraction et, par conséquent, qu'elle serait dans l'impossibilité de se défendre légalement.

Lorsque la femme la bouscula une troisième fois, miss Temple éclata d'indignation : sans réfléchir, elle pivota sur elle-même et, de toute la force de son bras, lui lança la main à la figure. La femme recula et le coup partit dans le vide, ce qui fit trébucher miss Temple. La femme eut un ricanement insupportable et elle lui désigna de nouveau l'instrument qu'elle tenait dans la main, une sale petite lame fixée à un anneau d'acier qu'elle serrait dans son poing. De l'autre main, elle lui indiqua une porte, en tout point identique aux autres.

– Là nous pourrons parler, dit-elle.

En lui lançant un regard de défi, miss Temple entra.

C'était encore une suite de pièces dont les meubles disparaissaient sous des housses de drap blanc. La femme en rouge ferma la porte et poussa miss Temple vers un divan. Lorsque miss Temple se tourna vers sa geôlière, le regard enflammé de colère, la voix de la femme résonna, froide et méprisante.

– Asseyez-vous.

Puis elle-même s'installa dans un gros fauteuil et sortit son fume-cigarette et un étui métallique. Elle leva les yeux vers sa captive qui n'avait pas bougé et elle lui lança sèchement :

– Asseyez-vous ou vous allez voir sur quoi je vais vous faire asseoir, moi.

Miss Temple obtempéra. La femme fixa sa cigarette, se leva pour l'allumer à une applique murale, puis revint vers son fauteuil. Elles se jaugèrent.

– Vous me détenez contre mon gré, protesta miss Temple, avec l'espoir qu'en se défendant, elle pourrait provoquer la discussion.

– Ne soyez pas ridicule. La femme aspira, souffla la fumée sur le côté, puis fit tomber sa cendre sur le tapis.

Elle fixait miss Temple, immobile elle aussi. Elle tira encore une fois sur sa cigarette et, lorsqu'elle ouvrit la bouche, ses paroles s'échappèrent dans un halo de fumée.

– Je vais vous poser des questions. Vous y répondrez. Ne faites pas l'idiote. Il n'y a personne ici pour vous aider.

Elle regarda miss Temple avec insistance puis, changeant sa voix pour passer au ton sans appel de l'acte d'accusation, elle dit avec sérieux :

– Vous êtes arrivée en fiacre avec les autres.

– Oui, voyez-vous, je viens de l'hôtel.

– Non, pas du tout. Je ne vais tout de même pas vous aider à mentir.

Elle marqua un temps d'arrêt, comme pour trouver la meilleure voie pour poursuivre l'interrogatoire. Miss Temple s'enhardit :

– Je n'ai pas peur de vous.

– Je ne vais pas non plus vous aider à vous montrer stupide. Vous êtes venue en train. Comment avez-vous su quel train prendre ? Et à quelle station descendre ? Quelqu'un vous a parlé.

– Personne ne m'a rien dit.

– Mais bien sûr que si. Qui sont vos complices ?

– Je n'en ai aucun.

La femme éclata de rire, d'un rire qui ressemblait à un aboiement sec et moqueur.

– Si je croyais une seconde ce que vous venez de me dire, vous seriez déjà la tête la première dans un marécage et j'en aurais fini avec vous. J'exige des noms.

Miss Temple ne savait pas quoi dire. Si elle inventait des noms, ou si elle donnait des noms sans aucun lien avec cette affaire, elle ne ferait que prouver son ignorance. Si elle persistait à se taire, le danger devenait plus sérieux encore. Son genou trembla. Aussi calmement qu'elle le put, elle y appuya la main.

– Et qu'obtiendrais-je en échange de cette trahison ? s'enquit-elle.

– La vie, répondit la femme. Si je suis gentille.

– Je vois.

– Alors ? Parlez. Des noms. Commencez par le vôtre.

– Puis-je d'abord vous poser une question ?

– Non, vous ne le pouvez pas.

Miss Temple fit comme si elle n'avait pas entendu.

– S'il m'arrivait quelque chose, ne serait-ce pas pour mes complices une preuve de la nature de vos activités ?

La femme éclata d'un rire encore plus sonore. Elle se reprit.

– Désolée, tout cela est vraiment presque comique. Pardon… vous disiez quelque chose ? Ou préférez-vous mourir ?

Miss Temple inspira profondément et se mit à mentir autant qu'elle le pouvait.

– Isobel. Isobel Hastings.

La femme eut un petit sourire de mépris.

– Votre accent est… étrange… peut-être même contrefait.

Comme elle s'exprimait tout à fait normalement, cette remarque irrita miss Temple au plus haut point.

– Je suis d'ici.

– D'où, au juste ?

– D'ici, du Nord.

– Je vois, commenta la femme, avec le même sourire dédaigneux. Pour qui travaillez-vous ?

– Je ne connais aucun nom. On m'a donné des instructions par écrit.

– Lesquelles ?

– Gare de Stropping, quai 12, train de 18 h 23, Orange Canal. J'étais chargée de découvrir le véritable but de cette soirée et de faire rapport sur tout.

– À qui donc ?

– Je l'ignore. On devait me contacter à mon retour à Stropping.

– Qui, on ?

– Quelqu'un était censé se faire connaître. Je ne sais rien. Je ne peux donc rien révéler.

La femme soupira, irritée, écrasa sa cigarette sur le tapis et fouilla dans son sac pour en sortir une autre.

– Vous avez un peu d'éducation. Vous n'êtes pas une putain ordinaire.

– Comme vous le dites.

– Vous êtes une putain *extra*-ordinaire

– Je n'en suis pas une du tout.

– Je vois, dit la femme en souriant de nouveau d'un air moqueur. Vous gagnez votre vie en travaillant dans une *boutique,* peut-être ?…

Miss Temple garda le silence.

– Alors dites-moi, parce que je ne comprends pas, qui êtes-vous donc pour faire ce genre… d'enquête ?

– Je ne suis personne. C'est pour cette raison que je peux la mener.

– Ah !

– C'est ça.

– Et comment vous a-t-on… recrutée ?

– J'ai rencontré un homme dans un hôtel.

– Un *homme !*

La femme sourit encore. Miss Temple se surprit à étudier son visage. Elle remarqua combien sa beauté éclatante et glaciale volait régulièrement en éclats quand elle était traversée par ces éclairs de réprobation sarcastique ; comme si le monde était si sordide que même cette perfection intimidante ne pouvait supporter une telle charge négative.

– Quel *homme*?

– Je ne le connais pas, si c'est ce que vous voulez dire.

– Vous pouvez peut-être le décrire.

Dans le désordre de ses pensées, miss Temple trouva une réponse: le supérieur de Roger, le vice-ministre des Affaires étrangères, monsieur Harald Crabbé.

– Voyons… un homme assez petit, plutôt soigné, maniaque même, cheveux gris, moustache, chaussures vernies, des manières péremptoires, condescendantes, de petits yeux mauvais, une épouse obèse – bien sûr, je ne l'ai jamais vue, mais vous serez sans doute d'accord pour estimer que, parfois, ces choses-là se *devinent*…

La femme en rouge l'interrompit:

– Dans quel hôtel l'avez-vous rencontré?

– Le Boniface, je crois.

La femme plissa la bouche avec dédain.

– Comme tout cela a l'air *respectable*…

Miss Temple poursuivit:

– Nous avons pris le thé. Il a suggéré que je pourrais accomplir ce genre de tâche. J'ai accepté.

– Combien vous a-t-il proposé?

– Je vous l'ai déjà dit, je ne fais pas cela pour l'argent.

Pour la première fois, miss Temple sentit que la femme en rouge était surprise. Cela lui fit très plaisir. La femme en rouge se leva et retourna vers la lampe pour allumer une seconde cigarette. Elle revint s'asseoir, plus calme, comme si elle réfléchissait à voix haute.

– Je vois… vous préférez… l'influence?

– Je cherche autre chose que l'argent.

– Et quoi donc?

– Ce sont mes affaires, madame, et elles n'ont aucun rapport avec cette discussion.

La femme en rouge sursauta comme si on l'avait giflée, alors qu'elle allait se rasseoir dans son fauteuil. Avec une lenteur extrême, elle se redressa de toute sa hauteur, comme un juge. Lorsqu'elle reprit la parole, sa voix était saccadée, assurée, comme si cet interrogatoire n'était plus qu'une formalité.

– Vous ignorez le nom de ceux qui vous ont envoyée?

– Oui.

– Vous ne savez pas qui ira à votre rencontre?

– Non.

– Ni ce qu'ils voulaient que vous découvriez?

– Non.

– Et qu'avez-vous découvert ?

– Une sorte de nouvelle drogue, vraisemblablement un élixir breveté, administré à des femmes qui ne se doutent de rien, pour les convaincre de passer le reste de leur vie à satisfaire certains instincts pervers.

– Je vois.

– Oui. Et je crois bien que *vous,* vous êtes la plus perverse de tous.

– Vous avez certainement tout à fait raison, ma chère. Vous devriez en être fière. Farquhar !

Elle cria ce nom sur un ton impérieux, en direction d'un coin de la pièce caché par un paravent en tissu. Un instant après, miss Temple vit apparaître celui qui l'avait escortée plus tôt, plus rougeaud encore, s'essuyant la bouche du revers de la main.

– Mmh ? marmonna-t-il, puis il fit l'effort d'avaler sa salive et se racla la gorge.

– Madame ?

– Elle sort.

– Oui, madame.

– Discrètement.

– Comme toujours, madame.

La femme toisa miss Temple et sourit.

– Faites attention, Farquhar. Elle connaît des secrets.

Sans un mot de plus, elle quitta la pièce. L'homme se tourna vers miss Temple.

– Je n'aime pas cet endroit, dit-il. Allons ailleurs.

La porte située derrière le paravent les mena à une pièce de service, sans tapis, où se trouvaient des tables longues et une cuve remplie de glace. Sur une table traînait un jambon entamé et, sur l'autre, une collection de bouteilles ouvertes, de toutes tailles. La pièce empestait l'alcool. Farquhar fit signe à miss Temple de s'asseoir sur la seule chaise en vue. Il trancha un morceau de jambon à l'aide d'un couteau qui se trouvait là puis il embrocha le morceau et le fourra dans sa bouche. Après quoi, il s'appuya sur la table et regarda miss Temple en mâchant. Puis il se dirigea vers l'autre table et but une rasade dans une des bouteilles qui s'y trouvaient.

À l'autre extrémité de la pièce, une porte s'ouvrit et l'autre gardien, l'homme à la flasque, entra. Il parla dans l'embrasure de la porte.

– Tu vois quelque chose, toi ?

– Quoi, quelque chose ? grogna Farquhar en guise de réponse.

– Le type en rouge qui met son nez partout.

– Où ça ?

– Dans le jardin.

Farquhar fronça les sourcils en avalant une gorgée.

– Ils l'ont vu dehors, devant la maison, poursuivit l'autre homme.

– Qui est-ce ?

– Ils ne le savent pas.

– Ça pourrait bien être n'importe qui.

– On dirait.

Farquhar but encore une gorgée puis posa la bouteille. Il pointa le menton vers miss Temple.

– Il faut qu'on l'emmène dehors.

– Dehors ?

– Discrètement.

– Maintenant ?

– Je crois bien. Ils sont encore occupés ?

– J'ai l'impression. Ça peut prendre combien de temps ?

– Aucune idée. J'étais en train de manger.

L'homme qui se trouvait dans l'embrasure de la porte plissa le nez et lorgna la table.

– Qu'est-ce que c'est que ça ?

– Du jambon.

– La boisson, c'est quoi ?

– C'est… c'est…

Farquhar remua la bouteille, la renifla.

– C'est épicé, ç'a le goût de… du clou de girofle ? Oui, ç'a le goût du clou de girofle. Et du poivre.

– Le clou de girofle, ça me donne envie de vomir, grommela l'autre.

Il regarda derrière lui, puis de nouveau dans la pièce.

– C'est bon. Il n'y a personne.

Farquhar claqua des doigts à l'attention de miss Temple, ce qui, à son avis, voulait dire qu'il fallait se lever et marcher vers la porte ouverte, ce qu'elle fit, Farquhar sur ses talons. L'autre homme la prit par la main et sourit. Ses dents étaient jaunes comme du fromage.

– Je m'appelle Spragg. Nous allons marcher tranquillement.

Elle acquiesça, regardant fixement le blanc de sa chemise de soirée, tachée de sang rouge vif. Venait-il tout juste de se raser? Elle détourna son regard et sursauta lorsque Farquhar prit son autre main dans la sienne. Les deux hommes se lancèrent un coup d'œil au-dessus de sa tête et se mirent en route en la serrant fermement entre eux.

Ils se dirigèrent vers une double porte vitrée, derrière un rideau de couleur pâle, et sortirent dans une cour; leurs pas crissaient sur le gravier. Il faisait froid maintenant. Il n'y avait ni étoiles ni clair de lune, mais la cour était bordée de fenêtres qui répandaient une lumière diffuse, et le sentier apparaissait parmi les taillis, les statues et de grandes urnes de pierre.

En face, dans ce qui devait être une autre aile de la maison, miss Temple crut distinguer les mouvements de plusieurs personnes, qui dansaient peut-être, et eut l'impression d'entendre les piètres accords d'un orchestre. Sans doute le reste de la fête, de la fête officielle. Si au moins elle pouvait se libérer et y courir! Comme s'ils lisaient dans ses pensées, les deux hommes serrèrent ses mains un peu plus fort.

Ils la menèrent vers de petites arcades sombres, un passage reliant les différentes ailes de la maison, destiné aux jardiniers ou à tous ceux qui n'avaient rien à faire à l'intérieur. Ce qui leur permit d'éviter la fête et l'entrée principale car, lorsqu'ils émergèrent de l'autre côté, miss Temple se rendit compte qu'ils venaient d'atteindre la grande cour pavée où attendaient les fiacres.

Elle se tourna vers Farquhar.

– Eh bien, merci, et sachez que je suis désolée des tracas que j'ai pu vous causer!...

Ses efforts pour se libérer de leur emprise restèrent vains. Au contraire, Spragg confia sa main droite à Farquhar et se dirigea vers un petit groupe de cochers pressés autour d'un brasero.

– Je vais y aller, insista miss Temple, je vais prendre un fiacre et partir, je vous le promets!

Au lieu de répondre, Farquhar regarda Spragg. Après quelques instants de négociation, Spragg indiqua un élégant fiacre noir et s'en approcha pendant que Farquhar entraînait miss Temple à sa suite.

Farquhar regarda le siège vide du cocher.

– C'est le tour de qui? demanda-t-il.

– C'est le tien, répondit Spragg.

– Non, ce n'est pas vrai.

– Si, c'est moi qui ai conduit jusqu'à Packington.

En soufflant, il indiqua la porte du fiacre :

– Vas-y, alors !

Spragg gloussa. Il ouvrit la porte et grimpa, puis tendit ses deux mains replètes pour hisser miss Temple. Farquhar souffla encore et il la souleva comme une plume. Alors que Spragg lui attrapait les bras puis les épaules, la cape de miss Temple tomba, révélant le spectacle indécent de ses dessous de soie. Spragg poussa brutalement miss Temple sur le siège en face de lui. Les jambes écartées, dans une position peu élégante, elle chercha à retrouver l'équilibre avec ses mains. Les deux hommes continuèrent à l'observer alors qu'elle s'enveloppait le mieux possible dans sa cape.

– On arrivera bien assez vite, commenta Farquhar à l'intention de Spragg.

Celui-ci haussa les épaules, d'un air faussement désinvolte. Farquhar claqua la porte du fiacre. En silence, Spragg et miss Temple se mesurèrent du regard. Au bout d'un instant, le fiacre fut secoué par le poids de Farquhar qui montait sur le siège, puis il s'ébranla pour les ramener dans le monde.

– Je vous ai entendus parler de Packington, commença miss Temple. Si cela vous convient, vous pouvez me déposer là-bas, j'y prendrai le train sans difficulté.

– Mon Dieu ! ironisa Spragg, c'est qu'on écoute aux portes !

– Ce n'est pas que vous chuchotiez, riposta miss Temple qui n'appréciait guère le ton de l'échange, et qui d'ailleurs n'appréciait pas du tout Spragg.

Elle s'en voulait de ne pas avoir été capable de tenir correctement sa cape en montant dans le fiacre. Le regard de Spragg glissait très ouvertement sur son corps, sans aucune gêne.

– Cessez de me regarder, à la fin ! s'offusqua-t-elle.

– Oh ! Et quel mal y a-t-il à ça ? ricana-t-il. Je vous ai déjà vue, vous savez.

– Oui, moi aussi je vous ai déjà vu.

– Je veux dire avant.

– Quand ?

Spragg enleva un peu de crasse sous l'ongle de son pouce.

– Saviez-vous, susurra-t-il, qu'en Hollande on a inventé une vitre qui d'un côté est comme un miroir et de l'autre, comme une vitre transparente ?

– Vraiment ? C'est très malin.

– Plus que vous, en tout cas.

Spragg eut un long sourire satisfait, presque malicieux. Miss Temple blêmit. Il parlait du miroir de la pièce où elle s'était changée, où elle avait mis le masque de plumes et passé sa langue sur ses lèvres comme un animal. Ces deux individus l'avaient épiée tout le long, comme si elle avait joué dans un vaudeville.

– Seigneur! Mais c'est qu'il fait chaud ici! ricana-t-il en tirant sur le col de sa chemise.

– Je trouve qu'il fait plutôt froid, en fait.

– Vous voulez un petit quelque chose à boire, pour vous réchauffer?

– Non, merci. Mais puis-je vous poser une question?

Spragg opina du bonnet, à moitié absent, occupé à chercher sa flasque dans son manteau. Lorsqu'il se rassit et qu'il dévissa le bouchon, miss Temple sentit le fiacre bouger. Ils venaient de quitter le chemin de gravier et roulaient sur la route pavée qui devait mener aux limites du domaine. Spragg buvait, soufflait fort et s'essuyait la bouche entre chaque rasade. Miss Temple continua:

– Je me demandais si… vous saviez… si vous pouviez me raconter… à propos des trois autres femmes.

Il éclata de rire.

– Vous voulez savoir ce que *moi*, je me demandais?

Elle se tut. Il rit de nouveau et se pencha vers elle.

– Je me demandais si… reprit-il, et il posa une main sur son genou.

Elle le repoussa d'un geste vif. Spragg siffla et secoua sa main comme s'il s'était piqué. Il s'assit et engloutit une autre rasade, puis remit la flasque dans son manteau et fit craquer ses doigts. Dehors, c'était l'obscurité totale. Miss Temple savait qu'elle était en danger et qu'elle devait agir avec prudence.

– Monsieur, dit-elle, je ne suis pas sûre que nous nous comprenions bien, vous et moi. Nous partageons le même fiacre, mais que savons-nous l'un de l'autre? Nous ignorons les avantages que l'autre peut offrir, avantages dont, je dois le souligner, les autres ne devront rien savoir. Je parle d'argent, monsieur Spragg, d'argent et de renseignements et même, oui, d'avancement. Vous me prenez pour une jeune fille qui n'en fait qu'à sa tête et qui n'a pas d'alliés. Je vous assure que ce n'est pas le cas et que vous pourriez avoir besoin de mon aide.

Il la regarda, les yeux aussi vifs qu'un poisson dans une assiette. Soudain, il sauta sur elle. Il attrapa ses deux mains et, en l'écrasant sous le poids de son ventre, lui bloqua les jambes pour qu'elles ne puissent pas donner de coups. Elle gémit sous le choc et le repoussa. Il était plutôt fort et très lourd. D'un geste brusque, il ajusta sa prise en serrant dans son poing les deux mains de miss Temple tandis que, de l'autre, il tirait sur les pans de sa cape pour l'ouvrir. Puis il explora le corps de miss Temple comme jamais on ne l'avait touché, avec un appétit impérieux et brutal, palpant ses seins, sa nuque, son ventre.

Il lui faisait mal partout à la fois, avec une telle intensité qu'elle chavirait sous les spasmes de la douleur. Elle le repoussa en faisant un effort si violent qu'elle en suffoqua et que sa respiration devint sanglot. Elle ignorait qu'elle était capable de se battre ainsi, et pourtant elle ne parvint pas à le faire bouger. La bouche de Spragg s'approchait d'elle par à-coups, sa barbe lui râpait la joue, les relents de whisky la prenant à la gorge.

Spragg bougea encore et coinça son corps massif entre ses jambes. De sa main libre, il lui saisit une cheville et la tira brutalement vers le haut, forçant ainsi le genou vers le menton. Il lâcha sa prise ensuite, en la maintenant de toute la force de ses épaules, et il laissa tomber une main entre les cuisses de miss Temple pour écarter ses jupons. Elle gémissait en se débattant, hors d'elle. Il déchira la culotte de soie, planta ses doigts aveugles dans la chair délicate, creusant plus profond, l'accrochant de ses ongles mal taillés. Elle hoqueta de douleur. Il ricana et passa sa langue humide sur son cou.

Elle sentit sa main qui la quittait, mais comprit au mouvement de son bras qu'il était occupé ailleurs, à défaire ses propres vêtements. Elle s'arc-bouta aussitôt pour le repousser. Il rit, oui, c'était bien un rire, et lui lâcha les mains pour lui saisir le cou. Les mains de miss Temple glissèrent, libérées. Il l'étranglait. L'autre main progressait de nouveau entre ses cuisses, essayait de les écarter. Il rapprocha son corps. Dans un éclair de lucidité, miss Temple se souvint que sa jambe repliée contre sa poitrine portait la bottine où elle avait caché son crayon. Elle essaya désespérément de l'attraper.

Spragg s'éloigna d'elle pour s'octroyer le plaisir de contempler plus bas le spectacle de leurs deux corps, l'étranglant d'une main et lui ouvrant les cuisses de l'autre. Lorsqu'elle le sentit prêt à fondre sur elle, elle plongea la pointe acérée de son crayon dans son cou.

Ahuri, Spragg ouvrit la bouche, ses mâchoires tremblèrent, son visage s'empourpra. Elle retira le crayon, résolue à frapper encore. Le sang gicla comme une fontaine sur tout son corps et sur les parois du fiacre. Spragg hoqueta, gémit et fut saisi de spasmes, remuant comme une marionnette au-dessus d'elle. Elle se libéra de lui à coups de pieds. Elle se rendit compte qu'elle criait. Tout devint collant et humide, elle avait du sang dans les yeux. Spragg s'affaissa entre les banquettes dans un bruit sourd. Il eut encore quelques spasmes puis s'immobilisa. Miss Temple tenait son crayon, essoufflée, et elle clignait des yeux. Elle était couverte de sang.

Le fiacre s'était arrêté. Complètement désemparée, elle entendit Farquhar sauter du siège du cocher. Instinctivement, elle se jeta sur le corps de Spragg et palpa son manteau pour essayer de trouver les poches, espérant y dénicher un pistolet, un couteau, une arme quelconque. Le loquet s'ouvrit derrière elle, miss Temple se retourna et, de toute la force de ses jambes, s'élança en avant au moment où Farquhar ouvrait la porte.

Elle se jeta sur sa poitrine en brandissant le crayon et en criant. Il eut le réflexe de lever les mains pour l'attraper et elle le poignarda en plein visage.

La pointe du crayon entailla la joue de l'homme puis se cassa. Farquhar se mit à hurler en la repoussant. Elle tomba lourdement et roula par terre, le souffle coupé, les genoux et les avant-bras écorchés par le gravier.

Derrière elle, Farquhar poussait encore des hurlements mêlés à des jurons inarticulés. Elle avança à quatre pattes, regarda le bout de crayon dans sa main et dut faire un effort pour le lâcher, tant ses doigts étaient crispés dessus. Il fallait qu'elle se mette à courir. Elle se retourna et vit Farquhar. Son visage semblait coupé en deux : la partie inférieure était sombre et mouillée, et le haut, d'une pâleur presque obscène. Il ne disait plus un mot. Il venait de jeter un coup d'œil à l'intérieur du fiacre.

Il fouilla dans son manteau et en sortit un revolver noir. De l'autre main, il sortit un mouchoir, le secoua pour l'ouvrir et l'appuya sur son visage en grimaçant. Quand il se mit à parler, la douleur résonnait dans sa voix.

– Que Dieu te damne !… Que Dieu t'envoie en enfer !

– C'est lui qui m'a attaquée, répliqua miss Temple d'une voix enrouée.

Avec une prudence extrême, elle transféra son poids vers l'arrière afin de pouvoir s'asseoir sur ses talons. Le visage trempé, elle clignait constamment des yeux. Elle se frotta les paupières. Farquhar ne bougea pas. Elle se leva, ce qui exigea un effort. Elle avait mal partout. Elle se regarda : ses dessous étaient en lambeaux, striés de larges traînées rouges et collantes. Elle était presque nue. Farquhar la regardait fixement.

– Tu vas tirer, oui ? hurla-t-elle, ou bien faudra-t-il que je te tue, toi aussi ?

Près d'elle, par terre, elle aperçut une pierre pointue, deux fois plus grosse que son poing. Elle se pencha et la ramassa.

– Lâche ça ! siffla Farquhar en levant le revolver.

– Tire donc, répliqua miss Temple.

Elle lança la pierre en visant la tête. Surpris, il fit feu. Elle sentit quelque chose lui brûler la tempe. La pierre vola au-dessus de Farquhar et percuta le fiacre.

L'impact s'était produit presque en même temps que le coup de feu et avait fait sursauter les chevaux. La porte ouverte du fiacre heurta la nuque de Farquhar ; il vacilla avant de tomber contre la roue arrière qui avançait. Avant que miss Temple eût compris, la roue frappa l'homme aux jambes et, avec un cri de stupeur, il bascula en dessous. La roue l'écrasa dans un craquement sinistre, son corps roula lourdement et s'immobilisa. Le fiacre continua sa course jusqu'à ce qu'elle ne puisse plus le voir ni l'entendre.

Miss Temple tomba à la renverse. Elle regarda le ciel noir et plat et sentit le froid monter en elle. La tête lui tournait. Elle avait perdu toute conscience du temps. Elle se força à bouger, roula sur le côté et vomit sur le sol. Puis elle se retrouva à quatre pattes. Elle grelottait, percluse de douleurs et prise de vertiges. Elle toucha le côté de sa tête et s'étonna de ne plus porter de masque. Il était sûrement tombé dans le fiacre. Elle suivit des doigts les contours d'une plaie ouverte, juste au-dessus de son oreille, tracée par la balle de Farquhar. Elle eut encore un haut-le-cœur quand elle y toucha. C'était poisseux. Et cela sentait le sang. Elle n'en avait jamais vu autant, jamais assez en tout cas pour se rendre compte qu'il avait une odeur. Comment pourrait-elle l'oublier désormais ? Elle s'essuya la bouche et cracha.

Farquhar, inerte sur le sol, avait la bouche bleue. Elle rampa vers lui et, au prix de grands efforts, lui retira son manteau. Il était assez long pour la couvrir. Elle trouva le revolver et le fourra dans l'une des poches. Puis elle commença à marcher le long de la route.

Au bout d'une heure, elle arriva à la gare d'Orange Canal. À deux reprises, elle avait dû faire quelques pas chancelants vers le bas-côté de la route et s'y accroupir pour éviter un fiacre venant du manoir. Elle ne savait pas qui pouvait se trouver à l'intérieur et n'avait aucune envie de le découvrir. Le quai était désert, ce qui lui donna l'espoir que les trains passaient encore, puisque les passagers des fiacres qu'elle avait entrevus n'étaient plus là. Son premier réflexe fut de se cacher pour attendre et elle se recroquevilla dans un coin obscur, derrière la gare, mais elle se rendit compte qu'elle risquait de s'endormir. Craignant de manquer le train s'il arrivait ou d'être surprise par ses ennemis, elle se força à attendre debout, au bord de l'évanouissement.

Une heure s'était écoulée et aucun autre fiacre n'était arrivé. Elle entendit le sifflement du train avant d'en distinguer la lanterne et elle se précipita sur le quai en agitant les bras. C'était un autre contrôleur qui abaissa le marchepied, en la dévisageant avec insistance alors qu'elle grimpait dans le wagon. Titubant dans le couloir, elle se pencha pour prendre l'argent qu'elle avait glissé dans sa bottine. Comme elle avait perdu son billet de retour avec sa cape et sa robe, elle lui remit un billet de banque qui valait deux fois le tarif du trajet. Il continua à la fixer. Sans mot dire, elle se dirigea vers la queue du train.

Les compartiments étaient tous vides sauf un. Miss Temple y jeta un coup d'œil et s'arrêta à la vue d'un homme de haute stature, arborant une barbe de quelques jours, des cheveux noirs et gras et des lunettes rondes aux verres foncés, comme celles des aveugles. Son manteau, assez négligé lui aussi, était rouge, tout comme son pantalon et ses gants qu'il serrait dans une main, l'autre tenant un livre mince. Sur la banquette à côté de lui, un rasoir ouvert était posé sur un mouchoir.

L'inconnu leva les yeux de son livre, elle lui adressa un signe de tête ainsi qu'une révérence à peine perceptible. Il lui répondit par un bref salut. Elle savait bien que son visage était ensanglanté, qu'elle portait des vêtements en lambeaux. Malgré tout, lui, il devinait, miss Temple en était convaincue, qu'elle était plus que ce qu'il voyait, autre chose que cette apparence. Ou était-ce à travers cette apparence qu'elle révélait sa véritable nature ? Il sourit légèrement. Elle se demanda si elle ne dormait pas debout, si en fait elle n'était pas en train de rêver. Elle refit un signe de tête et entra dans un autre compartiment.

Miss Temple dormit, une main sur le revolver, jusqu'à la gare de Stropping, que le train atteignit au petit matin sous un ciel où planait encore la densité de l'ombre. Elle ne revit pas l'homme en rouge, ni quiconque qu'elle pût reconnaître. Il lui fallut payer le triple du tarif pour un trajet en fiacre jusqu'au Boniface, puis frapper avec son revolver à la porte vitrée de l'hôtel pour qu'on la laissât entrer. Lorsque les employés, blêmes, les yeux écarquillés, la mâchoire tombante, furent convaincus qu'il s'agissait bien d'elle, miss Temple se serra dans son manteau et se dirigea directement vers ses appartements. L'intérieur était chaud, silencieux et sombre. Miss Temple se rendit en titubant jusqu'à sa chambre, dépassa les portes closes des femmes de chambre et de sa tante qui dormaient. Ses dernières forces lui permirent de laisser tomber son manteau derrière elle sur le parquet, d'ôter ses haillons ensanglantés et de s'écrouler, nue sur le lit, mais avec ses bottines vertes encore aux pieds. Elle dormit seize heures d'affilée, d'un sommeil de plomb.

CHAPITRE 2
LE CARDINAL

On l'appelait le Cardinal parce qu'il portait un manteau rouge qu'il avait volé dans la malle à costumes d'un théâtre ambulant. Cela s'était passé en hiver et il l'avait choisi parce qu'il faisait partie d'un ensemble qui comprenait des bottes et des gants et qu'il ne possédait rien de tout ça. Depuis, il avait remplacé les bottes et les gants mais conservé le manteau, qu'il portait en toute saison. Tous, dans le métier, cherchaient vraiment à passer le plus inaperçu possible, mais il savait pour sa part que, même s'il portait des vêtements du gris le plus terne, ses poursuivants le débusqueraient de toute façon, pour le faire travailler ou se venger de lui.

Quant à son nom, bien qu'il fût empreint d'ironie et de sarcasme, sa vie n'étant que lutte sans merci, il procurait un vernis missionnaire à son église personnelle, une église itinérante dont il était le seul fidèle. Cependant, dans son for intérieur, il savait lui aussi qu'au bout du compte tout le monde est perdant. Ce titre dérisoire faisait qu'au fil des jours il avait un peu moins le sentiment d'être un animal que l'on engraisse en captivité.

On l'appelait Chang pour des raisons plus immédiates, mais tout aussi ironiques et moqueuses. Quand il était jeune, un coup de cravache lui avait laissé une estafilade sur le nez et les yeux, ce qui lui avait valu trois semaines de cécité complète. Quand il recouvra partiellement la vue, il garda une cicatrice au coin des paupières, comme si on lui avait gravé au couteau un dessin d'enfant représentant la tête d'un Chinois féroce. Depuis, ses yeux étaient restés très sensibles à la lumière et se fatiguaient facilement. Lire plus d'une page de journal lui donnait mal à la tête et il avait fini par comprendre que seul le sommeil profond procuré par l'opium ou, à défaut, par l'alcool, pouvait le soulager. Il portait en permanence des lunettes rondes à verres teintés. Peu à peu, il avait accepté ces sobriquets, d'abord donnés par les autres, puis adoptés par lui-même.

La première fois qu'il avait répondu «Chang» quand on lui avait demandé son nom, il s'était souvenu tout de suite des sarcasmes qu'il avait entendus à l'infirmerie pendant qu'il attendait jour après jour de retrouver la vue. Il ne pourrait jamais penser à ce nom sans un sourire d'amertume, mais même ces associations d'idées douloureuses lui paraissaient plus réelles, plus importantes à assumer que sa première identité marquée par l'échec et l'abandon. Plus encore, ces noms faisaient désormais partie de sa vie professionnelle, alors que les autres, les vrais, étaient comme les repères terrestres lors d'un voyage en mer, ils s'effaçaient lentement pour devenir inutiles.

La cravache lui avait également endommagé la paroi interne du nez et il n'avait plus guère d'odorat. Il savait théoriquement que l'immeuble où il louait une chambre était plus insalubre que ce que lui indiquaient ses sens. Il savait bien qu'il y avait des égouts dans le quartier et que, selon toute logique, les murs et les planchers devaient en avoir absorbé les odeurs fétides. Mais il y était à son aise. Sa mansarde n'était pas chère, elle était à l'écart, accessible par les toits et, surtout, elle se trouvait à l'ombre de la grande bibliothèque. Quant à ses propres odeurs corporelles, il se contentait de rendre visite toutes les semaines aux bains turcs près du Seventh Bridge. La vapeur de ces bains soulageait ses yeux toujours cernés de rouge.

À la bibliothèque, Chang était chez lui. À son avis, il était à la portée de tout le monde d'être une brute, mais c'était ses connaissances qui lui avaient permis de surpasser ses concurrents. Cependant, comme ses yeux l'empêchaient de faire de trop longues recherches, Chang fréquentait les bibliothécaires, les engageait dans de longues conversations où il leur posait une foule de questions sur leurs fonctions, les collections particulières, les méthodes de classement, les programmes d'acquisition. Il approfondissait ces sujets en faisant des recherches, calmement mais avec opiniâtreté, de sorte que, grâce à sa mémoire et à des associations d'idées rigoureuses, il lui était possible de situer au moins les trois quarts de ce qu'il cherchait sans avoir à lire une seule ligne.

C'est ainsi que bien qu'il hantât les salles pavées de marbre presque tous les jours, le plus souvent le Cardinal Chang arpentait les couloirs de la bibliothèque en pensée, se promenant de mémoire dans les rayons sombres ou échangeant des propos enthousiastes avec un archiviste blême, mais d'une bienveillance toute professionnelle, sur la provenance exacte d'un nouvel ouvrage de généalogie qu'il pourrait avoir besoin de consulter plus tard dans la journée.

Avant l'incident de la cravache et du jeune aristocrate qui s'en était servi, Chang avait longtemps été étudiant, ce qui prouvait bien que la pauvreté ne le gênait pas, et que ses besoins, à cette époque-là par nécessité et aujourd'hui par habitude, demeuraient modestes. Bien qu'il l'eût complètement abandonnée, la vie au jour le jour l'avait marqué et sa semaine de travail était organisée selon un programme spartiate et rigoureux : la bibliothèque, le café, les clients, les expéditions pour le compte de ses clients, les bains, la fumerie d'opium, le bordel et la collecte de ses gages, ce qui impliquait de rendre visite à certains anciens clients qui avaient changé de statut. Bref, une existence marquée par un travail acharné et par de larges parenthèses où alternaient des pensées vagabondes, un sommeil profond et des rêves inspirés par l'opium. Une sorte de vide entretenu.

Quand il n'était pas en quête d'apaisement, son esprit bouillonnait. Il se réfugiait régulièrement dans la poésie, de préférence moderne, les textes y étant généralement plus minces. Il s'était aperçu qu'en limitant avec soin la quantité de vers qu'il pouvait lire en une fois, puis en y pensant les yeux fermés, il arrivait à maintenir un rythme de lecture assez constant, même s'il était en fin de compte plutôt contraignant, pour arriver à terminer un petit recueil. Il était occupé ainsi à lire des extraits de *Perséphone* – un manuscrit exhumé dans une ruine de Thessalonique qui avait jusque-là échappé aux pilleurs de tombes – dans la nouvelle traduction de Lynch, quand il avait levé les yeux et vu la femme dans le train.

Il sourit en y repensant, alors qu'il venait de se réveiller sur sa paillasse, parce que les vers qu'il était en train de lire à ce moment précis – « cette princesse meurtrie / cette mariée de l'enfer » – semblaient illustrer exactement la créature qui était en face de lui. Le manteau sale, le visage maculé de sang, les anglaises poisseuses et plaquées, les yeux gris perçants : le choc de la beauté et de la déchéance. Il trouva le tout très frappant, impressionnant même. Il décida sur le moment de ne pas chercher plus loin, de laisser à l'incident toute sa grandeur, mais il se demandait maintenant s'il n'allait pas chercher à la retrouver, et il se souvenait, avec une pointe de concupiscence, des traces de larmes qui couraient sur ses joues. Après mûre réflexion, Chang décida qu'il se renseignerait au bordel. Il y aurait sûrement quelqu'un qui aurait des informations sur une jeune prostituée couverte de sang.

La lumière grise venant de sa fenêtre lui indiqua qu'il avait dormi un peu plus que d'habitude. Il se leva et se lava le visage dans la cuvette. Il s'essuya vigoureusement et décida qu'il pouvait passer un jour encore sans se raser. Après avoir hésité un instant, il décida de se rincer les dents avec une pleine gorgée d'eau salée, cracha dans son pot de chambre, pissa dedans, et se passa les doigts dans les cheveux pour les coiffer. Ses vêtements de la veille étaient encore assez propres. Il les enfila, refit le nœud d'une cravate noire, glissa son rasoir dans l'une des poches de son manteau et le petit exemplaire de *Perséphone* dans l'autre. Il mit ses lunettes, détendu parce que la lumière pâle du jour était sans éclat, saisit une lourde canne au pommeau en métal et ferma sa porte derrière lui.

Il était un peu plus de midi, mais les rues étroites étaient désertes. Chang n'en fut pas surpris. Quelques années auparavant, du temps de sa splendeur, le quartier abritait d'innombrables rangées d'hôtels particuliers à six étages près du fleuve. Puis la puanteur grandissante de ce dernier, le brouillard et le crime qu'il dissimulait, ainsi que l'apparition de grands parcs aménagés dans d'autres quartiers avaient entraîné la vente des hôtels particuliers. On les avait divisés en une infinité de petites pièces, on avait construit sans même les peindre des cloisons rudimentaires entre les moulures en stuc jadis si recherchées, pour satisfaire une tout autre caste d'occupants, des gens louches, comme lui. Chang fit un détour vers le nord pour trouver un journal du matin, le coinça sous son bras, sans l'avoir lu, et retourna vers le fleuve.

Le Raton Marine avait toujours été une taverne mais, pendant la journée, on y servait désormais du café, du thé et du chocolat amer. Cet établissement avait donc changé de fonction, il était devenu à la fois le lieu d'un commerce itinérant où les hommes venaient chercher ce qu'ils voulaient, mais aussi un de ces lieux à la fois publics et suffisamment discrets pour que l'on pût y trouver qui l'on voulait.

Le Cardinal prit une table dans la salle principale, loin de la lumière vive de l'entrée, et il commanda une tasse du chocolat sud-américain le plus amer. Ce matin-là, il ne voulait parler à personne ou du moins pas encore. Il voulait lire le journal, et ça allait lui prendre du temps. Il étala la première page sur sa table, et pour ne distinguer que les grosses lettres, il plissa les yeux, leur épargnant ainsi le plus possible de texte inutile.

Il parcourut ainsi les gros titres, et passa rapidement sur les tragédies internationales et les drames locaux, les perfidies du temps et de la maladie, les problèmes de la finance. Il se frotta les yeux et prit une gorgée de chocolat chaud. Sa gorge se serra pour se protéger de l'amertume mais, en même temps, il sentit ses sens s'aiguiser. Il revint au journal, tourna les pages en se préparant aux caractères plus petits et trouva ce qu'il cherchait. Chang prit une autre gorgée fortifiante et se plongea dans une colonne de texte dense.

MYSTÉRIEUSE DISPARITION
DU HÉROS DU RÉGIMENT

Le colonel Arthur Trapping, commandant du 4e régiment des Dragons, héros décoré de la forteresse de Franck et de Roackraal Falls a été porté disparu aujourd'hui à ses quartiers militaires ainsi qu'à sa résidence de Hadrian Square. On a constaté l'absence du colonel lors de la cérémonie d'investiture du 4e régiment des Dragons au rang de régiment du Prince, ce qui implique de nouvelles responsabilités : défense du Palais, escorte des ministres, et fonctions protocolaires. Le colonel Trapping a été remplacé pour la cérémonie par le lieutenant-colonel du régiment, Noland Aspiche, qui a été investi de ses nouvelles fonctions par le duc de Stäelmaere, en présence des représentants du Palais. Malgré l'inquiétude exprimée par la haute hiérarchie du gouvernement, les autorités ont été incapables de retrouver l'officier disparu.

Chang arrêta de lire et se frotta les yeux. L'article lui avait appris tout ce qu'il voulait savoir pour le moment. D'une façon ou d'une autre, soit on cachait la vérité, soit on ignorait les faits. Il n'arrivait pas à croire que les faits et gestes de Trapping eussent un caractère aussi secret. Il avait suivi l'homme assez facilement somme toute, mais bien des choses avaient pu arriver depuis lors. Il soupira. Bien qu'il ne fût plus directement impliqué dans cette affaire, elle ne faisait vraisemblablement que commencer. Cela dépendrait du client.

Il allait tourner la page quand un autre titre retint son attention. Un aristocrate campagnard, un certain lord Tarr dont il n'avait jamais entendu parler, avait été assassiné. Chang jeta un coup d'œil à l'article et il apprit que Tarr, qui était malade, avait été retrouvé égorgé, en chemise de nuit, dans son jardin. On avait d'abord pensé qu'il avait été attaqué par un animal, on soupçonnait maintenant que sa blessure avait été sauvagement élargie pour dissimuler l'entaille profonde d'une lame. Les recherches étaient toujours en cours. En prenant sa tasse, Chang pensa que c'était pour cela qu'il aurait toujours du travail. Personne n'aimait attendre.

Comme s'il avait guetté un signal, quelqu'un non loin de lui toussa discrètement. Chang leva les yeux sur un soldat en uniforme, veste et pantalon rouges, bottes noires, un casque de cuivre à queue de cheval dans une main et l'autre main posée sur le pommeau d'un long sabre. Il attendait debout, sur le seuil, sans entrer. Comme si mettre les pieds au Raton Marine allait compromettre sa rigueur de militaire.

Lorsqu'il eut attiré l'attention de Chang, le soldat lui fit un signe de tête et claqua les talons.

– Voudriez-vous m'accompagner, monsieur ? demanda-t-il révérencieusement à Chang.

Les autres clients firent tous comme s'ils n'avaient rien entendu. Chang acquiesça et se leva. Tout cela arrivait plus vite que prévu. Il prit sa canne et laissa son journal sur la table pour que d'autres puissent le lire.

Tout en se dirigeant vers le fleuve, les deux hommes n'échangèrent pas un mot. L'uniforme clair du soldat semblait vibrer sur le fond monochrome du décor, les pavés, les plâtres tachetés de gris et les flaques noires d'une eau fétide et stagnante. Chang savait que son manteau produisait le même effet. Il sourit en pensant qu'on pouvait les voir comme une drôle de paire et que le soldat détesterait cette idée. Ils tournèrent à un coin de rue et marchèrent le long d'une avancée de pierre qui surplombait le fleuve. En contrebas se trouvait la surface noire de l'eau, la berge opposée n'était visible qu'au travers d'un brouillard dont les nappes ne s'étaient pas dissipées depuis la nuit ou bien commençaient à se former. La jetée sur laquelle ils se trouvaient avait servi autrefois de quai pour la location de bateaux et d'embarcations de plaisance, à l'époque où le quartier était encore prospère. Elle était depuis laissée à l'abandon, bien qu'elle fût régulièrement le cadre de transactions louches après la tombée de la nuit.

Comme Chang l'avait prévu, le lieutenant-colonel Noland Aspiche était debout à les attendre avec l'un de ses aides de camp, trois autres soldats debout derrière lui et deux autres dans une chaloupe parfaitement entretenue, amarrée aux marches. Chang s'arrêta, laissa le soldat s'approcher de son supérieur, claquer des talons et faire son rapport en faisant des signes dans sa direction. Aspiche opina du bonnet et après quelques instants il se dirigea vers Chang, pour que les autres ne puissent les entendre.

– Où est-il ? demanda-t-il brusquement à voix basse.

Aspiche était un homme dur et sec, les cheveux coupés ras. Il sortit un petit cigare noir de sa veste rouge, en détacha l'extrémité avec les dents, cracha et sortit une petite boîte d'allumettes. Il se plaça dos au vent et en alluma une, aspirant jusqu'à ce que le cigare prenne. Il souffla un nuage de fumée bleue et reporta son regard acéré sur Chang qui n'avait pas répondu.

– Bon ! Qu'est-ce que vous avez à dire ?

Par principe, Chang détestait l'autorité parce que, même quand on l'exerçait au nom de la nécessité ou de la tradition, il ne pouvait s'empêcher de considérer le pouvoir des institutions que comme l'expression d'une volonté personnelle arbitraire, et cela lui tombait profondément sur les nerfs. L'Église, les militaires, le gouvernement, la noblesse, les affaires, tout cela lui donnait la chair de poule chaque fois qu'il s'en approchait et donc, même s'il reconnaissait les compétences d'Aspiche, rien qu'à la façon qu'avait l'officier de mordre son cigare et de cracher, Chang avait une envie furieuse d'attaquer l'homme avec son rasoir, quoi qu'il lui en coûte. Au lieu de cela, il se tint immobile et répondit au lieutenant-colonel le plus calmement du monde.

– Il est mort.

– En êtes-vous sûr ? Qu'avez-vous fait du cadavre ?

Aspiche ne bougeait que les lèvres, le reste de son corps était immobile. De dos, tel que ses hommes le voyaient, il semblait se contenter d'écouter Chang.

– Je n'ai rien fait avec le cadavre. Je ne l'ai pas tué.

– Mais nous… Vous aviez des ordres.

– Il était déjà mort.

Silence d'Aspiche.

– Je l'ai suivi de Hadrian Square jusqu'à un endroit à la campagne, à Orange Canal. Là, il a rencontré un groupe d'hommes et ensemble ils ont attendu une petite embarcation qui remontait le canal. De cette embarcation, ils ont déchargé une cargaison sur deux charrettes qu'ils ont conduites jusqu'à la maison voisine. Une grande demeure. Savez-vous de quelle maison il s'agissait, près d'Orange Canal?

Aspiche cracha encore une fois.

– Je peux le deviner.

– De toute évidence, il s'agissait d'une occasion spéciale. Je crois que le prétexte, c'était les fiançailles de la fille du lord.

Aspiche acquiesça.

– Avec l'Allemand.

– J'ai réussi à pénétrer dans la maison, à trouver le colonel Trapping et, après bien des difficultés, j'ai pu mettre une drogue dans son vin…

– Attendez, attendez, le coupa Aspiche, qui d'autre se trouvait là? Avec qui était-il près du canal? Que s'est-il passé avec les charrettes? Si quelqu'un d'autre l'a tué…

– Ce que j'ai à vous dire, fit sèchement Chang, c'est ce que je vais vous dire si vous me laissez finir. Vous m'écoutez, oui ou non?

– Vous méritez le fouet.

– Vraiment?

Aspiche soupira et regarda ses hommes derrière lui.

– Mais non, bien sûr que non. Tout cela a été très difficile, et le fait de ne pas avoir de nouvelles de vous…

– Je suis resté debout jusqu'à l'aube. Je vous avais prévenu que cela pouvait arriver. Mais au lieu de faire attention, vous avez envoyé un homme en uniforme me ramasser et vous vous présentez ensuite vous-même dans un quartier de la ville où vous n'avez absolument rien à faire de convenable. Vous auriez dû allumer des feux d'artifice tant que vous y étiez. Si jamais quelqu'un avait des soupçons…

– Personne n'a de soupçons.

– C'est vous qui le dites. Il va falloir que je retourne au café et que j'arrose en espèces sonnantes et trébuchantes les cinq hommes qui ont vu que j'avais été ramassé de la sorte, et cela, pour nous protéger, vous et moi. Êtes-vous aussi peu soucieux de la vie de vos hommes quand vous êtes en pleine action? Êtes-vous aussi peu soucieux de vous-même?

Aspiche n'avait pas l'habitude qu'on lui parlât sur ce ton, mais son silence même signifiait qu'il admettait son erreur. Il détourna son regard et le plongea dans le brouillard.

– D'accord, allez-y.

Chang plissa les yeux. Jusqu'ici, les choses avaient été assez simples, mais maintenant il n'y voyait plus vraiment clair, tout

comme Aspiche lui-même d'ailleurs. En tout cas, c'est ce qu'il prétendait.

— Il y avait des centaines de personnes dans la maison. Ce n'était peut-être pas seulement ça, mais c'était quand même bien une réception de fiançailles avec beaucoup d'agitation et de désordre, ce qui m'a compliqué la tâche parce qu'il fallait que je me fonde dans la foule. Pour autant, cette situation jouait tout de même pas mal en ma faveur. Avant que la drogue fasse effet, le colonel Trapping m'a échappé en quittant l'assemblée par un escalier dérobé. Je n'ai pas pu le suivre immédiatement et il a fallu que je le cherche dans la maison. Quand je l'ai enfin retrouvé, il était mort. Je n'ai pas compris de quoi. La quantité de drogue que je lui avais administrée n'était pas suffisante pour le tuer, et son corps ne portait pas trace de blessures mortelles.

— Êtes-vous sûr qu'il était mort ?

— Bien entendu.

— Vous devez avoir mal dosé votre poison.

— Non.

— Bon, mais que s'est-il passé à votre avis ? Et puis vous ne m'avez pas encore donné d'explication sur ce qu'il est advenu du corps.

— Je vous suggère de vous calmer et de m'écouter.

— Je vous suggère de me la donner, votre maudite explication, et vite !

Chang ne broncha pas et reprit d'un ton neutre.

— Il y avait des marques sur le visage de Trapping, comme des brûlures autour des yeux, mais avec un contour très régulier et précis, comme si on l'avait marqué au fer rouge…

— Une marque au fer rouge ?

— Tout à fait.

— Sur le visage ?

— Comme je vous le dis. De plus, il y avait dans la pièce une odeur étrange…

— Une odeur de quoi ?

— Je ne peux pas vous dire. Les odeurs, ce n'est pas mon fort.

— Un poison ?

— C'est possible, je ne sais pas.

Aspiche fronça les sourcils, perdu dans ses pensées.

— Tout ça… ça n'a pas de sens, décréta-t-il d'un ton sec. Qu'est-ce que c'est que ces brûlures ?

— Je vous le demande.

– Que voulez-vous dire ? Je n'en ai pas la moindre idée.

Ils restèrent silencieux un instant. Le lieutenant-colonel était vraiment perplexe.

– J'ai été interrompu dans mon examen du corps, poursuivi Chang, j'ai été obligé de me frayer un chemin dans la maison, et cette fois avec des gens à mes trousses. J'ai réussi à les semer sur le chemin qui me ramenait au canal.

– Bon. Qu'y avait-il dans les charrettes ?

– Des caisses. Des caisses de quoi, je n'en sais rien.

– Et ses complices ?

– Aucune idée. C'était un bal masqué.

– Et avec cette… cette drogue… vous ne pensez pas que c'est vous qui l'avez tué.

– Je suis sûr que je ne l'ai pas tué.

Aspiche hocha la tête.

– C'est bien de votre part de me le dire. Je vous paierai quand même comme si c'était vous qui l'aviez fait. S'il revient vivant…

– Il ne reviendra pas.

Aspiche eut un sourire étriqué.

– S'il revient vivant, alors vous me devrez le travail.

Il sortit un mince portefeuille en cuir de sa veste et le tendit à Chang qui le glissa dans son manteau.

– Et la suite ? demanda Chang.

– Il n'y en a pas. J'espère que tout est fini.

– Mais vous savez bien que ce n'est pas fini, grogna Chang.

Aspiche ne répondit pas.

– Il y a encore bien des choses en suspens, insista Chang. Qui d'autre est impliqué ? Vandaariff ? les Allemands ? l'un des trois cents invités ? Vous connaissez les réponses, oui ou non, colonel ? Vous me direz ce que vous voudrez, mais quelqu'un nous a devancés, et il va falloir que vous sachiez pourquoi. Nous en sommes là, il vous faudra aller jusqu'au bout.

Aspiche ne cilla pas.

Tandis que Chang regardait cet homme têtu et orgueilleux, deux vers de *Perséphone* lui revinrent en tête :

« Sa poursuite obstinée, impérieuse et froide
De courtisan fleurant le tombeau et la pourriture »

– Vous savez où me trouver… mais soyez discret cette fois, marmonna Chang.

Il tourna les talons et s'en alla dignement vers le Raton Marine.

Chang avait passé les trois jours précédents à préparer le meurtre d'Arthur Trapping en échange d'une bonne somme d'argent. Cela lui avait paru plutôt simple. Trapping, un homme ambitieux, était le beau-frère de Henry Xonck, un fabricant d'armes prospère. Pour s'assurer une situation conforme à son statut récent d'homme marié, il avait acheté, avec la dot de sa femme, la prestigieuse charge de commandant du 4ᵉ régiment des Dragons. Mais il n'était pas soldat et il ne devait ses décorations qu'au fait d'avoir assisté à deux escarmouches dans les colonies. Les seuls véritables exploits de Trapping se bornaient à ingurgiter des quantités héroïques de porto et à avoir rapporté de là-bas une dysenterie dont il gardait des séquelles.

Lors de la promotion du régiment, sa mission changea considérablement, et le subordonné de Trapping, un lieutenant-colonel qui souffrait en silence depuis longtemps, prit l'initiative d'engager le Cardinal Chang. Le lieutenant-colonel Aspiche était un soldat de métier qui, à l'en croire, voulait moins s'emparer du commandement que de voir la place de Trapping occupée par un personnage qui en fût vraiment digne.

Pour Chang, l'assassinat n'était pas pratique courante, mais il lui était déjà arrivé de commettre des meurtres. Le plus souvent, il préférait considérer qu'il était engagé pour exercer une influence sur le comportement d'autrui par la violence ou le chantage ou les deux, selon les besoins. Depuis peu, cependant, comme si derrière chacun de ses pas résonnait le tic-tac d'une horloge, il s'inquiétait de ce que sa vie devînt une sorte de sinistre exercice comptable. Cela venait peut-être de ses problèmes de vision, mais il sentait monter en lui une angoisse sourde qui s'aggravait du fait qu'il devait vivre le plus possible à l'abri de la lumière. Cette peur latente n'avait pas le moindre effet sur ses actes, mais quand Aspiche lui avait offert des gages élevés, Chang avait vu cela comme une occasion de disparaître, de partir en voyage, de s'enfoncer dans la fumerie d'opium, bref, de faire tout son possible pour dissiper ce funeste pressentiment.

Il ne faisait pas particulièrement confiance à Aspiche. Il savait bien qu'il ne lui avait pas tout dit. Les clients mentaient toujours, ils cachaient toujours quelque chose. Chang avait passé le premier jour de sa nouvelle mission à entamer des recherches, fouillant dans les registres, dans les vieux journaux, dans les arbres généalogiques et, comme toujours, il avait pu établir quelques liens. Trapping était marié à Charlotte Xonck, la deuxième de trois enfants, née entre Henry, l'aîné, et Francis, encore célibataire et à peine rentré d'un long voyage à l'étranger.

Le lieutenant-colonel Aspiche avait beau s'imaginer que la promotion du régiment était le résultat de ses triomphes dans les colonies, Chang avait découvert que l'ordre de nommer le 4e régiment des Dragons «régiment du Prince» (régiment du gredin alcoolique, du maquereau sodomite, comme Chang préférait le désigner) avait été rendu officiel au lendemain du jour où le fabricant d'armes Xonck avait accepté de négocier à la baisse le contrat aux termes duquel il devait remplacer les canons de toute la défense navale et côtière du pays. Le mystère n'était pas tant de comprendre pourquoi le régiment avait été promu que la raison pour laquelle Henry Xonck pensait que cette promotion valait une transaction aussi coûteuse. Par amour pour sa sœur? À cette idée, Chang eut un sourire méprisant et se mit en quête d'un autre archiviste qu'il pourrait harceler de questions.

La nature précise des nouvelles responsabilités du régiment ne figurait dans aucun document officiel. Tous les comptes rendus se bornaient à répéter ce qu'il avait lu dans le journal: «Défense du Palais, escorte des ministres et fonctions protocolaires», ce qui était d'un vague tout à fait irritant. Ce n'est qu'après avoir arpenté les couloirs en long et en large qu'il lui était venu à l'esprit de vérifier d'où provenait l'annonce. Il extirpa une fois encore l'archiviste de l'ordinaire de ses tâches pour retrouver le dossier qui rassemblait les annonces, et il vit, sur la couverture du dossier lui-même, qu'elle venait bien d'un bureau ministériel mais pas du ministère de la Guerre. Il regarda attentivement le papier et le sceau qui y figurait en en-tête. Le ministère des Affaires étrangères. Qu'avait à faire le ministère des Affaires étrangères dans cette histoire d'annonce, et donc d'organisation, de la nomination d'un nouveau régiment s'occupant de la «Défense du Palais, de l'escorte des ministres et des fonctions protocolaires»? Il claqua des doigts pour attirer l'attention de l'archiviste qui se contenta de bégayer:

— Eh bien, on parle effectivement d'escorter des ministres, et le m-m-ministère des A-A-Affaires étrangères est effectivement un bureau de m-m-ministre !...

Chang lui coupa la parole et réclama sur un ton sans appel une liste des cadres supérieurs du ministère des Affaires étrangères.

Il avait passé une bonne heure dans l'obscurité à errer entre les rayons. Les employés lui avaient permis d'y accéder, car ils avaient estimé qu'il était préférable pour eux de l'avoir loin des yeux plutôt que dans les jambes. Il agençait dans sa tête ces indices rudimentaires. Peu importe ce que le régiment faisait d'autre, l'essentiel de ses activités s'effectuerait sous l'égide du ministère des Affaires étrangères. Que le ministère de la Guerre ait accepté de mettre le régiment à la disposition du ministère des Affaires étrangères, quasiment en échange du rabais accordé par Xonck, cela ne pouvait que renvoyer à des intrigues diplomatiques, ou à des manœuvres internes au gouvernement.

De toute évidence, Trapping allait servir d'espion à Xonck, en l'avertissant des crises internationales susceptibles d'avoir une influence sur ses propres affaires et sur celles de ses concurrents. Peut-être était-ce là une récompense suffisante, Chang avait des doutes là-dessus, mais cela n'expliquait pas pourquoi un ministère rendait un service aussi extravagant à un autre ministère, ni surtout pourquoi le ministre des Affaires étrangères avait besoin d'avoir des troupes à sa disposition.

Néanmoins, ces renseignements permirent à Chang, une fois qu'il connut mieux Trapping, son quartier, sa voiture, la caserne du régiment, d'attendre à l'extérieur du ministère des Affaires étrangères, convaincu que c'était là qu'il pourrait en apprendre le plus. Tel était bien le style de Chang, et s'il était clair qu'il menait cette enquête pour mieux comprendre dans quoi il s'était engagé, il faisait aussi tout cela pour s'occuper l'esprit. Eût-il été un assassin sans cervelle, il aurait abattu Arthur Trapping dans n'importe quelle ruelle déserte. Le fait que Chang pût éventuellement finir par agir de la sorte ne changeait en rien son désir de comprendre la logique de ses actes.

Il n'était pas facilement dégoûté par son travail, mais c'était quand même lui qui prenait les risques. Ses clients avaient parfois l'idée de prendre de leur côté des dispositions pour leur propre sécurité, ce qui l'avait déjà mis dans de fâcheuses situations. Aussi, plus il en savait sur ses clients et sur ce qu'ils avaient en tête, plus il se sentait en sécurité. Et, en l'espèce, il était convaincu que les forces engagées dans cette affaire dépassaient de beaucoup, en pouvoir et en ampleur, Trapping et son amer lieutenant-colonel. Il devait, à cet égard, prendre grand soin de ne pas se faire remarquer. Mieux valait donc agir en toute discrétion.

Au cours de l'après-midi de cette première journée et de la suivante, la voiture de Trapping l'avait mené de la caserne du régiment au ministère des Affaires étrangères, où il avait passé plusieurs heures. Tous les soirs, sa voiture l'avait conduit chez lui, à Hadrian Square, où il était resté et où il n'avait reçu aucun visiteur digne d'un intérêt particulier.

Le deuxième soir, alors que Chang fixait les fenêtres de Trapping, tapi dans un petit jardin, son regard fut attiré par une voiture dont les portières arboraient l'emblème du ministère des Affaires étrangères. La voiture ne s'arrêta pas à la porte de Trapping, mais elle continua vers une maison, de l'autre côté du square. Chang la suivit en courant à grandes enjambées et arriva juste à temps pour voir un homme soigné, vêtu d'un manteau sombre, sortir du fiacre et entrer au numéro 14, chargé de plusieurs cartables d'une bonne épaisseur. La voiture s'en alla. Chang retourna à sa filature.

Le lendemain, à la bibliothèque, il consulta de nouveau la liste du personnel du ministère des Affaires étrangères. Le vice-ministre, Harald Crabbé, avait élu domicile au 14, Hadrian Square.

Le troisième jour, il était retourné une fois de plus au ministère, il s'était posté au coin de St. Isobel's Square. De là, il pouvait à la fois observer la circulation des fiacres devant l'immeuble et le carrefour par où toute voiture sortant de la ruelle arrière devait forcément passer. Il connaissait maintenant quelques-uns des membres du personnel du ministère et, en attendant que Trapping arrive, il observait leurs allées et venues.

Malgré tout ce que l'on pouvait supposer d'intrigues autour du colonel, Chang considérait cet homme comme une cible assez facile. En agissant comme les deux nuits précédentes, il lui serait assez simple d'entrer par une fenêtre du deuxième étage, accessible par une gouttière dont Chang, la veille, avait contrôlé la solidité, et de se faufiler dans la chambre de Trapping qu'il avait repérée en observant l'apparition d'une lumière à la fenêtre quand celui-ci montait au troisième étage pour se coucher.

Il n'avait pas fixé la méthode précise qu'il adopterait. Cela dépendrait de ce qui se passerait exactement dans la chambre. Il aurait son rasoir sur lui, mais s'était également procuré un poison dont l'effet, si on y regardait de loin, pouvait laisser croire à une crise d'apoplexie, hypothèse vraisemblable pour un homme de l'âge de Trapping. Si l'on considérait cela comme un meurtre, ce serait un signe de plus indiquant qu'il y avait des intrigues et des enjeux importants autour de l'ascension de Trapping. Chang n'était pas vraiment inquiet de la présence d'autres personnes dans la maison. Madame Trapping faisait chambre à part, et les domestiques, s'il choisissait bien son heure, se trouveraient très loin de la chambre de leur maître.

Il traversa le square à deux heures et s'acheta un pâté à la viande, le coupa en deux morceaux qu'il mangea l'un après l'autre en revenant à pied à son poste. En passant devant la statue de sainte Isobel, il sourit la bouche pleine. Le caractère détestable de l'œuvre, écœurant étalage de pathos, n'interdisait pas de ressentir un plaisir inavouable à contempler la bienheureuse, avec ces serpents qui s'enroulaient autour de sa chair. Il était sidéré que l'on eût érigé une telle œuvre aux frais du contribuable, dans un lieu public, tout en se plaisant à vouer une vénération joyeuse à un spectacle aussi scabreux. D'une certaine façon, cela lui redonnait confiance dans le fait qu'il avait vraiment une place dans le monde. Il finit son pâté à la viande et essuya ses mains sur son pantalon.

À trois heures, la voiture militaire de Trapping, vide, fit son apparition à la sortie de la ruelle, elle tourna à gauche et reprit la direction de la caserne du 4ᵉ régiment des Dragons. Le colonel était entré dans l'immeuble par la porte arrière avec l'intention de le quitter par d'autres moyens. Il était quatre heures et quart quand Chang aperçut une voiture du ministère au même endroit. D'un côté était assis Harald Crabbé et, sur le siège opposé, comme éclat rouge et or par la fenêtre, se tenait Arthur Trapping. Chang baissa les yeux à leur passage puis les regarda s'éloigner. Aussitôt qu'ils eurent passé le coin de la rue, il courut pour prendre lui aussi un fiacre. Comme il s'y attendait, la voiture du ministère se dirigeait vers Hadrian Square et il la suivit facilement. En revanche, il n'avait pas prévu que la voiture s'arrêterait devant le 14, Hadrian Square, ni que les deux hommes y entreraient. Il n'avait pas prévu non plus qu'au moment où ils en ressortiraient quelques minutes plus tard, leur voiture les conduirait directement sur un chemin menant vers le nord-ouest de la ville.

Le brouillard s'épaississant, il alla s'asseoir près du cocher dans l'espoir de découvrir où sa proie le menait, bien que sa vision de loin fût limitée à la tombée du jour. Le cocher grommela, on avait largement dépassé les limites habituelles de son rayon d'action, et Chang fut contraint de rallonger ses gages. Il pensa prendre lui-même les rênes, mais il ne pouvait se fier ni à sa vue ni à sa capacité de conduire les chevaux, sans compter qu'il voulait éviter toute effusion de sang inutile.

Au train où ils filaient, ils eurent tôt fait de se trouver hors des murs de la vieille ville, puis au-delà des nouveaux quartiers. Ils débouchèrent enfin en pleine campagne sur la route menant à Orange Canal et plus loin jusqu'à l'océan. La voiture qui les précédait ne donnait aucun signe de ralentissement.

Ils roulèrent ainsi pendant près de deux heures. Au début, il avait demandé au cocher de garder ses distances, pour permettre à l'autre voiture d'aller à la limite de leur champ de vision, mais quand la nuit était tombée, ils avaient dû se rapprocher au cas où la voiture de devant quitterait la route pour bifurquer.

Il avait pris Trapping en filature simplement pour continuer à suivre son plan, puis avec l'idée de l'isoler dans un endroit désert où il pourrait le tuer sans difficulté. Mais plus la poursuite durait, plus il avait le sentiment que c'était une erreur. S'il voulait tuer cet homme, il devrait revenir sur ses pas et réessayer la nuit suivante, en tentant d'appliquer son plan jusqu'à ce qu'il parvienne à coincer Trapping seul dans sa chambre.

Ce long trajet en fiacre avec le vice-ministre Crabbé relevait d'un complot, Xonck et le ministre de la Guerre en faisaient partie, mais bien que la curiosité de Chang fût piquée au vif, il n'avait pas la moindre idée de là où il allait, et ça, ce n'était jamais bien malin. En dehors de ces considérations et de ses doutes, il se rendit compte qu'il avait froid. Un vent marin glacial l'avait transi. Il était sur le point de dire à son cocher de s'arrêter quand ce dernier lui saisit l'épaule et pointa un doigt en direction de la lueur d'une torche dans le lointain.

Chang lui ordonna d'arrêter le fiacre et de patienter un quart d'heure. S'il n'était pas de retour une fois ce délai écoulé, l'homme était libre de rentrer seul en ville. Le cocher ne discuta pas, il était sûrement au moins aussi transi que Chang et encore contrarié par la longueur inattendue de cette course très particulière.

Chang descendit de la voiture en se disant que l'homme partirait sans doute sans l'attendre. Il se donna cinq minutes pour prendre une décision. Il ne voulait surtout pas errer, presque aveugle dans l'obscurité. Les choses étant ce qu'elles étaient, il fallait qu'il se déplace avec une grande précaution. Il ôta ses lunettes, puisque, dans un cas pareil, il valait mieux avoir ne serait-ce qu'un peu de lumière plutôt que pas du tout, et les fourra dans la poche intérieure de son manteau.

Devant lui, il pouvait apercevoir la voiture du ministre qui attendait parmi d'autres. Il marcha dans l'herbe en direction de la lumière de la torche, à quelque cinquante mètres de là où deux silhouettes se dirigeaient vers un groupe plus important. Chang s'approcha aussi près qu'il put sur le chemin, puis s'en écarta et s'accroupit, les yeux juste au-dessus de l'herbe.

On discutait ferme, mais à voix basse. Il était clair que Trapping et Crabbé étaient en retard. Puis il crut voir qu'on se serrait la main pour la forme.

Quand ses yeux s'habituèrent à la lumière des torches, Chang se rendit compte qu'elle se reflétait quelque part dans l'eau, et ce qui lui avait semblé être une masse vague et sombre se révéla être une barge amarrée dans le canal. Trapping et Crabbé suivirent les autres le long du canal, vers ce qui ressemblait à des charrettes. Chang ne voyait que le haut des roues au-dessus de l'herbe. On avait levé la toile qui recouvrait l'une des charrettes pour montrer aux retardataires un certain nombre de caisses en bois qu'on venait manifestement de décharger de la barge. Chang ne distinguait pas les visages des autres hommes, il pouvait cependant en compter six. La toile fut remise en place et attachée, et les hommes commencèrent à monter sur les charrettes. Au claquement sec d'un fouet, ils s'éloignèrent et descendirent le long d'un chemin que Chang ne pouvait voir de là où il se trouvait.

Il se précipita à leur suite, s'arrêtant un instant pour jeter un coup d'œil aux barges qui ne lui donnèrent aucun indice, et emprunta le chemin, un peu plus large qu'un sentier de campagne, tracé à travers champs. Il réfléchit encore une fois à ce qu'il était en train de faire. Suivre les charrettes, cela signifiait perdre son fiacre. Il se résolut à être abandonné ; après tout, il en avait vu d'autres, et tout cela pouvait encore être l'occasion parfaite de faire ce pour quoi il avait été payé. Cependant, les charrettes étaient beaucoup plus rapides que lui et, très vite, il fut contraint de marcher seul dans la nuit.

Le vent était encore froid et il lui fallut bien une demi-heure avant de retrouver les charrettes attachées près de l'entrée de service de ce qui ressemblait à une énorme bâtisse. Il n'aurait cependant pas su dire s'il s'agissait d'un manoir austère ou d'une magnifique forteresse. Les caisses avaient disparu, les hommes aussi…

Encore agacé par son entretien avec Aspiche, Chang retourna au Raton Marine et fut soulagé de constater que tous ceux qui se trouvaient là à l'arrivée du soldat y étaient encore. Il resta un moment dans l'entrée pour que tout le monde le vît bien et pour répondre aux regards d'un signe de tête. Il s'approcha alors de chacun, y compris de Nicholas, le tavernier, et plaça une pièce d'or à côté de leur verre. C'était tout ce qu'il pouvait faire. De la sorte, si quelqu'un s'avisait d'agir dans son dos, cela serait au moins considéré par les autres comme une trahison assez grave pour ternir la réputation du Judas concerné. Il commanda une autre tasse de chocolat amer et la but à l'extérieur.

À toutes fins utiles, il attendait qu'Aspiche agisse. Mais Noland Aspiche était au mieux un imbécile qui espérait profiter du fait que quelqu'un d'autre avait tué son colonel ou, au pire, il faisait lui-même partie d'un complot plus vaste, ce qui signifiait qu'il avait menti à Chang depuis le début. Donc, dans les deux cas, il était peu probable qu'Aspiche fît quoi que ce fût. Malgré le portefeuille qu'il avait dans sa poche, Chang regrettait toute cette affaire. Il prit une gorgée de chocolat et grimaça.

Quand il s'était avisé de la taille de la demeure, Chang avait tout de suite su où il était, car il n'y avait qu'une seule résidence de ce genre dans les environs d'Orange Canal, celle du financier Robert Vandaariff, récemment élevé au rang de lord, et dont la fille s'était fiancée en grande pompe au prince allemand d'un petit État, Karl-Horst von Je-ne-sais-quoi. Chang ne se rappelait pas le nom exact, cela faisait partie des gros titres qu'il avait regardés sans les lire dans les journaux, mais il avait tout de suite compris, quand il avait passé sa main gantée sur le carreau d'une fragile porte vitrée, qu'il arrivait au milieu d'une grande soirée, une sorte de bal masqué officiel.

Il avait guetté dans l'ombre jusqu'à ce qu'il trouve un invité un peu éméché à qui il put facilement disputer son masque puis, ainsi déguisé, et bien que cela impliquât encore une fois qu'il enlève ses lunettes, il s'était mis en quête de Trapping.

Comme la plupart des hommes portaient des manteaux noirs, l'uniforme rouge du colonel était relativement facile à repérer. Chang attirait l'attention pour les mêmes raisons. L'allure délibérément provocatrice qu'il adoptait dans son milieu habituel, où l'intimidation pouvait compenser le déguisement, se prêtait mal à une réception en tenue de soirée dans un château aussi somptueux. Il se comporta simplement avec l'air hautain de quelqu'un qui est à sa place. Il fut surpris de voir combien de gens supposèrent, parce qu'il faisait montre d'une arrogance désagréable, qu'il avait plus de droits qu'eux-mêmes.

Trapping buvait beaucoup, au milieu d'une compagnie assez nombreuse, même s'il ne semblait pas qu'il prît une part très active à la conversation. À y regarder de plus près, Chang comprit qu'en fait Trapping se tenait entre deux groupes. L'un réuni autour d'un homme massif, à la calvitie naissante auquel les autres s'adressaient avec déférence, plus particulièrement d'ailleurs un jeune homme arborant une épaisse chevelure rousse et une femme extrêmement élégante. Chang supposa qu'il s'agissait peut-être de la femme de Trapping, Charlotte Xonck, et de ses deux frères, Henry et Francis. Derrière cette femme, il y en avait une autre dont la robe était plus modeste et qui, comme Chang, passait son temps à observer discrètement les personnages qui l'entouraient. Chang estima qu'elle était, parmi toute cette assemblée, la personne à éviter à tout prix. Les autres groupes étaient composés d'hommes en tenue de soirée ou en costume militaire.

Il était impossible de savoir si Crabbé était là, puisque tout le monde portait un masque. Aussi curieux fût-il de voir ces individus rassemblés autour d'une personnalité si peu marquante que le colonel, et de comprendre pourquoi, Chang savait bien qu'il ne fallait pas qu'il traîne.

Il se prépara mentalement et se rendit à grands pas près du groupe, évitant de croiser les regards. Là, il fit signe à un domestique à la table la plus proche de lui apporter un verre de vin. Alors qu'il attendait, le ton de la conversation baissa et il sentit que les deux groupes étaient impatients de le voir s'en aller.

Le domestique lui tendit un verre de vin et Chang en prit une gorgée en se tournant vers l'homme qui était près de lui : il s'agissait de Trapping, bien sûr. Il le dévisagea. Trapping lui fit un signe de tête et ne put s'empêcher de s'attarder à son tour sur lui. Les paupières balafrées de Chang, que l'on pouvait distinguer par les trous du masque, intriguèrent Trapping et, bien qu'il ne fût pas très sûr de ce qu'il voyait, il comprit qu'il y avait là quelque chose qui n'allait pas. Le temps de cet échange de regards permit à Chang d'engager la conversation.

– C'est une bien belle soirée.

– En effet, répondit Trapping.

Son regard était passé des yeux de Chang à son manteau, puis au reste de sa mise qui, si elle était remarquable, n'était ni très adaptée à la situation ni même très convenable. Chang jeta un œil sur sa tenue, chercha encore le regard de Trapping et opta pour un petit rire moqueur.

– Je suis venu directement. J'ai voyagé à cheval pendant des jours. Mais que voulez-vous, je ne pouvais pas manquer ça.

– Non… évidemment.

Trapping hocha la tête, vaguement rassuré, mais il jeta un regard un peu perdu par-dessus l'épaule de Chang et vit son groupe s'éloigner dans la direction opposée afin de poursuivre la conversation.

– Qu'est-ce que vous buvez ? demanda Chang.

– La même chose que vous, je suppose.

– Vraiment ? Et vous aimez ?

– C'est très bon.

– Certainement. Cela ne peut être que bon, n'est-ce pas ? À la santé de notre hôte !

Chang trinqua avec Trapping et but d'un coup, obligeant plus ou moins son vis-à-vis à faire de même. Puis avant que celui-ci eût pu faire un geste, il lui prit le verre des mains et le tendit avec le sien à un domestique pour qu'il les remplisse de vin. Tandis que le domestique se penchait pour le servir et que Trapping bredouillait dans son dos des excuses pour pouvoir se retirer, Chang versa adroitement un peu de poudre blanche sur son pouce. Puis, il détourna l'attention du domestique en prétextant une désagréable odeur de bouchon et en profita pour mettre la poudre sur le rebord du verre de Trapping.

Il tendit le verre au colonel, ils burent encore – les lèvres de Trapping se posant là où se trouvait la poudre. Quand ce fut fait, aussi brusquement qu'il était arrivé, Chang fit un signe de tête à Trapping et quitta la pièce. Il regarderait de plus loin si la drogue faisait effet.

À partir de là, les choses avaient mal tourné. L'un des groupes, peut-être le clan de Crabbé, finit par réclamer Trapping au groupe que Chang supposa être celui des Xonck, se dirigea avec le colonel vers le fond de la pièce, puis ils passèrent une porte, flanqués de deux hommes qui se tenaient debout, avec désinvolture, mais sans doute possible, comme des gardes du corps. Chang regarda sa proie disparaître et chercha autour de lui s'il voyait une autre issue quand il croisa fugitivement le regard du compagnon de Charlotte Xonck qui regardait au loin au même moment. Il quitta discrètement la pièce principale avant de trop attirer l'attention.

Il lui fallut au moins une heure, le temps d'éviter les domestiques, les invités et un nombre croissant de regards ouvertement soupçonneux, avant de se retrouver dans un long couloir dallé de marbre et tapissé de portes. Là se résumaient parfaitement le ridicule de sa situation et l'échec évident de sa décision d'entrer et ensuite de courir le risque d'un contact direct avec Trapping.

À l'heure qu'il était, Trapping aurait dû être mort, mais au lieu de cela il devait sans doute trembler de tous ses membres en pensant qu'il avait bu un peu trop de vin. Chang lui avait donné juste assez de drogue pour qu'il se laisse faire pendant qu'il l'entraînerait dans le jardin, mais à présent il s'avérait que, là encore, il avait commis une erreur. Il marcha à pas feutrés le long du couloir, en essayant toutes les portes au passage. La plupart étaient fermées à clé.

Il avait à peu près atteint la moitié du couloir quand il vit devant lui, à l'autre extrémité, une foule qui descendait d'un balcon par un escalier en colimaçon. Il se précipita vers la porte suivante. Elle était ouverte. Il s'y engouffra et la ferma derrière lui.

Sur le sol gisait Trapping, mort, le visage comme marqué au fer rouge, balafré, mais sans qu'on pût en comprendre la cause immédiate. Chang ne trouva ni blessure, ni sang, ni arme, ni même un autre verre de vin qui aurait pu contenir une drogue.

Le corps de Trapping était encore tiède. Cela ne pouvait pas faire plus d'une demi-heure qu'il était mort.

Debout au-dessus du corps, Chang soupira. Il avait voulu en arriver là, mais cela s'était produit d'une façon beaucoup plus troublante et compliquée que ce qu'il avait prévu. Ce n'est qu'à ce moment-là qu'il remarqua l'odeur, qui lui rappelait vaguement celle d'un médicament ou encore d'une machine, mais qui était vraiment incongrue en ces lieux. Il était de nouveau penché pour explorer les poches de Trapping quand on frappa à la porte. Chang se redressa et se dirigea à pas feutrés vers une autre pièce de la suite, et de là, vers le cabinet de toilette, à la recherche d'un endroit où se cacher. Il trouva la porte de service quand celle qui donnait sur le couloir s'ouvrit et que quelqu'un appela le colonel Trapping par son prénom. Puis la voix se mua en cri alors que Chang tournait le loquet avec d'infinies précautions.

Il lui fallait sortir à tout prix. Le couloir étroit et sombre menait à un homme, un type étrange et affairé, entouré de caisses en bois tout à fait ordinaires. L'homme fit volte-face quand Chang entra. Il s'apprêtait à crier. Mais Chang franchit en deux enjambées la distance qui le séparait de lui et le frappa au visage avec son avant-bras. L'homme tomba sur une table, ce qui fit voler des morceaux de caisse. Avant même qu'il n'eût une chance de se relever, Chang lui donna un autre coup derrière la tête. L'homme s'écrasa sur la table, s'y cramponna tout en haletant avant de s'effondrer sur le sol.

Chang jeta un coup d'œil rapide aux caisses qui semblaient toutes vides. Il savait qu'il devait s'en aller. Il emprunta la porte suivante et se retrouva dans un couloir encore plus large que le précédent et tapissé de miroirs. Il le détailla sur toute la longueur et estima qu'il devait mener à l'entrée principale, où il ne voulait absolument pas se retrouver.

Il aperçut une porte de l'autre côté du couloir. Comme elle était fermée à clé, il y donna des coups de pied pour faire céder le bois autour de la serrure, puis il finit de l'enfoncer avec son épaule. La pièce possédait une fenêtre. Il attrapa à la hâte une chaise, la lança contre la vitre qui se brisa avec fracas. Il entendit des bruits de pas derrière lui. Chang enleva les derniers éclats qui se trouvaient sur les montants et sauta par l'ouverture. Il atterrit en grognant sur un lit de gravier et se mit à courir.

On ne dut pas le pourchasser avec beaucoup de zèle. Il était presque aveugle dans la nuit. Logiquement, toute tentative sérieuse de lui mettre la main dessus aurait dû réussir. Chang ralentit son allure quand il fut sûr qu'on ne le poursuivait plus. Il savait à peu près où il se trouvait par rapport à la mer, il prit donc la direction opposée, trouva la voie de chemin de fer et marcha le long des rails jusqu'à la gare. Cette gare, c'était Orange Canal, le terminus de la ligne.

Il monta à bord d'un train qui était en gare, heureux qu'il y en eût un, trouva un siège et se mit à ruminer, jusqu'au moment où le train s'ébranla pour le ramener à la ville et à son voyage en compagnie de Perséphone la persécutée.

Au Raton Marine, il termina sa boisson et mit une autre pièce sur la table. Plus il pensait aux événements de la veille et plus il se reprochait d'avoir agi avec une telle impulsivité absurde, d'autant plus que la mort de Trapping n'avait pas encore été annoncée. Il eut envie de retourner se coucher et de dormir le plus longtemps possible dans la fumerie d'opium. Il s'obligea plutôt à aller à la bibliothèque. La seule information dont il disposait était la possible implication de Robert Vandaariff et de son futur gendre haut placé. S'il réussissait à éclaircir leur rapport avec Xonck ou Crabbé, ou avec Trapping lui-même, il pourrait dormir, la conscience tranquille.

Il gravit le grand escalier et traversa le hall d'entrée au plafond voûté, salua le portier d'un signe de tête et arriva au deuxième étage dans la grande salle de lecture. En entrant, il aperçut Shearing, l'archiviste qu'il cherchait, les bras chargés des dossiers traitant de finance. Celui-ci était en grande conversation avec une femme. Quand Chang s'approcha, le petit homme noueux se tourna vers lui avec un sourire fragile et le désigna du doigt. Chang s'arrêta lorsque la femme se retourna, lui adressant une légère révérence. Elle se dirigea vers lui.

Brune, les cheveux rassemblés derrière la tête retombant en boucles sur ses épaules ; elle était belle.

Elle portait une petite veste en laine noire qui s'arrêtait juste au-dessus de sa taille fine et une robe de soie rouge, à motif chinois, délicatement brodée de fil jaune. Elle tenait un petit sac noir dans une main et un éventail dans l'autre. Elle s'arrêta à quelques pas de lui. Il effleura d'abord du regard sa gorge délicate et ses lèvres rouge vif, puis s'obligea à regarder ses yeux qui le fixaient avec gravité.

– On me dit que vous vous appelez Chang, commença-t-elle.

– Vous pouvez m'appeler comme ça.

C'était là sa réponse habituelle.

– Vous pouvez m'appeler Rosamonde. On m'a dit que vous pourriez me fournir l'aide dont j'ai besoin.

– Je vois.

Chang lança un regard assassin à Shearing qui les regardait bouche bée, comme un enfant retardé. L'homme l'ignora. Il souriait bêtement devant le buste splendide de la jeune femme.

– Si vous voulez bien venir avec moi par ici, suggéra Chang avec un sourire crispé, nous pourrons parler plus tranquillement.

Il la conduisit au troisième étage. La salle des cartes était rarement occupée : l'archiviste qui en avait la charge passait le plus clair de son temps à boire du gin planqué dans les allées. Il tira une chaise, la lui offrit. Elle prit place avec un sourire. Il choisit de rester debout en face d'elle en prenant appui sur la table.

– Est-ce que vous portez toujours des lunettes noires à l'intérieur ? s'enquit-elle.

– C'est une habitude, répondit-il.

– Je vous avoue que je trouve cela gênant. J'espère que vous n'en êtes pas vexé.

– Bien sûr que non. Mais je vais quand même les garder. Pour des raisons médicales.

– Oh ! Je vois.

Elle sourit. Elle regarda autour d'elle. Dans cette pièce, la lumière provenait d'une rangée de fenêtres alignées sur le mur principal. Malgré la grisaille de la journée, la pièce était très claire, comme si elle se trouvait bien plus haut qu'elle ne l'était en réalité.

– Qui vous a dit de vous adresser à moi ?

– Pardon ?

– Qui vous a dit de vous adresser à moi ? Vous comprendrez qu'un homme comme moi exige des références.

– Bien sûr. Je me demandais si vous aviez beaucoup de femmes parmi vos clients.

Elle sourit une fois de plus. Elle avait un léger accent, mais il ne sut dire lequel. Elle n'avait toujours pas répondu à sa question.

– J'ai des clients de toutes sortes. Mais, s'il vous plaît, dites-moi qui vous a donné mon nom. C'est vraiment la dernière fois que je vous pose la question.

La femme eut un sourire rayonnant. Chang sentit dans sa nuque un signal d'avertissement se déclencher. La situation n'était pas ce qu'elle semblait être. Pas plus que cette femme. Il en était parfaitement convaincu et il lutta pour garder cette idée à l'esprit, tout en étant fasciné par son corps, par toutes les sensations exquises que l'on éprouvait en la regardant. Son rire était chatoyant, comme un flot de vin rouge, elle se mordait les lèvres à la façon d'une femme-enfant et faisait tout son possible pour le fixer de ses yeux violets et perçants comme un insecte qu'on épingle. Il ne savait pas si elle n'y était pas parvenue.

– Monsieur Chang, ou devrais-je vous appeler Cardinal, votre nom est si amusant, parce que j'ai connu des cardinaux quand j'étais enfant, à Ravenne. Connaissez-vous Ravenne?

– Non, mais j'aimerais beaucoup. Les mosaïques…

– Elles sont magnifiques. Des teintes de pourpre comme vous n'en avez jamais vu, et les nacres… Si vous en avez déjà entendu parler, il faut y aller, ou vous serez hanté toute votre vie par le fait de ne pas les avoir vues.

Elle se remit à rire.

– Et quand vous les aurez vues, elles vous hanteront plus encore! Mais… comme je vous le disais, j'ai connu des cardinaux, en fait un de mes cousins occupait un tel ministère. Je ne l'ai jamais beaucoup aimé. Alors cela m'amuse de voir quelqu'un comme vous porter un nom pareil. Parce que, comme vous le savez, je me méfie des gens de pouvoir.

– Ah? Je l'ignorais.

Plus elle le regardait et plus Chang prenait conscience douloureusement que sa chemise froissée, ses bottes mal cirées, son visage mal rasé… bref, que toute sa vie contrastait avec l'aisance magnifique, la grâce absolue de cette femme.

– Pardonnez-moi d'insister, mais vous ne m'avez toujours pas dit qui…

– Bien sûr que non, non, je ne vous l'ai pas dit et je vous remercie de votre patience. C'est monsieur John Carver qui m'a donné votre nom et une idée approximative de l'endroit où l'on pouvait vous trouver…

Carver était un avocat qui, au moyen de toute une série d'intermédiaires peu recommandables, avait engagé Chang l'été précédent pour retrouver celui qui avait engrossé sa fille. Celle-ci avait survécu à l'avortement que son père, un pragmatique pur et dur, avait exigé. Mais, les choses ne s'étant pas passées au mieux, elle n'était pas réapparue en société depuis et Carver était au désespoir.

Chang avait trouvé le coupable dans un bordel de la côte et l'avait livré à Carver dans sa maison de campagne, non sans quelques égratignures, car l'homme s'était battu avec acharnement quand il avait compris de quoi il s'agissait. Il avait laissé Carver avec l'amant errant ligoté dans un tapis et ne s'était pas soucié davantage de son sort.

– Je vois, dit-il.

Il était très peu probable que quelqu'un eût pu associer son nom à celui de Carver, si ce n'était Carver lui-même.

– Monsieur Carver a établi plusieurs contrats pour moi et il a fini par gagner ma confiance.

– Que se passerait-il si je vous disais très clairement que je ne connais pas ce John Carver et que je n'ai jamais eu aucune relation avec lui ?

Elle sourit.

– Eh bien, ce serait exactement ce que je craignais, et je devrais trouver de l'aide auprès de quelqu'un d'autre !

Elle attendait qu'il parle. C'était à lui de décider d'accepter ou non de travailler pour elle. Elle comprenait très bien que la discrétion était requise. De toute évidence elle était riche et il serait certainement heureux de se changer un peu les idées après cette affaire Arthur Trapping qui n'était pas réglée. Il prit son élan et s'assit sur la table. Il pencha la tête vers elle.

– Je suis désolé, mais vu que je ne connais pas ce monsieur Carver, je ne puis, en conscience, vous prendre comme cliente. Cependant, par sympathie et puisque vous avez pris la peine de venir jusqu'ici, je peux peut-être écouter votre histoire et vous prodiguer en retour quelque conseil, si toutefois j'en suis capable et si vous le désirez.

– Je vous en serais très redevable.

– Mais pas du tout.

Il se permit un petit sourire. Au moins, jusqu'ici, ils se comprenaient.

– Avant que je commence, dit-elle, avez-vous besoin de prendre des notes ?

– En général, non.

Elle sourit.

– Après tout, il s'agit d'une situation relativement simple et même, si je ne puis agir par moi-même, je considère qu'elle n'est pas particulièrement difficile pour quelqu'un qui a les capacités voulues. Arrêtez-moi si je vais trop vite ou si vous avez l'impression que j'oublie quelque chose. Êtes-vous prêt?

Chang acquiesça.

— Il y avait hier soir une réception dans la maison de campagne de lord Vandaariff pour célébrer les fiançailles de sa fille unique avec le prince Karl-Horst von Maasmärck. Vous avez certainement entendu parler de ces gens et vous mesurez le niveau de cet événement. J'y assistais car je suis une amie, enfin une connaissance plutôt, de la fille, Lydia. Nous avons fréquenté la même école. Il s'agissait d'un bal masqué et c'est un détail important comme vous le verrez tout à l'heure. Avez-vous déjà assisté à un bal masqué?

Chang fit signe que non. Le frisson qui lui avait saisi la nuque tout à l'heure s'était maintenant déplacé tout le long de sa colonne vertébrale.

— J'aime les bals masqués, mais ils ont quelque chose d'inquiétant parce que les masques donnent libre cours à des comportements qui dépassent les règles de la bienséance, en particulier dans une réception de cette importance, dans une maison de ce prix. Sous le couvert d'un tel anonymat, à vrai dire, tout peut arriver. Je suis sûre qu'il n'est pas nécessaire de vous en dire plus.

Chang secoua de nouveau la tête.

— Mon cavalier pour cette soirée était, disons, ce que l'on pourrait appeler un ami de la famille, un peu plus âgé que moi. Il s'agit dans le fond d'un gentil garçon, mais sa faiblesse l'a conduit à une certaine débauche : il boit, il joue et il assouvit ses désirs les plus insensés et même les plus contre-nature. Mais en dépit de tout cela, à cause des liens qui unissent nos deux familles, et je crois aussi parce que j'éprouve pour lui une affection profonde, j'étais résolue à faire ce qui était en mon pouvoir pour le réhabiliter un peu aux yeux de la bonne société. Bon, il est difficile de parler de tout cela de façon claire. La maison est grande et il y avait beaucoup de monde, et dans un tel lieu, même dans un tel lieu, il y a des gens qui entrent alors qu'ils ne devraient pas, sans invitation, sans respect, avec pour seul but, si je puis me permettre, de profiter de la situation.

Chang acquiesça en se demandant à quel moment précis il lui faudrait se ruer hors de la pièce et combien de ses complices étaient embusqués dans la cage d'escalier.

— Parce que…

Sa voix se cassa. Des larmes apparurent aux coins de ses yeux. Elle chercha un mouchoir dans son sac. Chang savait qu'il aurait dû lui en offrir un, mais il savait également dans quel état était celui qu'il avait dans sa poche. Enfin, elle trouva le sien et se tamponna les yeux et le nez.

— Je suis désolée. Tout est arrivé si vite. Vous devez souvent voir des gens en détresse.

Il acquiesça. Il voyait surtout la détresse qu'il causait lui-même, mais il n'était pas vraiment nécessaire de faire ce genre de remarque.

— Cela doit être terrible, murmura-t-elle.

— On s'habitue à tout.

— C'est peut-être s'habituer qui est le pire de tout, n'est-ce pas? Elle plia son mouchoir et le remit dans son sac.

— Pardonnez-moi et permettez que je continue. Comme je vous le disais, c'était une grande soirée, il fallait parler avec beaucoup de monde en dehors de Lydia et du prince Karl-Horst et j'étais donc très occupée. La soirée avançant, je me rendis compte que je n'avais pas vu mon cavalier depuis longtemps. Je le cherchai donc, mais il semblait avoir disparu. Je trouvai de l'aide auprès d'amis communs et, aussi discrètement que possible, nous nous mîmes à sa recherche dans les pièces attenantes en espérant qu'il avait simplement abusé de l'alcool et qu'il s'était endormi. Ce que nous avons découvert, monsieur Chang, Cardinal, c'est qu'il avait été assassiné. Après en avoir discuté avec les autres invités, je suis sûre que je connais l'identité de l'assassin. Je voudrais trouver cette personne, enfin c'est cela que j'aurais voulu vous demander si vous aviez accepté cette mission.

— Vous voudriez la livrer aux autorités?

— Non, je voudrais qu'on me la livre à moi.

Elle le regarda avec beaucoup de calme.

— Je vois. Et qui est cette personne?

Il s'avança, prêt à lui bondir dessus. En lui mettant son rasoir sous la gorge, il pourrait se frayer un chemin, même si une légion entière l'attendait quelque part.

— Il s'agit d'une jeune femme. Elle mesure à peine un peu plus d'un mètre cinquante, des cheveux châtains et des boucles rebelles, le teint clair, assez jolie dans un style assez banal. Elle portait des bottines vertes et une cape de voyage noire. Étant donné la façon dont mon ami a été tué, on peut dire sans se tromper qu'elle devait être pleine de traces de sang. Elle s'est identifiée sous le nom d'Isobel Hastings, mais il s'agit sûrement d'un faux nom.

Chang lui posa d'autres questions, mais son esprit était ailleurs. Il cherchait à trouver un sens à cette coïncidence. Rosamonde ne pouvait en dire plus sur la jeune femme : on supposait qu'il s'agissait d'une prostituée de luxe, car autrement on ne voyait pas comment elle aurait pu entrer dans la maison aussi facilement. Cependant, Rosamonde ne savait absolument pas comment elle était entrée ni comment elle s'était enfuie.

Elle lui demanda le montant habituel de ses gages, pour avoir un point de comparaison. Il le lui indiqua et lui précisa une fois encore que, s'il devait la prendre comme cliente, ils auraient à choisir un endroit pour se rencontrer ou se laisser des messages. Elle détailla l'endroit. La bibliothèque lui convenait tout à fait pour de telles rencontres, et elle ajouta qu'on pouvait lui laisser des messages à l'hôtel Ste-Royale.

Sur ce, elle se leva et lui tendit la main. Il se sentit complètement idiot, mais il se retrouva penché en avant pour la lui baiser. Il resta immobile et la regarda s'en aller, ému de la voir s'éloigner ainsi. Une émotion qui n'avait d'égal que l'inquiétude qui agitait ses pensées.

Avant tout, Chang envoya un message à John Carver lui demandant de confirmer par l'entremise du Raton Marine qu'il avait bien donné son nom à une jeune femme qui avait besoin de ses services. Et puis il fallait qu'il mange quelque chose. Il n'avait rien dans l'estomac depuis le pâté à la viande qu'il avait avalé la veille au square St. Isobel. Il était affamé.

En même temps, en descendant les marches en marbre du perron de la bibliothèque et en se retrouvant à l'air libre, il eut le sentiment profond d'avoir été en danger. Il se dirigea vers l'ouest de la ville, vers Circus Garden et ses boutiques, puis il s'arrêta dans un kiosque à journaux sous prétexte de regarder une brochure sur les courses. Personne ne semblait l'avoir suivi depuis la bibliothèque, mais cela ne voulait rien dire. Pour peu qu'ils s'y connaissent en filature, des hommes pouvaient l'attendre à n'importe quel coin de rue aussi bien que devant la pension où il habitait. Il posa la brochure et se frotta les yeux.

Il s'acheta un autre pâté à la viande à un étal – son régime alimentaire n'était pas très varié – et une chopine de bière. Son repas fut vite expédié et il continua sa marche. Il était près de quatre heures et déjà le jour baissait, le vent du soir devenait mordant.

Trois possibilités se présentaient à lui: premièrement, il retournait au Raton Marine pour attendre des nouvelles de Carver ou d'Aspiche, deuxièmement, il allait au Ste-Royale pour apprendre tout ce qui était possible sur sa nouvelle cliente, à commencer par son vrai nom et, troisièmement, il commençait à faire le tour des bordels. Il sourit. Dans le fond, le choix était simple.

En fait, il était logique d'aller visiter les bordels dès maintenant: c'était l'heure où les affaires commencent dans ces établissements et il avait donc des chances d'obtenir des renseignements. Le nom d'Isobel Hastings était un point de départ parce que, même s'il était faux, Chang savait que les gens s'attachent à leurs identités d'emprunt et que quand on s'est servi une fois d'un pseudonyme, il est vraisemblable que l'on s'en reserve. Et puis, si jamais il s'agissait d'un vrai nom, ce serait encore plus facile.

Il revint en direction du fleuve, plus loin le long de la berge, et pénétra dans le centre délabré de la vieille ville. Il voulait aller d'abord dans les maisons les plus modestes, avant qu'elles soient envahies par la foule des clients.

La maison était connue sous le nom de South Quays parce qu'elle se trouvait devant le fleuve, mais aussi, comme il n'existait pas de South Quays dans la ville, pour plaisanter sur les différents points d'amarrage que l'on pouvait envisager sur le corps d'une prostituée. Ce bordel offrait ses services aux hommes de la mer. Il y avait un roulement terrible parmi les filles qui y travaillaient, c'était donc le meilleur endroit pour chercher quelqu'un de nouveau dans la profession. South Quays, c'était l'égout où aboutissaient toutes les épaves débauchées de la ville.

Tandis qu'il marchait, il se mit à regretter d'avoir abandonné son journal; il devrait maintenant s'en procurer un autre, car il espérait y trouver des renseignements sur ce nouvel assassinat. Même une vague référence au fait que le compagnon de Rosamonde était porté disparu lui fournirait déjà un nom. Une deuxième mort chez Robert Vandaariff, pendant une soirée de ce genre, devait donner quelques raisons de plus au financier de ne pas ébruiter la chose.

Cependant, Chang se demandait combien de temps la mort de Trapping pouvait encore être passée sous silence. Il savait que même si Rosamonde ne lui avait pas complètement menti, il y avait quelque chose d'autre derrière toute cette affaire. Le souvenir de Perséphone – il préférait ce nom à Isobel – qu'il avait rencontrée dans le train, le lui indiquait.

Mais mener l'enquête que lui demandait Rosamonde, quelle que soit sa véritable identité, c'était aussi suivre l'intrigue entourant Trapping et prendre acte de sa propre vulnérabilité dans cette affaire. Cela voulait dire qu'il devait en apprendre davantage sur la maison, les invités, la soirée, et sur ce qui s'était passé. Mais elle ne lui avait rien dit de tout cela, elle ne lui avait parlé que de la femme qu'elle voulait qu'il retrouve. En marchant, la contrariété lui fit claquer la langue et il sut que, pour se protéger, il devrait vraisemblablement révéler que lui-même était impliqué dans cette affaire.

Dagging Lane était déserte quand il y parvint. C'était l'arrière du bordel dont la façade surplombait le fleuve, ce qui permettait de disposer aisément de ceux qui ne voulaient pas ou ne pouvaient pas payer. Un costaud traînait devant une petite porte en bois peinte en jaune vif, ce qui tranchait considérablement avec les briques sales de la rue et le bois terni par le temps. Chang se dirigea vers l'homme et lui fit un signe de la tête. L'homme le reconnut et répondit par le même signe. Il cogna trois fois à la porte de son poing énorme. La porte s'ouvrit et Chang pénétra dans une petite entrée dont le sol était recouvert d'un tapis usé et qui offrait, pour tout éclairage, non pas une lampe à gaz mais une lanterne jaune. Un autre costaud lui demanda sa canne qu'il lui confia et, avec un regard lubrique très étudié, il lui suggéra de passer le rideau de perles et d'entrer dans le petit salon attenant. Chang secoua la tête.

– Je suis ici pour parler à Mrs. Wells, dit-il. Je suis prêt à payer pour le temps qu'elle passera avec moi.

L'homme acquiesça et traversa le rideau. Quelques minutes plus tard, alors que Chang s'occupait à regarder l'encadrement d'une estampe bon marché représentant la vie intime d'une contorsionniste chinoise, l'homme l'appela et lui fit traverser le salon. Il y avait là trois divans occupés par des filles à moitié nues, barbouillées de fard et qui, toutes, semblaient à la fois jeunes et ravagées dans la lumière terne et blafarde. Elles bâillaient, elles se grattaient. Certaines avaient une toux grasse qu'elles étouffaient dans des linges.

Ils arrivèrent dans les quartiers privés de Mrs. Wells, assise devant un feu qui crépitait, un livre de comptes sur les genoux.

Elle avait les cheveux gris, elle était petite et mince. Dans son métier, elle était pourvoyeuse par habitude et froidement brutale comme une paysanne. Elle leva les yeux vers lui.

– Combien de temps ça va durer ?

– Pas très longtemps, j'en suis sûr.

– Combien comptez-vous payer ?

– Je m'attendais à peu près à ça.

Il mit la main dans sa poche et en tira un billet froissé. C'était plus que ce qu'il aurait dû lui offrir, mais il prenait trop de risques dans cette affaire, donc il ne lésina pas. Il déposa le billet sur son registre et prit place sur la chaise qui se trouvait en face d'elle. Mrs. Wells encaissa le billet et fit un signe de tête au costaud resté dans l'embrasure de la porte. Chang entendit l'homme qui se retirait et fermait la porte, mais son regard demeura sur la femme.

– Ce n'est pas dans mes habitudes de donner des renseignements sur mes clients, commença-t-elle.

Ses dents claquaient quand elle parlait, la plupart étaient en porcelaine d'un blanc éclatant, ce qui était du plus mauvais effet à côté de la couleur des vraies dents qui lui restaient. Chang avait oublié à quel point ce bruit l'agaçait. Il leva la main pour l'interrompre.

– Vos clients ne m'intéressent pas. Je cherche une jeune femme, qui est une putain j'en suis presque sûr, et que vous connaissez peut-être, même si elle ne travaille pas directement pour vous.

Mrs. Wells hocha la tête doucement, Chang ne comprit pas vraiment ce que cela voulait dire mais, comme elle se taisait, il poursuivit.

– Elle s'appelle ou se fait appeler Isobel Hastings. Sans talons, elle mesure autour d'un mètre cinquante, elle a les cheveux bouclés et châtains. Fait le plus important : on l'aurait vue très tôt ce matin vêtue d'une cape noire et couverte de sang, du sang séché partout sur elle, sur son visage et sur ses cheveux. Je suppose que si une fille rentre dans un état pareil chez vous, ou dans n'importe quel autre établissement d'ailleurs, on ne peut que la remarquer, même si on en a vu d'autres.

Mrs. Wells ne répondit pas.

– Mrs. Wells ?

Elle ne répondait toujours pas. Très vite et avant qu'elle eût pu refermer son livre de comptes, Chang s'élança comme une flèche et lui reprit son billet. Elle leva sur lui un regard stupéfait.

– Je veux bien payer pour tout ce que vous savez, mais je ne paie pas pour ce silence minable.

Elle sourit lentement et avec précaution, comme on dégaine une lame.

– Je suis désolée, Cardinal, j'étais juste en train de réfléchir. Je ne connais pas la fille dont vous parlez. Je ne connais pas ce nom et aucune de mes filles n'est rentrée comme ça, couverte de sang. J'en aurais certainement entendu parler et j'aurais sûrement demandé un dédommagement.

Elle s'arrêta, un sourire en coin. Elle en savait plus, il le voyait dans ses yeux. Il lui rendit le billet. Elle le prit, le plaça comme un marque-page dans le lourd registre qu'elle referma. Chang attendit. Mrs. Wells ricana en émettant un son particulièrement déplaisant.

– Mrs. Wells?

– Ce n'est rien, répondit-elle. C'est juste que vous êtes le troisième à venir me poser des questions sur cette fille.

– Ah!

– Eh oui!

– Puis-je vous demander qui étaient les autres?

– Vous le pouvez.

Elle sourit, mais ne bougea pas, ce qui était une façon tacite de lui redemander de l'argent.

Chang était tiraillé. D'un côté, il l'avait déjà payée beaucoup plus cher qu'il n'aurait dû. De l'autre, s'il l'attaquait au rasoir, il aurait maille à partir avec les deux gaillards de l'entrée.

– Je crois que j'ai été honnête avec vous, Mrs. Wells… qu'en pensez-vous?

Elle eut encore un petit rire, ce qui le fit grincer des dents.

– En effet, Cardinal, et vous allez continuer, j'en suis sûre. Les autres ont été moins… respectueux. Alors je vais vous dire: la première est venue ce matin, une jeune femme qui prétendait être la sœur de l'autre, et le second était ici il y a une heure, un homme en uniforme, un soldat.

– Un uniforme rouge?

– Non, non, il était noir. Tout noir.

– Et la femme, il essaya de penser à Rosamonde, elle était grande? brune? les yeux violets? belle?

– Non, elle n'était pas brune. Elle avait les cheveux châtain clair. Elle était assez jolie ou elle aurait pu l'être si elle n'avait pas eu ces brûlures sur le visage… Autour des yeux, vous voyez.

Il devait lui être arrivé quelque chose d'atroce. Les yeux sont les miroirs de l'âme, vous savez.

Chang était en rage tandis qu'il retournait au Raton Marine. C'eût été une chose que d'apprendre qu'il n'était qu'un parmi d'autres à chercher cette femme, mais qu'il pût être lui-même aussi exposé au danger, cela le rendait doublement fou. Qu'il eût ou non tué Trapping, il pouvait aussi bien être pendu à cause de cela. Le doute l'assaillait de toutes parts.

Quand il arriva au Raton Marine, il faisait presque nuit. Il n'y avait pas de message de John Carver. Il n'était pas tout à fait prêt à poser directement des questions à son client, alors il se dirigea vers une autre maison, près du tribunal. Celle-ci était connue sous le nom de Second Bench*, il n'en était pas très loin et se trouvait dans un endroit un peu plus sûr. Il pourrait mettre de l'ordre dans ses idées en chemin.

Comme il s'obligeait à disséquer un peu les choses, il reconnut qu'il n'était pas surprenant que Mrs. Wells ne connût pas sa Perséphone. Quand il l'avait vue dans le train, il avait eu la nette impression que l'image qu'elle offrait alors avait quelque chose de théâtral, que cette image n'était pas représentative, même si elle était révélatrice ou parlante. Quelle que soit l'histoire qui se trouvait derrière, il était clair que ses boucles, alors défaites et pleines de sang, avait déjà été plus soignées et que c'était peut-être même une servante qui s'en occupait. Et tout cela voulait dire qu'il valait mieux aller se renseigner au Second Bench ou même à la troisième maison à laquelle il avait pensé, l'Old Palace.

Il y avait une hiérarchie parmi ces trois établissements, le South Quays était au bas de l'échelle, l'Old Palace, en haut. Ils offraient des filles à des clients appartenant à différentes classes de la société. Chacun étant le reflet d'une strate particulière du commerce de la chair dans la ville. Chang lui-même ne fréquentait le Palace que lorsqu'il était passablement en veine et encore, parce qu'il avait rendu quelques services au tenancier.

Le South Quays était tellement louche que l'on pouvait se demander comment les deux autres – la sœur et le soldat – l'avaient trouvé ou même comment ils avaient pu songer à s'y rendre. Pour ce qui était du soldat, cela pouvait se comprendre, mais pour la femme, celle qui prétendait être la sœur, c'était autre chose. Franchement, il était presque impossible qu'une femme soupçonnât l'existence d'un endroit pareil, simplement

---

* Littéralement, deuxième banc, mais *the bench*, c'est aussi la Cour, l'ensemble des juges, des magistrats. Le bordel qui est situé près du tribunal s'appelle donc, avec une certaine ironie, la Deuxième Cour (NDLT).

parce que le South Quays était pratiquement invisible pour le commun. Que Rosamonde le connût, cela lui paraissait aussi improbable que de recevoir une lettre personnelle du Pape. Pourtant, les deux autres qui cherchaient comme lui connaissaient effectivement ce lieu. Qui étaient-ils donc et pour qui travaillaient-ils? Et qui était cette femme qu'ils cherchaient tous?

Tout cela n'allait pas vraiment dans le sens de l'histoire que lui avait racontée sa cliente, l'histoire de son malheureux ami assassiné. Il ne pouvait s'agir d'un pauvre innocent sans rapport avec l'intrigue, mais plutôt de quelqu'un autour duquel tournaient d'autres affaires d'héritage, de titres et de complicité. Mais de tout cela, sa cliente ne lui avait rien dit lors de leur rencontre.

Chang se remémora la scène du train pour revoir ces yeux gris et impénétrables. S'était-il trouvé devant un assassin ou devant un témoin? Et si elle avait effectivement tué... l'avait-elle fait pour commettre un meurtre ou pour se défendre? Chacune de ces possibilités faisait varier les hypothèses sur les mobiles éventuels de ceux qui la cherchaient. Que personne n'eût fait appel à la police, ne serait-ce qu'à la demande très pressante de Robert Vandaariff, augurait très mal des bonnes intentions de chacun.

Les bonnes intentions n'étaient vraiment pas le pain quotidien de Chang. Le Second Bench était le bordel qu'il fréquentait d'habitude et cela davantage par souci d'équilibre entre ses moyens financiers et le moyen d'éviter les maladies qu'à cause des mérites particuliers de l'établissement.

Cependant, il avait l'avantage de connaître le personnel et le tenancier actuel, un type gros et gras au crâne rasé et qui répondait au nom de Jurgins. Celui-ci portait de larges anneaux à tous les doigts et, pour Chang, il incarnait la figure moderne de l'eunuque de cour. Jurgins affichait d'ordinaire une attitude joviale qui pouvait très vite être abandonnée, comme on tire un rideau, sitôt qu'il s'agissait d'argent, mais qui refaisait surface dès que son avidité maladive n'était plus de mise. Comme bien des clients de l'endroit venaient du milieu de la finance et du droit, ces façons de mercenaires se remarquaient à peine et n'offusquaient personne.

Après avoir échangé quelques mots à voix basse avec les portiers, Chang fut accompagné dans les appartements privés de Jurgins. La pièce était tendue de tapisseries, éclairée par des lustres en cristal dont les abat-jour laissaient pendre des pampilles délicates. L'atmosphère de la pièce était tellement chargée d'encens que même Chang la trouva suffocante. Jurgins trônait derrière son bureau. Il connaissait suffisamment Chang pour le recevoir en tête-à-tête, tout en laissant la porte ouverte pour qu'un garde du corps pût répondre au premier appel.

Chang s'installa face à lui et sortit de son manteau un billet de banque. Il le tendit pour que Jurgins puisse le voir. Jurgins ne put s'empêcher de tapoter son bureau du bout des doigts avec impatience.

– Que peut-on faire pour vous aujourd'hui, Cardinal?

Il fit un mouvement de tête pour désigner le billet.

– Vous voulez me faire une requête officielle pour obtenir quelque chose de compliqué? ou... d'exotique?

Chang se força à afficher un sourire neutre.

– Ce qui m'amène est simple. Je cherche une jeune femme dont le nom serait Isobel Hastings, qui serait rentrée ici, ou dans un autre établissement, tôt ce matin, vêtue d'une cape noire et complètement couverte de sang.

Jurgins fronça les sourcils pensivement et il hocha la tête.

– Donc, je la cherche.

Jurgins hocha la tête encore une fois. Chang croisa son regard et eut un sourire un peu forcé. Par un réflexe de flagornerie, Jurgins sourit aussi.

– Je m'intéresse aussi, Chang fit une pause pour donner un ton aimable à son propos, aux deux autres personnes qui vous ont déjà fait perdre votre temps en vous posant des questions sur cette jeune fille.

Jurgins eut un large sourire.

– Je vois, je vois tout à fait. Vous êtes un homme intelligent, je l'ai toujours dit.

Chang esquissa un sourire en entendant le compliment.

– Je crois qu'il s'agit d'un homme en uniforme noir et d'une femme aux cheveux bruns, bien habillée, avec une... brûlure d'une drôle de forme autour des yeux. Est-ce que c'est bien ça?

– Exactement, dit Jurgins qui continuait à arborer un large sourire.

– Lui est arrivé le premier ce matin, il m'a réveillé, et elle est venue un petit peu après le déjeuner.

– Et qu'est-ce que vous leur avez dit?

– Ce que je vais être obligé de vous dire à vous aussi, j'en ai bien peur. Le nom ne me dit rien. Et je n'ai pas entendu parler d'une fille en sang, ni ici ni dans aucun autre établissement. Je suis désolé.

Chang se pencha et laissa tomber son billet de banque sur le bureau.

– Cela n'a pas d'importance, je m'y attendais. Mais parlez-moi des deux autres.

– Ils étaient comme vous venez de le dire. L'homme était un officier quelconque, je ne suis pas très bien tout ce qui concerne l'armée, vous savez. Il avait peut-être votre âge, une sorte de brute entêtée, qui ne comprenait pas que je n'étais pas à ses ordres, si vous voyez ce que je veux dire. La femme a prétendu que la fille était sa sœur, elle était tout à fait jolie, comme vous l'avez précisé, si on oublie la brûlure. Mais, vous savez, il y a des gens ici qui aiment carrément ce genre de chose.

– Comment s'appelaient-ils, ou en tout cas quels noms vous ont-ils donnés ?

– L'officier s'est fait appeler major *Black*.

Jurgins eut un petit rire entendu, peu abusé par ce faux nom.

– La femme s'est présentée comme Mrs. Marchmoor.

Il ricana avec un plaisir malsain.

– Comme je vous le disais, je lui aurais volontiers offert de travailler pour moi si la situation n'avait pas été aussi délicate… quelqu'un de sa famille avait disparu, et tout.

Le Second Bench et l'Old Palace se trouvaient dans des directions opposées sur la rive nord et, en se dirigeant vers le Palace, Chang passa près du Raton Marine où il décida de s'arrêter pour voir si Carver lui avait laissé un message. Toujours rien. Tout cela ne ressemblait pas vraiment à Carver qui se croyait tellement important qu'il avait des messagers à sa disposition en tout temps et surtout tard le soir. Peut-être Carver était-il à la campagne, ce qui rendait peu vraisemblable qu'il eût pu le recommander à Rosamonde entre hier soir et ce matin. Cela restait de l'ordre du possible malgré tout, mais il laissa cette question de côté jusqu'à preuve du contraire.

Il avait insisté auprès de Jurgins pour avoir des détails sur l'uniforme de l'officier : des revers argentés et un insigne assez étrange : un loup avalant le soleil. Il pourrait donc aller à la bibliothèque avant la fermeture. Il se ravisa, pensant qu'il était plus important d'aller au Palace. Dans le cas assez improbable où il pourrait obtenir des renseignements de première main, il voulait que ce fût fait le plus vite possible. L'officier et la sœur devaient y être en ce moment même, ou ils y étaient déjà passés. Il pourrait facilement trouver le régiment et identifier l'officier demain matin, si ces détails étaient encore de quelque importance.

Une fois devant le Raton Marine, il s'arrêta et se détailla des pieds à la tête. Ça n'allait pas du tout. Il devrait passer en vitesse chez lui pour se changer. Le Palace ne laissait pas entrer n'importe qui, et s'il voulait avoir une chance de pouvoir interroger le patron, il fallait qu'il soit présentable. Il maudit ce contretemps et marcha à grandes enjambées dans les rues sombres.

Il y avait davantage de monde qu'un peu plus tôt, certaines personnes le saluaient en le croisant, d'autres l'ignoraient complètement, ce qui correspondait davantage aux habitudes du quartier. En arrivant devant la porte de sa pension, Chang s'aperçut que la serrure avait été forcée. Il se mit à genoux et l'examina. Un coup de pied bien placé avait cassé le bois autour du verrou. Il poussa doucement la porte qui s'ouvrit largement avec son grincement habituel.

Chang inspecta la cage d'escalier éclairée par une lumière blafarde. Vide. On n'entendait pas un bruit dans l'immeuble. Il frappa à la porte de sa logeuse avec sa canne. Mrs. Schneider aimait bien le gin, mais il était un peu tôt pour qu'elle fût ivre morte. Il essaya de tourner la poignée, mais la porte était fermée à clé. Il frappa encore. Il maudit cette femme pour la centième fois, puis il retourna dans les escaliers. Il avançait rapidement et sans faire de bruit, sa canne devant lui, prêt à toute éventualité.

Sa chambre se trouvait tout en haut, il était habitué à y monter, traversant chaque palier à pas de géant et jetant un coup d'œil aux portes des chambres qui semblaient closes. Tout était calme. La porte de la rue avait peut-être été défoncée par un locataire qui avait oublié sa clé. C'était fort possible, mais la méfiance naturelle de Chang ne serait apaisée que quand il aurait atteint le palier du sixième étage… où il trouva la porte de sa chambre grande ouverte.

D'un coup sec, Chang tira sur la poignée de sa canne pour dégainer une longue lame à double tranchant, puis il prit dans l'autre main la longue tige en chêne verni, prêt à s'en servir comme d'une matraque ou pour parer les coups. Ses deux armes à la main, il s'accroupit dans l'ombre et écouta.

Ce qu'il entendit, dans le lointain mais très distinctement, c'était les bruits de la ville. Ses fenêtres étaient donc ouvertes, ce qui signifiait que quelqu'un était passé par le toit, soit pour sortir, soit pour explorer la chambre. Il attendit encore, les yeux fixés sur la porte. L'individu qui était à l'intérieur devait l'avoir entendu monter les escaliers et il attendait qu'il entre… il devait s'impatienter, comme lui d'ailleurs. Ses genoux commençaient à s'ankyloser. Il prit une respiration et expira lentement, en espérant qu'ils se détendraient, puis il entendit distinctement un bruissement provenant de la chambre plongée dans l'obscurité. Puis un autre. Puis un froissement d'aile. C'était un pigeon qui entrait, certainement invité par la fenêtre ouverte. Avec un certain dégoût, Chang se releva et marcha vers la porte.

Quand il entra, la chambre était dans la pénombre et, comme il portait ses lunettes noires, Chang ne vit pratiquement rien. Il était plongé dans le royaume de la nuit et cette privation de la vue exacerba sans doute ses autres sens car, dès qu'il franchit le seuil de la porte, il sentit un mouvement sur sa gauche.

D'instinct, parce que la disposition de sa chambre était gravée dans son esprit, il se jeta à droite dans un recoin, entre une grande armoire et le mur, en brandissant sa canne devant lui. La lueur de la lune venant de la fenêtre fit scintiller la lame d'un sabre qui descendait sur lui de derrière la porte. Il s'écarta à temps pour parer le coup et arrêta la lame avec sa canne. Au même instant, il se retourna vers son adversaire. Il lança sa canne pour contrer la lame que son agresseur, gêné par l'étroitesse des lieux, essayait maladroitement de dégager. Il évita ainsi un deuxième coup. La main droite de Chang se lança en avant comme pour donner un coup de pique.

L'attaquant grogna de douleur et Chang sentit l'impact sourd de la chair sans pouvoir distinguer dans l'obscurité où le coup avait porté. L'homme se débattit avec sa longue lame pour arriver à en diriger le tranchant ou la pointe vers le corps de Chang, tandis que celui-ci lâchait sa canne pour saisir de sa main gauche le manche du sabre de son adversaire et essayer de le lui arracher. De sa main droite, il attaqua avec sa dague et la plongea à trois reprises dans le corps de l'homme, comme s'il le piquait avec une aiguille, puis il la tourna pour enfin la dégager. Au troisième coup, il sentit que le poignet de l'homme perdait de sa force, il relâcha sa prise et fit un pas en arrière. Suffoqué, l'homme s'effondra sur le sol avec un soupir. Il aurait été préférable de l'interroger, mais il avait peu d'espoir d'y parvenir.

Quand il s'agissait d'utiliser la violence, Chang était réaliste. Certes, l'expérience et l'habileté augmentaient ses chances de survie, mais il savait très bien qu'elles étaient minces et dépendaient moins du hasard que de la fermeté de l'intention et de la volonté. Dans ces instants infimes où tout vacillait, il était crucial d'être déterminé, rigoureux, dur même. La moindre hésitation devenait erreur fatale. Un homme pouvait toujours en tuer un autre, quelles que soient les circonstances, il pouvait toujours arriver, par un hasard extraordinaire, qu'un type qui n'avait jamais touché à une épée fît quelque chose qu'un duelliste qui avait toute sa tête ne pouvait prévoir.

Chang, tout au long de sa vie, avait donné et reçu toutes sortes de mauvais coups et il savait bien que son habileté ne pouvait être absolue. Dans ce cas précis, il avait eu de la chance que son agresseur, au lieu d'employer un revolver, ait choisi pour plus de discrétion une arme si peu adaptée à l'assassinat dans un lieu aussi exigu. Si Chang s'était arrêté, s'il s'était avancé davantage dans la chambre en s'esquivant ou s'il avait essayé de reculer prestement sur le palier, le second coup l'aurait fauché comme du blé tendre.

Chang alluma la lampe, repéra le pigeon, le fit sortir et le mit sur le toit, se sentant particulièrement ridicule de marcher ainsi autour d'un cadavre. La chambre n'était pas trop en désordre. Elle avait été soigneusement fouillée mais sans intention de détruire quoi que ce soit et, comme il ne possédait pas grand-chose, ce ne serait pas très long de tout remettre en ordre. Il passa la porte qui était toujours ouverte et tendit l'oreille. Il n'y avait pas de bruit dans la cage d'escalier, ce qui voulait dire que soit personne n'avait entendu, soit il était vraiment seul dans tout l'immeuble. Il ferma sa porte qui avait été forcée aussi et il la bloqua avec une chaise. Ce n'est qu'à ce moment-là qu'il s'agenouilla, essuya sa dague sur l'uniforme de l'homme et l'enfila dans la tige de sa canne. Il examina celle-ci sur toute la longueur. Il avait eu la chance de parer le coup sur le plat du sabre de son adversaire, la tige de sa canne était donc intacte. Il la posa contre le mur et baissa enfin les yeux vers son agresseur.

C'était un jeune homme aux cheveux blonds coupés courts, dans un uniforme noir, portant des bottes à revers argentés et l'insigne d'un loup dévorant le soleil. Il arborait une épaulette argent sur l'épaule droite, c'était donc un lieutenant. Chang fouilla rapidement ses poches. Elles étaient vides, à l'exception de quelques pièces de monnaie qu'il s'octroya et d'un mouchoir. Il examina le corps plus attentivement. Le premier coup de dague l'avait atteint sur le côté, au niveau des côtes. Les trois autres coups avaient atteint la cage thoracique jusqu'aux poumons, à en juger par l'écume sanglante qui sortait de la bouche du cadavre.

Chang soupira et s'assit sur ses talons. Il ne parvenait pas à reconnaître l'uniforme. Les bottes pouvaient faire penser à un officier de cavalerie, mais un officier peut porter ce qu'il veut, et quel jeune homme assez bête pour vouloir être officier ne voudrait pas aussi porter de grandes bottes noires ? Il prit le sabre et apprécia l'équilibre de l'arme. C'était une pièce de prix, d'un poids idéal et dangereusement affûtée. Sa longueur, la large courbe et le plat de la lame en faisaient une arme idéale pour se battre à cheval. L'homme devait appartenir à la cavalerie légère et, d'après son uniforme, ce ne devait pas être un hussard, mais peut-être un dragon ou un lancier, de ces troupes vouées aux mouvements rapides, à la reconnaissance, au renseignement. Chang se pencha sur le cadavre et il en détacha le fourreau. Il rengaina la lame et jeta le tout sur sa paillasse. Il se débarrasserait du corps, mais il pourrait certainement tirer un bon prix de l'arme si jamais il avait besoin d'argent comptant.

Il se releva et reprit son souffle. Il se détendit pour atteindre un niveau de vigilance plus normal. Pour le moment, il n'avait vraiment pas de temps à perdre à s'occuper du cadavre. Il n'avait pas idée de l'heure, mais il savait que plus il arriverait tard au Palace, plus il serait difficile de parler au patron et plus ses rivaux auraient de l'avance sur lui. Il se surprit à sourire en pensant qu'au moins un de ses rivaux devait l'imaginer mort, mais il réalisa alors que le major devait aussi attendre que ce jeune agent lui donne très vite des nouvelles. Chang aurait certainement une autre visite dans peu de temps et, cette fois-ci, en force. Il ne serait pas à l'abri dans sa chambre tant que l'affaire ne serait pas résolue, ce qui signifiait qu'il devait s'occuper du corps tout de suite, parce qu'il n'avait vraiment pas l'intention de le laisser là plusieurs jours, même si son odorat lui faisait défaut.

Pour se présenter à l'Old Palace, il lui fallait d'abord se rendre présentable : il se rasa, se lava et enfila des vêtements propres : une chemise, un pantalon noir, une cravate et un veston. Enfin, il brossa ses bottes et les cira.

Il rassembla l'argent qu'il avait planqué un peu partout dans sa chambre et trois livres de poésie, dont *Perséphone,* puis, en passant devant le miroir, il mit en ordre ses cheveux encore humides. Il prit son vieux mouchoir, le jeta dans un coin et en glissa un propre avec son rasoir dans la poche de son manteau. Il ouvrit la lucarne, grimpa sur le toit pour vérifier si des curieux avaient assisté à la scène depuis les fenêtres voisines. Personne. Il retourna à sa chambre, prit le cadavre sous les bras et le traîna jusqu'au bord le plus éloigné du toit. Il jeta un coup d'œil en contrebas, dans la ruelle qui donnait derrière l'immeuble, visant le tas d'ordures qui se trouvait autour de l'égout qui d'habitude était bouché. Il regarda autour de lui une nouvelle fois, puis hissa le corps sur le bord du toit et, en prenant soin de repérer sa cible, il le poussa dans le vide. Le soldat mort tomba sur le tas moelleux. Avec un peu de chance, il serait difficile d'établir à première vue s'il avait chuté du toit ou s'il avait été tué dans la rue.

De retour à sa chambre, il prit sa canne et le sabre, éteignit la lampe et se glissa une nouvelle fois par la lucarne qu'il referma derrière lui. Il ne pouvait pas la verrouiller mais, comme ses ennemis connaissaient l'endroit, cela n'avait que peu d'importance. Il partit à travers toits. Les immeubles de cette partie de la rue étant reliés les uns aux autres, son chemin s'avéra relativement simple, à l'exception de certains passages glissants du fait de quelques corniches ouvragées. Il lui fallait redoubler de vigilance.

Dans un immeuble qu'il savait abandonné, il ouvrit la trappe d'une mansarde et sauta dans l'obscurité. Il atterrit sans encombre sur un plancher de bois, tâtonna un moment, puis repéra un endroit où les lattes étaient défaites. Il en souleva une, glissa le sabre dans l'ouverture, puis la replaça soigneusement. Il ne reviendrait peut-être jamais le reprendre, mais il était probable que des soldats fouilleraient sa chambre, et moins ils trouveraient d'indices sur leur défunt camarade, mieux ce serait. À tâtons, il trouva l'échelle qui menait à l'étage inférieur. En moins de temps qu'il n'en faut pour le dire, Chang était dans la rue, encore présentable et en marche pour le Palace avec le poids d'une autre âme sur sa conscience en exil.

La maison devait son nom à la proximité d'une ex-résidence royale – elle avait cessé de l'être à peu près deux siècles auparavant –, ses murs fortifiés étant vraiment passés de mode. Elle avait d'abord abrité des membres peu importants de la famille royale, puis le ministère de la Guerre s'y était installé, puis un arsenal et une académie militaire. Elle hébergeait aujourd'hui l'Institut royal de la science et de l'exploration. Bien qu'il semblât qu'une institution de ce genre ne pût pas favoriser la prospérité d'un bordel aussi chic, en fait, les entreprises de l'Institut étaient toutes financées par les personnages les plus riches de la ville.

Ils se livraient entre eux une féroce concurrence pour financer qui une invention, qui une nouvelle découverte, un nouveau continent, ou une étoile tout juste repérée dans la galaxie, tout cela pour que l'on associe à jamais leur nom à quelque chose d'éternel et d'utile.

À leur tour, les membres de l'Institut se disputaient de haute lutte les faveurs des mécènes, les deux communautés, celle des privilégiés et celle des savants, frayant entre elles pour engendrer tout un quartier dont l'économie dépendait de la flagornerie, du favoritisme et des excès de la consommation d'alcool subséquents. Ainsi donc appelait-on ce bordel : l'Old Palace, encore une allusion délicate à l'anatomie, à ce qui est sans doute le plus vieux palais du monde.

L'entrée de la maison était austère et inspirait le respect. L'immeuble lui-même était intégré dans une façade de plusieurs bâtiments identiques, amas de pierres grises avec des toits à coupoles. La porte d'entrée peinte en vert et surmontée d'une lanterne était située derrière une grille devant laquelle se trouvait la guérite d'un gardien. Chang se tint bien en vue, attendit qu'on lui ouvrit la grille et se dirigea vers la porte où un autre gardien lui permit d'entrer dans l'établissement lui-même. L'intérieur était bien éclairé, chaud, on entendait de la musique et, derrière, les notes sonores d'un rire tout à fait convenable.

Une jeune femme très séduisante se présenta pour prendre le manteau de Chang. Il aurait préféré le garder, mais lui remit tout de même sa canne et lui glissa une pièce pour le mal qu'elle s'était donné. Il marcha jusqu'au fond de l'entrée où un homme en veste blanche se tenait sur une estrade assez haute et griffonnait de temps en temps sur un calepin. Il regarda Chang d'un air amusé, tout juste prudent.

– Ah! dit-il comme pour faire comprendre qu'il retenait, par compassion et par gentillesse, une foule de commentaires sur la personne de Chang.

– Madame* Kraft.

– Je ne suis pas sûr qu'elle soit libre. En fait, je suis sûr qu'elle ne l'est pas.

– C'est très important, insista Chang en fixant l'homme dans les yeux. Je paierai cette dame pour le temps qu'elle passera avec moi, peu importe son tarif. Mon nom est Chang.

L'homme plissa les yeux, détailla Chang encore une fois de haut en bas et acquiesça en reniflant d'un air peu convaincu. Il griffonna quelques lignes sur un petit morceau de papier vert, enfila le papier dans un tube en cuir et inséra le tube dans un tuyau en cuivre fixé au mur. On entendit un chuintement, et le tube fut brusquement aspiré. L'homme retourna à son estrade en prenant des notes. Quelques minutes passèrent. L'homme ignorait complètement son visiteur. En faisant un «plonck» sonore, le tube en cuir ressortit d'un autre tuyau et tomba dans le contenant en cuivre placé juste en dessous. L'homme sortit le tube et en tira un bout de papier bleu. Il leva les yeux. Son regard, bien qu'inexpressif, laissait quand même transparaître une ombre de mépris.

– Par ici.

Escorté par son guide, Chang traversa un salon élégant puis un couloir tendu d'une tapisserie à motifs serrés qui le faisait paraître plus étroit encore.

Au bout de ce couloir se trouvait une porte blindée sur laquelle l'homme en veste blanche frappa lentement quatre fois. Une étroite fente s'ouvrit alors dans la porte et se referma quand les visiteurs se furent identifiés. Ils attendirent. Le battant s'ouvrit. Par gestes, le guide de Chang lui fit comprendre d'entrer dans une pièce lambrissée de bois sombre où se trouvaient des bureaux, des sous-main, des registres et un grand boulier vissé bien en vue sur une petite table. La porte avait été ouverte par un homme grand, en manches de chemise et portant un revolver dans un étui sous le bras. Il avait les cheveux noirs, et sa peau la couleur du bois de cerisier ciré. Il lui fit signe à son tour de se diriger vers la porte qui se trouvait au fond de la pièce. Chang traversa la pièce, pensa qu'il était plus poli de frapper et s'exécuta. Après un instant, il entendit en sourdine une voix lui dire d'entrer.

* En français dans le texte.

C'était encore un bureau, et sur le seul grand secrétaire de la pièce était posé un grand tableau noir. On y avait peint des colonnes et encastré de fines lattes de bois percées de trous qui permettaient de placer de petites chevilles colorées le long des colonnes et de les séparer par des lignes horizontales, le tout formant une énorme grille. Le tableau était déjà rempli de noms, de chiffres et parsemé de chevilles. Chang l'avait déjà vu et il savait que cela correspondait aux chambres de l'établissement, aux filles ou aux garçons qui travaillaient et aux heures de la soirée. On l'effaçait et on le remplissait à nouveau tous les soirs de la semaine.

Devant le secrétaire, un morceau de craie à la main et une éponge humide dans l'autre, se tenait Madelaine Kraft, la patronne, et, au dire de certains, la véritable propriétaire de l'Old Palace. Une femme bien faite à qui il était difficile de donner un âge et dont la robe simple en soie bleu de Chine mettait agréablement en valeur le teint doré. Elle n'était peut-être pas très belle, mais elle était attirante. Chang avait entendu dire qu'elle était égyptienne, ou peut-être indienne, et qu'elle avait fait son chemin dans l'établissement, passant des salons de l'avant de la maison à sa position actuelle de tenancière à force de discrétion, d'intelligence et d'intrigues en tous genres. Elle avait sans aucun doute beaucoup plus de pouvoir que lui, avec tous les hommes haut placés qu'elle connaissait à travers le pays, qui lui étaient redevables de son silence et de ses faveurs et dont elle pouvait donc disposer à sa guise.

Elle leva les yeux de son travail et lui fit signe de s'asseoir. Il prit place. Elle posa la craie et l'éponge, s'essuya les doigts sur sa robe et prit une gorgée de thé dans une tasse en porcelaine blanche qui se trouvait sur le côté du bureau. Elle resta debout.

– Vous cherchez Isobel Hastings.

– En effet.

Madelaine Kraft ne répondit pas, ce qu'il considéra comme une invitation à continuer.

– On m'a demandé de la retrouver… C'est une dame qui est rentrée d'une soirée de travail entièrement couverte de sang.

– Elle rentrait d'où, vous dites ?

– On ne me l'a pas dit… ce que j'ai compris, c'est qu'elle était suffisamment couverte de sang pour qu'on se souvînt d'elle.

– Elle rentrait de chez qui ?

– On ne me l'a pas dit... on a pensé que c'était son sang à lui.

Elle se tut pendant un moment, pensive. Chang se rendit compte qu'elle ne réfléchissait pas à ce qu'elle allait dire, mais qu'elle considérait plutôt si oui ou non elle allait dire ce qu'elle pensait.

– J'ai lu dans le journal qu'un homme avait disparu, lança-t-elle, songeuse.

– Oui, c'est le colonel des Dragons, acquiesça Chang distraitement.

– Cela ne pourrait pas être lui?

– C'est possible, répondit-il d'un ton détaché.

Elle prit une autre gorgée de thé.

– Vous comprendrez bien que je suis honnête, poursuivit Chang.

– Et pourquoi donc devrais-je en arriver à cette conclusion? remarqua-t-elle avec un sourire.

– Parce que je vous paie et que vous faites une bonne affaire.

Chang attrapa son portefeuille dans son manteau et en sortit trois billets de banque. Il se pencha et les plaça sur le tableau noir. Madelaine Kraft les ramassa, jeta un coup d'œil sur l'argent et le déposa dans une boîte en bois ouverte près de sa tasse de thé. Elle regarda la pendule.

– J'ai bien peur qu'il ne reste plus beaucoup de temps.

– D'après ce que je comprends, ma cliente veut se venger.

– Et vous? demanda-t-elle.

– D'abord, je cherche à savoir qui d'autre est sur ses traces. Je connais les agents, l'officier, la «sœur», mais ce que j'ignore, c'est pour qui ils travaillent.

– Et ensuite?

– Ça dependra. De toute évidence, ils sont déjà passés ici pour vous poser des questions, à moins que vous ne soyez vous-même impliquée dans l'affaire.

Elle inclina légèrement la tête et, après avoir réfléchi un instant, s'assit derrière le bureau. Elle prit une autre gorgée de thé et garda la tasse contre sa poitrine. Elle l'observa posément depuis sa chaise.

– Très bien. Pour commencer, ce nom ne me dit rien et je ne connais pas cette femme. Personne dans cet établissement, personne parmi les gens que nous connaissons ici ne s'est présenté tôt ce matin, couvert de sang. Je me suis renseignée, mais personne ne l'avait vue. Ensuite, le major Blach est passé ici cet après-midi. Je lui ai dit exactement la même chose qu'à vous.

– Et la sœur?

Elle eut un sourire de conspiratrice.

– Je n'ai pas vu de sœur.

– Une femme avec des cicatrices sur le visage, une brûlure, qui prétend être la sœur de Isobel Hasting, une Mrs. Marchmoor.

– Je ne l'ai pas vue. Peut-être ne connaît-elle pas cet établissement.

– C'est impossible, elle m'a précédé dans les autres maisons et c'est avant tout la vôtre qu'elle devrait connaître.

– J'en suis sûre.

L'esprit de Chang fonctionnait à plein régime: Mrs. Marchmoore connaissait les autres maisons, et elle avait évité celle-ci. Si elle n'y était pas passée, c'est parce qu'on l'y connaissait.

– Puis-je vous demander si une des filles qui travaillent ici a récemment quitté votre maison, peut-être sans votre consentement? Une fille aux cheveux châtain clair?

– En effet, il y en a une.

– Le genre à chercher une parente pleine de sang?

– Pas vraiment, répondit-elle en ricanant. Mais vous avez parlé de brûlures sur son visage?

– Elles pourraient être récentes.

– Il faudrait que ce le soit vraiment. Margaret Hooke est partie depuis quatre jours. C'est la fille du propriétaire ruiné d'une minoterie. Elle ne devrait pas être connue dans des maisons de catégories inférieures.

– Est-ce qu'elle a une sœur?

– Elle n'a personne. Mais il semble qu'elle ait trouvé quelque chose. Si vous pouviez découvrir de quoi ou de qui il s'agit, vous me verriez très bien disposée à votre égard.

– Soupçonnez-vous quelque chose? Est-ce là la raison de notre entretien?

– La raison de notre entretien, c'est que l'un des clients réguliers de Margaret Hooke est ici en ce moment.

– Je vois.

– Beaucoup de gens sont venus me voir. Et tout le monde voulait savoir ce qu'ils pouvaient apprendre… comme je l'ai dit, je dispose de peu de temps pour discuter.

Chang acquiesça, prêt à partir. Alors qu'il se dirigeait vers la porte, elle l'appela d'une voix à la fois calme et résolue.

– Cardinal ? Quel est votre rôle dans cette affaire ?

– Madame, je me contente d'agir pour le compte des autres.

Elle marqua un temps.

– Le major Blach m'a posé des questions sur miss Hastings. Mais il a également cherché à avoir des renseignements sur un homme en rouge, un mercenaire, peut-être même le complice de cette satanée fille couverte de sang.

Il sentit qu'il s'agissait là d'un avertissement. L'homme avait sûrement posé les mêmes questions à Mrs. Wells et à Jurgins et ils ne lui en avaient rien dit, tout en riant dans son dos.

– Comme c'est étrange. Je ne m'explique vraiment pas cet intérêt. À moins qu'il ait suivi mes clients et qu'il ait vu qu'ils s'entretenaient avec moi.

– Ah !

Il la salua.

– Je vous ferai part de ce que je trouverai.

Dans l'entrebâillement de la porte, il se retourna :

– Quelle demoiselle de votre maison s'occupe du client de Margaret Hooke ?

Madelaine Kraft sourit, un amusement léger teinté de pitié.

– Angélique.

Dans le vestibule, Chang récupéra sa canne. Personne ne lui demanda quoi que ce fût. Il s'approcha de l'homme en blanc et vit que celui-ci tenait un autre petit morceau de papier bleu. Avant que Chang dît un mot, l'homme en blanc se pencha vers lui et lui lança dans un murmure :

– Descendez par l'escalier arrière. Attendez en dessous et ensuite vous pourrez le suivre.

Il sourit. Comme Mrs. Kraft avait donné son accord, il ne pouvait qu'accepter lui aussi.

– Cela vous permettra aussi de sortir sans être vu.

L'homme en blanc retourna à son calepin. En se dirigeant vers la partie centrale de la maison, Chang traversa une vaste pièce avec des arcades engageantes donnant sur des perspectives enchanteresses : luxe, confort, plaisirs de la table et de la chair, rires et musique. L'arrière de la maison était surveillé par un autre homme à la carrure impressionnante. Chang leva les yeux vers lui. Étant lui-même assez grand, il fut un peu agacé par la présence massive de cette silhouette plus imposante encore que la sienne.

Il attendit que l'homme lui ouvrît la porte, puis se retrouva sur le palier d'un petit escalier en bois menant à un passage haut et étroit, long d'une vingtaine de mètres. Ce passage en sous-sol, beaucoup plus frais et humide que le reste de la maison, était tapissé de briques.

Sous l'escalier, Chang trouva une soupente. Il l'ouvrit, se glissa à l'intérieur presque plié en deux et s'assit sur un tabouret à traire. Il poussa la porte et attendit dans l'obscurité en se demandant ce qu'il faisait là.

L'entretien qu'il venait d'avoir avait soulevé plus de questions qu'il n'en avait résolu. Il savait que personne n'avait pu surprendre sa conversation avec Rosamonde dans la salle des cartes. Donc *Black* était au courant de son existence soit par quelque autre informateur, soit parce qu'il l'avait vu dans la demeure de Vandaariff, soit, il devait en convenir, par Rosamonde elle-même.

Si Mrs. Marchmoor n'était autre que Margaret Hooke, alors Angélique courait le danger de disparaître elle aussi, bien que les soupçons de Madelaine Kraft ne l'aient pas dissuadée d'accepter le client qui pouvait être la cause de tout.

Cela signifiait peut-être que ce client pouvait ne pas être aussi important que d'autres individus, d'autres personnages puissants qui agissaient dans l'ombre. C'est tout cela que miss Kraft voulait que Chang lui révèle.

Il se frotta les yeux. Au cours de la journée, il avait d'abord été sur le point de commettre un meurtre, il en avait effectivement commis un autre et s'était mis à dos trois mystérieux individus, quatre, même, s'il comptait Rosamonde, et tout cela sans avoir la moindre idée de ce qui était en jeu. Et, en plus, rien de tout cela ne l'avait fait avancer dans sa recherche d'Isobel Hastings qui devenait plus mystérieuse d'heure en heure.

Malgré toutes les idées qu'il avait ruminées, une minute seulement s'était écoulée lorsqu'il entendit s'ouvrir la porte. Des pas lourds descendirent les escaliers au-dessus de sa tête. Un homme parlait, mais le bruit des pas empêchait Chang de saisir le sens de ses paroles. Ce qu'il pouvait deviner au mieux, c'est qu'il y avait au moins trois hommes.

Enfin, ils empruntèrent le passage. Il ouvrit prudemment la porte et inspecta l'extérieur : les hommes ne pouvaient avancer qu'en file indienne et il ne distinguait que le dernier d'entre eux, de dos. Il s'agissait d'un homme tout à fait ordinaire en manteau de soirée noir. Il attendit qu'ils aient disparu avant de s'extirper de sa cachette, puis se mit à courir sur la pointe des pieds pour les rattraper.

Arrivé là où ils avaient tourné, il s'arrêta et entendit la même voix parler plus bas dans un étrange murmure, mais les propos lui échappèrent, brouillés par des bruits de clés dans une serrure que l'on peinait à ouvrir.

Il s'accroupit et se risqua à jeter un coup d'œil, sachant que si les hommes regardaient dans sa direction, ils avaient moins de chance de le voir s'il se trouvait plus bas que leur regard. Le groupe se trouvait à une dizaine de mètres de lui, devant une porte à traverses métalliques. Chang voyait toujours le dernier homme du groupe, de dos. De plus près, on comprenait qu'il était plutôt jeune, des cheveux fins et bruns plaqués sur le crâne.

Devant lui, Chang pouvait distinguer trois autres personnes : un petit homme, vêtu d'un manteau gris cendré, plié en deux devant la porte en train de chercher la bonne clé ; un homme grand aux épaules larges portant un épais manteau de fourrure, qui frappait le sol de sa canne avec impatience et se penchait vers la quatrième personne attachée à son bras comme une fleur piquée sur le bonnet à poil d'un grenadier : Angélique.

Elle portait une robe d'un bleu profond et ne semblait pas réagir à ce que l'homme lui disait. Angélique fixait d'un air inexpressif les mains de l'élégant homme en gris qui triait les clés. Il trouva enfin celle qui convenait, le verrou se débloqua et il ouvrit la porte en se retournant vers les autres avec un léger spasme du visage qui se voulait un sourire.

C'était Harald Crabbé.

L'homme au manteau de fourrure sortit une montre de gousset qu'il ouvrit et fronça les sourcils.

– Mais où diable est-il passé ? s'enquit-il de sa voix rauque et métallique.

Il se tourna vers le troisième homme et siffla d'un ton menaçant :

– Allez le chercher.

Chang recula précipitamment pour reprendre le virage en angle du passage, cherchant désespérément autour de lui un endroit où se cacher. Il eut de la chance, car étant accroupi, il dirigea naturellement son regard vers le haut où il aperçut deux tuyaux en fer de la grosseur de son bras et qui couraient sur toute la longueur du passage, juste sous le plafond. Il entendit derrière lui une autre voix, celle de Crabbé, qui interrompit la course du troisième homme qui était proche du coin, à deux pas de découvrir Chang.

– Bascombe.

– Monsieur?

– Un instant.

Le ton de Crabbé changea, il était clair maintenant qu'il s'adressait à l'homme au manteau de fourrure.

– Attendez une minute. Je préférerais qu'il ne comprenne pas que nous sommes de plus en plus mécontents, je ne voudrais pas lui donner ce plaisir. En plus…

Et, changeant sa voix pour adopter un ton mielleux, il continua:

– …sa récompense est avec nous.

– Je ne suis la récompense de personne, répliqua Angélique d'une voix calme mais ferme.

– Bien sûr que non, dit Crabbé pour la rassurer. Mais il n'a pas besoin de le savoir avant que nous soyons prêts.

Soudain, derrière Chang, en haut de l'escalier, la porte s'ouvrit. Quelqu'un arrivait. Il était pris au piège. Dans un sursaut d'énergie, il prit son élan, lança un pied contre un mur et l'autre contre le mur opposé et ainsi, à la force de ses jambes, il parvint à monter jusqu'à ce qu'au bout de ses bras tendus il atteignît les tuyaux.

Il aperçut deux jambes qui descendaient l'escalier. Le groupe de l'autre côté n'allait pas tarder à les entendre. Il se hissa pour accrocher ses jambes aux tuyaux et là, de toutes ses forces, il s'y enroula, le visage tourné vers le bas, rentrant à la hâte les pans de son manteau pour ne pas qu'ils pendent. Désespéré, il vit alors sa canne près du mur. Il ne pouvait rien faire. Ils arrivaient. Combien de temps avait-il mis pour monter? Avait-il été vu ou entendu?

Quelques instant plus tard, retenant sa respiration malgré sa poitrine oppressée, Chang vit le troisième homme, Bascombe, qui apparaissait au tournant du passage et se tenait à quelques centimètres à peine de sa canne. À l'autre bout, les pas se rapprochèrent, plus bruyants qu'ils n'auraient dû l'être. Il y avait plus d'une personne.

– Monsieur Bascombe! lança un des hommes dans une sorte d'exubérance d'autant plus chaleureuse que les hommes s'étaient quittés vraisemblablement à peine cinq minutes auparavant. Mais ce ton indiquait qu'ils avaient vécu ne serait-ce qu'une aventure ensemble, une soirée. Ce ton disait aussi qui avait été le guide de cette soirée. Un frisson de haine parcourut la peau de Chang. Il expira doucement par le nez. Il n'arrivait pas à croire qu'ils ne l'avaient pas vu. Il se prépara donc à fondre sur Bascombe, à attaquer les nouveaux arrivants et à courir vers les escaliers.

Les deux hommes passèrent juste au-dessous de lui. Il s'immobilisa, retenant encore une fois son souffle. Un homme élégant vêtu d'une queue-de-pie de bonne facture, portant des favoris en bataille et des cheveux roux bouclés longs et épais, manifestement celui qui avait crié, soutenait les pas chancelants d'un autre homme plus grand et plus mince, dans un uniforme bleu acier coiffé d'un petit shako à plumes bleues avec des médailles épinglées sur la poitrine et de grandes bottes qui gênaient impitoyablement sa démarche d'alcoolique. Quand ils se rapprochèrent, Bascombe avança, prit l'homme en uniforme par l'autre bras, et tous trois disparurent en tournant au fond du passage.

Chang resta suspendu aux tuyaux jusqu'à ce qu'il entendît la porte blindée se refermer sur eux. Puis il se laissa pendre par les bras et sauta sur le sol. Il essuya ses vêtements, les tuyaux étant pleins de poussière, et il ramassa sa canne. Il souffla et se reprocha de s'être laissé piéger aussi bêtement. Il savait que seule l'arrivée de l'homme en uniforme l'avait sauvé. Chancelant et ivre, l'homme avait attiré l'attention des deux autres.

Il repensa à la conversation entre l'homme au manteau de fourrure et Crabbé : lequel des deux hommes attendaient-ils, l'officier ivre ou le dandy jovial ? Et puis, tandis qu'il marchait vers la porte blindée qu'ils avaient fermée derrière eux, Chang se demanda lequel parmi ces hommes prétendait avoir des droits sur Angélique. Il écarta cette pensée parce qu'elle minait imperceptiblement sa tranquillité d'esprit.

Elle était arrivée de Macao alors qu'elle n'était encore qu'une enfant et elle était devenue orpheline après la mort de son père, un marin portugais qui s'était fait tuer dans une rixe au couteau deux jours après son retour à terre. Elle avait eu une mère chinoise, et ses traits avaient transpercé Chang quand il l'avait vue pour la première fois dans la grande pièce du South Quays où elle avait trouvé une sorte de famille après avoir quitté l'horreur de l'orphelinat public.

Sa beauté exotique et une réserve qui lui donnait un charme étrange la firent sortir de ce repère sordide pour la conduire au Second Bench, puis finalement cette année, à l'âge de dix-sept ans, dans les hauteurs parfumées de l'Old Palace. Mrs. Kraft avait acheté son contrat pour une somme qui n'avait pas été révélée. Pour Chang, désormais, elle était hors de portée. Il ne lui avait pas parlé depuis cinq mois. Il ne lui avait d'ailleurs pas parlé beaucoup plus auparavant. De façon générale, parler n'était pas son genre, mais ça l'était encore moins quand il s'agissait de parler à des gens pour qui il entretenait quelque sentiment.

Il supposait qu'elle savait bien la place spéciale qu'elle occupait dans son... il ne pouvait pas dire son « cœur »... car quel sens cela pouvait-il bien avoir dans une vie comme la sienne ? Cette vie de déraciné, cette grandiose errance existentielle, elle tenait plutôt, dans le fond, de la « fresque panoramique ». Toujours est-il qu'elle ne lui avait rien dit. Quels que fussent ses sentiments, elle préférait le silence, comme lui.

Au début, ce fut peut-être une question de langue, mais c'était devenu une attitude professionnelle : elle avait un sourire éclatant, un corps docile et un regard incroyablement distant. Au cours des moments brûlants qu'ils avaient partagés dans ce qu'il est convenu d'appeler l'intimité, Angélique s'était contentée de se montrer polie et experte, mais elle avait laissé entrevoir l'infini du paysage intérieur qu'elle avait en réserve... et ce qu'il avait vu lui était entré dans l'âme comme un hameçon.

Il essaya sans succès d'ouvrir la porte en fer et soupira d'impatience. C'était une vieille serrure qui pouvait retarder une chasse à l'homme mais pas lui faire complètement obstacle. Il chercha dans son manteau un trousseau de passe-partout, et l'examina. La seconde clé qu'il choisit fonctionna et il ouvrit la porte doucement. Elle était bien huilée et ne grinçait pas. Il la franchit et s'enfonça dans l'obscurité. Il tira la porte derrière lui, ne la referma pas à clé et il écouta. Le pas de ceux qu'il poursuivait était lent, et ce n'était pas étonnant compte tenu de la présence parmi eux de l'homme ivre et d'Angélique. Ses chaussures et sa robe n'étaient guère adaptées pour marcher dans un tunnel obscur et pavé. Chang les suivait sans bruit, il tenait sa canne devant lui tandis que sa main gauche suivait le mur. Le tunnel ne devait pas être très long à en juger par la distance nécessaire pour franchir la ruelle et le pâté de maisons suivant. Chang essaya rapidement de s'orienter.

Il avait emprunté l'escalier pour descendre, puis le passage, il avait tourné et pris ensuite le tunnel qui semblait suivre une légère courbe vers la gauche… l'immeuble qui se trouvait derrière le bordel était le rempart extérieur du Palais lui-même, où se trouvaient d'autres bâtiments de l'Institut. Le tunnel avait certainement été construit pour servir de passage secret menant peut-être à la maison d'une maîtresse ou pour permettre d'éviter la foule. Chang sourit en pensant à l'usage inverse qui en était fait aujourd'hui, mais il demeura sur ses gardes. Il n'avait jamais pénétré dans l'Institut et il ne savait pas très bien ce qu'il allait y trouver.

Devant lui, on s'était arrêté. Quelqu'un frappa à une autre porte métallique, il entendit une sorte de frottement sur le métal, peut-être était-ce la canne de l'homme imposant au manteau de fourrure qui résonnait dans le tunnel.

En réponse, Chang perçut le bruit d'une serrure, l'écho strident d'une chaîne qui passe dans un anneau de fer, puis le grincement d'une porte sur ses gonds lourds. Une lumière orange transperça l'obscurité. Le groupe se tenait au pied d'un petit escalier de pierre. Et, juste au-dessus d'eux, une trappe était ouverte presque au niveau du sol, comme pour sortir d'une cave. Plusieurs hommes étaient là avec des lanternes, tendant leurs mains pour que les membres du groupe montent chacun à leur tour.

Ils ne refermèrent pas la porte, peut-être parce qu'ils auraient à raccompagner Angélique, alors Chang en profita pour se glisser sur l'escalier en pierre, s'accroupir et regarder plus haut ce qui se passait. Au-dessus de lui, comme un fantôme dans le clair de lune, un arbre levait ses bras sans feuilles.

Il jeta un coup d'œil rapide et se rendit compte que la trappe donnait dans une cour recouverte d'un épais tapis d'herbe, et qui se trouvait entre les ailes du Palais. Les lanternes s'éloignèrent avec le groupe qu'elles guidaient pour traverser le gazon et le laissèrent dans l'ombre. En restant accroupi, Chang se glissa hors du tunnel. Il eut l'impression de sortir d'une crypte. Il suivit la petite troupe et marcha vers un arbre derrière lequel il pourrait mieux se cacher.

Les fenêtres des bâtiments qui l'entouraient n'étaient pas éclairées. Il ne savait pas quelle part du Palais était occupée par les membres de l'Institut et ce qu'ils en faisaient, il devait donc se contenter d'espérer qu'on ne le découvrirait pas. Il courut se cacher derrière un autre arbre, plus près des murs, l'épais tapis d'herbe absorbant le bruit de ses bottes. Il lui était facile de voir qu'on menait le groupe vers un autre homme qui se tenait lui aussi avec une lanterne pour marquer l'entrée d'une étrange structure indépendante des autres corps de bâtiment.

Elle était de plain-pied, construite en briques, sans fenêtres et de forme circulaire, d'après ce que Chang pouvait en voir. Tandis qu'il les observait, le groupe de six et les hommes qui les accompagnaient atteignirent la porte et entrèrent. L'homme qui gardait la porte resta en place.

Chang s'approcha d'un autre arbre en redoublant d'efforts pour ne pas faire de bruit. Il était peut-être à vingt mètres. Il attendit, immobile, pendant quelques minutes. Le gardien ne bougea pas de l'entrée. Chang étudia les lieux et se demanda s'il ne pourrait pas ramper jusqu'à la partie la plus éloignée du bâtiment circulaire, au cas où il y aurait une autre porte ou une fenêtre, ou un accès possible par le toit. Il décida plutôt de s'accroupir plus confortablement et d'attendre, en espérant que le garde se décide à entrer ou un des membres du groupe à ressortir.

Chang en profita pour réfléchir sur ce qu'il avait vu. Dans le groupe, il n'avait reconnu que Crabbé et Angélique. Bascombe était le larbin soit du vice-ministre, soit de l'homme au manteau de fourrure, c'était difficile à savoir, comme il était difficile de savoir lequel des deux avait le plus de pouvoir. Les deux autres hommes étaient tout à fait mystérieux. Quand il s'était trouvé accroché dans les tuyaux à hauteur du plafond, il n'était pas parvenu à distinguer les traits de leurs visages ni les détails de l'uniforme d'officier de celui qui était ivre.

De toute évidence, il y avait un lien avec la réception chez Vandaariff. Crabbé se trouvait aux deux endroits, en tout cas. Est-ce que l'un de ces hommes avait courtisé Margaret Hooke comme ils courtisaient Angélique ?

Cette Margaret Hooke cherchait Isobel Hastings, elle était elle aussi chez Vandaariff et avait la même cicatrice que feu Arthur Trapping. Cette cicatrice était récente, comme celle de Trapping qui était apparue au cours des quelques minutes écoulées entre le moment où il avait quitté la réception et celui où Chang l'avait trouvé étendu sur le sol. Tout cela indiquait au moins à Chang que cette cicatrice n'avait pas causé la mort de Trapping, puisque la jeune femme y avait manifestement survécu.

Ce qui lui semblait le plus important, c'était le caractère disparate de ce groupe, qui s'était formé en vue d'un objectif commun, un objectif qui, peut-être, accessoirement, avait entraîné la mort d'Arthur Trapping et la disparition d'Isobel Hastings.

Après tout, se dit Chang, cela n'était sans doute pas une affaire de vengeance. Sa Perséphone avait peut-être effectivement tué l'ami de Rosamonde, tout le sang dont elle était couverte venait bien de quelque part, mais on la poursuivait pour ce qu'elle avait vu.

Le gardien tourna brusquement le dos à Chang et, un instant plus tard, des pas se firent entendre de l'autre côté de la cour. Marchant à la lumière d'une lanterne arrivait un homme seul, vêtu d'un long pardessus gris fermé par une double rangée de boutons argentés et portant des épaulettes. Sa tête blanche ne portait pas de chapeau, il avait les mains jointes derrière le dos. À la demande du gardien, il s'arrêta à quelques mètres, hochant vivement la tête et claquant des talons pour le saluer. L'homme était rasé de frais et il portait un monocle qui renvoya la lumière quand il inclina la tête. Apparemment, il demandait à pouvoir entrer et le gardien refusait. L'homme eut un soupir de résignation. Il regarda derrière lui et eut un geste vague de la main gauche, désignant peut-être un endroit où il pourrait attendre. Le gardien tourna la tête pour regarder ce qu'il montrait. D'un geste vif, l'homme tendit la main devant lui, le pouce sur le chien d'un revolver, et pointa le canon de son arme sur le visage du gardien. Celui-ci ne cilla pas puis, très rapidement, suivant les ordres brusques que l'homme lui chuchotait, il laissa tomber son arme, posa la lanterne et tourna son visage vers la porte. L'homme attrapa la lanterne et lui mit son revolver dans le dos. Le gardien ouvrit la porte avec une clé et les deux hommes disparurent à l'intérieur.

Chang traversa le gazon rapidement et il tendit le cou dans l'embrasure de la porte. L'entrée donnait directement sur un escalier très raide qui descendait sur plusieurs étages. Le bâtiment était très profondément enterré dans le sol, et Chang ne put voir que deux silhouettes qui quittaient la cage d'escalier. Puis il ne vit plus que la lueur orange et vacillante de la lanterne qui disparaissait. Chang jeta un coup d'œil dans la cour, prépara sa canne et s'y glissa à son tour, se déplaçant lentement, sans faire de bruit, prêt à chaque instant à remonter vers la sortie.

Il se retrouvait encore une fois dans un couloir étroit, à la merci de ceux qui pourraient monter ou descendre, mais il voulait absolument en savoir plus et ne voyait pas d'autre solution. Juste avant le dernier palier, il s'arrêta pour écouter. Il pouvait entendre une conversation dans le lointain, mais les mots lui échappaient, comme happés par une acoustique étrange. Chang regarda au-dessus de lui. Personne. Il continua sa descente.

L'escalier donnait sur un couloir circulaire qui s'incurvait des deux côtés et formait comme un anneau autour d'une pièce centrale. Les voix venant de sa gauche, Chang prit cette direction, se collant au mur interne pour ne pas être vu. Après une vingtaine de mètres, l'éclairage augmentant progressivement, il s'arrêta. Un peu comme s'il avait franchi une porte, les voix devinrent parfaitement distinctes.

– Vos inconvénients, je m'en fiche. Il est inconscient.

Le ton indiquait la colère, mais une colère contenue. L'homme avait un accent, allemand sans doute, ou peut-être… danois ou norvégien. Ses paroles furent d'abord accueillies en silence, puis on entendit la voix délicate du diplomate d'expérience : Harald Crabbé.

– Docteur… bien sûr… vous devez vous acquitter de vos devoirs… c'est tout à fait compréhensible, en fait,… admirable. Vous constaterez cependant… la délicatesse… le facteur temps… il y a des exigences, des devoirs, qui se trouvent ici en concurrence. Je pense que nous sommes entre amis…

– Parfait. Dans ces conditions, je vous offre très amicalement le bonsoir, répliqua le docteur.

Pour toute réponse, il y eut un bruit métallique, comme une épée que l'on dégaine et le cliquetis de plusieurs pistolets que l'on arme. Chang pouvait imaginer l'affrontement. Ce qu'il ne pouvait guère envisager, c'était les enjeux.

– Docteur…, continua Crabbé avec dans la voix la tension grandissante de l'urgence, une telle confrontation ne fait l'affaire de personne… et elle ne correspond en rien aux désirs de votre jeune maître, si toutefois il était capable de les exprimer…

– Il ne s'agit pas de mon maître mais de la personne dont j'ai la charge, dit le docteur en l'interrompant.

– Ses désirs dans cette affaire ne comptent vraiment que très peu. Comme je viens de vous le dire, nous allons nous retirer, à moins que vous ne choisissiez de me tuer. Si vous adoptiez cette dernière solution, je vous promets qu'avant de mourir je ferai éclater la cervelle de cet imbécile de prince, ce qui je crois devrait gâcher vos plans et mettre son père tout-puissant… très en colère. Bonsoir.

Chang entendit des pas traînants et, quelques instants plus tard, il vit le docteur qui tenait son pistolet d'une main et de l'autre relevait l'homme en uniforme qui titubait, inconscient. Chang recula pas à pas en même temps que lui, se tenant hors de la vue du groupe qu'il avait entraperçu : Crabbé, Bascombe, le dandy aux cheveux roux qui tenait une épée et trois gardes avec des pistolets. Il n'y avait trace ni de l'homme au manteau de fourrure ni d'Angélique. Pendant qu'ils se retiraient, personne ne dit mot, comme si la situation avait évolué au-delà de tout ce que l'on pouvait en dire et, bientôt, Chang dut lui aussi reculer vers la cage d'escalier. Il envisagea de se ruer dehors, mais cela n'aurait fait que le mettre en danger, on aurait entendu ses pas et il n'aurait pu sortir sans être vu. Cela aurait pu également faire diversion et permettre que l'on tue le docteur, mais Chang, pour le moment, ne savait pas si c'était une bonne chose. Il espérait encore pouvoir en apprendre davantage.

L'homme ivre en uniforme devait être, sauf erreur de sa part, Karl-Horst von Maasmärck. Une fois de plus, il semblait y avoir toutes sortes de liens mystérieux entre Robert Vandaariff, Henry Xonck et le ministère des Affaires étrangères, des liens qui lui échappaient complètement.

Absorbé un moment dans ses pensées, Chang leva les yeux. Le docteur l'avait vu.

Il se tenait au pied de l'escalier avec von Maasmärck affalé dans ses bras, et avait regardé à l'autre bout du couloir par simple réflexe. Il avait été surpris d'y voir quelqu'un, d'autant plus qu'il s'agissait de ce drôle de personnage en rouge. Chang savait qu'il avait dépassé l'endroit où le mur s'arrondissait et que les autres ne pouvaient plus le voir. Il mit doucement son doigt sur ses lèvres pour indiquer au docteur de se taire. Le docteur le regarda fixement. Il avait la peau très pâle, on aurait dit un squelette. Ses cheveux blonds presque blancs étaient rasés derrière la nuque et sur les côtés du crâne, un peu comme au Moyen Âge, mais ils étaient longs et plaqués en arrière sur le dessus de la tête, bien que les efforts qu'il venait de faire les aient décoiffés. Une mèche blanche retombait devant ses yeux. On n'aurait pas dit, en se fiant aux apparences, que le docteur était un homme d'action ou qu'il avait l'habitude de manier le pistolet. Chang s'éloigna de lui en reculant, le tint à l'œil et fit un geste qui lui conseillait de sortir tout de suite.

Le docteur dirigea de nouveau son regard vers les autres et commença à gravir maladroitement les marches en tirant avec lui le poids presque mort du prince. Chang se cacha. Ses pensées étaient une fois de plus troublées par ce qu'il avait vu sur le visage de von Maasmärck : il portait des marques nettes de brûlures autour des deux yeux.

Le groupe se rassembla autour de la porte qui était plus bas.

– Docteur, je suis sûr que nous nous reverrons, cria Crabbé avec amabilité, et bonne nuit à votre adorable prince.

Le vice-ministre chuchota alors aux deux gardes qui étaient à ses côtés :

– S'il tombe, emparez-vous de lui. S'il ne tombe pas, que l'un d'entre vous ferme bien la porte et que l'autre le suive. Vous… restez ici, dit-il en désignant le garde que le docteur avait fait descendre à la pointe de son pistolet.

Deux des gardes montèrent rapidement et disparurent tandis que le troisième resta là, pistolet au poing. Crabbé se retourna puis, accompagné de Bascombe et du dandy aux cheveux roux, il disparut dans le couloir par où ils étaient venus.

– Cela n'a pas d'importance, leur lança-t-il avec entrain. D'une façon ou d'une autre, nous retrouverons le prince demain et nous pourrons nous occuper du docteur tout à loisir. Nous ne sommes pas pressés. De plus…, il ricana et adopta un ton plus intime, …nous avons un autre rendez-vous avec la noblesse… N'est-ce pas Roger ?

Ils s'éloignèrent et on ne parvint plus à les entendre. Chang recula doucement encore d'une dizaine de mètres et se cacha de nouveau. Il lui faudrait attaquer le garde pour sortir ou rester là plus longtemps que les autres, en supposant que les gardes suivaient le groupe à son départ. Il longea la courbe du mur et continua le long de cette partie du couloir en espérant que le cercle se referme de l'autre côté.

Chang avançait en tenant devant lui sa canne à deux mains, l'une sur la poignée et l'autre sur la tige, prêt à dégainer au moindre signal. Il ne savait pas exactement s'il était le chasseur ou la proie, mais il était sûr que si les choses tournaient mal, il pourrait avoir à combattre plusieurs hommes à la fois, ce qui était presque toujours fatal. Si les hommes du groupe gardaient leur calme, l'un d'entre eux pouvait toujours trouver une ouverture, et leur opposant, seul devant eux, quelle que soit sa force ou son habileté, ne pouvait que tomber. La seule solution pour cet homme, c'était d'attaquer de tous les côtés possibles et avec cette tactique d'agression qui consistait à diviser le groupe en individus forcément vulnérables qui, dès lors, étaient enclins à hésiter. Cette hésitation créait de courts instants de combat singulier en séparant le groupe, ce qui augmentait encore les temps d'hésitation. La férocité s'opposait alors à la présence d'esprit et la peur trompait la logique. En bref, cela voulait dire attaquer comme un fou.

Mais toute cette stratégie élaborée en pure perte perça sa défense de plus de trous que n'en dévoilerait le sourire sans dentier de Mrs. Wells ou que tout ce qui restait de présence d'esprit à ses adversaires. Autrement dit : s'il ne s'agissait pas de paysans stupides, sans expérience et facilement impressionnables, ils le coinceraient comme un cochon. Le mieux était encore d'éviter tout cela. Il fit très attention à ne pas faire de bruit.

Comme le couloir s'incurvait, il entendit un bourdonnement de l'autre côté du mur intérieur, venant de la pièce centrale. Sur le sol devant lui se trouvait une grande quantité de caisses longues, ouvertes et vidées pour former une pile croulante, des caisses semblables à celles qu'il avait vues dans la charrette au bord du canal et dans la maison de Robert Vandaariff, bien que celles-ci fussent capitonnées de feutre bleu et non orange. Le bourdonnement s'intensifia, puis augmenta encore jusqu'à ce que l'air lui-même semblât vibrer. Chang dut mettre ses mains sur les oreilles. Ce qui avait commencé comme une gêne se transforma en une douleur terrible. Il trébucha en avant. Le couloir se terminait sur une porte en métal. Il se fraya un chemin au milieu des caisses. Le bruit lancinant couvrait celui de ses pas maladroits. Il n'arrivait pas à se concentrer, il heurtait des caisses, les faisait tomber sur son passage. Il chancela et ferma les yeux, puis il s'affaissa sur les genoux.

Chang sentit le son se répercuter encore pendant plusieurs secondes dans ses oreilles, avant de réaliser que le bruit avait cessé. Il renifla et tâta son visage. Il était humide. Il chercha son mouchoir. Il saignait du nez. Il avait du mal à tenir sur ses jambes au milieu des caisses qui avaient été jetées là, se secoua pour chasser un léger étourdissement et regarda les taches claires sur le tissu de son mouchoir tandis qu'il le pliait en deux pour s'éponger de nouveau le visage. Il se reprit, renifla, mit son mouchoir dans sa poche et se dirigea prudemment vers la porte.

Il y colla son oreille, écouta, mais la porte était trop épaisse. Il s'étonna d'autant plus de la force extrême du bourdonnement lancinant qui lui avait fait autant d'effet que les murs et cette porte étaient d'une épaisseur considérable.

Qu'était-il arrivé à ceux qui se trouvaient à l'intérieur de la pièce? Qu'est-ce qui pouvait bien faire ce bruit? Il resta immobile un moment, évaluant où il en était par rapport à ses objectifs réels qui étaient de trouver le véritable assassin d'Arthur Trapping et l'évanescente Isobel Hastings. Chang savait qu'il avait suivi une bien mauvaise tangente et qu'il s'était peut-être piégé lui-même en ces lieux. Puis il pensa à Angélique, qui était sans doute de l'autre côté de cette porte, impliquée il ne savait trop comment mais, il en était sûr, sans personne pour la protéger. Il tourna la poignée.

La lourde porte s'ouvrit doucement sur ses gonds bien huilés et Chang entra sans faire plus de bruit qu'un fantôme. Et, en effet, quand il comprit ce qu'il avait sous les yeux, il perdit toutes ses couleurs.

Il avait pénétré dans une sorte d'antichambre séparée d'une autre pièce plus grande et voûtée, dont les murs très hauts étaient tapissés de tuyaux brillants, comme un grand orgue, comme une cathédrale qu'il verrait au travers d'une grande fenêtre aux vitres épaisses. Les tuyaux descendaient jusqu'au sol et se rassemblaient sous une sorte de plate-forme qui pouvait ressembler à une estrade et sur laquelle se trouvait une grande table. Sur la table, Angélique était étendue, complètement nue, la tête couverte d'un masque compliqué fait de métal et de caoutchouc noir, le corps grouillant de tuyaux sombres et de câbles: une version passive mais infernale du martyre de sainte Isobel. Debout sur la plate-forme, près d'elle, plusieurs hommes avaient la tête couverte de grands casques en cuivre bordés de cuir avec des verres épais devant les yeux et d'étranges boîtes fixées au niveau de la bouche et des oreilles.

Chang pouvait tous les identifier à leurs vêtements: un petit homme en gris, un autre en noir, assez raide, un homme mince qui devait être Bascombe, et un homme imposant qui ne portait plus son manteau de fourrure mais avait retroussé les manches de sa chemise et portait de gros gants en cuir qui lui couvraient les bras. Leurs regards étaient tous fixés dans sa direction, cependant ce n'était pas lui qu'ils regardaient mais, à travers la vitre, la délicate opération qui se déroulait devant Chang.

Au milieu de l'antichambre, une grande vasque en pierre était remplie d'un liquide bouillonnant et fumant d'où sortaient au moins cinquante des tuyaux noirs et souples qui s'enroulaient sur presque toute la surface du plancher. Une plaque de métal ruisselante et tenue par des chaînes était suspendue au-dessus de ce bassin bouillonnant et venait de toute évidence d'en sortir. De l'autre côté de la vasque se tenait un homme portant des gants et un grand tablier en cuir ainsi que l'un de ces casques étranges.

Il était gauchement penché en avant et tenait avec précaution dans ses bras un objet rectangulaire qui palpitait, opaque, exactement de la taille d'un grand livre, un objet luisant, fumant, ruisselant, un objet en verre d'un bleu indigo vif. Le livre de verre était en équilibre instable sur ses mains ouvertes et ses avant-bras, comme s'il était trop fragile ou trop dangereux pour être réellement manipulé. Il était clair qu'avec une concentration extrême il venait juste de le retirer du liquide tourbillonnant et de la plaque de métal. L'homme leva alors les yeux et il vit Chang.

Il fut dérangé dans sa concentration. Il perdit l'équilibre et, comme au ralenti, Chang vit le livre de verre glisser sur les gants de cuir raide. L'homme chancela, essaya de le remettre en place, mais ne parvint qu'à le faire déraper dans l'autre sens sans pouvoir l'immobiliser. Il chancela encore une fois et le livre tangua sans qu'il pût le retenir, tomba sur le bord de la vasque où il se fracassa en un nuage de petits fragments acérés. Chang aperçut les personnages qui se trouvaient dans la grande salle se précipiter vers la vitre. Il vit l'homme tituber en arrière, les mains serrées et hérissées de petits poignards de verre luisant. Quant à Chang, il était surtout terrassé par l'odeur, la même odeur qu'il avait remarquée près du corps d'Arthur Trapping, mais beaucoup plus intense. Ses yeux brûlaient, sa gorge se serrait, ses genoux se dérobèrent.

Devant lui, l'homme hurlait, ses cris étouffés résonnaient dans son casque. Les autres s'approchaient en toute hâte de la pièce. Chang avait du mal à tenir sur ses jambes. Il regarda Angélique sur la table à travers la vitre. Son corps se tordait comme si les tuyaux la saignaient à mort. Il chancela en arrière, la main sur la bouche, étourdi par les vapeurs, des taches noires dansaient devant ses yeux. Il se mit à courir pour sauver sa vie.

Il courut en faisant voler au loin les caisses vides, prenant de grandes bouffées d'air pur.

Il tira sur sa canne, prêt à se servir de ses deux armes. Il se précipita le long du couloir, les jambes lourdes, le cœur chancelant de ce qu'il venait de voir et d'abandonner ainsi Angélique. Aurait-il pu la sauver? Se trouvait-elle là de son plein gré? Que venait-il de faire au juste? Il se rua au pas de charge sur le garde qui l'avait entendu arriver et qui cherchait désespérément son pistolet. Il le trouva enfin juste au moment où Chang l'atteignait et donna un coup de canne sur son arme. Le coup passa à côté et Chang donna un coup de dague. L'homme essaya désespérément de s'éloigner et la lame lui transperça non pas la gorge mais l'épaule. Il s'affaissa. Chang dégagea sa lame et lui donna un coup de canne sur le visage, ce qui le fit tomber à genou. Il regarda rapidement derrière lui, entendit des gens courir au milieu des caisses et s'élança dans les escaliers. Il était à mi-chemin lorsqu'il entendit un coup de feu derrière lui. C'était le garde qui essayait de tirer de la main gauche. La balle avait manqué sa cible, mais elle allait sûrement alerter l'homme qui se trouvait plus haut et à qui il suffirait de claquer la porte pour prendre Chang au piège.

Chang se propulsa en avant, ses jambes protestaient. Il était toujours étourdi par les vapeurs qu'il avait inhalées et ses pensées allaient encore à Angélique étendue sur la table de la pièce voûtée, à son visage masqué qui se soulevait, cherchant douloureusement son souffle. Un autre coup de feu claqua plus bas, manqua encore une fois sa cible. Chang atteignit le haut de l'escalier et se rua dans la cour en faisant tournoyer sa canne pour prévenir les coups. Mais il ne vit personne. Il s'arrêta, titubant, haletant, aveugle dans l'obscurité de la nuit.

Il regarda derrière lui vers la porte et il vit le garde… la tête contre le sol, immobile.

Avant qu'il pût réfléchir, deux silhouettes noires surgirent de l'ombre et l'une d'entre elles ferma la porte en la claquant Chang se demanda un instant si c'était le docteur. Il s'éloigna sur le gazon et fit demi-tour quand il entendit des pas derrière lui. Deux silhouettes encore. Il calcula l'angle de sa retraite et entendit d'autres pas encore; il était piégé. Il était entouré de six hommes qui portaient tous des uniformes noirs avec des revers argentés. Un cliquetis se fit entendre, ils tirèrent tous leur sabre au clair. Il ne pouvait plus rien faire. Angélique était-elle morte ? Il n'en savait rien. En fait, il ne savait pas grand-chose. Chang rengaina brusquement sa dague dans la tige de sa canne et il regarda les soldats.

– Soit vous vous apprêtez à me tuer ici même, soit vous allez me conduire auprès de votre major.

Puis il leur désigna la porte. Mais eux, ils vont nous interrompre d'un instant à l'autre.

L'un des soldats fit un pas sur le côté, rompant ainsi le cercle, et lui fit signe d'avancer en direction d'une grande arche qui était en fait l'entrée principale de la cour. À peine Chang s'apprêtait-il à se mettre en marche que les soldats pointèrent leur sabre sur lui, et celui qui avait rompu le cercle lui demanda :

– Votre arme.

Chang lui tendit sa canne et se remit en marche, s'attendant un peu à se retrouver avec une lame dans le dos. Mais en fait les soldats l'escortèrent dans l'ombre des arcades vers un fiacre noir. Le soldat qui tenait sa canne rengaina son sabre et sortit un petit pistolet qu'il lui colla contre le cou. Les autres rengainèrent alors eux aussi leurs sabres. Deux d'entre eux montèrent à la place du cocher, un autre ouvrit la portière, monta et se retourna pour aider Chang, et deux autres coururent ouvrir les grilles de la cour. Celui qui tenait le pistolet le suivit dans le fiacre et ferma la porte derrière lui. Les trois hommes étaient assis sur la même banquette, Chang étant au milieu, un pistolet sur les côtes. En face, seul, était assis un homme dur, d'âge moyen, les cheveux gris coupés courts, le visage impassible. Il cogna de sa main sur le toit du fiacre. Et ils se mirent en route.

– Major *Black,* comme vous tombez bien, dit Chang en insistant sur son nom.

Le major l'ignora et fit un signe de la tête à l'homme au pistolet qui lui remit la canne de Chang. Le major l'examina, dégagea la dague de son étui de quelques centimètres, renifla en signe de désapprobation et rengaina. Il toisa Chang avec un mépris évident, mais il resta silencieux. Ils roulèrent en silence pendant plusieurs minutes, le canon du pistolet toujours fiché sur les côtes de Chang. Il se demandait quelle heure il pouvait bien être, huit, neuf heures, peut-être plus. Normalement, c'était son estomac qui lui indiquait l'heure, mais, ces derniers temps, ses repas avaient été si irréguliers et rares que ses sens en avaient été perturbés. Il devait se résoudre à être mené sans doute à la mort dans un endroit isolé. Il bâilla ostensiblement.

— C'est un insigne intéressant, poursuivit-il, Skoll, le loup qui avale le soleil… ce n'est pas vraiment une image édifiante, ce présage de Ragnarok, cette prophétie de la bataille ultime au cours de laquelle les forces qui représentent l'ordre et les dieux eux-mêmes sont vouées à la défaite. À moins que vous ne vous voyiez vous-même comme un allié du chaos et du mal, bien sûr. Mais c'est quand même curieux pour un régiment. C'est presque saugrenu…

Sur un signe du major, le soldat qui se trouvait à la gauche de Chang enfonça profondément son coude dans le flanc de Chang qui en eut le souffle coupé et le corps entier raidi par la douleur. Il se força à sourire, la voix tremblant sous l'effort.

— Et miss Hastings, vous l'avez trouvée, miss Hastings ? Vous avez vraiment fait des efforts incroyables pour vous rendre compte finalement que tous les renseignements que vous aviez sur elle étaient faux. Ne m'en parlez pas à moi. Je sais exactement comment vous vous sentez… vous vous sentez complètement idiot.

Un autre grand coup de coude. Chang sentit la bile lui remonter dans la gorge. Il lui fallait maintenant être un peu plus direct s'il voulait éviter d'avoir à vomir sur ses genoux. Il s'efforça de sourire encore.

— Vous n'êtes pas du tout curieux d'apprendre ce à quoi je viens tout juste d'assister ? Vos hommes ont entendu des coups de feu, vous ne voulez pas savoir qui a été tué ? Je pense que cela pourrait changer bien des choses… le rapport de force… tout ça. Excusez-moi… Est-ce que je peux… mon mouchoir ?

Le major hocha la tête et Chang, très doucement, s'apprêtait à atteindre sa poche extérieure quand l'homme à sa gauche lui donna un coup sur la main, plongea la sienne dans la poche de Chang et en sortit son mouchoir ensanglanté qu'il lui tendit. Chang lui fit un sourire de remerciement et se tamponna la bouche. Cela faisait quelques minutes qu'ils étaient en chemin. Il ne savait pas du tout dans quelle direction. Il était très probable qu'ils l'emmenaient dans la campagne ou près du fleuve, mais cela voulait seulement dire qu'ils pouvaient être n'importe où dans ces directions. Il leva les yeux. Le major le regardait de près.

– Alors, continua Chang, dans les faits. Une bataille… des coups de feu… mais le plus intéressant, c'était l'odeur… peut-être que vous la connaissez… une odeur étrange, suffocante… Et puis un bruit, un vrombissement atroce, comme un immense essaim mécanique, avec la force d'une machine à vapeur… Je suis sûr que vous savez tout ça. Mais ce qu'ils étaient en train de faire… mais ce qu'ils ont fait à cette femme…

La voix de Chang se troubla un instant, son élan suspendu par le souvenir d'Angélique qui cherchait son souffle sous la masse des tuyaux noirs et de ces hommes autour d'elle avec leurs masques de cuir…

– Je me fiche pas mal de la putain, dit le major avec un gros accent prussien et une voix dure et froide comme une pointe en acier.

Chang leva les yeux vers lui. Les choses devenaient déjà plus faciles. Il toussa dans son mouchoir, s'essuya la bouche en bredouillant des excuses et, tout en parlant, il mit son mouchoir, comme si de rien n'était, dans la poche intérieure de son manteau.

– Oh! Excusez-moi… non, bien sûr que non, major, ce qui vous intéresse, vous, c'est le prince, les ministres, les personnages de l'industrie et de la finance… toutes ces pièces du grand puzzle. C'est ça, n'est-ce pas? Tandis que moi, je m'en excuse, moi…

– Vous, vous n'êtes rien, dit le major avec un sourire de mépris.

– Comme c'est gentil de me le dire, répondit Chang en glissant sa main hors de sa poche et en ouvrant la lame de son rasoir.

Il la plaça sur la gorge de l'homme au pistolet. Et dans la confusion qui s'ensuivit, Chang prit le canon du pistolet de sa main libre et l'écarta de lui pour le braquer vers le major. Les hommes qui étaient dans le fiacre se raidirent.

– Si vous bougez, souffla Chang, cet homme est mort, et vous deux, vous aurez à tuer un homme en colère qui tient une arme d'une efficacité redoutable dans un espace réduit. Lâchez ce pistolet.

L'homme regarda le major avec désespoir. Celui-ci fit un signe de tête, le visage crispé par la rage. Chang se saisit du pistolet, le pointa soigneusement sur le visage du major et il se donna un élan pour s'asseoir sur la banquette opposée, à côté de *Black*. Il mit son rasoir sur la gorge de l'officier et retourna le pistolet contre les deux soldats. Personne ne bougea. Chang fit un signe de tête au soldat qui était assis plus près de la porte.

– Ouvrez-la.

Le soldat se pencha et s'exécuta. Le bruit des roues du fiacre devint soudain plus fort, menaçant même. La rue sombre défilait devant eux. C'était une rue pavée. Ils étaient encore dans la ville, ils devaient se diriger vers le fleuve. Chang jeta le pistolet dans la rue et attrapa sa canne. Il frappa sur le toit de la voiture qui immédiatement commença à ralentir. Il lança un regard aux soldats et se retourna vers le major.

– Laissez-moi vous dire ceci. J'ai déjà tué l'un d'entre vous. Je vous tuerai tous s'il le faut. Je n'apprécie pas vos manières. Tâchez de m'éviter.

Il s'élança par la portière ouverte et roula lourdement sur le pavé. Il se releva et fourra son rasoir dans sa poche en trébuchant. Comme il l'avait craint, les deux soldats avaient sauté du fiacre à sa suite, accompagnés de celui qui s'était installé près du cocher. Tous trois avaient le sabre au clair. Il se retourna et se mit à courir. Sa bravade de tout à l'heure s'était envolée, comme s'envolent toutes les tirades enflammées des théâtres.

Chang ne savait trop comment, mais quand il était tombé et qu'il avait roulé sur le sol, ses lunettes étaient restées en place. Les branches bien enroulées autour de ses oreilles étaient prévues à cet effet, mais il était quand même très surprenant qu'elles aient tenu le coup. Il courait dans une rue éclairée au gaz pour pouvoir y voir quelque chose mais, comme il n'avait pas la moindre idée de là où il se trouvait, c'était un peu comme courir à toute allure à l'aveugle. Il ne faisait pas l'ombre d'un doute que si ses poursuivants le rattrapaient, ils l'abattraient. D'abord parce qu'ils en étaient tout à fait capables et puis parce que, peu importe ce qu'ils avaient envisagé faire de lui dans le fiacre, ils avaient été contraints d'abandonner leurs plans.

Il tourna au coin d'une rue, trébucha sur un pavé déchaussé et parvint à peine à ne pas s'affaler face contre terre. Il tangua pour se retrouver projeté sur le rebord d'une barrière en fer, grogna en la heurtant et poursuivit son chemin le long des maisons alignées. C'était une rue résidentielle où les fiacres ne passaient pas. Il se retourna et aperçut les soldats qui gagnaient du terrain. Il regarda devant lui et lâcha un juron. Le fiacre où se trouvait le major avait rebroussé chemin et il arrivait dans la rue juste en face de lui. Il regarda furieusement autour et vit une ruelle à sa gauche. Il accéléra pour l'atteindre avant le fiacre qui fonçait droit sur lui, le cocher fouettant l'attelage pour hâter l'allure.

Chang se trouva assez près des chevaux pour voir le blanc de leurs yeux qui roulaient, juste avant qu'il ne se jette dans la ruelle sombre, son pied glissant sur la brique sale. Par chance, le passage était trop étroit pour le fiacre qui fila tout droit dans un bruit assourdissant.

Un instant, il pensa à s'arrêter et à faire face aux soldats, un à la fois peut-être. La ruelle n'était pas assez étroite ou il n'était pas encore assez désespéré pour être aussi stupide. Il continua à courir.

La ruelle séparait deux grosses maisons sans porte qu'il pût distinguer, et sans autres fenêtres que celles du deuxième étage. Accablé, il se rendit compte que si jamais on lui coupait la route à l'autre bout, il était encore une fois pris au piège. La seule chose qui le consola sur le moment, ce fut de penser que les bottes des soldats étaient encore moins adaptées que les siennes et qu'elles pouvaient encore plus facilement les faire glisser sur cette surface boueuse et accidentée.

Il traversa la ruelle à toute allure, constata qu'il n'y avait pas de fiacre en vue. Il s'arrêta, haletant, son élan l'ayant poussé jusqu'au milieu de la rue suivante et il chercha à retrouver sa contenance, à trouver des repères connus. Il se trouvait dans un quartier de gens convenables, donc en terrain tout à fait inconnu. Et puis soudain, devant lui, aussi bienvenue que la prière exaucée d'un enfant, il vit que la rue suivante était en pente. Les chemins en pente de la ville menaient tous vers le fleuve, ce qui au moins lui permettait de s'orienter. Il s'élança dans la descente, jeta un œil derrière lui pour voir le premier des soldats déboucher de la ruelle. Il continua sa route, convaincu qu'il ne pouvait que s'enfoncer dans le brouillard.

Il descendit la rue au pas de course, en donnant de la bande quand la pente lui enlevait un peu d'équilibre. Il entendait le pas des soldats cliqueter derrière lui avec une détermination toute germanique. Il se demanda si *Black* et le docteur étaient de mèche et si les soldats faisaient partie de la suite de Karl-Horst von Maasmärck.

Ragnarok était une légende nordique de destruction, et l'insigne qui la représentait ne pouvait être adopté que par les régiments les plus durs. Il avait du mal à l'associer avec ce qu'il avait vu de ce prince inconscient et intempérant. Le docteur, il pouvait le comprendre, était quelqu'un qui avait la charge de s'occuper d'un membre d'une famille royale, mais le major ? En quoi cela pouvait-il servir les intérêts du prince, ou de son père, de tuer Chang ou de rechercher Isobel Hastings ? Qui d'autre pouvait-il bien servir ? Et s'il servait quelqu'un d'autre, comment pouvait-il se trouver dans un pays étranger avec des forces pareilles à sa disposition ? Les premiers rubans de brume montaient à ses pieds tandis qu'il courait. Il aspira l'air humide à pleins poumons.

La rue tournait et Chang la suivit. Devant lui, il aperçut une petite place avec une fontaine et, en un déclic, il sut qu'il était à Worthing Circle. À droite, il y avait le fleuve, à gauche, Circus Garden, droit devant lui se trouvait le quartier des boutiques et, au-delà, celui des ministères. Il y avait du monde, Worthing Circle étant le lieu de tout un commerce louche à la tombée de la nuit.

Il vira à droite pour trouver le fleuve et profiter d'un brouillard plus épais. Ce fut presque sa mort. Le fiacre était là à l'attendre. Au claquement du fouet, les chevaux bondirent en avant et se ruèrent droit sur lui. Chang se jeta sur le côté, tentant une esquive désespérée. Sa route était coupée en direction du fleuve et du quartier des boutiques. Chang se mit précipitamment à genoux tandis que le cocher luttait avec ses chevaux pour qu'ils fassent demi-tour. Chang parvint à se remettre sur ses pieds et entendit le sifflement d'une balle au-dessus de sa tête. *Black* était penché à la fenêtre du fiacre, un pistolet fumant à la main.

Chang traversa la place juste devant les trois soldats qui, une fois de plus, étaient sur ses talons, et il se dirigea vers Circus Garden et vers le cœur de la ville.

Ses jambes étaient en feu. Il ne savait pas combien de temps avait duré sa course, mais il fallait absolument qu'il fasse quelque chose s'il ne voulait pas mourir. Il aperçut une autre ruelle et s'y engouffra. Une fois qu'il fut entré dans le passage, il s'arrêta, se jeta contre le mur et dégaina sa dague. Il prendrait le premier de ses poursuivants par surprise mais, avant même qu'il eût fini d'y penser, le premier soldat était déjà au coin de la rue et, ayant aperçu Chang, il avait levé son sabre en position de défense.

Chang voulut l'assommer avec sa canne, mais le soldat parvint à parer le coup, puis Chang allongea une botte avec sa dague, mais il ne fut pas assez rapide et manqua sa cible. La lame glissa sur le devant du corps de son adversaire, entailla son uniforme, mais ne parvint pas à l'atteindre. Le soldat saisit Chang par le poignet qui tenait sa dague. Les autres soldats étaient juste derrière, il s'en fallait de quelques seconde à peine avant que l'un d'entre eux ne les rejoigne. Avec un grondement désespéré, Chang donna un coup de pied dans le genou du soldat qui le tenait et il entendit un horrible petit bruit sec. L'homme hurla et tomba dans les jambes de ceux qui arrivaient derrière lui. Chang dégagea son arme, tituba en arrière et sentit son cœur chavirer quand il vit que le troisième homme sautait par-dessus ses camarades, sabre tendu. Chang continua à reculer.

Le soldat fondit sur lui, Chang se servit de sa canne pour écarter le sabre de son rival et donna un coup de dague qui manqua complètement son adversaire. Le soldat allongea de nouveau un coup de sabre, esquivé par Chang, puis un autre encore au-dessus de la tête de Chang. Celui-ci fit la seule chose qu'il pouvait faire : pour parer le coup, il leva sa canne et la vit coupée net. Il lâcha le morceau qui lui restait dans la main et se mit à courir.

Tout en tanguant dans la ruelle, Chang se dit qu'en perdant sa canne, il s'était privé lui-même d'une arme, mais le combat dague contre sabre était perdu d'avance pour la dague. Devant lui, il aperçut le bout de la ruelle et l'ombre découpée d'un groupe de gens. Il leur hurla des menaces inarticulées, ce qui produisit l'effet escompté : ils se retournèrent et se dispersèrent. Mais ils ne furent pas assez rapides. Chang fonça sur l'homme qui était resté sur sa trajectoire, un homme qui, quand Chang fit cette intervention inopinée, était en pleine transaction avec une des femmes qui venaient de prendre la fuite. Chang le prit par le col et le poussa directement sur le soldat qui le suivait de plus près.

Instinctivement, celui-ci fit ce qu'il put pour ne pas transpercer le brave homme, il écarta son sabre et lui donna un coup de l'autre bras, mais Chang lui aussi s'était tourné et il avançait en se protégeant derrière ce bouclier humain improvisé. Quand le passant fut écarté, Chang eut la voie libre et il plongea sa dague dans la poitrine du soldat. Sans regarder derrière lui, il retira son arme, fit demi-tour et reprit sa course. Il entendit les hurlements des femmes derrière lui. Il se demanda si le troisième soldat était toujours à sa poursuite.

Il regarda par-dessus son épaule. Il l'était. En maudissant toutes les formes de discipline militaire, Chang bondit pour traverser la rue et s'engouffrer dans une autre ruelle, il espérait seulement ne pas retrouver le fiacre sur son chemin.

Il ne savait plus exactement où il se trouvait, il devait être au moins un peu plus près de Circus Garden. Cette ruelle était encombrée de caisses et de tonneaux et il passa en courant devant plusieurs entrées. Le soldat continuait à le suivre, mais il perdait du terrain. Il perdit Chang de vue un moment et celui-ci longea les maisons d'un pas rapide, recroquevillé sur lui-même jusqu'à ce qu'il eût trouvé ce qu'il cherchait, une boutique en demi sous-sol, dont l'entrée se situait en contre-bas du niveau de la rue. Il sauta par-dessus la rambarde et se retrouva accroupi au pied de quelques marches, la tête baissée, à essayer de reprendre son souffle.

Il attendit. La ruelle était sombre, envahie par le brouillard et plutôt déserte, et si jamais quelqu'un l'avait vu, il était encore possible que personne ne le pointât du doigt pour signaler sa présence au soldat. Il était en sueur. Il n'avait jamais couru aussi longtemps, il ne s'était jamais trouvé dans un pétrin aussi stupide. Quelle idée avait-il eue de jeter le pistolet par la porte du fiacre ? Puisqu'il en était arrivé au meurtre, pourquoi ne les avait-il pas tous tués à ce moment-là ? Il attendit. Puis, n'y tenant plus, il monta les quelques marches et jeta un coup d'œil dans la rue.

Le soldat s'y trouvait, sabre au clair, regardant de tous côtés. Lui aussi avait les jambes chancelantes. Chang pouvait l'entendre haleter et voir la vapeur de son souffle dans l'air frais de la nuit. Visiblement, il ne savait pas où Chang avait pris la fuite, il faisait quelques pas dans un sens, tendait le cou, puis revenait en arrière.

Chang plissa les yeux, son désespoir s'effaçait pour laisser place à une colère froide. Il passa sa dague dans sa main gauche, prit son rasoir dans la droite et l'ouvrit d'un coup sec. Le soldat lui tournait toujours le dos et se trouvait environ à quinze mètres de lui. S'il pouvait s'approcher de la rue sans faire de bruit, il était sûr qu'en courant comme un fou, il pourrait l'atteindre avant que le soldat ne pût l'entendre… encore quelques mètres pendant qu'il se retournerait… et puis les derniers, et il lèverait son sabre. Le soldat donnerait un coup, et si Chang pouvait l'esquiver, il en aurait fini.

Et s'il ne pouvait pas l'esquiver... eh bien, c'en serait fini de toute façon... « *et toujours, la fragilité et la cendre...* », comme on disait dans *Jocaste* de Blaine ! Il fit une pause, mesurant l'outrage d'être pourchassé comme un animal implacablement et sans raison dans les rues de sa propre ville par une bande de rustres étrangers. Il se retourna sur la marche et s'apprêta à s'élancer. Il avait promis de les tuer. Et puis, brusquement, il se remit à l'abri. Un fiacre s'approchait. Il s'arrêta près du soldat. Chang attendit et écouta. Il entendit les questions sèches du major, en allemand, suivies d'un silence puis, quelques instants plus tard, du glissement doux, rapide, métallique de la lame que le soldat rengainait. Chang leva les yeux à temps pour voir le soldat se hisser sur le banc du cocher et le fiacre s'enfoncer dans le brouillard.

Il baissa les yeux sur ses mains et décrispa ses doigts sur ses armes. Ses doigts lui faisaient mal. Ses jambes lui faisaient mal. Il sentait des palpitations derrière ses yeux. Il replia son rasoir et le remit dans sa poche, enfila la dague dans sa ceinture. Il s'essuya le visage avec son mouchoir taché de sang, déjà la sueur qui coulait de son cou et de son dos refroidissait. Il se souvint avec lassitude qu'il ne pouvait rentrer à sa chambre pour dormir.

Chang traversa la rue et prit la ruelle suivante, cherchant à trouver précisément le bon point d'entrée. Il se trouvait entre deux grands immeubles qu'il ne reconnaissait pas dans l'obscurité, mais il savait qu'il était dans le quartier des hôtels, des bureaux et des boutiques. Il repéra une fenêtre au premier étage, près de quelques tonneaux empilés et il grimpa. La fenêtre était à sa portée. Il glissa la lame de sa dague sous le rebord et la tourna, ce qui entrouvrit la fenêtre. Il remit la dague à sa ceinture et, au prix d'efforts presque gênants, son corps se balançant dans les airs, ses bras le soutenant à peine, il réussit enfin à se hisser à l'intérieur. Il se retrouva très maladroitement à plat ventre sur le sol d'une pièce sombre et il referma la fenêtre. Il chercha à tâtons autour de lui. Il se trouvait dans une réserve, avec des étagères remplies de bougies, de serviettes, de savon, de linge. Il parvint à trouver une porte et il l'ouvrit.

Comme Chang traversait un hall d'entrée avec ses tapis, ses lambris et son éclairage au gaz doux et plutôt accueillant, il se surprit à regrouper les personnages de sa journée en différentes factions. Dans l'une, il y avait Crabbé et l'homme au manteau de fourrure, qui étaient responsables des brûlures étranges, puis il plaça avec eux Trapping, Mrs. Marchmoor et le prince Karl-Horst. Dans l'autre, il mettait le major *Black*... peut-être avec le docteur de Karl-Horst. Perdus entre les deux, il y en avait bien d'autres, beaucoup trop : Vandaariff, Xonck, Aspiche, Rosamonde... et Isobel Hastings, bien sûr. La liste finissait toujours sur elle, et sur elle, il n'avait pas été capable d'obtenir le moindre renseignement.

Le hall d'entrée le mena au silence profond d'une jolie pièce voûtée, décorée de palmiers en pots et de grands miroirs muraux où se trouvait un large comptoir de réception, et derrière, un homme vêtu d'un manteau à brandebourgs. Il était tombé sur un hôtel.

Chang salua l'homme d'un petit signe de tête et attrapa son portefeuille dans son manteau. Il avait dépensé dans la journée à peu près tout ce qu'Aspiche lui avait remis et il allait maintenant épuiser le reste. Cela lui était égal. Il pourrait dormir, prendre un bain, se raser, avaler un repas décent et être frais et dispos pour le lendemain. Il pourrait toujours aller chercher le sabre dans les ruines et le vendre pour avoir du liquide. Cela le fit sourire tandis qu'il arrivait à la réception. Il laissa tomber son portefeuille sur le comptoir incrusté de marbre.

Le réceptionniste sourit.

– Bonsoir, monsieur.

– J'espère qu'il n'est pas trop tard.

Les yeux de l'homme s'arrêtèrent sur le portefeuille.

– Bien sûr que non, monsieur. Bienvenue à l'hôtel Boniface.

– Merci..., répondit Chang, je voudrais une chambre.

Chapitre 3

Le chirurgien

Le docteur Abélard Svenson, debout près d'une fenêtre ouverte donnant sur la cour intérieure de la légation de Macklenburg, regardait fixement le brouillard s'épaissir et la lueur des réverbères, blafarde mais assez intense, percer ce triste rideau. Il suçait un bonbon au gingembre, en le faisant claquer contre ses dents, conscient que broyer du noir en considérant sa situation actuelle était un luxe qu'il ne pouvait s'offrir. D'un coup de langue, il poussa le bonbon entre ses molaires, l'écrasa et finit par en avaler les éclats. Il se détourna de la fenêtre et tendit la main vers une tasse en porcelaine contenant un café noir tiède dont il prit quelques gorgées. Le mélange dans sa bouche du sirop de gingembre sucré et du liquide amer lui procura un certain plaisir. Est-ce aux Indes ou au Siam que l'on boit du café avec du gingembre? se demanda-t-il.

Il finit sa tasse, la posa et chercha une cigarette. Il regarda par-dessus son épaule l'homme immobile qui était allongé sur le lit. Il soupira, ouvrit son étui, porta à ses lèvres l'une de ces cigarettes russes brunes qui sentaient fort, prit une allumette près de la lampe sur le bureau et la frotta contre l'ongle de son pouce. Il alluma sa cigarette, aspira une longue bouffée, sentit que ses poumons réagissaient, secoua l'allumette et souffla la fumée à regret. Il ne pouvait plus y échapper. Il allait devoir parler à Flaüss.

Il contourna le lit, traversa la chambre jusqu'à la porte verrouillée, puis, mettant sa cigarette à ses lèvres pour tirer le verrou, il regarda derrière lui le jeune homme pâle dont le souffle était moite sous la couverture. Karl-Horst von Maasmärck avait vingt-trois ans, bien que sa propension générale au vice et sa faible constitution le fissent paraître plus vieux de dix ans. Ses boucles couleur de miel avaient déserté son front et la sueur qui poissait ses cheveux les faisait paraître plus clairsemés encore. Sous ses yeux, autour des lèvres minces et des joues creuses qu'il tenait de sa famille, sa peau blême se relâchait. Il commençait à perdre ses dents.

Svenson s'approcha du garçon grandi trop vite qui était étendu là, inconscient. Il prit son pouls à la jugulaire, le trouva irrégulier en dépit du laudanum, et une fois encore il se maudit d'avoir échoué. Les étranges cicatrices, comme une marque au fer rouge autour de ses yeux et sur ses tempes, n'étaient pas tout à fait des brûlures. Elles n'étaient pas vraiment à vif non plus. Il s'agissait plutôt d'une sorte de décoloration qui, avec un peu de chance, disparaîtrait peut-être. En tout cas, elles venaient de déjouer les efforts que le docteur avait déployés pour contrôler le comportement de cet individu si obstiné duquel il avait la charge.

Comme il baissait les yeux, il résista à la tentation d'écraser sa cigarette sur la peau du prince et se reprocha d'avoir adopté une mauvaise tactique. Il s'était montré trop confiant et s'était trompé dans ses jugements. Il avait beaucoup trop prêté attention au prince et trop peu aux personnages nouveaux qui l'entouraient : les membres de la famille de la fiancée, tous ces diplomates, ces soldats, ces parasites haut placés. Jamais il n'aurait cru qu'il aurait à éloigner le prince de ces gens-là et qu'il le ferait pistolet au poing. Il savait à peine qui était tout ce beau monde et encore bien moins ce qui, dans leurs manigances, concernait ce pauvre Karl-Horst si facile à éblouir. C'était Flaüss, l'envoyé diplomatique, qui avait tout organisé et l'affaire avait bien mal tourné... ou peut-être pas, dans le fond. Il fallait que Svenson fasse un rapport à Flaüss sur l'état de santé du prince et il devait profiter de cet entretien pour évaluer s'il pouvait compter sur quelqu'un à la légation de Macklenburg.

Il aperçut son manteau accroché au montant du lit, le prit et le plia sur son bras. Il était plus lourd que d'habitude à cause du pistolet qui se trouvait dans la poche. Il parcourut la pièce du regard, et ne vit rien qui pût être particulièrement dangereux si le prince se réveillait en son absence. Il tira le verrou et sortit dans le couloir. À côté de la porte se tenait un soldat en uniforme noir, la carabine au côté, au garde-à-vous. Le docteur Svenson ferma la porte à double tour et remit la clé dans la poche de sa veste. Le soldat ne se laissa pas distraire et le docteur ne lui prêta aucune attention. Il était habitué à la discipline de fer de ces militaires et s'il avait des questions, il les poserait à leur officier qui, pour des raisons inexpliquées, était encore absent.

Arrivé au bout du couloir, Svenson s'arrêta sur le palier et suivit du regard la rampe jusqu'au hall d'entrée, trois étages plus bas. D'en haut, il pouvait apercevoir le sol de marbre à carreaux noirs et blancs et suivre le lustre de cristal qui pendait du plafond. Le noir et blanc des carreaux provoquait une illusion d'optique et donnait l'impression que deux volées d'escaliers se rencontraient et qu'on pouvait les voir à la fois monter et descendre. Svenson, qui n'aimait pas les hauteurs, avait des bouffées de vertige rien qu'en regardant la lourde chaîne du lustre qui pendait dans le vide. Dès qu'il levait la tête vers le haut de la cage d'escalier, au-delà du quatrième étage, là où la chaîne était fixée, ce que, comme un idiot, il ne pouvait s'empêcher de faire, il était pris de vertige.

Il s'éloigna de la balustrade et monta au quatrième étage, collé aux murs, les yeux rivés au sol. Il passa devant les gardes sur le palier et arriva devant la porte de l'envoyé, le regard toujours cloué sur ses pieds. En grimaçant légèrement, il se redressa et frappa à la porte. Sans attendre de réponse, il entra.

Quand Svenson était rentré de l'Institut avec le prince, Flaüss était absent et personne ne savait où il se trouvait. Quarante minutes plus tard, alors que le docteur accomplissait la tâche plutôt répugnante de purger son patient pour le débarrasser d'une éventuelle drogue ou poison, l'envoyé avait fait irruption dans la chambre et, sur un ton péremptoire, avait demandé à Svenson ce qu'il faisait. Sans attendre sa réponse Flaüss, qui avait remarqué le revolver sur la table de chevet du prince ainsi que les marques sur le visage de Karl-Horst, s'était mis à crier. En se retournant, Svenson avait vu la face livide de l'envoyé, pris de rage ou de peur, il ne savait pas exactement, et ce spectacle avait épuisé le peu de patience qui lui restait, si bien qu'il avait flanqué Flaüss à la porte sans aucun ménagement.

Au moment d'entrer dans son bureau, il réalisa qu'il en savait très peu sur Conrad Flaüss. C'était un aristocrate de province aux prétentions internationales qui avait fait des études de droit et fréquenté à l'université un oncle de la famille royale. Il avait donc toutes les qualités requises pour répondre aux exigences diplomatiques de la visite de fiançailles du prince, et si, comme tout le monde l'espérait, le mariage permettait l'établissement d'une ambassade permanente, il pourrait prétendre au premier poste d'ambassadeur du duché.

Aux yeux de Flaüss comme de tout le monde, à vrai dire, Svenson n'était qu'un larbin de la famille, une sorte de gouvernante, révocable à souhait. Qu'on le considérât ainsi limitait les désagréments quotidiens mais, désormais, il fallait qu'on l'entende, dût-il pour cela user de la force.

Flaüss était assis à son bureau et écrivait. Un secrétaire attendait patiemment à ses côtés et leva les yeux lorsque Svenson entra. Le docteur l'ignora, prit en passant un cendrier vert sur une petite table et s'installa dans l'un des fauteuils moelleux qui se trouvait face au bureau. Il se mit à fumer en tenant précieusement le cendrier sur ses genoux. Flaüss le fixa. Svenson le fixa à son tour et jeta un œil rapide en direction du secrétaire. Flaüss renifla, griffonna son nom au bas de la feuille, y passa un coup de buvard et la tendit nerveusement à son secrétaire.

– Ce sera tout, aboya-t-il.

Le secrétaire fit rapidement claquer ses talons et quitta la pièce en jetant un regard discret vers le docteur. La porte se referma doucement derrière lui. Les deux hommes se regardaient en chiens de faïence. L'envoyé avait à peine commencé à parler que déjà Svenson soupirait d'épuisement.

– Docteur Svenson, je dois vous dire que je n'ai pas... l'habitude... d'être traité de façon aussi cavalière par un membre de la délégation. En tant qu'*envoyé diplomatique*...

– Je ne fais pas partie de la délégation, dit Svenson sur un ton neutre en l'interrompant.

– Je vous demande pardon? s'exclama Flaüss en bafouillant.

– Je ne fais pas *partie* de la délégation. J'appartiens à la suite du prince. Je dépends de lui.

– Du prince? railla Flaüss. Entre nous, docteur, pauvre homme...

– C'est directement du duc que je dépends.

– Pardon? C'est moi, l'envoyé du duc. *Je* dépends du duc.

– Alors nous avons quelque chose en commun finalement, marmonna sèchement Svenson.

– Est-ce de l'impudence? souffla Flaüss.

Svenson ne répondit pas tout de suite afin d'accroître autant que possible son pouvoir d'intimidation. En fait, il avait beau prétendre détenir une autorité quelconque, il ne pouvait compter que sur lui-même pour la défendre: c'était Flaüss et Blach qui détenaient le vrai pouvoir. Si l'un ou l'autre était vraiment contre lui et constatait sa faiblesse, il serait extrêmement vulnérable. Il espérait au plus profond de lui-même que ces deux hommes étaient simplement des incompétents, pas véritablement des scélérats. Il croisa le regard de l'envoyé diplomatique et fit tomber sa cendre dans le cendrier.

– Herr Flaüss, savez-vous pourquoi un jeune homme dans la fleur de l'âge a besoin d'être accompagné par un médecin pour célébrer ses fiançailles ?

– Évidemment, grommela Flaüss, le prince est faible et on ne peut guère lui faire confiance. Je parle bien sûr comme quelqu'un qui éprouve un profond attachement pour sa personne. Il est souvent tout à fait incapable de comprendre la portée diplomatique de ses actes. Je crois que c'est le cas de la plupart des...

– Où étiez-vous ce soir ?

Interloqué, l'envoyé n'en croyait pas ses oreilles. Il exhiba un sourire mauvais et condescendant.

– Je vous demande pardon...

– Le prince était en danger. Vous n'étiez pas là. Vous n'étiez absolument pas en mesure d'assurer sa protection.

– Oui, et vous, vous allez me faire, à *moi*, un rapport détaillé sur l'état de santé de Karl-Horst... son... son visage... ces étranges brûlures...

– Vous n'avez pas répondu à ma question... mais vous allez le faire.

Flaüss le regardait bouche bée.

– Je suis ici par ordre direct de son père, poursuivit Svenson. Si nous manquons à nos devoirs, et cela vaut aussi pour vous, Herr Flaüss, on nous en fera porter l'entière responsabilité. J'ai été au service du duc pendant quelques années et je sais ce que cela veut dire. Et vous, le savez-vous ?

En fait, Svenson mentait plus ou moins. Le duc, un homme obèse et sans cervelle, était obsédé par les uniformes et la chasse. Le docteur Svenson l'avait rencontré deux fois à la cour et l'avait observé avec la plus grande consternation.

En réalité, ses instructions venaient du premier ministre du duc, le baron von Hoern. Svenson avait fait sa connaissance cinq ans plus tôt, alors qu'il était médecin officier dans la marine de Macklenburg. À cette époque, il était surtout connu, enfin, relativement, pour soigner les engelures des marins de la flotte baltique. Un cousin de Karl-Horst avait été responsable d'une série de meurtres dans le port et cela avait fait scandale.

Svenson s'était révélé à la fois d'une grande perspicacité en remontant jusqu'aux auteurs des meurtres et d'une grande délicatesse quand il s'était agi de transmettre l'information au ministre. Peu après, on l'avait réaffecté à la maison von Hoern et on l'avait chargé d'enquêter sur divers événements, maladies, grossesses, meurtres ou avortements, au fur et à mesure qu'ils survenaient à la cour, sans qu'il révélât jamais l'intérêt que son maître, le ministre, portait à tout cela.

Pour Svenson, qui avait toujours associé la mer au chagrin et à l'exil, l'occasion de cette mission, ou plus exactement de cet austère divertissement patriotique, était devenue une forme d'autodestruction. Sa présence dans l'entourage de Karl-Horst avait été facilement attribuée à la volonté du duc, et jusqu'à ce jour Svenson était resté dans l'ombre, à faire parvenir des rapports comme il le pouvait : il envoyait des lettres sibyllines par le courrier diplomatique et des cartes pleines d'allusions subtiles par la poste, au cas où l'on mettrait la main sur ses lettres officielles.

Il avait déjà fait ce genre de choses lors de courts séjours en Finlande, au Danemark et sur les rives du Rhin, mais il n'avait rien d'un espion : c'était simplement un homme cultivé à qui sa position valait à la fois d'accéder à des lieux qui autrement lui auraient été interdits et d'être sous-estimé par ceux qu'il observait.

C'était ce qui se passait en ce moment, mais l'échange de mesquineries entre Flaüss et Blach avait mis un peu de piquant à ce qui jusque-là ressemblait tout bêtement à du gardiennage d'enfant. Cependant, ce qui l'inquiétait, c'était que depuis leur arrivée, trois semaines plus tôt, il n'avait eu aucune nouvelle de son maître, alors que Flaüss avait reçu plusieurs courriers en provenance de la cour. À croire que le baron von Hoern avait disparu.

Le mariage avait été envisagé au retour d'un voyage de lord Vandaariff sur le continent, au cours duquel, en cherchant un port agréable sur la Baltique, il avait découvert Macklenburg. Sa fille l'accompagnait. C'était la première fois qu'elle quittait son pays, et comme c'est si souvent le cas quand les adultes ont des choses à discuter, les enfants s'étaient retrouvés entre eux.

Svenson avait beau savoir que, pour être éblouie par Karl-Horst, ne serait-ce qu'une minute, il fallait qu'une femme fût ou naïve, ou complètement stupide, ou vraiment très laide ; il ne comprenait rien à cette union. Lydia était tout à fait jolie, elle était extrêmement riche, son père venait tout juste d'être anobli, même si son empire financier s'étendait bien au-delà des frontières nationales. Karl-Horst, lui, était un de ces petits princes soucieux d'agrandir leur fortune, son charme s'amenuisait de jour en jour et il n'avait rien d'un homme intelligent.

Svenson avait dû admettre que l'aspect incongru de toute cette affaire pouvait accréditer l'hypothèse d'un amour véritable entre les jeunes gens. Puis, en haussant les épaules, il avait refusé de s'attarder davantage sur cet aspect de l'histoire – c'était une erreur idiote voilà tout – parce que sa tâche à lui consistait à éviter les écarts de conduite de Karl-Horst. Ce qu'il pouvait constater, désormais, c'était que ses ennemis étaient ailleurs.

Pendant la première semaine, il s'était concentré sur les abus d'alcool et de nourriture du prince, sur son obsession du jeu et ses visites fréquentes au bordel. Il intervenait parfois mais, le plus souvent, il ne s'occupait du jeune homme qu'au retour de ses folles nuits. À partir du moment où le prince s'était mis à passer moins de temps autour des tables de jeu ou au bordel, choisissant plutôt d'accompagner Lydia à des dîners, de suivre Flaüss et les membres du ministère des Affaires étrangères dans les salons des ambassades, de monter à cheval avec les soldats étrangers ou d'aller au champ de tir avec son futur beau-père, Svenson s'était permis de passer plus de temps à lire ou à écouter de la musique et à faire ses petites promenades touristiques, et il s'était contenté de passer voir le prince au retour de ses soirées.

Il avait brusquement compris sa sottise lors de la réception donnée à l'occasion des fiançailles, quand il avait trouvé le prince seul dans le grand jardin de Vandaariff, agenouillé près du cadavre défiguré du colonel Trapping. D'abord, il n'avait pas compris ce que le prince faisait ainsi. D'habitude, quand Karl-Horst se mettait à genoux, c'était un signal : Svenson devait trouver un linge humide afin d'essuyer ce que le jeune homme avait vomi. Mais là, le prince regardait fixement par terre, cloué sur place, le regard étrangement placide, paisible même.

Svenson l'avait écarté et ramené dans la maison, malgré les protestations de cet imbécile. Il avait réussi ensuite à trouver Flaüss, mais il se demandait maintenant si la présence de l'envoyé dans les parages immédiats n'était vraiment qu'une coïncidence. Il avait laissé Flaüss s'occuper du prince et était retourné à la hâte auprès du corps.

Un attroupement s'était formé autour du mort : Harald Crabbé, le comte d'Orkancz, Francis Xonck, d'autres qu'il ne reconnaissait pas, et finalement Robert Vandaariff lui-même, qui arriva entouré d'une armée de domestiques. Lorsqu'il vit Svenson, il le prit à part et s'enquit, à voix basse, en quelques mots, de la sécurité et de l'état du prince.

Quand Svenson lui avait appris que le prince se portait bien, Vandaariff avait paru visiblement soulagé, et lui avait demandé d'avoir la gentillesse de prévenir sa fille. Elle avait deviné qu'un incident fâcheux s'était produit, sans toutefois en connaître la nature exacte, il fallait donc qu'elle sache que le prince était sain et sauf et, si possible, qu'elle puisse le voir.

Svenson consentit de bonne grâce à faire ce que cet homme important lui demandait, mais il trouva Lydia Vandaariff en compagnie de l'épouse d'Arthur Trapping, Charlotte Xonck, et du frère aîné de celle-ci, Henry Xonck, un homme dont la fortune et l'influence étaient considérables. Seuls Vandaariff et, peut-être, la vieille reine elle-même pouvaient prétendre le dépasser.

Tandis que Svenson s'empêtrait dans une explication assez vaseuse – un incident dans le jardin, le prince n'ayant rien à voir avec cela –, le frère et la sœur se mirent à lui poser des questions, tous les deux visiblement convaincus qu'il leur cachait quelque chose.

Par habitude, Svenson prit la pose de l'étranger qui comprenait très mal leur langue, il leur demanda de répéter alors qu'il cherchait en vain une histoire qui pût calmer leur curieuse suspicion, mais il ne parvint qu'à aggraver leur irritation. Henry Xonck venait tout juste de planter impérieusement son index sur la poitrine de Svenson lorsque apparut derrière eux une femme, habillée simplement et qui chuchota quelque chose à l'oreille de Charlotte Xonck. Svenson la prit pour une amie de Lydia, laquelle souriait sans rien dire. Immédiatement, l'héritière regarda au-delà de l'épaule de Svenson, ses yeux s'agrandirent sous son masque de plumes et Svenson crut y déceler une ombre d'hostilité. Il se retourna et aperçut le prince en personne, escorté par Francis Xonck tout sourire. Celui-ci, ignorant son frère et sa sœur, interpella gaiement Lydia pour qu'elle vînt rejoindre son fiancé.

Le docteur s'inclina rapidement devant ces gens d'un rang supérieur au sien et profita de l'occasion pour s'éclipser. Il prit tout de même soin de jeter un coup d'œil au prince, pour jauger son niveau d'intoxication, mais aussi pour observer la femme qui avait chuchoté à l'oreille de Charlotte Xonck et qui étudiait maintenant Francis Xonck d'assez près. C'est seulement lorsqu'il sortit du salon que Svenson se rendit compte qu'on l'avait habilement empêché d'examiner le corps. Quand il fut de retour dans le jardin, les hommes et le cadavre avaient disparu. Il ne vit au loin que trois des soldats du major Blach, à plusieurs mètres l'un de l'autre, parcourant le domaine, sabre au clair.

Il n'avait pu interroger le prince davantage, et ni Flaüss ni Blach n'avaient répondu à ses questions. D'ailleurs, ils ne savaient rien au sujet de Trapping et doutaient carrément qu'un personnage aussi important, ou n'importe qui d'autre d'ailleurs, fût mort dans le jardin. Quand il demanda ensuite pourquoi on avait malgré tout chargé les soldats de Blach de fouiller le domaine, le major répondit sèchement qu'il avait préféré la prudence après avoir écouté Svenson lui-même lui parler avec tant d'exagération de dangers, de meurtres et de mystères. Il avait ajouté d'un air méprisant qu'il n'avait plus de temps à perdre avec tout ça. Flaüss, quant à lui, avait clos la discussion, en affirmant que même si quoi que ce soit de fâcheux avait eu lieu ici, cela ne les concernait en rien et que, par respect pour le futur beau-père du prince, il valait mieux ne pas y prêter attention et se tenir à l'écart. Svenson n'avait rien à leur opposer, mis à part un mépris grandissant, mais surtout il aurait bien aimé savoir ce que le prince avait fait quand il s'était trouvé seul avec le corps.

Par la suite, il n'avait pas réussi à se retrouver en tête-à-tête avec Karl-Horst. Le prince, dont l'emploi du temps était organisé par Flaüss et qui voulait surtout qu'on le laisse tranquille, avait réussi à l'éviter toute la matinée, puis à quitter la légation avec l'envoyé et Blach pendant que le docteur soignait l'abcès dentaire d'un soldat de Blach. À la tombée de la nuit, voyant qu'ils n'étaient pas revenus, Svenson était parti à leur recherche dans la ville…

Il soupira et leva les yeux vers Flaüss qui avait les poings serrés sur son bureau.

– Nous avons déjà parlé du colonel Trapping, commença Svenson.

Flaüss se mit à grommeler. Svenson l'ignora et poursuivit:

– …dont vous pouvez penser ce que vous voulez. Ce que vous ne pouvez nier, en revanche, c'est que ce soir votre prince a été attaqué. Ce que je veux vous dire, c'est que j'ai déjà vu ailleurs les marques qu'il porte sur le visage. Je les ai vues sur le visage de cet homme qui a disparu.

– Vraiment? Mais vous disiez vous-même que vous ne l'aviez pas examiné…

– J'ai vu son visage.

Flaüss demeura silencieux. Il prit sa plume puis la jeta sur la table, irrité.

– Même si ce que vous dites est vrai, dans le jardin, dans l'obscurité et de loin…

– Et vous, où étiez-vous, Herr Flaüss?

– Cela ne vous regarde pas.

– Vous étiez avec Robert Vandaariff.

Flaüss eut un sourire pincé.

– Même si c'était le cas, je ne pourrais pas vous en parler. Comme vous l'insinuez, c'est une affaire très délicate, il faut protéger la réputation du prince, les fiançailles et ceux qui sont les premiers concernés. Lord Vandaariff a été assez aimable pour prendre le temps de discuter des différentes *stratégies* envisageables…

– Est-ce qu'il vous paye?

– Je ne répondrai pas à cette impudence…

– Je ne peux plus supporter vos sornettes.

Flaüss ouvrit la bouche pour répliquer, mais ne dit rien et essuya l'affront en silence. Svenson eut peur d'être allé trop loin. Flaüss sortit un mouchoir et s'épongea le front.

– Docteur Svenson, vous êtes un militaire, il est vrai que j'ai parfois tendance à l'oublier, et vous abordez les choses de front. Pour cette fois, je vais oublier le ton que vous avez pris, car nous devons absolument compter l'un sur l'autre afin de protéger notre prince. En raison de toutes les questions que vous avez posées, je dois avouer que je suis curieux de savoir de mon côté comment vous êtes parvenu à retrouver le prince ce soir. Et surtout, comment vous l'avez prétendument sauvé et des mains de quel agresseur.

Svenson retira son monocle de son œil gauche et le tint dans la lumière. En fronçant les sourcils, il le rapprocha de sa bouche et souffla dessus afin d'en couvrir la surface de buée. Il le frotta sur sa manche et le remit en place, en dévisageant Flaüss avec une antipathie non dissimulée.

– Je crains de devoir retourner auprès de mon patient.

Flaüss se dressa derrière son bureau. Svenson n'avait pas encore bougé de sa chaise.

– J'ai décidé, déclara l'envoyé, que désormais le prince serait escorté en permanence par un garde armé.

– Très bonne idée. Blach a-t-il donné son accord?

– Il pense que c'est une excellente idée.

– Le prince n'acceptera jamais, répliqua Svenson perplexe.

– Le prince n'aura pas le choix, et vous non plus, d'ailleurs. Vous étiez peut-être chargé de vous occuper du prince, mais le fait que vous n'ayez pu empêcher l'incident de ce soir nous a convaincus, le major Blach et moi-même, que désormais c'est lui qui vous remplacera auprès du prince. Toute affaire médicale sera traitée en présence du major Blach ou de l'un de ses hommes.

Flaüss lui tendit la main en reprenant son souffle.

– J'exige que vous me remettiez la clé de la chambre du prince. Je sais que vous l'avez fermée à clé. Je suis en droit de vous la demander en ma qualité d'envoyé diplomatique.

Svenson se leva prudemment, remit le cendrier sur la table sans quitter Flaüss des yeux et se dirigea vers la porte. Flauss ne bougeait pas, la main toujours ouverte. Svenson ouvrit la porte et sortit dans le couloir. Derrière lui, il entendit des pas pressés, puis il sentit la présence de Flaüss à ses côtés, le visage écarlate, la mâchoire serrée.

– Ça ne se passera pas comme ça. Je vous ai donné un ordre.

– Où est le major Blach ? demanda Svenson.

– Le major Blach est sous mon commandement, répondit Flaüss.

– Vous persistez à ne pas répondre à mes questions.

– C'est mon privilège !

– Vous vous trompez complètement, dit Svenson gravement.

L'envoyé ne semblait éprouver ni crainte ni regret. Au contraire, il souriait en savourant son triomphe.

– Vous ne vous êtes rendu compte de rien, docteur Svenson. Les choses ont changé. Il y a tant… tant de choses qui ont changé.

Svenson se tourna vers Flaüss et fit passer son manteau de son bras droit à son bras gauche, ce qui eut pour effet de montrer à Flaüss la poche d'où dépassait la crosse de son pistolet. Flaüss blêmit et s'écarta, bredouillant.

– Qu… quand le m… major Blach sera de retour…

– Je serai ravi de le voir, dit Svenson.

Il était convaincu désormais que le baron von Hoern était mort.

Il retourna sur le palier et s'apprêtait à se diriger vers l'escalier, mais fut surpris de tomber sur le major Blach, dos au mur pour ne pas être vu depuis le couloir. Svenson s'arrêta.

– Vous avez entendu ? L'envoyé voudrait vous voir.

Le major Blach haussa les épaules.

– Ça n'a aucune importance.

– Êtes-vous au courant de ce qui arrive au prince ?

– C'est sûrement inquiétant, mais j'ai besoin de vos services pour autre chose et tout de suite.

Sans attendre de réponse, il descendit les marches. Svenson le suivit, impressionné comme toujours par l'attitude hautaine du major, mais aussi curieux de savoir ce qui pouvait bien être plus grave que la crise* du prince.

Blach lui fit traverser la cour jusqu'au mess de la caserne. Sur trois des grandes tables blanches reposaient des soldats en uniforme noir. Deux gardes se tenaient devant chaque table. Les deux premiers soldats étaient vivants. Le haut du corps du troisième était recouvert d'un drap blanc. Blach désigna les tables du doigt et s'écarta sans un mot.

Svenson posa son manteau sur une chaise, vit qu'on était déjà allé chercher sa trousse de médecin et que le contenu en avait été disposé sur un plateau métallique. Il jeta un coup d'œil au premier homme, dont le visage était déformé par la douleur, la jambe probablement cassée, et il prépara machinalement une injection de morphine. L'autre homme était dans un état plus grave, sa poitrine perdait du sang, il avait le teint cireux. Il respirait à peine. Svenson ouvrit la veste du soldat, et déchira la chemise pleine de sang qui était dessous. Une perforation étroite entre deux côtes, peut-être jusqu'aux poumons. Il se retourna vers Blach.

– Quand est-ce que c'est arrivé ?

– Il y a une heure peut-être… ou peut-être plus.

– Il se pourrait qu'il perde la vie à cause de ce délai, fit remarquer Svenson.

Puis, se tournant vers les soldats :

– Attachez-le à la table.

Pendant qu'ils s'exécutaient, il retourna vers l'homme blessé à la jambe, remonta sa manche et lui fit une injection. En vidant la seringue, il lui parla doucement :

– Ça va aller. Nous allons faire de notre mieux pour vous redresser la jambe, mais vous devrez attendre que je m'occupe de votre camarade. Voilà qui va vous faire dormir.

Le soldat, un jeune garçon en vérité, acquiesça d'un signe de tête, le visage luisant de sueur. Svenson lui sourit rapidement et se tourna vers Blach à qui il s'adressa tout en retirant sa veste et en remontant ses manches.

– C'est très simple. Si la lame a touché les poumons, ils sont maintenant pleins de sang et il mourra dans quelques minutes.

---

* En français dans le texte.

Si les poumons ne sont pas touchés, il pourrait mourir quand même de l'hémorragie ou d'une gangrène. Je vais faire de mon mieux. Où pourrai-je vous trouver ?

— Je reste ici, répondit le major Blach.

— Très bien.

Svenson regarda la troisième table.

— C'était mon lieutenant, dit le major Blach. Il est mort il y a quelques heures.

Svenson se tenait debout dans l'embrasure de la porte, fumait une cigarette et regardait dans la cour. Il s'essuya les mains avec un linge. L'opération avait duré deux heures. L'homme était encore vivant, apparemment les poumons avaient été épargnés, mais il avait de la fièvre. S'il survivait à la nuit, il pourrait peut-être guérir. L'autre soldat avait le genou cassé. Il avait fait ce qu'il pouvait, mais il ne pourrait probablement plus marcher sans boiter. Pendant l'opération, le major Blach était demeuré silencieux.

Svenson tira encore quelques bouffées de sa cigarette et lança le mégot sur le gravier. Les deux hommes avaient été transportés à la caserne afin de pouvoir au moins retrouver leur lit. Svenson souffla la fumée de sa cigarette et retourna dans la salle.

Le major s'appuya sur la table près du corps du lieutenant. Étant donné la gravité de ses blessures, il était évident que la mort avait été rapide. Svenson regarda le major.

— Je ne sais pas très bien ce que je pourrais vous dire que vous ne puissiez constater par vous-même. Quatre perforations. La première ici, je dirais, dans les côtes du flanc gauche, un coup de poignard qui l'a traversé... sans doute douloureux, mais pas mortel. Les trois autres, très rapprochées, l'arme est passée sous les côtes et jusqu'aux poumons, peut-être même jusqu'au cœur. Je ne peux pas le savoir sans ouvrir le thorax. Des coups violents, on peut voir la force de l'impact autour des blessures. Il s'agit sans doute d'un couteau, ou d'une dague, qui aura été enfoncé jusqu'à la garde, plusieurs fois, ces coups ayant été donnés avec l'intention de tuer.

Blach fit un signe de tête. Svenson attendait qu'il dise quelque chose, mais le major gardait le silence. Svenson soupira et se mit à dérouler et à reboutonner ses manches.

— Souhaitez-vous me dire comment ces blessures se sont produites ?

– Non, je ne le souhaite pas, murmura le major.

– Très bien. Me direz-vous au moins si cela a quelque chose à voir avec l'agression subie par le prince ?

– Quelle attaque ?

– Le prince Karl-Horst a été brûlé au visage. Il est tout à fait possible qu'il ait été consentant, cependant, je considère cela comme une agression.

– Quand vous l'avez raccompagné à la maison ?

– Exactement.

– Je pensais qu'il était soûl.

– Il était éméché effectivement, mais à mon avis ce n'était pas à cause de l'alcool. Mais que voulez-vous dire par : « Je pensais » ?

– Vous étiez surveillé, docteur.

– Vraiment ?

– Nous surveillons beaucoup de gens.

– Sauf le prince, apparemment.

– Ne se trouvait-il pas en compagnie des personnages importants qu'il fréquente maintenant ?

– Oui, major, c'est exact. Et je le répète, au cas où vous n'auriez pas compris : il était en compagnie de ces personnages honorables, en effet, et ce sont eux les responsables des marques qu'il a autour des yeux.

– C'est ce que vous prétendez, docteur.

– Vous pourrez le constater par vous-même.

– Je suis impatient de voir ça.

Svenson rassembla ses instruments. Il leva les yeux. Le major Blach l'observait. Avec un soupir d'exaspération, Svenson jeta son bistouri dans sa trousse.

– Combien d'hommes avez-vous actuellement sous votre commandement, major ?

– Vingt hommes et deux officiers.

– Maintenant vous avez dix-huit hommes et un officier. Et je vous assure que celui qui a fait le coup, que ce soit un homme seul ou toute une bande, n'avait aucune raison de me surveiller, car ma seule préoccupation était d'empêcher cet imbécile de se couvrir de honte.

Le major Blach ne répondit pas.

Le docteur Svenson ferma sa trousse d'un coup sec et ramassa son manteau sur le dossier de la chaise.

– J'espère seulement que vous avez aussi surveillé l'envoyé, major. Il était Dieu sait où à ce moment-là et il refuse de s'expliquer.

Il tourna les talons et se dirigea à grandes enjambées vers la porte, puis, il s'arrêta et lança :

– Lui parlerez-vous des corps ou faut-il que ce soit moi qui le fasse ?

– Nous n'en avons pas fini, docteur, siffla Blach en recouvrant le visage de son lieutenant. Je crois que nous devons nous rendre auprès du prince.

Ils prirent l'escalier qui les conduisit jusqu'au troisième étage où ils trouvèrent Flaüss qui attendait, flanqué de deux gardes. L'envoyé et le major échangèrent des regards qui semblaient en dire long, mais dont Svenson ne saisit pas le sens. Les deux hommes se détestaient visiblement mais, pour des raisons qui lui échappaient, ils étaient quand même capables de collaborer. Flaüss sourit à Svenson avec mépris en désignant la porte.

– Docteur, je crois bien que c'est vous qui avez la clé.

– Avez-vous essayé de frapper ? Ce fut Blach qui posa la question et Svenson retint un sourire.

– Bien sûr que j'ai essayé, répondit Flaüss d'un ton hésitant, mais je veux bien recommencer.

Il se retourna et frappa violemment sur la porte à coups de poing, puis il appela doucement :

– Votre Majesté ? Prince Karl-Horst ? C'est Herr Flaüss qui vous parle. Je suis avec le major et le docteur Svenson.

Ils attendirent. Flaüss se tourna vers Svenson et lui siffla :

– Ouvrez cette porte ! J'exige que vous l'ouvriez immédiatement !

Svenson eut un sourire affable et chercha la clé dans sa poche. Il la remit à Flaüss.

– Je vous en prie, monsieur l'envoyé.

Flaüss lui arracha la clé des mains et l'enfonça dans la serrure. Il fit tourner la clé et la poignée, mais la porte ne s'ouvrit pas. Il essaya encore une fois de tourner la poignée et donna un coup d'épaule dans la porte.

– Elle ne s'ouvre pas, il y a quelque chose qui la bloque.

Le major Blach s'avança, bouscula Flaüss, mit la main sur la poignée et poussa de tout son poids. La porte céda peut-être d'un centimètre. Blach fit signe aux deux soldats et ils poussèrent tous les trois. La porte bougea encore un peu et grinça en s'ouvrant suffisamment pour qu'ils se rendent compte que la grande armoire avait été placée contre la porte pour la bloquer. Ils se mirent alors tous à pousser et l'ouverture fut bientôt assez large pour qu'un homme pût s'y faufiler. Ce que Blach fit immédiatement, suivi de Flaüss qui se précipita en bousculant les soldats. Svenson leur emboîta le pas, sourire résigné aux lèvres, trousse à la main.

Le prince avait disparu. On avait poussé l'armoire contre la porte, et la fenêtre était ouverte.

– Il s'est sauvé! C'est la deuxième fois! dit Flaüss à voix basse.

Il se retourna vers Svenson.

– C'est vous qui l'avez aidé! Vous aviez la clé!

– Ne soyez pas stupide, murmura le major Blach. Regardez la chambre. L'armoire est en acajou massif, il a fallu se mettre à trois pour la faire bouger. Il est impossible que le prince ait pu le faire tout seul, ou même que le docteur ait pu l'aider, il aurait fallu que le docteur quitte la pièce *avant* que le meuble n'en bloquât l'accès.

Flaüss resta silencieux. Svenson croisa le regard furieux de Blach. Le major hurla des ordres à ses hommes dans le couloir.

– L'un de vous : à l'entrée principale, voyez si le prince a quitté l'enceinte et s'il était seul!

Svenson s'approcha de l'armoire, l'ouvrit et fit l'inventaire de ce qu'elle contenait.

– Le prince porte son uniforme d'infanterie, je ne le vois pas ici. C'est celui de colonel des grenadiers, il est vert foncé. Il l'aime bien parce qu'il y a une grenade enflammée sur son insigne. Je crois bien qu'il lui donne une signification sexuelle!

Ils le regardèrent comme s'il parlait chinois. Svenson se dirigea vers la fenêtre et s'y pencha. Sous la fenêtre, trois étages plus bas, il vit un lit de gravier ratissé.

– Major Blach, vous devriez envoyer un de vos hommes de confiance examiner le gravier sous cette fenêtre. S'il y trouve des trous profonds, nous saurons qu'on s'est servi d'une échelle. Évidemment, une échelle de trois étages devrait avoir attiré l'attention. Dites-moi, Herr Flaüss, est-ce que nous disposons ici d'une telle échelle?

– Comment voulez-vous que je le sache?

– En vous informant auprès du *personnel*, je suppose.

– Et s'il n'y en a pas? demanda le major Blach.

– Alors, ou bien on en a apporté une, ce qui aurait attiré l'attention à l'entrée, ou bien on s'est servi d'autre chose, d'un grappin par exemple.

Il recula pour examiner le plâtre du cadre de la fenêtre.

– Je ne vois pas de marques, pas de trace de corde qu'ils auraient pu utiliser pour descendre non plus.

– Alors, comment sont-ils descendus ? demanda Flaüss.

Svenson retourna à la fenêtre. Il n'y avait ni balcon, ni lierre grimpant, ni arbre à proximité, c'est d'ailleurs pour cela qu'on avait choisi cette chambre pour le prince. Il se tourna et regarda vers le haut. Il n'y avait que deux étages entre la fenêtre et le toit.

Alors qu'ils montaient l'escalier, Blach reçut des nouvelles de l'entrée principale. Personne n'avait vu le prince, et personne n'était entré ou sorti depuis trois heures, c'est-à-dire depuis le retour du major. Svenson comprit à peine le rapport du soldat, tant il redoutait l'inévitable voyage vers le toit de l'immeuble. Il marchait du côté du mur, empoignant la rampe aussi naturellement que possible, prêt à vomir tripes et boyaux. Plus haut, un soldat faisait descendre une échelle repliée au plafond du couloir du sixième étage. En haut de l'échelle se trouvait une étroite mansarde et, dans la mansarde, une trappe qui menait au toit. Le major Blach avançait à grands pas. Un pistolet était tout à coup apparu dans sa main. Il grimpa rapidement l'échelle et disparut dans l'obscurité, suivi de près par Flaüss qui était plus agile que sa carrure massive ne le laissait croire. Svenson avala sa salive. Il avait fait exprès de les laisser monter avant lui. Il s'agrippa aux montants d'une main, puis de l'autre, et réprimait un haut-le-cœur chaque fois que l'échelle bougeait sous l'effet de son poids. Il se sentit comme un enfant quand il marcha à quatre pattes sur les lattes rugueuses du plancher de la mansarde. Il regarda autour de lui. Flaüss venait de se glisser dans la trappe étroite, sa silhouette se découpait dans la lueur blême des lumières de la ville tamisées par le brouillard. Le docteur Svenson s'efforça de les suivre, en retenant à peine un gémissement.

Lorsqu'il parvint au toit, d'abord à genoux puis en chancelant sur ses jambes, il vit le major Blach s'accroupir près de la corniche qui devait se trouver au-dessus de la chambre du prince. Le major se retourna et déclara :

– La mousse sur la pierre est arrachée en plusieurs endroits, sans doute à cause du frottement d'une échelle ou d'une corde !

Il se leva et se dirigea vers Flaüss et Svenson en regardant autour de lui. Il leur montra les toits environnants.

– Ce que je ne comprends pas, c'est qu'aucun ne semble être assez proche. Je ne dis pas que le prince n'a pas été hissé sur le toit, mais cet édifice a au moins un étage de plus que ceux qui sont autour. Et la largeur d'une rue les sépare les uns des autres. À moins d'avoir mobilisé un cirque, je ne vois pas comment qui que ce soit aurait pu s'évader à partir de ce toit.

– Ce n'est peut-être pas ce qu'ils ont fait, suggéra l'envoyé. Ils sont peut-être retournés dans l'immeuble.

– C'est impossible. L'échelle qui mène à la mansarde est fixée au plafond de l'intérieur.

– À moins que quelqu'un ne les ait aidés de l'intérieur du bâtiment, proposa l'envoyé sur un ton légèrement irrité.

– En effet, concéda Blach. Si c'est le cas, ils n'ont pas encore traversé le portail. Mes hommes vont fouiller toute l'enceinte. Docteur ?

– Mmmh ?

– Vous n'avez rien à ajouter ?

Svenson avala sa salive et inspira l'air frais de la nuit en essayant de se détendre. Il détourna son regard du ciel, et riva ses yeux sur la surface noire et goudronnée du toit.

– Seulement une chose… qu'est-ce que cela ?

Flaüss suivit la direction que lui indiquait le docteur et s'avança vers quelque chose de petit et blanc. Il le ramassa et rapporta sa trouvaille aux autres.

– Un mégot de cigarette, dit le major Blach.

Une demi-heure s'était écoulée. Ils étaient retournés à la chambre du prince, où le major fouillait systématiquement chacun des tiroirs et des placards. Flaüss, assis dans un fauteuil, broyait du noir, tandis que Svenson fumait debout près de la fenêtre ouverte. Une fouille complète de la légation n'avait rien donné et on n'avait trouvé ni empreintes ni traces dans le gravier sous la fenêtre. Blach était retourné sur le toit avec des lanternes mais, en fait d'empreintes, il n'avait trouvé que celles de leurs propres pas. Il y avait cependant plusieurs traces sur le côté du bâtiment, là où la crasse humide des gouttières avait gardé l'empreinte d'une corde.

– Il s'est peut-être enfui pour pouvoir aller s'amuser toute la nuit, suggéra l'envoyé.

Il lança un regard sombre à Svenson.

– Il ne nous fait plus confiance parce que vous vous êtes acharné sur lui…

– Ne dites pas de bêtises, dit sèchement le major Blach. Tout ceci était planifié, avec ou sans l'aide du prince, et probablement sans, s'il était inconscient comme nous l'a expliqué le docteur. Au moins deux hommes sont entrés dans la chambre par le haut, peut-être plus, puisque le garde n'a pas entendu qu'on déplaçait l'armoire, ce qui me porte à croire qu'ils étaient plutôt quatre. Puis, ils ont emmené le prince. Nous devons supposer qu'il a été enlevé et envisager un moyen de le récupérer.

Le major Blach referma violemment le dernier tiroir et tourna les yeux vers Svenson.

– Oui? demanda le docteur.

– Vous, vous l'avez retrouvé plus tôt cette nuit.

– Oui.

– Alors, vous allez me dire où et comment.

– Je suis ravi que vous vous en inquiétiez enfin, répliqua Svenson, la voix crispée par le mépris. Croyez-vous qu'il pourrait s'agir des mêmes ravisseurs? Parce que si c'est le cas, vous savez qui ils sont, vous le savez tous les deux. Allez-vous les défier? Interviendrez-vous en force chez Robert Vandaariff? ou chez le vice-ministre Crabbé? ou auprès du comte d'Orkancz? ou encore à l'usine Xonck? À moins que l'un de vous deux ne sache déjà où il se trouve, afin que nous puissions mettre un terme à cette mascarade ridicule.

À ces mots, Svenson constata avec satisfaction que le major s'était tourné en même temps que lui vers Flaüss.

– Je ne sais rien! hurla l'envoyé. S'il nous faut demander de l'aide aux personnages éminents dont vous parlez, s'ils peuvent vraiment nous aider…

Le docteur Svenson eut un rire méprisant. Flaüss se tourna vers le major Blach pour chercher son appui.

– Le docteur ne nous a pas encore dit comment il avait retrouvé le prince la dernière fois. Il pourrait peut-être le retrouver encore cette fois.

– Il n'y a pas de mystère, mentit Svenson. J'ai cherché le bordel. J'y ai trouvé quelqu'un qui était prêt à m'aider. Le prince se trouvait à deux pas de là. Il semblerait que les dons généreux que Henry Xonck a faits à l'Institut en aient ouvert l'accès aux amis de son frère cadet.

– Et comment connaissiez-vous ce bordel? demanda Flaüss.

– Parce que je connais assez bien le prince. Mais là n'est pas la question! Je viens de vous dire avec qui il était. Si quelqu'un sait ce qui a pu se passer, c'est bien eux. Moi, je ne peux pas m'opposer à ces gens. C'est à vous de le faire, Flaüss, avec le concours des hommes du major Blach. C'est la seule solution.

Svenson éteignit sa cigarette dans la tasse de porcelaine qui avait contenu café une éternité auparavant.

– Tout cela ne nous avance à rien, leur dit-il.

Il ramassa son manteau et quitta la chambre d'un pas rapide.

Trop occupé à réfléchir aux événements, il n'avait pas mangé depuis des heures. Svenson descendit les escaliers pour se rendre à la cuisine. Personne ne s'y trouvait. Il fouilla dans les placards et trouva un fromage dur, de la saucisse sèche et un pain frais du matin. Il se versa un verre de vin blanc et s'assit à la grande table pour réfléchir tout en coupant méthodiquement de gros morceaux de fromage, d'épaisses tranches de saucisse et en entassant le tout sur du pain. Après une bouchée, trouvant que le pain était trop sec, il se leva et dénicha un pot de moutarde. Il en étala une couche plus épaisse que ce qu'il faisait d'habitude et remit en place la saucisse et le fromage. Il en avala une autre bouchée avec une gorgée de vin. Il mangeait machinalement. L'activité qui se faisait entendre autour de lui l'aida à réfléchir à ce qu'il allait faire.

Le prince avait été enlevé une première fois, sauvé, puis enlevé une deuxième. C'était forcément les mêmes personnes qui avaient fait le coup et pour les mêmes raisons. Mais le docteur ne pouvait chasser de son esprit l'image de ce mégot de cigarette.

Flaüss lui avait donné ce mégot et, après y avoir jeté un coup d'œil rapide, Svenson le lui avait rendu, puis s'était retourné pour descendre du toit en essayant de se composer un semblant de dignité. Mais il avait eu le temps de voir ce qu'il en était et cela confirmait son idée première.

Le bout du mégot était pincé d'une façon très particulière, comme l'était celui qu'il avait remarqué la nuit précédente sur le fume-cigarette en laque d'une femme à l'hôtel Ste-Royale. Cette femme… il prit une autre gorgée de vin, retira son monocle, le mit dans la poche de poitrine de son veston et se frotta le visage… cette femme était d'une beauté choquante, dérangeante. Elle était certainement dangereuse aussi, c'était évident, mais de façon si absolue que c'était à peine si l'on pouvait s'en apercevoir. Comme lorsqu'on décrit une espèce particulière de cobra en mentionnant sa taille, sa couleur ou ses taches, mais sans jamais préciser qu'il possède un venin mortel, parce que c'est une caractéristique intrinsèque dont on ne saurait s'offusquer… bien au contraire. Il poussa un soupir et força son esprit fatigué à se concentrer pour arriver à relier la femme de l'hôtel à sa possible présence sur le toit. Il n'arrivait pas à trouver un sens à tout cela, mais il savait que s'il y parvenait, il pourrait trouver le prince. Il entreprit donc de remonter soigneusement le fil de ses souvenirs.

Plus tôt ce jour-là, quand il se rend compte que le prince n'est pas rentré, puis que Flaüss et Blach sont partis à leur tour, Svenson entre dans la chambre du prince et la fouille à la recherche d'un indice quelconque pouvant lui révéler les plans qu'il a faits pour sa soirée. Il faut dire que Karl-Horst est aussi rusé qu'un chat moyennement doué ou qu'un petit enfant. S'il cache quelque chose, c'est vraisemblablement sous le matelas, ou dans une chaussure, mais plus probablement dans la poche de la veste qu'il a portée et oubliée là. Svenson trouve des boîtes d'allumettes, des programmes de théâtre, des cartes de visite, mais rien de particulièrement frappant. Il s'assoit sur le lit et allume une cigarette en parcourant la chambre du regard, la tête vide. Sur la table de chevet est posé un vase en verre bleu qui contient une dizaine de lys blancs, la tête courbée selon leur degré de fraîcheur. Svenson, intrigué, les fixe. Il n'a jamais vu de fleurs dans la chambre du prince, et il n'y a aucune touche féminine de ce genre dans tout l'immeuble de la légation. À bien y penser, il ignore même s'il y a la moindre présence féminine dans toute l'enceinte. En outre Karl-Horst n'a jamais manifesté de prédilection particulière pour les fleurs ni même, d'ailleurs, pour la beauté. Il s'agit peut-être d'un cadeau de Lydia Vandaariff. Peut-être un brin d'affection s'est-il glissé dans l'orgie des appétits de Karl-Horst.

Svenson fronce les sourcils, s'approche vivement de la table et regarde le vase avec beaucoup d'attention. Il essuie son monocle et observe de plus près. La facture du verre est plutôt artistique, une surface un peu irrégulière, des volutes, quelques défauts voulus, de petites bulles. Y a-t-il quelque chose à l'intérieur ? Il prend sur la table de toilette une serviette qu'il étend sur le lit, puis sort les lys à deux mains et les dépose sur la serviette. Il soulève le vase, le place à contre-jour. Il y a bien quelque chose à l'intérieur, probablement un autre morceau de verre que l'on distingue mal mais qui fait dévier la lumière.

Svenson repose le vase, retrousse sa manche, plonge le bras et tente d'attraper la chose qui lui glisse entre les doigts. Il finit par sortir un petit rectangle de verre bleuté, à peu près de la taille d'une carte de visite. Il l'essuie, se sèche les mains avec la serviette, et l'examine. En quelques secondes, comme si on lui avait donné un coup de massue sur la tête, Svenson se retrouve à genoux, secoue la tête, à la fois surpris et sonné. La carte a même failli lui échapper des mains.

Il regarde encore.

C'est comme s'il entrait dans le rêve de quelqu'un d'autre. Très vite, la teinte bleutée du verre se dissipe comme un voile qui se déchire. Il voit l'intérieur d'une pièce, sombre, confortable, meublée d'un grand divan rouge avec des chandeliers d'argent et des tapis persans. Puis, comme la première fois, et c'est pour cela qu'il a failli laisser tomber l'objet, l'image commence à bouger, comme si lui-même marchait, ou se tenait debout tout en parcourant le salon du regard, et il voit des gens, des gens qui le regardent, lui, dans les yeux. Il n'entend rien d'autre que le bruit de sa propre respiration, mais tout son esprit a pénétré l'espace de ces images, de ces images qui bougent, semblables à des photographies mais aussi différentes, plus vives, moins précises, presque en trois dimensions et mystérieusement empreintes de sensations : le contact d'une tenue de soie, les jupons retroussés sur des jambes de femme, la peau de satin sous les jupons puis l'homme qui s'avance entre ses jambes, la sensation de son sourire à elle alors que le corps de l'homme cherche maladroitement une position. La tête de la femme bascule en arrière sur le divan, car il voit le plafond et sent des cheveux tomber sur son visage et sur son cou, un visage masqué comme il s'en rend compte. Puis la sensation dans ses reins à elle, enivrante et exquise, provoquée manifestement par l'homme qui est en train de la pénétrer. La même moiteur, le même trouble font frissonner tout le corps de Svenson. Puis l'image bouge légèrement, alors que la femme incline la tête, et contre le mur, derrière elle, apparaît un grand miroir. Pendant une fraction de seconde, Svenson voit le reflet du visage de l'homme et le fond de la pièce derrière lui. L'homme, de toute évidence, c'est Karl-Horst von Maasmärck.

La femme n'est pas Lydia Vandaariff mais une jeune personne aux cheveux châtains. Dans ce qu'il a entrevu du fond de la pièce, derrière le prince, Svenson est surpris de voir d'autres gens – des spectateurs ? – et quelque chose derrière eux – une porte ouverte? une fenêtre? –, mais il n'y fait pas attention, il détache son regard de la carte, ce qui lui demande un effort considérable. Qu'a-t-il vu exactement? Il baisse les yeux sur le bas de son corps et, dans un sursaut de honte, il s'aperçoit qu'il est très excité. Qui plus est, en essayant de réfléchir à ce qui vient de se passer, il se rend compte que, s'il a eu conscience de certaines scènes, il ne les a, en fait, pas toutes vues: la femme qui se touche pour le plaisir et pour sentir si elle est bien mouillée, Karl-Horst qui enlève maladroitement son pantalon, et puis le moment de la pénétration elle-même. Il se rend compte que toutes ces sensations font partie de l'expérience intime de la femme et qu'il les connaît sans les avoir vécues. En prenant une grande bouffée d'air, il se replonge dans la carte de verre comme dans un lac: tout d'abord le divan, vide, puis la femme retroussant sa robe, puis le prince s'avançant entre ses jambes, l'accouplement lui-même, la femme qui tourne la tête, le miroir, le reflet puis, un peu plus tard, encore la perspective du divan vide et la scène se répète, et se répète encore.

Svenson pose la carte, haletant. Que tient-il exactement entre ses mains? C'est comme si on avait capté la quintessence des sensations de cette femme et qu'on les avait introduites dans cette petite fenêtre. Qui est cette femme? Qui sont les spectateurs? Quand cela s'est-il passé? Qui a bien pu dire au prince où et comment il devait cacher l'objet? Il se plonge encore dans le morceau de verre et voit qu'il peut, en se concentrant bien, ralentir la progression du mouvement, s'arrêter sur un moment précis et éprouver un plaisir presque insoutenable. Il revient à l'image du miroir pour pouvoir en examiner le reflet. Il arrive à distinguer les personnages, une dizaine d'hommes et de femmes, ils portent eux aussi des masques, mais il ne peut reconnaître personne. Il se force à aller plus loin et voit, au dernier moment, une porte ouverte – quelqu'un a dû quitter la pièce – et, à travers celle-ci, une fenêtre, peut-être lointaine, où l'on peut lire ces quelques lettres inversées, E, L, A. Il croit tout d'abord qu'il se trouve à l'intérieur d'une taverne, avec le mot «ALE» inscrit sur son enseigne. Et puis, compte tenu du luxe de la pièce, de l'élégance des invités et de la distance entre la porte et la fenêtre sur laquelle se trouvent les lettres, il se dit qu'il ne s'agit probablement ni d'une taverne ni même d'un restaurant.

Il est à court d'idées un moment puis, tout à coup, il comprend: c'est un hôtel. Le Ste-Royale.

Cinq minutes plus tard, Svenson est dans un fiacre, il roule en direction de ce qui est sans doute l'hôtel le plus réputé de la ville, au cœur de Circus Garden. Il a mis la carte et le revolver dans deux poches différentes de son manteau. Il n'est habitué ni au luxe ni aux privilèges, il peut seulement imiter les manières hautaines de ceux qu'il a croisés à la cour de Macklenburg et espérer qu'il trouvera des gens qui pourront l'aider par compassion ou sous la menace. Son intention première est de repérer le prince et de s'assurer que cet idiot est en sécurité. Ensuite, il lui serait du plus grand intérêt d'apprendre quelque chose sur l'origine de cette carte de verre, car cela confirmerait que Karl-Horst est encore une fois en contact avec des gens dont il ne saisit pas les intentions. Même s'il a pu éprouver dans sa propre chair toute la perversité de cette invention, il sait que sa véritable teneur va beaucoup plus loin, bien au-delà de ce que son imagination trop timide lui permet d'entrevoir.

Il pénètre dans le hall d'entrée lumineux du Ste-Royale et jette un coup d'œil discret aux fenêtres où il reconnaît les lettres qu'il a vues dans la carte de verre. Elles sont à sa gauche et, en allant dans cette direction, il essaye de situer la porte par laquelle il a pu voir la fenêtre. Il n'y parvient pas. À l'endroit où celle-ci devrait se trouver, le mur est plat et apparemment lisse. Il s'en approche, s'y s'adosse et allume une cigarette pour se donner le temps de l'examiner de près, mais ne trouve rien. Un grand miroir au cadre doré et massif est accroché au mur, près de lui. En se plaçant devant, il aperçoit le reflet de sa propre frustration. Le miroir lui-même est grand, mais il est suspendu à près d'un mètre du sol, il ne peut donc pas cacher une porte. Svenson soupire et regarde autour de lui dans le hall d'entrée, des clients entrent, sortent ou s'assoient sur les différentes banquettes recouvertes de cuir qui s'y trouvent.

Ne sachant quoi faire d'autre, il se dirige vers la réception. En passant devant le grand escalier qui mène aux étages supérieurs, il s'écarte pour céder le passage à deux femmes qui descendent et les salue poliment d'un signe de tête. Il se sent alors troublé par un parfum de santal. Il lève la tête, stupéfait, et les cheveux châtains et la nuque délicate d'une des femmes qui passe devant lui retiennent son regard. C'est la femme de la carte de verre, il en est sûr. Son parfum le bouleverse et pourtant il ne le connaît pas, il n'en a jamais senti l'odeur, ni dans la carte de verre ni avant. Cependant, sans pouvoir l'expliquer, il sent que le lien très précis entre ce parfum et le corps de cette femme lui est intimement familier.

Les deux femmes se dirigent vers le restaurant de l'hôtel. Svenson se précipite derrière elles, les rattrape juste avant qu'elles n'arrivent à l'entrée et il toussote comme pour s'éclaircir la voix. Elles se retournent. Il est interloqué en voyant que le visage de la femme aux cheveux châtains est marqué par une fine brûlure qui encercle ses yeux et court sur ses tempes. Elle porte une élégante robe bleu pâle, sa peau est très claire et sans défauts en dehors de cette brûlure, ses lèvres sont fardées de rouge. Sa compagne est plus petite, elle a les cheveux plus foncés et le visage à peine plus rond, mais elle est à sa façon tout aussi jolie. Elle porte une robe à rayures jaune vif et vert pâle, avec un col haut en dentelle. Alors qu'elles le regardent, Svenson se met tout à coup à chercher ses mots. Il n'a jamais été marié, n'a même jamais vécu dans l'entourage des femmes. La triste vérité, c'est que Svenson est plus à l'aise à côté d'un cadavre qu'auprès d'une femme bien vivante.

– Je vous demande pardon, mesdames, puis je vous déranger quelques instants?

Elles le fixent sans un mot. Il se lance.

– Mon nom est Abélard Svenson, j'espère que vous pourrez m'aider. Je suis chirurgien. Je cherche actuellement la personne dont j'ai la charge, un personnage important, et vous comprendrez que toute enquête le concernant doit rester discrète.

La femme au visage marqué sourit légèrement, à peine un tremblement furtif à la commissure des lèvres. Son regard parcourt son manteau, ses épaulettes et son col montant.

– Êtes-vous dans l'armée? demande-t-elle.

– Je suis chirurgien, comme je vous l'ai dit, mais je suis aussi officier de la marine de Macklenburg. Médecin-capitaine Svenson, pour tout dire. Affecté à des fonctions particulières, il baisse la voix, pour raisons diplomatiques.

– Macklenburg? demande l'autre femme.

– C'est cela. C'est une principauté allemande de la côte baltique.

– Il est vrai que vous avez un accent, dit-elle.

Avec un petit rire, elle ajoute:

– Est-ce qu'il n'existe pas quelque chose qui s'appelle le Macklenburg pudding?

– Je ne sais pas, répond le docteur.

– Mais oui, bien sûr, dit la première femme. C'est fait avec des raisins, de la crème, et un mélange d'épices, d'anis et de clou de girofle…

– Et des noisettes pilées, dit l'autre, saupoudrées sur le dessus.

Le docteur hoche la tête, ne sachant que dire.

– Je crains de ne pas connaître.

– Ne vous en faites pas, dit la première femme, en tapotant son bras avec indulgence. Votre œil ne se fatigue donc jamais?

Elles montrent son monocle. Il sourit rapidement et le remet en place.

– J'imagine que oui. J'y suis tellement habitué que je ne le remarque même plus.

Elles sourient toujours, et pourtant Dieu sait qu'il n'est ni particulièrement charmant ni plein d'esprit. Pour une raison qui lui échappe, elles semblent avoir décidé de l'accepter et il fait de son mieux pour profiter de l'occasion. Il désigne le restaurant.

– Je suppose que vous alliez dîner. Peut-être pourriez-vous m'aider dans ma quête, juste le temps de boire ensemble un verre de vin.

– Votre quête? dit la femme dont le visage portait des marques. Comme c'est excitant. Je suis Mrs. Marchmoor, et voici mon amie, miss Poole.

Svenson tend un bras à chacune des dames et marche entre les deux, jouissant malgré lui de leur contact physique, modifiant un peu son équilibre pour que miss Poole ne sente pas son revolver.

– Je vous suis très reconnaissant de votre gentillesse, dit-il en les faisant avancer.

Une fois à l'intérieur, ce sont les femmes qui le guident entre les nombreuses tables disponibles, vers le fond du restaurant où plusieurs portes discrètes mènent à des salles à manger privées. Un serveur leur ouvre une porte, les femmes se libèrent des bras de Svenson et entrent l'une après l'autre. Svenson fait signe au serveur et les suit. Au moment où il entend la porte se fermer, il se rend compte que la salle est déjà occupée. Au bout d'une table élégamment apprêtée, nappe de lin, porcelaine, argenterie, cristal et fleurs, est assise une grande femme aux cheveux noirs et aux yeux violets et ardents. On pourrait même dire qu'elle préside. Elle porte une petite veste noire sur une robe de soie rouge, délicatement brodée au fil jaune d'un motif chinois. Elle lève les yeux vers Svenson et lui adresse un sourire qui lui semble être d'une politesse assez neutre, mais qui pourtant lui coupe le souffle. Il croise son regard et la salue avec respect. Elle prend une gorgée de vin, sans le quitter des yeux. Les deux autres s'assoient aux côtés de la femme en rouge. Svenson, embarrassé, se tient debout à l'autre extrémité, la table est assez longue pour asseoir trois personnes de chaque côté, et Mrs. Marchmoor se penche pour dire quelque chose à l'oreille de la femme en rouge. Celle-ci acquiesce et lui adresse un plus large sourire. Svenson se sent rougir.

– Docteur Svenson, je vous en prie, asseyez-vous et servez-vous du vin. Je trouve qu'il est très bon. Je suis madame di Lacquer-Sforza. Mrs. Marchmoor me dit que vous êtes en quête de quelque chose.

Miss Poole tend à Svenson une bouteille de vin sur un plateau d'argent. Il la prend, se sert puis il sert les dames.

– Je suis vraiment désolé de m'imposer ainsi. Comme je l'expliquais à ces deux dames…

– Il est bien étrange, le coupe madame di Lacquer-Sforza, que vous ayez choisi de vous adresser à elles. Y avait-il une raison quelconque à cela ? Est-ce que vous vous *connaissez* ?

Les dames ont un petit rire nerveux à cette idée. Svenson répond rapidement.

– Absolument pas, mais vous reconnaîtrez que m'adresser à elles ainsi, sans les connaître, en dit long sur la nature désespérée de mon entreprise. Pour vous résumer l'affaire, j'appartiens au service diplomatique du duché de Macklenburg. Pour être plus précis, j'ai la responsabilité du fils et héritier de mon duc, le prince Karl-Hörst von Maasmärk. Tout le monde sait qu'il fréquente cet hôtel. Je le recherche. Je sais que le prince serait extrêmement sensible à vos charmes… Si l'une d'entre vous l'a vu, ou a entendu parler de lui, et pouvait m'indiquer l'endroit où il se trouve actuellement, je lui en serais infiniment reconnaissant.

Elles lui sourient en sirotant leur vin. Son visage est en feu, il a chaud et boit lui aussi une gorgée de vin qu'il avale de travers, ce qui le fait tousser. Il s'essuie la bouche et se racle la gorge. Il se sent comme un enfant.

– Docteur, s'il vous plaît, asseyez-vous.

Il ne s'était pas rendu compte qu'il était resté debout. Madame di Lacquer-Sforza lui sourit tandis qu'il s'assoit et qu'à mi-course il se relève pour retirer son manteau et le poser sur la chaise près de lui. Il lève son verre.

– Je vous remercie encore de votre gentillesse. Je ne voudrais surtout pas m'imposer dans votre soirée plus que de raison...

– Dites-moi, docteur, s'enquiert Mrs. Marchmoor, est-ce qu'il vous arrive souvent de perdre le prince ? Ou bien est-ce le genre d'homme dont il faut... s'occuper ? Et... est-ce là vraiment une tâche qui convient à un officier, à un militaire ?

Les deux femmes gloussent. En buvant une autre gorgée pour reprendre contenance, Svenson agite la main. Ses paumes sont moites, son col l'étouffe.

– Non, non. C'est tout à fait exceptionnel. Nous avons reçu un message spécial du duc lui-même. Ni l'envoyé diplomatique ni l'attaché militaire ne sont là en ce moment, et le prince non plus, bien sûr. Ne sachant pas comment il emploie son temps, j'ai pris sur moi de partir à sa recherche, car le message requiert une réponse rapide.

Il faudrait absolument qu'il puisse éponger la sueur de son front, mais il n'ose pas.

– Puis-je vous demander si vous connaissez le prince ? Il a souvent parlé de ses repas au Ste-Royale, alors vous l'avez peut-être déjà vu... ou vous l'avez peut-être déjà rencontré... en fait, c'est un homme, si je puis me permettre, qui apprécie... vraiment, pardonnez-moi, qui apprécie... les jolies femmes.

Il reprend son verre. Elles ne répondent pas. Miss Poole se lève pour chuchoter quelque chose à l'oreille de madame di Lacquer-Sforza. Elle hoche la tête. Miss Poole se rassoit et trempe ses lèvres dans son verre. Mrs. Marchmoor le toise. En voyant ses yeux, il ne peut s'empêcher de frissonner de plaisir en se souvenant de l'intérieur de ses cuisses. Et cette fois, ce sont bien ses souvenirs à lui qui se rassemblent. Il avale et se racle la gorge.

– Mrs. Marchmoor, connaissez-vous le prince ?

Avant qu'elle ait pu répondre, la porte s'ouvre derrière eux et deux hommes entrent. Svenson se lève précipitamment et se retourne pour leur faire face, bien qu'aucun des deux n'ait daigné le regarder. Le premier est un homme grand et mince, le front haut, les cheveux très courts, il porte un uniforme rouge à liserés jaunes et des bottes noires. Des galons de colonel sont cousus à son col. Il remet au serveur son manteau et son casque de cuivre, traverse la salle en direction de madame di Lacquer-Sforza, prend sa main et s'incline pour la baiser. Il salue de loin les dames qui sont autour de la table et prend place à côté de Mrs. Marchmoor qui est déjà en train de lui servir un verre.

Le deuxième homme contourne la table de l'autre côté, passant derrière Svenson pour s'asseoir à côté de miss Poole. Il prend lui aussi la main de madame di Lacquer-Sforza, mais avec moins de suffisance que le colonel, puis s'assied. Il se verse lui-même du vin et en prend une bonne gorgée, sans cérémonie. Il a les cheveux clairs avec des mèches grises, longs et gras, plaqués derrière les oreilles. Son manteau est d'une assez bonne coupe mais usé. En fait, son apparence pourrait faire penser à ces objets, un divan ou un fauteuil par exemple, auxquels on a jadis tenu et puis qu'on oublie sous la pluie et qui s'abîment. Svenson a vu des hommes comme celui-ci à l'université et se demande s'il s'agit d'une espèce de savant et, si c'est le cas, ce qu'il peut bien faire parmi ces gens.

Madame di Lacquer-Sforza prend la parole.

– Lieutenant-colonel Aspiche, docteur Lorenz, j'ai le plaisir de vous présenter le docteur Svenson, du duché de Macklenburg, membre de la délégation diplomatique du prince Karl-Horst von Maasmärck. Docteur Svenson, le lieutenant-colonel Aspiche est le nouveau commandant du 4e régiment des Dragons, qui a récemment été mis au service du prince, une véritable promotion, et le docteur Lorenz est un membre éminent de l'Institut royal des sciences et de l'exploration.

Sur ce, Svenson lève son verre. Lorenz en profite pour vider le sien et s'en servir un autre. Aspiche fixe Svenson d'un regard inquisiteur. Svenson sait qu'il se trouve devant le remplaçant du colonel Trapping, il a tout de suite reconnu l'uniforme et devine que l'homme est sans doute mal à l'aise à cause des circonstances de sa promotion ou même, pour des raisons encore plus évidentes, parce que le corps de son prédécesseur a disparu. Svenson décide d'entrer dans le vif du sujet.

– Alors que j'accompagnais mon prince, j'ai eu l'honneur de rencontrer le malheureux prédécesseur du colonel Aspiche, le colonel Trapping, le soir même où il semble avoir disparu. J'espère sincèrement, pour le bien de sa famille, si ce n'est pour celui de la nation reconnaissante tout entière, que le mystère entourant sa disparition sera bientôt éclairci.

– Nous sommes tous très chagrinés de cette disparition, murmure Aspiche.

– Ce doit être difficile d'assumer des fonctions de commandement en pareilles circonstances.

Aspiche braque ses yeux sur lui.

– Un soldat se doit d'accomplir son devoir.

– Docteur Lorenz, dit madame di Lacquer-Sforza sans trop se soucier de les interrompre, je crois que vous êtes déjà allé à Macklenburg.

– C'est vrai. C'était en hiver. Tout ce que je puis dire, c'est qu'il faisait sombre et froid, répond-il de la voix renfrognée et fière du chien battu pris entre l'envie de braver son maître et la peur de recevoir un autre coup.

– Et qu'alliez-vous faire là-bas? demande poliment Svenson.

– Je vous assure que je ne m'en souviens pas du tout, répond Lorenz, le nez dans son verre.

– On y fait un excellent pudding, glousse miss Poole.

Son rire est repris de l'autre côté de la table par Mrs. Marchmoor dont Svenson prend le temps d'examiner le visage. Ce qu'il a pris d'abord pour une brûlure lui semble maintenant être tout autre chose. La peau n'est pas tirée comme autour d'une cicatrice, mais elle est étrangement décolorée, comme si elle avait été rongée par un acide léger, ou brûlée par un violent coup de soleil, ou même tatouée avec du henné dilué. Peu importe la cause de la blessure, elle ne peut être volontaire, car Mrs. Marchmoor est assez défigurée. Il détourne les yeux rapidement, il ne veut pas la fixer. Il croise alors le regard de madame di Lacquer-Sforza qui l'a vu faire.

– Docteur Svenson, demande-t-elle, est-ce que vous aimez jouer?

– Tout dépend du jeu, madame. Je ne suis pas du genre à parier, si c'est ce que vous voulez dire.

– C'est peut-être bien ce que je veux dire, en effet. Qu'en est-il des autres? Vous, colonel Aspiche?

Aspiche lève les yeux. Il n'a pas suivi la conversation. Svenson se rend compte, assez choqué, que la main droite de Mrs. Marchmoor est cachée, mais que l'angle de son coude indique qu'elle se trouve exactement sur la cuisse du colonel. Aspiche se racle la gorge et fronce les sourcils en ayant l'air de suivre la conversation. Mrs. Marchmoor, tout comme madame di Lacquer-Sforza d'ailleurs, l'observe d'un air innocent et détaché.

– Un homme, un vrai, a le jeu dans le sang, claironne-t-il, ou du moins c'est vrai pour le soldat. On ne gagne rien si l'on n'est pas prêt à tout perdre, ou presque. Même les plus grandes victoires emportent des vies. À un certain niveau de jeu, refuser de parier, c'est de la lâcheté.

Il boit une gorgée de vin, déplace sa chaise en évitant ostensiblement de regarder Mrs. Marchmoor dont la main n'est pas revenue sur la table, et il se tourne vers Svenson.

– Je ne veux pas dénigrer votre point de vue, docteur. Vous, vous devez sûrement privilégier la vie : la sauver, la protéger.

Madame di Lacquer-Sforza hoche de la tête d'un air grave puis se tourne vers Lorenz.

– Et vous, docteur ?

Lorenz voudrait transpercer la table du regard, il fixe le point qui se trouve juste au-dessus de la cuisse d'Aspiche, comme si, en se concentrant, il pouvait faire disparaître ce qui l'empêche de voir. Sans détourner les yeux, le savant se sert un autre verre. Svenson est impressionné par le fait qu'il semble entièrement centré sur lui-même. Lorenz dit, presque en chuchotant :

– En vérité, le jeu n'est qu'illusion, puisque les chances de gagner se calculent au pourcentage. Ce sont des probabilités très faciles à établir pour ceux qui ont la patience et les connaissances mathématiques nécessaires. En effet, il y a bien quelques risques, mais ils peuvent se calculer et, avec le temps, le joueur intelligent verra s'accroître ses gains à condition qu'il, ou elle, bien sûr, dit-il en regardant madame di Lacquer-Sforza, agisse rationnellement.

Alors qu'il se replonge dans son verre, miss Poole lui souffle dans l'oreille. Le docteur Lorenz s'étrangle de surprise et crache son vin sur la table. Les autres éclatent de rire. Miss Poole prend une serviette et essuie le visage cramoisi de Lorenz. Madame di Lacquer-Sforza le ressert. Svenson voit que la main gauche du colonel Aspiche a disparu sous la table, puis remarque que Mrs. Marchmoor remue légèrement sur sa chaise. Svenson avale sa salive. Que fait-il là ?

Encore une fois, il croise le regard de madame di Lacquer-Sforza qui le surveille en souriant tandis qu'il observe la tablée.

– Et vous, madame ? dit-il. Vous ne nous avez pas dit ce que vous en pensez. Je présume que vous avez soulevé cette question pour une raison précise.

– Vous êtes bien allemand, docteur ! Tellement *direkt*.

Elle boit une gorgée et sourit.

– Pour ma part, c'est très simple. Je ne joue jamais avec ce qui me tient à cœur, mais avec ce qui ne compte pas pour moi, oui, je peux jouer, impitoyablement et jusqu'au bout. Heureusement, j'ai de la chance, très cher, il y a bien peu de choses qui me tiennent à cœur, alors presque tout le vaste monde peut avoir les couleurs du… jeu, à défaut d'un terme plus juste. Mais ce jeu est tout ce qu'il y a de plus sérieux, je vous l'assure.

Son regard est braqué sur Svenson, son expression est calme, amusée. Lui, il ne comprend rien à ce qui se passe dans la pièce. À sa gauche, le colonel Aspiche et Mrs. Marchmoor se tripotent visiblement sous la table. À droite, miss Poole est en train de lécher l'oreille du docteur Lorenz qui respire bruyamment tout en se suçotant la lèvre inférieure. De ses deux mains, il serre son verre si fort qu'il manque de le faire éclater. Svenson se retourne vers madame di Lacquer-Sforza. Elle fait comme si les autres n'étaient pas là. Il comprend qu'elle s'est déjà occupée de leur cas, elle s'en est occupée avant même qu'ils n'arrivent tous. Son attention est rivée sur lui. On l'a laissé entrer pour une raison bien précise.

– Vous me connaissez, madame… tout comme vous connaissez mon prince.

– C'est bien possible.

– Savez-vous où il se trouve ?

– Je sais où il pourrait se trouver.

– Me le direz-vous ?

– Peut-être. Est-ce que vous tenez à lui ?

– Je fais mon devoir.

Elle sourit.

– Docteur, je crains qu'avec moi vous ne deviez être honnête.

Svenson déglutit. Aspiche a les yeux fermés et respire bruyamment. Miss Poole a deux doigts dans la bouche de Lorenz.

– Il est encombrant, dit-il rapidement, je serais prêt à payer pour qu'on le fouette au sang.

Madame di Lacquer-Sforza, tout à coup, semble rayonner.

– C'est beaucoup mieux.

– Madame, je ne sais pas ce que vous comptez faire…

– Je veux simplement vous proposer un échange. Je recherche quelqu'un, et vous aussi.

– Je dois retrouver mon prince immédiatement.

– D'accord, et si par la suite vous êtes en mesure de m'aider, je vous en serai très reconnaissante.

Svenson est révolté par tout ce qu'il voit, alors que les autres semblent totalement indifférents, mais il ne trouve pas de raison de refuser le marché. Il essaye de lire dans les yeux violets et grands ouverts qui se trouvent devant lui, il les trouve parfaitement impénétrables.

– Qui est cette personne que vous recherchez?

Il flotte dans le laboratoire de l'Institut une odeur âcre d'ozone, de caoutchouc brûlé et de quelque chose d'autre que Svenson ne reconnaît pas… un mélange de souffre, de sodium et de cette odeur ferreuse du sang brûlé. Le prince est affalé sur un grand fauteuil, Crabbé d'un côté et Francis Xonck de l'autre. À l'autre bout de la pièce, devant une porte métallique à moitié ouverte, le comte d'Orkancz est là, qui porte un tablier et des gants de cuir montant jusqu'aux coudes. Ont-ils amené Karl-Horst par cette porte? Svenson a brandi le pistolet et enlevé le prince qui est encore assez conscient pour se tenir debout et trébucher mais, heureusement pour Svenson, apparemment incapable de parler ou de protester. Au pied des escaliers, il a vu l'étrange personnage en rouge lui faire signe de s'en aller. Cet homme semble être un intrus, comme Svenson lui-même. Lui aussi est armé, mais il n'y a pas de temps à perdre. Les gardes le suivent dans la cour intérieure, jusque dans la rue où il a la chance de trouver un fiacre.

C'est seulement une fois arrivé à la légation, à la lumière vive des becs de gaz, dans la chambre du prince, loin des couloirs peu éclairés et du fiacre sombre, qu'il découvre les brûlures autour de ses yeux. Trop occupé à examiner le prince, puis interrompu par Flaüss, il ne peut réfléchir à ce qui lie la salle à manger privée du Ste-Royale et le laboratoire de l'Institut. Il arrive encore moins à relier tout cela à la disparition de Trapping ou au manoir des Vandaariff.

Alors qu'il était assis à cette table dans la cuisine, en entendant l'écho des préparatifs d'une expédition dans la ville, il comprit qu'il n'y avait plus une minute à perdre.

Il n'avait rien dit de plus à Blach ni à Flaüss, ne leur faisait pas confiance et se félicitait de les voir partir ensemble parce qu'ils se méfiaient aussi l'un de l'autre. De toute évidence, il y avait un lien entre madame di Lacquer-Sforza et Mrs. Marchmoor qui portait les mêmes cicatrices que le prince. Mais pourquoi avait-on laissé Svenson interrompre le cours des choses? Et si madame di Lacquer-Sforza n'était pas de mèche avec les hommes de l'Institut, alors comment expliquer cette carte de verre, avec cette scène qui se déroulait au Ste-Royale, et qui la liait forcément à l'intrigue? Svenson se frotta les yeux, s'efforçant de revenir à ce qui était sa préoccupation immédiate. Qui de Crabbé et de sa bande, ou de madame di Lacquer-Sforza, pouvait avoir une raison, et surtout les moyens, d'enlever le prince sans laisser de traces, en passant par le toit de la légation de Macklenburg?

Il vida son verre d'un coup et recula sa chaise. Au-dessus de lui, la légation semblait avoir retrouvé son calme. Il remit la nourriture machinalement dans le placard et déposa le couteau et le verre sur le comptoir pour qu'on les lave. Il prit une autre cigarette, se servit d'une allumette de cuisine pour l'allumer, et s'en débarrassa en la jetant dans le fourneau. Svenson aspira la fumée et fronça les sourcils en enlevant le tabac qui s'était collé à sa langue.

Le nom que madame di Lacquer-Sforza lui avait donné, Isobel Hastings, lui était totalement inconnu. Il ne connaissait rien aux habitudes des prostituées de la ville, sauf pour ce qu'il en avait vu en allant récupérer le prince, mais il pensa que cela n'avait aucune importance. Si elle avait choisi de solliciter un homme comme lui, c'était sans doute qu'elle en avait engagé d'autres qui, eux, connaissaient la ville et ses usages. Cela signifiait aussi que ces autres enquêteurs avaient échoué et que les renseignements dont elle disposait étaient faux. Il décida de remettre cette affaire à plus tard, car quel que soit leur accord, elle ne pouvait sûrement pas attendre de lui qu'il perde du temps avec cela en ce moment.

Svenson se dirigea vers la cour intérieure, enfila son manteau en marchant, passant sa trousse d'une main à l'autre pour enfiler les manches. Dès qu'il fut dehors, il s'arrêta et boutonna son manteau d'une main en levant les yeux vers le haut du bâtiment. L'immeuble de la légation était calme. Ils étaient partis sans rien lui dire. Il savait qu'il devait mener ses recherches seul, mais il ne savait pas où aller.

Le prince ne serait sans doute pas au Ste-Royale, ne serait-ce que parce que lui, Svenson, s'y était rendu la veille pour l'y chercher, au vu et au su de tout le monde. Pour la même raison, il n'était sûrement pas à l'Institut. Mais plus il y pensait, plus il était persuadé que le Ste-Royale comme l'Institut étaient en fait tous deux de vastes immeubles parfaits pour cacher le prince, justement parce qu'il y avait été la veille. En outre, s'il avait été enlevé par ces comploteurs, il pouvait se trouver n'importe où. Crabbé et Xonck, à eux deux, devaient posséder des centaines d'endroits qui pouvaient servir à cacher quelqu'un.

Décidément, Svenson ne pouvait pas chercher le prince en espérant le retrouver. Il fallait, en revanche, qu'il trouve l'un de ces personnages et qu'il l'oblige à parler.

Il se dirigea vers le portail, fit signe au garde et s'avança dans la rue en faisant mentalement la liste de ceux qui pourraient faire l'affaire. Il écarta Vandaariff, car Blach et Flaüss étaient sûrement déjà avec lui, tout comme il écarta madame di Lacquer-Sforza. User de violence avec elle, même si la situation l'exigeait, il ne pouvait l'envisager un seul instant. Il lui restait Crabbé, Xonck, et le comte d'Orkancz. Mais ceux qui gravitaient autour d'eux, c'est-à-dire les autres femmes, Aspiche, Lorenz ou le secrétaire de Crabbé, ceux-là étaient aussi à rayer de la liste. Les obliger à parler lui demanderait plus de temps et il n'avait aucune idée où les trouver. En revanche, le prince avait dîné chez Crabbé, chez le comte et chez Xonck, et Svenson avait scrupuleusement pris note de son emploi du temps, et donc de leurs adresses. Le docteur soupira, ferma le col de son manteau. Il était largement passé minuit, il faisait froid et la rue était vide. S'il devait marcher, il faudrait qu'il se rende à la plus proche des trois maisons. Il choisit donc celle de Harald Crabbé, à Hadrian Square.

En marchant vite, il lui fallut une demi-heure pour se réchauffer. Le brouillard était épais, le pavé de la ville, froid et humide, mais cette température réconfortait Svenson, car elle lui rappelait son pays. Quand il arriva à Hadrian Square, au numéro 14, tout était éteint. Svenson monta les marches et cogna à la porte en se servant du heurtoir. Il glissa sa main droite dans la poche de son manteau et empoigna son revolver. Personne ne vint répondre. Il frappa encore. Rien. Il redescendit les marches et emprunta la ruelle la plus proche. Elle menait aux entrées de service des maisons du square et était fermée par un portail dont le verrou était ouvert. Svenson s'y faufila et longea l'allée étroite.

La maison de Crabbé était celle du milieu. Le brouillard forçait Svenson à avancer lentement et il devait marcher en rasant de près les bâtiments pour savoir où s'arrêtait une maison et où commençait la suivante, et surtout pour en repérer la porte. Il n'y avait pas de lumière. Levant les yeux vers les fenêtres, Svenson faillit trébucher sur une brouette oubliée là et réprima un cri de surprise. Il se frotta le genou. Derrière la brouette, un escalier de pierre menait à une cave, ou peut-être à une cuisine. Il leva les yeux, c'était sûrement la maison de Crabbé. Il saisit le revolver dans sa poche et se glissa vers la porte qui était ouverte. Sans faire de bruit, il sortit le revolver, s'accroupit et poussa la porte. Personne ne fit feu sur lui, ce qui lui sembla être un bon début pour sa nouvelle carrière de monte-en-l'air.

La pièce était sombre et silencieuse. Svenson entra sans faire de bruit, laissant la porte ouverte derrière lui. Il remit le pistolet dans une poche et, de l'autre, sortit des allumettes. Il en frotta une sur l'ongle de son pouce et, dans le silence de la nuit, il lui sembla que ce simple frottement faisait un bruit infernal. Puis, il regarda rapidement autour de lui. Il se trouvait dans une remise. Sur les murs étaient alignés des pots, des boîtes de carton et de fer, des balles de tissu ; à ses pieds, il y avait des cageots, des barils et des tonneaux. En face de lui se trouvait un autre escalier. Après avoir éteint et jeté l'allumette, Svenson s'avança à tâtons pour s'en approcher. Il ressortit son revolver et grimpa les marches, l'une après l'autre, péniblement. Elles ne craquaient pas. En haut de l'escalier, une porte était grande ouverte. À mesure qu'il montait l'escalier, il essayait de voir ce qu'il pouvait y avoir au-delà, mais l'éclat de son allumette l'avait momentanément privé de sa capacité de se repérer dans l'obscurité. Il tendit l'oreille et constata que ce qu'il était en train de faire était tout à fait périlleux. Si les lieux lui avaient été familiers, il aurait certainement emprunté une autre voie. Les choses étant ce qu'elles étaient, il espérait sincèrement ne pas avoir à tirer sur un domestique qui voudrait jouer les héros, ni provoquer les hurlements de Mrs. Crabbé, si toutefois il y en avait une. Il quitta l'escalier et s'engagea à pas lents dans un couloir, en essayant de décider s'il devait se servir d'une autre allumette. Il soupira, rangea son arme, car il ne voulait surtout pas risquer de renverser une lampe ou une étagère chargée de porcelaines et il sortit une autre allumette.

Il entendit des voix en bas, dans la remise. En se déplaçant rapidement, Svenson frotta l'allumette et, de sa main qui tenait la trousse, il en protégea la flamme comme il le put. Il avança à grands pas, sans bruit, directement vers le fond du couloir, jusqu'à une porte qu'il franchit. Il se trouvait dans une cuisine. Sur la table devant lui était étendu un homme mort, qu'il ne reconnut pas. Un drap recouvrait le corps, mais le visage livide était à découvert. Lorsqu'il entendit les pas approcher, Svenson fit volte-face et aperçut derrière le mort une porte battante, de l'autre côté de la cuisine. L'allumette lui brûlait les doigts. Il contourna la table et passa par une porte à battants. Il entrevit rapidement une table de salle à manger avant de secouer l'allumette. Il la jeta, mit son doigt brûlé dans sa bouche, immobilisa la porte et rampa jusqu'à l'autre bout de la table, plaqué au sol. Il sortit son pistolet. Les pas s'arrêtèrent dans la cuisine. Il entendit les voix de deux hommes, puis le bruit caractéristique d'une bouteille que l'on débouche.

— Et voilà, dit la première voix qui semblait éminemment satisfaite d'elle-même. Je vous l'avais dit qu'on trouverait quelque chose qui en valait la peine. Où sont les verres?

En guise de réponse, il y eut un bruit de verres qui s'entrechoquent, puis celui du vin que l'on verse. Une quantité considérable. L'homme recommença à parler:

— Est-ce qu'on allume?

— Le vice-ministre…, dit la deuxième voix.

— Oui, je sais, et c'est mieux ainsi. Je ne veux plus voir ce type. Quelle perte de temps! Quand doit-il arriver?

— Le messager a dit qu'il avait une course à faire avant de nous rejoindre.

Le premier homme poussa un soupir. Svenson entendit le bruit d'une allumette que l'on frotte, vit une lueur orange vaciller sous la porte, puis lui parvint le bruit d'un cigare qu'on allume.

— Vous en voulez un, Bascombe? demanda le premier.

Svenson fouilla dans sa mémoire. Il avait fait la connaissance ou entendu les présentations de tellement de gens ces dernières semaines, mais y avait-il eu un Bascombe? Probablement, mais il n'arrivait pas à s'en souvenir. S'il pouvait au moins le voir…

— Non, merci, monsieur, répondit Bascombe.

— Ne m'appelez pas monsieur! dit le premier homme en riant. Gardez cela pour Crabbé ou pour le comte, quoique j'ose dire que vous serez l'un des leurs très bientôt. Alors, comment on se sent?

— Je n'en sais rien. Tout s'est passé si vite.

— Comme toutes les plus belles tentations, n'est-ce pas?

Bascombe ne répondit pas et ils burent en silence un moment. Svenson sentait l'odeur de la fumée. C'était un excellent cigare. Svenson se lécha les lèvres. Il avait désespérément besoin d'une cigarette. Il ne reconnaissait aucune des deux voix.

– Est-ce que vous vous y connaissez en cadavres ? demanda la première voix, avec une touche d'ironie.

– En fait, c'est la première fois que j'en vois un de si près, répondit la seconde, sur un ton qui, selon Svenson, était celui de l'homme qui sait qu'on est en train de le provoquer, mais qui tâche de répondre de son mieux.

– Mon père est mort quand j'étais tout jeune…

– Et votre oncle, bien sûr. Vous avez vu son cadavre ?

– Non. Pas encore. Je le verrai, bien sûr, à l'enterrement.

– On s'y habitue, c'est comme pour tout. Demandez à n'importe quel médecin ou soldat.

Svenson entendit encore le bruit du vin que l'on verse.

– Très bien… qu'est-ce qu'il y a après les cadavres… Les femmes, c'est pour quand ?

– Pardon ?

L'homme ricana.

– Oh ! Mais ne me regardez pas avec ces yeux de merlan frit ! Tout le monde sait bien que vous êtes le favori de Crabbé. Vous n'êtes pas marié ?

– Non.

– Fiancé ?

– Non plus.

Il eut un instant d'hésitation.

– Il y a eu… mais rien de sérieux comme engagement. Comme je vous le disais, tous ces changements se sont produits si rapidement…

– Alors, vous allez au bordel, je suppose, ou vous couchez avec des étudiantes ?

– Non, non, dit Bascombe avec une patience toute professionnelle que Svenson reconnut comme le label du courtisan habile. Comme je le dis souvent, mes sentiments ont toujours été, eh bien… mis au service du devoir !…

– Seigneur ! Alors, c'est avec les garçons que…

– Monsieur Xonck ! dit brusquement la voix, sans doute moins choquée qu'exaspérée.

– Je demande, c'est tout. D'ailleurs, quand on a voyagé autant que moi, on ne s'étonne plus de rien. À Vienne, par exemple, on peut visiter une prison, moyennant quelques sous, comme on visite un jardin zoologique, vous voyez ? Et pour quelques pfennigs de plus…

– Monsieur Xonck… pardonnez-moi… mais l'affaire qui nous intéresse…

– Le Procédé ne vous a-t-il donc rien appris?

À cet instant, le plus jeune marqua une pause, comprenant qu'il s'agissait peut-être d'une question sérieuse malgré le ton badin.

– Bien sûr que si, ce fut une véritable transformation…

– Alors, reprenez donc du vin.

Avait-il bien entendu? Svenson entendit le vin qui coulait pendant que Francis Xonck commençait à pontifier.

– La morale est un bagage que l'on transporte avec soi. Elle n'existe nulle part ailleurs, je vous le promets. Vous comprenez? C'est là que résident liberté et responsabilité, car ce qui est normal dépend de votre point de vue, Bascombe. Et puis, les vices, c'est comme les parties génitales. Celles des autres nous paraissent affreuses, mais les nôtres nous sont tellement précieuses!

Il se mit à rire, satisfait de sa formule, prit une bonne gorgée de vin et poursuivit:

– Mais je suppose que vous, vous n'avez pas de vices, hein? Eh bien, une fois que vous aurez changé de rôle et que vous deviendrez lord Tarr, assis sur le seul gisement d'indigo que l'on trouve dans un rayon de cinq cents kilomètres, vous les verrez apparaître bien assez vite! Je sais de quoi je parle. Trouvez-vous donc une bonne petite ménagère sur laquelle vous pourrez grimper de temps à autre et qui s'occupera de la maison pendant que vous ferez ce que vous voudrez ailleurs. Mon frère, par exemple…

Bascombe eut un rire légèrement amer.

– Qu'y a-t-il, demanda Xonck.

– Non, rien.

– J'insiste.

– Non… C'est simplement que… vous voyez, la semaine dernière j'étais encore un anonyme, un rien du tout, et c'est fou ce qu'il est facile de croire, de croire profondément…

– Attendez… si vous vous mettez à raconter une histoire, il va nous falloir ouvrir une autre bouteille!… Allons-y.

Leurs pas s'éloignèrent vers le couloir, et Svenson les entendit descendre les escaliers menant à la cave. Il estima qu'il était trop risqué d'essayer de se faufiler, il ne savait pas où se trouvait la cave à vin, ni combien de temps ils seraient partis. Il pouvait essayer de trouver la porte d'entrée, mais il savait que, tant qu'on ignorait sa présence, il était mieux placé là où il était maintenant pour en apprendre davantage. Soudain Svenson se souvint. Bascombe ! C'était le secrétaire de Crabbé, un jeune type mince, toujours attentif et qui ne parlait jamais. C'est lui qui allait devenir lord ? Puis, il s'en voulut lorsqu'il comprit qu'il était en train de passer à côté de la source d'information la plus immédiate de toutes. Il sortit une autre allumette et poussa la porte sans faire de bruit. Il tendit l'oreille, ils étaient assez loin pour ne pas l'entendre. Il frotta son allumette et examina l'homme mort qui était sur la table.

Il avait peut-être quarante ans, les cheveux fins, rasé de près, le nez délicat et pointu. Son visage était recouvert de taches rouges, vives malgré la pâleur de la mort, les lèvres crispées en une grimace qui laissait voir des dents tachées par le tabac. À la hâte, profitant de son allumette, Svenson retira le drap et ne put s'empêcher de sursauter. Les bras de l'homme, à partir des coudes, étaient parcourus de veines saillantes d'un bleu macabre, uniforme et luisant. À première vue, les veines semblaient suinter, mais Svenson fut stupéfait lorsqu'il comprit qu'en fait elles étaient en verre. Il vit qu'elles couraient le long des avant-bras, s'épaississaient et creusaient la peau qui avait durci à leur contact. Il tira le drap un peu plus loin et, de stupeur, lâcha l'allumette. L'homme n'avait plus de mains. Ses poignets cassés étaient complètement bleus et dentelés, comme si ses mains avaient éclaté comme du verre.

Svenson entendit les pas revenir. Il remit le drap d'un geste vif et se retira dans la salle à manger, prudemment, en bloquant la porte battante, bouleversé par ce qu'il venait de voir. Quelques instants plus tard, il entendit les hommes passer dans le couloir puis entrer dans la cuisine.

– Un autre verre, Bascombe ? dit Xonck, puis en s'adressant à une troisième personne : Je suppose que vous vous joindrez à nous, ou du moins à moi, puisque Bascombe n'a pas l'air d'avoir très soif. Toujours en retrait à observer de loin, n'est-ce pas, Roger ?

– Si vous insistez, dit la nouvelle voix.

Svenson se figea. C'était le major Blach. Svenson serra doucement la crosse de son revolver.

– Excellent.

Xonck ouvrit une autre bouteille et remplit les verres. Il buvait et Svenson pouvait l'entendre émettre de petits murmures de plaisir.

– Il est très bon, n'est-ce pas? Nom de Dieu! Voilà maintenant que mon cigare s'éteint!

Svenson perçut la lueur d'une allumette éclairer la cuisine. Pendant ce temps-là, Xonck continuait à bavarder:

– Jetons-y un coup d'œil. Enlevez le drap, Bascombe. Le voilà, dans toute sa gloire. Alors, major, qu'est-ce que vous en dites?

Il n'y eut pas de réponse. Après un instant, l'allumette s'éteignit. Xonck ricana.

– C'est plus ou moins ce que nous avons dit nous aussi. Je crois que Crabbé, lui, a dit « Bon sang », sauf que de toute évidence, du sang, il n'y en a pas! Xonck gloussa. Mieux vaut en rire, non? C'est ce que je me dis, moi.

– Que lui est-il arrivé? demanda Blach.

– Qu'est-ce que vous croyez? Il est mort. C'était un homme d'une certaine valeur, vous savez. Plutôt doué pour la mécanique. Encore heureux qu'il nous reste Lorenz, enfin, s'il est toujours là, celui-là, parce que, major, je crois que vous ne comprenez pas très bien qui est le responsable de cette maudite catastrophe. Le responsable, c'est vous. C'est vous parce que vous n'avez pas été capable de repérer le voyou notoire qui s'est permis d'interrompre notre travail au moment le plus délicat. Tout comme vous n'avez pas été en mesure de contrôler les membres de votre propre mission diplomatique. Je présume que vous connaissez l'homme qui a récupéré le prince en nous menaçant de son pistolet. Une situation qui aurait pu être comique si elle n'avait pas causé les dégâts que nous nous devons tous maintenant de réparer!

– Monsieur Xonck…, commença le major Blach.

– Vous allez fermer votre sale gueule d'étranger, lança Xonck froidement. Je ne veux pas de vos excuses, je veux que vous réfléchissiez. Creusez-vous les méninges. Et dites-nous ensuite ce que vous avez l'intention de faire.

En dehors du tintement du verre de Xonck, on n'entendit plus un bruit. Svenson était atterré. Il n'avait jamais entendu quiconque parler de la sorte à Blach, et il n'imaginait pas que Blach pût réagir autrement que par la rage.

Blach se racla la gorge.

– Pour commencer…

– Tout d'abord, major, c'était Bascombe qui parlait et non Xonck, il y a cet homme de la légation. Le médecin du prince, je crois, non?

– Oui, siffla Blach. Mais lui, il ne compte pas. À mon retour, cette nuit, je le ferai étrangler dans son lit. On accusera n'importe qui, de toute façon, personne ne s'en souciera…

– Et puis, l'interrompit Bascombe, il y a cet homme en rouge qui nous dérange.

– Chang. On l'appelle le cardinal Chang, dit Blach.

– Il est chinois ? demanda Bascombe.

– Non, répondit Blach d'un ton hargneux.

Svenson pouvait entendre Xonck qui ricanait.

– On l'a… il s'appelle comme ça à cause des cicatrices qu'il porte sur le visage, enfin… apparemment… je ne l'ai jamais vu. Il nous a échappé. Il a tué l'un de mes hommes et il en a blessé grièvement deux autres. Ce n'est rien d'autre qu'un criminel dangereux dépourvu d'imagination et d'intelligence. J'ai posté des hommes sur ce qu'on nous a identifié comme son territoire de chasse habituel. On le retrouvera incessamment et…

– Vous me l'amènerez, dit Xonck.

– Si vous voulez.

– Troisièmement, poursuivit Bascombe, cette espionne, Isobel Hastings.

– Nous ne l'avons pas retrouvée. Personne ne l'a retrouvée.

– Elle doit bien être quelque part, major, dit Bascombe.

– Personne ne la connaît dans les bordels que l'on m'a indiqués…

– Alors, essayez dans les hôtels, hurla Xonck. Essayez dans les pensions !

– Je ne connais pas la ville aussi bien que vous…

– Passons à la suite ! aboya Xonck.

– Quatrièmement, poursuivit tranquillement Bascombe dont Svenson admirait le calme, nous devons nous arranger pour récupérer votre prince.

Svenson tendit l'oreille, c'était exactement ce qu'il attendait, mais il n'y eut qu'un silence… puis Blach, furieux, explosa :

– Qu'est-ce que vous me dites là ? ragea-t-il.

– C'est bien simple : il y a beaucoup de choses à faire encore. Avant le mariage, avant que quiconque retourne à Macklenburg…

– Mais… mais pourquoi dites-vous cela ? Vous l'avez déjà, le prince, et vous ne m'avez pas prévenu ! Vous l'avez enlevé il y a quelques heures !

Nul ne pipa mot. Blach expliqua rapidement ce qui s'était passé à la légation, l'évasion par le toit, le meuble contre la porte, puis comment Flaüss et lui venaient tout juste de se plaindre auprès de lord Vandaariff, qui avait promis de faire ce qu'il pourrait.

– Bien sûr, pendant ce temps-là, j'ai supposé que c'était vous qui l'aviez enlevé, poursuivit Blach. Même si je n'ai aucune idée de la façon dont tout cela a bien pu se produire.

Silence de nouveau.

– Nous ne détenons pas votre prince, fit Xonck d'une voix calme et posée. Très bien. Cinquièmement, Blach, vous allez poursuivre vos efforts pour trouver ce Chang et cette Isobel Hastings. Nous, nous allons trouver le prince. Bascombe vous contactera. Sixièmement… oui, sixièmement…, il s'arrêta un moment pour finir son verre. Vous allez nous aider à sortir ce pauvre Crooner de la cuisine de Mrs. Crabbé. On devrait nous avoir préparé quelque chose au bord du fleuve. Nous prendrons votre fiacre.

Vingt minutes plus tard, Svenson, seul dans la cuisine, regardait la table vide en fumant une cigarette. Il ouvrit sa trousse et en sortit un bocal vide dont il retira le bouchon. Il frotta une allumette et se pencha sur la table en l'examinant de près. Il lui fallut plusieurs allumettes avant de trouver ce qu'il cherchait, une petite paillette de ce qui semblait être du verre bleu. À l'aide d'un tampon chirurgical, il fit tomber les éclats de verre dans le bocal, remit le bouchon, et le rangea dans son sac. Il n'avait aucune idée de ce que cela pouvait être, mais il était sûr qu'une comparaison avec la carte de verre du prince lui donnerait une indication. Il fit claquer la trousse en la refermant. Il ne pouvait pas retourner à la légation. Il ne savait pas combien de temps encore il pourrait rester où il se trouvait, probablement aurait-il dû être déjà parti. Au moins, il savait qui étaient ses ennemis, ou en tout cas quelques-uns d'entre eux.

Ni Xonck ni Bascombe n'avaient mentionné madame di Lacquer-Sforza. Svenson se demanda si ce pouvait être elle, la responsable de l'enlèvement du prince. Mais elle aussi était à la recherche de cette Hastings. Tous ces visages se super-posaient de façon inquiétante. Ces hommes avaient parlé de Lorenz comme s'il était l'un des leurs, alors que Svenson l'avait vu de ses propres yeux auprès de madame di Lacquer-Sforza. Peut-être se trahissaient-ils tous les uns les autres, alors qu'ils avaient été complices jusque-là. Quelque part dans la maison, une horloge sonna trois heures. Svenson ramassa sa trousse et sortit.

La grille de la ruelle était maintenant fermée à clé et Svenson passa par-dessus avec le manque de souplesse d'un homme peu habitué à ce genre d'exercice, surtout à une heure pareille. Le brouillard était toujours aussi dense, la rue toujours aussi sombre, et Svenson n'avait toujours pas de destination précise. Il s'éloigna encore de l'enceinte, en direction de Circus Garden, au cœur de la ville. Il restait dans l'ombre et essayait de forcer son cerveau exténué à fonctionner.

Bien que le prince fût assurément en danger, Svenson ne croyait pas qu'il fût précisément en danger de mort imminente. En même temps, il avait frissonné en entendant Xonck mentionner un « procédé ». Est-ce que ça pouvait avoir quelque chose à voir avec les brûlures sur le visage ? Cela ressemblait presque à un rituel païen, à un rite tribal de tatouage ou même, pensa-t-il avec gravité, à la marque au fer rouge du bétail. L'homme mort, Crooner, était manifestement mêlé à tout cela. La science jouait également un rôle, c'était pour cette raison que tout se déroulait à l'Institut et que Lorenz était impliqué lui aussi dans cette affaire. Mais qui n'était pas mêlé à tout cela, à part Svenson lui-même ? La réponse lui sauta aux yeux : Isobel Hastings et l'homme en rouge, ce dangereux Chang. Il fallait qu'il les trouve avant le major Blach. Ils sauraient peut-être même comment récupérer le prince.

Svenson continua à marcher, ses bottes crissaient sur les pavés mouillés. Son esprit se mit à divaguer, la fraîcheur humide du brouillard lui rappela Warnemünde, la rampe froide de la jetée, la neige qui tombait en silence sur la mer. Il se souvint d'un jour de sa jeunesse où il avait marché dans la forêt en hiver, un jour où il était une fois de plus en plein désespoir et où il voulait être seul. Il s'était assis sous un pin, emmitouflé dans son manteau épais. Après s'être creusé un nid douillet dans la neige, il s'était allongé pour regarder au-dessus de lui, à travers les branches hautes. Il ne savait pas combien de temps il était resté là, l'esprit à la dérive, jusqu'à manquer de s'endormir, quand il se rendit compte qu'il avait froid, que la chaleur de son corps était absorbée progressivement par la neige et l'air glacial. Il avait le visage engourdi. Tout s'était passé si lentement, il ne s'en était pas aperçu. Il ne se souvenait même plus du nom de la fille qui l'avait mis dans cet état. Mais, alors qu'il s'efforçait de bouger ses membres, en roulant d'abord pour se retrouver à genoux, puis debout et chancelant, il comprit en un éclair l'essence même de sa vie, et de la vie humaine en général : une progressive et implacable dissolution de la chaleur dans la beauté insensible de la glace.

Il s'arrêta et regarda autour de lui. À sa droite se trouvait l'entrée principale du parc de Circus Garden. À gauche, il y avait des bassins en marbre. Il devait prendre une décision. S'il partait à la recherche de Chang, l'homme en rouge, et s'il avait la chance de repérer son terrain de chasse, il tomberait plus probablement sur l'un des soldats du major Blach. Pour chercher Isobel Hastings, il fallait connaître la ville, ses hôtels et ses pensions, ce qui n'était tout simplement pas son cas. Selon les intéressés eux-mêmes, le groupe de comploteurs que formaient Crabbé, Xonck et d'Orkancz ne détenait pas le prince. Bien que la simple idée l'effrayât et fît trembler tout son corps, bien qu'il n'eût pas confiance en lui, la meilleure solution qui lui vint à l'esprit fut madame di Lacquer-Sforza et l'hôtel Ste-Royale. Il ne se trouvait qu'à quelques minutes de là et peut-être qu'en brandissant sa trousse de médecin, on lui ouvrirait à une heure aussi tardive.

On voyait encore de la lumière à travers les fenêtres de l'hôtel, mais la rue était silencieuse et vide. Svenson se dirigea vers la porte vitrée. Elle était fermée à clé. Avant qu'il eût le temps de cogner sur la vitre, il aperçut un réceptionniste en uniforme qui s'avançait vers lui, un trousseau de clés à la main, alerté lorsque Svenson avait tourné la poignée. L'homme déverrouilla la porte et l'ouvrit de quelques pouces.

– Que puis-je faire pour vous ?

– Je sais bien qu'il est tard, ou tôt… mais je cherche… Je suis médecin et il est très important que je parle à l'une de vos clientes, une certaine madame di Lacquer-Sforza.

– Ah ! la Contessa !

– La Contessa ?

– C'est impossible. Vous êtes médecin ?

– Oui, je m'appelle Svenson. Je suis sûr qu'elle me recevra…

– Oui, docteur Svenson, je suis désolé, mais c'est impossible.

L'employé regarda derrière Svenson, dans la rue, et il fit claquer sa langue, comme pour faire avancer un cheval. Svenson se retourna pour voir à qui s'adressait ce signal. Dans l'ombre, de l'autre côté de la rue, il vit s'avancer quatre hommes. Svenson les reconnut à leurs manteaux, c'était les gardes de l'Institut. Il se retourna vers la porte, le réceptionniste l'avait refermée et il était déjà en train de la verrouiller. Svenson cogna avec son poing. L'employé l'ignora. Svenson fit volte-face pour affronter les hommes qui étaient dans la rue. Ils s'étaient placés en un demi-cercle assez large autour de lui, au milieu de la rue, empêchant toute fuite. Il plongea sa main dans sa poche et sentit le revolver.

– Vous n'avez pas besoin de ça, docteur, souffla une voix grave et rauque à sa droite.

Il leva la tête et vit la silhouette large et intimidante du comte d'Orkancz, debout dans l'ombre, devant les fenêtres. Il portait un haut-de-forme ainsi qu'un lourd manteau de fourrure et il tenait dans sa main droite une canne au pommeau serti d'argent. Il jeta à Svenson un regard froid et scrutateur.

– Vous en aurez peut-être besoin tout à l'heure, mais pour l'instant nous devons parler de choses plus urgentes, je vous l'assure. J'avais espéré que vous viendriez et vous ne m'avez pas déçu. Une telle entente est une bonne façon de commencer notre conversation. Vous m'accompagnez?

Sans attendre de réponse, le comte se tourna et s'éloigna à grands pas dans le brouillard. Svenson jeta un coup d'œil aux hommes, il eut un peu de mal à avaler sa salive, et se dépêcha de le suivre.

– Pourquoi m'attendiez-vous? demanda-t-il une fois qu'il l'eut rejoint.

– Pourquoi demandiez-vous à voir la Contessa à cette heure indue?

Svenson chercha une réponse. Il regarda derrière eux et vit les quatre hommes qui les suivaient à quelques mètres.

– Vous n'avez pas besoin de répondre, chuchota d'Orkancz. Nous avons tous nos petits secrets. Je suis sûr que vous aviez de bonnes raisons. Quand j'ai appris que vous faisiez partie de la suite du prince, je me suis rappelé votre nom. Vous êtes bien l'auteur de cette précieuse brochure sur les engelures?

– Je suis en effet l'auteur de cette brochure. Je ne sais si elle est précieuse…

– …qui, si je me souviens bien, se penchait notamment sur la curieuse ressemblance entre les lésions causées par le froid intense et celles que provoquent certaines brûlures.

– En effet.

Le comte d'Orkancz hocha la tête, gravement.

– C'est précisément pour cela que je vous attendais.

Il mena Svenson dans une allée élégante que longeait le mur en pierres d'un jardin. Ils s'arrêtèrent à une porte en bois, abritée par un porche voûté à la façon des églises. Le comte l'ouvrit et le mena à l'intérieur. Ils s'avancèrent dans le jardin, traversant une pelouse épaisse et moelleuse. Svenson entendit derrière eux le pas des gardes qui entraient à leur tour et fermaient la porte. Autour de lui, il vit de grandes urnes, des plates-bandes vides et des branches nues qui pendaient. Au-dessus, il n'y avait que le ciel voilé de brouillard. Il se dépêcha pour suivre le comte qui marchait d'un pas rapide vers une grande serre éclairée de l'intérieur par une lanterne. Le comte ouvrit l'une des portes de verre, entra et s'effaça devant Svenson. Celui-ci entra à son tour, saisi par une bouffée d'air chaud, humide et fétide. D'Orkancz ferma la porte en laissant les quatre gardes dans le jardin. Il désigna un portemanteau qui se trouvait près de là.

– Vous allez devoir enlever votre manteau.

Svenson se rendit compte que le sol était recouvert d'un tapis. En traversant la serre, le comte retira son manteau de fourrure et se dirigea vers un grand lit à baldaquin dont les rideaux étaient soigneusement fermés. Il déposa son manteau, son chapeau et sa canne sur une petite table de travail en bois et jeta délicatement un coup d'œil derrière les rideaux. Il resta là à regarder pendant peut-être deux minutes, le visage impassible. Svenson sentait déjà la sueur perler sur tout son corps. Il posa sa trousse et, lorsqu'il enleva son manteau pour l'accrocher au portemanteau, il sentit le poids de son revolver dans la poche. Il n'aimait pas l'idée de se séparer de son arme mais, de toute façon, il imaginait mal se frayer un chemin vers la sortie en tirant sur d'Orkancz et sur tous ses sbires. D'Orkancz lui fit signe de s'approcher. Il écarta le rideau alors que Svenson s'avançait.

Une femme était étendue sur le lit. Elle frissonnait, enveloppée de couvertures épaisses, les yeux fermés, la peau pâle ; elle respirait faiblement. Svenson tourna les yeux vers le comte.

– Est-ce qu'elle dort ? chuchota-t-il.

– Je ne crois pas. Si elle n'était pas si froide, je dirais qu'il s'agit d'une fièvre. Mais elle est froide, et donc je ne vois pas ce qu'elle a. Vous pouvez peut-être… s'il vous plaît.

Il s'écarta en ouvrant davantage les rideaux.

Svenson se pencha pour étudier le visage de la femme. Il fut frappé de voir que ses traits avaient quelque chose d'asiatique.

Il souleva sa paupière, prit son pouls sur son cou et remarqua avec un certain malaise que ses lèvres et sa langue étaient d'un bleu vif, bleu de cobalt. Il fut encore plus affligé de trouver sur son visage et son cou des marques semblables à celles que pourrait laisser un corset sur la peau, ou une pieuvre sans doute. Il prit sa main sous les couvertures, sentit qu'elle était froide, mais il perçut aussi les pulsations de son cœur. Il vit qu'au bout de chacun de ses doigts la peau avait été arrachée. Il prit la main de l'autre côté du lit et constata que les doigts étaient dans le même état. Svenson rabaissa les couvertures jusqu'à hauteur de la taille. La femme était nue et les marques bleuâtres sur sa peau couraient le long de sa poitrine. Il sentit un mouvement à côté de lui. Le comte avait apporté sa trousse. Svenson en sortit son stéthoscope et écouta les poumons de la femme. Il se tourna vers le comte.

– A-t-elle été dans l'eau?

– Non, répondit-il d'une voix rauque.

Svenson fronça les sourcils en écoutant sa respiration laborieuse. Elle respirait comme quelqu'un qui a failli se noyer. Il chercha dans sa trousse, en sortit un thermomètre et un bistouri. Il allait devoir prendre sa température et pratiquer une saignée.

Quarante minutes plus tard, Svenson s'était lavé les mains et se frottait les yeux. Il regarda dehors pour voir si le soleil s'était levé, mais le ciel était encore sombre. Il bâilla, en essayant de se rappeler la dernière fois qu'il avait passé une nuit blanche; c'était à une époque où il avait plus de résistance, en tout cas. Le comte arriva près de lui, avec une tasse en porcelaine blanche à la main.

– Café et brandy, dit-il en tendant la tasse à Svenson, puis il se dirigea vers la table pour récupérer la sienne.

C'était un café noir et chaud, presque brûlant, mais parfait. Avec le brandy, une dose plutôt forte pour une aussi petite tasse, c'était exactement ce dont il avait besoin. Il en savoura une autre gorgée et vida la tasse.

– Merci.

Le comte d'Orkancz hocha la tête, puis son regard se posa de nouveau sur le lit.

– Quelle est votre opinion, docteur? Est-il possible qu'elle guérisse un jour?

– Il me faudrait plus de renseignements.

– Nous verrons. Pour l'instant, je vous dirai que son état est le résultat d'un accident, qu'elle n'a pas été dans l'eau, mais qu'elle a été gorgée d'eau. Ce n'était pas non plus simplement de l'eau, mais un liquide aux propriétés particulières, un liquide chargé en énergie. Cette femme était prête à se soumettre à un traitement, mais, à mon grand regret, celui-ci a été interrompu. Lorsque la direction du liquide a été inversée, elle a été, pour ainsi dire, à la fois vidée et inondée.

– Oui, c'est bien ce dont j'ai entendu parler… ce que j'ai vu, sur le prince, avec ces cicatrices… le Procédé…

– Le Procédé ? dit sèchement d'Orkancz alarmé, mais très vite sa voix retrouva son calme. Bien sûr, j'imagine que vous avez parlé au prince. Il était sans doute incapable de cacher quoi que ce soit, c'est bien regrettable.

– Vous devez comprendre que la seule chose qui m'intéresse ici, c'est d'accomplir mon devoir en le protégeant, et d'accomplir mon devoir de médecin, en toute bonne foi. Et si c'est cela que vous avez fait subir à Karl-Horst…, dit Svenson en désignant la femme, sa peau pâle et presque lumineuse à la lueur de la lanterne.

– Je n'ai rien fait de tel.

– Mais…

– Vous n'en savez rien. Mais qu'en est-il de cette femme, s'il vous plaît, Svenson ?

Le ton sec et brusque du comte mit fin aux protestations du docteur. Il épongea la sueur de son visage.

– Si vous avez lu mon travail d'assez près pour vous rappeler mon nom, vous le savez déjà. Elle présente tous les signes de quelqu'un qu'on aurait sauvé après une longue immersion dans l'eau glacée, celle de la Baltique en hiver, par exemple. À certaines températures, les fonctions corporelles ralentissent subitement et cela peut être mortel ou bien agir comme un agent de conservation. Elle est vivante, elle respire. Je ne peux dire si cela a causé des lésions irréversibles à son cerveau. Je ne sais pas non plus si elle se réveillera jamais de ce… ce sommeil d'hiver… je n'en sais rien… Mais je… je dois vous demander ce que sont ces marques sur son corps. Qu'est-ce qu'on a bien pu lui faire ?…

D'Orkancz leva la main. Svenson cessa de parler.

– Y a-t-il quelque chose à faire maintenant, docteur ? Toute la question est là.

– La maintenir au chaud. La forcer à boire quelque chose de chaud. Je vous suggère une sorte de massage pour favoriser la circulation, un massage superficiel… Le mal est peut-être déjà fait, ou alors elle a encore une chance de s'en sortir.

Le comte d'Orkancz resta silencieux. Sa tasse de café était encore pleine à côté de lui.

– Une dernière question, docteur Svenson. Probablement la plus importante de toutes.

– Oui ?

– Croyez-vous qu'elle soit en train de rêver ?

Svenson fut pris au dépourvu, car le ton du comte n'était pas tout à fait amène. Dans l'inquiétude de sa voix résonnait le ton impitoyable de l'inquisiteur. Il répondit avec prudence, regardant encore une fois vers le lit dont les rideaux avaient été refermés.

– Il y a un mouvement irrégulier des yeux, cela pourrait être dû à une sorte d'état de fugue… elle n'est pas catatonique… elle n'est pas consciente, mais peut-être que… son esprit… elle rêve peut-être… ou elle délire… elle est peut-être en paix.

Le comte d'Orkancz ne répondit pas tout de suite, perdu dans ses pensées. Puis soudain il ajouta, levant les yeux :

– Et maintenant, que vais-je faire de vous, docteur Svenson ?

Les yeux de Svenson clignèrent en direction de son manteau, pendu à la patère, avec le revolver dans la poche.

– Je vais vous laisser…

– Restez où vous êtes, docteur, murmura-t-il sèchement, jusqu'à nouvel ordre. Vous m'avez aidé, et je préférerais récompenser votre secours, mais vous défendez des intérêts tout à fait opposés à ceux que je dois préserver.

– Il faut absolument que je retrouve mon prince.

Le comte d'Orkancz soupira.

Svenson chercha quelque chose à dire, mais ne savait pas très bien ce qu'il pouvait ou non révéler. Il pouvait évoquer Aspiche, Lorenz, madame di Lacquer-Sforza ou le major Blach, il pouvait aussi parler de la carte de verre, mais ne savait pas si cela le rendrait plus précieux aux yeux du comte ou, au contraire, plus dangereux. Avait-il plus de chances d'être épargné s'il passait pour un simple serviteur du prince, loyal et ignorant ? Il ne distinguait pas ce qui se trouvait à l'extérieur de la serre à cause du reflet des lueurs de la lanterne sur la verrière. Il ne voyait pas où se trouvaient les gardes. Même s'il pouvait se saisir de son revolver et, d'une manière ou d'une autre, abattre d'Orkancz qui avait la carrure de quelqu'un de fort, comment pourrait-il venir à bout des autres ? Il ne savait pas où il se trouvait, il était épuisé, n'avait pas d'endroit où se cacher et ne savait toujours pas où se trouvait le prince.

Il leva les yeux vers le comte.

– Me laisseriez-vous fumer une cigarette ?

– Non, docteur.

– Ah !

– Vos cigarettes sont dans votre manteau, n'est-ce pas ?

– En effet…

– Sans doute très près du revolver de service que vous avez brandi plus tôt ce soir. N'avez-vous pas l'impression que tant de choses se sont passées depuis ? J'ai été aux prises avec la mort et le chaos, avec les intrigues et les châtiments. Tout comme vous. Et vous, vous avez perdu votre prince encore une fois. Nous serions presque comiques, si les conséquences de tout cela n'étaient pas aussi sanglantes. Avez-vous déjà tué quelqu'un, docteur ?

– Je crains que beaucoup d'hommes n'aient perdu la vie entre mes mains…

– Sur la table d'opération, certes, mais ce n'est pas la même chose. Vous pouvez toujours vous accuser de toutes les erreurs du monde, c'est entièrement différent, vous le savez bien. Vous voyez exactement ce que je veux dire.

– C'est vrai. Mais il n'en reste pas moins que j'ai déjà tué quelqu'un.

– Quand ?

– C'était à Brême. Un homme qui avait, selon toute vraisemblance, corrompu une jeune nièce du duc. Il était intraitable… mes instructions ont… je… je l'ai forcé à boire un poison, sous la menace d'un pistolet. Je n'en tire vraiment aucune gloire. Il faudrait être idiot pour s'en vanter.

– Savait-il ce qu'il était en train de boire ?

– Non.

– Je suis sûr qu'il s'en doutait un peu.

– Peut-être.

Svenson se souvint du visage congestionné de l'homme, du bruit sec dans sa gorge, de ses yeux révulsés puis, lorsqu'il avait récupéré les lettres compromettantes dans ses poches, de l'odeur âcre de sa bile. Ce souvenir l'avait hanté longtemps. Svenson se frotta les yeux. Il avait chaud, de plus en plus. L'air de la pièce était suffocant. Il avait la bouche complètement sèche. Il sentit soudain une montée d'adrénaline. Il regarda le comte, puis sa tasse de café vide. Ce qu'il avait bu avait mis combien de temps à l'étourdir? Il regarda la tasse intacte du comte sur la table. Puis, la table fut au-dessus de lui. Il était tombé à genoux, et il se rendit vaguement compte qu'il n'avait même pas senti le contact du sol. Il avait la tête qui tournait. Il sentit les fibres du tapis contre son visage. Il s'évanouissait, il chavirait dans un liquide chaud et sombre.

Il ouvrit les yeux dans l'obscurité, en proie à un sentiment d'urgence à la fois vague et pourtant tenace, mais sans objet précis, qui perçait le voile chaud et cotonneux du sommeil. Il cligna des yeux. Ses paupières étaient incroyablement lourdes. Il les referma, puis se réveilla en sursaut cette fois. Tout son corps s'ébroua et il comprit mieux ce que ses sens lui indiquaient: le grain rugueux du bois contre sa peau, une odeur d'huile et de poussière, un bruit de roues et de sabots. Il se trouvait à l'arrière d'une charrette, il apercevait la bâche au-dessus de lui dans la pénombre. La voiture suivait son chemin en cahotant, elle roulait sur des pavés inégaux, et les soubresauts l'avaient réveillé plus tôt que prévu. Il leva la main droite et, à environ soixante centoimètres, il sentit la toile qui le recouvrait. Sa bouche et sa gorge étaient sèches, ses tempes palpitaient. Il se rendit compte, avec un plaisir froid, qu'il n'était pas mort, que pour une raison qu'il ignorait le comte ne l'avait pas, ou pas encore, éliminé. Il tâta autour de lui. Ses membres étaient endoloris mais lui obéissaient. Son manteau se trouvait à côté de lui. Le revolver avait disparu, mais la carte de verre était encore dans sa poche. Il étendit le bras et sursauta lorsque sa main rencontra une jambe bottée. Svenson déglutit et ses yeux se révulsèrent.

Combien de morts ou de demi-morts, s'il comptait la femme et les soldats, s'étaient trouvés sur son chemin au cours de la journée? Si cela n'avait pas été aussi horrible, tout ceci aurait pu être risible. Avec une détermination un peu morbide, le docteur poussa plus loin ses investigations. Il se trouvait tête-bêche avec un cadavre. Il passa des bottes au pantalon, qui portait un liseré, un galon ou une soutache. C'était bien un uniforme. Il suivit la jambe jusqu'à ce qu'il trouvât une main. Une main d'homme, glaciale.

La charrette se remit à brinquebaler et, malgré sa fatigue extrême, Svenson s'efforça de déterminer dans quelle direction on l'emmenait. Sa tête était-elle orientée vers l'avant ou vers l'arrière de la voiture? Impossible à dire. La charrette avançait si lentement et sur une surface si inégale qu'il ne percevait que les soubresauts. Il étendit son bras derrière lui et sa main rencontra un panneau en bois. Il continua d'explorer l'endroit où cette pièce était fixée au côté de la charrette, et il ne trouva ni gonds ni verrou. Est-ce que ça pouvait être l'arrière ? Si c'était le cas, le panneau était verrouillé de l'extérieur ; pour sortir, il lui faudrait l'enjamber et peut-être même devrait-il découper la bâche, s'il trouvait un objet adéquat. Il chercha à tâtons sa trousse, mais elle n'était nulle part. En grimaçant, il retourna au cadavre et fouilla les poches du manteau de l'uniforme, puis celles du pantalon : elles avaient toutes été vidées. Ses doigts trouvèrent le col et, non sans un certain dégoût, touchèrent ses galons. Un colonel. Svenson parvint ensuite à atteindre le visage de l'homme : un cou trapu, une moustache et, toujours aussi légères, les marques autour des yeux. Il se trouvait à côté d'Arthur Trapping.

Le docteur Svenson roula sur le dos, les yeux clos et la main sur la bouche. Il inspirait par le nez et expirait lentement dans sa main. Il fallait qu'il reprenne ses esprits. On l'avait drogué et on le transportait avec un cadavre qu'on essayait de cacher, sans doute pour se débarrasser d'eux. Il n'avait ni arme ni alliés, il se trouvait en pays étranger, sans savoir où il était exactement, même si les pavés lui indiquaient qu'il était encore en ville. Il essayait de se concentrer, avait encore les idées un peu embrouillées et se sentait extrêmement fatigué.

Il s'efforça de faire l'inventaire de ses poches : un mouchoir, des billets de banque, des pièces de monnaie, un bout de crayon, un morceau de papier plié, son monocle. Il roula vers Trapping et le fouilla encore, de façon plus minutieuse cette fois. À l'intérieur de sa veste, dans la doublure, à l'endroit où l'on accroche les médailles, il sentit quelque chose de dur. Il rampa plus près du corps et se souleva maladroitement sur les coudes en attrapant à deux mains la couture du manteau de Trapping. Il tira sur le tissu d'un coup sec et le sentit céder. Un cahot lui fit perdre l'équilibre. Il s'agrippa plus solidement et tira de toutes ses forces. La doublure s'ouvrit. Svenson introduisit un doigt dans la déchirure et sentit une surface dure et lisse. Il rentra son pouce dans le trou et retira l'objet de sa cachette. Il n'eut pas besoin de lumière pour constater qu'il s'agissait d'une autre carte de verre. Il la mit dans la poche de son manteau, à côté de celle qu'il possédait déjà. Tout à coup, il se rendit compte qu'il ne bougeait plus. La charrette s'était arrêtée.

Il la sentit remuer alors que les cochers descendaient, puis il entendit des voix de chaque côté. Il prit son manteau et ferma les yeux ; il pouvait au moins feindre de dormir. Si l'occasion se présentait de faire tomber ou d'assommer quelqu'un, il valait mieux que l'on crût qu'il dormait ou qu'il était incapable de bouger. Il était loin de se sentir gaillard mais, même au meilleur de sa forme, il n'était vraiment pas un combattant hors pair. Il entendit à ses pieds le bruit métallique d'un verrou que l'on ouvrait, et l'on abaissa le panneau arrière de la voiture. On retira la bâche et Svenson sentit sur son visage la fraîcheur et l'humidité de l'air matinal. La lueur qui parvenait à travers ses paupières closes lui indiquait qu'il faisait jour. Avant de pouvoir décider clairement s'il devait ouvrir les yeux ou non, il sentit un coup violent à l'estomac. Un coup asséné avec une perche en bois qui le plia en deux et le fit suffoquer de douleur. Il ouvrit les yeux, sa bouche se tendit, il essaya de retrouver son souffle, les mains appuyées sur le ventre. La douleur lui traversa tout le corps. Au-dessus de lui, les rires stridents et impitoyables de quelques hommes fusèrent.

Au prix d'un immense effort et pour prévenir d'autres coups, le docteur Svenson se souleva péniblement, prit appui sur ses bras, roula sur le côté et s'efforça de faire glisser ses jambes sous lui, une à la fois, pour pouvoir s'agenouiller. Ses cheveux blond terne étaient retombés devant ses yeux et il les repoussa d'un geste raide. Il sortit son monocle de sa poche et le mit en place pour observer la scène autour de lui.

La charrette était arrêtée dans une cour pavée et la brume matinale s'accrochait aux toits qui l'entouraient. La cour était jonchée de barils et de tonneaux d'où sortaient des pièces de métal déformées et rouillées. Sur le côté, il y avait une double porte, et derrière cette porte, une forge. Il se trouvait chez un forgeron. Deux des sbires du comte se tenaient debout, de l'autre côté de la charrette. L'un d'eux tenait une longue perche munie d'un crochet pointu. L'autre, plus pragmatiquement, avait en main le revolver de Svenson.

Le docteur regarda le corps de Trapping à la lumière. Sur son visage grisâtre, les cicatrices qui marquaient le contour de ses yeux étaient maintenant violettes. On ne voyait aucun indice évident de la cause de sa mort, pas de blessure, pas de traces de coup, pas de décoloration particulière. Svenson remarqua que l'une des mains de Trapping portait un gant, et que le bout de l'index en était déchiré. Il se pencha et tenta de le lui enlever. L'extrémité du doigt était couleur indigo, la peau avait été perforée par une sorte d'aiguille ou de lame très mince et, autour de l'incision, elle était recouverte d'une poudre bleu pâle. Lorsqu'il entendit un bruit venant de la forge, Svenson leva la tête et vit Francis Xonck et le major Blach qui traversaient la cour. Il laissa tomber le gant sur la main.

– Enfin! s'exclama Francis Xonck, nous sommes prêts à descendre sur les berges.

Il sourit à Svenson.

– Mais nous n'étions prêts que pour deux. Il va falloir improviser. Par ici, servez-vous de la brouette.

Il s'avança vers une barrière qu'il poussa. Derrière, on pouvait voir un chemin pavé en pente. Xonck descendit. Blach dévisageait Svenson avec une haine farouche dans les yeux et il claqua des doigts. De la forge, derrière lui, surgirent deux de ses soldats en noir. Svenson ne les reconnut pas, mais il est vrai qu'il n'était pas très physionomiste. Avant de suivre Xonck, le major Blach hurla:

– Escortez le docteur!

Svenson chancela en sortant de la charrette, il prit son manteau et, encadré par les deux soldats, quitta la cour. Il regarda derrière lui pour voir les hommes du comte qui jetaient Trapping dans la brouette.

Alors qu'ils marchaient, Svenson, qui avait très froid, enfila son manteau. Le chemin était bordé de palissades de bois brut percées de trous et il serpentait entre des bâtiments délabrés et des tas d'ordures. Il savait qu'ils se dirigeaient vers le fleuve. Sa douleur à l'estomac s'était estompée et la peur qu'il avait éprouvée sur le coup était en train de se muer en un fatalisme téméraire et froid. Il appela le major Blach avec tout le mépris dont il fut capable.

– Avez-vous trouvé le prince, major? Ou avez-vous passé la nuit à boire le vin de quelqu'un d'autre… à lécher… d'autres bottes?

Blach s'arrêta et se retourna. Malgré sa bouche sèche, Svenson cracha en direction du major. Le crachat n'alla pas bien loin, mais l'intention était claire. Le major Blach devint écarlate et se précipita vers Svenson. En tête de la marche, Francis Xonck l'interpella sèchement.

– Major!

Blach s'arrêta net, lança encore un regard assassin à Svenson et continua sa marche le long du chemin. Xonck regarda par-dessus l'épaule du major, croisa le regard de Svenson et ricana. Il attendit que Blach le rejoignît, le prit par le bras et le poussa en avant. Ainsi Xonck se retrouva entre eux, le major Blach devant. Svenson regarda derrière lui. Les hommes du comte descendaient le corps recouvert d'une toile goudronnée. L'un d'entre eux tenait la brouette et l'autre suivait derrière avec le pistolet. Svenson ne voyait aucune échappatoire. Alors, de nouveau, il s'adressa à Blach, d'une voix plus forte.

– C'est facile de trahir sa patrie, major? Je me demande... comment vous ont-ils acheté? avec de l'or? un nouvel uni-forme? des femmes? de jeunes hommes aux corps d'athlètes? un élevage de moutons?

Le major Blach fit demi-tour et essaya de dégainer son pistolet. De justesse, Xonck, qui était plus fort qu'il ne le paraissait, le prit à deux mains par l'uniforme et l'immobilisa. Quand le major eut renoncé à attaquer, Xonck lui fit faire demi-tour, lui chuchota quelque chose à l'oreille et le poussa en avant. Une fois que le major se fut éloigné de quelques pas, Xonck se tourna vers Svenson et fit signe aux soldats. Ils bousculèrent le docteur qui se remit à marcher juste derrière Xonck. Ce dernier lui jeta un coup d'œil en souriant.

– J'aurais dit un élevage de cochons au lieu d'un élevage de moutons, mais je crois qu'il a compris ce que vous vouliez dire. Je suis Francis Xonck.

– Médecin-capitaine Abélard Svenson.

– Je me suis laissé dire que vous êtes bien plus que ça, répliqua Xonck en souriant. Vous avez réussi à impressionner le comte d'Orkancz, ce qui est tellement rare qu'il faudrait vous organiser une petite parade pour la peine!

Il sourit en regardant les soldats et les hommes qui les suivaient avec les brouettes.

– Après tout, c'en est peut-être une.

– J'aurais préféré plus de drapeaux, dit Svenson, et des trompettes.

– Ce sera pour une autre fois, j'en suis certain, ricana Xonck.

Devant eux, Svenson apercevait le fleuve. En fait, ils en étaient très près, la brume et les bâtiments autour d'eux les avaient empêchés de le voir.

– Avez-vous retrouvé le prince? demanda Svenson d'un air désinvolte.

– Pourquoi ? Vous l'avez trouvé, vous ? répondit Xonck.

– J'ai bien peur que non, admit Svenson. Mais je sais qui l'a enlevé.

– Vraiment ? Xonck le scruta, l'œil brillant. Cela doit vous faire plaisir, non ?

– Je ne suis pas sûr que vous connaissiez ceux qui l'ont fait. Par contre, je suis certain que vous ou vos complices avez essayé de l'enlever.

Xonck ne répondit pas, mais Svenson vit que son sourire s'était quelque peu figé et que son regard inquisiteur s'était voilé. Xonck regarda droit devant et vit qu'ils approchaient du bout du chemin.

– Ah ! rivage majestueux ! Nous sommes arrivés.

Le chemin s'ouvrait sur une cale inclinée qui pénétrait dans les eaux grises du fleuve. De part et d'autre s'étendaient des jetées en pierre destinées à l'embarquement et au débarquement des passagers et des marchandises. Amarrée à la jetée de gauche attendait une barge plate et étroite, assez ordinaire, munie d'une rame à l'arrière, comme celle d'une gondole. À l'avant, une plaque amovible s'abaissait pour servir de passerelle. Au milieu de la barge se trouvait un cercueil en métal. Un autre, fermé, était posé sur le quai. Svenson se rendit compte que, une fois la barge dans l'eau, la passerelle pouvait s'abaisser encore et permettre de pousser les cercueils dans les eaux du fleuve. Faire couler les cercueils en essayant de les lancer par-dessus bord aurait pu faire chavirer l'embarcation.

Deux des hommes du comte se trouvaient dans la barge et s'avancèrent pour aider les autres à installer le corps d'Arthur Trapping dans le cercueil vide. Debout entre les deux soldats, Svenson les regarda sceller le couvercle. Avec un léger sursaut d'espoir, il remarqua que, dans la brouette, sous le corps de Trapping, un des hommes avait jeté sa trousse. Il leva la tête et vit le major Blach sur le quai qui le foudroyait du regard. Alors que Xonck passait devant lui et se mettait à ses côtés, le major dit d'un ton méprisant :

– Qu'est-ce qu'on fait de lui ? en désignant Svenson. Il n'y a que deux cercueils.

– Que proposez-vous ? demanda Xonck.

– Renvoyez-le à la forge et qu'on le leste avec du métal et des chaînes.

Xonck acquiesça et se tourna vers les hommes du comte qui avaient ramené le corps :

– Vous avez entendu. Du métal, des chaînes, et vite.

Svenson fut soulagé de voir qu'ils avaient jeté la trousse par terre avant de repartir en courant avec la brouette vers le haut du chemin. Le major Blach dégaina son pistolet et, en regardant Svenson, hurla à ses hommes :

– Aidez-les à remplir la barge. Je le surveille.

Xonck désigna le pistolet de Blach en souriant, puis embrassa le paysage du regard en étendant les bras.

– Vous remarquerez, docteur Svenson, combien ce matin est paisible. Vous êtes un homme intelligent, vous comprendrez donc que le pistolet du major pourrait rompre cette paix et attirer sur nos efforts une attention malvenue. En fait, un homme intelligent pourrait aussi supposer qu'un appel à l'aide bien lancé pourrait avoir les mêmes conséquences, je suis alors obligé de préciser que si vous agissiez ainsi, nous n'aurions plus *besoin* de préserver ce silence magnifique. Ce qui revient à dire que si vous faites le moindre bruit, on vous tirera dessus sans plus d'hésitation que pour un bâtard qui a attrapé la rage.

– C'est vraiment très aimable à vous de m'expliquer les choses avec autant de tact, murmura Svenson.

– L'amabilité ne coûte pas grand-chose, concéda Xonck en souriant.

Les soldats se dirigèrent vers le cercueil, mais l'un d'eux considéra le docteur avec une certaine curiosité, voire une sorte de doute. Svenson les regarda transporter le cercueil sur la barge. Lorsqu'ils furent parvenus à équilibrer le chargement, deux d'entre eux prirent place de chaque côté de l'embarcation, dans l'eau jusqu'aux genoux, un troisième resta dans la barge et un autre enfin poussa derrière. Svenson interpella le major Blach.

– Dites-moi, major, Flaüss est-il un traître comme vous, ou se contente-t-il d'être incompétent ?

Blach arma son pistolet. Xonck poussa un soupir et mit sa main sur le bras du major.

– J'insiste, docteur. Vous devez arrêter cela.

– Si je dois être assassiné, permettez-moi de savoir si je laisse mon prince entre les mains de deux traîtres ou d'un seul.

– Mais actuellement il n'est entre les mains de personne.

– Il n'est pas entre leurs mains à eux.

– Oui, oui, dit Xonck d'un ton sec. Vous me l'avez déjà dit. Mais faites donc attention !

Les hommes avaient poussé le cercueil trop loin sur la barge et toute l'embarcation penchait dangereusement. Un homme s'élança pour équilibrer le poids, pendant que les trois autres remettaient le cercueil en place. Les deux hommes du comte prirent prudemment position sur la barge, l'un à la rame arrière, l'autre sortant de plus petits avirons pour les côtés.

– Pourquoi vous donnez-vous tout ce mal pour transporter le colonel jusqu'ici? demanda Svenson. Pourquoi ne le faites-vous pas disparaître dans un canal près de Harschmort?

Xonck regarda le major de côté.

– Mettez cela sur le compte de la minutie germanique, dit-il.

– Le comte a examiné son corps, répondit Svenson, sachant soudain que c'était vrai. Dans sa serre.

Il y avait quelque chose qu'ils ignoraient... ou bien ils avaient quelque chose à cacher... à cacher aux gens de Harschmort? ou à Vandaariff? N'étaient-ils pas tous complices?

– Il faut le tuer, rugit Blach.

– Certainement pas avec ça, répondit Xonck en montrant son pistolet.

Svenson savait qu'il devait agir avant que les autres ne reviennent avec la brouette. Il fallait profiter du fait qu'ils étaient moins nombreux. Il désigna sa trousse.

– Monsieur Xonck, je vois là ma trousse. Je sais que je vais mourir et je sais que vous ne pouvez faire feu sur moi de crainte de faire trop de bruit. Cela nous laisse nombre d'autres possibilités, lentes et douloureuses, toutes plus horribles les unes que les autres: la strangulation, le coup de poignard, la noyade. Si vous me le permettez, je peux facilement me préparer une injection. Elle sera rapide, silencieuse et sans douleur et rendra service à tous.

– Alors, vous avez peur, n'est-ce pas? railla le major Blach.

– En effet, je l'admets en toute franchise, répondit Svenson. Je suis un lâche. Si je dois mourir, comme il semble que ce soit le cas, pour ce prince crédule dont vous avez abusé puis que vous avez séquestré, je préfère perdre connaissance que souffrir le martyre.

Xonck le considéra attentivement et appela l'un des soldats.

– Donnez-moi cette trousse.

Le soldat posté près de lui s'exécuta. Xonck l'ouvrit, fouilla à l'intérieur et fixa Svenson d'un œil inquisiteur et sceptique. Il ferma la trousse et la lança au soldat.

– Vous n'avez pas d'aiguilles, dit-il à Svenson, et n'essayez pas de lancer de l'acide ou quoi que ce soit d'autre que vous pourriez trouver à l'intérieur. Vous allez boire votre potion, et le faire tranquillement. S'il y a le moindre problème, je vous bâillonnerai, tout simplement, et je laisserai le major faire le sale travail. Personne n'entendra la différence, je vous l'assure.

Il fit signe au soldat. Celui-ci fit claquer ses talons par réflexe et apporta la trousse à Svenson.

– Je vous en suis très reconnaissant, croyez-moi, dit-il en ouvrant la trousse.

– Dépêchez-vous, répondit Xonck.

Le cerveau de Svenson tournait à plein régime. Il avait dit tout ce qui lui était passé par la tête pour essayer de gagner la loyauté des deux soldats et pour faire passer Blach pour un traître, mais cela n'avait pas marché. Pendant un instant, il se posa des questions quant à sa propre loyauté. À quels extrêmes avait-il pu se rendre, et quels périls avait-il dû affronter, sans que ce soit vraiment dans sa nature d'agir ainsi ? Et puis tout cela pour quoi ? Il savait que ce n'était pas pour le prince, source intarissable de frustrations et de déceptions, ni pour le père de celui-ci, inconscient et orgueilleux. Était-ce pour von Hoern ? Pour Corinna ? Était-ce parce qu'il fallait bien consacrer sa vie à quelque chose, peu importe ce que ça pouvait être, et y rester fidèle jusqu'au bout ?

Svenson jeta un coup d'œil dans sa trousse. Il n'avait pas besoin de faire semblant de trembler. En fait, l'idée de sombrer dans les vapeurs d'un poison était une bien meilleure perspective que celle de rater une imprudente tentative d'évasion, puisque c'était sûrement cela qui l'attendait. Il ne se faisait pas d'illusions sur la sauvagerie dont Blach serait capable pour le réduire en un tas de chair implorante, d'autant qu'il lui faudrait dissiper les doutes éventuels de ses hommes. Le poison avait quelques attraits.

Pendant un bref instant, au lieu de réfléchir, il se surprit à rêver de son passé : l'herbe haute des prairies en fleurs, les cafés en automne, la loge d'opéra à Paris, Corinna jeune fille, la ferme de son oncle. C'en était trop, il ne pouvait abdiquer aussi facilement. Il plongea la main dans sa trousse, en sortit une fiole, la laissa délibérément glisser entre ses doigts, et elle vola en éclats sur le quai. Il leva un regard implorant vers Xonck.

– Ça ne fait rien… ça ne fait rien… j'ai autre chose qui fera l'affaire. Je dois juste trouver… je vous en supplie… encore un moment…

Il posa la trousse sur le quai et s'agenouilla à côté pour fouiller dedans. Il jeta un rapide coup d'œil vers le soldat à sa droite. L'homme avait un sabre au fourreau mais pas d'autre arme. Svenson était assez sain d'esprit pour se rendre compte qu'il ne pouvait espérer en attraper le manche par surprise et le dégainer convenablement, l'angle dans lequel il se trouvait ne le lui permettant pas. Le mieux qu'il pouvait espérer était d'arriver à le sortir à moitié et d'être en train de se débattre avec le soldat quand Blach lui tirerait dans le dos. Xonck le surveillait. Il choisit une fiole, la regarda dans la lumière, remua la tête, la remit en place et en chercha une autre.

– Qu'est-ce qui n'allait pas avec celle-là ? cria Blach avec impatience.

– Ce n'était pas assez rapide, répondit Svenson. Voilà… celle-ci devrait faire l'affaire.

Debout, il tenait dans sa main une deuxième fiole. Il était flanqué de deux soldats et ils se trouvaient tous trois à l'endroit où l'une des jetées rejoignait la cale. En face d'eux, sur l'autre quai, se trouvaient Xonck et Blach. Entre eux, il y avait la cale et la barge où attendaient les cercueils et deux hommes du comte.

– Alors, qu'avez-vous choisi ? demanda Xonck.

– L'arsenic, répondit Svenson. Très efficace à petites doses pour le psoriasis, la tuberculose et beaucoup plus indiqué encore pour traiter la syphilis des princes. À plus forte dose, la mort est immédiate.

Il retira le bouchon et regarda autour de lui en évaluant les distances du mieux qu'il pouvait. Les autres n'étaient pas revenus de la forge. Les hommes sur la barge le regardaient sans cacher leur curiosité. Il savait qu'il n'avait pas le choix. Il fit un signe de tête à Xonck :

– Je vous remercie de votre courtoisie.

Puis il se tourna vers le major Blach en souriant :

– Quant à vous, puissiez-vous brûler en enfer !

Le docteur Svenson vida d'un seul trait le contenu de la fiole. Il avala, s'étouffa en un râle affreux, la gorge serrée, le visage cramoisi. Il laissa tomber la fiole, prit sa gorge à deux mains et tituba vers le soldat de droite en s'agrippant à lui pour rester debout. De sa poitrine surgit un râle sinistre, sa bouche se tordit, et laissa pendre une langue hideuse, ses yeux se révulsèrent, ses genoux chancelèrent. Tous les regards étaient rivés sur lui. Son corps entier se contracta, comme en suspens au bord d'un précipice, en équilibre sur la voie qui mène à la mort. À cet instant, Svenson eut une conscience nette du calme de la ville, du fait que tant de personnes se trouvaient sans doute à proximité, mais que le seul bruit perceptible était le clapotis de l'eau contre la barge et, au loin, le cri des mouettes.

Svenson se jeta sur le soldat, prit sa veste à deux mains en le faisant pivoter et le jeta du haut de la jetée vers la barge. Son élan fit basculer le soldat par-dessus bord et il atterrit avec fracas exactement sur le côté de la barge, ce qui la fit tanguer. Un instant après, le soldat agitait frénétiquement les bras en se démenant dans l'eau, alors que les cercueils glissaient vers lui. Il leva les bras quand le premier cercueil le percuta, le balaya violemment de la barge et l'entraîna dans l'eau. Puis, le second cercueil frappa le premier et fit chavirer l'embarcation. Les deux hommes du comte glissèrent et s'effondrèrent sur les cercueils. Leur poids fit pencher la barge encore davantage et elle finit par se retourner complètement alors que les trois hommes et les cercueils disparaissaient dessous.

Svenson se rua vers le chemin. Le dernier soldat agrippa son manteau à deux mains quand il passa devant lui. Svenson se retourna, se débattit furieusement pour essayer de se libérer. Il entendait les hurlements de Blach et les éclaboussures. Le soldat était plus jeune et plus fort, ils se battaient en tournant, enlacés, chacun essayant de faire fléchir l'autre. Pendant un instant, le soldat immobilisa Svenson et le prit à la gorge. Du coin de l'œil, Svenson vit Blach lever son arme. En désespoir de cause, il se rua alors sur le côté, en attirant le soldat dans la ligne de mire de Blach. Il entendit une détonation, puis il eut une sensation de chaleur, un liquide lui giclait au visage. Le soldat s'affaissa à ses pieds, un côté de son visage était en bouillie. Svenson essuya le sang qu'il avait dans les yeux et vit Francis Xonck gifler avec fureur le visage du major Blach. Le pistolet de Blach fumait.

– Sombre idiot ! Le bruit ! Pauvre imbécile !

Svenson lutta pour se dépêtrer des jambes du soldat. Il s'empara de son sabre et le brandit en faisant reculer Xonck. Le docteur se retourna en entendant Blach armer son pistolet.

– Puisque le mal est fait, continuons…, ricana-t-il

– Major ! Major ! Cela ne sert à rien…, souffla Xonck, furieux.

Blach allait tirer. En poussant un hurlement, Svenson souleva le sabre comme un couteau encombrant et, en le tenant par la lame, il le lança directement vers les deux hommes. Puis, il se mit à courir. Il entendit les deux hommes crier et le bruit de la lame heurter la pierre. Il ne savait pas s'ils étaient parvenus à esquiver l'arme. La seule chose qu'il avait en tête, c'était courir le plus vite possible vers le haut du chemin. Les pierres étaient glissantes de rosée. Le bruit de ses pas couvrait celui d'une éventuelle poursuite. Il était à peu près à mi-course lorsqu'il vit les deux hommes du comte revenir face à lui avec la brouette. Celle-ci était remplie de ferraille et ils n'étaient pas trop de deux pour la maintenir en équilibre. Il n'osa pas ralentir, mais il crut que son cœur allait défaillir, car en l'apercevant, ils se mirent à courir dans sa direction, sûrs de leur victoire.

Quand ils eurent pris de la vitesse, le tas de ferraille commença à s'effondrer, puis quelques morceaux volèrent sur le sol et allèrent rebondir contre la palissade. Ils étaient peut-être à cinq mètres de lui quand ils lâchèrent la brouette. Svenson agrippa alors le haut de la palissade à sa gauche et leva les jambes. La brouette s'écrasa juste au-dessous de lui, rebondit et dévala le chemin. Au prix d'un effort surhumain, il se hissa par-dessus la palissade et atterrit de l'autre côté, sur un tas de débris.

Il ne s'était pas fait mal en tombant, mais il était sur le dos et se démenait pour se relever. De l'autre côté de la palissade, il pouvait entendre le fracas de la brouette qui se renversait et des hommes qui criaient. Si elle pouvait avoir frappé Xonck ou Blach ! Svenson se mit à genoux. Au-dessus de lui, la palissade bougeait sous le poids d'un des deux hommes qui tentait de l'escalader. Dès que l'homme toucha le sol, accroupi un instant pour retrouver son équilibre, Svenson saisit à deux mains un gros morceau de bois qui traînait dans la boue, prit son élan et asséna un coup qui écrasa la main de l'homme qui tenait un pistolet. Svenson sentit les petits os craquer sous le choc. L'homme hurla, le pistolet vola et retomba sur le sol. Svenson prit son élan et, en se levant, le frappa en plein visage. Sous l'impact, l'homme émit un cri de douleur, s'effondra et se recroquevilla en gémissant au pied de la palissade qui se remit à bouger.

Un autre homme tentait de la franchir. Svenson se jeta sur le pistolet qui était justement le sien et, tout en restant à genoux, se retourna. En équilibre sur la palissade, l'homme se retenait avec un seul bras et une jambe et regardait en bas, pas très rassuré. Svenson tira, le rata, sa balle faisant voler quelques éclats de bois. Le type tomba et disparut. Un instant après, la lame étincelante d'un sabre traversa la palissade au niveau de la tête de Svenson et le manqua de justesse. Il se déplaçait sur le dos, à la manière d'un crabe, alors que la lame entrait et sortait entre les planches. Il ne distinguait que des silhouettes par les fentes. Il fit feu une deuxième fois. Quelqu'un tira à son tour, trois coups successifs qui firent voler la boue autour de lui. Svenson tira lui aussi deux balles à l'aveugle, puis s'élança et se mit à courir aussi vite qu'il le put.

Il s'aperçut alors que la cour était située derrière une maison en ruine. Elle n'avait pas de toit, les fenêtres étaient cassées et la porte arrière avait été arrachée et jetée dans la boue. Dans l'encadrement de la porte et des fenêtres, des visages se détachaient. Svenson mit le cap sur eux et il finit par distinguer des enfants, un vieil homme, des femmes, tous avec la peau café au lait, les cheveux noirs et portant des vêtements élimés de couleurs vives. Il leva son pistolet, non pas vers eux mais vers le ciel.

– Excusez-moi... Je vous demande pardon... s'il vous plaît... attention !

Il fonça pour franchir la porte. À son passage, l'attroupement se dispersa. Il regarda derrière lui, assez longtemps pour voir la palissade bouger sous le poids des hommes qui la franchissaient. Il s'enfonça dans les pièces obscures, sauta par-dessus les casseroles, les paillasses, les tas de vêtements en faisant de son mieux pour ne marcher sur rien ni sur personne. Ses sens furent saisis par l'odeur de tous ces gens confinés dans un espace aussi réduit, par le foyer et l'odeur forte d'épices qui lui étaient inconnues. Un coup de feu résonna derrière lui et un éclat de bois lui cingla le visage. Il grimaça, sentit qu'il saignait et faillit renverser un enfant. Où diable pouvait bien se trouver la sortie ? Il passa plusieurs portes, courant le plus vite possible, évitant un à un les occupants, traversa une pièce remplie de ce qu'il crut être des chèvres, sauta par-dessus un foyer allumé. Il entendit des cris derrière lui, ceux qui le poursuivaient avaient pénétré dans la maison, alors que lui-même entrait dans ce qui devait être le couloir central et qui débouchait directement sur une double porte complètement délabrée. Il s'y précipita pour se rendre compte qu'on l'avait bloquée en clouant des planches sur les battants. De toute évidence, la maison avait été condamnée. Il fit demi-tour pour chercher une fenêtre donnant sur la rue. Un autre coup de fusil retentit. D'où? Il l'ignorait, mais il sentit le sinistre petit courant d'air de la balle frôler son oreille. Il donna un coup de pied dans un rideau qui pendait là, puis dans un lit. Il s'empêtra dans les draps, provoquant les cris de la femme qui l'occupait et l'air indigné de son compagnon, mais son regard se fixa sur un tapis accroché au mur. Svenson fonça dessus et le repoussa sur le côté. La fenêtre qui se trouvait derrière était heureusement sans vitres. Il sauta en se protégeant la tête avec les mains et se retrouva affalé de tout son long, le visage sur le pavé. Son pistolet rebondit sur les pierres, loin de lui.

Svenson se releva en toute hâte. Il avait les mains en sang, des bleus sur les genoux et une cheville endolorie. Comme il se penchait pour récupérer son pistolet, on tira un autre coup de feu depuis la fenêtre d'où il était sorti. Il se retourna et vit Blach, tenant d'une main un mouchoir ensanglanté sur son visage et, de l'autre, un pistolet fumant, qui le mettait en joue. Il ne put bouger assez vite. Blach appuya sur la détente, les yeux embrasés de haine. Le marteau heurta un cylindre vide. Blach jura, fou de rage, ouvrit l'arme, jeta les cartouches vides par la fenêtre et chercha d'autres munitions. Svenson ramassa son arme et détala.

Il ne savait pas où il se trouvait. Il continua à courir jusqu'à en perdre haleine, faisant de son mieux pour semer ses poursuivants, passant d'une rue à l'autre et coupant à travers tous les terrains et les parcs qu'il trouvait sur son chemin. Il finit par s'écrouler dans un petit cimetière, assis la tête entre les mains sur la vieille pierre fendue d'une tombe, pantelant et épuisé.

Le soleil s'était levé, la matinée était avancée, la lumière découpait les objets et donnait une netteté saisissante à leurs contours. Cette lumière ne rendait pas les événements de la nuit irréels, au contraire, c'était du jour que Svenson se méfiait. La patine de la pierre blanche, les lettres à moitié effacées qui formaient le nom « Thackaray » sous ses doigts, les branches sans feuilles, rien de tout cela ne correspondait à l'étrange monde dans lequel il était entré. Un instant, il se demanda s'il n'avait pas avalé de l'opium, s'il n'était pas en ce moment étendu, pris de stupeur, dans un repaire de Chinois, et s'il n'était pas aux prises avec un rêve tourmenté. Il se frotta les yeux et cracha par terre.

Svenson comprit qu'il ne serait jamais ni un véritable espion ni un soldat. Il se sentait perdu. Sa cheville lui faisait mal, ses mains étaient écorchées, il n'avait pas mangé, sa gorge était sèche, et la drogue du comte lui donnait l'impression d'avoir un morceau de fromage coulant à la place du cerveau. Il s'obligea à retirer sa botte et palpa sa cheville endolorie. Elle n'était pas cassée, pas même sérieusement foulée, il n'aurait qu'à y faire un peu attention. Il se mit à rire parce que, vu les circonstances, cette précaution lui parut soudain complètement absurde. Il sortit le revolver de sa poche, et l'ouvrit pour constater qu'il ne lui restait plus que deux cartouches. C'était les dernières. Il le remit dans sa poche et réalisa qu'il avait laissé son argent dans sa chambre avec sa boîte de munitions. Il avait perdu sa trousse, et était pour l'instant obligé de se débrouiller avec son uniforme et son manteau, qui étaient certes d'un bleu de Prusse plutôt discret, mais qui ne passeraient pas inaperçus au milieu d'une foule.

Son visage était en feu. En approchant la main de sa pommette droite, il sentit sous ses doigts du sang séché et une écharde qu'il retira délicatement. Puis il pressa son mouchoir sur son visage. Svenson avait désespérément besoin d'une cigarette. Il sortit son étui de son manteau, en prit une et frotta une allumette sur l'ongle de son pouce. La fumée atteignit ses poumons, ce qui lui procura immédiatement cette petite décharge imperceptible qu'il aimait tant, et il souffla lentement la fumée. Il prit tout son temps pour finir sa cigarette en se concentrant sur sa respiration et sur les volutes qu'il envoyait vers les tombes. Il lança son mégot dans une flaque et en alluma une autre. Il ne cherchait pas à s'étourdir, mais le tabac lui redonnait un peu d'allant.

En remettant l'étui dans sa poche, sa main tomba sur les cartes de verre. Il avait oublié qu'il possédait une deuxième carte, celle de Trapping. Il regarda autour de lui. Le cimetière était encore complètement désert et les bâtiments qui l'entouraient ne montraient aucun signe d'activité. Svenson sortit la carte, elle semblait identique à celle qu'il avait trouvée dans la chambre du prince. Allait-il regarder dans l'esprit d'Arthur Trapping et y trouver quelque indice sur sa mort ? Il posa sa cigarette allumée sur la tombe à côté de lui, et regarda dans le verre.

Il fallut quelques instants pour que Svenson vît le voile bleu se déchirer ; et qu'il se retrouvât au milieu d'une spirale embrouillée d'images qui passaient rapidement devant lui sans qu'il pût y discerner une logique quelconque. Il n'avait pas vraiment l'impression d'habiter l'expérience de quelqu'un d'autre, comme lors de la rencontre entre Mrs. Marchmoor et le prince, mais plutôt de se retrouver dans un esprit à la dérive ou dans le rêve de quelqu'un d'autre. Il leva les yeux de la carte. Il tremblait. Il s'était senti aussi pris, aussi transporté hors de lui-même que la première fois. Il fit tomber la cendre de sa cigarette et en reprit une longue bouffée. Il se réinstalla et se prépara à une deuxième visite plus attentive.

Les premières images montraient un intérieur bien meublé et un peu chargé : une pièce de bois sombre avec des tapis et des lampes de verre, des chinoiseries délicates et des fauteuils moelleux. Une femme était assise sur un divan, une jeune femme dont Svenson ne voyait qu'en partie le corps : ses avant-bras dénudés, ses petites mains qui serraient le rembourrage, et ses mollets bien galbés qui apparaissaient sous sa robe quand elle allongeait ses jambes, puis ses jolies bottines vertes… chaque coup d'œil était plein de cet appétit du propriétaire pour ce qui lui appartient, l'appétit du regard qu'il empruntait.

La carte passait alors abruptement à un paysage rocheux, une vue plongeante sur un trou creusé dans de la pierre grise, peut-être une carrière, sous un ciel à peine moins gris. Soudain, Svenson se retrouva dans le trou, sentait le gravier sous ses genoux. Il était à genoux, penché sur un filon bleu indigo qui courait dans la roche. Un bras, son bras, un bras jeune, fort, enfilé dans la manche d'une veste noire ; et une main dans un gant de cuir noir tendue pour toucher le filon, creusant d'un doigt et l'émiettant pour en tirer quelque chose qui ressemblait à de l'argile crayeuse.

Le mouvement suivant commença comme celui de quelqu'un qui se lève dans une carrière, mais plus il se relevait et plus la scène autour de lui changeait, de sorte que lorsqu'il fut entièrement debout il se retrouva dans un verger en hiver. Il crut que c'était des pommiers, avec de la paille à la base des troncs. Sur la gauche, il vit un mur de pierres assez haut, une vieille haie et, derrière, le toit pointu d'un manoir de campagne.

Il avança plus loin vers la gauche et se retrouva en face de Harald Crabbé qui ricanait, penché en arrière, regardant par la fenêtre d'un fiacre où défilaient les arbres d'une forêt. Crabbé se tourna vers lui, vers celui qui regardait, et articula très clairement ces mots :

– Votre décision…

La fenêtre s'ouvrait maintenant sur une autre pièce, un couloir de pierre de taille qui se terminait sur une porte munie de traverses métalliques. La porte donnait sur une immense pièce remplie de machines, et, penché sur une table, un homme imposant dont le dos large cachait une femme attachée, une femme… Svenson reconnut tout à coup la pièce : c'était celle de l'Institut, là où il avait sauvé le prince.

Il leva les yeux de la carte. Il y avait quelque chose d'autre qu'il ne parvenait pas distinguer entre les scènes, quelque chose comme une fenêtre ruisselante de pluie. Sa cigarette s'était éteinte. Il hésita à en allumer une autre, mais par contre il savait qu'il devait vraiment décider de ce qu'il allait faire. Il ignorait si on était encore à sa recherche. Si c'était le cas, ses poursuivants finiraient certainement par arriver au cimetière. Il lui fallait trouver un endroit où il serait en sécurité. Ou, au contraire, il fallait prendre le taureau par les cornes. Était-il encore possible de sauver le prince ? En toute conscience, Svenson ne pouvait pas l'abandonner. Il ne pouvait pas retourner à la légation, il ne faisait pas confiance à Flaüss et ne savait pas du tout où trouver l'homme en rouge, ou Isobel Hastings. S'il ne décidait pas tout simplement de chercher un endroit pour se cacher, la seule issue possible, aussi folle qu'elle pût sembler, serait de tenter un face-à-face avec madame di Lacquer-Sforza. Sans doute, dans l'agitation grouillante de l'activité matinale, il pourrait s'approcher sans risque du Ste-Royale. Il restait deux balles dans son pistolet : plus qu'il n'en fallait pour la convaincre, si toutefois il pouvait parvenir jusqu'à l'entrée.

Il baissa les yeux et constata qu'il n'avait pas remis sa botte. Il la remonta délicatement sur sa cheville endolorie et fit quelques pas. Maintenant que l'adrénaline de la peur était retombée, il sentait la douleur plus vivement, mais il savait qu'il pouvait marcher. En fait, il savait surtout qu'il n'avait pas le choix. Tout ce qu'il lui fallait, c'était un peu de repos. Il épuiserait cette dernière source d'information et chercherait ensuite un endroit où se reposer. Il ne savait pas s'il pourrait retourner à Macklenburg sans danger. Svenson poussa un long soupir et quitta le cimetière en boitant, revenant sur ses pas le long d'une allée étroite qui longeait l'église. Le soleil se cachait derrière les nuages. Il ne pouvait pas vraiment s'orienter. Au bout de l'allée, il regarda autour de lui, puis derrière, vers l'église dont les portes étaient ouvertes. Il pénétra dans l'obscurité du lieu et s'avança dans l'allée en faisant un signe de la tête aux quelques personnes qui assistaient à la messe, marcha tranquillement vers le pied du clocher où il devait sûrement y avoir un escalier. Il passa devant le curé perplexe, prit son air autoritaire de médecin bourru et lança un brusque :

– Bonjour à vous, mon père. Le clocher, s'il vous plaît ?

Il hocha la tête d'un air grave lorsque le prêtre lui indiqua une petite porte. Svenson s'y dirigea et la franchit en gémissant intérieurement à l'idée de monter autant de marches avec une cheville blessée. Il fit de son mieux pour marcher d'un bon pas jusqu'à ce que le prêtre ne pût plus le voir, puis il épargna son pied endolori en sautant sur l'autre et en se tenant à la rampe. Il avait ainsi gravi quelque soixante-dix marches, ce qui donna un sérieux coup à son amour-propre, lorsqu'il parvint à une fenêtre étroite fermée par un volet en bois. Il l'ouvrit en faisant tomber un tas de fientes et de plumes de pigeons et il sourit. De là où il se trouvait, il distinguait la boucle argentée du fleuve, la pelouse de Circus Garden, la masse de pierres blanches des ministères et la place ouverte de St. Isobel's Square. Au milieu de tout cela, il repéra les pointes de tuiles rouges du toit de l'hôtel Ste-Royale et ses fanions noirs et dorés.

Il descendit aussi vite qu'il le put et déposa une pièce de monnaie dans le tronc de l'église. Lorsqu'il fut dans la rue, il emprunta des ruelles et des allées résidentielles en rasant les murs. Il passa à côté d'une rangée d'entrepôts fourmillant d'hommes qui chargeaient des caisses de toutes sortes sur des charrettes. Au milieu de tout cela se trouvait une petite échoppe, coincée entre un silo à grains et un entrepôt réservé à une autre matière première que l'on voyait passer en ballots multicolores. Svenson acheta une tasse de café bouilli et trois petits pains frais. Il les rompit en marchant, la mie était fumante, et il but le café aussi lentement que possible, pour éviter de se brûler la langue.

Il commençait à se sentir redevenir un homme quand il approcha du quartier marchand situé près de St. Isobel's Square, et fut alors gêné d'exhiber son visage balafré et sa tenue débraillée. Il se passa une main dans les cheveux pour les ramener en arrière et épousseta son manteau – cela devrait faire l'affaire –, puis il avança en essayant de se donner une contenance. Pendant un instant fugitif, il se prit pour le major Blach, ce qui au moins l'amusa un peu.

Svenson contourna l'hôtel par les ruelles adjacentes, juste derrière un alignement de restaurants chics. À cette heure du jour, elles étaient bondées de livreurs de marchandises diverses et de volailles. Il avait eu la prudence, et la chance, jusque-là, de suivre son chemin sans se faire remarquer. Si quelqu'un tentait de l'arrêter, ce serait rapide et sans pitié. De toute façon, ses ennemis étaient suffisamment puissants pour influencer les tribunaux. À la moindre infraction, sans parler de l'éventualité où il ferait feu sur l'un des hommes du comte, il pouvait être envoyé en prison, ou directement à la potence. Il était arrivé au bout de la ruelle, en face de Grossmaere, la vaste avenue qui passait devant le Ste-Royale à deux coins de rue de là. Il regarda d'abord de l'autre côté (leurs sentinelles se trouvaient peut-être plus loin), mais ne vit personne ou, du moins, aucun des hommes du comte ou des soldats de Blach. Si Crabbé était dans le coup, ou pire encore, Vandaariff, bon nombre de leurs sbires pouvaient être lancés à sa poursuite.

Il regarda en direction de l'hôtel. Il se demanda si on pouvait le guetter d'en haut. La circulation était dense, il était largement passé neuf heures, et l'activité commerçante du matin battait son plein. Svenson reprit son souffle et s'avança le long du trottoir en face de l'hôtel, en rasant les murs et en se cachant derrière d'autres piétons, la main droite sur le revolver dans sa poche. Il gardait le regard rivé sur l'hôtel et jetait des coups d'œil furtifs dans les boutiques ou les entrées devant lesquelles il passait. Quand il arriva au coin de la rue, il traversa rapidement et alla s'appuyer sur un mur, comme si de rien n'était, pour inspecter les environs.

Le Ste-Royale se trouvait en face. Il ne voyait toujours rien qui pût ressembler à quelqu'un qui faisait le guet. C'était incompréhensible. Puisqu'on l'avait déjà trouvé une fois ici alors qu'il essayait de rencontrer madame di Lacquer-Sforza, pourquoi ne considèreraient-ils pas, ne serait-ce que comme une éventualité, qu'il pût refaire la même chose? Il se dit que le vrai piège était peut-être à l'intérieur ou dans une autre de ces salles privées, où on lui ferait son affaire, loin des regards inopportuns. Cette éventualité rendait sa mission plus délicate, car il ne pourrait savoir avant le tout dernier moment s'il était en sécurité ou non. Mais son choix était fait. Il était fermement résolu. Svenson continua à avancer sur le trottoir.

Il se trouvait presque face à l'hôtel quand deux chariots de livraison dont les attelages s'étaient empêtrés lui bloquèrent la vue. Les cochers juraient bruyamment parce que des hommes sautaient des voitures pour démêler les harnais et s'occuper de leurs équipages. Cela obligea les fiacres qui étaient derrière eux à s'arrêter à leur tour, ce qui provoqua une nouvelle bordée de jurons des cochers dérangés dans leur course. Svenson ne put s'empêcher de se laisser distraire. Il observa les deux chariots qui parvenaient enfin à se séparer et à poursuivre leur route et entendit les cochers s'échanger en partant une dernière épithète particulièrement grossière. Il se retrouva ainsi juste en face de l'entrée principale de l'hôtel quand l'avenue redevint libre.

Devant lui se tenait madame di Lacquer-Sforza, portant une splendide robe violette magnifiquement striée de fils d'argent, des gants noirs et un chapeau délicat de la même couleur. À côté d'elle, miss Poole portait elle aussi une robe à rayures, mais la sienne était bleue et blanche. Svenson se fit tout petit et se plaqua contre les fenêtres d'un restaurant. Elles ne l'avaient pas vu. Il attendit en inspectant la rue dans leur direction, ravi à l'idée de pouvoir parler à madame di Lacquer-Sforza sans avoir à entrer dans l'hôtel, sans être pris au piège. Il chercha une brèche dans le flot des fiacres et s'engagea dans la rue.

Son pied venait tout juste de quitter le trottoir pour se poser sur le pavé que Svenson se figea puis, très vite, se projeta en arrière. Derrière les deux femmes venait de surgir Francis Xonck, vêtu d'une élégante jaquette et d'un haut-de-forme jaunes, tirant sur une paire de gants en chevreau assortis. Avec un large sourire, il se pencha et susurra quelque chose à l'oreille de miss Poole qui rougit et gloussa. Madame di Lacquer-Sforza eut, elle, un petit sourire ironique. Xonck tendit un bras à chacune des dames et fit un pas en avant alors qu'elles s'accrochaient chacune à ses côtés. Il leur désigna la rue et, pendant un instant, pris de panique, Svenson crut qu'il avait été repéré, puisqu'il était plus ou moins à découvert. Mais il comprit que Xonck ne faisait que leur montrer un fiacre décapoté qui se dirigeait vers eux, ce qui empêcha Svenson de continuer à les observer. Le comte d'Orkancz se trouvait dans ce fiacre, vêtu de sa fourrure, une expression sombre sur le visage. Il semblait les ignorer et ne fit aucun effort pour leur parler alors qu'ils montaient. Xonck aida les deux femmes et grimpa le dernier.

Madame di Lacquer-Sforza s'assit à côté du comte. Elle se pencha pour lui dire quelque chose à l'oreille. À contrecœur, comme s'il ne parvenait pas lui non plus à lui résister, il sourit.

Sur ce, Xonck eut un petit rictus, découvrant ses dents blanches, et miss Poole éclata de rire encore une fois. Le fiacre disparut. Svenson se retourna et tituba en descendant la rue.

Elle était partie. Elle était avec eux. Madame di Lacquer-Sforza était leur alliée, même si elle tirait aussi d'autres ficelles. S'il avait pu au moins lui parler seul à seul. Désormais, il ne savait pas quand il pourrait en avoir l'occasion. Svenson se retourna et vit que deux des hommes du comte traînaient près de l'entrée principale. Il s'éloigna d'un pas soutenu, en baissant la tête, et se rendit compte tout à coup qu'il venait de frôler le suicide. Après avoir tourné au coin de la rue pour s'esquiver, il se plaqua contre un mur. Que pouvait-il bien faire? Où donc pouvait-il aller? Comment pouvait-il s'opposer à une conspiration aussi puissante? Il leva la tête et vit, de l'autre côté de Grossmaere Avenue... c'était... c'était bien le chemin qu'il avait emprunté avec le comte, il avait l'impression que cela faisait une éternité, pour arriver au mystérieux jardin où se trouvait la serre... La jeune femme... Il pourrait aller la chercher, l'enlever, mettre à sac la serre pour y trouver un indice. Il pourrait même tendre un piège au comte lui-même. Qu'avait-il donc à perdre?

Il regarda encore une fois l'entrée de l'hôtel. Les hommes riaient entre eux. Svenson évalua le flot de la circulation, s'élança en se cachant derrière un fiacre qui passait, puis derrière un deuxième, et se retrouva de l'autre côté de la rue. Il regarda derrière lui. Personne ne le suivait. Il était maintenant hors de leur vue et il avançait avec un nouveau dessein en tête.

Il essaya de se rappeler le chemin exact qui menait au jardin. Ils l'avaient parcouru dans l'obscurité, dans un brouillard épais, alors que son attention était retenue par les hommes qui les suivaient et par la conversation du comte. En plein jour et noires de monde, les rues étaient différentes. Mais il pouvait tout de même trouver le chemin, en tournant ici, le long de ce pâté de maisons, de l'autre côté de cette allée, et en tournant encore à cet autre coin de rue. Il se retrouva à un grand carrefour, où il crut s'être égaré, lorsqu'il vit l'entrée d'une allée étroite de l'autre côté de la rue, un peu plus bas. Il se demanda si c'était bien là. Il marcha rapidement jusqu'à ce qu'il pût regarder dans l'allée... elle semblait différente, mais il crut reconnaître le porche qui ressemblait à celui d'une église et sous lequel le comte avait ouvert la porte. Était-ce le mur qui longeait le jardin? Y aurait-il des gardes? Pourrait-il forcer la serrure? Même s'il n'y avait personne dans l'allée, il savait qu'il devait répondre à ces questions alors qu'il se trouvait à un jet de pierre d'une avenue pleine de passants. Avant de traverser la rue pour atteindre l'allée, il jeta un dernier coup d'œil autour de lui pour s'assurer qu'il n'était pas suivi.

Svenson s'immobilisa. À travers la vitre de la double porte de ce qui devait être un hôtel, il vit une jeune femme assise sur un canapé luxueux. Ses anglaises châtains retombaient sur son visage, elle avait un air sérieux, se tenait penchée sur un journal et prenait des notes au milieu de livres et de journaux. Une de ses jambes était repliée sur le canapé, mais, au pied de l'autre, sa robe étant juste assez relevée pour dévoiler le galbe du mollet, on pouvait voir qu'elle portait une jolie bottine verte. Sans y réfléchir davantage, le docteur Svenson ouvrit la porte de l'hôtel et entra.

 CHAPITRE 4

LE BONIFACE

Miss Temple ne décolérait pas. Elle venait juste de quitter ses appartements pour échapper aux regards inquisiteurs de ses femmes de chambre qui la suivaient à pas feutrés comme deux chattes et pour fuir la présence beaucoup moins discrète de sa tante Agathe.

La veille, elle avait dormi presque toute la journée, et lorsqu'elle avait ouvert les yeux, il faisait nuit. Elle avait pris un bain, mangé en silence, puis s'était rendormie. Au petit matin, quand elle s'était réveillée pour la deuxième fois, sa tante était installée au pied de son lit dans un fauteuil traîné là par les femmes de chambre. On avait fait mesurer à miss Temple toute l'ampleur de l'angoisse qu'elle avait suscitée, d'abord par son absence imprévue à l'heure du thé, puis au dîner et, finalement, par son refus de se montrer tout au long de la soirée. Entêtée et capricieuse, comme d'habitude. Il avait même fallu avertir le personnel de l'hôtel, ce qui était un comble. Cette affligeante notoriété s'était confirmée quand miss Temple, sans qu'elle s'en fût expliquée le moins du monde, avait fait son entrée au Boniface couverte de sang. Tante Agathe avait tenu à préciser à sa nièce qu'elle s'était endormie, recrue de fatigue et morte d'angoisse, quelques minutes à peine avant son retour.

Agathe était la sœur aînée du père de miss Temple. Elle avait vécu dans cette ville toute sa vie, avait été mariée à un homme qui était mort jeune et l'avait laissée sans argent. Tout au long de son veuvage, elle avait donc puisé ses maigres ressources dans la fortune de son frère qui ne brillait pas par sa générosité et qui vivait au loin. Ses cheveux gris étaient toujours rassemblés en chignon sous un chapeau, un châle ou un foulard, comme si en les exposant à l'air libre elle risquait de tomber malade. Elle avait encore toutes ses dents, mais elles étaient décolorées aux endroits où les gencives s'étaient rétractées, ce qui les rallongeaient d'autant et donnait un aspect carnassier à ses rares sourires.

Miss Temple avait admis qu'il y avait eu quelques raisons de s'inquiéter pour elle et elle avait tout fait pour calmer les craintes de la vieille femme, allant même jusqu'à répondre tout haut à la question délicatement insistante qui se dissimulait à peine derrière les interrogations de sa tante : sa nièce avait-elle conservé sa vertu ? Elle avait assuré que oui, en effet, elle était revenue intacte, et que sa détermination à le rester s'en était trouvée renforcée. Mais cependant, elle n'avait pas raconté en détails où elle était allée ni ce qu'elle avait subi.

Les femmes de chambre avaient hésité à montrer les dessous pleins de sang et le manteau crasseux à Agathe quand elles les avaient trouvés par terre. Elles les avaient brûlés dans le poêle à charbon de sa chambre pendant qu'elle dormait. Miss Temple avait refusé d'aller voir un médecin, un refus que sa tante avait accepté sans protester. La jeune femme fut surprise de son peu d'insistance, puis elle comprit que sa tante espérait ainsi minimiser les risques de scandale en limitant le nombre de personnes qui étaient au courant. Elles parvinrent à trouver un onguent pour soigner la plaie encore à vif qu'elle avait au-dessus de l'oreille gauche. Elle garderait une cicatrice, mais ses cheveux lavés et bouclés la cachaient presque en entier, hormis une petite tache rouge cerise, grosse comme l'ongle d'un nourrisson, qui marquait la peau immaculée de sa pommette et que l'onguent faisait briller.

Cependant, alors qu'elle prenait son petit-déjeuner, assise dans son lit, miss Temple trouva que la présence de sa tante dans le fauteuil était de plus en plus irritante. Celle-ci examinait de près chaque bouchée, comme un animal domestique à l'affût des miettes, mais, en l'occurrence, ce qu'elle espérait, c'était l'assurance que sa situation et sa pension ne seraient pas compromises par les caprices d'une jeune femme naïve, éconduite par un fiancé ambitieux et goujat. L'ennui, c'était qu'Agathe ne disait pas un traître mot. Elle n'avait pas une seule fois remis en cause le comportement de miss Temple, et n'avait pas non plus critiqué l'insouciance et l'irresponsabilité de la jeune femme, pas plus qu'elle ne l'avait réprimandée pour sa fugue invraisemblable qui était sans doute le résultat d'une intervention divine tout à fait arbitraire. Miss Temple aurait pu réagir à tout cela, mais le silence, ce silence lancinant, l'exaspérait profondément.

Une fois le plateau débarrassé, elle annonça d'un ton péremptoire que, tout en étant désolée d'avoir été la cause d'autant d'inquiétudes, elle s'était lancée dans une aventure, elle était saine et sauve et que, loin d'en avoir terminé avec cette affaire, elle était entièrement résolue à la poursuivre. Sa tante ne répliqua pas, mais jeta un regard réprobateur vers le bureau ordonné où trônait un gros revolver huilé, comme une sorte d'abominable reptile empaillé, cadeau que lui aurait offert un oncle excentrique de retour d'un voyage au Venezuela. Miss Temple ajouta qu'elle aurait également besoin d'une boîte de cartouches.

Sa tante ne répondit pas. Miss Temple saisit l'occasion pour mettre fin à cette discussion, ou plutôt à cette non-discussion, et sortit du lit pour se rendre à sa garde-robe en verrouillant la porte derrière elle. Avec un soupir d'exaspération, elle remonta sa chemise de nuit jusqu'à la taille et s'accroupit sur le pot de chambre. Il était encore tôt, mais il faisait assez clair pour qu'elle vît ses bottines vertes par terre, là où les femmes de chambre les avaient rangées. Elle grimaça de douleur en s'essuyant, se leva et remit le couvercle. Quand elle avait pris son bain, il faisait sombre, la pièce n'étant éclairée qu'à la chandelle. Elle se dirigea vers le miroir et comprit pourquoi les autres l'avaient dévisagée de la sorte. Sur sa gorge, au-dessus du col de sa chemise de nuit, on voyait des bleus, l'impression violette de plusieurs doigts et d'un pouce. Elle approcha son visage de la glace et effleura délicatement les traces : c'était le fantôme de la main de Spragg. Elle recula et enleva sa chemise de nuit. Elle en eut le souffle coupé, et un frisson de peur lui parcourut l'échine, car il lui sembla regarder le corps d'une autre femme. Il y avait tant d'ecchymoses et d'égratignures qu'elle réalisa soudain, horrifiée, qu'elle avait réellement risqué sa vie. Elle parcourut du bout des doigts chaque zone colorée de sa chair délicate, puis protégea de sa main l'endroit où l'homme l'avait le plus cruellement meurtrie.

Elle ferma les yeux et le profond soupir qu'elle poussa ne put la débarrasser de son malaise. Miss Temple avait du mal à supporter ce sentiment. Elle se dit dans un accès d'optimisme qu'elle était tout de même parvenue à se sauver. Les deux hommes qui l'avaient attaquée, eux, étaient morts.

Quelques minutes plus tard, miss Temple réapparut vêtue de sa robe de chambre, appela ses femmes de chambre et s'assit devant son secrétaire. Elle retroussa ses manches en évitant ostensiblement de regarder sa tante qui la fixait. Elle saisit le revolver avec toute l'assurance dont elle était capable. L'expérience fut plus laborieuse qu'elle ne l'aurait souhaité, suffisamment pour que les deux femmes de chambre aient pu, elles aussi, river leur regard sur elle ; mais elle réussit finalement à ouvrir le barillet et à vider sur le buvard les cartouches qui restaient. Elle dressa ensuite rapidement une liste, mais plus lentement toutefois qu'elle ne l'eût souhaité, parce que chaque élément de celle-ci faisait surgir toutes sortes de détails qu'il lui fallait expliquer. Quand elle eut fini, elle souffla sur le papier pour faire sécher l'encre et se tourna vers les femmes de chambre. Elles venaient toutes deux de la campagne et étaient assez près de son âge pour que le fossé qui existait entre leurs expériences et leurs éducations respectives fût flagrant et infranchissable. Miss Temple donna la feuille de papier pliée à la plus âgée, celle qui savait lire.

– Marie, ceci est une liste d'articles qu'il me faut obtenir auprès de la direction de l'hôtel et dans certaines boutiques de la ville. Vous demanderez les articles un, deux et trois au personnel de la réception et vous les prierez de vous indiquer les meilleures boutiques pour trouver les articles quatre et cinq. Je vais vous donner de l'argent...

Miss Temple fouilla dans le tiroir du bureau et en sortit un carnet relié en cuir contenant une petite liasse de billets de banque. Lentement, elle compta deux, puis trois billets et les remit à Marie qui inclina la tête en les prenant.

– ...Vous vous chargerez des emplettes. N'oubliez surtout pas les reçus pour que je puisse connaître le montant exact des dépenses.

Marie hocha la tête avec beaucoup de sérieux et non sans raison, car miss Temple faisait toujours attention à son argent et, contrairement à d'autres, ne laissait jamais les petites sommes disparaître, ou, du moins, pas sans que l'on reconnaisse clairement sa générosité.

– Le premier élément de la liste est une série de journaux, le *World*, le *Courier*, le *Herald* d'hier, d'aujourd'hui et d'avant-hier. Le deuxième est une carte ferroviaire de la région. Le troisième, un atlas topographique de la région marécageuse de la côte. Le quatrième article que vous devrez trouver est une boîte de ceci – elle remit à Marie une des balles du revolver. Le cinquième élément de la liste, et c'est sans doute ce qui vous demandera le plus de temps, car il vous faudra être très exigeante, ce sont trois ensembles de dessous en soie de toute première qualité, un blanc, un vert et un... noir. Vous connaissez mes mesures.

Avec Marthe, l'autre femme de chambre, elle se retira pour terminer sa coiffure, serrer son corset et appliquer des couches de poudre et de crème sur les ecchymoses de son cou. Elle ressortit vêtue d'une autre robe verte au corsage surpiqué à l'italienne et portant ses bottines que Marthe avait dûment cirées, lorsqu'on frappa à la porte pour lui remettre la première livraison de journaux. Le chasseur de l'hôtel lui expliqua qu'il avait fallu envoyer quelqu'un trouver les éditions des journées précédentes, mais qu'elles devraient arriver sous peu. Miss Temple lui donna une pièce de monnaie et, dès qu'il fut parti, elle posa la pile de journaux, la carte et l'atlas sur la table de la salle à manger et se mit à les feuilleter.

Elle ne savait pas précisément ce qu'elle cherchait, mais elle voulait en finir avec la frustration de ne pas savoir dans quoi elle s'était engagée. Elle compara la carte ferroviaire et l'atlas topographique, et releva avec soin la route qui menait de la gare de Stropping à Orange Canal. Son doigt était arrivé à De Conque quand elle réalisa que Marthe et Agathe l'observaient. Elle demanda d'un ton brusque à Marthe de lui faire du thé et se mit tout bonnement à dévisager sa tante. Loin de comprendre son intention, celle-ci s'installa sur une autre chaise et marmonna qu'une tasse de thé lui ferait, à elle aussi, le plus grand bien.

Miss Temple déplaça sa chaise de manière à ce que sa tante ne pût plus la voir et elle continua à suivre la ligne vers Orange Canal. Elle ressentit un étrange plaisir à repérer le chemin entre chaque station, elle avait en tête une référence visuelle pour chacune d'entre elles. La carte ferroviaire ne comportait pas d'indications sur les routes et les villages, et encore moins sur les manoirs avoisinants, alors elle tira l'atlas topographique vers elle et trouva la page qui détaillait le mieux la région. Elle fut impressionnée de voir la distance qu'elle avait parcourue et réprima un frisson à l'idée qu'elle avait pu se retrouver aussi isolée et exposée au danger. La région entre les deux dernières stations semblait inhabitée, aucun village ne figurait sur la carte. Elle savait que la grande demeure se trouvait près de la mer, car elle se souvenait de l'odeur de l'air marin, mais elle n'oubliait pas que la brise marine voyage vite sur des terres aussi plates que cette zone de marécages et donc que la mer pouvait bien être plus loin qu'elle ne l'estimait. Elle essaya de tracer un périmètre possible, en fonction de la durée du voyage en fiacre entre la gare et la maison, et chercha un repère quelconque sur la carte. Elle vit un étrange symbole près des canaux et, après un bref coup d'œil à la légende, vit qu'il signalait une ruine. De quand pouvait bien dater cette carte? Une demeure aussi grande pouvait-elle être récente? Miss Temple regarda sa tante.

– Connaissez-vous Harschmort?

Tante Agathe tressaillit légèrement, mais resta muette. Miss Temple plissa les yeux. Aucune d'entre elles ne dit mot car, à bien des égards, elles avaient toutes les deux, et en tout cas la plus âgée, hérité du côté entêté de la famille. Après une longue minute de silence, miss Temple fit claquer l'atlas en le fermant, se leva brusquement et se précipita dans sa chambre. Elle revint, au grand effroi de sa tante, avec en main le revolver ouvert qu'elle rechargeait en marchant. Elle fit un effort considérable pour rabattre le barillet avec fermeté. Miss Temple leva les yeux pour voir les deux femmes qui la regardaient, abasourdies, et elle sourit d'un air méprisant – est-ce qu'elles croyaient vraiment qu'elle allait leur tirer dessus? Elle attrapa un sac à main et y déposa l'arme. Elle enroula la courroie autour de son poignet et entreprit de ramasser sa pile de journaux à deux mains. Sans faire le moindre effort pour cacher son irritation, elle dit sèchement à sa femme de chambre:

– La porte, Marthe.

Celle-ci se précipita pour l'ouvrir afin que miss Temple, les bras chargés, pût passer.

– Je vais travailler là où je trouverai le calme, à défaut de trouver quelqu'un qui m'aide.

En se dirigeant vers le hall de l'hôtel et en marchant sur l'épais tapis du couloir, miss Temple sentit qu'elle retrouvait le monde et, surtout, qu'elle affrontait les événements qui l'avaient dépassée. En passant devant les chambrières et les portiers, elle savait, puisque c'était encore l'équipe du matin, que c'était eux qui l'avaient vue arriver couverte de sang. Bien sûr, ils en avaient tous parlé entre eux et tous, sans exception, la regardaient d'un œil curieux alors qu'elle les croisait. Cependant, elle était fermement résolue et savait que si quelque chose avait changé en elle, c'était qu'elle devait désormais apprendre à compter encore plus sur elle-même. Elle comprenait à quel point elle avait de la chance d'être indépendante et d'avoir une nature qui la poussait à se soucier aussi peu de l'opinion des autres. Ils pouvaient bien parler, se dit-elle, c'était sans importance, tant qu'ils la verraient garder la tête haute et qu'elle détiendrait le pouvoir de l'argent. Dans le hall, elle fit un signe de tête à Spanning, le réceptionniste, celui-là même qui lui avait ouvert la porte lors de son retour si peu glorieux. Elle savait que les comportements en société n'étaient pas très différents de ceux qui régissaient le bétail de son père ou sa meute de chiens, alors miss Temple soutint son regard plus longtemps qu'elle ne l'aurait fait normalement, jusqu'à ce qu'il lui retournât obséquieusement son signe de tête.

Elle s'était installée sur un des larges canapés luxueux du hall désert. D'un regard perçant et dur, elle avait fait comprendre au personnel qu'elle n'avait nul besoin d'aide et avait disposé ses papiers en piles ordonnées. Elle commença par revenir sur Harschmort en notant ses remarques, son statut de ruine, son emplacement. Puis elle prit d'abord le *Courier*, qui était le plus susceptible de traiter de la vie mondaine et des faits divers. Elle voulait savoir tout ce qu'on avait écrit sur la réception : d'abord ce que les gens du peuple y percevaient, puis, en lisant les commentaires sur les hommes assassinés le long des routes ou les femmes disparues, elle finirait par apprendre ce que cette soirée cachait vraiment. Elle lut les grands titres sans avoir une idée très précise de ce qui pourrait être le plus important. Elle balayait du regard les grandes lettres noires qui annonçaient des escarmouches dans les colonies, des découvertes ingénieuses, les trajets internationaux en montgolfière, les bals, les œuvres de charité, les expéditions scientifiques, les réformes de la marine, les luttes intestines au sein des ministères… il était clair qu'elle allait devoir creuser la question.

Cela faisait à peine dix minutes qu'elle était installée quand elle vit une ombre s'avancer sur son travail et entendit quelqu'un qui se raclait la gorge de façon plutôt insistante. Elle leva les yeux, prête à rugir si c'était tante Agathe ou Marthe qui avait osé la suivre, mais quelqu'un de bien différent se tenait devant miss Temple.

C'était un homme étrange, grand, les cheveux ébouriffés, mais donnant malgré tout une impression de raideur, comme seul un esprit rationnel peut le faire. Il portait un manteau sombre avec des épaulettes claires, des boutons argentés, et il avait aux pieds des bottes noires tout éraflées. Il portait la raie au milieu et ses cheveux presque blancs avaient été plaqués vers l'arrière même si, depuis, quelques mèches lui étaient retombées sur les yeux. Il portait un monocle attaché à une chaîne. Il n'était pas rasé et miss Temple eut l'impression qu'il ne se sentait pas très bien. Elle ne pouvait deviner son âge, en partie parce qu'il avait l'air fatigué, mais aussi parce que ses cheveux, longs sur le dessus de la tête, étaient rasés derrière et sur les côtés, presque comme un seigneur du Moyen Âge. C'était peut-être seulement qu'il était allemand. Il la fixait, examinait son visage et ses bottines. Elle suivit son regard puis leva les yeux vers son visage à lui. Il avait du mal à parler. Il y avait quelque chose de presque touchant chez cet homme, une sorte d'égarement.

– Veuillez m'excuser, dit-il pour commencer.

Il avait un fort accent, ce qui donnait à ses paroles un côté encore plus formel.

– Je… je suis navré… je vous ai vue. Je ne me suis pas rendu compte… mais maintenant… d'une certaine façon… à travers la fenêtre…

Il se tut, reprit son souffle, déglutit, ouvrit la bouche pour parler puis la referma. Elle se rendit compte qu'il était en train de regarder sa tête, la blessure sur sa pommette, et que, de plus en plus mal à l'aise, ses yeux étaient descendus jusqu'à son cou. Il leva les yeux vers elle et, surpris, il lui dit :

– Mais vous êtes blessée !

Miss Temple ne répondit pas. Bien qu'elle n'eût pas imaginé que la poudre pût vraiment dissimuler ses bleus très longtemps, elle n'avait pas prévu qu'on la découvrirait aussi vite et, encore moins, qu'elle verrait ses blessures provoquer l'inquiétude dans le regard d'un homme. Et d'ailleurs, qui pouvait bien être cet homme ? Les sbires de la femme en rouge pouvaient-ils l'avoir déjà repérée ? Aussi lentement qu'elle le put, elle tendit la main vers son sac. Il vit son geste et leva la main.

– S'il vous plaît, non… bien sûr… vous ne savez pas qui je suis. Je suis Abélard Svenson, médecin militaire, capitaine de marine du duché de Macklenburg. Je suis ici en mission diplomatique, au service du prince Karl-Horst von Maasmärck, qui est porté disparu. Je suis votre allié. Il faut absolument que nous parlions.

Pendant qu'il se présentait, miss Temple continua son geste et ramena le sac sur ses genoux. Il l'observa en silence y glisser la main, sachant très bien qu'elle empoignait une arme.

– Vous dites que… vous m'avez vue ?

– Exactement, poursuivit-il avec un étrange petit gloussement. Je ne puis même pas vous l'expliquer car, à ma connaissance, nous n'avons jamais été en présence l'un de l'autre !

Il regarda derrière elle et recula d'un pas. Le personnel avait sûrement remarqué ce qui se passait. Pour miss Temple, c'en était trop, trop rapidement. Elle se méfiait. Ses pensées retournèrent à cette terrible soirée, à Spragg, à Farquhar et à Dieu sait combien d'autres comparses de la femme en rouge.

— Je ne sais pas ce que vous voulez dire, répondit-elle, ou ce que vous *pensez* dire, car votre accent montre bien que vous êtes étranger. Moi, je vous assure que nous ne nous sommes jamais rencontrés.

Il ouvrit la bouche pour parler, la referma, puis l'ouvrit encore.

— C'est possible. Mais, moi, je vous ai vue et je suis sûr que vous pouvez m'aider…

— Et qu'est-ce qui peut bien vous faire croire ça ?

Il se pencha vers elle et murmura :

— Vos bottines.

Miss Temple ne put rien répliquer. Il sourit et déglutit, regarda en direction de la rue.

— Pouvons-nous trouver un autre endroit pour parler…

— Non, il n'y en a pas, assura-t-elle.

— Je ne suis pas fou, vous savez…

— Pourtant, vous en avez tout l'air, croyez-moi.

— Je n'ai pas dormi. J'ai été pourchassé dans les rues, je suis parfaitement inoffensif…

— Prouvez-le-moi, l'adjura miss Temple.

Miss Temple se rendit compte que, lui parlant sur ce ton, une part d'elle-même cherchait à l'éloigner. Mais en même temps, elle réalisait, alors qu'elle ne faisait que patauger au milieu de ses journaux et de ses cartes, qu'elle avait justement là, devant elle, l'atout dont elle avait besoin pour poursuivre son enquête. Elle se braquait parce que la situation était trop réelle, trop immédiate, et parce que l'homme était manifestement accablé par la fatigue et le désarroi. Autant de choses qui la faisaient instinctivement reculer. En poursuivant ses recherches, quels risques l'attendaient ? Pourrait-elle subir ce qu'elle avait déjà subi ? Elle avait beau le savoir en principe et s'y préparer, les marques qu'elle portait sur le corps ébranlaient sa détermination.

Elle leva les yeux vers l'homme et s'adressa à lui calmement :

— J'apprécierais beaucoup si vous pouviez… en quelque sorte vous… s'il vous plaît.

Il hocha la tête, sérieux.

– Alors, permettez-moi…

Il prit place au bout du canapé et chercha quelque chose dans la poche de sa veste. Il en sortit deux cartes bleutées et scintillantes, regarda rapidement chacune d'elles et en remit une des deux dans sa poche. Il lui tendit l'autre.

– Je ne comprends pas ce que c'est. Tout ce que je sais, c'est ce que j'y vois. Comme je le disais, il y a beaucoup de choses dont nous devons parler, et j'ai bien peur que nous ayons très peu de temps. Je n'ai pas dormi de la nuit… pardonnez-moi d'avoir l'air aussi désespéré. S'il vous plaît, regardez à l'intérieur de cette carte, comme si vous regardiez dans un étang, prenez-la à deux mains, sinon vous la laisserez sûrement tomber. Je vais m'éloigner. Elle vous en dira peut-être plus qu'à moi.

Il lui donna la carte et s'éloigna du canapé. D'une main tremblante, il prit une cigarette brune et d'aspect plutôt repoussant dans un étui en argent et l'alluma. Miss Temple examina la carte. Elle était lourde, faite en verre, mais un verre qu'elle n'avait jamais vu, d'un bleu brillant aux reflets changeants, allant de l'indigo au bleu de cobalt et même au turquoise clair, selon l'éclairage. Elle jeta encore un coup d'œil à l'étrange docteur – c'était bien un Allemand, à entendre son accent –, puis elle regarda dans la carte.

S'il ne l'avait pas prévenue, elle l'aurait sûrement échappée. Étant donné les circonstances, elle était contente d'être assise. Elle n'avait jamais vécu pareille expérience. Elle avait l'impression de nager, comme si elle était immergée dans des sensations et que les images, elle les ressentait sur sa peau. Elle se vit – oui, c'était bien elle – dans le salon de la maison des Bascombe et elle sut que c'était ses mains à elle qui s'enfonçaient dans le rembourrage du fauteuil parce que, pendant que sa mère tournait le dos, Roger venait juste de lui souffler délicatement sur la nuque. C'était un peu comme lorsqu'elle s'était regardée dans le miroir avec le masque blanc sur le visage, car elle se voyait avec les yeux de quelqu'un d'autre, des yeux lascifs qui regardaient ses mollets et ses bras nus avec avidité, comme si tout cela leur appartenait. Puis le décor changea complètement, sans qu'elle s'en soit rendu compte, comme dans un rêve… Elle ne reconnut pas la fosse ou la carrière, mais elle sursauta lorsqu'elle vit la maison de campagne de l'oncle de Roger, lord Tarr. Puis il y eut le fiacre et le ministre adjoint, « Votre décision ? », et pour finir un sinistre couloir incurvé, une porte aux traverses métalliques et cette pièce terrifiante. Elle leva les yeux et se retrouva dans le hall d'entrée du Boniface. Elle haletait. C'était Roger. Elle sut que tout cela avait été vécu par Roger Bascombe, dans sa tête à lui. Son cœur bondit dans sa poitrine, envahi par une angoisse qui se mua vite en rage. «Décision?» Est-ce que cela voulait bien dire ce qu'elle croyait? Si oui – mais c'était évident, mais bien sûr! –, Harald Crabbé devint à la seconde même l'impardonnable ennemi de miss Temple. Elle se tourna vers Svenson avec des éclairs de rage dans le regard. Il revint vers le canapé.

– Comment est-ce que cela fonctionne? demanda-t-elle.

– Je ne sais pas.

– Parce que… enfin… c'est vraiment très étrange.

– Tout à fait, c'est parfaitement troublant, une telle… euh… immédiateté presque surnaturelle.

– Oui! C'est cela, c'est…

Elle ne trouvait pas les mots. Elle s'arrêta pour chercher et jeta simplement:

– …surnaturel.

– Avez-vous reconnu quelque chose? demanda-t-il.

Elle ne prêta pas attention à sa question.

– Où avez-vous trouvé cela?

– Si je vous le dis, est-ce que vous m'aiderez?

– Peut-être.

Il examina son visage de cet air inquiet que miss Temple avait déjà vu au cours de sa vie. Elle avait des traits plutôt agréables, de beaux cheveux et, s'il lui était permis d'avoir une opinion sur elle-même, un corps assez attirant. Et cela ne la gênait plus, désormais, de savoir que sa beauté ne pouvait attirer qu'une attention semblable à celle d'un animal, un animal qui habite totalement son être, sans crainte. Devant cette jeune femme à l'étrange présence presque sauvage, le docteur Svenson avala sa salive et poussa un soupir.

– Je l'ai trouvée dans la doublure de la veste d'un homme mort, avoua-t-il.

Elle désigna la carte, la voix soudainement assourdie, complètement prise de court:

– Pas… cet homme?

Elle n'était pas préparée à ce que quelque chose d'aussi grave eût pu arriver à Roger. Avant qu'elle en dît plus, Svenson faisait non de la tête.

– Je ne sais pas qui est cet homme… celui du point de vue, pour ainsi dire…

– C'est Roger Bascombe, dit-elle. Il est au ministère des Affaires étrangères.

Le docteur fit claquer sa langue, visiblement agacé par lui-même.

– Mais bien sûr…

– Vous le connaissez ? demanda-t-elle timidement.

– Pas à proprement parler, mais je l'ai vu, ou plutôt entendu, ce matin même. Connaissez-vous Francis Xonck ?

– Oh ! c'est un libertin hors pair ! dit miss Temple qui, à peine eut-elle prononcé ces mots, se sentit pincée et ridicule d'avoir répété bêtement les commérages des femmes qu'elle méprisait.

– Je n'en doute pas, approuva le docteur Svenson. Mais Francis Xonck et cet homme, ce Bascombe, étaient en train de se débarrasser d'un corps…

Elle montra la carte.

– Celui qui avait ceci ?

– Non, non, quelqu'un d'autre, bien qu'il y ait un lien, car les bras de cet homme… le verre bleu… pardonnez-moi, je vais trop vite…

– Combien y a-t-il de cadavres dans cette histoire… vous le savez ? demanda-t-elle. Et si possible, pourriez-vous, sommairement, les décrire ?

– Les décrire ?

– Je vous assure que ce n'est pas par goût du macabre.

– Non… non, bien évidemment. Vous avez peut-être vous aussi vu quelque chose, bien que je souhaite sincèrement que ce ne soit pas le cas… quoi qu'il en soit, oui… j'ai moi-même vu deux cadavres, il y en a peut-être d'autres. Il y a peut-être aussi d'autres gens qui sont en danger, et d'autres que j'ai moi-même tués, je n'en sais rien. L'un d'eux, comme je vous le disais, était un homme que je ne connaissais pas, un homme plus âgé, relié à l'Institut royal des sciences et de l'exploration. C'était sans doute un grand savant. Le deuxième était un officier, le colonel Trapping, dont on a annoncé la disparition dans les journaux. Je crois qu'il a été empoisonné. Comment le premier homme… enfin, c'est l'officier qui est mort en premier… comment l'autre homme, celui de l'Institut, a été tué, je n'en ai pas la moindre idée, même pas le début d'une explication, mais cela fait partie du mystère de ce verre bleu…

– Donc, vous n'avez vu que ces deux-là ? demanda miss Temple. D'accord.

– Vous savez s'il y en a d'autres ? lui demanda à son tour le docteur Svenson.

Elle décida de se confier à lui.

– Deux hommes. Deux hommes horribles.

Pour l'instant, elle ne pouvait en dire plus. Par réflexe, elle sortit un mouchoir de son sac, en humecta un coin et se pencha vers lui pour enlever une petite trace de sang sur son visage. Il marmonna des excuses et prit le mouchoir, s'écarta et se tamponna vigoureusement la figure. Puis il replia le mouchoir de miss Temple et le lui tendit. Elle lui fit signe de le garder, souriant d'un air sévère et se frottant l'œil avec désinvolture.

– Faites-moi voir l'autre carte, ordonna miss Temple d'un ton sans réplique. Vous en avez une autre dans votre poche.

Svenson blêmit.

– Je… je ne crois pas que, le moment…

– J'insiste.

Elle était décidée à en apprendre plus au sujet de la vie intime de Roger, les gens qu'il avait vus, le contrat avec Crabbé, ses véritables sentiments envers elle. Svenson se confondait en excuses. Était-ce parce qu'il voulait faire un échange ?

– Je ne peux permettre… à une dame… s'il vous plaît…

Miss Temple lui rendit la première carte.

– La maison de campagne appartient à l'oncle de Roger, lord Tarr.

– Lord Tarr est son oncle ?

– Bien sûr que lord Tarr est son oncle.

Svenson ne dit rien. Miss Temple souleva les sourcils ostensiblement, comme si elle attendait quelque chose.

– Mais lord Tarr a été assassiné, dit Svenson.

Miss Temple en eut le souffle coupé.

– Francis Xonck a évoqué l'héritage de ce Bascombe, poursuivit Svenson, et du fait qu'il va bientôt acquérir de l'importance et du pouvoir. Je crois que lorsque Crabbé parle d'une « décision »…

– J'ai bien peur que ce que vous racontez ne soit parfaitement impossible, répliqua miss Temple.

Tout en prononçant ces mots, elle réfléchit aux implications de ces révélations : Roger n'était pas l'héritier de son oncle. Bien qu'il n'eût pas de fils, lord Tarr, cet homme acariâtre et perclus de goutte, avait eu des filles qui, elles-mêmes, avaient eu des fils. Cela lui avait clairement été expliqué, non sans une certaine amertume, par la mère de Roger. De plus, lors de leur seule visite à Tarr Manor, le lord cacochyme s'était montré extrêmement réticent à l'idée de voir Roger et encore plus à l'idée de faire la connaissance de sa fiancée venue des colonies, ce qui confirmait le statut périphérique de Roger dans cette famille. Et maintenant, lord Tarr avait été assassiné et Roger désigné comme héritier de ses terres et de son titre ? Elle n'y croyait pas un seul instant, mais quel autre héritage Roger aurait-il pu recevoir ?

Elle ne croyait pas que Roger fût un assassin, d'autant plus qu'elle en avait récemment croisé plusieurs de cette espèce. Mais elle le savait faible et malléable, en dépit de ses larges épaules et de son aplomb, et soudain, elle frissonna... les gens qu'il s'était mis à fréquenter, la démonstration à laquelle il avait volontairement assisté dans l'amphithéâtre... tout en ayant juré de le détruire et en méprisant au plus haut point tout ce qui le concernait... c'est avec une pointe de chagrin qu'elle acquit l'étrange certitude qu'il était perdu. Elle ressentit le même pincement au cœur que dans la salle d'opération de Harschmort, lorsqu'elle s'était demandé si Roger était conscient de ce dans quoi il s'engageait, de la nature des gens auxquels il se mêlait et qu'elle s'était sentie incapable de le protéger de son aveuglement envers les gens puissants et riches. Tout à coup, elle eut la certitude que, d'une manière ou d'une autre et malgré lui, il était condamné.

Elle leva les yeux vers Svenson.

– Donnez-moi l'autre carte. Je suis votre alliée, oui ou non ?

– Vous ne m'avez même pas révélé votre nom.

– C'est vrai ?

– Mais oui, dit le docteur.

Miss Temple se reprit, puis lui sourit avec grâce et lui tendit la main en déclinant son identité dans les termes usuels.

– Je m'appelle miss Temple, Celestial Temple. Mon père était passionné d'astronomie et m'a fait l'honneur de me baptiser du nom d'une des lunes de Jupiter, elle hésita puis soupira, mais puisque nous devons être de véritables alliés, alors vous devez m'appeler Céleste. Il le faut, bien sûr, quoique je serais bien incapable de vous appeler, comment dites-vous ? Abélard ? Vous êtes plus vieux, vous êtes étranger, et ce serait dans tous les cas parfaitement ridicule. Voilà, je suis absolument ravie de faire votre connaissance. Je suis sûre de n'avoir jamais rencontré un officier de marine de Macklenburg, ni même un médecin-capitaine d'aucune espèce.

Le docteur Svenson prit sa main avec maladresse et s'inclina pour la baiser. Elle la retira, non sans délicatesse.

– Inutile. Nous ne sommes pas en Allemagne.

– Bien sûr... comme vous voudrez.

Miss Temple fut assez satisfaite de voir qu'il rougissait. Elle profita de sa petite victoire pour diriger clairement son regard vers la poche où se trouvait la seconde carte. Il hésita, très embarrassé. Elle n'y voyait pas d'inconvénient, elle ne serait pas troublée une seconde fois, puisqu'elle avait déjà vu l'autre.

– Vous voudriez peut-être la voir dans une pièce plus à l'écart...

– Pas du tout.

Svenson soupira et sortit la carte. Il la lui tendit, visiblement embarrassé.

– L'homme, ce n'est pas Bascombe, c'est mon prince, un autre libertin hors pair. Cela se passe à l'hôtel Ste-Royale. Vous reconnaîtrez peut-être la femme, je la connais sous le nom de Mrs. Marchmoor, ou les... euh... spectateurs. Dans cette carte de verre, euh... le point de vue est... celui de la femme.

Il se leva et s'éloigna d'elle, s'affairant à essayer de trouver puis d'allumer une autre cigarette, tout en évitant de croiser son regard. Elle jeta un coup d'œil aux employés de la réception qui les observaient toujours avec la plus grande attention, même s'ils ne pouvaient rien entendre de leur discussion, puis elle remarqua que Svenson s'était discrètement écarté et lui tournait le dos pour étudier les feuilles d'une grosse plante en pot. Sa curiosité était piquée au vif. Elle plongea son regard dans la carte.

Lorsqu'elle releva la tête quelques minutes plus tard, le visage de miss Temple était écarlate et sa respiration saccadée. Elle regarda nerveusement autour d'elle, croisa le regard paresseusement curieux du réceptionniste et se détourna tout de suite. Elle fut soulagée et même un peu touchée de constater que le docteur Svenson lui tournait encore le dos, car il savait très bien ce qu'elle venait de vivre, même si c'était avec le corps d'une autre femme. Elle ne pouvait croire ce qui s'était passé, ce qui en fait ne s'était *pas* passé, malgré l'intimité, l'intimité irrésistible de sensations tellement troublantes, tellement agréables. Elle venait juste de... elle ne pouvait le croire !... en public, pour la première fois, sans avertissement ! Elle eut honte de n'avoir pas tenu compte des allusions du docteur pour la dissuader de continuer... elle avait été... par un homme qu'elle ne connaissait pas et pour lequel elle ne nourrissait aucun sentiment, bien qu'elle eût senti ce que cette femme ressentait pour lui, ou pour ce qu'elle avait expérimenté… est-ce que les deux, d'ailleurs, étaient dissociables ? Elle remua sur son siège et ajusta sa robe, ressentant, à son grand désarroi, un chatouillement insistant entre les jambes. Si, à cet instant, sa tante s'était enquise de sa vertu, comment aurait-elle pu répondre ? Miss Temple baissa les yeux vers le rectangle de verre qui se trouvait entre ses mains et s'émerveilla des vastes et troublantes possibilités d'une telle invention.

Elle toussota. Le docteur Svenson se retourna d'un seul coup, clignant des yeux, évitant un moment de croiser son regard. Il s'approcha du canapé. Elle lui remit la carte et sourit très timidement.

– Seigneur !…

Il remit celle-ci dans sa poche, sa gêne était touchante :

– Je suis tout à fait désolé… J'ai peur de ne pas avoir été assez clair…

– Ne vous en faites pas, s'il vous plaît. C'est moi qui devrais vous présenter des excuses, quoique, en vérité je préférerais ne plus parler de tout ça.

– Évidemment, veuillez me pardonner… c'est très indélicat de ma part de continuer ainsi.

Elle ne répondit pas, puisqu'elle ne pouvait le faire sans prolonger ce qu'elle avait elle-même souhaité écourter. Suivit une pause. Le docteur la regarda avec gêne. Il ne savait plus du tout quoi dire. Miss Temple soupira :

– La femme dont, comme vous le dites, le point de vue est transmis, vous la connaissez ?

– Non, non… mais vous-même, auriez-vous, peut-être, reconnu quelqu'un ?…

– Je ne pourrais le dire avec certitude, puisqu'ils étaient tous masqués, mais je crois que la femme…

– Mrs. Marchmoor.

– Oui, je crois l'avoir déjà vue. Je ne connais pas son nom, ni même son visage, d'ailleurs, car je ne l'ai vue que masquée.

Elle vit les yeux du docteur Svenson s'écarquiller.

– À la réception pour les fiançailles ? Il fit une pause. Chez… chez lord Vandaariff !

Miss Temple ne répondit pas immédiatement, car elle réfléchissait.

– En effet, à… oh ! Comment s'appelle cette maison ?

– Harschmort ?

– C'est exact. Autrefois, c'était une sorte de ruine, non ?

– C'est ce que l'on dit, répondit Svenson. Un fort côtier, construit par les Normands probablement et puis, ensuite, après quelques ajouts…

Miss Temple se rappela les murs nus, épais et menaçants, et tenta de deviner :

– Une prison ?

– Exactement. Puis c'est devenu la demeure de lord Vandaariff, achetée à la Couronne et restaurée à grands frais.

– Et avant-hier soir…

– La fête pour les fiançailles du prince et de miss Vandaariff. Mais… mais vous y étiez ?

– Je l'avoue… j'y étais.

Il la regardait avec une intense curiosité. Pour sa part, elle se savait avide de plus de renseignements, surtout après les révélations sur Roger et son oncle. De plus, la perspective d'entendre le récit d'une autre personne qui avait assisté au bal masqué la tentait énormément. Mais miss Temple voyait aussi l'extrême fatigue qui marquait le visage et le corps de son nouvel allié. Comme il continuait à jeter des coups d'œil méfiants par la fenêtre, dans la rue, elle pensa qu'il serait plus judicieux de lui offrir de se reposer quelque part pour qu'il pût récupérer. Une fois qu'ils se mettraient d'accord sur ce qu'ils allaient faire, il serait ainsi en mesure de la suivre. De plus, il fallait bien l'admettre, maintenant qu'elle savait mieux ce qu'il fallait chercher, elle voulait disposer de davantage de temps pour étudier les journaux, afin de ne plus passer pour une jeune fille pas très maligne une fois qu'ils auraient échangé les détails de leurs histoires respectives. Elle considérait que ses expériences ne devaient pas être sous-estimées parce qu'il lui manquait quelques noms d'endroits et quelques hypothèses qui devenaient parfaitement évidentes une fois qu'on y avait réfléchi. Elle se leva. En une seconde, mû par un réflexe de politesse presque canin, Svenson était debout lui aussi.

– Suivez-moi, dit-elle en rassemblant rapidement ses livres et ses papiers. J'ai honte d'avoir été aussi négligente.

Elle se dirigea vers le comptoir de la réception, les mains pleines, se retournant vers le docteur Svenson qui la suivait de près en bafouillant de vagues objections.

– À moins que vous vouliez manger quelque chose ? s'enquit-elle.

– Non, non, balbutia-t-il. J'ai… il n'y a pas longtemps… dans la rue… un café…

– Très bien. Monsieur Spanning ?

Elle s'adressa à l'homme obséquieux qui se trouvait derrière le comptoir et qui lui accorda immédiatement toute son attention.

– Voici le docteur Svenson. Il lui faudra une chambre. Il n'a pas de domestiques, une chambre et un salon devraient suffire. Il lui faudra de quoi manger, un bouillon ou quelque chose de ce genre devrait faire l'affaire, il ne se sent pas très bien. Il faudra aussi faire nettoyer son manteau et ses bottes. Merci infiniment. Vous mettrez ça sur ma note.

Elle se retourna vers Svenson et fit taire ses protestations un peu incohérentes.

– Pas d'enfantillages, docteur. Vous avez besoin d'aide et puis c'est à charge de revanche. Je suis sûre que vous m'aiderez quand votre tour viendra. Ah ! monsieur Spanning, merci beaucoup ! Le docteur Svenson n'a pas de bagages. Il prendra la clé lui-même.

Spanning tendit la clé à Svenson qui la prit sans un mot. Miss Temple posa sur le comptoir tout ce qu'elle avait dans les bras, signa rapidement le reçu que le réceptionniste avait mis devant elle et reprit ses papiers. Elle lança un dernier grand sourire à l'intention de Spanning, le défiant ainsi de trouver quoi que ce soit dans cette transaction qui pût menacer un tant soit peu la bienséance ou ternir sa réputation. Puis elle passa devant pour gravir le grand escalier, petite silhouette alerte avec, dans son sillage, le docteur tout dégingandé qui marchait en esquissant d'improbables courbettes. Ils arrivèrent au deuxième étage. Miss Temple tourna à droite et emprunta un large couloir au tapis rouge.

– Miss Temple, chuchota Svenson, s'il vous plaît, c'est beaucoup trop. Je ne peux accepter une telle générosité. Nous avons beaucoup de choses à discuter, je peux me contenter de louer une chambre moins chère dans une pension discrète…

– Ça ne conviendrait pas du tout, répondit miss Temple. Je n'irai certainement pas vous chercher dans un endroit pareil. De plus, si je me fie aux regards furtifs que vous lancez dans la rue, vous ne devriez pas du tout vous y promener, pas avant que nous ayons bien compris les dangers qui nous guettent et que vous ayez pu dormir. Vraiment, docteur, c'est la meilleure chose à faire.

Miss Temple était très fière d'elle-même. Elle était fort satisfaite d'avoir pris des mesures aussi énergiques, après toutes ces expériences qui semblaient n'avoir pour but que de démontrer à quel point elle était ignorante et incapable. De plus, même si elle ne le connaissait que depuis quelques minutes, elle était contente d'avoir choisi de faire confiance au docteur Svenson et de l'aider autant qu'elle le pouvait. C'était comme si, en faisant tout cela, elle s'éloignait de plus en plus de la douloureuse solitude dans laquelle elle s'était retrouvée à Harschmort.

– Ah! s'exclama-t-elle, le numéro 27!

Elle s'arrêta à côté de la porte pour laisser Svenson l'ouvrir. Il s'exécuta et regarda à l'intérieur, puis lui fit signe d'entrer devant lui. Elle remua la tête.

– Non, docteur. Il faut que vous dormiez. Je vais regagner mes appartements, puis, quand vous aurez repris vos forces, avertissez Spanning et il me le fera savoir. Nous pourrons alors discuter comme il faut. Je vous assure que j'attends ce moment avec impatience mais, avant, vous devez prendre quelque repos…

Elle fut interrompue par le bruit d'une porte qui s'ouvrait plus loin dans le couloir. Par réflexe, elle jeta un coup d'œil vers l'endroit d'où était parvenu le bruit, revint à Svenson… puis, les yeux écarquillés de surprise, les mots s'évanouissant sur ses lèvres, elle se retourna vers le client de l'hôtel qui venait de sortir dans le couloir. L'homme se tenait là et la regardait, son regard oscillant entre Svenson et elle. Miss Temple perçut également la surprise sur le visage du docteur, au moment même où elle le sentit empoigner quelque chose dans la poche de son manteau.

Le nouveau venu se dirigeait lentement vers eux, l'épais tapis amortissant le bruit de ses pas. Il était grand, avait les cheveux noirs, et son manteau d'un rouge profond descendait presque jusqu'au sol. Il portait les mêmes lunettes noires que lorsqu'elle l'avait vu dans le train. Ses mouvements étaient puissants et gracieux, comme ceux d'un chat, mais il s'en dégageait aussi une impression d'aisance et de menace. Elle savait qu'elle aurait dû, elle aussi, attraper le revolver dans son sac, mais elle préféra poser calmement sa main sur le bras du docteur pour interrompre son geste. L'homme en rouge s'arrêta à quelques mètres. Il la regarda, elle le sentit, bien qu'elle ne pût voir ses yeux, regarda le docteur, puis la porte ouverte.

Il chuchota d'un air complice :

– Pas de sang. Pas de prince. Et si on commandait du thé ?

L'homme en rouge ferma la porte, ses yeux invisibles derrière se verres teintées rivés sur miss Temple et le docteur alors qu'ils s'asseyaient dans le petit salon. Ils avaient tous une main fermement posée sur leurs armes respectives. Pendant un long moment, ils se regardèrent mutuellement, en silence. Enfin, miss Temple s'adressa à Svenson.

– Si je comprends bien, vous connaissez cet homme ?

– Nous ne nous sommes pas parlé… il serait peut-être plus juste de dire que nous nous sommes croisés. Il s'appelle, veuillez me corriger si je me trompe, monsieur Chang.

L'homme en rouge confirma.

– Je ne sais pas comment vous vous appelez, mais pour la dame ici… c'est un plaisir de rencontrer officiellement la célèbre Isobel Hastings.

Miss Temple ne répondit pas. Svenson bafouillait à côté d'elle. Il s'écarta et la regarda avec des yeux ronds.

– Isobel Hastings ? Mais vous… vous étiez avec Bascombe !

– J'étais avec lui, confirma miss Temple.

– Mais comment se fait-il qu'ils ne sachent pas qui vous êtes ? Je suis sûr que lui aussi vous recherche !

– Elle est très différente… de jour, ricana Chang.

Svenson la dévisagea, son regard s'attardant sur les bleus et la ligne rouge tracée par la balle.

– Suis-je bête… murmura-t-il. Mais… comment… Je vous demande pardon…

– Il était dans le train, répondit-elle à Svenson en regardant fixement Chang. À mon retour de Harschmort. Nous ne nous sommes pas parlé.

– Tiens donc ! intervint Chang.

Il regarda Svenson.

– Nous ne nous sommes pas parlé, vous et moi ? Bien sûr que si ! Un homme comme moi, qui rencontre une femme couverte de sang… Elle vous a raconté ça ? Un homme qui s'est frayé un chemin parmi une foule d'ennemis avec un pistolet et qui les a semés. Je crois que, l'un comme l'autre, nous nous sommes reconnus.

Pendant un moment, personne ne pipa mot. Miss Temple s'assit sur le petit divan. Elle leva les yeux vers le docteur et lui indiqua un fauteuil. Il hésita, mais finit par s'asseoir. Tous les deux regardaient Chang qui s'avançait avec nonchalance vers la chaise qui restait, en face d'eux. Ce n'est qu'à cet instant que miss Temple se rendit compte qu'il y avait quelque chose de brillant dans sa main, son rasoir. À sa façon de se mouvoir, elle était sûre qu'il était bien plus dangereux avec sa lame qu'eux deux réunis avec leurs revolvers. Et si c'était le cas, alors c'était tout autre chose qu'il fallait envisager. Elle toussota et sortit très ostensiblement sa main de son sac à main. Elle le souleva ensuite de ses genoux et le posa à côté du divan. Un instant plus tard, Chang fourra brusquement son rasoir dans sa poche. Quelques secondes après, Svenson retira sa main de la poche de son manteau.

— Vous étiez sérieux pour le thé? demanda miss Temple. J'en prendrais un volontiers. Il est toujours préférable de parler de choses sérieuses autour d'une théière. Docteur, c'est vous qui êtes le mieux placé, auriez-vous la gentillesse de sonner?

Pendant qu'ils attendaient le thé, ils n'échangèrent pas un seul mot, ni même quand ils se servirent, mis à part quelques monosyllabes à propos du citron, du lait ou du sucre. Miss Temple prit une gorgée de sa tasse, une main sous la soucoupe, il était excellent, et, revigorée de la sorte, elle décida qu'il fallait que quelqu'un prît l'affaire en main: le docteur menaçait à tout instant de s'endormir et quant à l'autre homme, il avait toutes les apparences d'un rapace.

— Monsieur Chang, vous êtes de toute évidence sur vos gardes — et je suis sûre de ne pas me tromper en disant que nous avons tous ici de bonnes raisons de l'être mais, malgré tout, vous êtes ici. Le docteur Svenson et moi-même, nous nous sommes rencontrés il y a moins d'une heure, et ce, en nous croisant par hasard dans le hall de cet hôtel. Tout comme nous vous avons croisé, vous-même, dans ce couloir. Je vois bien que vous êtes un homme dangereux, et pour moi, il ne s'agit là ni d'un compliment ni d'un reproche. C'est un constat et j'en conclus que si nous en arrivions à un profond désaccord, la violence qui s'ensuivrait pourrait mettre fin aux jours d'au moins l'une des factions. N'est-ce pas?

Chang acquiesça, et un sourire se profila sur ses lèvres.

— Très bien. Dans ces circonstances, je ne vois aucune raison de nous cacher quoi que ce soit. Si nous nous disons certaines choses, cela ne fera de mal à personne, et si nous devons nous allier, nous serons d'autant plus forts si nous partageons ce que nous savons. D'accord?

Chang fit encore oui de la tête et prit une gorgée de thé.

– C'est bien aimable de votre part. Je suggère donc, puisque j'ai déjà parlé au docteur Svenson... – je vous présente le médecin-capitaine Abélard Svenson de la marine de Macklenburg.

Avec un air espiègle, les deux hommes échangèrent des signes de tête solennels.

– Donc, je suggère de vous raconter brièvement ma version de cette histoire. Comme le docteur et moi n'avions pas encore atteint ce niveau de franchise, j'espère que cela l'intéressera aussi. Voyez-vous, le docteur n'a pas dormi de la nuit, il a apparemment été l'objet d'une violente chasse à l'homme et a perdu son prince, comme vous l'avez si judicieusement remarqué dans le couloir, rappela-t-elle avec un sourire. Si le docteur Svenson peut continuer...

– Absolument, murmura Svenson, le thé m'a remis d'aplomb.

– Monsieur Chang ?

– Je ne voudrais pas paraître impertinent, observa Svenson, mais lorsque j'ai entendu des hommes parler de vous, ils vous appelaient le Cardinal.

– C'est ainsi que certains m'appellent, dit Chang. Ça vient du manteau.

– Et savez-vous, quant à moi, dit miss Temple, que le docteur Svenson m'a reconnue à la couleur de mes bottines ? Nous avons déjà beaucoup de choses en commun !

Chang lui sourit en inclinant la tête et en cherchant à savoir si elle était sérieuse. Miss Temple émit un petit rire, satisfaite d'avoir pu éloigner aussi efficacement le rasoir de ses pensées. Elle prit une gorgée de thé et commença.

– Je ne m'appelle pas Isobel Hastings, mais Celestial Temple. Personne ne m'appelle ainsi, on m'appelle miss Temple ou bien, en de très particulières et rares occasions, on m'appelle Céleste. En ce moment, dans cette ville, depuis que j'ai rencontré le docteur et lui ai donné ce privilège, deux personnes m'appellent ainsi, l'autre personne étant ma tante. Peu de temps après être arrivée de ce côté-ci de l'océan, j'ai été fiancée à Roger Bascombe, un sous-secrétaire adjoint du ministère des Affaires étrangères qui travaille surtout avec Harald Crabbé.

Elle sentait Svenson réagir à ce qu'elle racontait, mais elle ne le regardait pas, car il lui était bien plus facile de parler de choses délicates ou douloureuses à quelqu'un qu'elle ne connaissait pas du tout. C'était d'ailleurs encore plus facile d'en parler à un homme comme Chang dont elle ne voyait pas les yeux.

— Il y a quelques jours de cela, après avoir passé presque une semaine sans le voir pour des raisons parfaitement vraisemblables, j'ai reçu une lettre de Roger rompant nos fiançailles. Je veux que vous compreniez bien tous les deux que je ne nourris plus aucun sentiment envers la personne de Roger Bascombe. Rien, sauf du mépris. Quoi qu'il en soit, ses manières brutales et cruelles m'ont incitée à rechercher la véritable cause de son geste, car il ne m'a donné aucune explication. Il y a deux jours de cela, je l'ai suivi à Harschmort. Je me suis déguisée et j'ai vu beaucoup de choses et beaucoup de gens que je n'étais pas censée voir. J'ai été séquestrée, puis interrogée et, je serai franche, on m'a livrée à deux hommes pour qu'ils abusent de moi et qu'ils me tuent ensuite. Au lieu de cela, c'est moi qui les ai tués, d'où, docteur, ma question au sujet des cadavres. Sur le chemin du retour, j'ai fait la connaissance du cardinal Chang et nous avons échangé à peine un signe de tête. C'est lors de mon interrogatoire que j'ai donné le nom d'Isobel Hastings… et ce nom semble m'avoir poursuivie.

Les deux hommes étaient silencieux. Miss Temple se servit un peu plus de thé, puis resservit les autres qui se penchèrent tous deux pour tendre leur tasse.

— Je suis sûre que vous avez beaucoup de questions. Vous voudriez savoir plus en détail ce que j'ai vu et qui j'ai vu, mais il est sans doute préférable de continuer à tracer les grandes lignes de ce que nous avons à nous dire. Docteur ?

Svenson hocha la tête, vida sa tasse et se pencha pour s'en servir une autre. Il prit une gorgée, la vapeur du liquide lui effleura les lèvres. Il s'installa confortablement dans son siège.

— Est-ce que je vous importunerais si j'allumais une cigarette ?

— Pas du tout, dit miss Temple. Je suis certaine que ça vous aiguisera les idées.

— Je vous en remercie, dit Svenson qui prit un moment pour sortir une cigarette brune et l'allumer.

Il souffla la fumée. Miss Temple se surprit à étudier la structure de la mâchoire et du crâne de l'homme, en se demandant s'il lui était déjà arrivé de manger.

— Je serai bref. Je fais partie du détachement diplomatique du prince Karl-Horst von Maasmärk, l'héritier de la couronne de mon pays qui doit épouser Lydia Vandaariff. C'est un mariage dont les enjeux sont internationaux et, officiellement, je suis rattaché à la mission diplomatique en tant que médecin. Mon but principal est de protéger le prince de sa propre bêtise et des gens qui l'entourent et qui pourraient en abuser, et il y en a toujours pour le faire. L'envoyé diplomatique et l'attaché militaire ont, je crois, tous deux trahi et livré le prince à une conspiration défendant des intérêts privés. J'ai libéré le prince de leur emprise une fois, après qu'il a été soumis, peut-être de son plein gré, à ce qu'ils ont appelé « le Procédé », et qui laisse une cicatrice peut-être temporaire sur le visage, comme une brûlure…

Miss Temple se redressa pour parler et vit Chang faire de même. Svenson leva une main.

– Je suis sûr que nous avons tous vu cela. La première fois, pour moi, c'était au bal de Harschmort, lorsque j'ai aperçu le corps d'Arthur Trapping, mais depuis, il y en a eu beaucoup d'autres : le prince, une femme qui s'appelle Mrs. Marchmoor…

– Margaret Hooke, dit Chang.

– Je vous demande pardon ?

– Son vrai nom est Margaret Hooke. C'est une putain de l'échelon* le plus élevé.

– Ah ! dit le docteur Svenson qui grimaça, gêné que miss Temple dût entendre pareil vocable.

Bien que touchée par sa réaction, miss Temple trouva ce réflexe agaçant. Si l'on s'engageait dans une aventure, une enquête, une telle délicatesse devenait hors de propos. Elle sourit à Chang.

– On en saura plus sur elle plus tard, car elle réapparaît ailleurs dans notre témoignage, lui dit miss Temple. N'est-ce pas que nous avançons ? Docteur, s'il vous plaît, continuez.

– Je dis que les cicatrices sont peut-être temporaires, poursuivit Svenson, parce que la nuit dernière j'ai entendu Francis Xonck interroger Roger Bascombe au sujet de sa propre expérience de ce « procédé », mais j'ai vu le visage de Bascombe à l'Institut – je vais peut-être un peu trop vite – et il ne semblait pas porter de cicatrices de ce genre.

Miss Temple eut un profond pincement au cœur.

– C'était avant qu'il envoie sa lettre, dit-elle. Les jours pendant lesquels il a prétendu travailler avec le ministre adjoint… c'était exactement à ce moment-là.

– Mais bien sûr, dit Chang sans méchanceté.

– Mais bien sûr, murmura miss Temple.

* En français dans le texte.

– Harald Crabbé, confirma Svenson. Il est au cœur de tout cela, mais il y en a d'autres avec lui. Une conspiration formée de gens qui travaillent au ministère, des militaires, des membres de l'Institut et d'autres personnages puissants : comme je le disais, la famille Xonck, le comte d'Orkancz, la Contessa di Lacquer-Sforza et peut-être même Robert Vandaariff lui-même. Or, d'une manière qui m'échappe, ma patrie, Macklenburg, fait partie intégrante de leurs plans. Devant l'indifférence de mes collègues, j'ai sauvé le prince de leurs expériences scientifiques perverses à l'Institut. C'est là que j'ai vu le cardinal Chang. À notre légation, il a fallu que je soigne plusieurs de nos soldats, je crois d'ailleurs que leurs blessures étaient le fait du cardinal Chang…

Il leva la main encore une fois.

– Je ne juge personne, poursuivit-il, ils ont eux-mêmes essayé de me tuer depuis. Au même moment, le prince a été séquestré dans sa chambre, je ne sais comment, mais ils se sont enfuis par le toit. Je suis parti seul à sa recherche. Dans la maison d'Harald Crabbé, j'ai entendu Francis Xonck et Roger Bascombe parler philosophie autour du cadavre curieusement défiguré d'un savant de l'Institut dont une bonne partie du sang s'était transformée en verre bleu. Mon propre attaché militaire, le major Blach, qui est des leurs, les a rejoints, et tout ce que j'ai pu apprendre, c'est que le major Blach supposait que les conspirateurs avaient enlevé le prince, alors que Francis Xonck, lui, assurait que ce n'était pas le cas. Quoi qu'il en soit, je me suis sauvé et j'ai tenté de retrouver madame di Lacquer-Sforza, mais j'ai été enlevé par le comte d'Orkancz, forcé de me livrer à une autre consultation médicale, une autre de leurs expériences qui avait mal tourné, et puis – c'est une longue histoire – j'ai été livré pour qu'on me tue et qu'on m'envoie par le fond dans le fleuve avec le cadavre de ce scientifique mort et celui d'Arthur Trapping. Je me suis échappé. J'ai encore essayé de retrouver madame di Lacquer-Sforza pour constater qu'elle était accompagnée de Xonck et d'Orkancz, elle aussi est des leurs. En fuyant l'hôtel, j'ai vu miss Temple par la fenêtre, je l'ai reconnue grâce à la carte – je n'ai pas parlé des cartes –, il posa maladroitement les cartes sur la petite table à côté du cabaret. L'une vient du prince, et l'autre, de la dépouille d'Arthur Trapping. Comme l'a observé miss Temple, ce sont des éléments de preuve précieux, mais tout à fait mystérieux.

– Vous n'avez pas dit où vous aviez entendu le nom d'Isobel Hastings, observa Chang.

– C'est vrai? Pardonnez-moi. Je l'ai entendu prononcer par madame di Lacquer-Sforza. Elle m'a demandé de l'aider à trouver une certaine Isobel Hastings, en échange de quoi elle me dirait où se trouvait mon prince, à l'Institut. Le plus étrange, c'est qu'elle m'a dit où il se trouvait et m'a permis de le récupérer contre le gré de Crabbé et d'Orkancz. C'est pour cette raison que j'ai cherché à la revoir, car alors que le prince a été enlevé par le toit la nuit dernière, quelques-uns des conspirateurs, du moins Xonck et Crabbé, semblaient ignorer où il se trouvait. J'avais espéré qu'elle le saurait.

Miss Temple sentit un picotement dans la nuque.

– Vous pourriez peut-être nous décrire cette femme, docteur.

– Bien sûr, commença-t-il. Une femme grande, cheveux noirs bouclés autour du visage et rassemblés en arrière, la peau blanche, habillée de façon exquise, élégante à un point tel que c'en est presque pervers, gracieuse, intelligente, ironique, dangereuse et, je dirais, parfaitement remarquable. Elle me dit s'appeler madame di Lacquer-Sforza, un des employés de l'hôtel l'a appelée Contessa…

– À l'hôtel Ste-Royale? demanda Chang.

– Exactement.

– Vous la connaissez? demanda miss Temple.

– Simplement sous le nom de Rosamonde… elle m'a engagé – c'est ce que les gens font, ils m'engagent pour que j'accomplisse certaines tâches pour eux. Elle, elle m'a engagé pour trouver Isobel Hastings.

Miss Temple ne dit rien.

– Je suppose que vous la connaissez, dit Chang.

Miss Temple fit oui de la tête. Elle avait beau le nier, l'aisance qu'elle arborait plus tôt avait été quelque peu ébranlée. La description qu'en avait faite le docteur avait fait ressurgir dans son esprit le souvenir très vif de cette femme, et la crainte qu'elle lui avait inspirée.

– Je ne connais pas ses noms, dit miss Temple. Je l'ai rencontrée à Harschmort. Elle portait un masque. Tout d'abord, elle a cru que je faisais partie du groupe de Mrs. Marchmoor et les autres, un groupe de putains comme vous le disiez, mais ensuite, c'est elle qui m'a fait subir un interrogatoire… et c'est elle qui m'a livrée à mes bourreaux.

À la fin de sa phrase, elle n'avait plus qu'une toute petite voix douloureuse. Les hommes restèrent silencieux.

– Ce qui est amusant, mais vraiment amusant, dit Chang, c'est qu'ils nous traquent, mais nous ne sommes pas du tout à l'image de ce qu'ils pensent. Ma partie de l'histoire est simple. Je travaille pour les autres. J'ai aussi suivi un homme à Harschmort, l'homme que vous avez vu mort, docteur, le colonel Arthur Trapping. J'avais été engagé pour le tuer.

Il prit une gorgée de thé et observa leur réaction pardessus le bord de sa tasse. Miss Temple fit de son mieux pour hocher la tête avec le même détachement poli que si quelqu'un parlait de son goût secret pour les bégonias en pot. Elle regarda Svenson, dont le visage était neutre, comme si ce nouvel élément ne faisait que confirmer ce qu'il savait déjà. Chang sourit, non sans une pointe d'amertume, pensat-elle.

– Je ne l'ai pas tué. C'est quelqu'un d'autre qui l'a fait. Mais j'ai vu les cicatrices dont vous parliez, docteur. Trapping était un instrument de la famille Xonck. Je ne comprends pas qui a pu le tuer.

– Les aurait-il trahis ? demanda Svenson. Francis Xonck a fait jeter son corps dans le fleuve.

– Est-ce que cela veut dire qu'il l'a tué ou qu'il ne voulait pas qu'on retrouve le corps, qu'il ne fallait pas qu'on le retrouve avec ces cicatrices sur le visage ? Ou est-ce encore autre chose ? Vous parliez de la femme, pourquoi les aurait-elle trahis pour vous permettre de sauver votre prince ? Je n'en sais rien.

– J'ai pu examiner le corps du colonel brièvement et je crois qu'il a été empoisonné, une sorte d'injection dans un doigt.

– Un accident, peut-être ? demanda Chang.

– Cela peut être n'importe quoi, répondit le docteur. On était sur le point de m'assassiner à ce moment-là et je n'avais pas l'esprit très clair.

– Puis-je vous demander qui vous avait engagé pour le tuer ? demanda miss Temple.

Chang réfléchit un instant avant de répondre.

– Évidemment, c'est un secret professionnel, ajouta miss Temple. Mais si vous ne faites pas entièrement confiance à cette personne, peut-être que…

– C'est le subordonné de Trapping, le lieutenant-colonel Aspiche.

Svenson éclata de rire.

– Je l'ai rencontré hier en présence de madame di Lacquer-Sforza à l'hôtel Ste-Royale. À la fin de la visite, Mrs. Marchmoor...

Soudain mal à l'aise, il regarda miss Temple.

– Disons qu'il est leur créature...

Chang hocha la tête et soupira.

– Je me disais bien qu'il y avait quelque chose qui n'allait pas dans toute cette histoire. Le lendemain, il n'y avait plus de corps, aucune nouvelle, et Aspiche n'était d'aucune utilité, complètement en retrait parce que, comme vous me le confirmez, ils étaient déjà en train de le persuader d'être des leurs, de le séduire. Bref, c'est moi qui ai rencontré la séductrice, cette femme qui m'a engagé pour rechercher une certaine Isobel Hastings, qui était, selon elle, « une prostituée qui avait assassiné un ami très cher ».

Miss Temple maugréa. Leurs regards se tournèrent vers elle. Elle fit signe à Chang de continuer son récit.

– Sur ses indications, j'ai cherché dans plusieurs bordels, bien évidemment, sans jamais trouver d'Isobel Hastings. Mais j'ai appris que deux autres personnes, Mrs. Marchmoor, alias Margaret Hooke, et le major *Black*...

– Blach, en fait, dit Svenson en précisant la prononciation correcte.

– Blach, alors, murmura Chang. Et tous les deux étaient aussi à sa recherche. En plus, le major me recherchait moi aussi. On m'avait vu à Harschmort et certains me connaissent. Alors que je regagnais ma chambre, l'un des hommes du major a essayé de me tuer. Une visite dans un troisième bordel m'a mis sur les traces d'un petit groupe : votre prince, Bascombe, Francis Xonck, un grand type avec un manteau de fourrure...

– Le comte d'Orkancz, confirma Svenson.

– Oh! s'exclama miss Temple. Moi aussi, je l'ai vu!

– Il avait trouvé Margaret Hooke dans ce même bordel et s'emparait d'une autre femme. Je les ai suivis jusqu'à l'Institut, je vous ai vu entrer, docteur, et je vous ai suivi au sous-sol. Ils y font d'étranges expériences avec une chaleur extrême et du verre bleu...

Chang ramassa une des cartes sur le plateau.

– C'est le même verre, mais au lieu de ces petites cartes, ils fabriquaient un livre de verre bleu à l'aide de grosses machines. Malheureusement, l'homme qui dirigeait les opérations a été surpris, par moi-même, et l'a laissé tomber. Je suis sûr que c'est l'homme que vous avez vu sur la table de l'adjoint du ministre. J'ai profité de la confusion pour m'échapper, mais je suis tombé aussitôt sur votre major et ses hommes. Je leur ai échappé aussi et je me suis retrouvé ici… complètement par hasard.

Il se pencha et prit la théière pour servir tout le monde. Miss Temple tenait sa tasse entre ses mains pour les réchauffer.

– Qu'est-ce que vous voulez dire lorsque vous affirmez que nous ne sommes pas ce que nos ennemis croient que nous sommes? demanda-t-elle à Chang.

– Je veux dire, précisa Chang, qu'ils nous attribuent beaucoup plus de pouvoir que n'en avons en réalité. Ils pensent peut-être que nous formons une faction opposée à la leur et qui a existé jusqu'ici sans qu'ils le sachent. Ils sont tellement arrogants qu'ils pensent que la seule chose qui pourrait les menacer, c'est une faction puissante réunissant des gens qui sont doués pour la manigance, comme la leur. La dernière chose qu'ils pourraient imaginer, c'est qu'ils ont été menacés par les actions plutôt improvisées de trois individus isolés pour lesquels ils n'ont que mépris.

– Tout simplement parce que ce n'est pas très flatteur pour eux, conclut miss Temple en grimaçant.

Le docteur Svenson dormait maintenant dans la pièce voisine. On s'occupait de nettoyer son manteau et ses bottes. Pendant un moment, miss Temple et Chang avaient parlé de ce qui l'avait amené à l'hôtel et de la coïncidence qui les avait réunis tous les trois, mais la conversation s'était vite épuisée. Miss Temple étudiait l'homme qui était assis en face d'elle, en essayant de comprendre concrètement ce qui faisait de lui un criminel, un assassin. Ce qu'elle voyait, c'était une sorte d'élégance animale ou, si ce n'était pas de l'élégance, une sorte d'efficacité et une façon d'être, à la fois insolente et retenue. Elle comprit que c'était là la marque de l'expérience et elle y trouva quelque chose d'attirant, qu'elle aurait souhaité pour elle-même, bien qu'elle trouvât l'homme plutôt intimidant et inquiétant. Il avait des traits anguleux, une voix sourde et rude et un ton abrupt qui frisait l'insolence. Elle était très curieuse de savoir ce qu'il pensait d'elle, ce qu'il avait pensé quand il l'avait aperçue dans le train et ce qu'il se disait en ce moment, en la voyant dans son état normal. Mais il lui semblait indélicat de lui poser la question. Elle sentait qu'il avait pour elle une sorte de condescendance, pour la chambre d'hôtel, le thé, toute sa vie à elle; car si elle-même n'était pas née dans un milieu de privilégiés, elle était sûre qu'elle les aurait profondément méprisés tous les jours de sa vie.

Le cardinal Chang la contemplait depuis sa chaise. Elle lui sourit et plongea la main dans son sac vert.

– Vous pouvez peut-être m'aider. Je viens juste de m'y mettre…

Elle sortit le revolver et le posa sur la table entre eux deux.

– Je me suis procuré d'autres munitions, mais je ne connais rien à l'arme elle-même. Si vous vous y connaissez, j'apprécierai tous les conseils que vous pourrez me donner.

Chang se pencha et prit le revolver dans sa main, l'arma puis relâcha doucement le chien.

– Je ne suis pas expert en armes à feu, dit-il. Mais j'en sais assez pour le charger, pour tirer et pour l'entretenir.

Elle lui fit un signe de tête empressé. Il haussa les épaules.

– Il nous faut un chiffon…

Au cours de la demi-heure qui suivit, il lui montra comment recharger, viser, démonter, nettoyer et remonter l'arme. Quand elle fut capable de le faire toute seule, satisfaite, elle remit le pistolet sur la table et leva les yeux vers lui. Elle aborda enfin la question qui lui avait brûlé les lèvres tout ce temps.

– Et pour tuer? demanda-t-elle.

Chang ne répondit pas tout de suite.

– J'ai besoin que vous me disiez quoi faire, l'enjoignit-elle.

– J'ai pourtant cru comprendre que c'est vous qui étiez une tueuse, fit-il remarquer.

Il ne lui souriait pas, ce qu'elle apprécia.

– Pas avec ça, dit-elle en indiquant le revolver.

Elle se rendit compte qu'il n'était toujours pas sûr qu'elle fût sérieuse. Elle attendit, avec une expression de fermeté dans les yeux. Quand il parla, Chang la regardait de très près.

– Approchez-vous autant que vous le pourrez. Enfoncez le canon dans le corps. Rien ne sert de tirer si l'on n'a pas l'intention de tuer.

Miss Temple acquiesça.

– Et restez calme. Respirez. Vous tuerez mieux, et vous mourrez mieux aussi si cela devait arriver.

Elle vit qu'il souriait. Elle regarda ses lunettes noires.

– Vous vivez en permanence avec cette éventualité, n'est-ce pas?

– Comme tout le monde, non?

Elle prit une grande inspiration. Tout allait un peu trop vite. Elle remit le revolver dans son sac. Chang l'observait.

– Si vous ne les avez pas tués avec ça, comment avez-vous fait pour les deux hommes?

Elle se rendait compte qu'elle ne pouvait pas répondre si facilement.

– J'ai... enfin, l'un des deux, je l'ai... il faisait très sombre et j'ai...

– Vous n'avez pas besoin de me le dire, lui dit-il doucement.

Encore une fois, elle prit une grande bouffée d'air et elle expira très lentement.

Quelques instants après, miss Temple réussit à demander à Chang ce qu'il avait l'intention de faire avant de les rencontrer dans le couloir. Elle lui montra les papiers et les cartes et expliqua ses propres projets, puis elle constata qu'il fallait qu'elle retourne à ses appartements, ne serait-ce que pour apaiser les inquiétudes de sa tante. Elle se souvint aussi des deux cartes de verre que le docteur avait laissées sur la table.

– Vous devriez vraiment les regarder, surtout si vous avez assisté à leurs étranges expériences. Je n'ai jamais rien vécu de tel, c'est une expérience à la fois forte et diabolique. Vous me trouverez peut-être ridicule, mais je vous jure que j'en sais assez pour voir que ces cartes contiennent une forme d'opium et que les livres dont vous parlez, des livres *entiers* dites-vous... je ne peux les imaginer que comme une prison, une prison qui ressemble à un paradis, mais qui est un enfer.

Chang se pencha pour ramasser une carte qu'il retourna dans sa main.

– L'une d'elles montre l'expérience de Roger Bascombe, je ne peux vous l'expliquer davantage. J'y apparais moi-même. Croyez-moi, c'est profondément troublant. L'autre carte montre l'expérience de Mrs. Marchmoor, votre Margaret Hooke, et elle est encore plus troublante. Je ne vous en dirai pas plus, si ce n'est que je vous conseille de les regarder seul, dans un endroit tranquille. Évidemment, pour les regarder, il faudrait que vous enleviez vos lunettes.

Chang leva les yeux vers elle. Il retira ses lunettes, les plia et les mit dans sa poche. Elle n'eut aucune réaction. Elle avait vu des visages semblables sur sa plantation, mais jamais attablés en face d'elle, comme ça, autour d'une tasse de thé. Elle lui sourit poliment et désigna les cartes.

– C'est vraiment un très beau bleu.

Miss Temple quitta le cardinal Chang en lui demandant de commander ce que le docteur désirerait manger en se réveillant et elle précisa qu'elle signerait à son retour. Elle avait des journaux et des livres plein les bras quand elle regagna ses appartements, et elle cogna du pied trois fois dans la porte au lieu de déposer ce qu'elle portait pour trouver sa clé. Elle entendit quelques bruits de pas, puis Marthe ouvrit la porte. Miss Temple entra et déposa la pile sur la grande table. Sa tante était assise là où elle l'avait laissée, sirotant son thé. Avant qu'elle pût émettre la moindre remontrance, miss Temple s'adressa à elle.

– J'ai quelques questions à vous poser, tante Agathe, et il me faut des réponses honnêtes. Vous pouvez peut-être m'aider et je vous en serai reconnaissante si vous le faites.

Elle fixa sa tante d'un œil ferme en insistant sur le mot « reconnaissante » et se retourna vers Marthe pour demander où était Marie. Marthe désigna la garde-robe. Miss Temple y entra pour voir Marie qui pliait et rangeait rapidement une série de dessous en soie sur la planche à repasser. Elle s'écarta quand miss Temple entra, et resta silencieuse pendant que sa maîtresse examinait ses achats.

Miss Temple était extrêmement satisfaite et elle alla jusqu'à féliciter Marie avec un sourire. Puis, celle-ci lui montra la boîte de cartouches qui se trouvait à côté du miroir et elle lui donna les reçus et la monnaie. Miss Temple regarda un moment les chiffres et donna quelques pièces à Marie pour la récompenser de ses efforts. Marie fit une petite révérence étonnée à la vue des pièces de monnaie, puis une autre quand miss Temple lui indiqua qu'elle pouvait se retirer. La porte se referma derrière elle. Miss Temple sourit encore et revint à ses emplettes. La soie était vraiment très agréable sous ses doigts. Elle était contente de voir que Marie avait eu la présence d'esprit de choisir un vert qui allait avec la robe qu'elle portait et avec ses bottines. Dans le miroir, miss Temple vit le reflet de son visage resplendissant et rougit en détournant le regard. Elle se ressaisit, toussota et appela ses femmes de chambre.

Après que les deux jeunes femmes l'eurent aidée à retirer sa robe et son corset, à enfiler les dessous en soie verte et, par-dessus, les couches successives de ses vêtements, miss Temple, le corps frissonnant de plaisir, transporta la boîte de cartouches sur la grande table. En tâchant de faire comme si de rien n'était, et en se remémorant chacune des étapes expliquées par Chang, elle entama une discussion avec sa tante. Tout en parlant, elle fit pivoter le barillet, l'ouvrit et plaça une balle dans chacune des chambres.

– Tante Agathe, j'ai lu les journaux, commença-t-elle.

– Vous en aviez toute une pile.

– Et vous savez ce que j'ai appris ? J'ai lu une nouvelle des plus étonnantes au sujet de l'oncle de Roger, lord Tarr.

Tante Agathe se pinça les lèvres.

– Vous ne devriez pas vous soucier de…

– Avez-vous lu la nouvelle ?

– Peut-être.

– Peut-être ?

– Il y a tant de choses que j'oublie, ma chère…

– Il a été tué, ma tante.

Agathe ne répondit pas tout de suite. Quand elle réagit, ce fut seulement pour dire « Ah ! ».

– Ah ! répéta miss Temple.

– Il était très atteint par la goutte, fit remarquer sa tante. Il était évident que quelque chose de grave allait lui arriver. Si j'ai bien compris, ce sont des loups qui l'ont attaqué.

– Il semblerait que non. Il semble qu'on ait tenté de faire croire que c'était des loups.

– Les gens font vraiment n'importe quoi, murmura Agathe.

Elle tendit la main pour se servir un peu plus de thé. Miss Temple fit claquer puis pivoter le barillet. À ce bruit, sa tante sursauta, les yeux écarquillés. Miss Temple se pencha vers elle et parla aussi patiemment et posément que possible.

– Ma chère tante, il faut que vous vous fassiez à l'idée que l'argent dont vous avez besoin est en ma possession et qu'ainsi, malgré notre différence d'âge, c'est vous qui dépendez de moi. Ce sont les faits. Vous n'améliorerez pas votre situation en me contrariant. En revanche, plus nous collaborerons, plus votre situation sera florissante, je vous le promets. Je ne souhaite pas devenir votre ennemie, mais il vous faut comprendre que les idées que vous aviez autrefois sur ce qui ferait mon bonheur, c'est-à-dire mon mariage avec Roger Bascombe, ne sont plus de mise.

– Si vous n'étiez pas aussi difficile ! protesta la tante en se taisant tout de suite après.

Miss Temple la fixa avec des yeux brillants de colère. Agathe recula de quelques pas comme si elle se trouvait devant un serpent.

– Je suis désolée, ma chère, murmura-t-elle effrayée. Je voulais simplement…

– Je m'en moque. Je m'en moque! Je ne vous parle pas de lord Tarr parce que ça m'intéresse! Je vous pose la question parce que, bien que vous l'ignoriez, d'autres personnes ont été tuées et Roger Bascombe est mêlé à tout ça. Et voilà qu'il est en passe de devenir le prochain lord Tarr! Je ne sais pas comment Roger Bascombe a pu devenir l'héritier de son oncle, mais, vous, vous le savez, j'en suis persuadée. Et vous allez me le raconter immédiatement.

Peu après, Miss Temple sortit à la hâte dans le couloir en direction de l'escalier, la courroie de son sac entourée à son poignet et, dans son sac, le revolver et une poignée de cartouches supplémentaires. Elle secouait la tête et ronchonnait, au comble de l'irritation : « Difficile !... » Elle maudit sa tante d'être une vieille idiote à l'esprit étroit. Elle ne pensait jamais qu'à sa pension et aux convenances, au nombre de réceptions auxquelles elle serait invitée grâce aux relations d'un haut fonctionnaire en pleine ascension comme l'était Roger. Miss Temple se dit qu'elle n'aurait même pas dû être étonnée de la réaction de sa tante. Agathe ne la connaissait que depuis trois mois, alors qu'elle connaissait les Bascombe depuis des années. Elle avait dû planifier tout cela depuis bien longtemps et elle devait maintenant être amèrement déçue, pensa-t-elle en ricanant. Mais que sa tante pût la tenir, elle, pour responsable la piquait au vif.

Cependant, devant son insistance, elle avait répondu aux questions de sa nièce. Mais ses réponses n'avaient fait qu'accroître le mystère. Les cousines de Roger, la grosse Pamela et sa sœur Bérénice, plus jeune mais tout aussi éléphantesque, avaient toutes deux des fils qui auraient dû reprendre le titre et les terres de lord Tarr. Mais les deux sœurs avaient signé des documents dans lesquels elles renonçaient aux droits de leurs enfants et à leur titre, permettant ainsi à Roger d'hériter et d'être anobli. Mais par quel biais Roger était-il parvenu à un tel résultat? Il n'était pas très riche, et Miss Temple connaissait assez les deux femmes pour savoir qu'aucune d'elles ne se serait contentée d'une petite somme. L'argent avait sûrement été fourni par d'autres, Crabbé et consorts. Mais en quoi Roger était-il si important, et comment cette ascension était-elle reliée aux différentes intrigues et aux meurtres qui avaient eu lieu?

Par ailleurs, elle se posait une question qu'elle jugea purement formelle : en s'emparant de la propriété de ses cousines, Roger avait sûrement dû abandonner quelque chose d'autre… mais quoi, et pour quelle raison?

Grâce à la ferveur quasi mystique avec laquelle sa tante suivait les potins de la ville, miss Temple en apprit davantage sur le propriétaire de Harschmort, l'événement que célébrait le bal masqué, les réputations respectives du prince Karl-Horst et de sa fiancée, un minable et une jeune fille pure. Elle s'était aussi renseignée sur les autres noms qu'elle avait entendus : Xonck, di Lacquer-Sforza, d'Orkancz, Crabbé, Trapping et Aspiche. Sa tante ne connaissait pas les deux derniers, bien qu'elle fût au courant de la tragique disparition de Trapping. Elle connaissait Crabbé par l'intermédiaire des Bascombe, mais même cette famille s'intéressait plus au ministre qu'à son éminent adjoint, qui était un personnage important du gouvernement mais apparaissait peu en public. De la même manière, le nom de la famille Xonck, célèbre dans le milieu des affaires, était nettement moins intéressant aux yeux de sa tante, même si elle en avait déjà entendu parler. Agathe s'intéressait davantage à ceux qui avaient des titres. À ses yeux, Robert Vandaariff n'avait été promu au rang des hommes importants qu'une fois anobli. Miss Temple, elle, comprenait fort bien qu'à partir d'un certain moment de leur ascension, il devenait nécessaire d'anoblir ce genre d'hommes pour éviter que le gouvernement ne leur apparût comme tout à fait secondaire. Bien sûr, Francis Xonck était un homme à scandales, même si personne ne savait vraiment pourquoi. Des rumeurs couraient au sujet de penchants pervers qu'il aurait ramenés de l'étranger. Quant à son frère et à sa sœur, ils étaient riches, tout simplement.

Tante Agathe ne connaissait du comte d'Orkancz que sa réputation d'amateur d'opéra. Il semblait qu'il fût né dans on ne savait trop quelle enclave sinistre des Balkans, qu'il eût été élevé à Paris, et qu'il eût hérité de titres et de fortune de famille quand une série d'incendies particulièrement dévastateurs lui eurent libéré la voie. En dehors de cela, Agathe pouvait seulement affirmer que c'était un homme raffiné et sérieux, cultivé et austère, qui aurait pu aller à l'université si l'université n'avait pas été fréquentée par des gens aussi épouvantables.

Le dernier nom que miss Temple avait soumis à sa tante et qui avait fait trembler sa voix, alors que, jusque-là, elle menait son interrogatoire avec fermeté, n'avait provoqué chez elle qu'un malheureux haussement d'épaules. Évidemment, la Contessa di Lacquer-Sforza était connue, mais personne ne semblait savoir quoi que ce fût à son sujet. Elle avait fait son entrée dans le monde l'automne précédent, et Agathe remarqua en souriant que son arrivée devait coïncider à peu près avec celle de miss Temple. Agathe n'avait jamais vu la dame, mais elle avait la réputation de rivaliser de beauté avec la princesse Clarissa ou Lydia Vandaariff. Elle sourit et demanda gentiment à sa nièce si, elle, elle l'avait vue et si la rumeur disait vrai. Miss Temple se contenta de répliquer sèchement que bien sûr, sa tante n'avait jamais vu aucun de ces personnages et encore moins ceux qui étaient la crème de la société du continent, puisqu'elle ne voyait jamais personne, sauf lors de ses excursions avec Roger. Elle ajouta que le Roger Bascombe qu'elle avait connu n'était pas du genre à avoir de telles fréquentations. Sa tante, avec un hochement de tête chagriné, dut admettre qu'elle avait raison.

Miss Temple s'arrêta sur le palier entre le deuxième et le troisième étage et, après s'être assurée que personne ne pouvait la voir, elle s'assit sur les marches. Elle ressentait le besoin de mettre de l'ordre dans ses idées avant de retrouver ses nouveaux compagnons. En fait, elle avait aussi besoin de mettre de l'ordre dans ses idées *sur* ses nouveaux compagnons avant de repartir vers de nouvelles aventures. Son plus grand sujet de préoccupation, à son grand désarroi, c'était toujours Roger qui était impliqué jusqu'au cou dans tout ce qui se passait. Cet homme était un imbécile, cela ne faisait aucun doute, mais elle sentait bien que les sentiments qu'elle avait éprouvés pour lui la retenaient quand elle essayait de passer à autre chose et de s'en débarrasser. Pourquoi ne pouvait-elle pas tout simplement le chasser de ses pensées et de son cœur? Pendant un certain temps, elle avait cru que la douleur qui opprimait sa poitrine et lui serrait la gorge n'était pas reliée à son amour pour Roger mais, au contraire, à l'absence d'un tel sentiment, tout comme la disparition de quelque chose d'important laisse un vide; elle avait ce vide dans le cœur, un vide autour duquel ses pensées seraient forcées de naviguer, au moins pendant un temps. Mais ensuite, curieusement, elle se surprenait à s'inquiéter pour lui, à se demander comment il avait bien pu mettre ainsi sa vie en danger, et à souhaiter lui parler franchement, ne serait-ce qu'une minute, pour le sortir de sa folie.

Miss Temple poussa un long soupir et repensa tout à coup aux travaux de la canne à sucre sur la plantation, aux grandes cuves de cuivre et aux alambics qui transformaient le sucre de canne en rhum. Elle savait que Roger s'était allié à des gens qui approuvaient le meurtre, y compris le sien, et elle se mit à craindre que, tout comme le savoir-faire et le feu transforment la canne brute en rhum, cette situation ne menât fatalement à une confrontation entre Roger et elle. Elle sentit le poids du revolver dans son sac. Elle pensa à Chang et à Svenson et se demanda s'ils connaissaient de semblables tourments. Ils avaient l'air tellement confiants, surtout Chang qui était un genre d'homme qu'elle n'avait jamais connu auparavant. Puis elle se souvint que ce n'était pas vrai, qu'elle avait déjà connu d'autres hommes aussi capables de violence. En fait, son père était ainsi, mais sa violence à lui prenait d'autres formes: celles de la propriété et des affaires.

Chang, lui, affichait ouvertement la vraie nature de son travail. Elle se força à trouver tout cela stimulant, se dit que c'était parfait ainsi, mais ne put s'empêcher de frissonner. Le docteur Svenson, lui, paraissait moins redoutable et plus enclin à éprouver les craintes et les hésitations de tout un chacun, comme elle d'ailleurs, mais miss Temple savait que personne autour d'elle n'aurait pu imaginer qu'elle était capable de survivre à ce qu'elle avait subi. Elle croyait donc à la force de résistance du docteur, comme elle croyait en la sienne. Et puis, pensa-t-elle en souriant, beaucoup d'hommes très talentueux par ailleurs perdaient un peu leurs moyens auprès d'une femme séduisante.

Grâce aux potins de sa tante, elle était au moins sûre de pouvoir suivre la conversation. Il y avait tant de références à une ville qu'elle ne connaissait pas dans les récits de ses compagnons: ils parlaient de bordels, d'instituts et de légations, un mélange contrasté de bas-fonds et de luxes inimaginables, le tout bien éloigné de la médiocrité de sa vie de tous les jours. Elle voulait pouvoir sentir que son apport était égal au leur et qu'il ne se résumait pas à fournir de l'argent pour payer une chambre ou un repas. S'ils devaient unir leurs forces pour lutter contre cette conspiration, selon l'expression du docteur, il lui faudrait continuer à développer ses aptitudes. Ce qu'elle avait fait jusqu'ici était un mélange d'enquête et de filature, et la mort de Spragg et de Farquhar n'y figurait que comme un malheureux concours de circonstances. Les personnages qui étaient ses ennemis étaient bien loin de ce qu'elle pouvait imaginer, tout comme ses alliés, d'ailleurs.

Elle se demanda ce qu'elle pouvait bien offrir en dehors de son argent. Elle se mit à douter de tout et eut peur, sa confiance fondant comme neige au soleil. Que ferait-elle si elle se retrouvait seule dans un train avec un homme comme le comte d'Orkancz? Miss Temple regarda autour d'elle le papier peint de l'escalier du Boniface, un motif fait de fleurs et de feuilles entrelacées et elle se mordit la lèvre au sang. Puis elle s'essuya les yeux en reniflant. Ce qu'elle ferait? Elle enfoncerait le canon de son revolver dans son corps et appuierait sur la détente autant de fois qu'il le faudrait pour que son infecte carcasse s'écroule. Puis elle irait trouver la Contessa di Lacquer-Sforza et la fouetterait jusqu'à ce qu'elle n'en puisse plus. Puis... Roger. Elle poussa un soupir. Devant Roger Bascombe, elle se contenterait de tourner les talons.

Elle se leva et se rendit au deuxième étage, mais s'arrêta sur la dernière marche lorsqu'elle entendit des voix dans le couloir. Elle y jeta un coup d'œil et vit trois hommes en uniforme noir et un autre portant une cape marron foncé devant la porte de la chambre numéro 27. Les hommes chuchotaient entre eux, chose qui contrariait toujours miss Temple qui ne supportait pas de ne pouvoir entendre ce que les autres disaient, même lorsqu'elle n'était pas du tout concernée. Puis le groupe s'éloigna et se dirigea vers l'escalier principal à l'autre bout du hall d'entrée. Elle se glissa discrètement dans le couloir et se faufila rapidement jusqu'à la porte.

Elle sursauta quand elle vit qu'elle était entrouverte. Les hommes étaient sûrement entrés. Très inquiète, elle poussa la porte. Le salon était vide. Ses papiers jonchaient le sol, mais elle ne vit aucun signe de Chang ou de Svenson, aucune trace de bataille non plus. Elle traversa rapidement la pièce vers la chambre. Vide également. Les draps et les couvertures avaient été enlevés et la fenêtre était ouverte, mais elle ne vit toujours pas trace des deux hommes. Miss Temple regarda par la fenêtre. La chambre donnait directement sur la ruelle, à peu près à une dizaine de mètres du pavé. Elle resserra sa prise sur la poignée de son sac et retourna vers le couloir. Chang et Svenson avaient tous deux été poursuivis par des soldats, mais lequel des deux avaient-ils suivi jusqu'à l'hôtel? Elle fronça les sourcils en réfléchissant. Ce ne pouvait pas être Chang, car personne ne savait qu'il se trouvait dans la chambre numéro 27. Elle se précipita vers la porte d'où elle l'avait vu sortir, le numéro 34, et la trouva ouverte elle aussi. La chambre était vide. La fenêtre fermée. Elle retourna dans le couloir, plus inquiète encore. D'une façon ou d'une autre, les soldats avaient su où se trouvait la chambre de Svenson ainsi que celle de Chang. En un éclair d'effroi, elle pensa à sa suite, et à sa tante.

Miss Temple monta les escaliers quatre à quatre en fouillant dans son sac pour retrouver son revolver. Elle traversa le palier tout en chargeant son arme et en respirant à fond. Elle avança dans le couloir et ne vit personne. Étaient-ils déjà dans ses appartements? Allaient-ils surgir d'un instant à l'autre? Sa porte était fermée. Elle frappa du poing. De l'autre côté, elle n'entendit rien. Elle frappa encore. Encore une fois, personne ne répondit, et son esprit fut assailli par l'image de sa tante et de ses femmes de chambre, toutes les trois massacrées au milieu d'une pièce inondée de sang. Miss Temple sortit la clé de son sac et, de sa main gauche, maladroite, elle déverrouilla la porte. Elle l'ouvrit violemment et se projeta sur le côté. Silence. Elle jeta un coup d'œil à l'intérieur. L'entrée était déserte. Elle prit le revolver à deux mains et franchit lentement la porte. Le vestibule était vide aussi, aucune trace de bataille. Elle se tourna vers la porte du salon qui était fermée. Cette porte n'était jamais fermée.

Elle s'accroupit en se dirigeant vers la porte, regarda autour d'elle et tendit sa main gauche vers la poignée. Elle la fit tourner lentement, entendit le cliquetis de la serrure et poussa la porte. Elle poussa un cri – elle espéra pour la suite qu'elle n'avait pas hurlé, car devant elle se tenait le docteur Svenson en chaussettes qui pointait son arme vers elle. Assise à côté de lui, tremblante et livide de peur, se trouvait sa tante. Derrière eux étaient assises les femmes de chambre, pétrifiées. Tout à coup, miss Temple sentit un petit chatouillement qui lui fit faire volte-face. Le cardinal Chang était derrière elle, tenant un long couteau à double tranchant. Il sortait de la chambre de service. Il lui sourit d'un air menaçant.

– Très bien, miss Temple. Est-ce que oui ou non vous m'auriez tiré dessus avant que je vous coupe la gorge? Je ne sais pas... quelle est la réponse la plus flatteuse?

Elle avala sa salive, encore incapable de baisser son pistolet.

– La porte... il faudrait peut-être..., dit le docteur Svenson derrière elle.

Chang acquiesça.

– En effet.

Il se retourna et se dirigea vers la porte en jetant un rapide coup d'œil dans le couloir avant de la refermer à clé.

– Et peut-être une chaise…, ajouta-t-il en ne s'adressant à personne en particulier.

Il en choisit une dans le salon et la cala sous la poignée. Une fois que cela fut fait, il se retourna vers eux et sourit avec froideur :

– Nous avons fait la connaissance de votre tante.

– Nous étions extrêmement inquiets lorsque nous avons vu que vous n'étiez pas là, dit Svenson.

Il avait mis son pistolet dans sa poche et semblait mal à l'aise au milieu de toutes ces femmes.

– J'ai pris l'autre escalier, dit miss Temple.

Elle vit que les deux hommes la regardaient attentivement et suivit leurs regards jusqu'à ses mains. Elle s'efforça de relâcher doucement le chien du revolver et de reprendre son souffle.

– Il y a des soldats…

– Oui, confirma Chang. Nous avons réussi à leur échapper.

– Mais comment ? Ils étaient dans l'un des escaliers et vous n'êtes pas passés à côté de moi dans l'autre. Et comment avez-vous su où se trouvait ma suite ?

– Le reçu que vous avez signé pour le thé, avoua Svenson. Le numéro de votre appartement y figurait. Nous ne l'avons pas laissé là, à leur disposition, ne vous en faites pas. Pour ce qui est de notre évasion…

– Le docteur Svenson est un marin, lança Chang avec un sourire. Il sait grimper.

– Je sais grimper quand on m'y pousse, se récria Svenson.

– Mais… j'ai regardé par la fenêtre, s'exclama miss Temple. Il n'y avait que de la brique !

– Il y a aussi une gouttière, répliqua Svenson.

– Mais elle est toute petite !

Entre-temps, elle vit le docteur blêmir. Il déglutit péniblement et s'essuya le front.

– Exactement, reprit Chang en souriant. C'est un as de l'escalade.

Miss Temple croisa le regard de sa tante qui tremblait encore sur sa chaise. Elle se sentit terriblement coupable tout à coup d'avoir exposé sa vie à de telles menaces. Elle regarda les autres, la voix encore marquée par l'urgence.

– Ça ne change rien. Ils vont demander à la réception, à cet ignoble Spanning dont je ferais volontiers brûler les cheveux pommadés. La chambre du docteur est sur mon compte. Ils seront ici d'une minute à l'autre.

– Combien d'hommes avez-vous vus ? demanda Chang.

– Quatre. Trois soldats et un autre, vêtu d'une cape marron.

– Ce sont les hommes du comte, précisa Svenson.

– Nous sommes trois, dit Chang. Ils voudront sûrement nous enlever sans avoir à se battre.

– Il y en a peut-être d'autres dans l'entrée de l'hôtel, fit remarquer Svenson.

– Même s'il y en a d'autres, nous pouvons avoir le dessus.

– À quel prix ? demanda le docteur.

Chang haussa les épaules.

Miss Temple regarda autour d'elle le confort et la sécurité qui avaient entouré son existence au Boniface et elle sut que tout cela était bien fini. Elle se tourna vers ses femmes de chambre.

– Marthe, vous me préparerez un sac de voyage assez léger, avec le strict minimum. Le fourre-tout en toile fleurie fera l'affaire.

La jeune fille ne bougea pas. Miss Temple cria :

– Immédiatement ! Ce n'est pas le moment de traîner ! Marie, vous préparerez des sacs de voyage pour ma tante et pour vous deux. Vous allez passer quelque temps au bord de la mer. Allez !

Les femmes de chambre se mirent au travail. Sa tante leva la tête vers elle.

– Céleste, ma chère, au bord de la mer ?

– Il faut vous mettre à l'abri. Et je vous demande pardon, je suis vraiment désolée de vous avoir mise en danger de mort.

Miss Temple renifla et indiqua sa chambre.

– Je vais voir combien d'argent j'ai sous la main. Vous aurez évidemment assez pour voyager et je vous remettrai une lettre de change. Vous devez emmener les deux femmes de chambre.

Le regard légèrement étonné d'Agathe passa de miss Temple à Chang et à Svenson. Aucun des deux hommes ne semblait assez respectable pour que sa nièce pût rester seule avec eux.

– Mais vous ne pouvez pas… vous êtes une jeune femme bien élevée. Vous n'imaginez pas le scandale… vous devez venir avec moi !

– C'est impossible…

– Vous n'aurez même pas de femme de chambre ! C'est absolument impossible !

La vieille dame regarda les deux hommes puis leva les yeux au ciel pour bien montrer son désaccord :

– Et puis, il fait si froid au bord de la mer !…

– C'est exactement pour cela qu'il faut que vous y alliez, ma tante. Il faut que vous alliez dans un endroit où personne ne pensera à vous chercher. Vous ne devez en parler à personne, vous m'entendez ? À personne.

Les femmes de chambre s'affairaient autour d'eux et Agathe demeura silencieuse en essayant de sonder sa nièce. Elle était désemparée. Était-ce devant la situation elle-même ou devant ce que sa nièce était devenue ? Miss Temple ne le savait pas très bien. Elle se rendait parfaitement compte que Svenson et Chang observaient toute la scène.

– Et vous ? chuchota la tante.

– Je ne peux rien vous dire, répondit-elle. Je ne sais rien.

Vingt minutes au moins s'étaient écoulées, et miss Temple, qui passait négligemment ses doigts sur les cartes de verre du docteur, vit Chang à la porte d'entrée jeter un coup d'œil dans le couloir. Il recula, croisa son regard et haussa les épaules. Marthe avait apporté le sac de voyage pour qu'elle l'inspecte. Elle l'envoya aider Marie, mit la carte de verre dans son sac sans regarder le docteur qui, la lui ayant donnée pour qu'elle pût la regarder encore, n'était peut-être pas d'accord pour qu'elle la conservât. Elle porta son sac de voyage jusqu'au fauteuil où elle s'assit. Elle jeta un coup d'œil distrait à ce que lui avait préparé sa servante et ferma le sac. Miss Temple soupira. Sa tante, assise près de la table, l'observait. Chang était à côté de la porte, Svenson, appuyé à la table, aux côtés de tante Agathe, les femmes de chambre ayant refusé qu'il les aide.

– Si ces hommes ne sont pas encore là, tenta Agathe, c'est peut-être qu'ils ne viendront jamais. Peut-être n'aurons-nous pas besoin d'aller où que ce soit. S'ils ne connaissent pas Céleste…

– Qu'ils connaissent ou non votre nièce, ce n'est pas la question, dit doucement Svenson. Ils savent au moins qui je suis et ils connaissent Chang aussi. Comme ils savent que nous sommes passés par ici, ils surveilleront l'hôtel. Ce n'est qu'une question de temps avant qu'ils ne fassent le lien entre votre nièce et nous…

– C'est déjà fait, dit Chang depuis la porte.

– Ensuite, quand ils passeront aux actes, poursuivit Svenson, comme vous l'a dit votre nièce, vous aussi, vous serez en danger.

– Mais puisqu'ils ne sont pas là…, insista Agathe.

– C'est une bénédiction, assura miss Temple. Ainsi, nous pourrons tous nous échapper sans être vus.

– Ça ne sera pas facile, dit Chang.

Miss Temple soupira. Ce serait très difficile. Toutes les entrées seraient surveillées depuis la rue. La seule chose importante et, en fait, leur seul espoir, c'était de savoir ce que ces hommes cherchaient, et il y avait bien peu de chances que ce fût une vieille dame et deux femmes de chambre.

– Vous avez intérêt à y arriver, monsieur, et correctement, en plus ! dit Agathe d'un ton méprisant, comme si Chang était un homme de peine qui exagérait la difficulté de son travail pour faire augmenter ses gages.

Miss Temple se leva.

– Supposons que l'employé de l'hôtel qui leur a donné le numéro de la chambre du docteur ait été payé pour fournir plus de renseignements à notre sujet. Il faut distraire son attention pendant que ma tante et les servantes quittent les lieux. Les hommes dans la rue ne seront pas à leur recherche, du moins, pas sans instructions. Quand vous partirez, dit-elle en s'adressant à sa tante, il faudra que vous alliez directement en fiacre à la gare et, de là, jusqu'à la côte Sud, à Cap Rouge. Il doit y avoir des auberges. Je vous y ferai parvenir une lettre, poste restante, une fois que nous serons en sécurité.

– Mais… et vous ? demanda Agathe.

– Oh ! nous nous en sortirons assez facilement, dit-elle avec un sourire crispé. Et toute cette histoire sera bientôt terminée.

Du regard, elle demanda l'approbation de Svenson et Chang, mais l'expression qu'ils affichaient n'aurait pas convaincu le plus crédule des enfants. Elle enjoignit sèchement aux servantes de se dépêcher et de prendre leurs manteaux.

Miss Temple savait que c'était elle qui devait aller trouver Spanning, parce que les deux autres étaient plus efficaces pour porter les bagages et qu'ils sauraient mieux se cacher si c'était nécessaire. Elle se retourna pour les voir emprunter l'escalier de service, Chang et Svenson transportant à deux la malle de sa tante, les femmes de chambre soutenant Agathe d'un bras et, de l'autre, portant leurs petits sacs de voyage. Miss Temple se dirigea vers la cage d'escalier avec un grand sac de voyage et son sac à main vert, arborant l'air le plus désinvolte du monde et saluant avec bonne humeur les clients de l'hôtel qu'elle croisait. Au deuxième étage, elle devait passer par un grand balcon qui dominait un hall d'entrée superbe auquel on accédait par un escalier aux courbes élégantes. Elle jeta un coup d'œil par-dessus la rampe et ne vit pas de soldats en noir mais, juste à la sortie de l'hôtel, elle remarqua deux hommes vêtus de capes marron. Elle descendit et aperçut Spanning derrière son comptoir.

Son regard croisa le sien dès qu'il l'aperçut. Elle lui adressa un grand sourire. Spanning jeta un œil dans le hall quand elle approcha et, avant qu'il eût pu faire le moindre signe à qui que ce fût, elle l'interpella gaiement.

– Monsieur Spanning!

– Miss Temple? lui répondit-il avec son attitude doucereuse habituelle, mais à la fois méfiant et fier de sa fourberie.

Elle s'avança vers la réception et, du coin de l'œil, elle s'assura que personne ne se cachait derrière la volée d'escaliers, tout en surveillant la porte d'entrée dans le miroir qui se trouvait derrière le comptoir de Spanning. Les hommes en marron l'avaient vue, mais ils ne semblaient pas vouloir entrer. Contrairement à son habitude, elle se mit sur la pointe des pieds, appuya ses coudes sur le comptoir et se pencha, l'air espiègle.

– Je suis sûre que vous savez pourquoi je viens vous voir.

Elle lui sourit.

– Ah! Oui? répondit Spanning en se forçant à afficher un sourire obséquieux pas très convaincant.

– Oh! oui! Elle battit des paupières.

– En fait, je ne vois pas vraiment…

– Vous étiez sans doute tellement débordé par ce que vous aviez à faire que cela vous sera sorti de l'esprit.

Elle regarda le hall d'entrée qui était vide.

– On ne le dirait pas mais… Dites-moi, monsieur Spanning, avez-vous vraiment été débordé par une foule de tâches urgentes?

Elle continuait à sourire, mais une note glaciale teintait maintenant son ton pourtant mielleux.

– Comme vous le savez, miss Temple, mes tâches quotidiennes sont toujours extrêmement…

– Bien sûr, bien sûr, mais vous n'avez pas eu à vous occuper de quelque chose d'autre?

Spanning s'éclaircit la voix et dit avec méfiance.

– Puis-je vous demander…

– Vous savez…, poursuivit miss Temple, j'ai toujours voulu vous demander la marque de votre brillantine, parce que j'ai toujours trouvé que votre coiffure était si… soignée et… élégante… soignée et élégante, c'est cela. J'ai voulu recommander à un certain nombre de messieurs de ma connaissance d'imiter ce raffinement, mais je n'ai su quelle marque leur conseiller… et j'ai toujours oublié de vous le demander !

– C'est de la Bronson, miss.

– Bronson. Excellent ! Elle se pencha vers lui avec tout à coup une mine très sérieuse.

– Il ne vous arrive jamais d'avoir peur du feu ?

– Le feu ?

– Si vous vous penchez trop près d'une bougie ? Vous n'avez jamais pensé que… hop ! ça pouvait s'enflammer ?…

Elle pouffa de rire.

– Ah ! c'est si agréable de rire ! Mais je suis très sérieuse, monsieur Spanning. Je vous demande vraiment une réponse, et n'essayez pas de m'amadouer !

– Oh ! Je vous assure, miss Temple…

– De quoi, Spanning ? De quoi, aujourd'hui, pouvez-vous m'assurer ?

Elle ne souriait plus du tout et elle regardait l'homme droit dans les yeux. Il ne répondit pas. Elle ramena son sac à main sur le comptoir et le laissa tomber à dessein pour qu'il fît un bruit sourd. Ce qu'il contenait ne se trouvait pas d'habitude dans le sac à main d'une dame. Spanning vit qu'elle orientait habilement son sac dans sa direction et qu'elle se saisissait de quelque chose à travers l'étoffe. Elle continuait d'agir avec un certain naturel mais, sans qu'il pût l'expliquer, il sentit pointer une sorte de menace.

– En quoi puis-je vous aider exactement ? demanda-t-il docilement.

– Je pars en voyage, dit-elle. Ma tante part, elle aussi, mais pour une autre destination. Je veux conserver mes appartements. J'imagine que ma lettre de crédit arrangera tout cela, n'est-ce pas ?

– Bien entendu. Et vous reviendrez parmi nous…

– Je ne sais pas exactement quand.

– Je vois.

– Bien. Saviez-vous qu'un peu plus tôt ce matin, cet hôtel était plein de soldats étrangers ?

– Vraiment ?

– Apparemment on leur a indiqué le deuxième étage. Elle regarda autour et baissa la voix pour chuchoter. Malgré lui, Spanning se pencha vers elle.

– Connaissez-vous, monsieur Spanning… le bruit que cela fait quand on fouette quelqu'un… qu'on le fouette si fort qu'il n'est même plus capable de hurler… de douleur ?

Spanning tressaillit, cligna des yeux. Miss Temple se rapprocha de lui encore un peu plus et lui murmura :

– Parce que, moi, je le connais.

Spanning eut du mal à déglutir. Miss Temple se redressa et lui sourit.

– Je suppose que les bottes et le manteau du docteur sont prêts ?

Elle remonta au deuxième étage par le grand escalier et fila vers l'escalier de service en traversant le palier, son sac à main vert dans une main, les bottes du docteur dans l'autre et le manteau sur le bras gauche. Elle avait laissé son sac de voyage, lourdement chargé de vêtements inutiles, aux soins de Spanning, en lui demandant de le garder jusqu'à ce qu'elle soit prête à partir. Elle lui annonça qu'elle quitterait l'hôtel vraisemblablement après le déjeuner, indiquant ainsi à Spanning – et donc aux soldats – qu'on pourrait la trouver dans ses appartements dans les quelques heures qui suivaient. En récupérant les bottes et le manteau de Svenson, elle avait indiqué aussi que le docteur et Chang se trouvaient chez elle.

Quand on ne put plus la voir depuis le hall, elle releva ses jupes et monta les escaliers quatre à quatre. Par chance, les autres avaient profité de sa diversion pour faire sortir sa tante et ses deux femmes de chambre par la porte de service. Les portiers pourraient s'occuper des bagages et héler un fiacre. Ce qui permettrait aux deux hommes de rester cachés à l'intérieur. Mais il se pouvait bien que des soldats fussent en train de pénétrer dans le hall, et ils pouvaient se déplacer beaucoup plus vite qu'elle. Quand elle eut atteint le quatrième étage, elle s'arrêta pour écouter.

Elle n'entendit aucun bruit de pas et elle poursuivit sa course. Au huitième étage, elle s'arrêta encore une fois, haletante, toute rouge après l'effort. Elle n'était jamais montée jusqu'au dernier étage et elle ne savait absolument pas où était ce dont Chang lui avait parlé. Elle arpenta le couloir, passa devant ce qu'elle prit pour des portes de chambre normales, puis elle tourna et aperçut l'extrémité du couloir. Elle se retourna et vit que, de l'autre côté, il y avait un cul-de-sac identique. En nage et à bout de souffle, elle était inquiète de savoir qui pourrait bien encore la suivre dans les escaliers. Elle poussa un soupir de frustration, presque un sifflement.

– Pssssst!

Elle entendit un bruit, quelque chose comme du bois qui craque, et elle se retourna. Un pan de la tapisserie rouge des murs s'ouvrit sur des gonds qu'elle n'avait pas remarqués, faisant apparaître Svenson et, derrière lui, dans un petit escalier de la largeur d'une échelle, Chang, dont la silhouette se détachait dans l'embrasure d'une porte ouverte donnant sur le toit. En dépit de la détresse qui l'habitait encore un instant auparavant, elle ne put qu'admirer l'astuce de cette sortie dérobée.

– Seigneur! s'exclama-t-elle, celui qui a fabriqué ça est plus malin que toute une bande de singes!

– Votre tante est partie sans encombre, chuchota Svenson qui sauta dans le couloir pour prendre ses affaires.

– Je suis soulagée d'entendre cela, répondit miss Temple.

Le docteur Svenson se démena un peu pour enfiler son manteau qui, une fois brossé et repassé, avait retrouvé un peu de son allure militaire.

– Je n'avais vraiment pas vu cette porte, continua-t-elle très admirative devant les gonds ingénieusement encastrés. Il me semble impossible que qui que ce soit puisse les trouver…

– Est-ce qu'ils vous ont suivie? chuchota Chang depuis l'intérieur du passage.

– Pas que je sache, lui répondit miss Temple tout bas. Je ne les ai pas vus dans le hall. Oh!

Elle se retourna brusquement quand la main de Svenson lui saisit l'épaule.

– Veuillez me pardonner! s'excusa-t-il en se donnant beaucoup de mal pour essayer d'enfiler sa botte droite.

Il n'y arrivait pas d'une main et en était réduit à se servir des deux en sautillant maladroitement.

– Il faudrait se dépêcher, rappela Chang.

– Un petit instant, murmura Svenson, après avoir presque réussi à mettre la première botte.

Miss Temple attendait. Il avait vraiment beaucoup de mal. Elle essaya de trouver un sujet de conversation pour lui donner du courage.

– Je ne suis jamais montée sur un toit ou, en tout cas, jamais sur un toit aussi haut. Je suis sûre que la vue sera magnifique de là-haut, avec les oiseaux!

Apparemment, ce n'était pas la chose à dire. Quand Svenson leva les yeux vers elle, il était pâle comme un linge, et il attaqua la deuxième botte.

– Vous vous sentez bien, docteur? Je sais que vous avez eu à peine le temps de vous reposer…

– Passez devant, dit-il en tentant de se composer un ton désinvolte qui ne pouvait tromper personne.

La deuxième botte était à mi-jambe. Il fit un faux pas, marcha sur la botte à moitié enfilée qui pendait comme un drôle de poisson attaché au bout de son pied.

– Je vous suis… je vous assure…

– Docteur! souffla Chang, ça va aller. Le toit est large, et pour monter, ce sera très facile comparé à la gouttière!

– La gouttière? demanda miss Temple inquiète.

– Ah!… oui, c'était…, reprit le docteur Svenson.

– Je pensais que vous vous en étiez merveilleusement bien sorti.

Chang se moquait d'en haut.

– J'ai beaucoup de mal avec les hauteurs. J'ai une difficulté épouvantable à…

– J'ai le même problème avec les féculents, dit miss Temple en souriant. Nous nous aiderons mutuellement… venez!

Elle jeta un regard par-dessus son épaule en direction du couloir, soulagée de constater qu'il était vide, puis elle lui prit le bras. Il poussa son pied dans la botte, presque jusqu'au fond, mais elle lui résistait encore. Ils franchirent la porte.

– Tirez-la bien, chuchota Chang qui les avait précédés. Il serait préférable qu'ils ne s'aperçoivent pas que nous avons forcé la serrure.

Sur le toit, le ciel était gris et si bas qu'on avait l'impression de pouvoir le toucher, le soleil était vraiment très loin derrière une épaisse couche de nuages d'hiver. L'air était froid et humide, et si le vent avait été un peu plus fort, miss Temple aurait pu imaginer qu'elle se trouvait au bord de la mer. Elle prit une grande bouffée d'air avec plaisir. Elle baissa les yeux pour constater avec un certain étonnement qu'il y avait sous ses pieds une couche dure de papier goudronné et un revêtement de cuivre. Alors, c'était ça, marcher sur les toits ! Derrière elle, le docteur Svenson était à genoux, complètement concentré sur son pied gauche, les yeux rivés au sol. Chang prit soin de bien fermer la porte en la calant avec de petits morceaux de bois pour qu'elle ne pût s'ouvrir facilement. Il s'écarta et s'essuya les mains sur son manteau. Elle remarqua que son autre main tenait son sac en tapisserie. Elle l'avait complètement oublié et s'approcha pour le lui prendre. Il secoua la tête et lui désigna l'immeuble d'à côté.

– Je crois que nous pouvons passer par là… par le nord, dit-il.

– S'il le faut…, grommela Svenson.

Il se releva, les yeux toujours vers le bas. Miss Temple comprit que c'était le moment d'intervenir.

– Pardonnez-moi, l'interrompit-elle, mais avant que nous allions plus loin ensemble, je crois, je suis sûre même, que nous devons parler.

Chang fronça les sourcils.

– Ils vont peut-être arriver…

– Peut-être, bien que je ne le pense pas. Je crois qu'ils nous attendent dans la rue ou qu'ils attendent que Spanning vérifie que les clients qui ont des chambres à côté de mes appartements ne seront pas dérangés par des cris. Je suis sûre que nous disposons au moins de quelques minutes.

Les deux hommes se regardèrent. Elle comprit le doute qui se trouvait dans le regard qu'ils échangèrent. Elle se racla ostensiblement la gorge pour attirer leur attention.

– Au grand désespoir de la seule parente qui me reste, je me suis retrouvée en compagnie de deux hommes qui sont à la limite de la respectabilité, et encore. Ce matin, nous ne nous connaissions pas. À l'heure qu'il est, ni les uns ni les autres n'avons de lieu où nous réfugier. Ce que je voudrais et qu'en fait je vous demande, c'est que, chacun, nous disions clairement ce que nous espérons voir aboutir dans cette affaire, et qui sont ceux que nous servons. Bref, je voudrais connaître les termes de notre accord.

Elle attendit leur réaction. Les deux hommes restaient silencieux.

– Je pense que ce que je demande n'est pas exagéré, déclara miss Temple.

Svenson acquiesça, regarda Chang et bredouilla en fouillant dans sa poche :

– Excusez-moi, il me faut une cigarette. Cela détournera mon attention des hauteurs, de cet océan de vide… Vous avez raison. Ce que vous dites est tout à fait sensé. Nous ne nous connaissons pas. C'est le hasard qui nous a rassemblés.

– Ne pourrions-nous pas faire ça plus tard? demanda Chang, d'un ton qui était à la limite de la civilité.

– Mais quand? répondit miss Temple. Est-ce que nous savons seulement où nous allons? Est-ce que nous avons décidé ce qu'il y avait de mieux à faire? Qui rechercher? Bien sûr que non, parce que nous avons tous émis des hypothèses à partir de nos expériences si différentes.

Chang soupira, contrarié. Puis, résigné, il lui fit signe de commencer.

– On m'a attaquée et je n'ai désormais plus aucune attache. On m'a trompée, menacée et on m'a menti. Je demande justice… c'est-à-dire que je veux que toutes les personnes impliquées payent pour ce qu'elles ont fait.

Elle reprit son souffle.

– Docteur?

Svenson prit un moment pour allumer correctement une cigarette, remettre son étui dans sa poche et souffler la fumée. Il lui fit un petit signe de tête.

– Je dois récupérer le prince. Quelle que soit la nature de cette conspiration, il est de mon devoir de le sortir de là. Il ne fait aucun doute pour moi que cela implique une sorte de guerre… Mais je n'ai pas vraiment le choix. Cardinal?

Chang se tut un instant, comme s'il estimait que tout cela était un exercice artificiel et inutile, puis il se décida à parler tranquillement, mais en allant droit au but.

– Si cette affaire ne se règle pas, je n'ai plus de travail, plus d'endroit où loger et c'en est fini de ma réputation. Puisque tout cela a été mis en péril, je me vengerai… Je dois, comme je l'ai déjà dit, sauvegarder mon nom. Est-ce que ça vous va comme ça?

– Ça va.

– Tous les personnages que nous avons croisés sont étroitement liés les uns aux autres et ce sont des assassins, poursuivit Chang. Devrons-nous les suivre tous, jusqu'au dernier?

– Oui, je crois que c'est vraiment ce qu'il faut faire, intervint miss Temple.

– Moi aussi, reprit Svenson. Peu importe ce qui arrivera à Karl-Horst, il faut que cette affaire se règle. Ce complot, cette conspiration, je ne sais pas ce qui pousse ses membres à en faire partie, mais je sais qu'ensemble ils sont comme la gangrène autour d'une blessure, comme un cancer. Si l'on ne parvient pas à l'éliminer complètement, il reviendra toujours, plus virulent et plus pernicieux que jamais. Aucun d'entre nous, et personne parmi ceux qui nous sont chers, ne sera en sécurité tant que ce ne sera pas fait.

– Alors, c'est entendu, conclut Chang.

Il eut un de ses petits rires sardoniques et tendit la main. Le docteur Svenson mit sa cigarette à la bouche, et de sa main devenue libre, il prit celle de Chang. Miss Temple plaça sa petite main sur les deux autres. Elle ne savait absolument pas ce que tout cela présageait – après tout, c'était ça, l'aventure ! – , mais elle songea que, de sa vie, elle n'avait jamais été plus heureuse. Comme elle venait de consentir à quelque chose d'extrêmement sérieux, elle fit ce qu'elle put pour ne pas être prise d'une sorte de rire nerveux, mais elle ne put s'empêcher de rayonner.

– Parfait ! annonça miss Temple. Je suis ravie que nous ayons pu parler aussi franchement. Et maintenant, comme je vous l'ai dit, l'autre question, c'est de savoir comment faire. Est-ce que nous devons chercher un autre endroit où nous réfugier ? Est-ce que nous attaquons et, si oui, où ? au Ste-Royale ? au ministère ? à Harschmort ?

– Je crois que la première chose à faire, c'est de descendre de ce toit, dit Chang.

– Bien sûr, mais nous pouvons parler pendant ce temps-là, personne ne surprendra notre conversation.

– Alors, passons par ici, vers le nord. Restez avec nous, docteur. L'hôtel est relié à l'immeuble voisin. Je pense qu'il n'y a pas d'espace vide entre les deux.

– De l'espace vide ? demanda le docteur, inquiet.

– Oui… il n'y aura rien à sauter, dit Chang.

Svenson ne répondit rien.

– Nous devrions certainement voir en bas dans la rue les hommes qui sont en position autour du Boniface, suggéra miss Temple.

Chang soupira en acquiesçant et il regarda Svenson qui leur faisait des signes et leur montrait l'immeuble.

– Je passe devant pour ne pas vous retarder…

Il se mit à avancer très lentement dans cette direction en regardant ses bottes. Miss Temple fit quelques pas sur le bord et regarda en bas avec attention. La vue était splendide. Tout en bas, on aurait dit des maisons de poupée, avec toute une foule de créatures minuscules. Elle jeta un coup d'œil de côté pour constater que Chang l'avait rejointe et s'était agenouillé sur le rebord de la corniche en cuivre.

– Est-ce que vous voyez quelqu'un ? chuchota-t-elle.

Il lui montra du doigt le bout de la rue : derrière la charrette d'un épicier ambulant se trouvaient deux hommes en noir, que l'on ne pouvait voir depuis le Boniface mais qui eux avaient une vue parfaite sur l'entrée de l'hôtel. De plus en plus excitée, miss Temple regarda dans la direction opposée en tirant sur le manteau de Chang.

– La grille en fer, là bas, au coin !

Deux autres silhouettes se cachaient derrière, et eux seuls, d'en haut, pouvaient les voir, car elles se dérobaient aux regards de la rue derrière un rideau de lierre.

– Ils sont postés dans tous les coins, indiqua Chang. Quatre hommes en uniforme, c'est déjà plus que ceux que vous aviez vus depuis le hall de l'hôtel. Ils pensent que nous sommes piégés et, sur un ordre, ils peuvent appeler à la rescousse ceux qui sont dans la rue. Ils sont peut-être déjà dans vos appartements. Nous devons décamper.

Ils retrouvèrent Svenson qui s'était avancé sur les toits de deux très beaux hôtels particuliers reliés au Boniface. Il fit un geste vague en direction du bord.

– La différence de hauteur entre les deux immeubles est considérable et la distance qu'il faudrait franchir est bien trop grande pour que l'un ou l'autre d'entre nous puisse sauter. Du côté de la façade de l'immeuble, il y a l'avenue, qui est encore plus large, et derrière, il y a une ruelle, qui est plus étroite mais encore trop large pour nous.

– Il faut que j'aille voir, de toute façon, dit miss Temple, et elle se dirigea en souriant vers l'arrière de l'immeuble.

Le toit de l'hôtel particulier était plus haut d'au moins deux étages par rapport aux immeubles qui s'élevaient en face dans la rue et dont elle ne pouvait deviner la nature, car leurs rares fenêtres étaient petites et noircies par la fumée. Elle regarda en bas et éprouva l'attrait du vide. Le docteur avait raison, elle ne voyait vraiment pas comment on pouvait atteindre le toit. Elle vit Chang accroupi et qui regardait en bas. Il doit continuer à compter les soldats, supposa-t-elle.

Miss Temple revint vers le docteur qui, c'était visible, ne se sentait pas bien du tout. Quand elle voyait l'aisance effrayante de

Chang, elle se sentait ignorante et faible, mais cette impression s'atténuait devant la détresse évidente du docteur. En fait, Svenson la réconfortait.

– Nous avons repéré plusieurs soldats par groupes de deux qui surveillent l'entrée de l'hôtel, lui résuma-t-elle. Chang pense qu'ils sont en train de se regrouper.

Svenson hocha la tête. Il se cherchait une autre cigarette.

– Vous fumez à un rythme impressionnant, dites donc! lui lança-t-elle d'une voix affable. Il va falloir aller au ravitaillement.

– Ce sera difficile, dit-il en souriant. Elles viennent de Riga, c'est un homme que je connais dans un magasin à Macklenburg qui me les procure. C'est seulement comme ça que je peux les trouver là-bas, je ne pense pas qu'on puisse les trouver ici. Dans ma chambre de la légation, j'ai une boîte en cèdre où j'en garde une provision parce qu'elles me font un bien considérable.

Miss Temple plissa les yeux.

– Sans elles… est-ce que vous allez devenir grincheux et malade?

– Non, ne vous inquiétez pas, dit Svenson pour la rassurer. Qui plus est, les effets du tabac ont sur moi un effet bénéfique, c'est un remontant qui calme et stimule en même temps.

– C'est voir chiquer et cracher le tabac que je déteste, assura miss Temple. C'est un usage très répandu dans le pays où je suis née et c'est absolument détestable. Et puis le tabac sous toutes ses formes tache les dents et c'est très laid.

Elle remarqua que les dents du docteur étaient de la couleur du chêne que l'on vient d'abattre.

– De quel pays venez-vous? demanda Svenson en faisant attention de serrer les lèvres.

– C'est une île, répondit simplement miss Temple. Une île où il fait plus chaud et où l'on peut manger des fruits frais toute l'année. Ah! Voilà Chang.

– J'ai vu des soldats dans les artères principales, dit-il en les rejoignant, mais pas dans la ruelle. Il y a des chances que nous puissions passer par ce toit… et il désigna une porte close qui menait à l'intérieur de l'hôtel particulier. Et puis nous sortirons par la ruelle. Cependant, je ne vois pas comment nous sortirons de la ruelle parce que, d'un côté comme de l'autre, elle nous conduit à eux.

– Alors, nous sommes faits comme des rats, conclut Svenson, défaitiste.

– Nous pourrons sans doute nous cacher en bas, reprit Chang.

Ils se retournèrent vers miss Temple pour qu'elle donne son avis… ce qui en soi était gratifiant pour elle… mais avant qu'elle pût répondre, on entendit une sonnerie de trompette que l'écho fit remonter jusqu'au toit.

Elle se retourna quand elle l'entendit, et au son clair de cet appel sembla répondre soudain un roulement de tambour plus sourd.

– Des chevaux! Plein de chevaux! s'écria-t-elle.

Tous les trois, miss Temple prenant le bras du docteur, s'accroupirent avec précaution pour regarder d'en haut la grande avenue. Au-dessous d'eux, emplissant la rue, défilait une parade de soldats à cheval portant des tuniques d'un rouge éclatant et des casques en cuivre d'où pendaient des queues de cheval noires.

– Est-ce qu'ils sont là pour nous? cria-t-elle.

– Je ne sais pas, dit Chang. Elle le vit échanger un regard avec Svenson et elle espéra ne pas les voir trop souvent agir ainsi ou tout au moins aussi ouvertement.

– C'est le 4e régiment des Dragons, affirma le docteur, et il pointa du doigt un personnage qui avait l'air important et portait des épaulettes bordées d'une frange dorée. C'est le colonel Aspiche.

Miss Temple regarda défiler le colonel flanqué de deux officiers, entre deux rangs de soldats: une silhouette raide, regardant droit devant, maîtrisant son cheval parfaitement étrillé.

Elle essaya de compter les hommes, mais ils se déplaçaient trop rapidement. Ils étaient au moins une centaine, peut-être plus du double. Puis elle vit un écart entre les rangs de cavaliers et miss Temple serra le bras du docteur.

– Des charrettes!

C'était un cortège d'une dizaine de charrettes conduites par des soldats en uniforme.

– Elles sont vides, dit Svenson.

Chang fit un signe de tête en direction du Boniface.

– Ils passent seulement devant l'hôtel. Tout cela n'a rien à voir avec nous.

C'était juste. Miss Temple vit la masse rouge des uniformes qui passait devant l'hôtel et qui tournait ensuite vers Grossmaere.

– Qu'y a-t-il dans cette direction? demanda-t-elle. Le Ste-Royale se trouve à l'opposé.

Le docteur se pencha davantage.

– C'est l'Institut. Ils vont à l'Institut avec des charrettes vides, les machines pour fabriquer le verre… les… les… que disiez-vous donc tous les deux… les caisses…

– Il y avait des charrettes qui livraient des caisses à Harschmort, dit Chang. Il y avait des caisses un peu partout au laboratoire de l'Institut.

– Les caisses de Harschmort étaient capitonnées de feutre orange et portaient des numéros peints au pochoir, dit miss Temple.

– À l'Institut… ce n'était pas du feutre orange, dit Chang. C'était du feutre bleu.

– Je mettrais ma main à couper qu'ils vont en chercher d'autres, dit Svenson, ou qu'ils changent de lieu d'opération, après la mort survenue à l'Institut.

Au-dessous d'eux, les trompettes retentirent encore. Aspiche n'était pas du genre à passer incognito. Svenson essaya de parler plus fort, mais miss Temple ne comprit pas ce qu'il disait. Il réessaya de se faire entendre, en se penchant plus près encore et en montrant ce qui se passait plus bas.

– Les hommes du colonel Blach sont entrés dans l'hôtel.

Miss Temple constata qu'il avait raison, des silhouettes noires, à peine visibles à côté des cavaliers en rouge, couraient en désordre en direction du Boniface comme des rats se précipitant dans une bouche d'égout.

– Si vous permettez, il me semble que c'est le moment idéal pour essayer de quitter ces lieux en passant par la ruelle.

Comme ils descendaient un escalier recouvert d'un tapis luxueux, miss Temple se demanda si tout le monde se pensait à l'abri des effractions et du cambriolage. Il n'avait fallu qu'un instant à Chang pour les faire entrer dans une demeure dont les propriétaires, elle en était sûre, pensaient avec orgueil qu'elle était inviolable. Ils eurent la chance de ne rencontrer personne aux étages supérieurs, parce que les domestiques qui y avaient leurs chambres étaient au travail. Ils réussirent à se glisser doucement et ils entendirent des bruits de pas, de vaisselle et même une sorte de halètement tout à fait répugnant. Miss Temple savait qu'au rez-de-chaussée et près de l'entrée de service ils risquaient de se trouver nez à nez avec des gens. Ils croiseraient au moins des domestiques.

Quand ils quittèrent la cage d'escalier, elle se précipita donc devant Chang et Svenson malgré leurs regards effarés.

Elle savait fort bien qu'elle, elle pouvait à la fois en imposer et se faire rassurante, alors que l'un et l'autre ne pourraient que provoquer un scandale si on les surprenait. Du coin de l'œil, elle aperçut une jeune servante qui empilait des bocaux et qui leur fit instinctivement une petite révérence en passant. Miss Temple lui adressa un signe de tête et entra à grands pas dans la cuisine où se trouvaient au moins trois domestiques en plein travail. Elle leur sourit rapidement.

– Bonjour. Je m'appelle miss Hastings et j'aimerais bien pouvoir utiliser la sortie de service.

Elle ne s'arrêta pas pour attendre leur réponse.

– Je suppose que c'est par ici ? Je vous en suis très reconnaissante. Comme cette cuisine est bien tenue… et ces théières sont particulièrement jolies…

En un instant, elle était passée devant eux et se trouvait sur les quelques marches qui conduisaient à la porte elle-même. Elle s'écarta pour que Chang pût l'ouvrir pendant que, derrière lui et par-dessus les épaules de Svenson, elle pouvait voir tous les visages curieux qui les avaient suivis.

– Vous avez vu le défilé de la cavalerie ? poursuivit-elle. C'est le régiment du prince, le 4e régiment de Dragons. Seigneur ! Ils sont superbes ! Quelles trompettes, et ces bêtes magnifiques !… Vraiment remarquable. Au revoir !

Elle suivit le docteur qui passait la porte et elle soupira de soulagement quand Chang la referma derrière eux.

Le bruit des sabots s'était estompé, le défilé s'éloignait déjà. Alors qu'ils couraient vers le bout de la ruelle, miss Temple se rendit compte avec inquiétude que Chang avait sorti sa dague, et Svenson, son revolver. Miss Temple chercha à agripper son sac à main, mais elle avait besoin de l'une de ses mains pour relever sa robe si elle voulait pouvoir courir et ne pouvait pas ouvrir son sac avec celle qui était libre. Si elle avait été du genre à jurer, c'est ce qu'elle aurait fait à ce moment précis, car elle avait été prise au dépourvu par l'urgence évidente avec laquelle ses deux compagnons abordaient la situation.

Ils atteignirent la rue. Svenson la prit par le bras tandis qu'ils s'éloignaient à grands pas du Boniface. Chang courait juste derrière eux et cherchait à repérer la présence de leurs ennemis. Il n'y avait ni cris ni coups de feu. Ils atteignirent la rue suivante et Svenson la lui fit prendre. Ils se plaquèrent contre le mur et attendirent Chang qui suivit un moment après. Il haussa les épaules et ils continuèrent tous les trois aussi vite qu'ils le purent. Il leur semblait incroyable de s'en être sortis aussi facilement, et miss Temple ne put s'empêcher de sourire de cette victoire.

Avant même que les deux hommes aient pu décider d'un chemin à emprunter, miss Temple hâta le pas et les obligea à la suivre. Ils tournèrent pour arriver à la grande artère suivante, Regent's Gate, où, juste devant eux, miss Temple aperçut une devanture qu'elle connaissait et les guida dans cette direction. Elle avait eu une idée.

— Mais où donc allez-vous? lui demanda Chang abruptement.

— Nous devons établir une stratégie, répondit miss Temple. Nous ne pouvons pas faire ça dans la rue. Et pas non plus dans un café. Nous serions repérés immédiatement tous les trois…

— Peut-être dans une chambre privée, suggéra Svenson.

— On nous y remarquerait encore plus facilement, dit miss Temple en l'interrompant. Mais il y a un endroit où personne ne songera à faire des commentaires sur la drôle de petite bande que nous formons.

— Quel genre d'endroit? demanda Chang avec méfiance.

Elle sourit de sa propre astuce.

— Une galerie d'art.

L'artiste qui exposait était un certain Veilandt, un peintre originaire des environs de Vienne. Roger lui avait proposé de visiter cette exposition pour être agréable à un groupe de banquiers autrichiens de passage. Miss Temple s'était trouvée parmi ces gens à essayer de s'intéresser aux œuvres qu'elle avait trouvées à la fois dérangeantes et prétentieuses. Tous les autres avaient affiché la plus grande indifférence pour la peinture, préférant boire du schnaps et discuter marché et tarifs; d'ailleurs, Roger l'avait prévenue qu'il en serait ainsi. Supposant que la galerie ne verrait donc pas d'inconvénient à ce genre de visite distraite, elle poussa Chang et Svenson dans le hall d'entrée pour aller discuter avec le responsable de la galerie.

Elle lui expliqua à voix basse qu'elle avait fait partie du groupe d'Autrichiens et qu'elle emmenait, cette fois-ci, un représentant de la cour de Macklenburg qui cherchait des cadeaux de mariage pour son prince, un homme de goût. Elle était certaine qu'un homme comme lui avait entendu parler de cette union imminente, lui souffla-t-elle, flatteuse; ce que l'homme lui confirma en hochant la tête d'un air important.

Puis il lorgna Chang, et miss Temple lui indiqua avec tact que son deuxième compagnon était lui aussi un artiste et qu'il était très impressionné par la réputation de provocateur[*] de Veilandt. L'homme acquiesça avec bienveillance et les fit entrer dans la salle principale de l'exposition en glissant délicatement entre les mains de Svenson un dépliant indiquant les titres et les prix des œuvres.

Elle se souvenait très bien des toiles : c'était des huiles de grand format, horribles, dans un style ostentatoire frôlant l'obscénité, représentant des épisodes de doute et de tentation tirés de la vie des saints et tous choisis pour leur vision profondément macabre. Sans les personnages portant l'auréole qui inscrivaient les toiles dans un contexte religieux, l'exposition aurait ressemblé purement et simplement à une suite de tableaux représentant la déchéance. Bien que miss Temple comprît fort bien comment l'artiste se drapait dans le voile du sacré pour mieux se vautrer dans la dépravation, elle n'était pas sûre que les toiles ne fussent pas, à un niveau plus profond que celui de l'intelligence critique, plus réalistes que ce que l'on croyait. En fait, quand elle les avait vues pour la première fois, alors qu'elle était entourée de toute la suffisance des financiers, elle avait été consternée non pas par cette débauche de chair et de blasphème mais au contraire par la fragilité, l'isolement, la présence si peu convaincante de la vertu.

Miss Temple entraîna ses compagnons dans la salle d'exposition, loin du responsable de la galerie.

– Bon Dieu ! chuchota Svenson.

Il jeta un coup d'œil au petit carton qui se trouvait sur le côté d'un tableau dans les teintes d'orange, dans lequel les personnages semblaient surgir de la surface de la toile en chair et en os. Il lut le titre, *Sainte Rowena et la horde de Vikings*, et il leva les yeux vers le visage de la sainte en question. On pouvait bien dire qu'il rayonnait de ferveur religieuse, mais à condition toutefois d'être très charitable. « Bon Dieu ! »

Chang ne disait pas un mot mais, lui aussi, il était sidéré, le regard impénétrable derrière ses lunettes noires. Miss Temple se mit à parler à voix basse pour ne pas attirer l'attention de l'employé.

– Donc… maintenant nous pouvons parler sans crainte.

– *Le bienheureux courage de saint Jasper*, lut encore le docteur en regardant la toile qui se trouvait sur le mur opposé. Mais qu'est-ce que c'est que ça : des cochons, des groins de cochons ?

[*] En français dans le texte.

Elle s'éclaircit la voix. Ils se retournèrent vers elle, légèrement penauds.

— Bon sang, miss Temple, lâcha Svenson, ces peintures ne vous font pas un drôle d'effet?

— Si, tout à fait, mais je les ai déjà vues. J'ai pensé que comme nous avions déjà eu en commun l'expérience des cartes de verre, nous pourrions y survivre.

— Je vois, je vois, répliqua Svenson tout penaud. La galerie est sûrement vide et c'est exactement ce qu'il nous faut.

Chang ne se prononça ni sur l'endroit ni sur les œuvres de monsieur Veilandt, il se contenta de sourire, encore une fois, de ce sourire que miss Temple comparait à celui d'un loup.

— Mon idée, c'est que... commença miss Temple. Avez-vous regardé les cartes de verre, Cardinal?

— Oui, dit-il, et dans son regard passa un éclair lubrique.

— Bon... dans celle où l'on voit Roger Bascombe et moi-même...

Elle s'arrêta et fronça les sourcils, essayant d'ordonner ses idées. Il y en avait trop qui se bousculaient dans sa tête.

— Ce que j'essaie de déterminer, c'est où nous devons maintenant faire porter nos efforts et, plus important encore, si nous devons rester ensemble ou s'il vaut mieux nous partager le travail.

— Vous avez parlé des cartes? commença Chang.

— Parce qu'on y voit la maison de campagne de l'oncle de Roger, lord Tarr, et une sorte de carrière...

— Attendez, attendez, dit Svenson en l'interrompant. Francis Xonck, en parlant de l'héritage de Bascombe... faisait allusion à une substance qu'il a appelée de l'argile indigo... vous connaissez?

Elle fit signe que non. Chang haussa les épaules.

— Moi non plus, je ne connais pas, continua Svenson. Mais il a laissé entendre que Bascombe deviendrait bientôt propriétaire d'un important gisement de cette argile. Il doit s'agir de la carrière qui se trouve sur la terre de son oncle.

— *Sa* terre, en fait, corrigea Chang.

Svenson acquiesça.

— Et je pense que cette argile est essentielle à la fabrication de leur verre...

— Voilà donc pourquoi ils ont tué Tarr, dit Chang, et pourquoi ils ont choisi Bascombe. Ils le rallient à leur cause et, comme ça, ils peuvent avoir le contrôle du gisement.

Miss Temple comprit tout à coup l'enchaînement des choses : quelques mots de Crabbé sur l'utilité d'un titre pour un jeune homme ambitieux, la compagnie flatteuse d'une femme comme la Contessa et peut-être même... La déception la fit soupirer. Et puis Mrs. Marchmoor, les cigares et le brandy avec un libertin flagorneur comme Francis Xonck. Elle se demanda si Roger connaissait exactement la valeur de cette argile indigo ou si on achetait sa soumission comme celle des Indiens, avec l'équivalent pour ces gens de quelques plumes et d'un peu de verroterie. Puis elle se souvint que Roger aussi portait des cicatrices. Son esprit était-il encore libre ou est-ce que leur fameux Procédé l'avait réduit à être leur esclave ?

– C'est un pion, en fait..., murmura-t-elle.

– Je parierais volontiers que tous les membres insignes de cette bande considèrent les autres comme des pions, ricana Chang. Je ne crois pas que ce pauvre Bascombe soit le seul.

– Non, dit miss Temple. Je suis sûre que vous avez raison. Je suis sûre qu'il est comme les autres.

Elle chassa en s'esclaffant le reste de sympathie qu'elle venait d'éprouver pour lui.

– Mais la question reste entière, devons-nous faire porter nos efforts sur le domaine des Tarr ?

– Il y a une autre possibilité, lança soudain Svenson, inspiré. En fait, je me suis laissé distraire par vous, miss Temple. À quelques minutes de marche d'ici se trouve le jardin entouré de murs où le comte d'Orkancz m'a emmené pour que j'examine la jeune femme blessée. C'est là que je me rendais quand je vous ai aperçue par la vitre du Boniface.

– Quelle femme ? s'enquit Chang.

Svenson soupira, affligé :

– Une autre malheureuse qui s'est laissée entraîner dans les expériences du comte, et un nouveau mystère. Elle avait tous les symptômes de quelqu'un qui s'est noyé dans une eau glaciale, bien que les lésions aient apparemment été causées par une sorte de machine... J'imagine qu'il y a un rapport avec le verre ou les caisses... Je ne peux dire si elle a survécu à cette nuit-là... mais l'endroit, une serre qui servait à la tenir au chaud, doit être un des bastions du comte et c'est vraiment tout près d'ici. Il s'est mis à ma recherche pour que je la soigne...

– Il s'est mis à votre recherche ? demanda miss Temple, intriguée.

– Il a prétendu qu'il avait eu connaissance d'un petit livre que j'ai écrit, il y a des années, sur certaines lésions que l'on retrouve chez des marins de la mer Baltique...

– Dites donc, quel succès, votre livre!

– Je vous l'accorde, ça n'a pas de sens.

– Sans doute, mais pourquoi l'a-t-il lu? Miss Temple fronça les sourcils, les choses commençaient à s'étoffer. Mais attendez... si vous avez écrit ce livre il y a si longtemps, cela veut dire qu'il s'intéressait déjà à cette époque-là à ce type de blessure!

Svenson acquiesça.

– Oui! Et cela signifierait-il que le comte est le grand concepteur de toutes ces expériences?

– À Harschmort, il était clair que c'était lui qui s'occupait des caisses et de ces drôles de masques mécaniques, ce qui confirmerait simplement qu'il est le grand maître de cette science-là...

Elle frissonna au souvenir de ce qu'elle avait vu de cet homme et de sa façon si froide de manipuler les femmes.

– À quoi ressemblait-elle, cette femme? demanda Chang abruptement. Cette femme dans la serre?

– À quoi elle ressemblait? Svenson essaya de rassembler ses idées. Ah!... bon... il y avait des tas de blessures qui déformaient son corps... elle était jeune et belle... oui... et peut-être asiatique. Savez-vous qui elle est?

– Bien sûr que non, mentit Chang.

– Nous pourrions vérifier si elle est encore là-bas...

– Cela nous fait donc une piste de plus, conclut miss Temple en essayant de mettre les choses au clair. Je crois qu'on peut aller dans différents endroits pour essayer de retrouver telle ou telle personne. On peut retourner à Harschmort, au Ste-Royale pour la Contessa...

– Chez Crabbé à Hadrian Square, ajouta Svenson.

Ils se tournèrent vers Chang. Il se taisait, perdu dans ses pensées. Tout à coup, il releva les yeux et secoua la tête.

– Suivre un individu, au mieux, ça nous donnera un prisonnier. Cela implique qu'on l'interroge, qu'on le menace... c'est toujours compliqué. C'est vrai... on peut peut-être trouver le prince, on peut trouver tout ce qu'on veut... mais, plus vraisemblablement, on va tomber sur Harald Crabbé en train de manger avec sa femme et on va finir par devoir leur trancher la gorge à tous les deux.

– Je n'ai jamais rencontré Mrs. Crabbé, dit miss Temple. Mais j'aimerais mieux que l'on réserve ce genre de traitement à ceux qui nous ont fait du mal.

Elle savait pertinemment que Chang avait évoqué le meurtre de cette femme pour leur faire peur, une tactique qui avait parfaitement réussi sur elle. C'était un test. Exactement comme ce qu'elle avait fait, elle, avec l'exposition. C'était aussi un test pour les deux hommes. Pendant qu'ils étaient là tous les trois, debout, à discuter, elle comprit que se mettre dans cette situation, dans cette salle, avec deux hommes au milieu de toute cette chair étalée, c'était afficher des connaissances et des intentions qu'en fait elle n'avait pas. Elle n'avait pas pensé à cela en choisissant cet endroit, mais c'était maintenant pour elle une façon de se sentir leur égale.

– Mais alors, tuer tout le monde, ce n'est pas ce que vous voulez ? Chang sourit.

– Eh non ! répondit miss Temple. Dans toute cette histoire, ce qui m'intéresse, c'est comprendre le pourquoi, depuis le début. Depuis le premier moment où j'ai décidé de suivre Roger.

– Pensez-vous qu'il faut que nous nous séparions ? l'interrogea Svenson, que l'un d'entre nous aille à la serre… ce qui pourrait impliquer qu'on ait à couper des gorges… comme vous le dites, si l'endroit est rempli de sbires du comte… et qu'un autre aille au domaine des Tarr ?

– Et qu'est-ce qu'on fait avec votre prince ? demanda miss Temple.

Svenson se frotta les yeux.

– Je n'en sais rien. Même eux, ils n'en savent rien.

– Qui eux, qui en particulier ? chercha à savoir Chang.

– Xonck, Bascombe, le major Blach, le comte…

– Est-ce qu'ils ont exclu la Contessa ?

– Non. Et lord Vandaariff non plus. Alors… peut-être le prince se trouve-t-il dans une chambre du Ste-Royale ou à Harschmort… Peut-être que si nous pouvions le trouver, cela accentuerait leurs divisions, et qui sait… cela les obligerait peut-être à commettre une imprudence ou, au moins, cela nous en dirait plus long sur leurs véritables intentions.

Chang opina du bonnet. Il se tourna vers miss Temple et s'adressa à elle avec beaucoup de sérieux :

– Que pensez-vous de l'idée de diviser nos forces, d'agir dans toutes ces directions, chacun de notre côté ?

Avant qu'elle pût répondre, et elle savait bien qu'il faudrait qu'elle le fasse, les pensées de miss Temple la ramenèrent dans le fiacre avec Spragg, lui rappelèrent l'odeur forte de sa sueur, son cou hérissé de poils, le poids étouffant de son corps, la force incroyable de ses mains, la terreur qui l'avait saisie quand elle avait senti que son corps était à sa merci. Elle cligna des yeux pour chasser ces souvenirs et se retrouva face à face avec la femme en rouge, ses yeux violets et perçants, acérés comme des poignards, son expression d'une insolence dédaigneuse et altière, le mépris de son rire grave qui donnait la sensation à miss Temple qu'on lui arrachait les nerfs un à un. De nouveau, elle cligna des yeux. Elle regarda les toiles qui se trouvaient autour d'elle, elle regarda les deux hommes qui étaient devenus ses alliés parce qu'elle les avait choisis, comme elle avait choisi de se mettre en danger. Elle savait qu'ils agiraient selon sa volonté.

– Cela me va très bien.

Miss Temple sourit.

– Je dirais même que si j'avais l'occasion de tuer un de ces types de mes propres mains, ce serait mieux encore.

– Un instant… la coupa Svenson.

Il fixait quelque chose derrière elle, sur le mur du fond, et il s'y dirigea en essuyant son monocle sur le revers de son manteau. Il s'arrêta devant une toile de petit format, la plus petite de toute l'exposition sans doute, jeta un coup d'œil au carton qui l'identifiait, puis revint à la toile pour l'examiner plus attentivement.

– Il faut que vous veniez voir ça tous les deux.

Miss Temple s'approcha et elle eut le souffle coupé. Comment avait-elle pu l'oublier après sa première visite? La toile, qui avait visiblement été découpée à partir d'une œuvre de plus grande taille, représentait une femme un peu éthérée allongée sur ce qu'à première vue on prenait pour un divan ou un sofa, mais qui, à y regarder de plus près, était une table inclinée. Il semblait même qu'il y eût des courroies qui retenaient ses bras, à moins qu'il ne s'agît de l'interprétation que donnait l'artiste du vêtement biblique. La tête de cette femme était auréolée d'un halo doré, mais sur son visage, autour de ses yeux, étaient dessinées les cicatrices circulaires que, tous, ils avaient pu observer dans la réalité.

Svenson consulta son dépliant.

– *Annonciation, Fragment*, c'est… attendez…

Il replia la feuille de papier.

— La toile a cinq ans et c'est l'œuvre la plus récente de l'exposition. Excusez-moi un moment...

Il les quitta et s'approcha du galeriste qui était assis et écrivait dans un registre derrière son bureau. Miss Temple revint à la toile. Elle dut convenir qu'elle était d'une beauté troublante et elle remarqua avec horreur que la tunique claire de la jeune femme avait le col bordé d'une rangée de petits cercles verts.

— Ce sont les tuniques de Harschmort, dit-elle à l'attention de Chang, les femmes qui étaient sous l'emprise du comte... elles portaient les mêmes !

Le docteur les rejoignit, perplexe.

— C'est tout ce qu'il y a de plus étrange, murmura-t-il. Oskar Veilandt, l'artiste, était, paraît-il, un mystique un peu fou, qui s'intéressait en dilettante à l'alchimie et aux sciences occultes.

— Parfait, dit Chang. Peut-être est-ce lui qui tire toutes les ficelles de cette histoire...

— Il pourrait nous mener aux autres ! chuchota miss Temple tout excitée.

— C'est exactement ce que je pensais. Mais le responsable de la galerie m'a appris que Veilandt est mort il y a cinq ans de cela.

Ils se taisaient tous les trois. Cinq ans ? Comment cela était-il possible ? Qu'est-ce que tout cela signifiait ?

— Les traces sur son visage, reprit Chang après un moment, ...ce sont incontestablement les mêmes...

— Exactement, approuva Svenson, et la seule chose que cela nous apprenne, c'est que toute cette histoire... de Procédé... date au moins de cette époque-là. Il faudra que nous en apprenions davantage. Où l'artiste vivait-il, où est-il mort, qui est le dépositaire de son œuvre et, en fait, qui a organisé l'exposition où nous nous trouvons en ce moment ?...

Miss Temple pointa son doigt pour désigner la petite carte qui indiquait le titre de l'œuvre, parce qu'elle portait également un point dessiné à l'encre rouge.

— Et en outre, docteur, il faudrait que nous sachions qui a acquis cette toile !

Le responsable de la galerie, un certain Shanck, était ravi de leur fournir des renseignements. D'autant que le docteur avait pris soin de s'informer sur les prix et le mode de livraison des plus grandes toiles, tout en balbutiant quelques considérations sur l'espace disponible sur les murs du palais de Macklenburg. Malheureusement, Shanck ne savait pas grand-chose : Veilandt était lui-même un personnage assez mystérieux. Il avait fait ses études à Vienne, puis des séjours en Italie et à Constantinople, il avait eu un atelier* à Montmartre. Les toiles étaient arrivées par l'intermédiaire d'un marchand d'art de Paris où il croyait savoir que Veilandt était mort.

Le docteur se retourna encore une fois vers ces toiles afin d'apprécier leur composition massive et il se dit qu'elles avaient été réalisées par quelqu'un qui souffrait de phtisie ou qui était sous l'emprise de l'absinthe ou d'un quelconque délire de destruction. Le propriétaire actuel voulait rester anonyme, Shanck prétendant que c'était à cause de la nature scandaleuse de l'œuvre*. Il ne traitait qu'avec son homologue dans une galerie du boulevard Saint-Germain. De toute évidence, il se délectait des relents sulfureux entourant la collection. Il pouvait ainsi partager, avec certaines personnes choisies, les renseignements privilégiés qu'il détenait.

Il se mit à avoir quelques soupçons qui le firent bredouiller quand miss Temple, sur un ton pourtant tout à fait désinvolte, lui demanda qui avait bien pu acheter « la drôle de petite toile » et s'il en avait une autre de ce style à vendre. Elle lui plaisait vraiment beaucoup et aimerait la voir chez elle. En fait, Shanck devint blanc comme un linge.

– Je… Je pensais… vous aviez parlé du mariage… du prince…

Miss Temple acquiesça d'un signe de tête, ce qui ne dissipa absolument pas la crainte subite de l'homme.

– En effet. D'où mon intérêt à en acheter une moi-même…

– Mais elles ne sont pas à vendre ! Et elles ne l'ont jamais été !

– Vous avouerez que c'est une bien étrange façon de tenir une galerie, remarqua-t-elle, et puis, il y en a bien une qui a été vendue…

– Pourquoi ?… Pourquoi d'autre êtes-vous ici ? dit-il en se posant la question à lui-même plutôt qu'à elle, sa voix baissant au fur et à mesure qu'il parlait.

– Pour admirer les toiles, monsieur Shanck, comme je vous l'ai dit.

– De toute façon, elle n'a pas été vendue, bafouilla-t-il en faisant de grands gestes pour désigner la petite toile, elle a été offerte pour le mariage. C'est un cadeau pour Lydia Vandaariff. L'exposition n'a été organisée que pour réunir les œuvres en

* En français dans le texte.

une seule collection ! Tous ceux qui connaissent la galerie, tous ceux à qui il convient de fournir les renseignements voulus... bien sûr... il y a tous les thèmes de l'artiste... la religion... la morale... le désir... le mysticisme... vous devez comprendre... les forces qui sont à l'œuvre... le danger...

Shanck les regarda tous, tour à tour, et il déglutit nerveusement.

– Si vous ne saviez pas tout ça... comment avez-vous ?... qui vous a ?...

Miss Temple perçut le désespoir grandissant de cet homme et se rendit compte qu'elle lui souriait instinctivement. En secouant la tête, elle voulut lui dire que ce n'était qu'un malentendu... mais avant qu'elle pût dire un mot, Chang s'avança, vif, tout de suite menaçant. Il prit Shanck par la cravate et le poussa sans ménagements contre son bureau. Il gémit une protestation bien inutile.

– Je ne sais rien ! cria-t-il. Il y a des gens qui se servent de la galerie pour se rencontrer... Je suis payé pour le leur permettre... Je ne dis rien... Je ne dirai rien d'aucun d'entre vous... je vous le jure...

– Monsieur Shanck, commença miss Temple, mais Chang l'interrompit en resserrant un peu plus son étreinte avec un grognement. Vous disiez que les toiles avaient été réunies, d'accord, mais par qui ?...

Shanck bafouilla, furieux et terrorisé, mais miss Temple eut l'impression que ce n'était pas d'eux qu'il avait peur.

– Par... Ah !... par le père de la fiancée.

Quand Chang le lâcha, l'homme s'échappa et traversa la galerie en courant pour se réfugier dans une pièce qui, selon miss Temple, devait être un placard à balais. Elle poussa un soupir de dépit. Elle pensa cependant que cela leur donnerait au moins un moment pour discuter.

– Il faut partir tout de suite, dit-elle.

Ils entendirent des bruits qui venaient de la porte par laquelle l'homme avait disparu. Elle tendit le bras pour empêcher Chang d'aller voir.

– Nous n'avons toujours pas décidé...

Chang l'interrompit.

– Cette serre. Cela peut être assez dangereux. Cela serait plus facile d'y entrer à plusieurs. Et puis, c'est tout près d'ici...

Miss Temple, très agacée par le ton péremptoire de Chang, perçut néanmoins un frémissement d'émotion passer sur son visage. Bien qu'elle ne parvînt pas à en deviner la nature, puisqu'elle ne pouvait voir ses yeux, le seul fait que cette émotion existe piqua son intérêt. Chang lui apparut alors comme un cheval bien dressé dont les forces sont à la merci de minuscules turbulences qui agitent son sang, comme une nature qui réclame une forme très particulière de dressage.

– Je suis d'accord, intervint Svenson.

– Très bien, approuva à son tour miss Temple.

Puis, alertée par les vociférations de plus en plus bruyantes qui venaient du placard à balais :

– Je propose avant tout que nous quittions cet endroit.

– Attendez…, cria Svenson, et il s'éloigna rapidement d'eux pour se diriger vers *l'Annonciation* de Veilandt.

Après avoir jeté un regard rapide en direction du placard de Shanck, le docteur décrocha la toile du mur.

– Il ne va tout de même pas la voler ? chuchota miss Temple.

Certes, il ne la volait pas ; mais il la tourna pour voir ce qu'il y avait derrière et il leur fit un signe de tête pour confirmer qu'il avait effectivement trouvé quelque chose. Quelques instants plus tard, la toile était au mur et Svenson courait vers les deux autres.

– Qu'est-ce que c'était ? demanda Chang.

– Une inscription, s'exclama Svenson en les poussant dans la rue. Je pensais peut-être trouver des indications sur l'œuvre intégrale ou, puisque l'artiste était un alchimiste, quelque chose comme une formule mystique.

– Et alors ? demanda miss Temple.

Il hocha la tête en fouillant dans les poches de son manteau pour trouver un morceau de papier et un bout de crayon.

– Il y avait des symboles, en effet. Je vais les reproduire de mémoire, bien que ceux-ci ne me disent rien. Et puis, il y avait autre chose, des mots en lettres majuscules, je ne sais pas ce qu'ils annoncent, mais…

– Quels mots ? le coupa Chang, impatient.

– « Et ils seront consumés », cita Svenson.

Miss Temple ne dit rien. Ils n'en avaient plus le temps. Mais elle gardait un souvenir très vif du tableau noir de Harschmort. Ils se trouvaient maintenant dans l'avenue. Le docteur lui prit le bras et ils partirent en direction de la serre.

– …des lettres de sang ? demanda Chang.

– Non, répondit Svenson, des lettres bleues.

– L'entrée de la ruelle que je connais se trouve juste en face du Boniface, dit Svenson en parlant à voix basse pendant qu'ils marchaient. Pour atteindre la grille du jardin en toute sécurité, il faudra que nous parcourions une certaine distance à pied en contournant l'hôtel pour y arriver par l'autre côté.

– Et même là, nous devrons être prudents. Vous disiez qu'il y aura peut-être des gardes, fit observer Chang.

– Il y en avait l'autre jour. Mais, évidemment, le comte était là. S'il n'y est pas, les gardes ne sont peut-être pas là non plus. Le problème, c'est que je suis entré par le jardin, il faisait sombre et il y avait du brouillard, et je ne sais pas vraiment s'il y a une maison qui y est reliée et encore moins si la maison est habitée actuellement.

Chang soupira.

– Si nous devons contourner l'hôtel, ce sera plus long à pied, cependant…

– C'est ridicule, lança miss Temple agacée.

Les deux hommes la regardèrent. Il fallait vraiment qu'elle prenne les choses en main.

– Nous prendrons un fiacre, lança-t-elle sans plus d'explication.

Elle avait bien compris que cette idée n'avait même pas effleuré l'esprit de ses deux compagnons, car cela ne faisait pas partie de leur vie quotidienne que de se déplacer de cette façon. Il était évident que, parmi eux trois, les forces étaient de nature différente. La fragilité était également répartie entre eux, mais à divers niveaux. En tant que femme, miss Temple sentait que ses compagnons savaient parfaitement bien quand elle était susceptible d'échouer, mais elle, elle n'avait pas la même idée de leur vulnérabilité. C'était elle qui avait eu l'idée du fiacre et elle l'assumait, si bien qu'elle attira leur attention vers l'avenue.

– J'en vois un qui arrive… si l'un de vous deux veut bien faire signe au cocher…

Grâce à ce moyen de transport, qui leur permit de s'enfoncer dans leur siège tout en s'écartant des fenêtres de la voiture pour ne pas être vus depuis la rue, ils furent en quelques minutes de l'autre côté de la ruelle. Chang signala d'un signe de tête à miss Temple que la voie était libre. Ils descendirent et elle renvoya le fiacre.

Le trio pénétra dans la ruelle pavée étroite et vide, et dont miss Temple remarqua le nom : Plum Court. La grille se trouvait au milieu de l'allée, et comme ils s'en approchèrent, la rumeur des rues avoisinantes s'estompa avant même qu'ils ne se retrouvent dans l'ombre, car les immeubles autour empêchaient toute lumière d'arriver jusque-là, une lumière qui, de toute façon, par cette journée nuageuse, était bien faible. Miss Temple se demanda comment des fleurs pouvaient s'épanouir dans un endroit aussi sombre et aussi peu aéré. L'entrée était constituée d'un étrange porche semblable à celui d'une église, encastré dans le mur, et qui entourait une solide porte en bois. Le porche lui-même était décoré d'élégantes formes sculptées dans le bois, d'étranges motifs représentant des monstres marins, des sirènes et des naufragés qui continuaient à sourire alors qu'ils se noyaient.

Miss Temple porta son regard vers le fond de la ruelle et vit la façade du Boniface dans la lumière plus crue de l'avenue. Spanning était devant la porte, entouré de deux soldats. Miss Temple tapota l'épaule de Chang et le lui désigna du doigt. Il se glissa rapidement sous le porche, posa le fourre-tout à motif fleuri de miss Temple et sortit de sa poche un anneau d'où pendaient toute une série de clés. Il en sélectionna quelques-unes, puis il murmura entre ses dents :

– Laissez-moi voir s'ils peuvent nous repérer… il faudrait peut-être que vous vous plaquiez plus près du mur.

Miss Temple et le docteur se rangèrent à cet avis, prêts tous les deux à sortir leurs revolvers. Miss Temple était plutôt anxieuse, elle ne s'était jamais servie d'une arme de sa vie et elle se retrouvait à jouer les bandits de grand chemin. Chang mit une clé dans la serrure et la tourna. Sans résultat. Il en essaya une autre, puis une autre, puis une autre encore, en en choisissant chaque fois patiemment une nouvelle sur son anneau.

– Si jamais il y a quelqu'un de l'autre côté de la porte, chuchota Svenson, il va vous entendre.

– C'est sans doute déjà fait, murmura Chang pour toute réponse, et miss Temple remarqua qu'il s'était placé nonchalamment sur le côté, devant eux deux d'ailleurs, pour parer d'éventuels coups de feu tirés à travers la porte.

Il essaya une autre clé et deux autres encore. Il recula en soupirant, puis il leva les yeux vers le mur. Il mesurait peut-être quatre mètres de haut, mais le porche avançait sur sa paroi lisse. Chang rempocha ses clés et se tourna vers Svenson.

– Docteur, vos mains, s'il vous plaît…

Miss Temple les observa avec un peu d'inquiétude et eut une façon tout animale d'apprécier les mouvements de Chang alors qu'il plaçait sa botte sur les mains croisées du docteur Svenson et s'élançait au-dessus du porche. Dès qu'il put trouver une prise, il se glissa là où il put appuyer son genou sur les bardeaux, y mit tout son poids et parvint à atteindre le haut du mur lui-même. En quelques instants, et en exécutant ce que miss Temple considéra comme une démonstration frappante de ses capacités physiques, Chang avait lancé une jambe par-dessus le mur. Il regarda en bas avec une impassibilité de professionnel et il disparut. Pas un bruit. Svenson prépara son revolver. Puis on tira le verrou, la porte s'ouvrit et Chang leur fit signe d'entrer.

– On est passé avant nous, dit-il en reprenant le sac des mains de miss Temple.

Sous son linceul d'ombre, le jardin était un endroit plutôt triste, les plates-bandes étaient fanées, le gazon jauni, par plaques, les branches gracieuses des plantes ornementales pendaient, nues et desséchées. Miss Temple déambula parmi des urnes en pierre plus grandes qu'elle d'où retombaient en drapés les tiges fanées des fleurs de la saison passée. Le jardin bordait l'arrière d'une demeure qui avait dû être peinte en blanc, comme elle put le constater, mais qui était désormais presque noire, recouverte d'une patine de suie. On avait cloué des planches sur les fenêtres et la porte arrière, ce qui faisait qu'elle était complètement fermée du côté jardin. Miss Temple vit la serre devant elle. Ce qui avait dû être autrefois un dôme de verre gris-vert splendide était maintenant recouvert de longues traînées de mousse et de crasse. La porte était grande ouverte, sombre comme le vide laissé par une dent manquante. Alors qu'ils s'y dirigeaient, elle vit que le docteur Svenson étudiait les plates-bandes et marmonnait dans sa barbe.

– Que voyez-vous, docteur ? demanda-t-elle.

– Excusez-moi… J'étais seulement en train de regarder ce que le comte a choisi de planter. On pourrait dire sans se tromper que c'est le jardin d'un herboriste au cœur sombre.

Il montra du doigt les tiges fanées qui, pour miss Temple, se ressemblaient toutes.

– De l'ellébore noir, de la belladone, des digitales, de la mandragore, des graines de ricin et du sang-dragon.

– Seigneur ! s'exclama miss Temple qui ne connaissait rien de tout cela mais qui voulait approuver. On jurerait que le comte est un apothicaire !

– Ce qui ne fait pas de doute, miss Temple, c'est que ces plantes sont toutes, d'une façon ou d'une autre, des poisons.

Svenson leva les yeux et déplaça son regard vers la porte où Chang était entré sans eux.

– Mais il sera toujours temps d'étudier les plates-bandes plus tard...

À l'intérieur de la serre, la lumière était verdâtre et on avait l'impression d'entrer dans un aquarium. Miss Temple fit quelques pas sur d'épais tapis de Turquie pour rejoindre Chang qui se trouvait près d'un grand lit à baldaquin dont les rideaux ainsi que les draps et les couvertures avaient été arrachés. Elle regarda le matelas avec dégoût. Le rembourrage épais portait des taches de sang séché rouge foncé mais, du côté de la tête, on voyait également d'étranges éclaboussures bleu indigo et orange vif. Elle fut plutôt surprise de voir le docteur Svenson monter sur le lit, se pencher sur les taches et les renifler. Pour miss Temple, une telle intimité avec ces substances émanant du corps d'une personne qu'elle ne connaissait même pas dépassait, et de loin, ce qu'elle se sentait capable de faire. Elle s'éloigna et laissa traîner son regard dans la pièce. Bien que le comte eût visiblement vidé la serre et emporté avec lui tout ce qui aurait pu donner des indications sur l'emploi qu'il en faisait, miss Temple pouvait quand même constater encore que la pièce circulaire avait eu différents usages.

À l'entrée se trouvait une petite table de travail. Tout près, il y avait des cuvettes et des tuyaux dans lesquels on avait pompé de l'eau et, à côté des cuvettes, un poêle à charbon trapu était recouvert d'une grande plaque en fer servant à cuire des aliments ou, plus probablement, des mixtures et des élixirs alchimiques. Derrière tout ça, il y avait une longue table en bois clouée au sol et, elle le constata avec un frisson, munie de courroies en cuir. Elle tourna les yeux vers le lit. Svenson était toujours juché sur le matelas et Chang regardait dessous. Elle se dirigea vers la table. Sur le plateau, on pouvait remarquer des traces de brûlures et des taches, comme sur le tapis, d'ailleurs. Elle s'en aperçut en trébuchant sur un accroc. En fait, le tapis était complètement taché et troué le long d'un passage étroit menant du poêle à la table, et puis encore du poêle aux cuvettes, puis, pour fermer cet espèce de triangle, des cuvettes directement à la table.

Elle s'approcha du poêle ; il était froid. Par curiosité, elle s'agenouilla devant et elle ouvrit la trappe. Il était plein de cendres. Elle chercha autour d'elle des pinces qu'elle trouva et qu'elle introduisit dans l'ouverture, la langue légèrement tirée tant elle était concentrée à fouiller parmi les cendres. Quelques instants plus tard, elle se releva, s'essuya les mains et retourna fièrement auprès de ses compagnons en tenant un morceau de tissu bleu nuit.

– J'ai quelque chose pour vous, messieurs. Si je ne m'abuse, c'est du shantung qui vient sans doute de la robe de la jeune femme.

Chang s'approcha d'elle et lui prit des mains le morceau de tissu brûlé. Il l'examina un instant sans dire un mot puis, le lui rendit. D'une voix un tantinet bourrue, il appela Svenson.

– Que pouvez-vous nous dire, docteur?

Miss Temple pensa que le docteur n'avait pas remarqué le ton de Chang, ni sa façon de se tapoter nerveusement la cuisse avec le bout de ses doigts, parce que Svenson lui répondit sans hâte, comme si son esprit était encore occupé à résoudre cette nouvelle énigme.

– Je ne comprends pas très bien… parce que vous voyez, les taches de sang qu'il y a là… qui me semblent relativement récentes si je me fie à ce que je sais des différentes couleurs que prend le sang en séchant…

Il montra le centre du matelas, et miss Temple se surprit à faire signe à Chang de la rejoindre plus près du lit.

– Il y a vraiment beaucoup de sang, n'est-ce pas, docteur? demanda-t-elle.

– Peut-être, mais pas si, pardonnez-moi cette indélicatesse, le sang vient de… du phénomène naturel… euh… tous les mois. On peut voir que le sang se trouve au milieu du matelas, à la place du bassin vraisemblablement…

– Peut-être un accouchement? demanda-t-elle. Est-ce que cette femme était enceinte?

– Non, mais il y a bien sûr des tas d'autres explications possibles… cela pourrait venir d'une autre blessure, d'une violence quelconque ou même de quelque chose comme du poison.

– Est-ce qu'elle peut avoir été violée? demanda Chang.

Svenson ne répondit pas tout de suite. Son regard s'envola vers miss Temple. Elle se contenta de hausser les sourcils pour l'inciter à continuer. Il se retourna vers Chang.

– Bien sûr, mais la quantité de sang est vraiment étonnante. L'agression aura alors été très violente et sans doute mortelle.

Je ne peux pas en dire plus. Quand j'ai examiné cette femme, elle n'était pas blessée. Évidemment, cela ne prouve rien…

– Et les autres taches ? Les taches bleues, les taches orange ? demanda miss Temple qui voyait bien que la nervosité de Chang ne s'était pas calmée.

– Je ne peux rien dire. Pour ce qui est du bleu… bon, premièrement l'odeur ressemble à celle que j'ai sentie à la fois à l'Institut et sur le corps qui se trouvait dans la cuisine de Crabbé. Une odeur de machine, une odeur chimique. Je ne peux que me risquer à supposer que cela fait partie de la fabrication de leur verre. Peut-être s'agit-il d'un narcotique ou… je ne sais pas, moi, d'un conservateur, d'un fixateur… si ce produit fixe les souvenirs dans le verre, d'Orkancz a pu entretenir l'espoir qu'il pourrait aussi « fixer » cette jeune femme à la vie. Je suis sûr qu'il voulait la sauver, ajouta-t-il en regardant le visage grave de Chang. Pour ce qui est de la couleur orange, bon… c'est très étrange. L'orange, ou plutôt l'essence d'écorce d'orange, est parfois utilisée comme un insecticide, l'acidité qu'elle contient peut détruire les carapaces. Les taches ont cette odeur, celle d'un concentré acide qui a été vaporisé.

– Mais, docteur, demanda miss Temple, les taches n'indiquent-elles pas que le liquide vient de la jeune femme ou qu'il a été rejeté par son corps ? Or elles ont été vaporisées, dites-vous, aspergées…

– Oui, oui, c'est ça… très bien raisonné.

– Vous voulez dire… qu'elle était pour ainsi dire… infestée ?

– Non, je ne veux rien dire du tout… Mais je me pose effectivement des questions sur les effets qu'un tel solvant peut avoir sur les propriétés du liquide bleu, du verre, à l'intérieur du corps humain. Il s'agit peut-être de ce que le comte considérait comme un remède.

– Si cela peut faire fondre la carapace des insectes, cela pouvait bien faire fondre le verre qui était dans ses poumons ?

– Exactement, mais comme nous ne connaissons évidemment pas les composants exacts du verre, je ne peux pas dire si cela a pu avoir une efficacité quelconque.

Ils ne disaient plus rien, ils regardaient le lit et les traces laissées par le corps qui y avait reposé.

– Si cela a marché, objecta miss Temple, je ne vois pas pourquoi il a brûlé la robe.

– C'est vrai, dit Svenson en hochant la tête tristement.

– C'est vrai, admit à son tour Chang d'un ton sec.

Il leur tourna le dos et sortit dans le jardin.

Miss Temple regarda le docteur Svenson qui était toujours sur le lit, la mine à la fois inquiète et troublée, comme s'ils savaient tous les deux que quelque chose n'allait pas. Il entreprit de descendre du lit, gauchement, avec ses bottes et son manteau qui l'encombraient et ses cheveux dans la figure. Miss Temple arriva la première à la porte, prenant au passage son fourre-tout fleuri là où Chang l'avait laissé et elle le trouva épouvantablement lourd. Marthe était vraiment complètement stupide d'avoir pensé qu'elle pourrait marcher longtemps ainsi chargée. Elle sortit dans le jardin en chancelant sous le poids. Chang était debout au beau milieu du gazon mort, le regard fixe posé sur les fenêtres barricadées de la maison. L'impénétrabilité de ces fenêtres apparut tout à coup à miss Temple comme l'image même des lunettes de Chang. Elle lâcha son sac et s'approcha de lui. Il ne se retourna pas. Elle s'arrêta à quelques pas de lui. Elle jeta un coup d'œil en arrière pour voir le docteur Svenson qui était dans l'embrasure de la porte de la serre et qui les regardait.

— Cardinal Chang ? dit-elle.

Il ne répondit pas. Miss Temple se demanda s'il y avait quelque chose de plus pénible qu'une personne qui ignore la question qu'on vient de lui poser sur un ton poli, voire franchement aimable. Elle prit une longue bouffée d'air et poursuivit d'une voix douce.

— Est-ce que vous connaissez cette femme ?

Chang se retourna et lui répondit d'une voix glaciale.

— Elle s'appelle Angélique. Vous ne pouvez pas la connaître. C'est… enfin, c'était… une putain.

— Je vois, dit miss Temple.

— Vous croyez ? répondit Chang sèchement.

Miss Temple ignora le défi qu'il lui lançait et lui tendit de nouveau le morceau de soie brûlée.

— Vous pensez que c'était à elle ?

— Elle portait une robe de cette couleur la nuit dernière quand je l'ai vue avec le comte… Il l'a emmenée à l'Institut.

Chang se tourna pour s'adresser à Svenson, par-dessus l'épaule de la jeune femme.

— C'est elle qui se trouvait là-bas avec lui, avec ses machines… c'est de toute évidence la femme que vous avez vue… et de toute évidence elle est morte.

— Vous croyez ? demanda miss Temple.

Chang émit une sorte de bougonnement.

– C'est vous-même qui l'avez dit… il a brûlé sa robe…

– Oui, je vous l'ai dit, admit-elle, mais ce n'est pas très logique dans le fond. Visiblement, on n'a pas creusé de trou récemment dans ce jardin, n'est-ce pas?

Chang lui adressa un regard suspicieux, puis il jeta un œil autour de lui. Avant qu'il pût répondre, Svenson lui cria depuis la porte:

– Moi, je ne vois rien.

– Et puis, pardonnez-moi de vous parler aussi crûment, mais je n'ai pas trouvé non plus d'ossements dans le poêle. J'ai vu souvent des animaux que l'on brûlait ainsi et je suis sûre que si on brûle un cadavre, il y a toujours quelques os qui restent. N'est-ce pas, docteur?

– Oui, je suppose, ne serait-ce que le fémur…

– Alors, ma question est la suivante, Cardinal Chang, continua miss Temple, pourquoi, si elle est morte et qu'il abandonne ce jardin, le comte ne l'enterre-t-il pas ou ne l'incinère-t-il pas ici? Vraiment, c'est la seule chose à faire, et pourtant, il n'y a nulle trace d'une telle chose.

– Mais pourquoi brûler la robe alors? demanda Chang.

– Je n'en ai pas la moindre idée. Peut-être simplement parce qu'elle était hors d'usage, à cause des taches de sang que le docteur nous a décrites. Peut-être parce qu'elle était contaminée. Elle se retourna vers Svenson. Est-ce qu'elle portait cette robe quand vous l'avez vue, docteur?

Svenson s'éclaircit la voix.

– Non, je ne l'ai pas vue dans cette robe, avoua-t-il.

– Donc, nous ne savons pas, claironna miss Temple en se retournant vers Chang. Vous pouvez toujours détester le comte d'Orkancz, mais vous pouvez encore espérer retrouver cette femme vivante et, qui sait, peut-être aussi guérie.

Chang ne répondit pas, mais elle sentit que quelque chose avait changé dans son corps, comme si son squelette même avait accueilli une bribe d'espoir. Miss Temple s'accorda un instant de satisfaction mais, au lieu d'en éprouver du plaisir, elle se sentit tout à coup envahie par une vague de tristesse, par une impression d'isolement. Elle avait pensé qu'entre Chang et elle existait une espèce de solidarité, qu'ils étaient seuls l'un et l'autre et elle savait maintenant que c'était faux. Qu'il pût avoir des sentiments et, qui plus est, des sentiments aussi intenses pour une femme de ce genre, la plongea en plein désespoir.

Elle ne désirait vraiment pas qu'un homme pût éprouver des sentiments pareils pour elle-même, bien sûr que non, mais elle n'était pas préparée à affronter une solitude aussi profonde de façon aussi brutale. Ce qui était surprenant, c'était qu'elle se sentît seule après avoir tenté de consoler quelqu'un, ce qui lui sembla particulièrement injuste, d'autant que la compassion n'était pas vraiment son fort. Mais elle n'y pouvait rien. Elle se sentait terrassée par la solitude et, tout à coup, elle laissa échapper un petit sanglot. Absolument mortifiée, elle s'obligea à ouvrir grand les yeux et à essayer de sourire, donnant à sa voix le ton le plus alerte et le plus aimable possible.

– Il semble que nous ayons tous trois perdu quelqu'un. Vous, cette Angélique ; le docteur, son prince ; et moi... moi, j'ai perdu mon cruel, mon stupide Roger. Mais la différence, c'est que vous avez tous les deux l'espoir, et en fait le désir, de retrouver ceux que vous avez perdus... En ce qui me concerne... je me contenterai de vous aider comme je pourrai et de faire ma part pour essayer de comprendre... et de me venger.

Sa voix se cassa et elle retint un sanglot, furieuse de sa faiblesse mais incapable de la combattre. C'était donc ça, sa vie ? Elle ressentit encore ce vide oppressant dans son cœur. Comment avait-elle pu être assez stupide pour laisser Roger Bascombe le combler ?... Et d'abord, pourquoi avait-elle lâché la bride à de tels sentiments qui la laissaient maintenant aux prises avec une douleur impossible à calmer ?... Comment pouvaient-ils encore l'envahir, comment pouvait-elle encore espérer que Roger l'ait mal comprise et qu'il vienne la chercher par la main ? Sa propre faiblesse lui était insupportable. Pour la première fois en vingt-cinq ans, miss Temple ne savait pas où elle allait dormir. Elle vit Svenson s'approcher d'elle et elle l'écarta avec un sourire forcé.

– Votre tante, commença-t-il, miss Temple, sûrement... se soucie de vous...

– Pffft ! ricana miss Temple, incapable de supporter la compassion du docteur.

Elle fonça sur son sac et le souleva d'une main, essayant de cacher qu'il était trop lourd mais chancelant sous son poids tandis qu'elle se dirigeait vers la grille du jardin.

– Je vais vous attendre dans la rue, cria-t-elle par-dessus son épaule pour qu'ils ne voient pas l'émotion qui se lisait sur son visage. Quand vous en aurez terminé, je suis sûre que nous aurons encore beaucoup à faire...

Elle déposa son sac et s'appuya contre le mur, les mains sur les yeux et les épaules secouées de sanglots. Il y avait à peine quelques minutes, elle était si fière d'avoir trouvé le morceau de soie dans le poêle, et maintenant... Et tout ça pourquoi? Parce que Chang éprouvait des sentiments pour cette putain? Tout le poids de ce qu'elle avait souffert, ce qu'elle avait sacrifié, ce à quoi elle avait renoncé ressurgissait maintenant et pesait sur son petit corps et sur son cœur. Comment pouvait-on supporter autant de solitude et d'espoirs déçus? Au milieu de cette tempête intérieure, parce que son esprit était agité et rapide, miss Temple n'oubliait pas la crainte aiguë que lui avaient inspirée ses ennemis et elle ne se priva pas non plus de se reprocher la complaisance qui lui faisait verser des larmes. Elle chercha un mouchoir dans son sac à main, tâtonna autour du revolver qui trahissait ses choix et ce qu'elle était devenue.

Pour le moment, il fallait l'admettre, elle n'avait obtenu que de bien piètres résultats. Elle se moucha. Elle savait qu'elle avait un caractère difficile. Elle ne s'était pas fait d'amis, était brusque et exigeante, généreuse et indulgente. Elle renifla. Elle détestait ce genre d'introspection, méprisant le besoin qu'elle en avait autant que l'introspection elle-même. À cet instant précis, elle ne savait pas ce qu'elle désirait le plus : se coucher en boule sur la terrasse de sa maison dans son île ou tirer en plein cœur sur ces scélérats en verre bleu... Mais l'une ou l'autre de ces solutions pourrait-elle apporter un remède à ce qu'elle éprouvait en ce moment?

Elle renifla très fort. Ni Chang, avec toutes ses humeurs secrètes, ni Svenson, avec toutes ses hésitations compliquées, n'étaient là à pleurer en pleine rue. Comment pouvait-elle les regarder en face en se considérant leur égale? Une fois de plus, elle se demandait où elle en était. Elle avait dit à Chang qu'elle voulait continuer ses recherches toute seule, alors qu'au fond d'elle-même ce n'était pas du tout ce qu'elle voulait. Mais elle savait maintenant que c'était précisément ce qu'elle devait faire si elle voulait se débarrasser de ce sentiment terrible qu'elle avait d'être dépendante. Elle avait besoin d'agir.

Elle se retourna vers la porte du jardin... personne n'en sortait. Elle ramassa rapidement son sac à deux mains et elle refit en sens inverse le chemin qu'elle avait fait avec les deux autres, en s'éloignant du Boniface. Elle se voyait comme sur un bateau quittant le port pour traverser une mer inconnue, mais chaque pas qui l'éloignait de Plum Court augmentait sa résolution.

Quand elle atteignit l'avenue, elle héla un fiacre et regarda en arrière. Son cœur battait la chamade. Chang et Svenson étaient devant la porte du jardin. Svenson l'appelait. Chang courait. Elle monta dans le fiacre et y jeta son sac.

– Roulez, ordonna-t-elle.

La voiture s'ébranla et déjà elle avait dépassé l'allée. Elle ne pouvait plus voir ses compagnons. Le cocher se retourna. L'expression muette de son visage lui demandait sa destination.

– À l'hôtel Ste-Royale.

Chapitre 5

Au ministère

Lorsque Chang arriva hors d'haleine au bout de l'allée, le fiacre avait disparu et il ne put voir la direction qu'il avait empruntée. Contrarié par cet effort inutile, il cracha par terre. Il se retourna et vit Svenson s'approcher, l'air inquiet.

– Elle est partie? demanda-t-il.

Chang acquiesça, avant de cracher de nouveau. Il n'avait aucune idée de ce qui avait pu lui passer par la tête ni où avaient bien pu la mener son impulsivité et son inconscience.

– Nous devrions la suivre, lança Svenson.

– Mais comment? l'interrompit sèchement Chang. Où peut-elle bien aller? Est-ce qu'elle a baissé les bras ou décidé d'attaquer toute seule? Que voulez-vous qu'elle fasse? Et quand ils se seront emparés d'elle, combien de temps pourra-t-elle résister sans révéler où nous sommes avant qu'on la tue?

Si Chang était furieux, c'était au moins autant contre lui-même. Son accès d'agressivité au sujet d'Angélique avait déclenché la réaction puérile de miss Temple, et tout cela pourquoi? Angélique ne ressentait rien pour lui. Si elle était toujours vivante et qu'il parvenait à la sauver, il n'y a guère que sa réputation auprès de Madelaine Kraft qui s'en trouverait améliorée. Un point c'est tout. Il se retourna vers Svenson et lui demanda rapidement:

– Vous avez combien sur vous?

– Je… je ne sais pas. Assez pour un jour ou deux. Pour manger et louer une chambre…

– Pour acheter un billet de train?

– Cela dépend pour où…

– Alors, tenez…

Chang sortit son portefeuille en cuir de sa poche. Il ne contenait que deux petits billets de banque qu'on lui avait rendus à l'hôtel Boniface mais, en cas de besoin, il avait toujours une poignée de pièces d'or dans la poche de son pantalon. Il remit l'un des billets au docteur Svenson avec un sourire amer.

– Je ne sais vraiment pas ce qu'il adviendra de nous, et la trésorière de notre association vient de nous laisser tomber. Côté munitions, où en êtes-vous?

Comme pour appuyer sa réponse, Svenson sortit le revolver de sa poche.

– J'ai pu le recharger grâce aux réserves de miss Temple, les deux armes étaient du même calibre.

– C'est une arme de service. Un calibre 44.

– C'est cela.

– Comme la sienne ?

– Oui, même si son arme paraissait plus petite.

– Est-ce que vous savez si elle a déjà tiré ?

– Je ne crois pas.

Les deux hommes réfléchirent en silence pendant un moment. Chang essaya de se débarrasser de ses remords. Il s'en voulait. Comment avait-il pu ne pas se rendre compte que l'arme était aussi puissante ? Mais bon Dieu ! Il l'avait lui-même aidée à la nettoyer ! Il se demanda ce qui avait bien pu lui traverser l'esprit, mais en vérité il savait très bien ce qui l'avait distrait : il l'avait trouvée si différente de ce qu'elle était dans le train : son cou galbé marqué de bleus à la place des taches de sang… ses petits doigts agiles maniant les pièces de métal noires et huilées du revolver… Non, décidément, le recul d'une telle arme soulèverait son bras au-dessus de sa tête et, à moins qu'elle n'enfonce le canon dans le corps de sa cible, elle n'arriverait jamais à atteindre quoi que ce soit. Dans ce domaine, elle n'avait aucune idée de ce qu'elle faisait.

– Ce qui est fait est fait, conclut le docteur. Mais devrions-nous la suivre ?

– S'ils lui mettent la main dessus, ils la tueront.

– Alors, il faudrait se séparer pour couvrir le plus de terrain possible. C'est vraiment dommage… Nous venions à peine de sortir de notre isolement respectif. Il n'y aura plus personne pour m'aider si je dois grimper le long des gouttières.

Il sourit et tendit la main à Chang qui la lui serra.

– Vous saurez les escalader tout seul, je vous assure.

Svenson eut un sourire un peu crispé, comme s'il appréciait les encouragements de Chang tout en restant quand même assez perplexe.

– Où irons-nous, chacun de notre côté ? Et où nous retrouverons-nous ?

– Où peut-elle bien être allée ? demanda Chang à son tour. Croyez-vous qu'elle ait couru dans les jupons de sa tante ? Ce serait plus simple pour nous tous…

– Je ne crois pas, objecta Svenson. Au contraire, la douleur qu'elle a ressentie, quelle qu'en soit la nature, l'a sûrement poussée à vouloir se jeter dans l'action.

Chang réfléchit en fronçant les sourcils. Qu'avait-elle voulu lui dire dans le jardin, avec son visage et ces yeux gris qui démentaient son sourire?

– Ce doit être cet idiot de Bascombe.

– La pauvre, compatit Svenson.

Chang cracha de nouveau.

– Est-ce qu'elle va lui tirer une balle dans la tête ou se jeter à ses pieds et fondre en larmes? Voilà la question.

– Je ne suis pas d'accord, rétorqua Svenson avec une certaine douceur. Elle est courageuse et pleine de ressources. Et puis que sait-on vraiment des autres? Très peu de choses. Nous savons que miss Temple a pu passer pour une courtisane meurtrière aux yeux de beaucoup de gens très puissants. Sans elle, nous aurions tous deux été piégés dans cet hôtel. Si nous la retrouvons, je suis prêt à parier que, avant la fin de toute cette histoire, c'est elle qui nous sauvera, l'un après l'autre.

Chang se contenta de sourire..

– Quelle devise utilisez-vous à Macklenburg? Les shillings en or?

Svenson acquiesça.

– Alors, je veux bien parier dix shillings en or que miss Temple ne nous sauvera pas la vie. Bien sûr, c'est un pari insensé, puisque si nous ne sortons pas vivants de cette histoire, il n'y aura pas de gagnant.

– J'accepte malgré tout, dit Svenson.

Ils se serrèrent la main. Svenson se racla la gorge:

– Alors… ce Bascombe…

– Il y a ce domaine à la campagne, Tarr Manor. Il pourrait très bien être là. Ou il pourrait être en ville.

Chang jeta un coup d'œil dans l'avenue. Aussi près du Boniface, ils n'avaient pas intérêt à trop s'attarder.

– Le trajet jusqu'à Tarr Manor…

– Où se trouve-t-il?

– Vers le nord, à une demi-journée de train. Il suffit de demander à la gare de Stropping. On pourrait peut-être même la retrouver à la gare. Mais le voyage sera long. Si Bascombe est en ville, il est peut-être chez lui, au ministère ou chez Crabbé, et l'un d'entre nous pourra facilement aller d'un endroit à l'autre, au besoin.

Svenson acquiesça.

– Alors, un à la campagne et l'autre qui reste ici. Est-ce que vous avez une préférence ? Pour ma part, je suis un peu perdu dans les deux cas.

– Moi aussi, docteur, répliqua Chang en souriant.

Il désigna son manteau rouge et ses lunettes et poursuivit :

– Je ne raffole ni de la petite noblesse de campagne ni des salons des citadins respectables...

– C'est quand même votre ville. Vous êtes un rat des villes, si je puis me permettre. Je choisis la campagne où les gens seront peut-être plus impressionnés par les histoires du palais de Macklenburg et par mon uniforme.

Chang se retourna pour appeler un autre fiacre.

– Vous devriez vous dépêcher. Comme je vous le disais, vous la trouverez peut-être à Stropping. Le ministère se trouve dans la direction opposée. C'est donc ici que nos chemins se séparent.

Ils se serrèrent la main une troisième fois, ce qui les fit sourire. Svenson monta dans le fiacre. Sans rien ajouter, Chang s'en alla rapidement dans l'autre sens. Il entendit la voix de Svenson et se retourna.

– Où nous retrouverons-nous ? lança le docteur.

Chang répondit en criant dans ses mains en porte-voix :

– Demain midi ! Sous l'horloge de la gare !

Svenson acquiesça et fit un signe de la main avant de se rasseoir dans le fiacre. Chang était persuadé qu'aucun d'entre eux ne serait au rendez-vous.

Chang quitta l'avenue aussi rapidement qu'il le put et emprunta un dédale de ruelles et d'allées étroites. Il n'avait pas encore décidé où il devait se rendre en premier. Il voulait surtout faire le travail à sa façon, sans se lancer tête baissée dans des situations qu'il ne comprenait qu'à moitié comme l'avait fait Céleste. Céleste ? Il se demanda pourquoi il utilisait ce nom quand il pensait à elle, alors qu'il ne le faisait pas en sa présence ni avec le docteur Svenson, avec qui il parlait toujours de « miss Temple ». C'était sans doute parce qu'elle se comportait comme une enfant, voilà tout.

Sur ces entrefaites, Chang songea que, s'il devait se présenter au ministère des Affaires étrangères ou chez Harald Crabbé, il lui faudrait se préparer. Il hâta le pas et finit par courir à grandes foulées. Il ne pouvait pas se montrer au

Raton Marine, car l'endroit serait sûrement surveillé, il lui fallait présumer que Aspiche faisait maintenant partie du complot. Il aurait bien aimé aller à la bibliothèque. Il lui restait tellement de choses à comprendre : sur l'argile indigo, sur le comte et la Contessa, sur Bascombe, Crabbé et les voyages de Xonck à l'étranger ; sur Oskar Veilandt et même, il fallait bien l'admettre, sur Celestial Temple. Mais c'était à la bibliothèque que Rosamonde l'avait trouvé et ils l'y attendraient sans doute. Il eut soudain une idée plus sombre et plus pratique aussi, et il prit le chemin de chez Fabrizi.

Ancien mercenaire italien, Fabrizi avait ouvert un magasin d'armes fréquenté par des gens venant de tous les quartiers de la ville ; tous avaient en commun la volonté de faire couler le sang avec élégance. Chang entra et contempla les deux vitrines de la boutique, ce qui faisait toujours monter en lui la même vague de plaisir avide. Il fut soulagé de voir que c'était Fabrizi lui-même qui était au comptoir. Sous un tablier de flanelle verte, il portait un costume élégant.

– *Dottore*, dit Chang en hochant la tête pour le saluer.

– *Cardinale*, répondit Fabrizi d'un ton respectueux.

Chang sortit sa dague et la déposa devant l'homme.

– J'ai eu une mésaventure avec le reste de votre splendide canne, commença-t-il. J'aimerais que vous la répariez, si possible. Entre-temps, je voudrais que vous m'en fournissiez une autre qui puisse la remplacer dignement. Et bien sûr, je paie d'avance.

Il prit son dernier billet de banque et le posa sur le comptoir. Fabrizi n'y prêta pas attention tout de suite et prit la dague pour examiner l'état de la lame. Il la remit sur le comptoir, aperçut le billet et eut un air vaguement surpris, comme si celui-ci était arrivé là tout seul. Il le plia sans se presser et le mit dans la poche de son tablier. Il fit un geste vers les vitrines :

– Vous pouvez choisir votre modèle de rechange, ce sera prêt dans trois jours.

– Merci infiniment.

Chang se dirigea vers les vitrines et Fabrizi le suivit de derrière le comptoir.

– Vous en avez une en particulier à me conseiller ?

– Elles sont toutes superbes, dit l'Italien. Pour un homme comme vous, je suggère le bois le plus lourd, il vous arrive de n'utiliser que la canne, n'est-ce pas ? Celle-ci est en teck et celle-ci en bois de fer de Malaisie.

Il remit à Chang la canne en bois de fer. Elle était parfaite ! La poignée courbe tenait dans sa main comme la crosse d'un pistolet à poudre noire. Il sortit la lame, un peu plus longue que celle dont il avait l'habitude et soupesa la canne. C'était une très belle pièce et Chang sourit comme un homme qui tient un bébé dans ses bras.

– Du grand art, comme toujours, murmura-t-il.

Il était plus de trois heures de l'après-midi. Puisqu'il ne pouvait trouver l'adresse de Bascombe à la bibliothèque, le plus simple serait de suivre celui-ci depuis le ministère. De plus, si Céleste avait vraiment décidé de le retrouver rapidement, elle serait sûrement allée elle aussi au ministère pour le voir à son bureau. Pour le tuer peut-être ? Et s'il n'était pas là, eh bien, Chang aviserait en temps voulu ! Il soupesa les pièces de monnaie dans sa poche, décida de ne pas y aller en fiacre et courut en direction du dédale d'immeubles blancs. En un quart d'heure à peu près, il arriva à St. Isobel's Square, et cinq minutes plus tard, en marchant plus doucement pour retrouver son souffle et sa contenance, il parvint à l'entrée principale.

Il avança sous les grandes arcades blanches, traversa une mer de fiacres et une foule d'individus aux visages sérieux occupés à leurs affaires d'État. Il arriva dans une cour intérieure en gravier, d'où partaient des allées pavées d'ardoise et longées d'arbustes décoratifs qui menaient aux différents ministères. C'était comme s'il se trouvait au centre d'une roue dont chaque rayon menait à un secteur particulier de la bureaucratie. Il continua vers le ministère des Affaires étrangères qui était juste devant lui.

Ses bottes crissant sur le gravier puis faisant ensuite résonner l'ardoise, il se dirigea vers une série d'arcades plus petites menant à une entrée pavée de marbre. Il s'arrêta devant un bureau où officiait un homme en costume noir, flanqué de deux soldats en uniforme rouge. Chang constata avec inquiétude qu'il s'agissait de soldats du 4e régiment des Dragons mais, quand il s'en aperçut, ceux-ci l'avaient déjà vu. Il s'arrêta, prêt à s'enfuir ou à se battre, mais aucun ne broncha, ils restèrent au garde-à-vous. L'homme en costume regarda Chang avec une moue inquisitrice.

– Oui ?

– Monsieur Roger Bascombe, dit Chang.

L'homme toisa Chang, ses vêtements, son allure.

– Et… qui dois-je annoncer ?

– Miss Céleste Temple, dit Chang.

– Je vous demande pardon ? Miss Temple, dites-vous ?

L'homme était si habitué à avoir affaire à des étrangers, qu'il ne songea même pas à se moquer.

– Je viens porter un message de sa part, dit Chang. Je suis sûr qu'il voudra l'entendre. Si monsieur Bascombe n'est pas disponible, je suis disposé à parler au vice-ministre Crabbé.

– Je vois, vous… vous êtes… *disposé* à parler au vice-ministre. Un instant.

L'homme griffonna quelques lignes sur un bout de papier et l'introduisit dans un tube en cuir qu'il glissa dans un orifice bordé de cuivre sur son bureau, par lequel le tube fut aspiré avec une sorte de chuintement. Chang se souvint de l'Old Palace et fut quelque peu réconforté de constater que les hautes sphères du gouvernement avaient en commun avec les bordels d'utiliser les moyens de communication les plus modernes. Il patienta. Plusieurs autres visiteurs se présentèrent et certains furent admis à l'intérieur, alors que d'autres durent, eux aussi, passer par l'étape du message dans le tube. Chang jeta un coup d'œil à ceux qui attendaient. Il y avait là un homme à la peau foncée portant un uniforme blanc et un chapeau à plumes de paon ; un Russe à la peau blanche avec une longue barbe, arborant une écharpe, un uniforme bleu en laine bouillie et une brochette de médailles ; deux hommes âgés en queues-de-pie noires et élimées, comme s'ils avaient passé les vingt dernières années à assister au même bal. Que tous le dévisagent ne le surprit pas. Il jeta un coup d'œil derrière lui avec désinvolture pour s'assurer que la sortie était encore libre, puis il dirigea son regard vers les couloirs et les escaliers qui se trouvaient derrière le bureau pour mieux prévenir les dangers qui pourraient en surgir. Les soldats étaient toujours immobiles.

Cinq minutes plus tard, le tube tomba avec un bruit mat dans un bac à côté du bureau. Le réceptionniste déplia la feuille de papier, nota quelque chose dans son registre, remit le papier à l'un des soldats et appela Chang.

– Vous pouvez monter. Cet homme vous indiquera le chemin. Il me faut votre nom et votre signature… ici.

Il lui montra un autre registre sur le bureau et lui tendit une plume. Chang la prit, signa et lui remit la plume.

– Je m'appelle Chang, dit-il.

– Chang tout court ? demanda l'homme.

– Pour l'instant, j'en ai bien peur.

Il se pencha en chuchotant.

– Mais j'espère gagner aux courses, comme ça je pourrai m'acheter un autre nom.

Le soldat guida Chang le long d'un long couloir et le mena en haut d'un escalier austère en granit noir muni d'une rampe en fer forgé. Ils croisèrent d'autres hommes en costume sombre qui tenaient tous, bien serrées contre eux, des chemises débordant de papiers. Aucun ne prêta attention à Chang. Sur le premier palier, le soldat prit un couloir dallé de marbre jusqu'à un autre escalier dont l'accès était barré par une chaîne. Il détacha la chaîne, s'écarta pour laisser passer Chang et la remit en place derrière eux. Ils étaient seuls dans cet escalier et, plus ils montaient, plus Chang avait l'impression qu'ils entraient dans un labyrinthe dont il ne pourrait jamais s'échapper. Il regarda le soldat en uniforme rouge devant lui et se demanda s'il ne ferait pas mieux de lui enfoncer un couteau entre les omoplates pendant qu'ils étaient seuls, et d'aviser ensuite. Les choses étant ce qu'elles étaient, il ne pouvait qu'espérer qu'on l'emmenait bel et bien auprès de Bascombe ou de Crabbé et pas dans quelque lieu isolé pour le prendre au piège.

Il avait donné le nom de miss Temple un peu par bravade, pour provoquer une réponse, mais aussi pour voir si elle l'avait devancé. Il était très surpris de constater qu'il avait pu entrer aussi facilement. Cela pouvait signifier qu'elle était là ou, si elle n'y était pas, qu'ils voulaient se servir de lui pour la retrouver. Il devait tenir pour acquis que ceux qui l'avaient laissé entrer ne prévoyaient pas le laisser ressortir. Quoi qu'il en fût, son envie de tuer le soldat n'était que le fruit de la nervosité. Tout arriverait bien assez vite.

Ils gravirent trois étages sans portes ni fenêtres. Lorsqu'ils arrivèrent à l'étage suivant, toutefois, le soldat sortit de sa veste une longue clé en laiton, jeta un coup d'œil à Chang et s'approcha d'une porte massive en bois. Il mit la clé dans la serrure et lui fit faire plusieurs tours avec un bruit qui résonna dans toute la cage d'escalier. Il ouvrit, s'écarta et fit signe à Chang d'entrer. Chang s'avança, son attention partagée entre une suspicion instinctive à l'égard de l'homme qui se trouvait derrière lui et la pièce où il pénétrait : une antichambre dallée de marbre d'à peu près cinq mètres de long au fond de laquelle se trouvait une autre porte. Chang se retourna pour regarder le soldat qui lui montra la porte du fond. Comme Chang ne bougeait pas, le soldat referma violemment la porte. Avant que Chang pût se précipiter sur la poignée, il entendit la clé tourner dans la serrure. La porte ne bougeait pas. Il était enfermé. Il s'en voulut d'avoir été aussi stupide et crédule et s'avança vers la porte du fond en s'attendant à ce qu'elle soit verrouillée elle aussi, mais la poignée de laiton tourna dans un bruit de mécanique bien huilée.

C'était un grand bureau avec un tapis vert foncé et un plafond plutôt bas, mais qu'un puits de lumière en verre laiteux, en plein centre de la pièce, rendait moins oppressant. Les murs étaient couverts de bibliothèques remplies de gros volumes numérotés, probablement des documents officiels, amassés au fil des ans un peu partout dans le monde. Le vaste espace de la pièce était organisé autour de deux grands meubles : à gauche de Chang, une longue table de conférence et, à sa droite, un immense bureau. Comme deux planètes en chêne massif, chaque meuble trônait au milieu d'une multitude de satellites : de petites tables, des cendriers, des chevalets portant des cartes. Il n'y avait personne derrière le bureau, par contre quelqu'un était assis à la table et le regardait par-delà les feuilles de papier dispersées tout autour de lui. C'était Roger Bascombe.

– Ah! fit-il en se levant avec gaucherie.

Chang détailla plus attentivement la pièce, avisa une petite porte dans le mur derrière Bascombe et ce qui pouvait fort bien être une autre porte camouflée dans la bibliothèque derrière le bureau. Il referma la porte derrière lui, se tourna vers Bascombe et tapota légèrement le tapis du bout de sa canne.

– Bonjour, dit Chang.

– C'est une belle journée, répondit Bascombe. Le temps se réchauffe de plus en plus.

Chang fronça les sourcils. Ce n'était pas du tout le face-à-face auquel il s'était préparé.

– Je crois avoir été annoncé, reprit-il.

– Oui, en fait c'est miss Temple que l'on a d'abord annoncée. Et puis ensuite, bien sûr, votre nom.

Bascombe fit un geste vers le mur sur lequel Chang put apercevoir le système de réception et d'envoi des messages. Bascombe désigna le bout de la table :

– Je vous en prie… souhaiteriez-vous vous asseoir ?

– Je préfère rester debout, répondit Chang.

– Comme vous voulez. Je préfère m'asseoir, si cela ne vous ennuie pas…

Bascombe prit quelques minutes pour ordonner les piles de papiers devant lui.

– Donc… vous connaissez miss Temple?

– Semble-t-il, dit Chang.

– Oui, semble-t-il, reprit Bascombe en hochant la tête. Elle est… enfin… elle est elle-même. Je ne vois pas comment je pourrais parler d'elle en d'autres termes.

Chang eut l'impression que Bascombe choisissait très méticuleusement ses mots, comme s'il craignait que quelqu'un le surprît… ou fût en train de l'écouter.

– En d'autres termes? s'enquit Chang.

– En des termes différents de ceux qu'elle a elle-même fixés par les choix qu'elle a faits, répondit Bascombe. Comme vous l'avez fait vous-même.

– Et vous?

– Bien sûr, personne n'est à l'abri des conséquences de ses actes. Êtes-vous certain que vous ne voulez pas vous asseoir?

Chang ignora la question. Il riva son regard sur l'homme mince et élégant, qui était assis devant lui, et il essaya de comprendre où il pourrait le situer dans les factions rivales de ses ennemis. Il s'efforçait de voir Bascombe comme il s'imaginait qu'une femme devait le voir, tout particulièrement comme il s'imaginait que miss Temple le voyait: respectable, raffiné, assumant à la fois son rang et les égards qu'il devait aux autres. Elle avait aimé cet homme et, les femmes étant ce qu'elles sont, elle l'aimait probablement encore. À force de le regarder, Chang devait admettre que Bascombe possédait quelque charme, ce qui le conforta dans son aversion à son égard. Il lui sourit.

– L'ambition… Elle a de drôles d'effets sur les gens, qu'en pensez-vous?

Bascombe le toisa avec la résolution grave et froide du fossoyeur.

– Que dites-vous?

– Ce que je veux dire, c'est qu'il semble parfois que, avant d'obtenir ce qu'il croit vouloir, l'homme n'ait aucune idée de ce que cela peut lui coûter.

– Et pourquoi dites-vous une chose pareille?

– Et pourquoi pas? Chang sourit. Une telle idée ne peut être que le fruit de l'expérience. Comment pourrais-je bien savoir cela?

Comme Bascombe ne répondait pas, Chang pointa sa canne vers l'immense bureau.

– Où sont vos complices? Où se trouve monsieur Crabbé? Pourquoi me recevez-vous seul? Ne savez-vous pas qui je suis? N'avez-vous pas parlé au pauvre major Blach? N'êtes-vous pas un tant soit peu inquiet?

– Pas du tout, répliqua Bascombe avec une assurance décontractée qui donna envie à Chang de lui allonger son poing dans la figure. On vous a autorisé à parvenir jusqu'ici dans le but précis de vous faire une proposition. Comme je suppose que vous n'êtes pas un imbécile, et je vous assure que je n'en suis pas un non plus, je ne serai pas en danger tant que cette proposition ne vous aura pas été faite.

– Et quelle est cette proposition?

Au lieu de répondre, Bascombe détailla Chang, sa personne et son accoutrement, comme s'il était un curieux animal de ferme ou comme s'il sortait d'un cirque. Chang comprit immédiatement que ce regard était destiné à le faire sortir de ses gonds, bien qu'il ne comprît pas pourquoi Bascombe prenait un tel risque dans une situation où il était aussi vulnérable. Tout cela était étrange. Même si Bascombe parlait de plans et de propositions, Chang savait qu'il les avait pris par surprise en se présentant au ministère. Bascombe prenait des risques en attendant autre chose. Des renforts? Mais cela n'avait aucun sens, puisque les soldats auraient pu arrêter Chang n'importe quand pendant qu'il montait. Au lieu de cela, ce qu'ils avaient fait, c'était l'éloigner de l'entrée de l'immeuble. Cela pouvait-il être une mise en scène? Bascombe voulait-il ainsi faire la preuve de sa loyauté, ou jouait-il un double jeu? Ou alors cherchait-il à gagner du temps, non pas pour attendre mais pour éloigner quelqu'un?

D'un geste vif, Chang leva sa canne et s'avança vers Bascombe. Avant que celui-ci pût se lever à moitié de sa chaise, le bout de la canne le frappa violemment à l'oreille. Bascombe s'écroula avec un cri, une main sur la tempe. Chang en profita pour lui plaquer sa canne sous la gorge. Bascombe s'étouffa et son visage s'empourpra soudain. Chang se pencha et lui parla très lentement.

– Où est-elle?

Comme Bascombe ne répondait pas, Chang appuya davantage sur sa trachée.

– Où est-elle?

– Qui?

La voix de Bascombe avait un ton grinçant.

– Où est-elle ?

– Je crois qu'il ne sait pas de qui vous parlez.

Chang fit volte-face et sortit sa dague d'un geste lent. Francis Xonck, en jaquette jaune moutarde, les cheveux roux soigneusement frisés et tenant dans la main un petit cigare éteint, se tenait derrière le bureau, nonchalamment appuyé sur la bibliothèque. Chang s'avança prudemment vers lui, jetant un coup d'œil à Bascombe qui essayait toujours de reprendre son souffle.

– Bonjour, dit Chang.

– Bonjour. J'espère que vous ne l'avez pas blessé.

– Pourquoi ? Est-ce qu'il vous appartient ?

Xonck sourit.

– Vous êtes très futé. Mais savez-vous que moi aussi je le suis ? Et je vous félicite. Cette mystérieuse personne que vous recherchez avec tant d'acharnement, c'est vraiment très drôle. Est-ce qu'il s'agit de Rosamonde ? De la petite miss Temple, ou devrais-je plutôt l'appeler miss Hastings ? À moins que ce ne soit la malheureuse petite putain du comte, celle qui a les yeux bridés ? Quoi qu'il en soit, la seule idée que vous soyez à la recherche de quelqu'un est très amusante. Parce que vous êtes tellement viril, n'est-ce pas, et en même temps tellement grotesque. Veuillez m'excuser.

Il sortit une petite boîte d'allumettes de la poche de son gilet et alluma son cigare tout en fixant Chang. Il dirigea son regard vers Bascombe.

– Roger, ça ira ? Vous allez vous en sortir ?

Bascombe répondit par une quinte de toux, ce qui fit sourire Xonck qui jeta son allumette éteinte sur le bureau.

Chang fit un pas de plus vers Xonck qui semblait tout aussi insouciant que Bascombe l'avait été, mais curieusement joyeux, alors que Bascombe s'était montré prudent.

– Est-ce que c'est à vous que je devrais poser la question ? lança Chang en serrant les dents.

– Vous feriez mieux d'écouter, répliqua Xonck sèchement, ou mieux encore, de réfléchir. L'issue qui se trouve derrière vous est fermée, tout comme la porte qui est derrière moi. Si vous réussissiez par chance à atteindre la porte derrière Bascombe, ce qui est peu probable, je vous garantis que vous vous retrouveriez dans un inextricable dédale de couloirs dont vous ne sauriez vous échapper. Et puis vous ne survivriez pas aux attaques des très nombreux soldats qui se regroupent en ce moment même pour vous éliminer. Vous disparaîtriez, monsieur Chang, et vous ne pourriez plus être utile à personne, comme un chien écrasé par un fiacre en pleine nuit.

Il fronça les sourcils et ôta un peu de tabac de sa lèvre inférieure. Puis son regard se reposa sur Chang.

– En somme, vous me proposez de travailler pour *vous*? demanda Chang.

– Travaillez pour vous-même, croassa Bascombe depuis la table.

– Il reprend des forces! dit Xonck hilare. Mais vous savez qu'il n'a pas tort. Travaillez pour vous, soyez raisonnable.

– Nous perdons du temps…, murmura Chang en s'avançant vers Xonck.

Celui-ci ne broncha pas mais parla très vite et sur un ton sec.

– Ne faites pas l'imbécile. Ça vous coûterait la vie. Réfléchissez un peu.

Bien malgré lui, Chang s'arrêta. L'homme était assez près pour qu'il le frappât de sa canne. Mais il n'en fit rien, en partie parce qu'il vit que Xonck n'avait pas peur… pas peur du tout.

– Vous devrez remettre à plus tard ce qui vous a amené ici, insista Xonck, votre quête, quelle qu'en soit sa nature. On vous a laissé parvenir jusqu'ici pour une seule raison, comme vous l'a dit monsieur Bascombe: pour vous proposer quelque chose. Vous aurez tout le temps de vous battre ou de mourir, mais vous n'avez plus le temps de rattraper la femme que vous espériez retrouver ici, peu importe qui elle est.

Chang aurait voulu bondir par-dessus le bureau et le poignarder, mais son instinct, qui le trompait rarement, lui disait que, contrairement à Bascombe, Xonck était quelqu'un qu'il fallait attaquer avec prudence, comme on attaquerait un cobra. Il n'avait pas l'air d'être armé, mais il pouvait très bien cacher un petit pistolet quelque part, ou même une fiole d'acide. En même temps, Chang ne savait trop que faire de l'avertissement de Xonck sur une éventuelle fuite dans les couloirs du ministère. Bien que cela pût être vrai, il avait tout intérêt à mentir. Mais pourquoi donc l'avaient-ils laissé monter sans une véritable escorte de soldats? Chang se posait beaucoup trop de questions, mais il savait qu'on en apprend beaucoup sur une personne quand elle se prononce sur ce que vous valez. Il s'éloigna de Xonck et s'adressa à lui d'un ton cinglant.

– Qu'est-ce que vous proposez?

Xonck sourit, mais ce fut Bascombe qui, avec beaucoup de clarté et de sang-froid malgré sa voix éraillée, parla comme s'il décrivait le fonctionnement d'une machine.

– Je ne peux vous donner de détails. Je ne cherche pas à convaincre, mais plutôt à offrir une possibilité. Ceux qui ont accepté notre invitation en ont profité et ils continueront à le faire. Ceux qui l'ont refusée ne nous intéressent plus. Vous connaissez miss Temple. Elle vous a probablement parlé de nos fiançailles. Moi, je ne peux vous en parler, car ce serait comme vous décrire le comportement que j'avais lorsque j'étais enfant. Tout est devenu plus clair, tant de choses ont changé que je peux seulement parler de ce que je suis devenu. Il est vrai que je croyais être amoureux. Amoureux parce que je ne pouvais pas voir au-delà de ma dépendance, parce que je croyais, dans mon aveuglement, que cet amour me libérerait. Quelle était cette vision du monde que j'étais convaincu de si bien comprendre ? Un inutile attachement à l'autre, un désir de le sauver, qui m'empêchait d'agir pour moi-même. Ce que je ne considérais que comme les conséquences de cet attachement : l'argent, la réussite, la respectabilité et le plaisir, je les vois aujourd'hui comme de simples aspects de tout ce que je suis capable d'accomplir. Vous comprenez ?

Chang haussa les épaules. Tout ce discours était tenu avec beaucoup d'éloquence, mais de façon quelque peu abstraite, comme si on l'avait appris par cœur pour se livrer à une démonstration de rhétorique… et puis, en parlant, comment Bascombe pouvait-il avoir le regard aussi fixe ? Son regard trahissait-il d'autres tensions ? Comme pour répondre aux questions muettes de Chang, Bascombe se pencha en avant et continua avec plus de force dans le regard.

– Il est tout à fait naturel que différents individus aient des objectifs différents, mais il est tout aussi évident que ces objectifs se recoupent et que ce qui profitera à l'un profitera aussi aux autres. Travaillez pour vous-même. Vous êtes un homme de ressources et même, semble-t-il, d'une certaine intelligence. Ce que vous êtes parvenu à accomplir contre nos alliés ne fait que confirmer votre valeur. Nous sommes sans rancune, il ne s'agit guère que d'un conflit d'intérêts. Mettez fin à ce conflit, joignez-vous à nous et tout sera plus clair pour vous. Peu importe ce que vous voulez, ou ce vers quoi tendent vos actions, vous serez récompensé.

– Je n'ai pas d'oncle à particule, fit remarquer Chang.

Il aurait voulu que Xonck ne fût pas là, car il était impossible de déceler les véritables intentions de Bascombe en présence de son maître.

– Et Roger n'en a plus non plus, railla Xonck en pouffant de rire.

– C'est exact, dit Bascombe qui paraissait aussi ému que la chaise sur laquelle il était assis.

– Je crains de ne pas saisir ce que vous me proposez, fit Chang.

– Ne faites pas la sainte-nitouche, se récria Xonck avec mépris.

– Vous avez des désirs, reprit Bascombe, de l'ambition, des frustrations, de l'amertume. Que comptez-vous en faire? Lutter contre eux jusqu'à ce que l'une de vos aventures tourne mal et que vous vous vidiez de votre sang en pleine rue? Vous préféreriez soumettre votre vie aux caprices d'une... sa voix buta imperceptiblement, d'une fille des colonies? ou aux intérêts secrets d'un espion allemand? Vous avez rencontré la Contessa. Elle est intervenue en votre faveur. C'est à sa demande que vous êtes ici. Nous vous tendons la main. Prenez-la. Le Procédé vous transformera, comme il nous a tous transformés.

Cette proposition était faite avec une condescendance incroyable. Chang regarda Xonck qui affichait un sourire figé et inexpressif.

– Et si je refuse votre offre?

– Vous ne la refuserez pas, répliqua Bascombe. Vous seriez trop bête de le faire.

En remarquant la trace de sang qu'il avait laissée sur l'oreille de Bascombe, Chang s'aperçut que la douleur qu'il lui avait infligée n'avait nullement ébranlé son aplomb, ni l'acuité de son regard insondable. Chang se tourna vers Xonck qui roulait son petit cigare entre ses doigts et soufflait la fumée vers le plafond. Il devait à tout prix découvrir le moyen d'en apprendre le plus possible, de retrouver Angélique, ou Céleste et même, il fallait bien qu'il l'admette, de se confronter à Rosamonde. Mais était-il arrivé jusque-là pour se livrer à eux aussi facilement?

Xonck avait dit la vérité, au moins sur l'immeuble du ministère. Ils longèrent un couloir étroit, sombre et sinueux. Bascombe marchait devant avec une lanterne, et Xonck, derrière. Éclairé par cette lueur vacillante, Chang ne pouvait qu'entrevoir les pièces devant lesquelles ils passaient et qui semblaient avoir été construites selon une logique qui lui échappait. Certaines étaient remplies de caisses, de cartes et de meubles, alors que d'autres, plus grandes ou plus petites, étaient vides ou ne contenaient qu'une seule chaise. La chose qu'elles avaient en commun, c'était l'absence totale de fenêtres et d'éclairage. Comme il y voyait très mal, rapidement Chang ne parvint plus à s'orienter et il se laissa diriger par Bascombe d'un côté et de l'autre, gravissant quelques marches puis descendant le long de rampes aux courbes étranges. Ils lui avaient permis de garder sa canne, mais plus ils avançaient, plus il se trouvait à leur merci.

– Ce Procédé dont vous parlez, dit-il en s'adressant à Bascombe, mais en espérant une réponse de Xonck, croyez-vous vraiment qu'il éliminera mon envie profonde de vous écraser?

Bascombe s'arrêta et se retourna pour lui faire face, son regard cherchant furtivement l'appui de Xonck avant de parler.

– Une fois que vous l'aurez expérimenté vous-même, vous aurez honte de vos doutes et de vos sarcasmes. Vous aurez honte aussi de l'existence misérable que vous avez menée jusqu'ici.

– Misérable?

– Oui, lamentablement misérable. Êtes-vous prêt?

– Je crois que oui.

Chang entendit un léger bruit dans l'obscurité derrière lui. Il était sûr que Xonck était armé.

– Avancez, murmura Xonck.

– Vous avez rallié Aspiche à votre cause, n'est-ce pas? Le 4e régiment des Dragons est précieux, très utile au ministère des Affaires étrangères. C'est gentil de sa part d'assumer ce remplacement au pied levé.

Il fit claquer sa langue et s'adressa à Xonck derrière lui.

– Vous ne portez pas le deuil. Pourtant, Trapping était votre beau-frère.

– Je suis profondément affligé, je vous l'assure.

– Alors pourquoi a-t-il fallu qu'il meure?

Il n'obtint pas de réponse. Il devrait faire un peu mieux pour arriver à les provoquer. Ils continuèrent à marcher en silence. La lueur de la lanterne éclaira brièvement ce qui semblait être des lustres au-dessus de leurs têtes. Le couloir avait fait place à une pièce beaucoup plus large. Xonck appela Bascombe.

– Roger, posez la lanterne sur le plancher.

Bascombe se retourna, regarda Xonck comme s'il n'avait pas vraiment compris, puis il posa la lanterne sur le plancher, hors de la portée de Chang.

– Merci. Maintenant poursuivez votre chemin, vous pouvez vous y retrouver. Dites-leur de préparer les machines.

– Vous en êtes sûr ?

– Oui.

Avant de disparaître dans l'obscurité, Bascombe jeta un regard pénétrant à Chang qui lui sourit avec mépris.

Le bruit des pas disparut bientôt et, très vite, le silence revint. Xonck sortit du halo de lumière quelques instants puis revint avec deux chaises en bois qu'il disposa sur le plancher. D'un coup de pied, il en envoya une vers Chang qui l'arrêta en avançant la jambe. Xonck s'assit et Chang en fit autant.

– J'ai cru qu'il vaudrait peut-être la peine que nous essayions de parler franchement, vous et moi. Après tout, d'ici une demi-heure, soit vous serez devenu mon allié, soit vous serez mort. Je ne vois pas trop pourquoi il faudrait prendre des pincettes.

– Vous pensez vraiment que c'est aussi simple que ça ? lâcha Chang.

– Oui.

– Je ne vous crois pas. D'accord, le choix qui m'est offert est simple : je me soumets ou je meurs. Mais vos motifs… le fait que vous vouliez me parler sans Bascombe… ça, ce n'est pas clair du tout.

Xonck l'étudiait mais ne disait pas un traître mot. Chang décida de se lancer et de faire exactement ce que Xonck proposait, s'exprimer sans détour.

– Votre entreprise, si je puis dire, comporte deux niveaux. D'une part, il y a ceux qui ont subi le Procédé, comme Margaret Hooke… et puis il y a ceux, comme vous ou la Contessa, qui demeurent libres. Et rivaux, malgré tous vos beaux discours.

– Et quels seraient les enjeux de cette rivalité ?

– Je n'en sais rien, admit Chang. Ils sont différents pour chacun de vous, c'est bien là le problème. Il est toujours là, le problème.

Xonck éclata de rire.

– Mais, mes collègues et moi, nous sommes parfaitement d'accord.

Chang lui répondit d'un rire méprisant. La main droite de Xonck était cachée sur le côté de sa chaise, derrière ses jambes croisées.

– Pourquoi cela vous surprend-il autant? demanda Xonck.

Chang se remit à rire.

– Alors, comment se fait-il que l'assassinat de Tarr ait été aussi mal organisé? Pourquoi Trapping a-t-il été tué? Et le peintre qui est mort, Oskar Veilandt? Et pourquoi la Contessa a-t-elle permis que le prince soit sauvé? Où se trouve le prince maintenant?

– Vous posez beaucoup de questions, fit remarquer Xonck sèchement.

– Je suis navré si elles vous ennuient. Mais, à votre place, si je n'avais pas les réponses à de telles questions…

– Comme je le disais, soit vous mourrez…

– C'est vraiment drôle, vous ne trouvez pas? Vous vous demandez si oui ou non vous allez me tuer, avant que je me joigne à vous, pour être sûr que je n'informerai pas vos collègues de vos petits projets personnels. Et moi, je me demande si je dois vous tuer ou essayer d'en apprendre plus sur le Procédé.

– Sauf que je n'ai pas de projets personnels.

– Peut-être, mais la Contessa, elle, si, poursuivit Chang. Et vous le savez, contrairement aux autres.

– Bascombe sera déçu si vous ne vous montrez pas. Il tient vraiment à ce que tout soit en ordre.

Xonck se leva, la main toujours invisible.

– Laissez la lanterne.

Chang se leva en même temps que lui en tenant nonchalamment sa canne.

– Avez-vous vu la jeune femme, miss Temple? C'était la fiancée de Bascombe.

– C'est ce que j'ai cru comprendre. Un vrai choc pour le pauvre Roger, j'en suis sûr. Heureusement, il a un esprit si *équilibré*. Beaucoup d'histoires pour rien.

– Quelles histoires?

– Autour d'Isobel Hastings, répondit Xonck en ricanant. La mystérieuse putain meurtrière.

Les yeux de Xonck brillaient d'intelligence et d'esprit et son corps possédait l'agilité et la souplesse d'un loup, mais tout cela était marqué par l'arrogance de l'argent, comme une veine de pourriture qui affleure sur l'écorce d'un arbre. Chang en savait assez pour comprendre que l'homme était dangereux, qu'il aurait peut-être le dessus s'ils en venaient aux mains, mais cette supériorité reposait sur les privilèges, il ne la méritait pas, il l'imposait par la force, la peur et le mépris, par une expérience achetée et une arrogance jamais remise en cause.

Chang trouva curieux que son jugement sur Xonck se fût confirmé quand celui-ci avait dénigré Céleste. Bien sûr, ce n'était qu'une petite fille riche et stupide, mais il y avait tout de même autre chose chez elle. Elle avait survécu et, surtout, elle avait reconnu que les épreuves l'avaient transformée. Chang se dit que Xonck n'avait sûrement jamais été transformé par quoi que ce fût, qu'en fait, il devait se penser au-dessus de toute idée de changement.

– J'en déduis donc que vous ne l'avez jamais rencontrée, dit-il.

Xonck haussa les épaules et fit un signe de tête en direction de la porte dans la pénombre, derrière Chang.

– Je crois que je survivrai à cette expérience manquée. Si vous voulez bien…

– Non.

– Non?

– Non. J'ai pris ma décision. Je m'en vais.

La main de Xonck sortit de la pénombre. Il pointa un pistolet étincelant plaqué argent sur le torse de Chang.

– Au diable?

– Un jour, sûrement. Pourquoi voulez-vous que je me joigne à vous, que je subisse votre Procédé? Qui a eu cette idée?

– Bascombe vous l'a dit. C'était son idée à elle.

– Je suis flatté.

– Il n'y a pas de quoi.

Xonck le regardait fixement. La lueur vacillante de la lanterne donnait l'impression que les traits de son visage étaient profondément marqués. Il avait toutes les allures du diable avec son nez et son menton pointus. Chang savait que ce n'était qu'une question de minutes, soit Xonck tirerait sur lui, soit il le forcerait à rejoindre Bascombe. Il était convaincu que la cohésion de la cabale commençait à se fissurer et que Xonck était assez intelligent pour le savoir. Mais Xonck était-il aussi assez arrogant pour ne pas s'en inquiéter et se considérer au-dessus de cela? Oui, c'était évident. Mais alors, pourquoi avait-il voulu discuter? Pour voir si Chang travaillait encore pour Rosamonde? Et s'il croyait que oui, est-ce qu'il le tuerait ou est-ce qu'il essaierait de satisfaire la Contessa en le laissant s'échapper, d'où la nécessité de se débarrasser de Bascombe…

Chang secoua la tête avec regret, comme s'il avait été pris en défaut.

– Elle avait bien dit que vous étiez le plus intelligent, plus intelligent que d'Orkancz lui-même.

Pendant un moment Xonck ne répondit rien. Puis il lança :

– Je ne vous crois pas.

– Elle m'a engagé pour retrouver Isobel Hastings. Ce que j'ai fait, mais avant de pouvoir la joindre, j'ai été attaqué par cet idiot de major allemand…

– Je ne vous crois pas.

– Demandez-le lui vous-même.

Tout à coup, il baissa la voix, murmurant, irrité :

– Est-ce que c'est Bascombe qui revient ?

Chang se tourna comme s'il avait entendu des pas, de manière si naturelle qu'il aurait fallu que Xonck n'eût rien d'humain pour ne pas regarder lui aussi, ne fût-ce qu'un instant. Et c'est cet instant-là justement que choisit Chang pour soulever la chaise qu'il tenait à la main et la lancer de toutes ses forces sur Xonck.

Celui-ci fit feu une première fois, toucha le dossier de la chaise, puis une deuxième fois, mais la chaise l'avait déjà atteint et le coup partit en l'air. La chaise le toucha à l'épaule en craquant, ce qui le fit jurer et reculer, si bien que Chang ne put pas se ruer sur lui avec sa canne. La chaise rebondit et Xonck, furieux, rectifia la position de son arme.

La troisième détonation retentit en même temps qu'un cri de stupeur. Chang avait ramassé la lanterne, l'avait lancée et l'huile s'était renversée sur la manche de Xonck. Lorsque celui-ci tira, l'étincelle enflamma son bras tendu. Le coup passa à un bon mètre de Chang. Xonck essayait désespérément d'arracher sa veste, il laissa tomber son arme. Sous l'effet de la douleur, ses doigts s'agitaient dans les flammes et s'agrippaient pour essayer d'arrêter le feu qui dévorait son bras en entier. Il hurlait de rage. Ce fut la dernière image que Chang eut de lui : il gesticulait comme un dément. Chang plongea dans l'obscurité.

Quelques minutes plus tard, il ne voyait déjà plus rien. Il ralentit le pas et tendit les mains devant lui pour éviter de heurter les murs ou les meubles. Il fallait qu'il s'éloigne de Xonck mais en faisant le moins de bruit possible. Il repéra un mur à sa gauche et le suivit dans une direction qui lui sembla opposée à celle qu'il venait de prendre. Suivait-il un couloir ? Il s'arrêta pour écouter. Il n'entendait plus Xonck.

Avait-il réussi à arrêter les flammes aussi vite? Était-il possible qu'il fût mort? Chang pensait que non. La seule chose qui le réconfortait, c'était que Xonck allait désormais devoir tirer de la main gauche. Il continua à avancer à tâtons, s'arrêta devant un rideau et trouva une sortie.

Derrière se trouvait une cage d'escalier très étroite. Chang se foula presque la cheville en manquant la première marche. Il descendit sans bruit. Sur le palier, quelque vingt marches plus bas, il entendit des bruits au-dessus de lui. C'était sûrement Bascombe. On allait allumer les lumières, lancer des recherches. Il tendit les bras devant lui, vers le mur d'en face, trouva une porte puis la poignée. La porte était verrouillée. Chang fouilla dans ses poches avec beaucoup de précautions pour retrouver son trousseau et, en le tenant bien pour éviter de faire du bruit, il essaya la serrure. Elle s'ouvrit avec la deuxième clé, il entra et referma doucement la porte derrière lui.

Cette nouvelle pièce, quel qu'en fût l'usage, était elle aussi plongée dans l'obscurité. Chang se demanda combien de temps il faudrait aux soldats pour se déployer dans les couloirs. Il continua à avancer à tâtons et trouva des caisses en bois puis une bibliothèque poussiéreuse et il fut soulagé lorsque sa main rencontra une fenêtre dont les carreaux étaient sans doute recouverts de peinture noire. Chang sortit la dague de sa canne et donna un coup sec sur la vitre avec le bout du manche. La lumière inonda la pièce et l'obscurité fit place à un vestibule tout à fait banal, rempli de vieux meubles poussiéreux. Il regarda dehors par le carreau cassé.

La fenêtre donnait sur une des allées de la cour et, en tendant le cou, il put constater qu'elle se trouvait à au moins deux étages au-dessous du toit. À son grand dam, il se rendit compte que le mur extérieur n'avait ni corniches, ni moulures, ni gouttières auxquelles s'accrocher pour monter ou descendre. Il ne pourrait donc pas s'évader par là.

Soudain, Chang sentit un courant d'air derrière lui, comme si l'on avait ouvert une porte. Il fit volte-face. Cela venait en fait d'une bouche d'aération qui se trouvait dans le plancher, et l'air circulait grâce à la fenêtre ouverte. Si son odorat avait été normal, l'odeur de cette bouffée d'air lui aurait sûrement soulevé le cœur. Chang s'agenouilla près de la bouche d'aération. Il entendit des voix et poussa un soupir de contrariété parce que l'écho l'empêchait de saisir ce qui se disait. Le tuyau d'aération était assez large pour qu'un homme pût y passer.

Il en palpa l'intérieur et constata avec soulagement qu'il n'était pas humide. En faisant le moins de bruit possible, il força la grille jusqu'à ce que l'ouverture fût suffisante pour qu'il pût s'introduire dans le conduit. Il y faisait complètement noir. Il introduisit sa canne et rampa derrière. Il avait tout juste assez d'espace pour bouger les mains et les genoux. Il avança le plus silencieusement possible.

Il avait parcouru à peu près cinq mètres quand le conduit se divisa : un embranchement de chaque côté et un troisième qui montait au milieu. Il écouta attentivement. Les voix venaient d'en haut, de l'étage d'où il venait de s'échapper. Il leva la tête et perçut une lueur pâle. Il grimpa vers le haut, en appuyant ses jambes sur les deux parois pour ne pas glisser. Plus haut, le conduit revenait à l'horizontale, là où filtrait la lumière. Il continua à grimper, bien que ce fût de plus en plus difficile parce que la paroi du conduit était recouverte d'une fine poussière qui l'empêchait d'assurer ses prises. C'était peut-être de la suie. Il ne voyait rien dans le noir, il jura en pensant qu'il s'était probablement sali et il continua à essayer de monter vers la lumière. Il parvint à la grille de la bouche d'aération et ses doigts trouvèrent une prise sur le rebord qui se trouvait juste devant. Il plaça ses doigts dans la grille et se hissa jusqu'à ce qu'il pût voir ce qui se trouvait à l'extérieur du trou, mais il n'aperçut qu'un sol en ardoise et des lambeaux de rideaux sombres. Il tendit l'oreille... et entendit une voix qu'il ne reconnut pas.

– Il est sous la protection de mon oncle. Avec lequel, évidemment, je ne suis pas du tout d'accord. Alors ce n'est pas la meilleure recommandation. Est-ce qu'il est bien attaché ? Parfait. Vous comprendrez que les événements récents ne m'incitent pas vraiment à prendre le risque de la *politesse**.

Le petit rire d'une femme lui répondit. Chang fronça les sourcils. La voix qu'il venait d'entendre avait le même accent que Svenson, mais elle traînait avec indolence, les mots se succédant presque sans lien avec le sens et le rythme de la conversation, vidés ainsi de toute intelligence.

– Veuillez m'excuser de vous interrompre ainsi, mais je devrais peut-être aider...

– Non, pas du tout.

– Votre Altesse.

À ces mots, Chang entendit un claquement de talons. La seconde voix avait aussi un accent allemand. Le premier reprit, s'adressant manifestement à la femme et non au second.

_____
* En français dans le texte.

– Ce que les gens ne comprennent pas, parce qu'ils ne le savent pas, c'est le poids immense du devoir.

– Oui, la responsabilité, approuva-t-elle. Nous sommes très peu nombreux à pouvoir en assumer la charge. Voulez-vous du thé ?

– *Danke*. Est-ce qu'il peut respirer ?

La question était curieuse et pas inquiète et, au moins pour les oreilles de Chang, elle n'eut pour toute réponse que le bruit sourd d'un coup porté sur un corps, suivi d'une respiration sonore, quelqu'un qui avait du mal à tousser.

– Il ne faudrait pas qu'il meure avant que le Procédé ne le régénère, continua la voix non sans une certaine pédanterie. Il saura ce que cela veut dire que d'être fidèle, n'est-ce pas ? Est-ce qu'il y a du citron ?

Les voix lui parvenaient sans doute de l'autre extrémité de la pièce, il ne pouvait en être certain. Il s'étira et essaya de pousser la grille. Elle céda un peu, mais pas assez pour qu'il pût la retirer. Il poussa plus fort.

– Quel est cet homme avec eux ? demanda la première voix.

– Le tueur, répondit le deuxième homme.

– Un tueur ? Pourquoi un type pareil se joindrait-il à nous ?

– Je ne suis pas d'accord avec le fait que nous devrions…

– Les gens, peu importe leur milieu, ont tous quelque chose d'intéressant, Votre Altesse, dit la femme en interrompant l'autre homme avec douceur. Si on n'a plus rien à apprendre, autant dire que l'on a cessé de vivre.

– Tout à fait, approuva vivement la voix. Et selon cette logique, major, vous êtes encore très vivant, car il vous reste encore beaucoup de choses à apprendre sur le bon sens !

Chang comprit que la deuxième voix était sûrement celle du major Blach et que la première devait être celle de Karl-Horst von Maasmärk, même si son comportement contredisait ce que Svenson avait dit de sa conscience affaiblie par l'usage de drogues. Mais l'attention de Chang était ailleurs. La femme, c'était Rosamonde. La Contessa di Lacquer-Sforza. Il ne comprenait pas du tout ce qu'elle pouvait bien faire là. Il était surtout frappé parce qu'elle parlait de lui.

– Le major est mécontent, Altesse, car cet homme lui a causé quelques ennuis. Mais c'est précisément pour cela que j'ai demandé à Bascombe d'insister pour qu'il se joigne à nous.

– Mais le fera-t-il ? Est-ce qu'il comprendra ? Le prince avala bruyamment une gorgée de thé.

– On ne peut que souhaiter que cet homme soit aussi sage que vous.

Le prince accueillit cette hypothèse ridicule avec un petit rire indulgent. Chang poussa encore la grille. Il savait que c'était idiot, mais il voulait absolument la voir et voir aussi qui l'on frappait par terre, car il reconnaissait les bruits particuliers des coups. Il sentait la grille bouger, mais il ignorait le bruit qu'elle ferait en cédant. Puis quelqu'un ouvrit la porte d'un coup de pied, on entendit le vacarme d'un homme jurant violemment, puis un autre homme qui appelait à l'aide. C'était Bascombe qui criait à l'aide. Une sorte de tumulte envahit la pièce : Xonck proférait des injures au vitriol, Rosamonde demandait qu'on apporte de l'eau, des serviettes, des ciseaux, et le prince et Blach hurlaient des ordres contradictoires aux autres.

Chang s'éloigna un peu de la grille parce que leur agitation avait amené ses ennemis dans son champ de vision.

Les cris cessèrent pour faire place à des murmures de colère sourde pendant qu'on s'occupait de Xonck. Bascombe essaya d'expliquer ce qui s'était passé dans le bureau, puis il raconta qu'il était parti devant.

– Pourquoi avez-vous fait cela ? demanda Rosamonde abruptement.

– Je… monsieur Xonck m'a demandé…

– Je vous l'avais dit. Je vous l'avais dit et vous ne m'avez pas écoutée.

Mais elle ne s'adressait pas à Bascombe.

– J'ai fait attention, dit Xonck entre ses dents. Vous aviez tort. Il ne s'y serait pas soumis.

– Il se serait soumis à moi.

– Alors, la prochaine fois, vous irez le chercher vous-même… et vous en paierez les conséquences, répliqua Xonck avec hostilité.

Ils se regardaient fixement et Chang vit que les autres observaient la scène gênés. Bascombe avait l'air frappé de stupeur, le prince, qui portait toujours ses cicatrices sur le visage, semblait plutôt curieux, comme s'il ne savait pas s'il devait se sentir concerné, enfin, Blach les toisait tous en cachant mal son désaccord.

Derrière eux, par terre, gisait un homme trapu vêtu d'un costume. Il était bâillonné et ligoté. Chang ne le connaissait pas. Agenouillé à côté de Xonck, un homme aux cheveux clairsemés et portant des lunettes épaisses lui pansait le bras avec de la gaze.

Xonck était assis sur une table en bois. Ses jambes se trouvaient entre deux courroies en cuir qui pendaient dans le vide. Autour d'eux, sur le plancher, étaient posées plusieurs de ces caisses allongées. De grandes cartes géographiques parsemées d'épingles de différentes couleurs étaient accrochées sur l'un des murs.

Au-dessus de la table, au bout d'une longue chaîne, était suspendu un lustre. Chang regarda vers le haut. La pièce était haute de plafond et ronde. Il se trouvait dans l'une des tourelles de l'immeuble. De petites lucarnes rondes avaient été percées juste au-dessous des poutres du plafond. Il savait pour les avoir aperçues depuis la rue qu'elles se trouvaient juste au-dessus de la ligne du toit, mais il ne voyait aucun moyen de les atteindre. Il dirigea son regard vers les cartes et sursauta en se rendant compte qu'il s'agissait de cartes du nord de l'Allemagne. Le duché de Macklenburg.

Xonck descendit de la table en émettant une sorte de grognement et s'avança à grands pas vers la porte. Il avait les traits tirés et se mordait les lèvres, sans doute à cause de l'intensité de la douleur.

– Où allez-vous? demanda Bascombe.

– Je vais essayer de sauver ma foutue main! hurla-t-il. Je pars chercher un chirurgien! Comme ça, ça m'évitera de tuer l'un d'entre vous!

– Vous voyez ce que je voulais dire, Altesse, dit Rosamonde au prince sur un ton léger. Le sens des responsabilités, c'est comme le courage: on ne sait pas qu'on en a avant de le mettre à l'épreuve. Et à ce moment-là, évidemment, il est trop tard: vous réussissez ou bien vous échouez.

Xonck s'arrêta dans l'embrasure de la porte. Chang avait vu la chair brûlée de son bras avant qu'on ne lui fît son pansement. En faisant de son mieux pour ne pas geindre en parlant, il lança quelques mots au vitriol d'une voix menaçante:

– En effet, Votre Altesse, renoncer à ses responsabilités peut vous coûter la vie, on est rarement plus en danger que lorsque l'on fait confiance à ceux qui nous promettent monts et merveilles. Satan n'était-il pas le plus beau de tous les anges?

Sur quoi, Xonck s'en alla en titubant.

Bascombe se tourna vers la Contessa.

– Madame…

Elle hocha la tête avec indulgence.

— Assurez-vous simplement qu'il ne fasse de mal à personne.

Bascombe sortit en trombe.

— Maintenant, nous sommes seuls, dit le prince sur un ton satisfait qui se voulait charmeur.

La Contessa sourit en regardant les hommes qui étaient dans la salle.

— Il n'y a qu'un prince pour se penser seul avec une femme tout simplement parce qu'il n'y a pas d'autres femmes dans la pièce.

— Est-ce qu'il faut en conclure que Xonck est une femme, puisque c'est lui qui vient de sortir ? dit le major Blach en éclatant d'un rire qui tenait du croassement.

Le rire du prince se joignit au sien. Tout à coup, Chang ressentit une sorte de sympathie envers Xonck et fut tenté de sortir afin de leur tomber dessus. Il suffirait de tuer Blach en premier et les autres ne poseraient pas de problèmes. Mais Rosamonde reprit la parole et sa voix le cloua encore une fois sur place.

— Je propose que l'on installe Herr Flaüss sur la table.

— Excellente idée, dit le prince. Blach et vous là-bas…

— Il s'agit de monsieur Gray, de l'Institut, dit Rosamonde patiemment, comme si elle l'avait déjà dit.

— Très bien. Ramassez-le.

— C'est qu'il est très lourd, Votre Altesse…, murmura Blach le visage tout rouge d'avoir fait un gros effort.

Chang sourit en voyant Blach et Gray qui luttaient désespérément contre la masse récalcitrante du corps de Herr Flaüss, qui lui, se débattait comme un beau diable pour les empêcher de le mettre sur la table.

— Altesse ? demanda la Contessa di Lacquer-Sforza.

— Je suppose que je dois… c'est ridicule. Cessez de vous débattre, Flaüss, ou je vous assure que ce sera pire. Tout cela, c'est pour votre bien. Après, vous me remercierez !

Le prince écarta Gray et prit la jambe de Flaüss qui se tordait dans tous les sens. Au prix de quelques efforts bruyants, ils parvinrent à le mettre sur la table. Chang vit Rosamonde sourire discrètement en les regardant faire.

— Voilà ! dit Karl-Horst d'une voix haletante.

Il fit un geste vague à l'intention de Gray et retourna à son siège et à son thé.

– Attachez-le. Préparez le… euh… l'appareil…

– Ne devrions-nous pas l'interroger? demanda Blach.

– Pour lui demander quoi? répondit le prince.

– Quels sont ses alliés à Macklenburg et ici. Où se trouve le docteur Svenson…

– Pourquoi nous donner tout ce mal? Une fois qu'il aura subi le Procédé, il nous dira tout de son plein gré. Il sera des nôtres.

– Et vous, major, vous n'avez pas subi le Procédé? demanda la Contessa sur le ton neutre de la politesse.

– Pas pour l'instant, madame.

– Il le fera, déclara le prince. J'y tiens absolument. Tous mes conseillers devront partager cette… *illumination*. Vous ne savez pas, Blach. Vous ne *savez* pas. En faisant grand bruit, il but une gorgée de son thé. C'est d'ailleurs pour cela que vous n'avez pas réussi à retrouver Svenson et que vous avez aussi échoué avec ce… tueur. C'est seulement grâce à la sagesse de la Contessa que l'on n'a pas fait appel à vous pour provoquer les changements qui ont eu lieu à Macklenburg!

Au lieu de répondre, Blach essaya de changer de sujet en désignant la porte.

– Avons-nous besoin de Bascombe pour continuer?

– Je suis sûre que monsieur Gray peut s'en sortir, affirma la Contessa. Vous pourriez peut-être l'aider pour les caisses?

Chang regarda avec un grand intérêt les longues caisses que l'on ouvrait et dont on retirait des emballages de feutre vert pour les poser sur le plancher. Pendant que Blach attachait Flaüss sur la table sans se gêner pour serrer les courroies, le vieil homme, monsieur Gray, sortit quelque chose qui ressemblait à une paire de lunettes énormes avec des verres incroyablement épais et une monture en caoutchouc noir. En fait, tout cela faisait partie d'une machine et tout l'équipement était parcouru de fils de cuivre. Gray fixa les lunettes sur le visage de Flaüss qui continuait à se débattre. Il serra lui aussi très fort puis recula en direction de la caisse. Il sortit un câble gainé de caoutchouc dont chaque extrémité était munie d'une pince métallique. Il en attacha une aux fils de cuivre, puis, en tenant l'autre, il s'agenouilla près de la caisse. Chang ne put voir où il attachait la deuxième pince. Non sans difficulté, Gray actionna une sorte d'interrupteur. Chang entendit le sifflement d'un gaz sous pression. Gray se leva et regarda Rosamonde.

– Je suggère que nous nous éloignions tous de la table, dit-elle.

Une lumière bleue jaillit de l'intérieur de la caisse avec une intensité croissante. Flaüss s'arc-bouta en essayant de se défaire de ses liens. Sa respiration se fit plus forte. Les câbles se mirent à siffler. Chang comprit que c'était le moment qu'il attendait. Il poussa la grille et la fit rapidement glisser dans la pièce. Il éprouva quelques regrets pour Flaüss, surtout s'il était vraiment un allié de Svenson – quoique Svenson n'en eût jamais parlé –, mais c'était la meilleure diversion possible, car tous les quatre étaient captivés par les efforts désespérés de l'homme, comme lors d'une exécution publique.

Chang s'empara de sa canne, se leva, fit trois pas rapides vers Blach et lui donna de toutes ses forces un coup de poing à la base de la nuque. Blach tituba en avant sous le choc, et il s'écroula. Chang se tourna vers le prince dont le visage était pétrifié de surprise et il lui donna une gifle du revers de la main qui le fit s'affaler par-dessus sa chaise et sur la table à thé.

Chang se dirigea alors vers Gray qui se trouvait de l'autre côté de Blach et enfonça le bout arrondi de sa canne dans son ventre flasque. C'était un vieil homme, mais Chang n'était pas du genre à prendre des risques. Gray se recroquevilla en gémissant et tomba lourdement assis par terre, le visage écarlate. Chang se retourna alors vers Rosamonde et dégaina sa lame, prêt à se battre quelle que soit l'arme qu'elle arborerait.

En guise d'arme, elle souriait.

Tout autour d'eux, le bourdonnement des câbles s'intensifiait. Sur la table, Flaüss était secoué de spasmes épouvantables, tandis que de sa bouche bâillonnée coulait une sorte d'écume. Chang désigna la caisse.

– Arrêtez ! Éteignez ça !

Rosamonde lui répondit en criant, mais sans hâte et sur un ton posé :

– Si vous interrompez le Procédé maintenant, vous le tuez !

Horrifié, Chang regarda Flaüss puis se tourna vers les autres. Blach était immobile et Chang se demanda s'il ne lui avait pas brisé la nuque. Le prince, à quatre pattes, se tâtait la mâchoire. Gray restait assis. Chang se retourna pour voir Rosamonde. Le bruit était assourdissant, la lumière bleue irradiait autour d'eux comme s'ils étaient suspendus dans un ciel d'été clair et lumineux. Il était inutile d'essayer de parler. Elle haussa les épaules tout en souriant.

Il ne savait pas au juste combien de temps ils étaient restés là à se regarder dans les yeux. Au moins quelques minutes. Il s'était efforcé de jeter un coup d'œil aux hommes par terre et il avait planté sa canne dans la main de Karl-Horst alors qu'il essayait de s'emparer d'un couteau tombé du plateau de thé. Le vrombissement de la machine donnait l'impression que tout le reste se déroulait sans bruit. Il n'entendit ni le tintement du couteau tombant par terre, ni les jurons du prince, ni les gémissements de Gray.

Il se retourna vers Rosamonde, conscient qu'elle était la seule personne dangereuse dans la pièce. Il savait qu'en la regardant dans les yeux comme il l'avait fait, il exposait sa vie à son jugement, et qu'elle la trouverait sûrement misérable. De la vapeur sortait du visage de Flaüss. Chang essaya de penser à Svenson et à Céleste. Ils étaient sans doute tous les deux morts ou en route vers leur fin. Il ne pouvait rien faire pour eux. Il savait qu'il était seul.

Un craquement sonore indiqua que le Procédé était terminé, la lumière diminua et le bourdonnement s'estompa. Chang avait les oreilles qui sifflaient. Il cligna des yeux. Flaüss était immobile, sa poitrine se soulevait. Au moins, il était vivant.

– Cardinal Chang.

La voix de Rosamonde semblait étrangement faible comparée au vacarme qui venait de prendre fin. C'était comme s'il ne l'entendait pas très bien.

– Madame.

– J'avais l'impression que je ne vous reverrais jamais. J'espère ne pas vous sembler trop téméraire si je vous dis que j'en étais déçue.

– Je n'ai pas pu accompagner monsieur Xonck.

– Non, mais vous êtes ici, et je suis sûre que vous êtes arrivé par des moyens tout à fait ingénieux.

Chang jeta un rapide coup d'œil en direction du prince et de Gray qui ne bronchaient pas.

– Ne vous inquiétez pas, dit-elle. J'ai bien l'intention de discuter avec vous.

– Je me demande seulement si Blach est mort. Un instant…

Chang se pencha sur le corps et posa deux doigts sur sa gorge. Il y avait bien un pouls. Il se releva et rengaina sa dague dans la tige de sa canne.

– La prochaine fois, peut-être.

Elle acquiesça poliment, comme si elle comprenait que ce pourrait être une bonne chose, puis elle fit un geste en direction du vieil homme.

– Si vous le permettez, puisque nous avons été interrompus, monsieur Gray pourrait peut-être s'occuper de Herr Flaüss? Simplement pour s'assurer qu'il ne s'est pas blessé lui-même. Parfois, les efforts… il s'agit d'une transformation violente.

Chang acquiesça tandis que Gray se levait en chancelant et s'avançait vers la table.

– Nous pouvons nous asseoir? suggéra Rosamonde.

– Je dois vous demander de… d'être raisonnable, répondit Chang.

Elle éclata de rire. C'était là le rire de quelqu'un qui s'amusait vraiment.

– Oh! Cardinal, je ne rêve que de ça… ici…

Elle s'avança vers les deux chaises où elle s'était assise avec le prince qui, pour le moment, était toujours à quatre pattes. Elle reprit sa place, Chang ramassa la chaise renversée du prince et tendit sa canne vers Karl-Horst. Échaudé, le prince s'éloigna avec l'air maussade d'un crabe.

– Votre Altesse, si vous voulez bien nous laisser, le Cardinal et moi, discuter de la situation?

– Bien sûr, Contessa. Si tel est votre souhait, murmura-t-il avec toute la dignité de quelqu'un qui est au pied comme un chien.

Chang s'assit, écarta son manteau et observa ce qui se déroulait sur la table. Gray avait retiré les sangles et était en train d'ôter le masque et les câbles. Il le détachait de ce qui semblait être un résidu gélatineux et rose qui s'était accumulé là où le masque avait touché la peau. Chang aurait voulu voir apparaître les fameuses cicatrices, mais avant que le masque ne fût entièrement retiré, Rosamonde se mit à parler.

– Il me semble qu'il y a une éternité que nous nous sommes vus à la bibliothèque, qu'en pensez-vous? commença-t-elle. Et pourtant, cela ne fait guère plus d'une journée, non?

– Une journée bien remplie.

– En effet. Avez-vous fait ce que je vous avais demandé? Elle remuait la tête avec une gravité moqueuse.

– De quoi s'agissait-il, encore?

– Eh bien, de retrouver Isobel Hastings, bien sûr!

– Ça, je l'ai fait.

– Me l'avez-vous amenée?

– Ça, non.

– Quelle déception ! Est-elle donc si belle ?

Elle rit comme si elle ne pouvait feindre un instant de plus d'être sérieuse.

– Trêve de plaisanteries, Cardinal, qu'est-ce qui vous en empêche ?

– Maintenant ? C'est que je ne sais plus où elle se trouve.

– Ah ! Mais si vous le saviez ?

Il avait oublié la véritable couleur de ses yeux. De la couleur des iris mauves les plus pâles. Elle portait une veste de soie d'une couleur parfaitement identique et des boucles d'oreilles en ambre vénitien serties d'argent. Son cou exquis était nu.

– Je ne le pourrais toujours pas.

– Ah ! Mais qu'a-t-elle de si particulier ? Bascombe semblait dire qu'elle n'avait pas grand-chose. Il est vrai que Bascombe n'est sans doute pas l'homme à qui demander la vérité au sujet d'une femme. Il est trop… enfin, trop « terre à terre », pour dire les choses gentiment.

– Je suis d'accord.

– Alors pourquoi ne me la décririez-vous pas ?

– Je suis presque sûr que vous l'avez rencontrée, Rosamonde. Vous l'avez envoyée se faire violer et tuer.

– J'ai fait cela ? Ses yeux s'écarquillèrent avec coquetterie.

– C'est ce qu'elle dit.

– Alors, c'est que je l'ai fait.

– Donc, vous pourriez peut-être la décrire.

– Mais voyez-vous, Cardinal, c'est justement le problème. Car, cela va peut-être de soi mais, lorsque j'ai eu affaire à la dame, j'ai trouvé que c'était une chipie insignifiante, insolente, et dénuée de tout intérêt. Reste-t-il du thé ?

– La théière est par terre, dit Chang.

Il jeta un œil vers la table. Gray était toujours penché sur Flaüss.

– *Dommage*[*], dit Rosamonde en souriant. Vous ne m'avez pas répondu.

– Je ne suis peut-être pas sûr de la question.

– Ça me semble pourtant évident. Pourquoi vous êtes-vous contenté d'elle alors que vous pouviez me choisir, moi ?

En admettant que ce fût possible, son sourire devint encore plus engageant, elle ajouta une touche de sensualité à ses lèvres qui se présentaient malicieusement comme un avant-goût des tentations qui pourraient suivre.

– Je ne savais pas que j'avais le choix.

[*] En français dans le texte.

– Vraiment, Cardinal... vous me décevez.

C'était là une étrange conversation à avoir dans une pièce dérobée, perdue dans les dédales du ministère des Affaires étrangères, entourés de corps affalés, de petits princes à genoux et au beau milieu de ce cérémonial d'une science cruelle. Il se demanda quelle heure il pouvait bien être et si Céleste se trouvait dans une pièce voisine. Cette femme était la personne la plus dangereuse de cette cabale. Pourquoi se serait-il comporté comme l'un de ses prétendants ?

– Peut-être est-ce lié au fait que vos associés ont essayé de me tuer, répondit-il.

– Mais vous ont-ils tué ? demanda-t-elle en faisant un geste pour rejeter ce qu'il avançait.

– Avez-vous tué miss Temple ?

– *Touché**, dit-elle en le scrutant du regard. Ne s'agit-il que de cela ? C'est seulement parce qu'elle a survécu ?

– Peut-être bien. Et moi, que suis-je d'autre qu'un survivant ?

– Quelle question provocante ! Je vous promets que je la noterai dans mon journal.

– Au fait, Xonck est au courant, dit-il dans une tentative désespérée pour changer de sujet.

– Au courant de quoi ?

– Qu'il y a des intérêts divergents.

– C'est vraiment adorable de vous surpasser ainsi mais, et ne prenez surtout pas cela comme une critique, il serait préférable que vous vous en teniez aux bagarres et aux expéditions sur les toits. Ce dont monsieur Xonck est au courant, ça me regarde. Ah ! Herr Flaüss, je vois que vous êtes parmi nous !

Chang se retourna et vit l'homme debout à côté de la table et Gray près de lui. Il avait le visage livide et des brûlures circulaires autour desquelles la peau était tirée et lisse. Son col était trempé de sueur et de bave. Ses yeux, complètement vides, étaient des plus inquiétants.

– Je vous admire vraiment, Cardinal, poursuivit Rosamonde. Il se tourna vers elle.

– Vous m'en voyez flatté.

– Vraiment ? Elle sourit. J'admire très peu de gens, vous savez ? Et il y en a encore moins à qui je l'avoue.

– Alors, pourquoi me le dites-vous ?

– Je l'ignore.

* En français dans le texte.

Sa voix se transforma en un chuchotement intime et provocant.

– C'est peut-être à cause de ce qui est arrivé à vos yeux. J'aperçois à peine vos cicatrices et je ne peux qu'imaginer comme elles doivent être horribles à voir sans vos lunettes. J'imagine qu'elles me dégoûteraient et pourtant, je me suis imaginée en train d'y passer la langue avec un plaisir fou.

Elle le regarda de près puis elle sembla reprendre sa contenance.

– Et voilà que moi aussi je me surpasse, vous voyez? Je suis vraiment navrée. Monsieur Gray?

Elle se tourna vers Gray qui avait conduit Flaüss près d'eux. Les yeux morts de l'homme soulevaient le cœur de Chang qui avait l'impression d'assister à une démonstration de taxidermie ambulatoire. Il détourna les yeux, mal à l'aise. Il aurait aimé pouvoir intervenir plus tôt. Ce qu'ils avaient fait à Flaüss était pire que la mort.

Un curieux bruit de suffocation le fit se retourner de nouveau. Gray avait les mains autour du cou de Flaüss et était en train de l'étrangler. Chang se leva à moitié de sa chaise et se tourna vers Rosamonde. N'en avaient-ils pas déjà fait assez?

– Qu'est-ce qu'il…

Ses paroles s'évanouirent. Les mains de Flaüss lui avaient saisi le cou et le serraient horriblement. Il attrapa les bras de Flaüss pour essayer de se dégager. On aurait dit qu'ils étaient en acier. Le visage de l'homme était toujours neutre et ses doigts s'enfonçaient dans le cou de Chang qui ne pouvait plus respirer. Il donna un coup de genou dans l'estomac de Flaüss, mais celui-ci ne réagit pas. L'étau de ses mains continuait à serrer. Chang vit des taches noires danser devant ses yeux. Il sortit sa dague de sa canne. Gray le regardait par-dessus l'épaule de Flaüss et serrait le cou de celui-ci… Flaüss réagissait à Gray!

Chang enfonça sa lame dans l'avant-bras de Gray. Le vieil homme poussa un cri et s'écarta. Du sang giclait de sa blessure. Libéré, Flaüss se détendit immédiatement. Il avait toujours les mains autour du cou de Chang, mais il ne serrait plus. Chang se dégagea de son étreinte et reprit peu à peu son souffle. Il ne comprenait pas ce qui venait de se passer. Il se tourna vers Rosamonde. Elle avait quelque chose dans la main. Elle souffla dessus. Un nuage de fumée bleue atteignit sur le visage de Chang.

Ce fut instantané. Sa gorge se serra puis il sentit un froid intense l'envahir, comme s'il avait avalé de la glace. Cette sensation coula dans ses poumons et lui monta à la tête. La tige de sa canne et sa dague lui échappèrent des mains. Il ne pouvait plus dire un mot. Il ne pouvait plus bouger.

– Ne paniquez pas, dit Rosamonde. Vous n'êtes pas mort.

Elle regarda derrière Chang en direction du prince qui était toujours à terre.

– Altesse, pourriez-vous vous occuper de la blessure de monsieur Gray?

Elle reporta son regard violet sur Chang.

– Ce qui vous arrive, cardinal Chang… c'est que vous êtes à moi.

Elle tendit la main pour saisir le bras de Karl-Horst qui se dirigeait vers Gray.

– En fait, pourquoi le Cardinal n'aiderait-il pas Gray? Je suis certaine qu'il a plus l'expérience des blessures que n'en a le prince héritier de Macklenburg.

Il les aida à tout faire. Son corps répondait inconditionnellement aux ordres, son esprit regardait de l'intérieur, à une distance terrible, à travers une fenêtre couverte de givre. Tout d'abord, il pansa la blessure de Gray, puis il hissa Blach sur la table afin que Gray pût lui examiner la tête.

Combien de temps cela avait-il duré? Bascombe revint avec plusieurs soldats portant l'uniforme rouge des Dragons et s'entretint avec la Contessa. Bascombe acquiesça et chuchota gravement à l'oreille du prince. Puis il appela les autres, les soldats soulevèrent Blach, Gray prit Flaüss par le bras et ils quittèrent tous la pièce. Chang se retrouva seul avec Rosamonde.

Elle verrouilla la porte, revint ensuite vers lui et tira une chaise. Il ne pouvait pas bouger. Elle avait une expression qu'il n'avait jamais vue auparavant, comme si elle avait cherché à effacer de son visage toute trace de bonté.

– Vous constaterez que vous pouvez m'entendre et que vous pouvez aussi me répondre de façon très rudimentaire, puisque la poudre dans vos poumons vous empêche de parler. Les effets s'atténueront, sauf si je décide de les rendre permanents. Pour l'instant, je me contenterai de réponses par oui ou par non, un signe de tête suffira. J'avais espéré vous convaincre par le dialogue, ou vous livrer au Procédé, mais nous n'avons plus le temps et il n'y a plus personne pour m'assister correctement. Cela me contrarierait énormément de passer à côté des informations que vous pouvez me donner à cause d'un incident quelconque.

C'était comme si elle s'adressait à quelqu'un d'autre. Il se sentit acquiescer pour montrer qu'il comprenait. Toute résistance était impossible. Il avait du mal à suivre ce qu'elle lui disait et à peine avait-il compris que son corps avait déjà répondu.

— Vous étiez avec cette miss Temple et le médecin du prince ?

Chang acquiesça.

— Savez-vous où ils se trouvent maintenant ?

Il secoua la tête négativement.

— Est-ce qu'ils viennent ici ?

Il secoua la tête.

— Avez-vous l'intention de les retrouver ?

Chang acquiesça. Rosamonde soupira.

— Bon, je ne vais pas perdre mon temps à essayer de deviner où... Vous avez parlé avec Xonck. Il se méfie... de moi particulièrement ?

Chang acquiesça.

— Bascombe vous a-t-il entendus parler ?

Chang secoua la tête. Elle sourit.

— Parfait. Alors nous avons tout le temps... Il est vrai que Francis Xonck détient un peu de l'immense pouvoir de son frère aîné, mais seulement un peu. Il est tellement rebelle et désinvolte qu'il n'y a aucune intimité, aucune amitié entre eux, et il n'héritera sûrement pas de beaucoup. Mais évidemment, je suis l'amie de Francis quoi qu'il advienne. Alors, il ne peut pas vraiment aller ailleurs. Bon... Imaginons que vous essayiez de me faire peur... Qu'avez-vous appris avec toutes vos enquêtes... Savez-vous qui a tué le colonel Trapping ?

Chang secoua la tête.

— Savez-vous pourquoi nous avons choisi Macklenburg ?

Chang secoua la tête.

— Vous connaissez Oskar Veilandt ?

Chang acquiesça.

— Vraiment ? Bravo ! Vous êtes au courant pour le verre bleu ?

Chang acquiesça.

— Ah !... ça, c'est moins bon !... je veux dire, pour votre survie. Qu'est-ce que vous avez pu voir ?... Attendez... Étiez-vous à l'Institut ?

Chang acquiesça.

– C'est vous qui êtes entré par effraction, quand cet imbécile a laissé tomber le livre? Ou bien est-ce vous qui avez provoqué cet incident?

Chang acquiesça.

– Incroyable! Vous êtes une force qu'on ne peut arrêter. Vous savez qu'il est mort, et puis ce qui s'est passé ensuite avec la fille que le comte avait amenée… mais je suppose que ça ne vous intéresse pas.

Dans la prison de son esprit, Chang fut violemment secoué par la confirmation que ce qu'il avait fait avait tué Angélique. Il acquiesça. Rosamonde inclina la tête.

– Vraiment? Mais ce n'est pas l'homme qui vous intéresse. Attendez… attendez, la fille?… elle venait d'un bordel. Je ne vous savais pas aussi chevaleresque! Mais… vous la connaissiez?

Chang acquiesça. Rosamonde éclata de rire.

– C'est vraiment le genre de coïncidence que l'on trouve dans les romans pour dames. Laissez-moi deviner… étiez-vous terriblement amoureux d'elle?

Chang acquiesça. Rosamonde rit encore plus fort.

– Oh! Vous êtes impayable! Cher, cher cardinal Chang. Je crois bien que vous venez de me donner l'information en or qui me permettra de me réconcilier avec Xonck. Une récompense inattendue!

Elle tenta de recomposer son visage mais elle ne pouvait s'empêcher de sourire.

– Avez-vous vu du verre bleu ailleurs que dans le livre cassé?

Chang fit oui de la tête.

– J'en suis vraiment désolée pour vous. Était-ce… oui bien sûr, le prince avait en sa possession une des cartes du comte, n'est-ce pas? Il n'y a pas d'homme qui aime plus que lui se regarder. Est-ce le docteur qui l'a trouvée?

Chang acquiesça.

– Alors, le docteur et miss Temple sont eux aussi au courant de l'existence du verre bleu?

Chang acquiesça.

– Et ils sont au courant du Procédé… Ne répondez pas: évidemment qu'ils sont au courant, elle y a assisté en personne et le docteur a examiné le prince… Savez-vous quel est le sens du mariage de Lydia Vandaariff?

Chang secoua la tête.

– Êtes-vous allé à Tarr Manor?

Chang secoua de nouveau la tête. Elle plissa les yeux.

– J'imagine que miss Temple y est déjà allée avec Roger… mais il y a si longtemps que c'est sans importance. Très bien. Une dernière question pour l'instant… Suis-je la femme la plus délicieuse qu'il vous ait été donné de rencontrer?

Chang acquiesça. Elle sourit. Puis, lentement, comme le soleil qui se couche à l'horizon, son sourire s'effaça et elle soupira.

– C'est beau de se quitter sur cette pensée, pour vous comme pour moi. C'est dommage d'avoir à nous quitter, bien sûr. Pour moi, vous représentez une sorte de plat exotique… plutôt cru… et j'aurais préféré m'attarder sur vous. Je suis désolée.

Elle mit la main dans la petite poche de sa veste cintrée et sortit une autre dose de la poudre bleue et fine sur le bout de son doigt ganté.

– Prenez cela comme la possibilité d'aller retrouver votre amour perdu…

Elle lui souffla la poudre au visage. Chang avait la bouche fermée, mais il pouvait la sentir entrer dans son nez. Il eut l'impression que sa tête devenait glace. Il sentit son sang se figer et déchirer les veines de son cerveau. Il agonisait sans pouvoir bouger. Ses oreilles distinguèrent un craquement. Ses yeux se révulsèrent. Il regardait les dalles du plancher. Il était tombé. Il était aveugle. Il était mort.

Le lustre était composé de trois anneaux de fer concentriques et chacun portait des bobèches de fer forgé qui soutenaient les bougies. Sur tout le lustre, il y avait à peu près une centaine de bobèches. Chang leva les yeux vers le plafond, très haut au-dessus de lui, et compta seulement huit bougies encore allumées. Combien de temps s'était écoulé? Il n'en avait pas la moindre idée. Il réussissait à peine à penser. Il se roula sur le côté pour vomir et constata que ce n'était pas la première fois. La vomissure était bleue et même lui pouvait se rendre compte de son odeur insoutenable. Il roula de l'autre côté. Il avait l'impression qu'on lui avait coupé la tête et qu'on l'avait mise dans de la glace et de la paille.

C'était son nez qui l'avait sauvé, il en était sûr. Les lésions internes, les cicatrices, les bouchons. D'une manière ou d'une autre, il n'y avait pas eu assez de poudre dans ses poumons pour qu'il en mourût. Il s'essuya le visage, des coulées de mucus bleu sortaient de sa bouche et de ses narines. Elle avait tenté de le tuer, mais les cicatrices qu'il avait à l'intérieur du nez avaient empêché la dose fatale de faire son effet. Il avait absorbé le produit plus lentement, ce qui lui avait permis de survivre. Combien de temps cela avait-il duré? Il leva les yeux vers les lucarnes. La nuit était tombée. La pièce était froide. La cire avait coulé sur le plancher. Il essaya de s'asseoir, sentit que c'était impossible, alors il se recroquevilla loin des vomissures et ferma les yeux.

Il se réveilla un peu plus tard, se sentant nettement mieux, c'est-à-dire légèrement plus alerte qu'un cochon égorgé et pendu à un crochet. Il se mit à genoux. Il passa sa langue dans sa bouche et eut un haut-le-cœur. Il chercha son mouchoir et s'essuya le visage. Il ne vit d'eau nulle part dans la pièce. Chang se leva, les yeux fermés.

La pièce tanguait autour de lui, mais il ne perdit pas l'équilibre. Il vit la théière renversée par terre, la ramassa et la remua doucement. Il en restait encore un fond. En prenant garde de ne pas se couper avec le bec cassé, il se versa le thé amer dans la bouche, se la rinça et cracha par terre. Il prit une autre gorgée, l'avala, puis il posa la théière ébréchée sur le plateau. Il découvrit avec plaisir sa canne sous la table. Et comprit qu'on l'avait laissée là par mépris, et surtout pour que l'on retrouvât son corps avec une arme. Il se sentait faible et malade mais tout ce qu'il y a de plus décidé à les faire payer.

Il vit une lanterne dans la pièce et, après avoir cherché quelques instants, il trouva de quoi l'allumer. Une fois qu'il eut franchi la porte, il faisait noir, comme avant, mais Chang était maintenant capable de se déplacer facilement même s'il ne savait toujours pas où aller. Il erra pendant un moment, sans croiser personne ni entendre le moindre bruit. Il traversa des remises, des salles de réunion, des couloirs, mais aucune des pièces devant lesquelles il se souvenait être passé avec Bascombe et Xonck. Il marchait droit devant, tournait parfois à gauche, parfois à droite, en essayant de garder à peu près la même direction. Il aboutit à un cul-de-sac, devant une grande porte sans serrure ni poignée. Elle lui résista. Elle était probablement condamnée ou verrouillée de l'autre côté. Chang ferma les yeux. De nouveau, il se sentit mal en point, la marche l'ayant épuisé. Furieux, il frappa à la porte.

Une voix étouffée lui répondit.

– Monsieur Bascombe?

Au lieu de répondre, Chang frappa encore. Il entendit qu'on soulevait la barre. Il ne savait pas trop à quoi il devait s'attendre, s'il devait jeter la lanterne, préparer sa canne ou battre en retraite. Il n'avait absolument pas la force de faire quoi que ce fût de tout cela. On ouvrit la porte et Chang se retrouva devant un soldat du régiment des Dragons dans son uniforme rouge.

Il regarda Chang.

– Vous n'êtes pas monsieur Bascombe.

– Bascombe est parti, dit Chang. Il y a des heures de cela. Vous ne l'avez pas vu?

– J'étais de garde à six heures seulement, dit le soldat en fronçant les sourcils. Qui êtes-vous?

– Je m'appelle Chang. J'étais avec Bascombe. J'ai été malade. Est-ce que vous pourriez…

Chang ferma les yeux et s'efforça de finir sa phrase.

– Est-ce que vous auriez de l'eau?

Le soldat débarrassa Chang de sa lanterne et le prit par le bras pour le conduire à un petit poste de garde. Comme le couloir, la pièce était éclairée par des appliques à gaz qui diffusaient une lumière pâle. Chang put voir qu'ils se trouvaient près d'un grand escalier, probablement l'accès principal menant à cet étage, par opposition au repaire caché de Bascombe où on l'avait emmené.

Il était trop épuisé pour réfléchir. Il s'assit sur une simple chaise en bois et on lui donna une tasse de thé avec un peu de lait. Le soldat, qui se présenta sous le nom de Reeves, posa sur les genoux de Chang un plateau métallique avec du pain et du fromage et lui fit signe de manger quelque chose.

Le thé chaud lui brûlait la gorge, mais il se sentait quand même revigoré. Il mordit dans le morceau de pain et se força à mâcher, ne serait-ce que pour se stabiliser l'estomac. Après quelques bouchées, toutefois, il se rendit compte à quel point il était affamé et se mit à dévorer tout ce que l'homme lui avait donné. Reeves remplit de nouveau sa tasse et s'assit après s'en être servi une aussi.

– Je vous remercie sincèrement, dit Chang.

– Il n'y a pas de quoi, dit Reeves en souriant. Vous aviez une tête de déterré, si j'ose dire. Maintenant, vous avez seulement une sale tête. Il rit.

Chang sourit et avala son thé. Il sentait les parois de sa gorge et son palais à vif, là où la poudre l'avait brûlé. Chaque respiration lui procurait une douleur intense, comme s'il s'était cassé les côtes. Il ne pouvait que spéculer sur l'état de ses poumons.

– Alors, vous dites qu'ils sont tous partis ? demanda Reeves. Chang acquiesça.

– Il y a eu un accident avec une lanterne. Un des hommes, Francis Xonck, vous le connaissez ?

Reeves secoua la tête.

– Il s'est renversé de l'huile sur le bras et tout a pris feu. Monsieur Bascombe est parti avec lui pour chercher un chirurgien. Ils m'ont laissé et, je ne sais pas pourquoi, je me suis senti mal. Je croyais qu'il reviendrait, mais je me rends compte que je me suis endormi, et je n'ai aucune idée de l'heure qu'il peut être.

– Il sera bientôt neuf heures du soir, dit Reeves.

Il jeta un coup d'œil nerveux en direction de la porte.

– Je dois finir mon tour de garde…

Chang fit un geste de la main.

– Je ne veux pas vous déranger. Je vais m'en aller, dites-moi simplement par où je dois passer. Je ne voudrais surtout pas vous causer d'embarras.

– Ce n'est pas absolument pas un embarras que de porter secours à un ami de monsieur Bascombe, dit Reeves en souriant.

Ils se levèrent et Chang posa maladroitement sa tasse sur la desserte.

Il leva les yeux. Un homme se tenait dans l'embrasure de la porte, portant un casque en cuivre sous son bras et, au côté, un sabre. Reeves se mit au garde-à-vous. L'homme entra. Il portait les galons dorés de capitaine sur le col de son uniforme rouge.

– Reeves, dit-il tout en regardant Chang.

– Monsieur Chang, mon capitaine, qui travaille avec monsieur Bascombe.

Le capitaine ne répondit pas.

– Il était à l'intérieur, mon capitaine. Je faisais mon tour de garde et je l'ai entendu frapper à la porte…

– Quelle porte ?

– La porte cinq, capitaine, la zone de monsieur Bascombe. Monsieur Chang s'est senti mal.

– Oui, très bien. Vous pouvez disposer. Vous êtes en retard pour prendre la relève de Hicks.

– Capitaine !

L'officier entra dans la pièce et fit signe à Chang de s'asseoir. Derrière eux, Reeves saisit son casque et sortit en trombe mais s'arrêta à la porte pour faire un signe de tête à Chang dans le dos de son supérieur. Ses pas hâtifs résonnèrent dans le couloir, puis dans l'escalier. Le capitaine se servit une tasse de thé et s'assit. Chang s'assit en même temps que lui.

– Donc, vous dites vous appeler Chang ?

– Oui, c'est comme ça qu'on m'appelle, dit Chang en acquiesçant.

– Smythe, capitaine du 4e régiment des Dragons. Reeves semblait dire que vous vous étiez senti mal ?

– En effet… il a été très aimable.

– Tenez !

Smythe avait sorti de la poche de sa veste une petite flasque. Il dévissa le bouchon et la tendit à Chang.

– C'est de l'eau-de-vie de prune, dit il avec un sourire. J'ai un faible pour les sucreries.

Chang en but une gorgée. Il se sentait téméraire et il avait une furieuse envie de boire. Il sentit une vive douleur dans sa gorge, mais l'alcool semblait brûler tous les résidus de poudre bleue. Il lui rendit la flasque.

– Je vous remercie.

– Vous êtes un des hommes de Bascombe ? demanda le capitaine.

– Je n'irais pas jusque-là. Je passais le voir à sa demande. Quelqu'un de son entourage a eu un accident avec une lampe à huile…

– Oui, Francis Xonck, dit le capitaine Smythe en hochant la tête. Il paraît qu'il a été gravement brûlé.

– Ça ne m'étonne pas. Comme je l'ai dit au soldat Reeves, je me suis senti mal avant qu'ils soient de retour. J'ai dû dormir, j'ai peut-être eu de la fièvre… ç'a duré plusieurs heures… et je me suis réveillé seul. Je croyais que Bascombe reviendrait. Nous n'avions pas conclu notre affaire.

– Les blessures de monsieur Xonck ont sûrement demandé beaucoup de soins.

– Sans aucun doute, dit Chang. C'est un personnage important.

Il se permit de se servir un peu plus de thé. Smythe ne sembla pas le remarquer. Celui-ci se leva et traversa la pièce jusqu'à la porte, il la ferma et la verrouilla. Il sourit à Chang d'un air un peu contrit.

– On n'est jamais trop prudent dans les locaux du gouvernement.

– Le 4ᵉ régiment des Dragons vient tout juste d'être affecté au ministère des Affaires étrangères, dit Chang. Je crois que les journaux en ont parlé. Ou est-ce au Palais?

Smythe se rassit et examina Chang attentivement pendant un instant avant de répondre. Il prit une gorgée de thé et s'adossa, tenant sa tasse entre les mains.

– Je crois que vous connaissez notre colonel.

– Qu'est-ce qui vous fait dire ça?

Smythe demeura silencieux. Chang poussa un soupir, il y avait toujours un prix à payer pour l'idiotie.

– Vous m'avez vu hier matin, dit-il, près des docks avec Aspiche.

Smythe fit oui de la tête.

– C'était stupide de se rencontrer à cet endroit.

– Me diriez-vous l'objet de cette rencontre?

– Peut-être, répondit Chang en haussant les épaules.

Il sentait toute la méfiance et la position défensive du capitaine Smythe, mais il choisit d'aller un peu plus loin.

– Si vous me dites quelque chose avant.

Smythe pinça ses lèvres.

– Quoi donc?

– Étiez-vous avec Aspiche et Trapping en Afrique?

Smythe fronça les sourcils. Ce n'était pas la question à laquelle il s'attendait. Il acquiesça.

– Je vous demande cela, poursuivit Chang, parce que le colonel Aspiche avait insisté sur les différences morales et professionnelles qui le distinguaient de Trapping. Je ne me fais aucune illusion quant au caractère du colonel Trapping. Mais, si je puis me permettre, le choix de notre lieu de rencontre hier n'est qu'un exemple parmi d'autres de l'insouciance arrogante d'Aspiche telle que j'ai pu la constater en ayant affaire à lui.

Chang se demanda s'il n'était pas allé trop loin. Il était difficile d'évaluer la loyauté de quelqu'un, et en particulier d'un soldat qui a du métier. Smythe l'étudia de près avant de parler.

– Il y a beaucoup d'officiers qui achètent leur charge. Il n'est pas rare de servir sous les ordres d'hommes qui ne sont soldats que parce qu'ils ont payé pour l'être.

Chang se rendait compte que Smythe choisissait prudemment ses mots.

– Le lieutenant-colonel n'était pas de ceux-là… mais…

– Il n'est plus ce qu'il était ? s'enquit Chang.

Smythe l'observa pendant un instant, le considérant avec le regard acéré d'un homme d'expérience, ce qui n'était pas très confortable. Après quelques instants, il poussa un long soupir, comme s'il avait pris une décision qui ne lui plaisait pas, mais qu'il ne pouvait éviter.

– Vous connaissez l'opium ? demanda-t-il.

Chang réprima un sourire en hochant la tête le plus nonchalamment possible tandis que Smythe continuait :

– Alors vous savez que, parfois, la première pipe peut corrompre un homme et le pousser à sacrifier tout le reste de sa vie pour un rêve d'opium. Il en va ainsi pour Noland Aspiche, mais ce n'est pas la drogue qui l'obsède, c'est la position et le succès d'Arthur Trapping. Je ne suis pas son ennemi. Je l'ai servi avec loyauté et avec respect. Mais sa jalousie envers la promotion imméritée de cet homme dévore ou a dévoré tout ce qu'il y avait de juste et de consciencieux chez lui.

– Et maintenant, c'est lui qui commande le régiment.

Smythe acquiesça d'un geste brusque. Ses traits se durcirent.

– J'en ai assez dit. Pourquoi vous êtes-vous rencontrés ?

– Je suis un homme qui accomplit certaines missions, dit Chang. Le lieutenant-colonel Aspiche m'a engagé pour que je retrouve Arthur Trapping qui avait disparu.

– Pourquoi ?

– Pas parce qu'il a de l'affection pour lui, si c'est ce que vous voulez savoir. Trapping était le pion d'un certain nombre d'hommes de pouvoir, c'est leur influence et leurs intérêts qui expliquent que le régiment ait quitté les colonies pour se retrouver au Palais. Puisqu'il manquait à l'appel, Aspiche voulait prendre le commandement, mais il voulait aussi connaître les autres forces en présence.

Smythe eut une moue de dégoût. Chang était heureux d'avoir masqué une partie de la vérité.

– Je vois… Et vous l'avez trouvé ?

Chang hésita, puis il haussa les épaules. Le capitaine avait l'air sincère.

– Oui, je l'ai retrouvé. Il est mort, assassiné. Je ne sais ni comment ni par qui. On a jeté son corps dans le fleuve.

– Mais pourquoi ? demanda Smythe interloqué.

– Vraiment, je n'en sais rien.

– Est-ce la raison de votre présence ici, pour faire un rapport à Bascombe ?

– Non, pas exactement.

Smythe se raidit et devint plus méfiant.

– Ne vous inquiétez pas, ou plutôt oui, inquiétez-vous, ajouta Chang, mais pas à cause de moi. Je suis venu parler à Bascombe. Quelle est votre impression sur lui ?

Smythe haussa les épaules.

– C'est un haut fonctionnaire. Il n'est pas bête et ne prend pas des airs supérieurs comme tant d'autres. Pourquoi ?

– Pour rien. Il joue vraiment un rôle mineur. J'ai surtout affaire à Xonck et à la Contessa di Lacquer-Sforza, qui étaient des alliés du colonel Trapping, surtout Xonck. Et, pour des raisons qui m'échappent, l'un d'entre eux, je ne sais pas lequel et peut-être bien qu'eux-mêmes ne le savent pas non plus, s'est arrangé pour qu'il meure. Vous savez aussi bien que moi qu'ils ont maintenant Aspiche dans leur poche. Ce que vous avez fait comme opération aujourd'hui, transporter des caisses d'équipement depuis l'Institut royal…

– Oui, jusqu'à Harschmort.

– Exactement, poursuivit Chang sans montrer sa satisfaction pour ce que Smythe venait de lui révéler. Robert Vandaariff participe à leur projet, il est peut-être même l'architecte de tout cela, lui et le prince héritier du duché de Macklenburg…

Smythe lui fit signe d'arrêter. Il sortit sa flasque et, les sourcils froncés, il avala une grande rasade. Il la tendit à Chang qui ne refusa pas. La gorgée d'alcool lui enflamma encore la gorge mais, avec une légère pointe de masochisme, il se persuada que c'était pour son bien. Il rendit la flasque.

– Tout ça…

Smythe parlait presque trop doucement pour qu'on puisse l'entendre.

– Certaines choses sont tout à fait louches et pourtant il y a eu des promotions, des remises de médailles, le Palais, les ministères ; et nous passons notre temps à escorter des charrettes ou des mondains assez stupides pour s'immoler par le feu…

– De qui recevez-vous vos ordres au Palais? demanda Chang. Ici, vous dépendez de Bascombe et de Crabbé, mais ils doivent avoir l'aval des instances supérieures.

Smythe ne l'écoutait plus. Il était perdu dans ses pensées. Il leva la tête et Chang vit que son visage était empreint d'une lassitude qu'il n'avait pas encore remarquée.

– Le Palais? Un repaire de ducs sans aucun pouvoir qui paradent autour d'une harpie vieillissante que tout le monde déteste.

Smythe secoua la tête.

– Vous devriez partir. La relève va arriver et le lieutenant-colonel sera peut-être avec elle. Il vient souvent tard le soir pour s'entretenir avec le vice-ministre. Ils préparent quelque chose, mais aucun des officiers ne sait de quoi il s'agit. Comme vous devez l'imaginer, la plupart d'entre eux sont aussi arrogants qu'Aspiche. Nous devrions faire vite, on leur a peut-être donné votre nom. Je suppose que votre histoire de malaise, vous l'avez inventée?

Chang se leva en même temps que lui.

– Pas du tout, on a voulu m'empoisonner, mais j'ai eu l'indélicatesse de survivre.

Smythe se permit un sourire furtif.

– Où va le monde si un homme refuse d'obéir aux gens de la haute et ne meurt même pas quand on le lui demande?

Smythe le mena à la hâte jusqu'au deuxième étage puis, en empruntant plusieurs couloirs sinueux, jusqu'au balcon situé au-dessus de la porte arrière.

– La relève arrive ici un peu plus tard que devant, et mes hommes seront encore là, expliqua-t-il.

Il examina Chang de plus près, en détaillant ses vêtements et ses yeux impénétrables.

– Je crains que vous ne soyez une crapule ou plutôt ce que je considérerais normalement comme tel, mais en ces temps étranges, on fait de curieuses rencontres. Je suis convaincu que vous dites la vérité. Si nous pouvons nous venir en aide mutuellement… nous serons moins isolés.

Chang lui tendit la main.

– Capitaine, je suis une crapule, c'est certain. Et pourtant, je suis un ennemi de ces gens. Je vous remercie de votre gentillesse, j'espère que je pourrai un jour vous rendre la pareille.

Smythe lui serra la main et d'un geste de la tête lui indiqua la porte.

– Il est neuf heures et demie. Vous devez partir.

En descendant l'escalier, Chang lui chuchota :

– Nous ne sommes pas seuls, capitaine. Vous croiserez peut-être un médecin allemand de l'entourage du prince, Svenson. Ou une jeune femme, miss Céleste Temple. Nous sommes ensemble dans cette histoire. Si vous leur mentionnez mon nom, ils vous feront confiance. Je vous promets qu'ils sont plus redoutables qu'ils n'en ont l'air.

Ils étaient sur le seuil de la porte. Le capitaine Smythe lui fit un signe de tête rapide, car s'il en avait fait davantage, les soldats l'auraient remarqué. Chang sortit dans la rue.

Il s'arrêta à St. Isobel's Square et s'assit un moment près de la fontaine. Derrière les nuages sombres, la lueur de la lune brillait faiblement. Un brouillard montait du fleuve, arrivait vers lui le long des briques des immeubles, s'insinuait jusqu'à sa gorge et ses poumons irrités. Il s'inquiétait de son état : il avait connu des tuberculeux qui crachaient leur vie dans des mouchoirs sanguinolents et il songea qu'il en était peut-être au premier stade d'une pareille misère. En inspirant, il sentit encore un élancement, comme si du verre déchirait les tissus de ses poumons à chaque respiration. Il se racla la gorge et laissa choir un crachat lourd sur le pavé.

Les caisses avaient été envoyées à Harschmort. Était-ce parce qu'il n'y avait plus de place où les mettre ? Ou pour que ce soit plus discret ? Sûrement les deux. Subitement, il pensa aux canaux. Harschmort était l'emplacement idéal pour expédier les caisses par voie fluviale… jusqu'à Macklenburg. Il s'en voulut de ne pas avoir étudié, quand il en avait eu l'occasion, les cartes qui se trouvaient dans la rotonde de la tourelle. Il aurait pu au moins les décrire à Svenson. Il se souvenait seulement très vaguement des endroits qui étaient marqués par des épingles colorées. Il soupira. Une occasion ratée. Il décida de ne plus y penser.

Le temps pendant lequel il avait perdu connaissance avait anéanti toutes ses chances de retrouver miss Temple. Il était possible qu'elle fût allée chez Bascombe, mais il résista à la tentation de s'y rendre, même si l'idée de le rosser ne lui aurait pas déplu, quelle que fût sa véritable allégeance. Pour la première, fois il se demanda si miss Temple n'avait pas elle aussi résisté à cette tentation. Était-il possible qu'elle ne fût pas allée chez Bascombe?

Elle les avait abandonnés, bouleversée après leur avoir parlé de ce qu'elle avait perdu. Si elle ne parlait pas de Bascombe, alors de qui parlait-elle? S'il la prenait au sérieux, et il se rendit compte qu'il ne l'avait jamais fait, elle ne portait plus Bascombe dans son cœur. Qui d'autre avait pu lui faire autant de mal?

Chang se maudit d'avoir été aussi bête et il se mit à marcher aussi vite qu'il le put en direction du Ste-Royale.

Il évita la façade de l'hôtel et se dirigea directement vers la ruelle où des hommes en veste blanche qui travaillaient en cuisine traînaient des poubelles d'où débordaient les déchets et les restes de la soirée. Il s'avança vers celui qui était le plus près, fit un geste pour désigner les poubelles qui s'accumulaient et lui lança d'un ton sec:

– Qui vous a dit de laisser ça là? Où est le responsable?

L'homme leva les yeux vers lui sans comprendre. De toute évidence, ils avaient toujours mis les poubelles à cet endroit, mais devant l'attitude dure et étrange de Chang, il bafouilla.

– M… monsieur Albert?

– Oui! Oui. Où est-il, monsieur Albert? Il faut que je lui parle immédiatement!

L'homme pointa du doigt l'intérieur de l'hôtel. Quand les autres se mirent à le regarder, Chang se tourna vers eux.

– Très bien. Restez là, vous autres. Nous verrons bien.

Il traversa un couloir de service et tourna dès qu'il le put pour s'éloigner de la cuisine et de monsieur Albert. Comme il l'avait espéré, il parvint à la buanderie et aux réserves. Enfin, il trouva ce qu'il cherchait: un portier en livrée qui traînait là, une chope de bière à la main. Chang surgit au milieu des balais, des seaux et des éponges et ferma la porte derrière lui. Le portier surpris en eut le souffle coupé et recula instinctivement dans une forêt de manches à balai. Chang tendit le bras et le prit par le col en lui parlant tout bas et très vite.

– Écoute-moi. Je suis très pressé. Je dois transmettre un message, en personne et discrètement, à la Contessa di Lacquer-Sforza. Tu la connais?

L'homme fit oui de la tête.

– Très bien. Tu vas me conduire à ses appartements par l'escalier de service. Personne ne doit nous voir. Il en va de la réputation de la dame. Elle doit absolument recevoir les nouvelles que je lui porte.

Il fouilla dans sa poche et en sortit une pièce de monnaie en argent. L'homme la vit, hocha la tête puis, d'un seul geste, Chang remit la pièce dans sa poche et tira l'homme hors de la remise. Il l'aurait une fois qu'ils seraient arrivés.

C'était au troisième étage, à l'arrière de l'immeuble, ce qui sembla logique à un esprit méfiant comme celui de Chang : trop haut pour que l'on puisse y grimper ou s'en échapper, et loin du brouhaha de l'avenue.

Le portier frappa à la porte. Pas de réponse. Il insista. Toujours aucune réponse. Chang l'écarta et lui donna la pièce promise. Il en sortit une seconde :

– Nous ne nous sommes jamais vus, dit-il en lançant la pièce dans la main du portier.

Le portier acquiesça. Chang le regardait d'un air féroce. Après avoir fait quelques pas à reculons, l'homme se retourna, se mit à courir et disparut. Chang sortit son trousseau de clés. Le verrou céda, il tourna la poignée et entra.

Cette suite était tout le contraire de celle de Céleste au Boniface. Partout s'étalait le luxe excessif qui caractérisait le Ste-Royale : les tapis et le cristal, les meubles surchargés, les fleurs en abondance, les rideaux somptueux, jusqu'au motif du papier peint bien trop compliqué, et la suite elle-même, beaucoup trop vaste.

Chang ferma la porte derrière lui et s'avança dans le salon. L'appartement semblait abandonné. L'éclairage au gaz avait été tamisé mais permettait d'y voir. Il sourit en constatant une autre différence. Les vêtements, surtout de la soie et des dentelles, étaient éparpillés un peu partout sur les accoudoirs des fauteuils et des divans et même sur le sol. Il ne pouvait imaginer qu'un tel désordre pût résister à la vigilance rigoureuse de tante Agathe, mais la vie dissolue de la maîtresse des lieux faisait peu de place à ce genre de sens de l'ordre un peu primaire.

Il s'approcha d'un bureau de style assez élégant encombré de bouteilles vides, prit une chaise tout aussi raffinée et s'en servit pour caler la porte. Il ne voulait pas qu'on l'interrompît pendant qu'il menait son enquête.

Il augmenta l'intensité des lampes à gaz et regagna le salon. Les portes des pièces voisines étaient ouvertes sur les côtés. Au fond de la pièce, une seule porte était fermée. Il jeta un coup d'œil de chaque côté aux chambres des domestiques et au deuxième salon, toutes ces pièces étant jonchées de vêtements et, dans le cas du salon, de verres et d'assiettes. Il s'approcha de la porte close et l'ouvrit. Il faisait noir. Il chercha l'applique à tâtons et éclaira un autre salon élégant meublé de deux splendides méridiennes, avec un plateau rempli de bouteilles. Chang s'arrêta net, le cœur serré. Sous l'une des chaises se trouvait une paire de bottines vertes.

Il balaya du regard le reste de la pièce, à la recherche d'un autre indice. Sur le plateau de service se trouvaient quatre verres, dont quelques-uns étaient à moitié vides et portaient des traces de rouge à lèvres ; deux autres verres étaient par terre sous l'une des méridiennes. Sur le mur en face de lui, en hauteur, était accroché un grand miroir au cadre massif, qui renvoyait l'image de la porte selon un angle particulier. Chang se regarda avec un certain malaise, il n'aimait pas se voir, mais il aperçut autre chose dans le miroir, un petit tableau sur le mur à côté de lui, qui ne pouvait être que l'œuvre d'Oskar Veilandt. Il le décrocha du mur et le retourna.

D'une écriture qu'il supposa être celle de l'artiste lui-même, on avait écrit «Annonciation, Fragment, 3/13» à la peinture bleue, en dessous, toute une série de symboles, comme une formule mathématique avec des caractères grecs et, à la suite ces mots, « Et ainsi ils renaîtront à la vie. »

Il retourna la toile du côté où elle était peinte et il fut frappé par son côté morbide. C'était peut-être le contraste entre l'image et le somptueux encadrement doré, et donc l'isolement, l'aspect fragmentaire et étroitement cadré du sujet, qui faisait en sorte que l'ensemble paraissait aussi provocant, mais Chang n'arrivait pas à en détourner son regard. C'était moins pornographique – en fait, il n'y avait rien de vraiment explicite – que franchement monstrueux. Il était bien incapable de dire pourquoi, mais son frisson de dégoût était aussi fort que le frémissement d'excitation qui parcourait son sexe. Ce fragment ne semblait pas compléter celui qu'ils avaient vu dans la galerie, et qui représentait le visage marqué de cicatrices d'une femme en extase – la simple idée qu'elle pût représenter Marie donnait la nausée.

Ce fragment montrait un bassin vu de côté, de superbes cuisses enlacées autour des hanches d'une silhouette bleue, la silhouette d'un homme qui manifestement montait un corps de femme. En regardant de plus près cependant, Chang vit les mains du personnage qui tenait les hanches de la femme... des mains bleues, elles aussi, portant de nombreuses bagues, tandis que sur les poignets brillaient des bracelets de différents métaux, des bracelets en or, en argent, en cuivre et en fer. Ce n'était pas les vêtements de l'homme qui étaient bleus mais sa peau. On avait peut-être voulu représenter un ange, ce qui était carrément blasphématoire, mais la nature un peu fantasmagorique de l'œuvre était compensée par une représentation presque parfaite de la matérialité des corps, de l'immédiate sensualité de l'abandon des hanches de la femme entre les mains de l'homme, le mouvement lascif de leur étreinte arrêté un instant mais évoquant clairement le plaisir de ce qui s'ensuivrait, au moins dans l'imagination du spectateur.

Chang déglutit et raccrocha maladroitement le tableau. Il le regarda encore, gêné de sa propre réaction. Pourtant, il continuait à être attiré et troublé par les ongles longs au bout de ces doigts bleus et par les empreintes tendres qu'ils laissaient sur la chair de la femme.

Il se retourna et se dirigea vers la méridienne. Il ramassa les bottines vertes qui étaient dessous. C'était sans aucun doute celles de Céleste. Il était extrêmement rare que Chang se sentît lié à quelqu'un par le devoir, mais puisqu'il avait établi ce lien avec une personne qui pourtant était si peu susceptible de lui être sympathique, le voir rompu aussi brutalement lui rongeait la conscience. Ces bottines lui parurent tout à coup émouvantes, les pieds qui les chaussaient étaient donc si petits pour pouvoir y entrer et pourtant ils avaient un pas si décidé. Tout cela lui devint brusquement insoutenable. Il poussa un soupir d'amertume, envahi par les regrets, et il laissa tomber les bottines sur le siège. Dans la pièce, il y avait une porte entrouverte. Il la poussa du bout de sa canne et elle s'ouvrit sans faire de bruit.

De toute évidence, c'était la chambre de Rosamonde. Le lit était massif, avec des colonnes en acajou aux quatre coins et de lourds rideaux de damas violet de chaque côté. Le plancher était jonché de vêtements, surtout des dessous, mais aussi, çà et là, les accessoires d'une robe, ou une veste, ou encore des chaussures. Rien de tout cela ne lui semblait appartenir à Céleste, mais il savait bien qu'il lui était presque impossible d'en être certain.

Le simple fait de penser aux dessous de Céleste lui donna des idées qu'il n'avait jamais eues jusqu'ici, ce qui, maintenant qu'il craignait qu'elle ne fût morte, lui parut tout à fait déplacé. C'était sans doute encore les effets du tableau de Veilandt, mais Chang se surprit à s'imaginer enlacer son torse délicat… faisant courir ses mains sur ses hanches libérées de son corset et de ses jupons. Ses pensées – et il se demanda même si son cœur n'était pas de la partie – étaient obnubilées par la texture crémeuse de sa peau. Il se reprit. Mais à quoi pensait-il? Il était fort possible qu'en ouvrant les rideaux violets il découvre son cadavre. Il s'obligea à reprendre son enquête dans la pièce et à oublier ces fantasmes. Chang inspira profondément, ressentit une vive douleur à la poitrine, puis s'approcha du lit. Il écarta les rideaux.

Les draps et les couvertures étaient en désordre, mais Chang réussit à y repérer le bras pâle d'une femme. Il regarda les oreillers empilés sur sa tête et enleva celui du dessus. Il vit apparaître une chevelure châtain foncé. Il retira un autre oreiller et vit un visage aux yeux fermés et aux lèvres délicatement entrouvertes, qui portait sur la peau autour des yeux des cicatrices presque effacées. C'était Margaret Hooke, Mrs. Marchmoor. Chang se rendit compte qu'elle était nue au moment même où elle ouvrit les yeux. Son regard vacilla quand elle le vit penché sur elle, mais son visage ne montra aucune surprise. Elle bâilla et, tout ensommeillée encore, elle frotta paresseusement son œil gauche. Quand elle s'assit, les draps glissèrent jusqu'à sa taille avant qu'elle ne les ramenât à elle distraitement pour se couvrir.

– Seigneur! dit-elle en s'étirant. Quelle heure est-il?

– Il doit être près de onze heures, répondit Chang.

– J'ai dû dormir pendant des *heures*! Je suis certaine que ce n'est pas bon pour moi.

Elle leva les yeux vers lui et dans son regard dansa une lueur de coquetterie joyeuse.

– Vous êtes le Cardinal, n'est-ce pas? On m'avait dit que vous étiez mort.

Chang hocha la tête. Elle avait au moins la décence de ne pas avoir l'air déçue.

– Je cherche miss Temple, dit-il. Elle était ici.

– Elle *était*… répondit distraitement la femme d'un ton morne. Vous ne pourriez pas demander ça à quelqu'un d'autre?

Il se retint de la gifler.

– Vous êtes seule, Margaret. À moins que vous ne préfériez que je vous ramène chez Mrs. Kraft. Je suis sûr qu'elle est très inquiète de votre disparition.

– Non, merci.

Elle le regarda comme si elle le voyait clairement pour la première fois.

– Vous êtes désagréable, dit-elle comme si c'était une surprise pour elle.

Chang la prit par la mâchoire et la força à le regarder dans les yeux.

– Et ça ne fait que commencer... Qu'avez-vous fait d'elle ?

Elle lui sourit, son visage commençait à trahir une certaine crainte.

– Qu'est-ce qui vous fait croire qu'elle n'est pas assez grande pour faire les choses par elle-même ?

– Où est-elle ?

– Je n'en sais rien, j'avais tellement envie de dormir... J'ai toujours envie de dormir... après... Il y en a qui ont envie de manger. Vous avez demandé dans les cuisines ?

Chang ne répondit pas à son allusion un peu salace, il savait qu'elle mentait pour le provoquer, pour gagner du temps, mais ce qu'elle disait provoquait en lui des pensées lascives... l'image de la bouche de cette femme frémissant de plaisir, puis son visage céda facilement la place à celui de Céleste, les lèvres retroussées, une moue désespérée d'angoisse et de plaisir.

Chang sursauta, lâcha la tête de Mrs. Marchmoor et recula. Elle repoussa les couvertures, se leva et s'avança vers un tas de vêtements jetés à terre. Elle était grande et plus gracieuse qu'il ne l'avait cru. Délibérément, elle lui tourna le dos et se pencha, comme une danseuse, pour prendre un peignoir, s'exposant ainsi à son regard dans une pose délibérément obscène.

Elle se releva et tourna la tête vers Chang pour s'assurer qu'il avait apprécié. Il remarqua de fines cicatrices blanches qui dessinaient comme de la dentelle tout le long de son dos : des marques de fouet. Elle enfila son peignoir de soie pâle orné d'un dragon chinois dans le dos et noua la ceinture d'un geste étudié, comme si, de ses mains, elle marquait la fin bien connue, ou le début, d'un mystérieux rituel.

– Je vois que votre visage est en train de guérir, dit Chang.

– Mon visage n'a aucune importance, répondit-elle en poussant doucement du pied le tas de vêtements et ne trouvant qu'une seule pantoufle qu'elle enfila en parlant. Le changement, il a lieu à l'intérieur, et c'est sublime.

Chang rit avec mépris.

– Moi, ce que je constate, c'est que vous avez pris congé d'un bordel pour en rejoindre un autre.

Il vit ses yeux se durcir, et constata avec satisfaction qu'il l'avait offensée.

– Vous ne savez pas ce que vous dites, dit-elle en arborant une légèreté qu'il savait fausse.

– Je viens juste de voir quelqu'un subir votre atroce Procédé, tout à fait contre son gré, et je peux vous dire que si c'est cela que vous avez fait à miss Temple…

Elle rit avec dédain.

– Ce n'est pas une *punition*. C'est un *cadeau* et la seule idée, l'idée complètement ridicule, que ce genre de personne, *cette* personne, votre chère miss Insignifiante…

Pour un instant, Chang fut profondément soulagé. Une peur dont il n'avait pas eu conscience jusqu'ici lui laissa un moment de répit, la crainte que miss Temple ne fût devenue l'une des leurs… presque comme s'il avait préféré qu'elle fût morte. Mais Mrs. Marchmoor continuait à parler.

– …ne peut pas apprécier les possibilités, les réserves de puissance…

C'était de l'orgueil, il le savait, surtout chez ceux qui avaient été soumis longtemps puis élevés à un rang supérieur. Les années de paroles réprimées faisaient que de leur bouche pouvaient sortir des flots incessants d'arrogance. Le passage brusque de la séductrice provocante à l'impérieuse lady fit ricaner Chang. Elle le vit se moquer. Elle se mit en colère.

– Vous croyez que je ne sais pas ce que vous êtes. Ou ce qu'*elle* est…

– Je sais que vous nous avez traqués tous les deux dans les bordels, sans aucune habileté et, d'ailleurs, sans succès.

– Sans succès? dit-elle en riant. Mais vous êtes là, n'est-ce pas?

– Miss Temple aussi était là. Où est-elle maintenant?

De nouveau, elle se mit à rire.

– Vous ne comprenez vraiment rien…

Chang s'avança brusquement vers elle, saisit le col de son peignoir d'une main, la prit à bras-le-corps de l'autre et la jeta sur le lit. En tombant, elle essaya de lui donner des coups de pieds pour se libérer. Il se pencha sur elle, lui laissant un instant secouer la tête pour enlever les cheveux qui lui tombaient sur la figure et lever les yeux vers son regard opaque.

– Non, Margaret, dit-t-il, les dents serrées. C'est vous qui ne comprenez rien. Vous étiez une putain. Vous n'avez plus de scrupules à livrer votre corps, alors, vu le métier que je pratique, eh bien, devinez ce que, moi, je n'hésite plus à faire. Et c'est moi qui suis à vos trousses, Margaret. Aujourd'hui, j'ai mis le feu à Francis Xonck, j'ai assommé le major du prince et j'ai survécu aux ruses de votre Contessa. Elle ne m'aura plus, vous m'entendez ? Dans ces cas-là, et croyez-moi, je m'y connais, on a rarement une deuxième chance. La seule d'entre vous qui pouvait le faire a eu une chance de me tuer. Et j'ai survécu. Je suis ici pour vérifier rapidement si vous pouvez m'être d'une quelconque utilité, vous m'entendez ? Si vous ne pouvez me servir à rien, à rien du tout, je vous assure que je n'aurai pas le moindre scrupule à vous exterminer comme si vous n'étiez qu'un rat de plus dans cette horde de vermines que je vais détruire, je vous le promets.

Il dégaina sa dague avec le geste le plus théâtral possible en espérant qu'il n'était pas allé trop loin, puis il reprit d'une voix plus normale.

– Maintenant, comme je vous l'ai déjà demandé, Margaret… où se trouve miss Temple en ce moment ?

Ce n'est qu'à cet instant que Chang prit la mesure de la force du Procédé. Cette femme n'était pas stupide, elle était seule, douée de raison et d'expérience, mais bien qu'elle eût écarquillé les yeux de peur lorsqu'il avait sorti son arme, elle se mit à fulminer, comme si ses paroles étaient des armes qui pouvaient éloigner celui qui la menaçait.

– Pauvre imbécile ! Elle est partie. Vous ne la retrouverez jamais. Elle est au-delà de tout secours, au-delà de votre entendement ! Vous vivez comme un enfant, vous êtes tous des enfants. Le monde ne vous a jamais appartenu et il ne vous appartiendra jamais ! J'ai été consumée et je suis revenue à la vie ! Je me suis livrée et j'ai été régénérée ! Vous ne pouvez pas me faire de mal. Vous ne pouvez rien changer. Vous êtes un ver dans la fange. Hors de ma vue ! Sortez d'ici ! Allez donc vous trancher vous-même la gorge dans le ruisseau !

Elle hurlait. Tout à coup, Chang explosa de rage. Ce trop-plein de mépris avait miné son sang-froid et pénétré sa chair comme un croc venimeux. Il laissa tomber le bâton de sa canne et, de la main gauche, s'empara de la cheville de Margaret et tira son corps violemment vers lui. Elle se redressa en hurlant, le regard fou, et n'essaya même pas de le repousser. Il tenait sa dague de la main droite. Au lieu de la poignarder, il lui donna un coup de poing sur la mâchoire en tenant le manche de son arme dans son poing. Sa tête fut violemment projetée en arrière, mais la jeune femme ne s'effondra pas. Chang, lui, avait les doigts meurtris. Les larmes aux yeux, les cheveux en bataille, son discours devint plus décousu.

– ...vous ne valez rien! Ignorant et sans personne... seul dans des chambres... des chambres misérables pour des corps misérables... des chenils... des chiens en rut...

Il laissa tomber sa dague et recommença à la frapper. Elle s'affala sur le lit en poussant un gémissement, la tête tournée de l'autre côté, silencieuse. Chang secoua la main en grimaçant et rengaina sa dague. Sa rage s'était dissipée. Il était tellement évident que son mépris envers lui était en fait un mépris envers elle-même qu'il se calma.

Il se demanda si quelqu'un d'autre dans l'hôtel avait pu entendre quelque chose et il eut le vague espoir que les cris, vu toutes les bouteilles vides qui traînaient, n'étaient pas ce qu'il y avait de plus rare dans les appartements de Rosamonde, la Contessa di Lacquer-Sforza.

Il baissa les yeux sur le corps de Margaret Hooke. Le peignoir ouvert laissait voir la douceur de son ventre et ses jambes croisées, un spectacle étrangement émouvant. C'était une jolie femme. Sa poitrine se soulevait au rythme de sa respiration encore irrégulière. C'était un animal, comme tout le monde. Il pensa aux cicatrices sur son dos, tellement différentes, sans doute, de celles sur son visage. Toutes témoignaient de sa soumission aux désirs des autres, des plus puissants. Et pourtant, elles étaient aussi les marques de sa dérive, de sa recherche erratique d'une forme quelconque de tranquillité. Pour Chang, son accès de rage signifiait simplement qu'elle n'avait pas encore trouvé ce qu'elle cherchait et qu'elle se contentait d'enfouir son malaise sous une bonne couche de maîtrise de soi. C'était probablement le plus émouvant. Il réajusta son peignoir, s'autorisa à passer la main le long de sa hanche et sortit de l'hôtel sans qu'on le vît.

En marchant dans les rues sombres, Chang repensa à ce que Mrs. Marchmoor avait dit: « Au-delà de tout secours. » Ce qui signifiait soit que quelque chose était déjà arrivé à miss

Temple, soit qu'elle était absolument certaine que quelque chose lui arriverait et que Chang serait incapable de l'empêcher. Son arrogance lui donna l'impression que c'était plutôt la deuxième hypothèse qui était la bonne. Il sentit le poids des bottines de Céleste dans chacune des poches de son manteau.

Il était probable, pensa-t-il, qu'ils l'aient emmenée dans le véritable fief de leur pouvoir, soit pour la convertir à l'aide du Procédé, soit pour la tuer. Mais, si c'était le cas, pourquoi ne pas l'avoir déjà fait?

Il eut une pensée douloureuse pour Angélique et le livre de verre. Iraient-ils jusqu'à répéter le rituel avec Céleste? Ce qu'ils avaient tenté de faire avec Angélique avait échoué à cause de son intervention, mais quel aurait été le résultat s'ils avaient réussi? Il était sûr que c'eût été encore plus monstrueux.

Où pouvaient-ils l'avoir emmenée? C'était la première question à se poser. Soit à Harschmort, où ils avaient emporté les caisses, soit à Tarr Manor, à propos duquel Rosamonde l'avait interrogé. Les deux endroits offraient l'avantage de l'isolement et de l'espace, sans aucun risque d'intervention extérieure.

Il tint pour acquis que Svenson était allé au manoir et en conclut que lui devait partir pour Harschmort... mais si ces forces monstrueuses étaient effectivement à l'œuvre, pouvait-il compter sur le docteur pour sauver qui que ce soit? Il imagina cet homme sérieux, avec Céleste inconsciente sur les épaules, tentant de tirer des coups de feu en direction d'une horde de Dragons lancés à ses trousses... tout cela était inexorablement voué à l'échec. Il fallait qu'il sache où ils l'avaient emmenée. Un mauvais calcul pouvait leur coûter la vie. Il fallait qu'il prenne le risque de rendre une petite visite à la bibliothèque.

Comme c'était le cas de la plupart des grands immeubles, étant donné leur envergure, aucun toit mitoyen n'était rattaché à la bibliothèque, ce qui aurait réglé le problème. Les grandes portes de l'entrée et l'entrée de service étaient toutes deux gardées, même de nuit. Depuis un poste d'observation situé à une quarantaine de mètres, Chang pouvait aussi voir les soldats en noir de Macklenburg, cachés dans l'ombre des colonnes alignées en haut des marches de l'escalier de la façade. Il supposa qu'il y en avait aussi derrière, à l'intérieur comme à l'extérieur. Mais rien de tout cela n'avait d'importance.

Chang courut vers une construction massive en pierre à une cinquantaine de mètres du bâtiment principal. La porte était bloquée par un système de fermeture en bois, mais à l'aide de sa dague qu'il fit glisser par la fente et en s'y prenant à plusieurs reprises, il parvint à ouvrir. Il entra et ferma la porte derrière lui.

Dans la faible lueur qui passait à travers la seule fenêtre munie de barreaux, il vit des lampes entassées. Il en choisit une, vérifia sa réserve d'huile puis frotta précautionneusement une allumette. Il baissa la mèche afin de laisser filtrer juste assez de lumière pour trouver la trappe. Il déposa la lampe et tira la porte de la trappe de toutes ses forces. Les gonds grincèrent, mais la porte s'ouvrit. Il reprit la lampe et regarda par le trou. Pour la deuxième fois de la journée, il remercia le ciel d'avoir été blessé au nez et il descendit dans les égouts.

Il l'avait déjà fait une fois lorsqu'un mauvais payeur lui avait donné du fil à retordre pendant assez longtemps. Son client avait envoyé des hommes à lui à la bibliothèque et Chang avait dû se cacher dans cet endroit abominable. Quand il avait décidé ce soir-là de régler le problème au rasoir, il était encore tout dégoulinant de l'eau des égouts, mais il faut dire que tout cela se passait vers la fin du printemps. Chang espérait que, l'hiver approchant, le niveau de l'eau serait assez bas pour qu'il n'eût pas à se tremper dans ce cloaque. La trappe s'ouvrait sur un escalier glissant et sans rampe. Il descendit, la canne dans une main, la lanterne dans l'autre jusqu'au conduit des égouts.

Le ruisseau nauséabond avait baissé de niveau depuis sa dernière visite et il constata avec soulagement qu'un passage de pierres glissantes assez large pour qu'il pût y marcher était dégagé. Il courba les épaules sous la saillie et avança très prudemment.

Il faisait sombre et la mèche de la lanterne crépitait dans l'air fétide. Il était sous la rue et, assez vite, en comptant ses pas, il fut sous la bibliothèque. Il fit encore une vingtaine de pas pour arriver à un autre escalier et à une autre trappe. Il remonta, poussa la porte de la trappe avec ses épaules et entra dans le dernier sous-sol de la bibliothèque, trois étages sous le hall d'entrée. Il essuya ses bottes du mieux qu'il put et referma la trappe derrière lui.

En maintenant la mèche de la lampe assez courte, Chang se dirigea vers l'étage principal et se précipita vers les rayons en traversant le couloir. Il connaissait intimement les lieux, en fait, il les connaissait comme un aveugle. Il y avait trois étages de rayonnages cachés pour chaque étage ouvert au public. Les allées de rayons étaient bondées, poussiéreuses et étroites, pleines de livres que l'on demandait rarement mais qui étaient néanmoins disponibles. Les murs, le plancher et les plafonds, étaient constitués de structures en fer, et, de jour, on pouvait voir à travers les interstices comme à travers un étrange kaléidoscope, jusqu'en haut de l'immeuble, sur presque douze niveaux. Chang gravit rapidement six étages jusqu'au troisième étage de la bibliothèque. Il donna un coup d'épaule dans la porte, elle se coinçait toujours, et pénétra dans la salle des cartes au plafond voûté ; celui-là même où Rosamonde l'avait engagé peu de temps auparavant.

Sachant que les gardes ne pouvaient le voir – la salle des cartes étant assez loin de l'escalier principal d'où l'on aurait pu le repérer –, Chang augmenta l'intensité de sa lampe. Il posa la lanterne sur l'un des grands meubles en bois et se mit à la recherche d'un volume précis sur le bureau du conservateur, le volumineux *Codex des cartes de l'arpenteur de la Couronne*. La meilleure source pour trouver une carte détaillée de Harschmort et de Tarr Manor. L'ennui est qu'il ne savait pas précisément où ces deux propriétés étaient situées, pas assez en tout cas pour deviner sur quelle carte il pourrait les dénicher. Il s'attela donc à lire les petits caractères du *Codex* et en parcourut l'index en plissant douloureusement les yeux.

Il mit plusieurs minutes à trouver les deux endroits, grâce à leurs coordonnées sur la carte principale au début du *Codex*. En les repérant sur la grande carte quadrillée qu'il n'était pas commode de déplier, il lui suffisait de trouver les numéros de référence des plans détaillés des arpenteurs parmi les centaines qui se trouvaient dans la collection de la bibliothèque. Il passa quelques minutes encore à étudier de près la carte maîtresse, puis il se mit à la recherche des plans d'arpentage classés dans un meuble haut à larges tiroirs plats. Le visage collé aux numéros de référence, il retrouva les deux plans en question et les sortit. Chacun d'eux était de bonne taille, il les porta donc sur l'une des grandes tables de lecture en récupérant la lanterne. Il se frotta les yeux et passa à l'étape suivante de ses investigations.

Le plan de Tarr Manor ainsi que des vastes terres appartenant à lord Tarr indiquait qu'il se trouvait dans le comté de Floodmaere. Il lui fut assez facile de repérer la carrière, à quelque cinq milles de la maison, là où se trouvaient des collines escarpées qui faisaient partie du domaine. Le manoir lui-même était grand mais pas immense et le terrain alentour ne lui parut pas matière à soupçons : des vergers, des pâturages et des étables. Les terres du domaine semblaient plutôt sauvages, sans cultures ni bâtiments. Il y avait bien quelques petites structures périphériques sur les lieux de la carrière, mais pouvaient-elles être suffisamment vastes pour abriter les expériences du comte ?

Le plan de Harschmort ne livrait guère plus d'indices. La demeure était certainement plus grande, il y avait bien les canaux avoisinants, mais le terrain alentour était constitué de pâturages plats et de marécages. Il connaissait la demeure, elle n'était pas particulièrement haute.

Il cherchait un endroit où ils auraient pu refaire une structure en sous-sol comme celle de l'Institut, profondément enfouie sous terre, mais en fait, des tours auraient aussi bien pu faire l'affaire. Il ne voyait rien de tel sur aucune des deux cartes.

Chang soupira et se frotta les yeux. Il n'avait plus beaucoup de temps.

Il reporta son attention sur le plan de Harschmort, car c'était là que les Dragons d'Aspiche avaient emmené les caisses de la cabale. Il se mit à chercher quelque chose qui lui aurait échappé à première vue. Il ne voyait pas bien l'autre côté de la carte, alors il la fit tourner sur la table pour la rapprocher de la lumière. Dans sa hâte, il en déchira le coin inférieur. Il poussa un juron agacé et considéra l'ampleur des dégâts. Il y avait quelque chose d'inscrit. Il regarda de plus près. Il s'agissait de la référence à une autre carte de la même région. Pourquoi un autre plan ? Il retint le numéro, retourna au *Codex* et le parcourut rapidement pour retrouver la référence.

Il ne comprit pas tout de suite. Le deuxième plan était un plan d'arpentage des constructions. Chang se précipita vers l'armoire, se dépêcha de le trouver et l'étendit sur la table. Il avait oublié ce détail. Pour en faire sa maison, Robert Vandaariff avait acheté et restauré une ancienne prison.

Il trouva tout de suite l'indice qu'il cherchait. La demeure actuelle était constituée de constructions disposées autour d'un jardin à la française plutôt grand. Sur le plan de la prison, cette partie centrale était dominée par une structure circulaire qui descendait sur plusieurs étages et que l'esprit de

Chang se dépêcha d'imaginer : des cellules aménagées autour d'une tour d'observation, le tout s'enfonçant profondément sous terre. Il regarda encore le plan de la demeure de Vanda-ariff… toute trace visible avait disparu.

Chang sut aussitôt que la structure se trouvait toujours là, enfouie. Il repensa à la salle de l'Institut, aux tuyaux qui couraient le long des murs jusqu'à la table où Angélique était étendue. Le système panoptique de la prison avait très bien pu être reconstruit pour avoir la même fonction. Il ne pouvait rien y avoir de semblable à Tarr Manor, les frais d'une telle construction dépassant, et de loin, les revenus d'une propriété moyenne comme celle-là.

Il laissa les cartes où elles étaient et se dirigea en toute hâte vers les rayons avec sa lanterne. Pour ce qu'il pouvait en savoir, Céleste devait se trouver en ce moment même à Harschmort, prisonnière de l'étreinte de la funeste table.

Il était minuit passé quand il arriva à la gare de Stropping. Le spectacle de ces lieux était peut-être encore plus infernal que dans son souvenir. Chang détestait quitter la ville, tout dans la gare provoquait donc chez lui rancœur et agacement : les hurlements des sifflets, les jets de vapeur, les anges à l'air mauvais qui encadraient l'horrible horloge et, dessous, cette poignée d'âmes désespérées, seules sous l'immense verrière, même à cette heure tardive.

Chang courut vers le grand tableau annonçant les trains, les quais et les destinations, tentant d'accommoder sa vision en courant. Il avait fait la moitié du chemin quand les lettres floues se précisèrent pour donner une forme qu'il pouvait déchiffrer : quai 12, départ 00 h 23, destination Orange Canal. Le guichet était fermé, il paierait au contrôleur. Il se précipita vers le quai. Le train était là, la cheminée de sa locomotive rouge crachait de la vapeur.

En se rapprochant, il aperçut soudain, non sans quelque inquiétude, une file de silhouettes élégamment vêtues, des hommes et des femmes qui montaient dans le dernier wagon. Il ralentit le pas et se mit à marcher. Se pouvait-il qu'il y eût un autre bal ? Après minuit ? Ils n'arriveraient pas à Harschmort avant deux heures du matin. Il traîna un peu jusqu'à ce que les derniers passagers soient montés. Il n'avait reconnu personne. Il se dirigea à son tour vers le dernier wagon, sans être vu. Une vingtaine de personnes peut-être étaient entrées. Il leva la tête vers l'horloge, elle marquait 00 h 18. Il leur laissa le temps de traverser le dernier wagon avant de monter lui aussi les marches et d'y pénétrer.

Le contrôleur n'était pas là. Il était peut-être allé accompagner les autres vers l'avant du train. Chang fit quelques pas à l'intérieur et regarda tout autour. Il n'y avait personne dans les compartiments arrière. Il se retourna vers la porte et s'immobilisa.

Sur le sol de marbre de la gare s'approchait du train la silhouette facilement reconnaissable de Mrs. Marchmoor vêtue d'une robe jaune et noire assez voyante et, la suivant à quelques pas, un groupe d'une quinzaine de Dragons habillés en rouge, flanqués de leur officier. Chang tourna les talons et se dépêcha d'avancer dans le wagon.

Les compartiments étaient vides. À l'autre bout du couloir, Chang ouvrit une porte, la ferma derrière lui et avança sans s'arrêter. Ce deuxième wagon paraissait également vide. Rien d'étonnant à une heure aussi tardive, puisque les gens qui étaient montés semblaient appartenir au même groupe. Ils s'assiéraient sans doute ensemble et Chang n'avait pas de doute que Mrs. Marchmoor se joindrait à eux, une fois qu'elle aurait constaté à sa grande satisfaction que lui n'était nulle part.

Il arriva au bout du deuxième wagon et s'élança dans le troisième. Il regarda derrière et tressaillit car, à travers les portes de verre, il vit au loin les silhouettes rouges des Dragons. Ils étaient montés. Chang se mit à courir. Ces compartiments étaient vides, eux aussi, c'est à peine s'il regardait à l'intérieur en passant devant. Il arriva au bout du troisième wagon et s'arrêta net. La porte qui se trouvait devant lui était différente. Elle s'ouvrait sur une petite plate-forme avec des chaînes de chaque côté. Au-delà, tout près, se trouvait un autre wagon différent des autres, noir et or, avec une porte en acier peinte en noir. Chang tendit la main vers la poignée. Verrouillée. Il se retourna et vit les vestes rouges à l'autre extrémité du corridor. Il était pris au piège.

Le train s'ébranla avec une secousse. Chang regarda à droite et vit la dénivellation du quai de la gare. Sans plus y réfléchir, il sauta par-dessus la chaîne et atterrit lourdement sur le gravier. Il eut le souffle coupé par la douleur violente d'une entorse. Il se releva difficilement. Le train continuait à accélérer. Il le suivit en trébuchant, forçant son corps à avancer et essayant de lutter contre la sensation d'avoir avalé toute une boîte d'aiguilles. Il courut avec difficulté, rattrapant la plate-forme d'où il avait sauté puis continuant à courir vers l'avant du wagon noir. Plus loin devant, les rails s'engouffraient dans un tunnel. Il leva les yeux vers les fenêtres du wagon noir, sombres, cachées par des rideaux, ou était-ce de la peinture? ou de l'acier? Ses poumons étaient au supplice. Il voyait devant lui l'espace entre deux wagons, mais même s'il l'atteignait, aurait-il la force de s'y hisser? Il se vit tomber sous les roues du train, les jambes sectionnées sur-le-champ, le sang, sa dernière image de la vie, la suie et la crasse d'une voie ferrée de la gare de Stropping. Il accéléra. Le sifflement du train résonna. Il s'approchait du tunnel. Il fut soulagé d'apercevoir une échelle fixée à l'extrémité du wagon. Chang sauta dessus et l'attrapa, ses jambes se balançant dans le vide près des rails, et il monta en s'agrippant désespérément une main après l'autre, sans toutefois lâcher sa canne, jusqu'à ce qu'il puisse caler son genou sur le premier échelon. Il haletait, ses poumons étaient en feu. Le train entra dans le tunnel et fut englouti par l'obscurité.

Chang s'agrippa désespérément pour rester en vie en s'aidant de ses deux jambes sur les échelons afin d'alléger le fardeau de ses bras. Sa poitrine palpitait. Il toussait sans arrêt et crachait dans le noir, le goût du sang dans la bouche. Il avait la tête qui tournait et il se sentit dangereusement proche de l'évanouissement. Il serra sa prise sur les échelons et prit de très profondes respirations. Il se rendit compte, et cela lui donna la nausée, que si quelqu'un l'avait vu, il serait absolument incapable de se défendre. Il maudit Rosamonde et sa poudre bleue. Il avait les poumons comme de la chair à saucisse. Il cracha encore et ferma les yeux de douleur.

Il attendit la fin du tunnel, ce qui dura un bon quart d'heure. Personne ne surgit du wagon. Le train traversait la ville vers le nord-est, longeant des terrains à l'abandon et des maisons en briques délabrées puis passait près des taudis en bois et en papier goudronné, à la lisière de la ville. La lune voilée brillait quand même assez pour que Chang aperçût une autre plate-forme avec des chaînes, reliant ce wagon au suivant qui n'avait pas de porte, seulement une échelle qui menait au toit.

Avec une lenteur qui lui indiqua à quel point il était épuisé, il comprit. C'était le wagon de charbon et, devant, la locomotive. Il libéra ses jambes et, en calant bien ses pieds, se rendit jusqu'à l'échelle du wagon à charbon. Il lui manquait à peu près une dizaine de centimètres pour l'atteindre avec son bras. S'il sautait, il était à peu près sûr d'y arriver, et le fait même qu'il y pense à deux fois lui confirmait encore qu'il était à bout de forces. Mais il ne pouvait rester où il était et il se sentait encore moins capable de sauter par-dessus la chaîne de sécurité. Il tendit un bras et une jambe, jetant un bref coup d'œil au gravier qui crépitait en dessous de lui et aux rails transformés en une tache floue qui vacillait. Il visa l'échelle, prit une grande inspiration, sauta… et atterrit exactement où il fallait, le cœur battant la chamade.

De là où il se trouvait maintenant, il pouvait mieux voir la porte noire. Elle était parfaitement identique à celle qui se trouvait de l'autre côté : lourde, en acier, sans ouverture, aussi accueillante qu'une porte de coffre-fort. Chang regarda en haut de l'échelle et entreprit de grimper.

On venait juste de remplir le wagon à charbon, si bien que le haut de l'échelle se trouvait à un peu plus de cinquante centimètres du lit de charbon. C'était juste assez haut pour se cacher de ceux qui pourraient se tenir sur les plates-formes de part et d'autre du wagon. En plus, le niveau de charbon était plus haut au centre, à l'endroit où on l'avait déversé dans le wagon, et le petit monticule ainsi formé séparait Chang des mécaniciens et des chargeurs qui se trouvaient de l'autre côté. Il s'étendit sur le dos, les yeux levés sur le brouillard de minuit que le train traversait. Le bruit des roues et de la vapeur résonnait fort dans ses oreilles, mais à un rythme régulier, ce qui était presque apaisant.

Il roula et cracha sur la paroi du wagon. Il n'y avait plus aucun doute, c'était bien le goût du sang qu'il avait dans la bouche. Il ressentit un petit frisson de peur animale lui parcourir l'échine : il se souvint tout à coup de ce moment terrible où il avait senti la cravache sur ses yeux, condamné à rester dans l'infirmerie d'un hospice pour indigents une année entière et chanceux d'avoir survécu à la fièvre. Ses pensées étaient prises au piège entre le souvenir de ce qu'il avait été et l'image de ce qu'il avait si peur de devenir : un être faible, dépendant, méprisable.

Quand il avait quitté l'infirmerie et essayé de reprendre le cours de son existence, la réalité s'était révélée bien pire que tout ce qu'il avait pu craindre. Dès le premier jour, il avait tout abandonné pour une nouvelle vie dont le ressort était l'amertume, la rage et le désespoir des déclassés. Quant au jeune aristocrate qui l'avait frappé… Ça s'était passé dans la taverne d'une université, au cours d'une algarade entre plusieurs groupes d'étudiants. Il ne savait toujours pas qui était cet homme. Il n'en avait eu qu'un bref, très bref aperçu : une mâchoire anguleuse, un rictus de plaisir vicieux, des yeux fous, verts. Pour ce qu'il en savait, ou ce qu'il espérait, l'homme était mort de la syphilis plusieurs années auparavant… il avait un peu oublié tout ça.

Dans le wagon de charbon, toutefois, tout reprit de plus belle. Si ses poumons étaient fichus, alors sa vie l'était aussi. Avec sa respiration laborieuse, il pourrait toujours accomplir une partie de son travail à la bibliothèque, mais s'acquitter de ce qu'il aimait et qui lui procurait une certaine fierté, il ne pourrait plus le faire.

Il repassa ses aventures des derniers jours et sut qu'il n'aurait jamais pu échapper au soldat dans sa chambre, ni à ses poursuivants à l'Institut, ni au major ou à Xonck, et qu'il n'aurait jamais survécu à Rosamonde… dans l'état où il se trouvait maintenant. Il s'était reconstruit en faisant preuve d'une volonté sans pareille, en apprenant à survivre, à faire son métier (quand faire confiance, à qui et jusqu'où, quand tuer ou tout simplement rosser, qui et comment), et surtout, il avait appris à établir un semblant de contact humain dans une vie organisée entre le travail et le repos, l'action et l'oubli. Oublier… en parlant de chevaux entre deux verres au Raton Marine avec Nicholas le tavernier ou en se permettant le loisir douloureux d'approcher Angélique.

Le claquement du train dans sa course lui rappela la langue maternelle de la jeune femme. Il lui avait dit un jour que les gens qui parlaient chinois lui faisaient penser à des chats, à des chats doués de parole, et elle avait souri parce qu'elle aimait les chats. Avoir ce genre de contact avec les humains dépendait de sa position dans la vie, de sa capacité à se prendre en charge. Que se passerait-il si tout cela disparaissait ? Il ferma les yeux et soupira. Il s'imagina mourir en dormant, étouffé par le sang dans sa poitrine et retrouvé par les pelles des chargeurs de charbon. Combien de temps cela pourrait-il prendre ? Plusieurs jours ? On jetterait son corps dans la fosse commune ou tout simplement dans le fleuve. Il pensa au docteur Svenson et l'imagina chancelant, fuyant ses poursuivants, boitant sans rien en dire, comme il avait remarqué qu'il le faisait tout le temps qu'ils avaient été ensemble, à court de munitions, laissant tomber son arme… il allait mourir. Chang allait mourir.

Ses pensées dérivèrent et, sans qu'il s'en rendît compte, comme en rêve, il finit par prendre la place du docteur, par empathie. Il vit ses propres mains laisser tomber le revolver, chercher sa canne puis sortir sa dague – il s'étonna d'ailleurs que le docteur pût avoir une arme pareille – pour menacer les hommes qui le poursuivaient dans la brume – ou était-ce de la neige? Il avait sans doute perdu ses lunettes. Il vit des sabres partout, il était entouré de soldats en noir et en rouge, il donnait des coups dans le vide, désespérément. Il imagina ses armes projetées au sol... l'éclair des lames des sabres sur lui comme des poissons affamés surgissant des profondeurs de la mer, perforant sa poitrine – où était-ce simplement parce qu'il respirait? – et derrière lui, loin, et pourtant avec insistance dans son oreille, le chuchotement d'une femme, son souffle humide et chaud. Angélique? Non... Rosamonde. Elle lui disait qu'il était mort. Bien sûr qu'il l'était... Il n'y avait pas d'autre explication.

Lorsqu'il ouvrit les yeux, le train s'était arrêté. Il entendait le sifflement irrégulier de la locomotive au repos, comme le grognement d'un dragon apprivoisé, mais rien de plus. Il s'assit, cligna des yeux et sortit un mouchoir pour s'essuyer le visage. Il respirait mieux, mais il avait des croûtes aux commissures des lèvres et autour des narines. Il ne voyait pas très bien dans le noir. Ça ne ressemblait pas exactement à du sang séché mais plutôt à du sang cristallisé, mélangé à du sucre ou à du verre pilé. Il jeta un coup d'œil hors du wagon. Le train était dans la gare. Il ne voyait personne sur le quai. Le wagon noir était toujours fermé, ou avait été refermé, il n'en savait rien, il ignorait s'il avait été vidé ou non. La gare elle-même était plongée dans l'obscurité. Comme le train n'avait pas l'air d'être sur le point de repartir, il en conclut qu'ils étaient arrivés au bout de la ligne, à Orange Canal.

Chang enjamba péniblement la paroi du wagon et descendit en serrant sa canne sous son bras. Ses articulations étaient raides. Il leva les yeux vers le ciel pour essayer d'évaluer en se fiant à la lune, combien de temps il avait dormi. Deux heures? Quatre? Il se laissa tomber sur le gravier et s'épousseta du mieux qu'il put, tout en sachant que le dos de son manteau devait être noirci par la poussière de charbon. Il ne pourrait jamais se frayer un chemin parmi les domestiques avec cette allure, mais cela lui était égal. On n'en était plus là.

Comme c'est souvent le cas quand on revient quelque part, le chemin qui le mena à Harschmort lui sembla moins long que quand il s'était enfui la dernière fois. Les uns après les autres, à un rythme qui semblait presque calculé, il retrouva de petits points de repère, une dune, une fissure sur la route, une souche d'arbre et, au bout d'une très courte demi-heure, Chang se retrouva sur une butte, dans les herbes hautes, et il vit au loin, au-delà d'un champ plat et marécageux, les murs illuminés et menaçants de la demeure de Robert Vandaariff.

En marchant, il calcula différents angles d'approche, en fonction des parties de la maison qu'il connaissait. Le long des jardins à l'arrière, il y avait de nombreuses baies vitrées qui offriraient un accès facile, mais le jardin était au-dessus de la pièce secrète, de la tour inversée et serait sûrement surveillé de près. Le devant de la maison serait sans doute fort fréquenté et les ailes principales n'avaient de fenêtres qu'aux étages, comme la prison à l'origine. Restait l'aile qui se trouvait sur le côté, d'où il s'était échappé en cassant une vitre et qui semblait aussi avoir abrité une bonne partie des activités secrètes la fois précédente. C'était là du moins que s'était trouvé le corps de Trapping. Peut-être devrait-il essayer de rentrer par là. Il devait tenir pour acquis que Mrs. Marchmoor les avait prévenus que Vandaariff pouvait arriver, même si elle ne l'avait pas trouvé dans le train. Ils l'attendaient, c'était certain.

Un coup de vent dissipa en partie le brouillard et la lune éclaira davantage ce qui se trouvait devant Chang. Il s'arrêta et sentit un frisson de doute passer sur sa nuque. Il était à mi-chemin dans le champ lorsqu'il se rendit compte soudain que, devant lui, les herbes avaient été rabattues. Des gens étaient passés là un peu plus tôt. Il avança lentement, plissant les yeux pour voir les endroits où ces traces pouvaient croiser son chemin. Il s'arrêta encore et posa un genou par terre. Il tendit sa canne devant lui et écarta les herbes. Dans la poussière sablonneuse était dissimulé le bout d'une chaîne en fer. Chang creusa avec le bout de sa canne et souleva la chaîne pour la sortir du sable. Elle mesurait soixante centimètres et une de ses extrémités était fixée à un pieu en métal enfoncé profondément dans le sol. Il remarqua avec une frayeur un peu lasse que l'autre extrémité de la chaîne était reliée à un piège à ours ou plutôt, en l'occurrence, un piège à homme, dont la mâchoire de fer était prête à se refermer pour lui écraser la jambe. Il leva les yeux vers la maison, puis il regarda derrière lui. Il n'avait aucune idée de l'endroit où ils avaient pu installer d'autres pièges de ce genre. Il ne savait même pas si c'était le début d'une zone piégée ou s'il avait seulement eu de la chance jusque-là. La route était loin et y revenir n'était pas forcément plus prudent que de continuer. Il allait devoir courir le risque.

Comme il ne voulait pas casser sa canne, il la passa sous le bord dentelé du piège et l'approcha de la partie sensible. Il donna un coup sec et le piège se referma violemment. Bien qu'il s'y attendît, Chang sursauta et frissonna devant la puissance du mécanisme. Il cria, avec les mains en porte-voix pour faire parvenir le son jusqu'à la maison. Il cria encore, d'un cri désespéré et implorant qui se transforma en gémissement. Chang sourit. Il se sentait libéré de sa tension, comme une locomotive qui expulse la vapeur accumulée. Il attendit. Il cria une troisième fois de manière encore plus pitoyable, et fut récompensé par un rayon de lumière venant du mur le plus proche. C'était une porte qui s'ouvrait et une file d'hommes en sortit, flambeaux à la main. En se baissant le plus possible, Chang retourna précipitamment sur ses pas, en essayant de viser les endroits où l'herbe était haute. Il se jeta par terre et attendit de reprendre son souffle. Il entendait les hommes et, très lentement, il leva la tête pour les voir approcher.

Ils étaient quatre, chacun tenant un flambeau. Il pensa soudain à enlever ses lunettes pour que les verres ne reflètent pas la lueur de leurs torches. Les hommes s'approchèrent et il observa avec satisfaction le chemin qu'ils empruntaient précautionneusement, l'un après l'autre, laissant des traces dans l'herbe. Ils atteignirent le piège refermé, à une vingtaine de mètres de son point d'observation, et, bien sûr, ils constatèrent que personne ne se tordait de douleur par terre. Ils n'entendirent pas d'autres cris non plus. Ils scrutèrent les environs d'un œil suspicieux.

Chang sourit encore. Le charbon sur son manteau absorbait la lumière et le rendait presque entièrement invisible. Les hommes parlaient à voix basse entre eux. Il ne pouvait pas les entendre et cela lui importait peu. Trois d'entre eux étaient des Dragons portant leurs casques de cuivre sur lesquels se reflétait la lueur des torches, mais celui qui les précédait était un domestique, tête nue, son manteau lui battant les genoux. Chaque soldat avait une torche dans une main et un sabre dans l'autre. L'homme tenait une torche et une carabine. Il planta la torche dans le sol sablonneux et examina le piège à la recherche de traces de sang. Il se leva, reprit sa torche et balaya lentement du regard le champ autour de lui.

Chang se baissa doucement, il ne s'agissait pas de tout faire échouer maintenant. Il attendit en suivant la réflexion de l'homme aussi clairement que s'il avait pu lire dans ses pensées. L'homme savait qu'on le regardait, mais il ne savait pas d'où. Chang ressentait une sympathie abstraite pour lui. Il ne savait pas qui avait eu l'idée des pièges mais, de toute évidence, c'était lui qui les avait posés. Chang était un tueur, mais n'admirait pas les gens qui faisaient commerce de la souffrance. Chang tint à graver dans sa mémoire le visage de l'homme : une mâchoire large, des favoris grisonnants et une calvitie naissante. Ils se reverraient peut-être au château.

Une minute plus tard, quand il devint clair qu'ils n'avaient pas l'intention de chercher à l'aveuglette au milieu des pièges encore tendus, ils se replièrent vers la maison. Chang les laissa partir, puis il les suivit en s'assurant de ne pas se faire voir dans le sentier sûr tracé par leurs pas. Arrivé en bordure du champ et maintenant à découvert, il attendit. D'après ce qu'il savait, ils le surveillaient depuis une fenêtre sombre. Il se trouvait face à l'aile latérale qu'il connaissait déjà, mais il ne pouvait arriver à repérer la fenêtre par laquelle il était passé deux nuits plus tôt. Elle avait déjà été réparée. Chang sourit malicieusement et chercha à tâtons pour trouver une pierre. Puisque Mrs. Marchmoor était arrivée avant lui, la seule façon d'entrer était de provoquer une certaine confusion.

Il se mit sur un genou et lança vers la fenêtre à droite de la porte d'où étaient sortis les hommes, de toutes ses forces, une belle pierre lisse qui vola à merveille et qui cassa la vitre avec le fracas voulu. Chang courut vers la maison en sautant par-dessus une plate-bande à gauche de la porte. Il atteignait le mur lorsqu'il entendit des cris à l'intérieur et vit de la lumière à la fenêtre cassée. La porte s'ouvrit. Il se plaqua contre le mur. Il vit surgir un bras tenant une torche et, juste après, l'homme aux favoris grisonnants. La torche se trouvait entre le visage de l'homme et Chang, et l'attention de l'homme était naturellement dirigée vers la fenêtre cassée, dans l'autre direction.

Chang arracha la torche des mains de l'homme surpris et lui donna un grand coup de pied dans les côtes. L'homme s'affaissa avec un gémissement. Derrière, à travers la porte, Chang vit un groupe de Dragons. Il les menaça de sa torche en les repoussant jusqu'à ce qu'il atteigne la poignée de la porte.

Avant qu'ils aient pu réagir, il lança la torche à l'intérieur, sur ce qu'il espérait être des rideaux. Il ferma violemment la porte et se retourna vers l'homme grisonnant qui se levait et lui asséna un coup sur la tête avec sa canne. L'homme cria, surpris par l'audace de l'attaque autant que par la douleur, et il leva les bras pour parer un autre coup. Chang put donc le frapper au niveau des côtes, le bousculer d'un coup d'épaule. L'homme tomba en poussant un cri offusqué. Chang se précipita derrière lui, le long du mur. Avec un peu de chance, les Dragons essaieraient d'arrêter l'incendie avant de le pourchasser.

Il tourna au coin du mur et continua à courir. Harschmort était construit comme une sorte de fer à cheval presque fermé, et il se trouvait à l'extrémité de droite. Au milieu se trouvait le jardin, et il courut vers les arbres ornementaux et les haies, en mettant autant de distance qu'il le put entre lui et ceux qui le poursuivaient peut-être. De jour, il en était sûr, le jardin donnait l'impression d'être guindé et sec, la nature y étant soumise aux règles de la géométrie. Mais maintenant, dans sa fuite effrénée, il le percevait comme un labyrinthe boueux prévu expressément pour qu'il se cogne à des bancs, à des fontaines, à des haies et à des socles surgissant devant lui brusquement du brouillard et de l'obscurité. Mais s'il parvenait à leur échapper, les Dragons seraient bien obligés de se regrouper puis de se disperser pour le chercher partout ailleurs. Il aurait ainsi une chance. Il s'arrêta à l'ombre, car la douleur de ses poumons s'acharnait sur lui comme un créancier.

Il entendit des bruits de bottes quelque part derrière. Il se lança en avant, toujours courbé, s'efforçant de marcher sur la pelouse et non sur le gravier. Il lui vint à l'esprit qu'il était précisément en train de marcher au-dessus de la chambre souterraine. Se pouvait-il qu'on pût encore y accéder par le jardin ? Il n'avait pas le temps de chercher. Il continua donc à se faufiler en direction de l'aile opposée. C'est là qu'il avait vu Trapping pour la première fois, dans la grande salle de bal. Si les événements de ce soir étaient effectivement de nature plus secrète, la salle serait sans doute déserte.

Les bruits de bottes se rapprochaient de façon inquiétante. Chang écoutait attentivement, il attendait en essayant de déterminer combien d'hommes ils étaient. Combattre en plein air deux ou trois Dragons armés de sabres tenait déjà du suicide, même quand on n'avait pas les poumons en charpie. Il marcha à pas feutrés, courbé en deux, le long d'une haie qui lui arrivait à la taille, puis traversa une allée de gravier jusqu'à un massif d'arbustes. Le bruit de ses pas sur le gravier allait les attirer comme une meute de chiens, Chang changea donc immédiatement de direction pour aller vers la maison et les portes vitrées qui donnaient sur le jardin. Il s'abrita derrière une autre haie basse et entendit les bottes se regrouper derrière lui, soulagé qu'on n'ait pas eu l'idée d'envoyer des hommes en bordure du jardin pour le piéger par les côtés. Juste au moment où il s'en félicitait, Chang entendit très distinctement le cliquetis d'un ceinturon, quelque part *devant* lui. Il jura en silence et sortit sa dague. Avait-il été repéré ? Il ne le croyait pas. Il visa un sapin en forme de cône près duquel se trouvait l'homme et rampa vers lui, aussi silencieux qu'un mort. Il contourna l'arbre lentement et il aperçut le dos d'une veste rouge.

Qu'on l'eût repéré à cause de son souffle haletant ou de l'odeur des cristaux bleus qui signalait sa présence, ou simplement à cause de sa fatigue, dès qu'il avança vers l'homme pour l'attraper par derrière, Chang sut qu'il aurait à se battre. Il bâillonna de la main gauche la bouche du soldat pour l'empêcher de crier, mais il ne parvint pas à dégager correctement son bras droit de l'épaule de son adversaire et à mettre tout de suite sa lame en bonne position. L'homme se débattit, son casque de cuivre tomba sur la pelouse et il agita son sabre dans le vide. Puis Chang lui fit perdre l'équilibre et lui mit le fil de sa lame sur la gorge… mais, à cet instant précis, il s'aperçut que celui qui était là, à sa merci, n'était autre que Reeves.

Mais quelle importance, au fond ? Les soldats du 4e régiment des Dragons étaient ses ennemis, des mercenaires à la solde de cette bande de dépravés et de crapules. Qu'est-ce que ça pouvait bien lui faire si Reeves s'était fourvoyé en se mettant à leur service ? Chang se rappela la gentillesse de cet homme au ministère et obtint aussitôt sa réponse. Il savait aussi que s'il se mettait à tuer des Dragons, son pacte avec Smythe serait brisé. Il essaya de voir où pouvaient se trouver les autres Dragons et d'évaluer s'ils pouvaient l'entendre. Tout cela lui traversa l'esprit pendant qu'il approchait ses lèvres de l'oreille de Reeves.

– Reeves, murmura-t-il, ne bougez pas. Ne dites rien. Je ne suis pas votre ennemi.

Reeves cessa de se débattre. Chang savait qu'il s'en fallait de quelques secondes avant qu'ils ne soient repérés.

– C'est Chang, souffla-t-il. On vous a menti. Il y a une femme dans cette maison. Ils vont la tuer. Je vous dis la vérité.

Il relâcha sa prise et s'écarta. Reeves se retourna, le visage blême. Il leva la main pour la mettre sur sa gorge. Chang chuchota sur le ton de l'urgence :

– Est-ce que le capitaine Smythe est à Harschmort ?

Leur attention fut attirée par un bruit sec. Reeves se retourna. Par-dessus son épaule, accompagné d'un groupe de Dragons, Chang vit l'homme grisonnant et chauve dont la carabine émergeait de l'ombre des haies. Ils étaient assez loin, à une vingtaine de mètres.

– Vous, là-bas ! cria l'homme. Écartez-vous !

L'homme mit en joue. Reeves se tourna vers Chang, l'air troublé, au moment même où la détonation traversa le jardin. Reeves se cambra en un spasme affreux, puis se plia en deux et retomba sur Chang, le visage déformé par la douleur. Chang leva les yeux et vit l'homme à la carabine éjecter la cartouche de son arme et recharger. Il fit glisser la culasse et remit en joue. Chang laissa tomber Reeves, dont les jambes étaient agitées de petits soubresauts comme pour essayer de se débarrasser des dégâts causés par la balle, et il plongea derrière l'arbre.

Le coup suivant passa à côté de lui et se perdit dans la nuit. Il courut à travers les haies en essayant d'atteindre la maison. Il n'y serait pas plus en sécurité, mais au moins ce serait plus difficile de lui tirer dessus. Un troisième coup de feu retentit, sifflant près de lui, puis un quatrième, tiré il ne savait d'où… Les avait-il semés pour un moment ? Il entendit la voix de l'homme hurler à l'intention des soldats. Il atteignit la limite du jardin et s'arrêta en haletant. Entre l'endroit où il s'accroupit et la porte vitrée la plus proche, il y avait une bande de pelouse de cinq mètres. Il serait entièrement à découvert le temps d'atteindre la porte et de trouver le moyen de l'ouvrir. C'était de la folie. On lui tirerait dessus dès qu'il se lèverait. Il regarda derrière lui et sentit que les Dragons s'approchaient. Il devait y avoir une autre solution.

Épuisé de douleur et recru de fatigue, accablé par la mort si brutale de Reeves, Chang avait la tête vide. Il regarda vers les portes vitrées en se préparant, de façon tout à fait absurde, à faire un saut à la fois audacieux et suicidaire. Ils attendaient qu'il se montre. Au-dessus des portes, le mur abrupt en granite s'élevait sur deux étages pour atteindre une élégante baie vitrée qui s'avançait au-dessus du jardin. Il n'y avait aucun moyen d'y parvenir. Il se dit que la vue depuis cette fenêtre devait être superbe. C'était peut-être la fenêtre de la chambre de Lydia Vandaariff. Elle était sans doute tapissée de coussins et de soie. Il se souvint de sa première visite à Harschmort et du fait que la jeune femme était plutôt jolie. Il se demanda vaguement si elle était encore vierge et il eut un frisson de dégoût en imaginant Karl-Horst lui monter dessus et parader comme un paon. Il pensa soudain avec effroi à Angélique, à l'éternelle distance qu'il y aurait entre eux et au fait qu'il n'avait pas pu la sauver. Il ferma les yeux et de son esprit confus surgirent les derniers vers du *Christina* de DuVine :

« Qu'est-ce que l'attraction des planètes devant la gravité de l'amour ?
Qu'est-ce que le temps qui passe pour un cœur insondable ? »

Chang haussa les épaules comme pour se défaire de son désespoir. Son esprit s'égarait encore. Il se surprit à fixer la fenêtre. Il y avait quelque chose qui n'allait pas dans le reflet qu'elle renvoyait. À cause de l'angle de la vitre, il pouvait voir une partie du jardin derrière lui… et ce qui semblait être des rubans de brume qui ondoyaient dans le vent. Il fronça les sourcils. Il n'y avait pas de vent dans le jardin ou du moins pas assez pour provoquer un tel effet. Il se retourna pour essayer de voir ce qui pouvait se refléter dans la vitre et il se remit à espérer. Le vent arrivait d'en dessous.

Chang rampa sans faire de bruit sur la bande de pelouse qui bordait le jardin jusqu'à ce qu'il pût distinguer les nappes de fumée qui flottaient. Il s'avança vers une rangée de quatre grandes urnes de pierre, aussi hautes que lui. De trois d'entre elles pendaient les tiges fanées des fleurs annuelles. De la quatrième sortait un courant continu d'air chaud. Il plaça ses mains sur le rebord et se mit sur la pointe des pieds pour regarder à l'intérieur. L'air chaud et fétide enflamma la chair à vif de ses poumons et de sa bouche. Cela le fit grimacer et reculer un peu. Il avait les mains recouvertes d'une fine couche de poudre cristalline laissée par les émanations chimiques.

Chang s'agenouilla et sortit son mouchoir. Il l'attacha sur son visage, se releva et jeta un dernier coup d'œil dans le jardin. Personne. Ils attendaient encore qu'il se précipitât vers la maison. Il mit sa canne sous son bras, se hissa et enjamba le rebord de l'urne. Il regarda à l'intérieur. Juste au-dessous de sa botte, il y avait, dans l'ouverture, un treillis de bois recouvert lui aussi de dépôts chimiques. Cela devait servir à empêcher les feuilles et les petites branches de tomber dans le conduit. Toutes celles qui s'y étaient accumulées étaient recouvertes d'une poussière d'un bleu de glace. Il donna un coup de pied au travers, ce qui fit entendre un craquement sonore. Il en donna un autre pour faire tomber le reste du treillis. Derrière lui, il entendit les Dragons qui avaient repéré l'endroit d'où venait le bruit. Il se laissa tomber dans l'urne, se dérobant ainsi à leur vue. Il glissa jusqu'à la base en appuyant ses jambes contre les parois pour ne pas tomber complètement dans le trou sombre. Il ignorait si ce trou était profond, s'il s'agissait d'une simple chute ou s'il menait à une fournaise, mais il savait par contre que c'était mieux que de recevoir une balle dans le dos. Il descendit le long des parois chaudes du conduit jusqu'à ce qu'il pût se tenir à bout de bras, agrippé à l'urne.

Puis Chang se laissa tomber.

CHAPITRE 6
LA CARRIÈRE

Quand il descendit du fiacre devant l'entrée de la gare de Stropping, le docteur Svenson avait la tête ailleurs. Après avoir quitté Plum Court, il avait laissé ses pensées dériver. Ébranlé par miss Temple et sa quête poignante de l'amour perdu, il en était arrivé à considérer les chagrins et les aléas de sa propre existence. En descendant l'escalier bondé, il chercha machinalement des yeux cette minuscule petite bonne femme avec ses anglaises châtains et sa robe verte. Au lieu de cela, son esprit fut envahi par un accès sévère de moralisme scandinave, attitude qu'il avait héritée d'un père particulièrement rigoriste. Qu'avait-il fait de sa vie? Quoi d'autre que servir dans l'ombre d'un duc qui n'en valait vraiment pas la peine et dans celle de son rejeton qui était encore pire. Il avait 38 ans. Il soupira en arrivant au niveau de la gare. Comme d'habitude, c'est Corinna qui était l'objet de tous ses regrets.

Svenson essaya de se souvenir quand, pour la dernière fois, il avait été à la ferme. Trois hivers auparavant? C'était la seule saison où il pouvait supporter de s'y rendre. Le reste du temps, quand il y avait de la vie et de la couleur dans les arbres, cela lui rappelait trop douloureusement la présence de Corinna. Il avait passé du temps en mer, et quand il était rentré, elle était déjà morte. Elle avait succombé lors d'une épidémie de fièvre sanguine qui s'était abattue sur la vallée. Elle avait été souffrante pendant un mois, mais personne ne lui avait écrit pour le lui apprendre. Il aurait abandonné son bateau, il serait venu et lui aurait tout dit. S'était-elle rendu compte des sentiments qu'il avait pour elle? Il était convaincu que oui, mais que ressentait-elle exactement? C'était sa cousine, elle ne s'était jamais mariée. Il l'avait embrassée une fois. Elle l'avait regardé de ses grands yeux et s'était éloignée... Il ne se passait pas un jour sans qu'il se torturât avec cela... pas un jour depuis sept ans.

Lors de sa dernière visite, il avait constaté qu'il y avait là de nouveaux fermiers (des désaccords avec son oncle avaient conduit le frère de Corinna à partir pour la ville) et, bien que Svenson eût été accueilli poliment et qu'on lui eût offert une chambre, quand il avait expliqué ses liens avec la famille, il avait été effondré de voir que personne ne savait plus qui était enterré dans le jardin, personne ne gardait plus le souvenir de Corinna. Il avait été pris d'un profond sentiment d'abandon et, même plongé dans l'affaire qui l'occupait en ce moment, il lui était impossible de s'en libérer. Peu importe où il se trouvait, chez lui, c'était auprès d'elle, quand elle vivait et encore maintenant qu'elle était sous terre. Il était rentré à cheval au Palais le lendemain de sa visite à la ferme.

Depuis, il avait voyagé : Venise, Berne, Paris, toujours au service du baron von Hoern. Il s'était toujours acquitté des missions qu'on lui avait confiées, suffisamment en tout cas pour qu'on lui en confie d'autres au lieu de le renvoyer se geler sur son bateau, et il avait même sauvé quelques vies. Rien de tout cela n'avait d'importance. Ses pensées n'étaient que pour elle.

Il soupira encore. Il n'avait pas la moindre idée de l'endroit où se trouvait Tarr Manor. Il se dirigea vers le guichet et prit place dans l'une des files d'attente. La gare bourdonnait d'activité comme une ruche dans laquelle un enfant malveillant aurait donné un coup de pied. Autour de lui, les visages étaient marqués par l'impatience, l'inquiétude et l'épuisement. Tous ces gens unis dans la même cohue anxieuse pour arriver à prendre le train qu'ils cherchaient, entraînés dans un flux et un reflux incessant de groupes avançant et reculant avec difficulté, comme l'horrible système circulatoire d'une créature mythique difforme. Il ne vit pas trace de miss Temple, mais il y avait tellement de monde que son seul véritable espoir était de trouver le train qu'elle voulait prendre et de la chercher là. Le temps d'allumer une autre cigarette, d'en fumer un tiers et ce fut son tour. Il se pencha vers l'employé et lui expliqua qu'il devait aller à Tarr Manor. Sans hésiter, l'homme lui griffonna un billet et le lui tendit par l'ouverture du guichet en lui annonçant le prix à payer. Svenson fouilla dans sa poche pour trouver la somme nécessaire et poussa les pièces une à une en les comptant. Il prit son billet où il était écrit Floodmaere, 15 h 02, et, de nouveau, il se pencha vers le guichet.

– À quel arrêt dois-je descendre ? demanda-t-il.

L'employé le regarda avec condescendance.

– À Tarr Village.

Svenson décida qu'il pouvait attendre pour demander au contrôleur combien de temps durerait le trajet et se mit à la recherche du quai. C'était à l'autre bout du grand hall de départ. Il leva les yeux vers l'horloge très laide et jugea qu'il n'y avait pas de quoi se presser. Sa cheville semblait bien se porter et il n'avait pas envie d'empirer les choses sans raison. Il prit soin de regarder tous les stands en passant, nourriture, livres, journaux, boissons, mais il ne vit pas trace de miss Temple. Quand il arriva à son train, il comprit que Floodmaere n'était pas la destination la plus courue. Seules deux voitures étaient accrochées à un wagon plein de charbon et à une locomotive qui avait dû connaître des temps plus prospères. Svenson regarda encore une fois autour de lui pour trouver une jeune femme en vert ou arborant une touche de vert, mais sans succès.

Il jeta le mégot de sa cigarette et monta dans la dernière voiture, résigné à faire figure de bouffon et à ce que ce fût Chang qui la retrouvât. Il se surprit. Pourquoi cet éclair de jalousie, ou même, il l'admettait, de possessivité grincheuse ? Parce que c'était lui qui avait fait la connaissance de miss Temple avant Chang ? Même pas, puisque Chang l'avait aperçue dans le train... Il secoua la tête. Elle était si jeune... et Chang un solitaire absolu... presque sauvage... non que Chang ou lui pussent représenter un quelconque intérêt pour elle... non que lui-même pût envisager une seconde... ou même désirer en toute conscience... bref, tout cela était ridicule.

Un contrôleur grisonnant et mal rasé, le visage granuleux comme s'il était recouvert d'un crépi, poinçonna son billet et lui indiqua avec brusquerie qu'il devait avancer. Svenson s'exécuta, pensant qu'il pourrait toujours lui demander plus tard des renseignements sur l'heure d'arrivée, sur les trains de retour et sur les autres passagers. Il valait mieux qu'il la trouve par lui-même, si possible sans attirer l'attention. Il longea le couloir de la première voiture et regarda attentivement dans chaque compartiment en passant. Ils étaient tous vides, sauf le dernier dans lequel se trouvait toute une famille de gitans et au moins une cage contenant des volatiles d'une espèce indéterminée.

Il entra dans la deuxième et dernière voiture où se trouvait davantage de monde et dont tous les compartiments étaient occupés, mais de miss Temple, point. Il était au bout du couloir et il soupira. Il s'était fixé une mission tout à fait inutile et aurait peut-être dû descendre de ce train. Il retourna vers le contrôleur qui le regardait s'approcher avec l'hostilité froide d'un reptile. Svenson remit son monocle en place et sourit poliment.

– Excusez-moi. Je prends le train pour Tarr Village et j'espérais rencontrer quelqu'un de ma connaissance. Est-il possible que cette personne ait pris un train plus tôt?

– Bien sûr que c'est possible, rétorqua le contrôleur.

– Je ne me fais pas bien comprendre. Ce que je veux vous demander, c'est l'heure du dernier train, du train précédent, que la personne que je cherche aurait pu prendre.

– Deux heures cinquante-deux.

– C'est à peine dix minutes avant celui-ci.

– Je vois que vous êtes professeur de mathématiques.

Svenson eut la patience de sourire.

– Donc, il y a un train qui s'arrête à Tarr Village qui est parti très peu de temps avant celui-ci?

– C'est ce que je viens de vous dire. Quelque chose d'autre?

Svenson l'ignora et évalua ses chances. Il était possible, si son fiacre avait bien roulé, que miss Temple eût pris le train de 2 h 52. Si c'était le cas, il fallait qu'il la suive avec ce train, en espérant la rejoindre à la gare de Tarr Village. Et si elle n'était pas venue ici, si elle était encore en ville, il devrait se rendre chez Roger Bascombe. Ou au ministère pour essayer d'aider Chang. Le contrôleur observa son indécision avec un plaisir évident.

– Monsieur?

– Oui, merci. Je demanderai demain des renseignements sur le retour.

– Feriez mieux de demander ça au chef de station.

– Le chef de station de Tarr Village?

– C'est ça.

– Parfait. Merci.

Svenson fit demi-tour et parcourut à grands pas le couloir vers le deuxième wagon tandis que le contrôleur grommelait derrière lui. Il n'était pas très sûr de son choix, mais même s'il n'y avait qu'une petite chance qu'elle fût passée par ici, il lui fallait continuer. Il pourrait demander si on l'avait vue à la gare – on devait l'avoir remarquée – et, si on ne l'avait pas vue, prendre le train suivant pour rentrer directement. Il aurait tout au plus quelques heures de retard. Et au pire, il pourrait encore trouver Chang le lendemain matin à la gare de Stropping... s'il avait de la chance, avec miss Temple à son bras.

Il jeta un coup d'œil dans le premier compartiment: un homme et une femme étaient assis l'un près de l'autre. Voyant qu'il n'y avait personne sur la banquette d'en face, il ouvrit la porte, leur fit un signe de tête et s'installa près de la fenêtre. Il glissa son monocle dans sa poche et se frotta les yeux. Il n'avait pas dormi plus de deux heures. Il devait maintenant sa mauvaise humeur au fait qu'il supposait que son voyage serait inutile et qu'il désapprouvait avec une vague tristesse l'imprudence avec laquelle miss Temple s'était jetée au-devant du danger, les exposant tous les trois en fait, et cela, sans avoir une meilleure compréhension de la situation, ni un plan plus élaboré. Il se demandait quand leur signalement serait livré à la police. Cette cabale était-elle assez puissante pour avoir des appuis parmi les hommes de loi ? Il valait mieux en rire parce que c'étaient eux la loi… Crabbé avait un régiment à ses ordres, Blach avait ses hommes… Svenson pouvait seulement espérer que ce train de campagne lui permettrait de leur échapper dans l'immédiat. On entendit un sifflement et le train se mit en branle.

Il fallut une minute au train pour quitter la gare et entrer dans un tunnel. Quand ils en sortirent et qu'ils se retrouvèrent dans un passage étroit entre des immeubles en brique couverts de suie, Svenson en profita pour observer ses compagnons de voyage. La femme était jeune, peut-être plus jeune encore que miss Temple, des cheveux couleur de bière blonde, ramassés dans une coiffe en soie bleue. Elle avait la peau pâle et les joues roses, elle ressemblait aux filles de Macklenburg, et ses doigts légèrement replets tenaient un livre noir sur ses genoux. Il lui sourit. Au lieu de lui rendre son sourire, les yeux de la fille se tournèrent vivement vers l'homme qui était à côté d'elle et qui à son tour regarda Svenson d'un air suspicieux. Il était blond lui aussi. Svenson se demanda s'ils pouvaient être frère et sœur. Il avait une allure bizarre et décharnée de cheval mal nourri, les bras longs, et ses larges mains étaient agrippées à ses genoux. Il portait un costume à rayures marron et une cravate couleur crème. Sur le siège à côté de lui était posé un grand chapeau de castor marron. Svenson ne put s'empêcher de remarquer, pendant que l'homme le dévisageait ouvertement, qu'il avait mauvaise mine et que ses yeux cernés indiquaient très probablement une pratique intensive de l'onanisme.

Comme le docteur était un homme tolérant et, au moins dans la conversation, plutôt aimable, il mit un moment à comprendre que le couple portait sur lui un véritable regard de haine. Il revint à leurs visages… il était sûr qu'il ne les avait jamais rencontrés… se pouvait-il tout simplement que sa présence les eût dérangés dans leur intimité. Peut-être que le type avait l'intention de la demander en mariage ? À moins que l'explication ne fût un peu plus *louche*... à Venise, il avait acheté un jour un vieux recueil d'histoires un peu osées célébrant les plaisirs charnels associés à certains modes de transport : trains, bateaux, voitures attelées, chevaux, dirigeables. Malgré son épuisement, il venait de se rappeler les détails particuliers qui concernaient une caravane de chameaux et ce qu'il y avait d'exceptionnel dans le rythme de la démarche de cet animal, quand la jeune femme en face de lui ouvrit brusquement son livre et commença à lire à voix haute.

– Au temps de la rédemption, les justes seront comme une lanterne dans la nuit, car leur lumière révélera la vérité à ceux qui n'ont pas la foi. Sondez bien le cœur de ceux qui vous entourent et n'ayez de contact qu'avec ce qui est saint, car les cités du monde sont le royaume du péché et souffriront, pour leur rachat, la purification de Dieu. Les vaisseaux du péché seront anéantis. La maison de l'impureté brûlera. Les animaux corrompus seront abattus. Seuls les bienheureux qui se sont déjà offerts aux flammes de la purification survivront. Ce sont eux qui feront renaître le Paradis sur terre.

Elle referma le livre et, le tenant toujours fermement entre ses mains, elle plissa les yeux et lança au docteur un regard de reproche. Sa voix, qui avait tous les charmes de la vaisselle cassée, permit à Svenson de remarquer plus facilement dans ses traits les signes d'une bêtise crasse, alors que jusque-là il s'était contenté de supposer qu'il s'agissait de placidité bovine.

Son compagnon se tenait les genoux plus fort encore, comme s'il risquait la damnation si jamais il relâchait sa prise. Svenson soupira, il ne put s'en empêcher, mais quand il était d'aussi mauvaise humeur il ne pouvait pas complètement en répondre.

– Quel joli petit sermon, commença-t-il. Mais... quand vous dites Paradis... – la bouche de la femme se pinça, choquée qu'il eût l'audace de répondre – est-ce que cela fait référence aux conditions de vie avant la Chute, quand les hommes ne connaissaient pas la honte et que le désir était sans tache ? Cela devait être très agréable. Il m'a toujours semblé que c'était là l'aspect le plus subtil de la sagesse divine : Dieu offre à chacun de ceux qu'Il sauve l'innocence et la joie des bêtes en rut sur les chemins... ou, qui sait, dans les trains. Toute la question étant bien sûr la pureté de cette expérience. Chaque minute, je remercie Dieu. Je suis on ne peut plus d'accord avec vous.

* En français dans le texte.

Il mit la main dans sa poche pour dénicher une autre cigarette. Ils ne dirent pas un mot, mais il remarqua avec une certaine satisfaction que la gêne avait agrandi leurs yeux. Il remit son monocle en place et leur adressa un signe de tête.

– Je vous prie de m'excuser..., et il sortit dans le couloir.

Il trouva une allumette, alluma sa cigarette, puis en aspira longuement la fumée en essayant de se remettre les idées en place après cet intermède grotesque. Le train filait vers le nord, longeant des taudis, des gravats et des lambeaux d'arbres chétifs. Il pouvait distinguer des groupes de gens qui faisaient cuire de la nourriture autour d'un feu et des enfants en haillons que des chiens excités suivaient dans leur course. Un moment plus tard, tout cela disparut pour laisser place à la végétation luxuriante d'un parc de la couronne, puis à quelques monuments de pierre blanche qui lui rappelèrent la France. Il souffla sa fumée contre la vitre et remarqua que les voyages sur terre et les voyages en mer étaient fort différents, d'un côté, la relative densité et la variété de ce que l'on voit sur la terre, de l'autre, la nudité du paysage marin même le plus riche. Ironiquement, remarqua-t-il, l'abondance de la terre le déchargeait du poids de ses pensées, il se contentait de la regarder, tandis que la monotonie de la mer le ramenait en lui-même.

La vie sur la terre ferme, bien qu'elle ait été bienvenue pour lui, lui apparaissait, dans un moment de remise en cause typiquement nordique, comme un peu paresseuse et détournée des fins supérieures de l'exigence éthique et de la contemplation philosophique que la mer imposait à l'homme. Le couple du compartiment, de vrais singes en fait, était un exemple parfait de la suffisance propre à la vie sur la terre ferme.

Son esprit fut emporté douloureusement vers Corinna et sa vie à la campagne parce qu'ils avaient justement discuté de cela. Elle avait avalé quantité de livres avec tant de ferveur qu'il avait l'impression que son esprit contenait un océan entier... Elle lui avait promis de venir le rejoindre et de prendre la mer... Svenson se força à penser à autre chose, à miss Temple. Il songea que son expérience à elle de la mer, sur son île et quand elle avait navigué pour faire la traversée, devait fonder la partie de son caractère qu'il trouvait la plus intéressante.

Il se força à marcher le long du couloir en regardant encore dans les compartiments à la recherche d'une place plus accueillante. Les autres voyageurs étaient très différents les uns des autres, des marchands avec leur femme, un groupe d'étudiants, des ouvriers et un certain nombre d'hommes et de femmes beaucoup mieux vêtus et que Svenson, sans les reconnaître, ne put s'empêcher de détailler d'un œil extrêmement suspicieux. Ils appartenaient au monde des di Lacquer-Sforza, des Xonck et des d'Orkancz. Ce qui était plus frappant encore, c'est qu'il semblait que dans chaque compartiment il y eût des couples, des hommes et des femmes, mais jamais de femmes ou d'hommes qui voyageaient seuls, à l'exception, peut-être, de l'un d'entre eux. Un homme et une femme étaient assis l'un en face de l'autre et ne semblaient pas s'adresser la parole. Svenson écrasa sa cigarette dans le couloir et pénétra dans ce compartiment, faisant un signe de tête à chacun quand ils levèrent les yeux en l'entendant entrer.

L'homme et la femme avaient tous deux choisi les sièges qui se trouvaient près de la fenêtre, Svenson s'installa donc du même côté que l'homme mais sur le siège le plus près de la porte. En s'asseyant, il se rendit compte qu'il était épuisé. Il retira son monocle, se frotta les yeux, puis le remit en place en clignant de l'œil comme un lézard ahuri. L'homme et la femme le regardaient discrètement, pas avec la même hostilité que le couple du premier compartiment mais plutôt avec le léger reproche poli de la suspicion normale quand, dans les transports en commun, un étranger vient déranger la solitude relative de quelqu'un. Svenson sourit avec courtoisie et, se servant de sa question comme du fameux rameau d'olivier, leur demanda s'ils connaissaient bien la ligne de Floodmaere.

– Je voudrais savoir en particulier, ajouta-t-il, si vous savez à quelle distance se trouve Tarr Village et combien il y a d'arrêts avant d'y arriver.

– Vous allez à Tarr Village ? demanda à son tour l'homme.

Il avait peut-être trente ans et portait un costume apprêté de qualité très moyenne qui pouvait laisser penser qu'il était clerc dans un cabinet d'avocat plutôt médiocre. Ses cheveux noirs étaient partagés par une raie au milieu et plaqués des deux côtés, les rainures que les dents de son peigne avaient dessinées creusaient des sillons dévoilant un crâne pâle et plein de pellicules qui contrastait avec la couleur rose presque rouge de son visage. Est-ce qu'il faisait chaud dans le compartiment ? Svenson n'en avait pas l'impression. Il se retourna vers la femme, une dame d'à peu près son âge, aux cheveux bruns tressés en un petit chignon derrière la tête. Sa robe était simple mais bien faite, elle pouvait ressembler à une gouvernante pour enfants de riches, et elle affichait son âge avec une belle franchise que Svenson trouva tout de suite fascinante.

Mais voyons, à quoi pensait-il? D'abord à Corinna, ensuite à miss Temple, aux chiens en rut du Paradis et voilà que maintenant il lorgnait toutes les femmes qu'il croisait. Le docteur se réprimanda parce qu'à cet instant précis il examinait la courbe de ses seins. Et puis, en même temps, il regarda cette femme et eut la vague impression de la reconnaître. L'avait-il déjà rencontrée? Il s'éclaircit la voix et répondit vivement.

– En effet, mais je n'y suis jamais allé.

– Et qu'est-ce qui vous y amène, monsieur?…

La femme lui fit un sourire poli.

Svenson lui rendit son sourire avec plaisir, il ne savait pas du tout où il avait pu la voir, peut-être dans la rue ou peut-être le jour même à la gare, et il ouvrit la bouche pour lui répondre. À cet instant précis, au moment même où il sentait que sa mauvaise humeur était sur le point de disparaître, il aperçut le petit livre recouvert de cuir noir qu'elle tenait sur ses genoux. Il lança un regard en direction de l'homme. Il en avait un également qui dépassait de la poche de son manteau. Était-il tombé sur un train entier de puritains?

– Blach… Capitaine Blach. Vous aurez deviné à mon accent que je ne viens pas de ce pays; je viens en fait du duché de Macklenburg. Vous avez sans doute entendu parler des fiançailles du prince héritier de la couronne de Macklenburg et de miss Lydia Vandaariff. Je fais partie de la suite du prince Karl-Horst.

L'homme hocha la tête en signe d'acquiescement, quant à la femme, Svenson n'eut pas l'impression qu'elle réagissait, car elle conserva son masque de sympathie, tandis que, derrière, ses pensées semblaient tourner à plein. Qu'est-ce que tout cela voulait dire? Qu'est-ce que l'un ou l'autre pouvait bien savoir?

Le docteur décida de faire sa petite enquête. Il se pencha en avant avec un air de conspirateur et il parla à voix basse.

– Et ce qui m'amène ici, ce sont des événements terribles… des événements terribles dans le monde… Je suis sûr que je n'ai pas besoin de vous en dire davantage. Les cités du monde… eh bien, ce sont les royaumes du péché! Qui sera sauvé?

– En effet, qui le sera? répondit la femme calmement, avec une attention délibérée.

– Je voyageais avec une femme, continua Svenson. On m'a empêché de retrouver cette dame, il faudrait sans doute que je n'en dise pas plus sur elle. J'imagine qu'elle a été obligée de prendre le train précédent. Du coup, je suis privé de ma…

Il fit un signe de tête en direction du livre sur les genoux de la femme.

– …en fait, de mon guide.

Tout ce qu'il disait là était-il vraiment trop stupide ? Le docteur Svenson se sentit parfaitement ridicule, mais l'homme se rapprocha, se plaça directement en face et se pencha vers lui comme s'il était vraiment préoccupé.

– Comment vous en a-t-on empêché et qui l'a fait ?

Ce type de situation, jouer un rôle et mentir, était encore un peu inhabituel pour Svenson. Même dans son travail pour le baron von Hoern, il préférait le jugement, les pressions ou la diplomatie à la dissimulation pure et simple. Mais, devant le désir évident de cet homme d'en savoir davantage, il avait en tant que médecin suffisamment d'expérience – combien d'hommes perdus lui avaient demandé s'ils allaient mourir ? à combien avait-il menti ? – pour se donner les dehors d'une autorité crédible, alors qu'il se sentait en réalité impuissant et ignorant. Il devait faire passer ses hésitations – tout en cherchant *quelque chose à dire* – comme le moment délicat où il déciderait s'il leur ferait confiance en leur racontant son histoire. Il jeta un regard vers le couloir et se pencha à son tour comme si seul leur compartiment était sûr et il se mit à parler en chuchotant presque.

– Vous devez savoir que plusieurs hommes sont morts et peut-être aussi une femme. Des individus se sont ligués dans l'ombre, avec à leur tête un homme étrange en rouge, un Chinois à moitié aveugle, terriblement dangereux avec sa lame. Le prince a été attaqué à l'Institut royal, le travail a dû être interrompu… le verre… vous savez… vous avez vu… le verre bleu ?

Ils secouèrent la tête. Le cœur de Svenson flancha. S'était-il trompé sur eux ?

– Vous savez que lord Tarr a… qu'il a…

L'homme acquiesça avec force.

– Il a été racheté de ses péchés, oui.

– Exactement.

Svenson hocha la tête, de nouveau plus confiant, mais cet homme était-il fou ?

– Il y aura un nouveau lord Tarr dans quelques jours. Le neveu. C'est un ami du prince… un ami de nous tous…

– Qui vous a fait manquer votre rendez-vous avec votre dame? demanda la femme avec une légère insistance.

Il avait toujours cette impression tenace de l'avoir déjà vue. Quelque chose dans sa façon d'incliner légèrement la tête quand elle posait une question.

– Les hommes du Chinois, répondit Svenson qui, en prononçant ces quelques mots, se sentit complètement idiot. Nous avons été contraints de prendre deux fiacres. Je prie pour qu'elle soit en sécurité. Ces hommes n'ont aucune décence. Nous nous apprêtions, comme vous le savez maintenant, à voyager ensemble comme nous en avions convenu…

– Pour Tarr Village? demanda l'homme.

– C'est cela.

– Pensez-vous que l'un de ces hommes ait pu monter dans le train? demanda la femme.

– Je ne le pense pas. Je ne les ai pas vus. Je crois que j'ai été le dernier à monter.

– C'est déjà ça.

Elle soupira et sembla légèrement soulagée, mais elle ne se détendit pas et son regard resta prudent.

– Comment pourrions-nous les reconnaître? demanda l'homme.

– C'est justement la question, ils n'ont d'uniforme que leur duplicité et leur fourberie. Ils se sont infiltrés jusque dans l'entourage du prince et ils ont rallié un des nôtres à leur cause, le docteur Svenson, le médecin particulier du prince!

L'homme siffla entre ses dents pour marquer sa désapprobation.

– Je vous en parle, continua Svenson, mais je crains qu'il ne faille pas que cela se sache. Il se peut que tout aille bien et j'hésiterais à ébruiter la chose, ou en tout cas à la rendre publique…

– Bien sûr, approuva-t-elle.

– Même pas à…, commença l'homme.

– À qui? demanda Svenson.

L'homme secoua la tête.

– Non, vous avez raison. Nous sommes invités… nous sommes des hôtes, après tout, les hôtes d'un banquet.

Et il se remit à sourire, chassant de son esprit les histoires terribles du docteur. Il mit la main sur le livre qui était dans sa poche et il le tapota distraitement comme si c'était un petit chien endormi.

– Vous avez l'air très fatigué, vous savez, capitaine Blach, dit-il gentiment. Vous aurez le temps de retrouver votre amie. Il y a encore une heure et demie avant d'arriver à Tarr Village. Pourquoi ne vous reposez-vous pas un peu? Nous aurons besoin de toutes nos forces pour *l'ascension.*

Svenson se demanda ce qu'il voulait dire… la carrière? les collines? Pouvait-il faire allusion au château lui-même? Svenson n'en savait rien et il était épuisé. Il avait besoin de dormir. Était-il en sécurité avec eux? La femme l'interrompit dans ses pensées.

– Comment s'appelle votre amie, capitaine?

– Pardon?

– Votre amie… Vous ne nous avez pas dit comment elle s'appelle.

Svenson remarqua que l'homme lançait un regard inquiet à la femme dont le visage resta pourtant ouvert et amical. Il y avait quelque chose qui n'allait pas.

– Son nom?

– Vous ne nous l'avez pas dit.

– C'est vrai, confirma l'homme, avec un temps de retard et avec un ton un peu plus insistant, comme s'il avait été pris en défaut.

– Ah! Mais voyez-vous… c'est que je ne le connais pas. Je sais seulement comment elle est habillée, une robe verte et des bottines assorties. Nous devions nous rencontrer et voyager ensemble. Pourquoi… Est-ce que vous, vous connaissiez vos noms avant de faire ce voyage?

Elle ne répondit pas tout de suite. Quand l'homme répondit à sa place, Svenson comprit qu'il avait deviné juste.

– Nous ne connaissons toujours pas nos noms, capitaine, conformément aux ordres que nous avons reçus.

– Maintenant, vous devriez effectivement prendre du repos, dit la femme en souriant vraiment pour la première fois. Je vous promets de vous réveiller.

Pendant qu'il rêvait, une partie de l'esprit de Svenson savait qu'il n'avait pas dormi normalement depuis au moins deux jours et il s'attendait donc à faire des rêves agités. Cet éclair de distance rationnelle pouvait peut-être dévoiler la nature fantasmatique des scènes qui l'assaillirent, mais il ne put les altérer. Il savait que son rêve était alimenté par un sentiment de perte et d'isolement, et surtout par son impuissance devant la mort de Corinna et par sa réticence chronique, sa lâcheté devant la vie. Mais tous ces regrets accumulés se mêlaient à tout un monde de désirs douloureusement inassouvis pour d'autres femmes. Était-ce tout simplement qu'étant épuisé et même endormi, il était beaucoup moins sur ses gardes? Ou pouvait-il admettre que sa culpabilité lui procurait aussi le plaisir de rêver avec une telle intensité érotique dans le compartiment d'un train? Ce qu'il savait, c'est que l'étreinte profonde et chaleureuse du sommeil se mêlait sans effort dans son esprit à d'autres étreintes, à des bras pâles et doux, à des doigts caressants… Il sent son corps se refléter dans une pierre précieuse et il se voit, il se sent démultiplié dans des situations absolument enchanteresses… Mrs. Marchmoor le caresse sous la table… miss Poole lui met sa langue dans l'oreille… il a le nez dans les cheveux de Rosamonde, il hume son parfum… il est à quatre pattes sur le lit et il lèche chaque empreinte circulaire qu'il trouve sur le corps appétissant d'Angélique qu'il chevauche… il met les mains, quelle honte! sur les fesses de miss Temple sous sa robe… les yeux clos, il tâte tendrement, avidement les seins dénudés de la gouvernante aux cheveux bruns qui s'est assise près de lui pour apaiser son tourment et offrir à ses lèvres… cette chair incomparablement douce… elle lui caresse les cheveux de l'autre main… elle lui murmure à l'oreille… elle lui secoue l'épaule.

Il se réveilla en sursaut. La femme était assise à ses côtés. Elle lui secouait le bras. Il se redressa, très ennuyé de se rendre compte qu'il était excité, et tout à coup reconnaissant envers son manteau qui le couvrait et ses cheveux qui lui retombaient sur les yeux. L'homme n'était plus là.

– Nous approchons de Tarr Village, capitaine, dit-elle en souriant. Je suis désolée d'avoir à vous réveiller.

– Non, non. Je vous remercie… bien sûr.

– Vous dormiez très profondément, j'ai bien peur d'avoir eu à vous secouer un peu par le bras.

– Je suis désolé…

– Il n'y a vraiment pas de quoi. Vous deviez être bien fatigué.

Il remarqua que le bouton du haut de sa robe était à présent défait. Il sentit qu'il avait un peu de salive sur les lèvres et il s'essuya du revers de sa manche. Que s'était-il passé? Il fit un signe de tête pour désigner la place que l'homme occupait tout à l'heure.

– Votre compagnon?…

– Il est allé à l'avant du train. Je m'apprête à le rejoindre, mais je voulais être sûre que vous alliez vous réveiller. Vous étiez… plongé dans vos rêves et vous avez parlé.

– Vraiment? Je ne m'en souviens pas. Je me souviens rarement de mes rêves.

– Vous avez dit: «Corinna».

– Ah! Oui?

– Je vous assure. Et qui est-elle?

Le docteur Svenson se força à avoir l'air perplexe en fronçant les sourcils et il secoua la tête.

– Je n'en ai pas la moindre idée. Franchement, c'est tout à fait étrange.

Elle baissa les yeux vers lui. Son visage ouvert ainsi que la tension qui persistait dans son pantalon le poussa à continuer.

– Vous ne m'avez pas dit votre nom.

– Non. Elle hésita à peine un instant. Je m'appelle Éloïse.

– Êtes-vous la gouvernante des enfants d'un lord quelconque?

Elle se mit à rire.

– Pas d'un lord. Et pas gouvernante non plus. Peut-être davantage une *confidente* et, pour gagner ma vie, je suis préceptrice de français, latin, musique et mathématiques.

– Je vois.

– Je ne comprends vraiment pas comment vous pouvez avoir deviné. Peut-être votre expérience de militaire. Je sais que les officiers doivent pouvoir lire dans les yeux de leurs hommes comme dans un livre ouvert!

Elle sourit.

– Mais je ne m'occupe pas de mes élèves toute la journée. Ils ont une autre dame à leur service pour cela, c'est elle leur véritable gouvernante, et elle aime beaucoup plus que moi la compagnie des enfants.

Svenson n'avait rien à répondre. Pour le moment, la regarder dans les yeux lui suffisait. Elle lui sourit, puis se leva. Il essaya de se lever avec elle, mais elle lui mit la main sur l'épaule pour l'en dissuader.

– Je dois aller à l'avant du train avant que nous arrivions. Mais peut-être nous verrons-nous au village.

– J'en serais ravi, dit-il.

– Moi aussi. J'espère sincèrement que vous retrouverez votre amie.

C'est à cet instant précis que Svenson sut où il l'avait déjà vue et pourquoi il ne reconnaissait pas son visage. C'est qu'Éloïse portait un masque quand elle s'était penchée vers Charlotte Trapping pour lui chuchoter quelque chose à l'oreille à Harschmort, la nuit où le colonel Trapping avait été tué.

Puis elle s'en alla et la porte du compartiment claqua derrière elle. Svenson se redressa sur son siège et se frotta le visage puis, avec une gêne pleine de reproches, arrangea son pantalon. Il se leva, remit son manteau plus confortablement sur ses épaules, sentit le poids de son pistolet dans sa poche et souffla. Il fit des efforts pour concilier la sympathie instinctive qu'il avait ressentie envers cette femme et le fait qu'il savait très bien qu'elle s'était trouvée au milieu de ses ennemis à Harschmort, et qu'elle était maintenant dans ce train, sans qu'on pût douter qu'elle était encore à leur service. Il ne voulait pas croire qu'Éloïse était au courant de toutes les forces maléfiques qui étaient à l'œuvre, mais comment pouvait-il en être autrement? Ils avaient tous un livre noir et avaient tout de suite réagi à l'histoire qu'il avait inventée… et c'était *elle* qui avait cherché à s'assurer de sa loyauté en lui posant des questions… et pourtant… il pensa au rêve qu'il venait de faire, au rôle qu'elle y jouait, avec à la fois des bouffées de sympathie et des accès de gêne. En reprenant encore une longue inspiration, il la chassa de ses pensées.

Quel que soit le but du pèlerinage des autres passagers à Tarr Village, le seul objectif du docteur Svenson était de retrouver miss Temple avant qu'il ne lui arrivât encore une fois malheur. Si l'employé de la gare ne l'avait pas vue, il allait devoir faire demi-tour illico; où qu'elle soit, elle aurait besoin de son aide.

Il s'approcha de la fenêtre et regarda le paysage du comté de Floodmaere qui défilait: des forêts d'arbres bas, pleines de broussailles, accrochées aux rondeurs de collines pelées avec ici et là des bandes de prairies d'où pointaient parfois, comme des dents abîmées, des rochers rougeâtres. Le docteur Svenson avait déjà vu ce type de roches dans les collines près de chez lui et il savait qu'elles contenaient du minerai de fer. Il se souvint qu'elles donnaient une couleur rouille à l'eau qui courait vers la vallée à la fonte des neiges. Il y avait sûrement des mines dans la région.

Cela l'amusait de remarquer le ciel clair ; il avait passé tant de jours dans les nuages et le brouillard qu'il ne se souvenait plus quand il avait vu pour la dernière fois un ciel aussi dégagé, souriant à l'idée qu'il était presque cinq heures parce que le soleil commençait à baisser et qu'il se dirigeait vers le soleil juste pour qu'on pût mieux l'en priver. Au moins, contrairement à la veille, il pouvait rire de cette ironie du sort. Sous ses pieds, le mouvement du train changeait. Il le sentit ralentir. Ils étaient sur le point d'arriver. Il sortit une cigarette – combien lui en restait-il ? –, la porta à ses lèvres, l'alluma, secoua l'allumette et se mit à redouter d'avoir à faire le trajet du retour sans fumer. Il faudrait qu'il en trouve d'une autre marque au village. Le train finit par s'arrêter.

Quand il mit le pied sur le quai, les groupes formés par les couples étaient loin devant lui et se dirigeaient vers le bâtiment de la gare. D'après ses calculs, et sans compter peut-être les gitans, le train devait s'être vidé. Il ne vit pas Éloïse ni l'employé de bureau qui lui servait apparemment de cavalier, bien qu'il eût aperçu le couple plein de haine de son premier compartiment. La jeune femme blonde se retourna, le vit et tira sur le bras de son compagnon qui se retourna à son tour. Ils hâtèrent le pas et le mouvement du derrière rebondi de la jeune femme, auquel Svenson aurait normalement jeté un coup d'œil furtif avec plaisir, lui donna seulement envie de lui administrer une bonne correction. Il les laissa tous franchir le porche en bois de la gare et entrer dans le village proprement dit, tandis qu'il pénétrait dans le petit bâtiment.

Il y avait trois bancs pour les passagers en attente – tous vides – et un poêle en fonte froid. Il s'approcha du guichet mais le trouva fermé. Il frappa, appela, mais il n'y eut pas de réponse. Près du guichet, il y avait une porte où il frappa sans plus de succès, il chercha à l'ouvrir en tournant la poignée, mais elle était fermée à clé. Si miss Temple était passée par ici, ce dont il doutait, elle n'y était plus.

Sur le mur était accroché un tableau noir où était inscrit l'horaire des arrivées et des départs. Le prochain train qu'il pouvait prendre pour rentrer, comme il put le lire avec une certaine exaspération, ne partait qu'à huit heures le lendemain matin. Il allait perdre un temps précieux. Il se demanda où miss Temple pouvait bien se trouver et comment il aurait pu aider Chang s'il était resté avec lui. Il regarda autour de lui, comme si, en restant là, il allait trouver une sorte de répit, mais il dut reconnaître que son seul recours était désormais d'aller au village et d'y trouver une chambre pour la nuit.

Peut-être pourrait-il comprendre quelque chose à Éloïse et aux membres de ce mystérieux groupe avec leurs petits livres noirs. Était-ce des Bible? Il ne voyait pas ce que cela pouvait être d'autre avec ce spectre tyrannique de la rédemption et du péché, mais qui pouvait prendre tout cela au sérieux? Il eut la conviction que la réponse était plus insidieuse et plus compliquée… mais peut-être préférait-il associer Éloïse à des bandits plutôt qu'à des fanatiques. Il sortit de la gare. Les autres étaient maintenant hors de vue.

Il se retrouva sur une route bordée d'une haie mal taillée de bruyères noires dont les épines sombres dessinaient des ombres inquiétantes sur la route. Des ombres? Il y avait dans le ciel une lune montante que Svenson regarda avec plaisir. Au-dessus des bruyères, il distinguait dans le lointain les toits de chaume de Tarr Village. Il se mit à marcher dans cette direction avec une détermination soudaine et, quelques minutes plus tard, la route aboutit à une pelouse communale entourée d'un chemin pavé. En face de lui, au loin, il ne distinguait que le clocher blanc d'une église mais, heureusement, la bâtisse la plus proche de lui portait une enseigne en bois sur laquelle on avait peint un corbeau couronné d'argent.

Svenson s'arrêta devant la porte, un pied sur la marche, et regarda autour de la place. Il y avait de la lumière aux fenêtres de quelques maisons mais personne dans la rue et pas un bruit dans l'air. S'il y avait eu quelques sentinelles postées ici et là, Tarr Village aurait pu lui rappeler un camp militaire à la tombée de la nuit. Il entra dans l'auberge.

En tant qu'étranger, le docteur savait qu'il ne pouvait pas en juger en toute connaissance de cause, mais le King Crow lui donna l'impression d'être une bien curieuse taverne de village, ce qui, avec le côté très ordonné du village lui-même et le halo d'apocalypse qui entourait les gens du train, ajouta à ses soupçons. Il supposa que Tarr Village abritait en fait une de ces communautés organisées en fonction de principes moraux ou religieux. Mais quelle pouvait bien en être la doctrine et qui en était le chef charismatique ou rigide? Premièrement, le King Crow ne sentait pas, comme toutes les tavernes, la bière et la fumée, n'avait pas l'odeur âcre de la sueur et de la graisse des humains. En fait, l'air fleurait le savon, le vinaigre et la cire, et la pièce centrale était astiquée et vide comme les entrailles nues et propres d'un vaisseau, avec ses murs blanchis à la chaux et un feu brûlant dans une cheminée plutôt modeste. En outre, les deux seules personnes qui s'y trouvaient portaient des costumes noirs et raides avec de larges cols blancs et des capes de voyage noires. Chacun d'entre eux était debout près du feu, un verre de vin rouge à la main, silencieux (à moins qu'ils eussent à peine fini de se parler), mais de toute évidence attendant quelqu'un ou qu'on leur dise quelque chose. Ils se retournèrent tous les deux quand il entra.

L'un d'entre eux se racla la gorge et parla.

– Excusez-moi… est-ce que vous venez d'arriver par le train de 15 h 02 ?

Svenson hocha la tête poliment, le visage impassible.

– Oui, en effet.

Ils l'examinaient ou ils attendaient qu'il leur parle… alors il se tut.

– Il s'agit là du manteau de l'uniforme de Macklenburg, si je ne m'abuse ? demanda l'autre.

– Oui.

L'un dit quelques mots à l'oreille de l'autre. Celui qui écoutait hocha la tête. Ils continuèrent à le regarder, comme s'ils n'arrivaient pas à se décider. Svenson tourna les yeux vers le comptoir derrière lequel se tenait en silence un type au visage porcin portant une chemise d'un blanc immaculé.

– Je voudrais une chambre pour la nuit, lui dit Svenson. Est-ce que vous en avez une ?

L'homme regarda ses deux clients, pour recevoir un ordre ou pour voir s'ils avaient besoin de quelque chose avant qu'il ne s'en allât, le docteur n'aurait pas su le dire. Puis il sortit de derrière son comptoir en s'essuyant les mains. Il passa devant Svenson et marmonna :

– Par ici…

Svenson regarda encore une fois les deux hommes près du feu et se tourna pour suivre le pas lourd de l'aubergiste dans l'escalier.

La chambre était simple, le prix tout à fait honnête. Après y avoir jeté un coup d'œil – un lit étroit, une cuvette sur un tabouret, une chaise droite, un miroir –, Svenson déclara que cela lui convenait et demanda où il pourrait trouver quelque chose à manger. Une fois de plus, l'homme marmonna « Par ici… » et il le ramena en bas près du feu. Les deux hommes étaient toujours là et ils continuèrent à le dévisager alors qu'il enlevait son manteau et qu'il s'asseyait à une table que son hôte lui indiqua avant de disparaître par une petite porte derrière le comptoir et qui, Svenson le supposa, devait mener à la cuisine.

Qu'on ne lui demanda rien sur ce qu'il voulait manger ne le troubla pas outre mesure. Il avait l'habitude de voyager dans le pays et de s'arranger avec ce qu'il trouvait. En fait, quand avait-il mangé pour la dernière fois ? Quand il avait pris le thé avec miss Temple et Chang au Boniface ? Et avant cela ? Du pain et de la saucisse la nuit précédente… deux maigres repas en plusieurs jours. Ce n'était vraiment pas comme ça qu'on menait à bien une aventure.

Les deux hommes continuaient à l'observer et, maintenant, sans s'encombrer des convenances.

– Est-ce que vous voulez me dire quelque chose ? demanda-t-il.

Ils s'agitèrent, marmonnèrent et s'éclaircirent la voix sans grand effet. C'était maintenant à lui de les regarder fixement et il ne s'en priva pas. À l'extérieur de la pièce, il pouvait entendre un bruit agréable de casseroles et de vaisselle. Ragaillardi par la perspective de prendre un repas, Svenson reprit :

– Je crois que vous êtes ici pour venir chercher un voyageur du train de 15 h 02 en provenance de la gare de Stropping. Je crois également que vous ne connaissez pas cette personne. Donc, votre façon de m'examiner comme si j'étais un animal dans un zoo, je ne la prends pas comme un affront que vous me faites, mais plutôt comme un aveu de la situation absurde dans laquelle vous vous trouvez. Ou est-ce que je me trompe ? Dites-le-moi, s'il vous plaît. Y a-t-il un affront – il baissa le ton d'un air entendu – que nous devrions régler dehors entre gentlemen ?

Svenson n'adoptait généralement pas une attitude aussi arrogante, mais il était sûr que ces hommes n'étaient pas violents, que c'était en fait des gens instruits, qu'ils avaient les manchettes propres et les mains sans cal… plutôt comme lui, à vrai dire. Chang devait déteindre un peu sur lui. Un instant après, celui qui avait parlé le premier, le plus grand avec un nez plus fin, leva la main.

– Nous sommes désolés de vous avoir dérangé, ce n'était vraiment pas notre intention. C'est juste que votre uniforme… votre accent… ne sont pas choses courantes dans la région…

– Parce que vous êtes de la région? demanda Svenson. Je suis très surpris de l'apprendre. Je pensais plutôt que vous étiez arrivés aujourd'hui même par le train de 2 h 52, bien qu'il soit possible aussi que vous ayez pu arriver avant. La personne que vous veniez chercher devait faire le voyage avec vous, mais elle n'était pas au rendez-vous. Vous espériez donc qu'elle arriverait par le train suivant. Le fait que vous ayez pensé qu'il pouvait s'agir de moi, confirme, comme je vous le disais, que vous ne l'avez jamais rencontrée. On ne peut guère s'empêcher de se demander si le but de la rencontre est tout à fait avouable.

Sur ces entrefaites, la porte de la cuisine s'ouvrit bruyamment pour laisser passer leur hôte chargé d'un plateau en bois qu'il portait à deux mains et sur lequel se trouvaient plusieurs assiettes. De la viande rôtie, du pain épais, des pommes de terre bouillies fumantes, un bol de sauce et une assiette de navets écrasés avec du beurre. Il posa tout cela sur la table de Svenson puis, en dirigeant sa main à contrecœur vers le comptoir, il marmonna:

– Quelque chose à boire?…

– Une chope de bière, si vous voulez bien.

– Il n'y a pas de bière, objecta le deuxième homme qui commençait à être chauve et qui se coiffait comme autrefois, à l'impériale, avec les cheveux ingénument brossés vers l'avant.

– Alors, du vin, commanda Svenson.

L'aubergiste hocha la tête en se dirigeant derrière son comptoir. Svenson se retourna vers les deux hommes. Il respirait les effluves des plats qui se trouvaient devant lui en réalisant à quel point il avait faim.

– Vous n'avez fait aucun commentaire sur mes hypothèses, dit-il.

Les deux hommes échangèrent rapidement un regard, posèrent leur verre de vin sur le manteau de la cheminée et sortirent à grands pas du King Crow sans ajouter un mot.

L'horloge du King Crow sonna sept heures. Le docteur Svenson alluma une des dernières cigarettes qui lui restaient, en prit une longue bouffée et souffla lentement la fumée sur les reliefs de son repas. Dans son verre, le second, il fit tourner un vin de pays pas assez corsé et l'avala d'un coup, puis il posa son verre et se leva. L'aubergiste était derrière le comptoir, occupé à lire un livre. Svenson remit son manteau sur ses épaules et l'interpella.

– Je voudrais faire un tour dehors, sur la pelouse. Est-ce que je pourrai rentrer facilement ensuite ? À quelle heure vous retirez-vous pour la nuit ?

– On ne ferme pas les portes à Tarr Village, répondit l'homme qui retourna à son livre. Svenson comprit qu'il n'arriverait pas à échanger davantage avec cet homme et il se dirigea vers la porte.

Dehors, la nuit était claire et fraîche. Un clair de lune lumineux jetait un lustre pâle et argenté sur la pelouse, comme s'il venait de pleuvoir. De l'autre côté de la place, il pouvait distinguer de la lumière provenant de l'église. C'était la seule bâtisse à être ainsi habitée, comme si, aux autres, on avait donné l'ordre d'éteindre toutes les chandelles à partir d'une certaine heure. Comme pour le confirmer, derrière lui, la lumière disparut des fenêtres du King Crow, le propriétaire éteignant les feux pour la nuit. Il ne pouvait pas être beaucoup plus de sept heures ! À quelle heure ces villageois se levaient-ils ? avant l'aube ? Peut-être que le groupe de puritains du train était vraiment à sa place ici, dans le fond, peut-être que son séjour récent dans la ville aux mille péchés – il ne pouvait guère nier que c'était le cas – lui inspirait son scepticisme ? Svenson se mit en route vers l'église en traversant la pelouse pour voir ce qui faisait veiller ces gens-là.

Au beau milieu de la pelouse se trouvait un très grand arbre, un vieux chêne, et Svenson eut envie de marcher dessous et de lever les yeux vers la lune au travers de l'énorme entrelacs de ses branches sans feuilles, juste pour se mettre au supplice en ressentant une bouffée de vertige. Quand il dirigea son regard vers ses bottes pour reprendre ses esprits, il entendit à l'autre bout de la pelouse le bruit facilement reconnaissable d'une voiture tirée par des chevaux qui entrait avec fracas dans Tarr Village. Elle était de petite taille et bien faite, tirée par deux chevaux noirs et conduite par un cocher tout emmitouflé qui guida ses chevaux juste devant le King Crow. Svenson sut tout de suite qu'il s'agissait de la personne en retard qui devait rejoindre les deux hommes.

Le cocher frappa à la porte, attendit, frappa encore, beaucoup plus fort et, quelques instants plus tard, n'ayant pas obtenu de réponse, il retourna à la voiture. Svenson ne put qu'admirer le silence tenace de l'aubergiste. Après avoir échangé quelques mots avec son maître, le cocher remonta sur son siège. En sifflant et en faisant claquer les rênes, le cocher fit avancer la voiture le long de la place et elle disparut au cœur du village.

Quand le calme de la nuit revint, ce fut comme si la voiture n'était jamais passée.

L'église de Tarr Village, encore en construction, était simple : faite de bois et peinte en blanc, son clocher carré à l'arrière tenait plus de la tour de garde que de la flèche pointant vers le paradis. La façade était plus étrange. La porte à double battant était close mais, Svenson s'en aperçut en s'approchant, elle était aussi fermée par une grosse chaîne passée dans les deux poignées et retenue solidement à l'aide d'un cadenas massif. Svenson emprunta le chemin pavé et leva les yeux vers l'entrée. Il ne vit personne, monta les trois marches sans faire de bruit et appuya son oreille à la porte. Il y avait quelque chose… un son qui lui mit rapidement les nerfs à fleur de peau. Une sorte de bourdonnement sourd et ondulatoire. Était-ce une psalmodie ? Un étrange bourdonnement dyspeptique produit par le tuyau d'un orgue ? Il recula encore, mais ne recueillit aucun indice dans ce qu'il pouvait distinguer.

L'église étant bordée d'un terrain ouvert, il fit quelques pas dans une herbe sauvage qui lui arrivait au-dessus des chevilles, tandis que la rosée du soir mouillait ses bottes. Une rangée de fenêtres hautes longeait l'église. Les vitraux portaient des motifs non figuratifs sertis au plomb. Il se demanda s'il s'agissait de quelque chose de purement décoratif, une forme géométrique, comme dans les mosquées où toute représentation d'un homme ou d'une femme, et *a fortiori* du Prophète, est considérée comme un blasphème. En levant les yeux, il ne put distinguer qu'une pâle lueur provenant de l'intérieur, il y avait donc un peu de lumière, mais diffusée par une simple lanterne ou quelques cierges.

Soudain, comme si la foudre avait projeté une strie d'azur sur la vitre, jaillit un éclair de lumière bleue. Et puis, tout disparut aussi vite. Le phénomène ne s'était accompagné d'aucun son et aucune réaction n'était venue de l'intérieur… L'avait-il vraiment vu ? Oui, il en était sûr. Il courut derrière l'église pour trouver une autre porte…

– Capitaine Blach !

C'était l'homme du train, le prétendu partenaire d'Éloïse, le clerc d'avocat. Il se tenait dans l'embrasure de la porte arrière de l'église avec, dans une main, une cigarette allumée, et dans l'autre, bizarrement, une lourde clé anglaise en fonte, de celles que l'on utilise seulement pour la machinerie lourde. Avant même que Svenson eût pu prononcer un mot, l'homme mit sa cigarette entre ses lèvres et lui tendit la main.

– Vous êtes enfin arrivé… votre absence m'inquiétait. Avez-vous retrouvé votre compagne?

– J'ai bien peur que non…

– Ne vous en faites pas, je suis sûr qu'elle a continué et qu'elle est allée à la maison avec les autres.

– La lumière, dit Svenson en montrant les fenêtres derrière lui. Un éclair bleu, il y a quelques minutes…

– Oui! Les yeux de l'homme s'éclairèrent. N'est-ce pas magnifique? Vous arrivez juste au bon moment.

Il prit une autre bouffée de sa cigarette qu'il laissa tomber sur le seuil en pierre avant de l'écraser avec son soulier. Le regard de Svenson se porta sur la clé anglaise, elle était presque aussi longue que l'avant-bras de l'homme. Celui-ci le remarqua et eut un petit rire en brandissant la barre de fonte comme un trophée.

– Ils nous permettent de les aider un peu à faire certains travaux, vous voyez… C'est aussi agréable que je l'espérais! Venez, tout le monde sera ravi de vous voir.

Il se retourna et entra dans l'église, tenant la porte ouverte pour que Svenson le suivit. L'éclair bleu lui fit penser à d'Orkancz et à l'Institut. Il avait donné un faux nom à cet homme, mais n'importe quelle personne impliquée dans la cabale et qui serait présente le démasquerait dans l'instant. De plus, et il se mit à réfléchir à toute allure, en faisant signe à l'homme de passer le premier et en fermant la porte derrière eux, est-ce que c'était les femmes qui étaient au château? De quelle autre demeure pouvait-il bien s'agir? S'il en était ainsi, il était clair qu'il existait un lien entre ce groupe – les livres noirs, les vapeurs du soufre puritain – et la cabale de Bascombe.

Alors même que l'homme l'emmenait dans la sacristie, où étaient suspendus des vêtements sacerdotaux, il se demanda ce qu'il allait faire. On avait assassiné lord Tarr pour prendre le contrôle de la carrière et des filons d'argile indigo. Qu'est-ce que tout cela avait à voir avec ce cirque religieux? Et quelle cérémonie nécessitait que l'on se serve d'une clé anglaise de cette taille?

L'homme s'arrêta tout à coup, une main sur la poitrine de Svenson et l'autre tenant la clé anglaise devant sa bouche pour indiquer de ne pas faire de bruit, une posture qui lui parut complètement ridicule. Il lui désigna d'un signe de tête une porte ouverte qui se trouvait devant eux, puis il commença à avancer sans faire de bruit jusqu'à ce qu'ils pussent voir ce qui se passait dans la pièce suivante. Svenson le suivait, à la fois curieux et inquiet, tendant la tête au-dessus de l'épaule de l'homme.

Ils se trouvaient sur le côté de l'autel, et, derrière, ils pouvaient voir plus loin la nef de l'église dont les bancs avaient été poussés et entassés contre les murs latéraux. Au centre du plancher ainsi dégagé se trouvait une table improvisée faite de caisses en bois empilées... des caisses comme celles que Chang disait avoir vues à l'Institut, comme celles également que les hommes du colonel Aspiche emportaient dans des charrettes ce matin-là. Sur cette table se trouvait une... une machine, un ensemble de pièces de métal engrenées sortant d'un coffret central qui pouvait ressembler à un heaume médiéval d'où sortaient des spirales de fils de cuivre brillant qui rentraient dans une boîte ouverte sur le sol, mais dont Svenson ne pouvait voir l'intérieur. L'air était saturé de cette odeur forte, cette même odeur de machine, faite d'ozone, de poudre, de caoutchouc brûlé, de graisse, qu'il avait remarquée sur les corps de Trapping, d'Angélique et de l'homme dans la cuisine de chez Crabbé, à ceci près qu'elle était ici tellement intense que ses narines se plissèrent, même d'aussi loin. Autour de la machine, des hommes se tenaient en cercle, un mélange de toutes les classes et de tous les styles, comme dans le train et, parmi eux, l'homme au visage chevalin qu'il avait rencontré dans le premier compartiment. La plupart avaient enlevé leurs manteaux et roulé leurs manches, quelques-uns tenaient en main des outils, d'autres, des chiffons pleins de graisse, d'autres encore semblaient satisfaits, les mains sur les hanches, et tous regardaient amoureusement la machine qui se trouvait au milieu d'eux.

Dans le cercle se tenait un homme au manteau élimé mais bien coupé, les cheveux grisonnants plaqués derrière les oreilles. Son visage anguleux portait de grosses lunettes de protection aux verres teintés. Il avait les mains agrandies, comme celles d'un géant, par une paire de gants rembourrés en cuir qui lui remontaient jusqu'aux coudes. C'était le docteur Lorenz.

Svenson s'éloigna de l'embrasure de la porte. Son compagnon sentit qu'il avait bougé et se retourna en lui lançant un regard inquiet. Svenson leva la main et eut un haut-le-cœur silencieux, faisant des gestes pour indiquer qu'il avait du mal à respirer, qu'il avait mal à la gorge, se recula d'un pas encore tout en faisant signe à l'homme d'avancer, comme si c'était l'affaire de quelques minutes et qu'il ne tarderait pas à le rejoindre. Au lieu de continuer seul, l'homme le suivit, obligeant Svenson à s'étouffer avec encore plus de simagrées puis, à son grand désespoir, l'homme se dirigea vers la pièce devant eux comme pour aller chercher de l'aide. Svenson le saisit par le bras et l'entraîna jusqu'à la porte arrière de l'église. Quand ils eurent atteint le fond du vestiaire, Svenson feignit de tousser et de s'étouffer bruyamment.

– Capitaine Blach, est-ce que vous allez bien ? Vous vous sentez mal ? Je suis sûr que le docteur Lorenz…

Svenson franchit la porte arrière en courant et se plia en deux sur le perron pavé de l'entrée, les mains sur les genoux, avalant de l'air en haletant. L'homme le suivit dehors, inquiet. Svenson ne pouvait pas entrer, Lorenz le reconnaîtrait. Et maintenant il était évident que cet homme, quoi qu'il arrive, allait parler de lui, peut-être d'ailleurs l'avait-il déjà fait. Il parlerait de lui de façon telle que ceux qui l'avaient déjà classé parmi leurs ennemis n'auraient aucun doute sur son identité. Il sentit qu'on lui mettait la main dans le dos pour le réconforter et il releva la tête.

– J'espère que nous ne les dérangeons pas, dit Svenson d'une voix rauque.

– Oh ! non ! répondit l'homme. Je suis sûr qu'ils ne savaient même pas que nous étions là.

Comme Svenson l'avait espéré, l'homme tourna la tête vers la porte tout en lui parlant. Le docteur se redressa brusquement et, tenant la crosse de son pistolet dans la main droite, lui assena un coup violent derrière l'oreille. L'homme grogna de surprise et chancela dans l'encadrement de la porte. Svenson hésita, il ne voulait pas lui donner un autre coup. En fait, il n'était pas très bon juge en ce domaine, mais assez tout de même pour savoir qu'on peut tuer un homme de cette façon. L'homme gémit et essaya de rester debout, tremblant. Svenson se précipita, le frappa encore et ressentit l'onde d'un sale petit bruit sourd tout le long de son bras. L'homme s'effondra comme une masse.

Svenson remit en hâte son pistolet dans sa poche et traîna le corps à l'intérieur de l'église. Il écouta, n'entendit rien qui venait de l'intérieur, et décrocha sans bruit plusieurs chasubles dans la sacristie. Il les plaça sur le corps en le laissant en position assise derrière la porte ouverte, pour que l'on ne pût le repérer au premier regard. Le docteur Svenson palpa la nuque de l'homme. Elle était enflée, pulpeuse, mais il ne pensait pas qu'il y avait fracture, même si, penché ainsi sur le type dans le noir, il ne pouvait en être certain. L'homme était en vie et il se dit que c'était peut-être suffisant, quoique cela ne suffît pas à apaiser sa culpabilité. Svenson ramassa la clé anglaise. Il se désola alors devant tant d'étourderie et se mit à fouiller dans les plis des chasubles pour en sortir le livre noir de l'homme. Il le fourra dans son manteau et se glissa vers la porte menant à l'intérieur. Le bourdonnement avait repris.

Sur la table, la machine vibrait avec une sorte de gémissement croissant qui semblait indiquer, d'après les réactions des hommes qui se trouvaient autour, que ce qui était en train de se passer, quelle qu'en soit la nature, était sur le point de réussir. Lorenz tenait une montre de gousset dans une main, l'autre était levée, et les hommes autour de lui étaient aux aguets, suspendus à son signal. On aurait dit un groupe de garçons grandis trop vite attendant que le maître leur donne la permission de se lancer dans la mêlée.

La machine eut un à-coup, ébranlant dangereusement les caisses qui étaient dessous. Est-ce que tout allait exploser? Lorenz n'avait pas bougé. Les hommes étaient toujours agglutinés autour. Tout à coup, le savant baissa le bras, les hommes sautèrent sur la machine et la maintinrent solidement en place. Ce contrôle sembla reporter l'énergie de la machine vers l'intérieur, et Svenson put apercevoir d'abord de légères volutes de fumée, puis une lueur de plus en plus intense. Les hommes fermaient les yeux en plissant les paupières et détournaient leur visage de la machine. Comprenant le danger, Svenson fit demi-tour et se plaqua contre le mur, les yeux fermés. La seconde d'après, un éclair bleu vif jaillit de la nef; il le sentit à travers ses paupières et vit des taches de lumière flottant devant ses yeux fermés. Il se mit la main sur la bouche et le nez. L'odeur était insoutenable. Il entendait les hommes rire et s'étouffer dans l'autre pièce, puis se féliciter mutuellement. Il tourna la tête vers la porte et risqua un coup d'œil furtif.

Penché sur la machine, Lorenz soulevait une plaque métallique montée sur une charnière, comme la porte d'un fourneau, et il passait sa main gantée à l'intérieur dans une lumière intense et bleue qui enlevait toute couleur à son visage déjà pâle. L'attention des hommes était concentrée sur la main de Lorenz qui pénétrait dans l'ouverture et qui en sortit avec, dans la paume, une boule qui battait comme un pouls, une boule bleue en pierre ou en verre. Il la souleva pour la leur montrer et ils l'accueillirent avec des acclamations confuses et exubérantes. Les visages des hommes étaient rouges et plissés. L'odeur chimique ayant étourdi Svenson, il imaginait l'effet qu'elle devait produire sur eux.

Lorenz ouvrit sa cape. Il portait un large ceinturon en cuir, en travers de la poitrine, auquel étaient accrochés de petits flacons métalliques bouchés qui ressemblaient aux recharges de poudre des mousquetaires d'antan. Il dévissa précautionneusement l'un des flacons et fit entrer la boule qu'il tenait à la main dans l'ouverture étroite du flacon, en la pressant comme s'il s'agissait d'argile malléable et brillante. Il referma le flacon et, d'un petit geste de la main, remit sa cape en place.

Le docteur Lorenz releva les yeux vers les hommes qui l'entouraient et demanda sur un ton de curiosité calme :

– Où est passé monsieur Coates ?

Svenson se tourna pour qu'on ne puisse pas le voir et se remit dos au mur. En deux longues enjambées silencieuses, il était sorti de la sacristie puis, en courant, il quitta l'église. Il traversa le terrain vide et, en se cachant derrière la bâtisse voisine, il retrouva le chemin pavé qu'il emprunta en direction de la place. Il ne s'arrêta pas avant d'avoir atteint le chêne, courant penché en avant et faisant le moins de bruit possible. Là, il s'agenouilla et regarda derrière lui, le cœur battant à tout rompre. Il y avait des hommes sur l'herbe et l'un d'entre eux s'était avancé jusque devant l'église en scrutant au-delà des marches, sur la place. Svenson recula pour se cacher. L'avaient-ils vu s'enfuir ? Avec un peu de chance, s'ils découvraient le malheureux Coates, cela pourrait les retenir et lui permettre de s'échapper. Évidemment, étant donné l'enthousiasme du groupe, cela pourrait aussi les enflammer et leur donner l'envie de se venger sur-le-champ. Coates allait-il revenir à lui ? Que pourrait-il leur dire ? Svenson n'osa pas traverser la pelouse pour aller au King Crow. Il regarda au-dessus de lui. Tout autre que lui se serait réfugié dans l'arbre. Svenson frissonna. Il n'était pas Chang.

L'homme qui se trouvait devant l'église regarda encore longuement la pelouse, puis il retourna vers la porte de derrière, ramenant au passage avec lui les hommes qui étaient sur le côté de l'église. Svenson entendit la porte se refermer. C'était le moment de s'enfuir pour se mettre à couvert mais, au lieu de cela, il resta derrière son arbre à guetter. Quinze minutes passèrent encore, dans un froid mordant, avant que la porte ne s'ouvrit de nouveau sur une file d'hommes transportant des caisses. Lorenz arriva en dernier, sans gants ni lunettes, serrant sa cape contre lui. Svenson les perdit de vue le long de la route que la voiture avait empruntée plus tôt. Il ne pouvait que supposer qu'ils se rendaient à Tarr Manor.

Svenson les laissa filer pendant encore deux minutes avant de quitter son chêne et de retourner à l'église. Il n'avait aucune idée de ce qu'il y trouverait, mais ce serait toujours mieux que de marcher au hasard dans l'obscurité. Coates n'était plus dans le coin où il l'avait laissé. Il fallait espérer qu'il avait pu s'en aller sur ses jambes après être revenu à lui. Svenson s'avança prudemment et traversa la sacristie pour entrer dans la nef qui était maintenant dans l'obscurité. La lumière de la lune filtrait encore par les vitraux mais, sans la lueur bleue de la machine, l'ensemble donnait une autre impression, une impression de tristesse et d'abandon, même si les bancs avaient été remis en place à la hâte.

Svenson jeta un coup d'œil sur l'autel et, dessous, il distingua une ombre étrange. Il leva les yeux vers les fenêtres pour voir ce qui pouvait empêcher la lumière de passer, une tache ou un dépôt sur la vitre, peut-être de la suie provenant de la machine. Il traversa la pièce vers l'autel lui-même et il mesura son erreur. En fait d'ombre, c'était une flaque. Svenson souleva la nappe blanche de l'autel et découvrit le corps contracté de Coates dont la gorge avait été tranchée net.

Svenson se mordit la lèvre. Il laissa tomber la nappe et se tourna, la main dans sa poche pour trouver son revolver de service. Il vérifia les cartouches et le chien, fit tourner le barillet et le remit en place. Il regarda autour et sentit monter en lui l'envie de donner des coups de pied dans les bancs alignés, puis il se força à respirer posément. Il ne pouvait plus rien pour Coates si ce n'est se souvenir de lui comme d'un homme affable et attentionné. Il sortit de l'église et emprunta la route.

Étant donné que les hommes transportaient des caisses, Svenson pensa un moment qu'il pourrait les rattraper ou du moins les apercevoir, mais il marcha plus d'un kilomètre le long d'une route de campagne bordée de bruyères d'un côté et de champs en friche hivernale de l'autre sans rien voir. À la borne marquant un kilomètre, la route formait une fourche et il s'arrêta au clair de lune pour décider quel chemin il allait prendre. Il n'y avait aucune indication, et les deux routes semblaient également fréquentées. En regardant au loin, il s'aperçut que le chemin de gauche montait légèrement... Coates avait parlé d'une montée. Suivant ce maigre indice, il prit cette direction.

Quand il parvint en haut, il vit que la route redescendait puis remontait encore en virages doux autour d'une série de collines broussailleuses de plus en plus hautes. Chaque fois qu'il atteignait le sommet d'une crête, le docteur distinguait plus clairement sa destination, et quand il se trouva bien en face, sans avoir trouvé trace des hommes qu'il avait pensé rencontrer, il vit une demeure dont la taille lui fit supposer que cela ne pouvait être que Tarr Manor : des vergers dans les champs avoisinants, un rideau de peupliers nus et, devant, un mur en pierre comme on les faisait autrefois, surmonté d'une haute grille de fer. Les dépendances étaient de taille modeste et pas très nombreuses, et la demeure elle-même, loin d'avoir le côté monstrueux d'Harschmort, consistait en un grand cube recouvert de briques, crénelé, hérissé de cheminées et de pignons et, pour plus de la moitié, recouvert de lierre dont les feuilles, à la lumière incertaine du clair de lune, apparurent à Svenson comme les écailles d'un reptile.

Les fenêtres du rez-de-chaussée de la maison étaient illuminées. La curiosité de Svenson fut piquée par le fait que la seule autre fenêtre éclairée se trouvait à l'un des pignons du dernier étage des mansardes, ce qui donnait, en comptant les rangées de fenêtres, quatre étages sombres entre les deux. Il s'approcha avec précaution – se faire abattre pour avoir pénétré sur une propriété privée serait vraiment une façon idiote de mourir – et il constata que la grille était fermée par une chaîne. Il appela en direction de la petite cahute de garde qui se trouvait de l'autre côté du mur, mais il n'obtint pas de réponse. Il leva les yeux : le mur d'enceinte était très haut et il frémit à l'idée de l'escalader. Il préférait trouver un autre point d'entrée, moins monumental peut-être, et il se souvint qu'il avait vu, dans la carte de verre de Bascombe, l'image, près d'un verger, d'un mur écroulé qu'il pourrait franchir facilement, à condition de le trouver. Il contourna un angle du mur, marchant sur les herbes hautes et sèches, sans doute pliées par le vent sur du sable dur comme de la pierre.

Svenson essaya d'élaborer un plan d'action, tâche pour laquelle il n'avait jamais été particulièrement doué. Il aimait étudier les preuves, tirer des conclusions et même confronter celles qu'il réussissait à faire entrer dans le cadre de la réalité, mais toute cette activité, traverser des maisons en courant, grimper le long des gouttières, sur des toits, tirer des coups de feu et en être la cible... tout cela n'était vraiment pas son *métier*[*]. Il savait qu'il devait approcher Tarr Manor en ordre de bataille, il essayait d'imaginer ce que choisirait Chang mais, loin de lui rendre service, cette idée ne fit que souligner à quel point Chang était un véritable mystère à ses yeux. Le point faible de Svenson, c'était l'imprévu. Il cherchait plusieurs solutions à la fois et, en fonction de ce qu'il trouvait, ses objectifs pouvaient changer. Il espérait retrouver miss Temple, bien qu'il pensât ne pas y parvenir. Il espérait retrouver les femmes du train, ce qui revenait à dire qu'il voulait savoir si Éloïse était corrompue elle aussi, comme il le craignait, ou si elle était innocente et qu'on l'avait dupée comme Coates. Il espérait trouver des renseignements sur Bascombe et le vieux lord Tarr. Il voulait connaître la nature exacte du travail qui se faisait dans la carrière. Il espérait connaître la vérité qui se cachait derrière Lorenz et ses machines et le rapport de tout cela avec ces hommes qui venaient de la ville. Il espérait découvrir qui se trouvait dans la voiture à cheval et donc en savoir davantage sur les deux hommes qui avaient voyagé pour rencontrer cette personne. Mais tous ces objectifs se mélangeaient dans sa tête, et pour le moment il ne pensait qu'à une chose : comment entrer dans cette maison et pouvoir y rôder le plus discrètement possible. Et puis sa logique rigoureuse de sceptique exigeait de lui qu'il répondît à ces questions : que ferait-il si, en dehors de Lorenz, il tombait sur quelqu'un qui faisait partie de la cabale et connaissait son nom ? Que ferait-il si on le conduisait à la Contessa ou au comte d'Orkancz ? Il s'arrêta et poussa un long soupir, la gorge sèche. Il n'en avait vraiment aucune idée.

Quand il trouva le pan de mur en ruine, Svenson jeta d'abord un coup d'œil par-dessus pour vérifier que la voie était

[*] En français dans le texte.

libre. À cet endroit, il était beaucoup plus près de la maison, on aurait dit qu'il n'y avait que quelques petits arbres fruitiers et quelques plates-bandes en friche entre lui et les fenêtres les plus proches. Il se souvint du compte rendu de la mort de lord Tarr dans le journal : n'avait-il pas été découvert dans son jardin ? Svenson se hissa sur le mur et passa par-dessus en s'égratignant juste un peu les mains, puis il se laissa tomber dans l'herbe. Les fenêtres toutes proches étaient complètement noires, peut-être était-ce là le bureau du vieux lord qui ne servait plus à personne. Cela signifiait-il que Bascombe n'était pas sur place ? Svenson avança à pas feutrés en marchant sur l'herbe pour éviter de laisser des traces de bottes dans les plates-bandes.

Il arriva devant les fenêtres, en fait il s'agissait d'une porte double à la française et du mur, il n'avait pas vu les quelques marches qui y menaient à partir du jardin. Svenson se pencha et ajusta son monocle. Un des battants était cassé, tout un carreau manquait près de la poignée. Il regarda sur les marches au-dessous de lui et ne trouva pas de morceaux de vitre. On les avait ramassés, bien sûr.

Il se retourna vers le carreau qui manquait. Tout autour du cadre, de petits éclats de bois avaient sauté. S'il interprétait ces indices correctement, le coup avait été porté de l'intérieur. En admettant que Svenson eût adhéré à la rumeur selon laquelle un animal aurait tué le vieux lord, il aurait d'abord dû se demander pourquoi un animal avait cassé ainsi le carreau. On aurait pu supposer, par ailleurs, que l'assaillant avait surgi de l'extérieur. Mais s'il était à l'intérieur, alors pourquoi casser la vitre ? Se pouvait-il que ce fut lord Tarr lui-même qui l'eût fait dans sa précipitation pour s'enfuir ? Or, cela n'avait de sens que si on avait fermé la porte de l'extérieur… Si lord Tarr avait été enfermé dans son bureau…

La porte était maintenant fermée de l'intérieur. Svenson passa sa main avec précaution et l'ouvrit. Il entra dans une pièce obscure et referma la porte vitrée derrière lui. À la lueur de la lune, il distingua un bureau et des murs entiers couverts de bibliothèques. Il prit une allumette dans sa poche, la frotta sur son ongle et repéra une bougie dans un vieux chandelier en cuivre. Profitant de cet éclairage, il fouilla attentivement les tiroirs du bureau, mais tout ce qu'il découvrit fut que lord Tarr s'intéressait passionnément à la médecine et bien peu à son domaine. Dans un seul registre entièrement écrit de la main de quelqu'un que Svenson supposa être l'intendant, concernant des affaires de lord Tarr, il dénicha une kyrielle de carnets et des liasses d'ordonnances provenant de différents médecins.

Svenson avait rencontré assez de cas de ce genre pour savoir que la santé déclinante de lord Tarr avait été pour lui une distraction en soi, au-delà de toute cure ou de tout médicament en particulier. En fait, l'homme semblait noter les échecs de ses traitements dans son journal avec une âpre satisfaction. Ce journal était un carnet bien tenu que Svenson avait trouvé dans le premier tiroir, sous un autre grand registre plein d'ordonnances prescrivant potions et traitements. Il le repoussa négligemment, prêt à le ranger, quand une référence lui sauta aux yeux : « Traitement minéral inefficace du docteur Lorenz ! »

Il tourna la page et trouva deux autres entrées, identiques mais avec un nombre croissant de points d'exclamation, la dernière décrivant également la réaction hépatique de lord Tarr qui avait entraîné la vidange énergique de quelques cavités de son corps. C'était la dernière page de son journal, mais Svenson aperçut un petit reste de papier entre cette page et la couverture du carnet… il y avait eu là une autre page, plusieurs même, mais quelqu'un les avait soigneusement coupées avec une lame de rasoir. Déçu, il fronça les sourcils. Les entrées n'étaient pas datées, l'égotisme du patient ne supposait pas le besoin de noter ce qu'il savait déjà, donc il était impossible d'établir le temps que cela avait duré. Peu importait. Il reposa le journal dans le tiroir qu'il referma. Les comploteurs avaient essayé de faire passer lord Tarr dans leur camp bien avant de décider que Bascombe lui succéderait… et de le tuer.

Svenson s'agenouilla devant la serrure et vit, sans que cela lui fût très utile, un mur vide à environ un mètre cinquante. Il soupira, se releva et, très, très doucement, il tourna la poignée et entendit le loquet se libérer en claquant beaucoup trop fort. Il ne bougea pas, prêt à tirer une balle sur le verrou et à partir en courant dans le jardin. Apparemment, personne ne l'avait entendu. Il inspira et ouvrit la porte lentement, l'œil fixé sur l'entrebâillement qui s'élargissait. Il avait désespérément envie d'une cigarette. Le couloir était vide. Il ouvrit suffisamment la porte pour y passer la tête et regarder dans l'autre direction.

Le couloir en lui-même était sombre, éclairé seulement par les pièces qui se trouvaient à chaque extrémité. Il ne pouvait voir de quel genre de pièces il s'agissait et il n'entendait rien. Les nerfs de Svenson étaient à vif. Il s'obligea à entrer dans le couloir et à refermer la porte, il ne voulait pas qu'on pût y passer et faire enquête s'il la laissait entrebâillée, même s'il craignait de se perdre dans la maison et de ne plus reconnaître son chemin s'il devait s'enfuir. Il chercha à se donner de la force : il n'aurait pas besoin de fuir, c'était lui le prédateur. C'était les gens qui se trouvaient ici qui devraient avoir peur de lui. Svenson mit la main dans la poche de son manteau et saisit son revolver. Essayer de se rassurer avec une arme était idiot, on a du courage ou on n'en a pas, se reprocha-t-il, tout le monde peut porter une arme. Mais il se sentit malgré tout un peu plus fort pour marcher jusqu'au bout du couloir et jeter un coup d'œil au coin.

Il ramena vivement la tête en arrière et porta la main à son visage. L'odeur, cette odeur de machine, sulfureuse et forte, envahit ses narines et sa gorge comme s'il avait respiré toutes les vapeurs d'une usine sidérurgique. Il se frotta le nez et les yeux avec son mouchoir et il regarda encore une fois en le tenant collé à son visage. Il s'agissait d'une grande pièce, d'une salle de réception où étaient disposés en cercle des fauteuils et des divans élégants et démodés avec des sièges larges permettant d'accueillir les femmes portant poufs et crinolines. De petits guéridons qui entouraient les sièges étaient encombrés de tasses de thé à moitié vides et de petites assiettes avec des miettes et des morceaux de gâteau auxquels il ne manquait que quelques bouchées. Le docteur Svenson fit un compte rapide et arriva à onze tasses, peut-être assez pour servir les femmes qui étaient dans le train. Mais où étaient-elles maintenant et qui était leur hôte ?

Il se glissa dans le salon qu'il traversa pour atteindre une porte, sur le mur opposé, donnant sur une petite antichambre. Dans cette pièce se trouvait un escalier qui impressionna Svenson tant il était raide et, au-delà, une porte en arche qui menait à un autre salon. Dans l'embrasure de cette porte se tenait une femme petite, replète et vêtue de noir qui regardait dans la pièce exactement en même temps que Svenson. La surprise les fit tous deux reculer de quelques pas, la femme poussant un petit cri et Svenson ouvrant la bouche, marmonnant quelque chose d'incompréhensible, cherchant ses mots pour s'expliquer. Elle leva la main vers lui, déglutit et, de l'autre main, éventa son visage qui rougissait.

— Je vous demande vraiment pardon, parvint-elle à dire. Je pensais qu'ils… enfin que vous… étiez tous partis. Je n'aurais jamais… je cherchais simplement le gâteau. S'il en restait.

Pour le ranger. Pour l'emporter à la cuisine. Le cuisinier a dû se retirer… et c'est une très grande maison. Il se peut très bien qu'il y ait des rats. Vous comprenez?

– Je suis désolé de vous avoir fait peur, répondit le docteur Svenson d'une voix préoccupée et presque tendre.

– Je croyais que vous étiez tous partis, répéta-t-elle d'une voix aiguë et haletante.

– Bien sûr, lui dit-il pour la rassurer, je comprends très bien.

Elle lança un regard vers l'escalier avant de revenir à Svenson.

– Vous êtes l'un des Allemands, n'est-ce pas?

Svenson hocha la tête et, pensant que cela pouvait lui plaire, il claqua les talons. La femme eut un petit rire et se couvrit tout de suite la bouche de sa main rose et dodue. Il regarda attentivement son visage qui ne lui fit penser qu'à celui d'une enfant au sourire niais. Ses cheveux étaient coiffés de façon assez compliquée mais sans style particulier. En fait, et il se rendit compte qu'il était très lent pour faire ce genre d'observation, il s'agissait là d'une perruque assez ambitieuse. La robe noire indiquait un deuil, et il lui sembla que ses yeux étaient de la même couleur que ceux de Bascombe, et que ses yeux et sa bouche avaient la même forme elliptique… Pouvait-elle être sa sœur? sa cousine?

– Puis-je vous demander quelque chose, madame?

Elle fit signe que oui. Svenson s'écarta et lui montra d'un geste de la main la pièce qui se trouvait entre eux.

– Sentez-vous cette odeur?

De nouveau, elle eut un petit rire, et cette fois un léger éclat de folie passa dans ses yeux légèrement porcins. Cette question la rendit nerveuse, l'effraya même. Avant qu'elle ne partît, il reprit.

– Je veux simplement dire que je ne pensais pas qu'ils travailleraient… ici. Je pensais qu'ils feraient cela autre part. Je parle en notre nom à tous quand je dis que j'espère que cette odeur ne s'imprégnera pas trop dans les tentures. Est-ce que je peux vous demander si vous avez parlé à quelques-unes des femmes?

Elle secoua la tête.

– Mais vous les avez vues.

Elle fit signe que oui.

– Et vous êtes la lady de cette maison?

Elle fit signe que oui.

– Pouvez-vous... Je dois simplement m'assurer de leur travail, voyez-vous... pouvez-vous me dire ce que vous avez vu ? Ici, s'il vous plaît, prenez la peine de vous asseoir. Il reste peut-être un peu de gâteau, après tout...

Elle s'installa sur un canapé recouvert d'un tissu à rayures et posa une assiette de gâteaux intacts sur ses genoux. Avec délectation, la femme engouffra une tranche entière, fut prise d'un petit rire la bouche pleine, avala avec une détermination qui démontrait une certaine habitude, puis saisit une autre tranche, comme si la tenir en main la réconfortait. Elle se mit à parler très vite.

– Bon, vous savez, c'est le genre de chose qui paraît, en fait... qui paraît *atroce*, vraiment atroce... mais tant de choses peuvent paraître atroces de prime abord, tant de choses qui sont bonnes pour les gens, et même... en fin de compte... délicieuses...

Elle se rendit compte de ce qu'elle venait de dire et à qui elle s'adressait, et elle éclata d'un rire strident, étouffé seulement par un autre morceau de gâteau. Elle s'étrangla en l'avalant et ses efforts soulevèrent sa poitrine sous le corsage de sa robe.

– Et elles avaient l'air vraiment heureuses, ces femmes, heureuses de façon inquiétante, je dois dire. Si cela n'avait pas été aussi effrayant, j'aurais été jalouse. Peut-être d'ailleurs le suis-je quand même un peu, mais, évidemment, je n'ai aucune raison de l'être. Roger dit que cela fera des merveilles pour la famille, tout cela, et je ne devrais peut-être pas vous le dire, mais je crois vraiment qu'il a raison. Mon fils est encore un enfant, pendant plusieurs années il ne pourra rien faire pour sa famille, et Roger a promis, en dehors de ses autres largesses, qu'Edgar serait son héritier. Roger n'a pas d'enfant, mais même s'il en avait... il avait une fiancée... mais il ne l'a plus... mais ça n'a pas d'importance... c'était une mauvaise fille, je l'ai toujours dit, peu importe qu'elle fût riche. Roger est un bon parti... et il a des relations très impressionnantes, il léguera tout cela quand viendra le temps de le faire. Il faut être juste ! Et vous savez, c'est presque sûr, nous allons être invités au Palais ! Je ne peux pas dire que cela se serait produit si Edgar avait été seul !

– Le travail de monsieur Bascombe est très important, l'encouragea Svenson.

– Je sais ! répondit-elle en hochant vivement la tête à son tour.

– Pourtant, cela doit… enfin, je ne peux que l'imaginer… je suis sûr que certains pourraient trouver cela un peu… un peu gênant… une telle intrusion chez soi ?

Elle ne lui répondit pas, mais lui sourit froidement.

– Puis-je aussi vous demander… vous avez perdu récemment votre père…

– Et alors ? Cela n'a pas de sens… cela n'a aucun sens de penser sans cesse à… à la tragédie !

Elle continua à sourire, bien que ses yeux eussent encore une fois cet éclat de folie.

– Étiez-vous avec lui dans la maison ?

– Mais il n'y avait personne avec lui.

– Personne ?

– S'il y avait eu des gens avec lui, ils auraient tous été tués par les loups eux aussi.

– Des loups ?

– Et le pire, c'est qu'on n'a pas réussi à trouver la bête. Cela pourrait se reproduire !

Svenson hocha la tête gravement.

– Je devrais rester à l'intérieur.

– En tout cas, moi, c'est ce que je fais !

Il restait là, debout, indiquant d'un geste l'antichambre où se trouvait l'escalier.

– Les autres… ils sont en haut ?

Elle hocha la tête, puis haussa les épaules et avala la deuxième tranche de gâteau.

– Vous m'avez été très utile, j'en parlerai à Roger quand je le verrai… ainsi qu'au ministre Crabbé.

La femme gloussa encore une fois en crachotant quelques miettes.

Svenson monta les escaliers en réalisant qu'il cherchait en fait Éloïse. Il savait bien que miss Temple n'était pas là. Selon toute vraisemblance, Éloïse ne voulait pas qu'on la retrouve, donc elle faisait partie de ses ennemis. Quel idiot sentimental il était ! Il regarda en bas et il vit cette femme de la famille Bascombe qui s'empiffrait d'un autre morceau de gâteau ; des larmes coulaient sur son visage. Son regard croisa le sien, elle poussa un cri de désespoir et partit en se dandinant pour se dérober à ses yeux, comme un petit chien enveloppé dans de la soie. Svenson pensa un instant à s'arrêter pour aller la chercher, puis il continua à monter.

Sa main retrouva son revolver et l'autre retomba distraitement dans sa poche sur le livre noir. Était-il devenu idiot ? Il l'avait complètement oublié, sans doute parce qu'il n'y avait pas assez de lumière pour lire, mais c'était pourtant la preuve la plus sûre pour expliquer ce qu'Éloïse et tous les autres faisaient là.

Il atteignit un palier sombre et se souvint que cet étage et ceux qui suivaient étaient dépourvus d'éclairage, vus de l'extérieur. Tarr Manor était une vieille demeure où l'on ne se servait que de bougies et de lanternes, ce qui voulait dire qu'il y avait toujours à portée de la main une petite commode avec un tiroir plein de bouts de chandelles prêts à servir. Il avança bruyamment dans le couloir jusqu'à ce qu'il en trouve une et fit craquer une allumette pour allumer sa chandelle. Il chercha alors un endroit pour lire. Svenson jeta un coup d'œil à tout le labyrinthe des couloirs et des portes, et il décida de rester où il était. Prendre son temps ainsi l'aidait à lutter un peu contre la crainte lancinante que quelque chose était sur le point d'arriver aux femmes en ce moment même. Il se souvint d'Angélique. Que se passerait-il si Lorenz, à qui il était clair qu'il manquait les scrupules esthétiques du comte d'Orkancz, était en haut et qu'il ouvrait l'une de ses fioles en métal pleines de verre.

Svenson se reprit. Il se torturait pour rien. Il lui faudrait deux minutes. C'était tout le temps qu'il consacrerait à ce livre.

C'était bien assez pour s'acquitter de cette lecture. Sur la première page figurait la citation qu'on lui avait lue dans le train. Puis sur la seconde, et la suivante et sur toutes les autres pages du livre, imprimé encore et encore en petits caractères, le même passage répété à l'infini. Il regarda à l'intérieur de la première et de la dernière page de couverture pour voir si Coates avait écrit quelque chose… et, en effet, c'était le cas: une série de chiffres, notés rapidement au crayon et ensuite effacés, se voyait encore. Svenson rapprocha sa chandelle et se reporta à la première page qui était indiquée: 97… Elle ressemblait à toutes les autres sans signe remarquable ou signification particulière. Une idée le tenaillait… Il regarda le premier mot du haut de la page… se pouvait-il qu'il se fût agi d'un message ? Quelque chose comme un code de base ? Svenson prit un bout de crayon dans sa poche et commença à prendre des notes sur la page de garde du livre. Le premier mot de la page 97 était « Temps »... il regarda le chiffre suivant dans la liste de Coates : page 132... le premier mot était « avec »... Svenson tourna rapidement les pages.

Il fronça les sourcils. « Temps avec renaître royaume vaisseaux impureté ». Incompréhensible. Il s'agissait peut-être du code lui-même... il tenta quelques interprétations : « temps », c'était le passé... donc « renaître » cela pouvait faire référence aux progrès qu'il avait accomplis... mais pourquoi s'embarrasser de cet « avec » ? Les messages codés étaient supposés aller à l'essentiel. Svenson soupira, il regardait le livre avec autant de perplexité que s'il s'était agi d'un quotidien en chinois, mais il sentait pourtant que la solution n'était pas loin... Il essaya les derniers mots de chaque page, et cela donna : « de Dieu seuls brûlera la nuit ». Cela avait le ton de la prédiction, mais ce n'était pas ça...

Les lettres ! Il réexamina la liste des premiers mots. S'il prenait seulement la première lettre de chacun d'entre eux, il obtenait... « T-A-R-R-V-I ». Il chercha nerveusement la page suivante... le premier mot était « lanterne »... Cela voulait dire Tarr Village ! Il arriva à Tarr Vill, puis la page suivante, la page 30 commençait avec une ligne vide... comme la suivante, la page 2. Cela donna en quelques instants... 3 h 02... C'était bien l'heure du train ! Il ne lui fallut que quelques instants de plus pour finir... il n'y avait que le dernier chiffre dont la page commençait par « p »..., ce qui lui donnait un dernier mot : « lep »... Cela ne pouvait pas être ça. Il vérifia les chiffres de Coates et remarqua que le dernier était souligné. Est-ce que cela voulait dire qu'il était différent des autres ?

Il avait trouvé : il fallait prendre le mot en entier ! Il nota la phrase et regarda ce qu'il avait écrit :

« Tarr Vill. 3 h 02. Qui offre ses péchés connaîtra le Paradis ».

Svenson referma le livre en le claquant et reprit sa chandelle. Ces gens, sans se connaître les uns les autres, avaient été invités à livrer leurs « péchés » en échange du « Paradis ». Il en savait assez pour trembler à l'idée de ce que ce paradis pouvait être en réalité. Est-ce qu'un seul d'entre eux savait vraiment à qui ils avaient affaire ? Et Coates, lui, le savait-il ? Il retourna vers l'escalier, en se demandant *pourquoi*, pourquoi ces gens ? Karl-Horst, lord Tarr, Bascombe, Trapping... Suborner ces personnages-là présentait un intérêt, c'était des pions parfaitement bien placés. Il pensa à la femme complètement stupide qui se trouvait dans le train et à Éloïse. Il pensa à Coates, étendu sous l'autel, et il comprit à quel point ces gens-là comptaient peu pour ceux qui les avaient attirés dans cette affaire.

Au pied de l'escalier, le docteur Svenson sortit son pistolet de son manteau et souffla sur la chandelle. Il monta les marches dans le noir.

Il n'entendit rien avant d'atteindre le quatrième étage. Au-dessus se trouvaient les greniers à pignons où il avait aperçu de la lumière. Il marchait en faisant le moins de bruit possible mais, si quelqu'un avait écouté, il aurait sûrement entendu le vieux bois craquer et gémir sous ses pas bien avant qu'il n'arrive. À mesure qu'il progressait, l'odeur de machine augmentait et, paradoxalement, comme s'il se trouvait en montagne, dans l'air raréfié des hauteurs, sa respiration devint plus rapide et il se sentit légèrement étourdi. Il s'arrêta pour mettre son mouchoir sur son nez et sa bouche, tout en balayant le palier sombre avec son pistolet.

Le silence fut brisé par des pas au-dessus de lui, dans le grenier. Svenson arma son pistolet et chercha à voir comment il pouvait monter. Il faillit tomber en trébuchant sur une échelle posée à même le plancher. Les gens qui se trouvaient au-dessus de lui avaient été abandonnés là.

Svenson rabattit le chien de son pistolet qu'il remit dans sa poche. Il ramassa l'échelle, regarda au-dessus pour trouver la trappe, et c'est avec peine qu'il put la distinguer par le verrou qui la tenait fermée, car elle se confondait complètement avec le plafond. Il y avait un rebord en bois pour appuyer l'échelle, Svenson la mit bien en place et monta. L'obscurité lui facilitait les choses, il ne pouvait savoir exactement où il était ni de quelle hauteur il était susceptible de tomber. Il maintint son regard résolument au-dessus de lui et tendit le bras pour ouvrir le verrou, à bout de nerf, au désespoir d'avoir à ne se tenir que d'une seule main. Il repoussa la trappe et faillit perdre l'équilibre quand la puanteur chimique le fit suffoquer.

Ce fut d'ailleurs une bonne chose, car son réflexe de recul provoqué par l'odeur permit à sa tête d'esquiver un talon pointu. Quelques instants plus tard, en attrapant ce talon qui se balançait et la femme à qui il appartenait, le pied de Svenson glissa sur le barreau de l'échelle, ce qui le fit descendre de cinquante centimètres environ, mais il se rattrapa avec ses deux mains et sa mâchoire vint cogner à son tour un barreau. Il regarda désespérément au-dessus de lui en frottant son visage endolori.

Éloïse était là qui le dévisageait, les cheveux dans le visage, un soulier à la main.

– Capitaine Blach!

– Est-ce que vous êtes blessée? dit-il en grinçant des dents et en essayant de rétablir son équilibre sur l'échelle.

– Non… non… mais…

Elle regarda quelque chose qu'il ne pouvait voir. Elle avait pleuré.

– S'il vous plaît… il faut que je descende!

Avant qu'il eût le temps de protester, elle était hors de la trappe et presque sur lui. Il lui prit les jambes, mais on n'aurait pu dire s'il les tenait ou s'il était suspendu à elles en descendant. Il atterrit sur le sol juste à temps pour l'aider à en faire autant.

Elle se retourna et enfouit son visage au creux de son épaule, le serrant fort dans ses bras, le corps tremblant. Après quelques instants, il la prit lui aussi dans ses bras, timidement, sans exercer de pression indue, ce seul contact un peu plus étroit lui permettant de se rendre compte de la fragilité délicieuse de ses épaules. Il attendit qu'elle se calme. Au lieu de cela, elle fut prise de sanglots, étouffés par le manteau de Svenson. Il regarda derrière elle par la trappe ouverte.

La lumière de la pièce ne provenait ni d'une chandelle ni d'une lanterne, elle était en quelque sorte plus pâle et également plus froide, et elle ne vacillait pas. Le docteur Svenson prit sur lui de caresser les cheveux de la femme et lui murmura à l'oreille:

– Tout va bien maintenant… vous êtes saine et sauve…

Elle éloigna son visage de lui. Elle avait le souffle court et des taches rouges sur le visage. Il la regarda avec gravité.

– Est-ce que vous arrivez à respirer? L'odeur… les produits chimiques…

Elle hocha la tête.

– Je me suis couvert la tête… J'ai dû… J'ai dû… le faire.

Avant qu'elle éclate en sanglots encore une fois, il lui montra la trappe.

– Est-ce qu'il y a quelqu'un d'autre… est-ce que quelqu'un a besoin d'aide?

Elle secoua la tête et ferma les yeux en faisant un pas en arrière. Svenson ne savait trop à quoi s'en tenir. Il grimpa à l'échelle et scruta la pénombre, redoutant ce qu'il allait y trouver.

C'était une pièce étroite dans un pignon dont le plafond était en pente des deux côtés et au centre duquel un enfant de sept ans aurait pu se tenir debout. Sur le plancher, près de la fenêtre, se trouvaient les formes imprécises du corps de deux femmes qui, de toute évidence, étaient mortes. Ce qui était clair également et tout à fait inexplicable, c'était que leurs corps émettaient une lueur bleue tout à fait étrange et qui donnait de la couleur à ce grenier sinistre. Il rampa dans la pièce. L'odeur était insupportable et il dut s'arrêter pour couvrir son visage avec son mouchoir avant de continuer à avancer à quatre pattes.

Il s'agissait de passagères du train, l'une était bien habillée et l'autre était probablement une domestique. Toutes deux avaient du sang qui leur sortait du nez et de la bouche. Un voile opaque recouvrait leurs yeux mais de l'intérieur, comme si les deux globes s'étaient brouillés, comme s'ils étaient devenus gélatineux après avoir subi une pression extrême. Svenson repensa à l'intérêt que le comte d'Orkancz portait à la médecine et, soudain, lui revinrent en mémoire ces cadavres que l'on repêchait en hiver, les corps souples de ces marins n'ayant pu résister au poids écrasant de tonnes d'eau glacée au-dessus d'eux. Ces femmes-là n'étaient bien sûr pas du tout trempées… rien de ce genre ne pouvait expliquer leur état, pas plus d'ailleurs qu'une quelconque maladie reliée au froid polaire ne pouvait expliquer la lueur mystérieuse qui émanait de toute la surface visible de leur peau décolorée.

Svenson tira le verrou de la trappe derrière lui, descendit et reposa l'échelle sur le plancher. Il toussa dans son mouchoir, sa gorge irritée lui procurant une sensation désagréable, et il imagina un instant dans quel état celle de sa compagne pouvait se trouver, puis il écarta cette pensée. Éloïse s'était assise dans l'escalier d'où elle pouvait surveiller ce qui se passait dans la pénombre de l'étage inférieur. Il vint s'asseoir à côté d'elle, n'osant plus mettre son bras autour des épaules de la jeune femme mais, dans son rôle de médecin, n'hésitant pas à prendre sa main entre les siennes.

– Je me suis réveillée et je les ai vues. Dans la pièce…

Sa voix n'était qu'un murmure, elle tremblait, bien qu'elle arrivât quand même à en avoir le contrôle.

– C'était miss Poole…

– Miss Poole !

Éloïse leva les yeux vers Svenson.

– Oui, elle nous a parlé à toutes… il y avait du thé, des gâteaux… nous toutes qui venions de milieux si différents et pour des raisons si différentes aussi, par les hasards de la vie… c'était si agréable.

– Mais miss Poole n'était pas dans le grenier…

– Non, c'est elle qui avait le livre.

Éloïse secoua la tête, elle se couvrit les yeux.

– Ce que je dis est complètement décousu, pardonnez-moi.

Svenson jeta de nouveau un regard en direction du grenier.

– Mais ces femmes, vous devez bien les connaître, elles étaient dans le train…

– Je ne les connais pas beaucoup plus que je ne vous connais vous, admit-elle. On nous a dit comment arriver jusqu'ici. On nous a dit aussi de ne pas en parler…

Svenson pressa sa main entre les siennes, essayant de réprimer ses élans envers elle ; il devait à tout prix arriver à savoir qui elle était exactement.

– Éloïse… je dois vous le demander parce que c'est très important… et vous devez me répondre en toute franchise…

– Je ne suis pas en train de vous *mentir*… le livre… ces femmes…

– Je ne vous demande rien sur elles. C'est de vous que je veux parler. De qui êtes-vous la confidente ? Vous êtes la préceptrice des enfants de qui ?

Elle le regarda d'un air étonné, peut-être déstabilisée par son insistance soudaine ou appréciant ce qu'il était préférable de lui répondre, puis elle reprit, avec une pointe de raillerie, mais d'une voix pleine d'amertume et de désespoir :

– J'ai quelques raisons de penser que tout le monde le sait. Je m'occupe des enfants de Charlotte et Arthur Trapping. Il y a trop de choses à raconter, dit-elle en redressant les épaules et en rejetant en arrière les mèches de cheveux qui tombaient sur ses yeux. Mais vous ne comprendrez rien si je ne vous explique pas qu'à la disparition du colonel Trapping…

Elle le regarda pour savoir s'il fallait qu'elle lui donne d'autres détails, mais Svenson lui fit signe de continuer :

– …Mrs. Trappping s'est retirée dans ses appartements, ne recevant personne en dehors de ses frères. Je dis ses frères parce que cela fait partie du vocabulaire de la famille, mais en réalité le frère avec lequel elle tenait à rester en contact, à qui elle envoyait lettre sur lettre, Henry Xonck, n'a pas répondu une seule fois. Tandis que le frère avec qui elle est en rapport par obligation, Francis Xonck, lui, il venait la voir plusieurs fois par jour. Lors de l'une de ses visites, il est venu me trouver dans la maison, parce qu'il est suffisamment présent dans la vie de la famille pour savoir qui je suis et pour connaître la relation que j'ai avec Mrs. Trapping.

De nouveau, elle leva les yeux vers Svenson qui lui renvoya un regard interrogateur empreint de douceur. Elle secoua la tête comme pour rassembler ses idées.

– Bien sûr, vous ne la connaissez pas : c'est une femme difficile. Elle a été tenue à l'écart des affaires familiales par son frère aîné, elle reçoit de l'argent, entendons-nous, mais elle ne travaille pas, elle n'a pas le pouvoir, elle n'a pas l'impression d'avoir une place. Elle est hantée par cela. C'est pour cette raison qu'elle faisait tout ce qu'elle pouvait pour que son mari devienne quelqu'un. C'est pour cela aussi que son absence lui était si pénible… en fait, il était peut-être moins grave pour elle d'avoir perdu l'homme de sa vie que d'avoir, en quelque sorte, si vous le permettez… perdu son *moteur*. En tout cas, Francis Xonck m'a prise à part et il m'a demandé si je voulais aider Mrs. Trapping. Il connaît mon attachement pour elle et, comme je vous l'ai dit, il sait aussi qu'elle se fie à mes conseils, c'est un homme à qui rien n'échappe. Bien sûr, j'ai accepté, même si j'étais surprise de l'attention subite qu'il portait à sa sœur, une femme qui le méprise à cause de son influence sur son mari, qui lui-même était un fameux débauché. Il m'a confié qu'il y aurait des secrets et des intrigues et que même… et, là, il m'a regardée dans les yeux… je ne dirais jamais cela à âme qui vive, capitaine, si ce n'était… ce qui s'est passé…

D'un geste, elle désigna la demeure sombre autour d'elle. Svenson lui serra fort la main. Elle se remit à sourire, bien que son regard n'eût pas changé.

– Il m'a regardée, il a regardé en moi, et il m'a chuchoté que je pourrais moi-même trouver certains avantages à cette affaire, que je pourrais avoir… une révélation. Il s'est mis à rire. Et, cependant, alors qu'il s'amusait à me séduire, l'histoire qu'il me racontait était sinistre, atroce même. Il était convaincu que le colonel Trapping était retenu contre sa volonté… et qu'en raison du scandale que cela provoquerait, il était impossible de s'en remettre aux autorités. Monsieur Xonck n'avait entendu que des rumeurs, mais il était lui-même trop en vue pour s'en mêler. Cela faisait partie de tout un ensemble plus vaste d'événements, selon lui. Il m'avertit que l'on me demanderait de révéler certains secrets, des renseignements compromettants, sur les Trapping et sur la famille Xonck, et il m'autorisa à le faire. J'ai refusé, à moins d'en avertir Mrs. Trapping, mais il a insisté de son ton le plus grave. D'après lui, la mettre au courant de la situation pour le moins difficile de son mari les mèneraient à la rupture, sans parler des effets catastrophiques que cela aurait sur les nerfs de la pauvre femme. Pourtant, cela me paraissait indigne. Après tout, ce que je savais, je ne le savais que parce qu'elle me faisait confiance. Je refusai donc encore, mais il insista, il me flatta en faisant l'éloge de mon dévouement, mais c'était pour insinuer que mon dévouement serait encore plus grand si j'agissais comme il me le demandait. Finalement, j'acceptai, en me disant que je n'avais pas le choix, or, bien entendu, je l'avais. On a toujours le choix… mais quand quelqu'un vous flatte, vous dit que vous êtes belle, comme il est facile de le croire !… Et puis ce matin sont arrivés les ordres de prendre le train et de venir jusqu'ici.

– Qui offrira ses péchés connaîtra le Paradis, murmura Svenson.

Éloïse renifla en hochant la tête.

– Les autres étaient tous comme moi. Il s'agissait de parents ou de domestiques, d'associés ou d'amis de gens parmi les plus haut placés. Nous tous, nous connaissions des secrets. Un par un, miss Poole nous a conduits du salon à une autre pièce. Là se trouvaient plusieurs hommes, tous masqués. Quand mon tour est venu, je leur ai dit ce que je savais, sur Henri Xonck et Arthur Trapping, sur les appétits de Charlotte Trapping et sur son ambition… J'ai honte. J'ai honte, car si une partie de moi-même faisait cela en espérant sincèrement sauver l'homme qui avait disparu, une autre, et je l'avoue avec beaucoup d'amertume, une autre avait très envie de voir ce Paradis qui m'était offert. Et maintenant… maintenant, je ne me souviens même plus de ce que j'ai dit, de ce qui pouvait être si important… Les Trapping ne sont pas des gens qui vivent dans le scandale. Je suis une idiote.

– Pas du tout, pas du tout, murmura Svenson. Nous sommes tous des idiots, croyez-moi.

– Ce n'est vraiment pas une excuse, lui répondit-elle sur un ton catégorique. Nous avons aussi tous la possibilité d'être forts.

– Vous avez été forte pour arriver seule jusqu'ici, dit-il, et vous étiez encore plus forte… dans le grenier.

Elle ferma les yeux et soupira. Svenson essayait de lui parler avec gentillesse, il était convaincu par son histoire, mais il aurait préféré ne pas être aussi prédisposé à la croire. Elle se trouvait à Harschmort, avec les Trapping, comme elle l'avait expliqué, mais il avait quand même besoin d'en savoir plus avant de pouvoir se fier à elle.

– Vous disiez que miss Poole avait un livre.

– Elle le posa sur la table après que j'eus raconté aux autres ce que je pensais qu'ils désiraient entendre. Il était enveloppé dans de la soie, un peu comme une Bible, ou comme la Torah des juifs, et quand elle nous le montra…

– Il était en verre bleu.

Elle eut le souffle coupé à ces mots.

– Oui, il était en verre ! Et vous aviez parlé de ce verre dans le train… mais je ne savais pas, mais alors… j'ai pensé à vous… et j'ai su que je ne comprenais pas ce qui m'arrivait… et à cet instant, je me suis souvenue très précisément de la froideur du regard de Francis Xonck… et puis miss Poole a ouvert le livre de verre et j'ai lu… ou devrais-je dire que c'est le livre qui a lu en moi. Ce que je dis a l'air absurde… mais ce qui s'est passé l'était. J'y suis tombée comme on tombe dans un étang, comme on tombe dans le corps de quelqu'un d'autre, sauf qu'il ne s'agissait pas d'une seule personne… il y avait des rêves, des désirs, des sensations telles que je rougis à leur souvenir… et des images, des images de pouvoir… et puis… c'est miss Poole, c'est elle qui a dû poser ma main sur le livre, parce que je me souviens de son rire… et puis… je n'ai pas de mots pour en parler… C'était profond, si profond et si froid… se noyer… j'ai retenu ma respiration, mais j'ai finalement été obligée de respirer et de l'avaler… je ne sais pas ce que c'était… du verre liquide glacial. J'ai… j'ai eu l'impression que j'allais mourir.

Elle s'arrêta et s'essuya les yeux, puis elle regarda la trappe.

– Je me suis réveillée là-haut. J'ai eu de la chance… je sais que j'ai eu de la chance. Je sais que j'aurais dû mourir comme les autres, avec sur la peau cette lueur bleue.

– Vous pouvez marcher ? demanda-t-il.

– Oui.

Elle se leva et défroissa sa robe, en tenant encore la main du docteur, puis elle se baissa pour remettre ses souliers.

– Après toute la peine qu'ils se sont donnée pour m'amener jusqu'ici, ils se sont débarrassés de moi, comme ça, sans s'en soucier le moins du monde. Si vous n'étiez pas arrivé, capitaine Blach... j'ai des frissons à y penser...

– Mais non, dit Svenson. Il faut que nous quittions cette maison. Venez... les étages inférieurs sont dans l'obscurité... On dirait que la maison est abandonnée, en tout cas, pour le moment. J'ai suivi le groupe des hommes qui, je pense, doivent se trouver ailleurs sur le domaine. Peut-être que miss Poole et les autres dames sont parties pour les rejoindre.

– Capitaine Blach...

Il l'arrêta.

– Je m'appelle Svenson. Abélard Svenson, médecin-capitaine de la marine de Macklenburg, attaché au service d'un jeune prince complètement écervelé que j'ai encore l'espoir de sauver, ce qui fait de moi un écervelé également. Comme vous l'avez dit, nous n'avons pas assez de temps pour tout raconter. Arthur Trapping est mort. Plus tôt ce matin, Francis Xonck a essayé de me jeter dans le fleuve, dans le même cercueil plombé que le corps du colonel. Il se peut bien qu'il ait l'intention de détruire son frère et sa sœur et que ce soit là sa participation à toutes ces machinations... et en fait... Bon sang... il y a bien trop à dire... mais nous n'avons pas le temps... ils pourraient revenir. L'homme avec qui vous étiez assise dans le train, monsieur Coates...

– Je ne connaissais pas son...

– Son nom, je sais, pas plus que lui ne connaissait le vôtre... mais il est mort. Ils l'ont tué pour la raison la plus futile qui soit. Ils sont tous dangereux et sans aucun scrupule. Écoutez-moi... je vous ai reconnue, je vous ai vue parmi eux... je dois vous le dire... à Harschmort, il y a à peine deux jours.

Elle porta sa main à sa bouche.

– Vous! C'est vous qui avez donné des nouvelles du prince à Lydia Vandaariff! Mais... mais il ne s'agissait pas de cela n'est-ce pas? C'était le colonel Trapping.

– Oui, on l'a trouvé mort, assassiné. Pourquoi et par qui, je n'en ai aucune idée... mais ce que je veux dire... ce que... j'ai décidé de vous faire confiance, en dépit de votre lien avec la famille Xonck, en dépit de...

– Pourtant, vous avez bien vu qu'ils étaient en train de me tuer!

– Oui, quoique certains d'entre eux semblent enchantés de se trucider les uns les autres... cela n'a pas d'importance, s'il vous plaît, ce que je dois vous dire... si jamais nous arrivons à nous enfuir, comme je l'espère, mais si nous sommes séparés... Oh! vraiment tout cela est ridicule!...

– Quoi, quoi?

– Il y a deux personnes en qui vous pouvez avoir confiance... même si je ne sais pas très bien comment vous pourriez les rencontrer. L'une d'entre elles est cet homme que je vous ai décrit dans le train... un homme en rouge, avec des lunettes teintées, très dangereux, une canaille... le cardinal Chang. Je dois le retrouver demain à midi sous l'horloge de la gare de Stropping.

– Mais pourquoi...

– Parce que... Éloïse... s'il y a quelque chose que j'ai appris au cours de ces deux derniers jours, c'est que je ne sais pas où je serai demain à midi. Peut-être est-ce vous qui y serez à ma place... c'est d'ailleurs peut-être seulement pour cela que nous nous sommes rencontrés.

Elle hocha la tête.

– Et l'autre? Vous avez dit deux personnes.

– Elle s'appelle Céleste Temple. Une jeune femme, extrêmement... *décidée*, des cheveux châtains, petite... elle est l'ex-fiancée de Roger Bascombe... un fonctionnaire du ministère qui fait partie de cette... qui est le propriétaire de cette maison! Oh! vraiment c'est de la folie, nous n'avons pas le temps! Il faut que nous partions.

Svenson la conduisit en lui tenant la main pour descendre les étages avec une angoisse lancinante qui lui courait le long de l'échine. Ils avaient perdu trop de temps. Et même s'ils parvenaient à sortir de la maison, où iraient-ils? Les deux hommes de la taverne savaient qu'il était descendu au King Crow... cet endroit ne serait pas sûr s'ils faisaient partie de la cabale, ce qui était fort plausible... mais le train ne passait pas avant le lendemain matin. Pourrait-il dormir dans une grange quelconque? Avec Éloïse? Il rougit à cette idée et il lui serra la main comme pour s'assurer instinctivement qu'il ne succomberait pas à ce qu'il avait en tête... une assurance qui fut mise à mal par le fait qu'elle lui serra la main à son tour.

Du haut de l'escalier qui les menait vers l'éclairage plus vif du rez-de-chaussée et au salon où il avait quitté la femme de la famille Bascombe, il s'arrêta encore et il lui fit signe de faire particulièrement attention à ne pas faire de bruit. Svenson prêta l'oreille... la maison était calme. Ils descendirent une marche à la fois jusqu'à ce que Svenson atteignît le salon où il jeta un coup d'œil. Il était toujours vide, les assiettes étaient encore là, mais le gâteau avait disparu. Il regarda dans la direction opposée et vit un autre salon, vide également. Il se retourna vers Éloïse et lui chuchota :

– Il n'y a personne. Où se trouve la porte ?

Elle finit de descendre les escaliers et le rejoignit, se tenant près de lui et se penchant vers sa poitrine pour jeter elle aussi un coup d'œil. Elle recula, mais elle était encore tout près et elle lui répondit sur le même ton.

– Je crois qu'il faut traverser cette pièce, puis une autre, ce n'est pas loin du tout.

C'est à peine si Svenson saisit ce qu'elle lui disait. Ses mouvements dans le grenier avaient défait un autre bouton de sa robe. En baissant les yeux vers elle, elle n'était pas si petite mais il eut quand même une jolie perspective, il pouvait lire sur son visage et dans ses yeux qu'elle était décidée, il pouvait voir la peau nue de son cou et, par l'ouverture du col de sa robe, l'endroit où les clavicules rejoignent le sternum, des os qui lui faisaient toujours penser avec une étrange impression de sensualité au squelette d'un oiseau. Elle leva les yeux vers lui. Il comprit que, sans bouger les yeux, elle l'avait vu regarder son corps. Elle ne dit rien. Autour du docteur Svenson, le temps avait ralenti, peut-être à cause de tous ces discours sur la glace et le gel. Puis il se pénétra de ce spectacle qu'elle lui offrait et du fait qu'elle acceptait son regard. Il était aussi désarmé que devant la Contessa. Il avala sa salive et essaya de parler.

– Cet après-midi… savez-vous… dans le train… j'ai fait… j'ai fait un rêve si…

– Ah ! Oui ?

– Oui… bon sang… oui…

– Est-ce que vous vous en souvenez ?

– Oui…

Il ne savait pas ce qui se cachait derrière le regard de cette femme. Il était sur le point de l'embrasser quand ils entendirent un cri.

C'était une femme, quelque part dans la maison. Svenson tourna la tête pour voir ce qui se passait dans les deux salons, mais il ne pouvait décider quelle direction prendre. La femme poussa un autre cri. Svenson attrapa la main d'Éloïse et l'attira, au milieu des tasses de thé et des assiettes à gâteau vers le corridor par lequel il était arrivé, sa main fouillant dans son manteau pendant qu'ils avançaient. Il ouvrit la porte précipitamment et la poussa dans le bureau. Elle essaya de protester, mais ses mots lui restèrent dans la gorge quand il lui mit son gros revolver de service entre les mains. Surprise, elle ouvrit la bouche et Svenson lui mit doucement les mains sur la crosse de son arme pour qu'elle la tînt correctement. Cela capta suffisamment l'attention d'Éloïse pour qu'il pût chuchoter et être sûr qu'elle entendrait ce qu'il avait à lui dire. Derrière eux, la femme poussa un autre cri.

– C'est le bureau de lord Tarr. La porte donne sur le jardin, il la lui montra du doigt, elle est ouverte et le mur de pierre est assez bas pour que l'on puisse l'escalader. Je vais revenir. Si je ne réapparais pas, allez-vous en, n'hésitez pas. Il y a un train à 8 heures demain matin qui vous ramènera en ville. Si quelqu'un vous aborde, qui que ce soit en dehors d'un homme en rouge et d'une femme avec des bottines vertes, tirez-lui dessus pour le tuer.

Elle hocha la tête. Le docteur Svenson se pencha et posa ses lèvres sur les siennes. Elle répondit à son baiser avec ferveur, en faisant entendre de petits gémissements doux pour l'encourager, exprimant ainsi du regret, du plaisir et du désespoir. Il s'écarta et tira la porte derrière lui. Il prit le couloir jusqu'au bout et traversa une petite pièce de service. Svenson saisit au passage un lourd chandelier et le tourna dans sa main pour trouver une bonne prise. La femme ne criait plus. Il avança en direction du lieu d'où venait le cri, avec deux kilos de cuivre à la main.

Un autre couloir conduisit Svenson dans une grande salle à manger dont le sol était recouvert d'un tapis et les murs tapissés de tableaux. Au centre trônait une énorme table entourée d'une vingtaine de chaises à dossiers hauts. Au fond se trouvait un groupe d'hommes portant des manteaux noirs. Sur la table, roulée en boule sur le flanc, se trouvait la femme de la famille Bascombe. Ses épaules se soulevaient sporadiquement. Tandis qu'il marchait vers eux, le tapis absorbant le bruit de ses pas, Svenson vit l'homme qui se trouvait au milieu la prendre par la mâchoire et lui tordre le cou pour l'obliger à le regarder en face. Elle avait les yeux fermés, paupières plissées, et sa perruque était de travers, laissant apparaître des cheveux pitoyablement pauvres, raides et ternes. L'homme était grand, ses cheveux gris acier retombaient sur son col ; il arborait les emblèmes de la plus haute noblesse : des médailles sur la poitrine et une écharpe écarlate autour de son épaule. S'il n'avait été étranger, Svenson l'aurait sûrement reconnu... Était-il un membre de la famille royale ? À sa gauche se tenaient les deux individus de l'auberge, à sa droite Harald Crabbé, qui, saisi d'un pressentiment, leva les yeux sur la mine sévère de Svenson qui s'approchait.

– Éloignez-vous d'elle ! cria Svenson froidement.

Personne de bougea.

– C'est le docteur Svenson, dit Crabbé à son supérieur.

Svenson remarqua que l'autre main gantée de l'aristocrate tenait un losange bleu au-dessus de la bouche de la femme qui se débattait. Elle ouvrit les yeux quand Svenson intervint. Elle aperçut le losange et protesta en une sorte de gargouillement venu du fond de sa gorge.

– Comme ça ? demanda négligemment l'homme à Crabbé en prenant le losange entre deux doigts.

– Exactement, Votre Altesse, répondit le vice-ministre, avec la plus grande déférence et en regardant Svenson se rapprocher, les yeux écarquillés.

– Éloignez-vous d'elle ! répéta Svenson.

Il était maintenant à environ trois mètres et s'avançait vivement.

– Le docteur Svenson est un rebelle de Macklenburg, lança Crabbé.

L'homme haussa les épaules avec indifférence et fourra le losange dans la bouche de la femme, maintenant ses mâchoires fermées avec ses deux mains. On entendit le cri étouffé de la malheureuse monter au fur et à mesure que les effets du losange s'intensifiaient. Il croisa le regard de Svenson avec mépris et ne bougea pas. Svenson leva son chandelier, bien décidé à faire éclater le crâne de l'homme, peu importait qui il était. À ce moment-là, les autres prirent la mesure de la menace.

– Phelps ! glapit Crabbé avec dans la voix une injonction à la fois brusque et désespérée.

Le plus petit des deux hommes, celui qui portait la coiffure style empire, se précipita en avant, tendant la main vers Svenson comme pour lui faire entendre raison, mais le docteur avait déjà amorcé son geste et le chandelier vint frapper l'homme sur l'avant-bras, brisant net les deux os. Il poussa un cri et, sous le choc, s'effondra sur le côté. Svenson continua d'avancer.

Désormais, Crabbé se trouvait entre le docteur et l'aristocrate qui, lui, ne bronchait toujours pas.

– Starck! Arrêtez! Arrêtez-le! *Starck!* aboya Crabbé en reculant.

Par-dessus son épaule s'élança l'autre homme de la taverne, qui attrapa Svenson à deux mains. Celui-ci tendit sa main gauche pour l'atteindre et ils luttèrent ainsi à bout de bras, ce qui laissa la main droite de Svenson libre de brandir son chandelier. Le coup porta en plein sur l'oreille de Starck, on entendit un bruit sinistre de citrouille qui éclate, et l'homme tomba comme une masse. Crabbé trébucha sur le personnage royal qui finit par se rendre compte du désordre qui régnait autour de lui. Il avait lâché la mâchoire de la femme dont la bouche laissait échapper des bulles, un mélange spongieux de bleu et de rose.

Svenson s'apprêtait à frapper, par-dessus la tête du diplomate qui était plus petit, directement sur l'aristocrate en question, quel que soit son titre, prince, duc ou quoi que ce soit d'autre, quand, d'une zone périphérique de son cerveau, lui vint l'idée qu'il était en train d'agir exactement comme Chang. Il s'étonna de constater à quel point il se sentait bien, et combien il se sentirait mieux encore lorsqu'il aurait réduit en bouillie la tête de ce monstre… mais c'est à ce moment-là précisément que le plafond de la pièce (il ne voyait pas en tombant quoi d'autre pouvait être aussi lourd) s'effondra sur sa nuque.

Svenson ouvrit les yeux en ayant le souvenir précis d'avoir déjà connu la même situation lamentable, à la seule différence que, cette fois-ci, il n'était pas brinquebalé dans une charrette. Il sentait que sa nuque battait douloureusement et que les muscles de son cou et de son épaule droite étaient en feu. Il ne pouvait pas bouger le bras droit et, en jetant un coup d'œil, il vit qu'il était attaché à un barreau en bois au-dessus de sa tête. Il était assis dans de la boue, appuyé contre un escalier. Il plissa les yeux pour essayer d'y voir quelque chose malgré la douleur de sa tête. L'escalier faisait plusieurs zigzags au-dessus de lui sur près d'une trentaine de mètres. Finalement, une évidence se fit jour dans son cerveau affaibli. Il était dans la carrière.

Il se démena pour se remettre sur ses pieds. Il avait désespérément envie d'une cigarette, bien qu'il eût la gorge terriblement sèche. Svenson plissa les yeux et les protégea de l'éclat d'une torche et de la chaleur difficilement supportable qui s'en dégageait. Il s'était réveillé au milieu d'une véritable ruche. Il fouilla dans sa poche pour trouver son monocle et tenter de comprendre exactement ce qui se passait.

La carrière elle-même était profondément excavée et la couleur orange de la pierre qui formait ses parois abruptes révélait la présence de fer, et cela dans une concentration plus forte que ce qu'il avait pu voir par la fenêtre du train. L'intensité de cette couleur rougeâtre fit croire un instant à son esprit perturbé qu'il avait été transporté en secret dans les montagnes de Macklenburg. Le sol était composé d'un lit de gravier et d'argile aplanis et, autour de lui il pouvait voir, entassées, différentes matières minérales, du sable, des briques, des pierres et des amas de scories mélangées. Loin sur le côté, il apercevait une série de chutes, de grilles et de vannes ; la carrière devait être approvisionnée en eau soit par une source sur place, soit par un système de pompage. Il put voir également ce qui avait dû être une galerie qui descendait sous terre.

Tout à côté, assez loin de lui mais suffisamment près pour que la sueur mouillât son col de chemise, se trouvait un grand four en brique muni d'une porte métallique. Devant cette porte, le docteur Lorenz était accroupi, absorbé comme un gnome malfaisant, portant une fois de plus ses énormes lunettes et ses gros gants, entouré d'un petit groupe d'assistants accoutrés comme lui. En face de là où étaient menées ces activités minières, assis sur des bancs en bois qui faisaient penser à une classe en plein air, se trouvaient les passagers du train. Devant eux, une petite femme aux rondeurs agréables, vêtue d'une robe claire, qui ne pouvait être que miss Poole, leur donnait des instructions à voix basse. Et Svenson constata avec surprise qu'au dernier rang était installée la femme de la famille Bascombe, seule, la perruque remise en place. Elle était certes un peu pâle, elle avait les traits tirés, mais son visage était de marbre.

Il entendit un bruit et leva les yeux. Directement au-dessus de lui, sur le premier grand palier de l'escalier, qui formait comme un balcon et permettait d'avoir une vue sur la carrière, se tenait le groupe des hommes en manteaux noirs : le membre de la famille royale, Crabbé, et, à ses côtés, avec un teint de papier mâché, monsieur Phelps, le bras en écharpe. Plus loin derrière eux, fumant un petit cigare, se trouvait un homme grand aux cheveux rasés portant l'uniforme rouge du 4ᵉ régiment des Dragons, les galons de colonel au col. C'était Aspiche.

Ils ne semblaient pas avoir remarqué Svenson qui, lui, regardait ailleurs dans la carrière, n'osant espérer qu'Éloïse eût réussi à s'échapper, scrutant tous les indices qui pouvaient lui indiquer qu'elle avait été reprise. De l'autre côté des escaliers se trouvait une énorme bâche faite de plusieurs pièces cousues ensemble qui couvrait quelque chose qui faisait deux fois la taille d'un wagon, qui était également beaucoup plus haut, peut-être une sorte de système de forage dernier cri. Le fait qu'il eût été couvert signifiait-il qu'ils avaient fini de creuser, que le filon d'indigo était épuisé?

Il reporta les yeux sur le four pour mieux comprendre ce que le docteur Lorenz faisait exactement, mais ses yeux s'arrêtèrent sur une autre bâche, de taille normale celle-là, jetée sur un monticule près des tas de bois qui servaient à alimenter le four. Svenson eut de la difficulté à déglutir. Un pied de femme en dépassait.

– Ah!... il est réveillé! dit une voix au-dessus de lui.

Il leva les yeux et vit Harald Crabbé qui se penchait sur la rampe et lui jetait un regard vengeur et froid. L'instant d'après, le membre de la famille royale le rejoignit avec l'œil de celui qui examine du bétail qu'il n'a nullement l'intention d'acheter.

– Excusez-moi un moment, Votre Altesse, je vous suggère de porter attention au docteur Lorenz qui fera sûrement une démonstration du plus grand intérêt d'un instant à l'autre.

Il s'inclina et claqua les doigts vers Phelps qui suivit discrètement son maître dans les escaliers. Après avoir pris une dernière bouffée de son cigare, Aspiche leur emboîta le pas sans se presser, laissant son sabre heurter chaque marche, l'une après l'autre, en descendant. Svenson s'essuya les lèvres avec sa main gauche qui était libre, fit de son mieux pour libérer sa gorge des glaires qui l'encombraient et cracha. Il se retourna pour leur faire face quand Crabbé parvint en bas des marches.

– Nous ne savions pas si vous reviendriez à vous, docteur, cria-t-il. Non pas que cela nous ait préoccupés outre mesure, entendons-nous bien, mais puisque c'est le cas, il nous paraît de notre intérêt d'essayer de parler avec vous de ce que vous avez fait et de vos complices. Où sont les autres, Chang et la fille? Pour qui travaillez-vous pour essayer aussi imprudemment de saboter quelque chose dont vous ne comprenez pas le premier mot?

— Pour notre conscience, monsieur le ministre, répondit Svenson d'une voix plus rocailleuse qu'il ne l'aurait voulu.

Il avait terriblement sommeil. Le sang revenait dans son bras et il savait qu'en théorie il allait souffrir mille morts d'un moment à l'autre, dès que son système nerveux se serait réveillé.

— Je ne puis vous dire les choses plus simplement.

Crabbé l'étudia comme s'il était impossible que Svenson pensât vraiment ce qu'il venait de dire et que, par conséquent, il devait s'exprimer dans une sorte de langage codé.

— Où sont Chang et la fille? répéta-t-il.

— Je n'en sais rien. Je ne sais même pas s'ils sont vivants.

— Pourquoi êtes-vous ici?

— Et comment va votre nuque? gloussa Aspiche.

Svenson l'ignora et il répondit au ministre.

— D'après vous? Pour chercher Bascombe. Pour vous chercher. Pour chercher mon prince et lui tirer une balle dans la tête afin d'épargner à mon pays la honte de le voir accéder au trône.

Crabbé eut une sorte de petit rictus de la bouche qui pouvait être l'esquisse d'un sourire.

— Il semble que vous ayez cassé le bras de cet homme. Savez-vous remettre les os en place? Vous êtes médecin, n'est-ce pas?

Svenson regarda Phelps et croisa son regard suppliant. Combien de temps s'était-il passé? Au moins quelques heures. Svenson compatit en imaginant les os fracturés et déplacés qui grinçaient à chaque pas qu'avait fait ce pauvre homme. Svenson leva son poignet enchaîné.

— Il faudra que vous me libériez mais, bien sûr, je peux faire quelque chose. Avez-vous du bois pour faire une attelle?

— Nous avons du plâtre ou quelque chose de ce genre, Lorenz me dit qu'on s'en sert pour la mine ou pour étayer les murs qui s'écroulent. Colonel, voulez-vous escorter Phelps et le docteur? Si le docteur Svenson fait le moindre écart, je vous serais très obligé si vous pouviez lui trancher la tête sur-le-champ.

Ils traversèrent la carrière, dépassèrent la salle de classe improvisée en direction de Lorenz. En passant, Svenson ne put s'empêcher de regarder miss Poole qui croisa son regard et lui fit un large sourire. Elle dit quelques mots à ceux qui l'écoutaient pour s'excuser et, quelques instants plus tard, elle marchait rapidement dans sa direction.

– Docteur! appela-t-elle. Je ne pensais pas avoir l'occasion de vous revoir, ou en tout cas, pas si vite, et certainement pas en ces lieux. Je me suis laissé dire…, elle lança un regard malicieux à Aspiche,… que vous vous étiez comporté comme une véritable terreur et que vous aviez presque abattu notre invité d'honneur!

Elle secoua la tête comme si elle s'adressait à un garnement.

– On dit que souvent les ennemis sont très proches de caractère; ce qui les sépare, c'est simplement une tournure d'esprit et, comme je crois que tout le monde peut le voir, une tournure d'esprit, ça se change. Pourquoi ne vous ralliez-vous pas à nous, docteur Svenson? Excusez ma franchise, mais quand je vous ai vu pour la première fois, je n'ai pas compris que vous étiez un aventurier. La légende qui entoure vos actions grandit de jour en jour, pour rejoindre celle de votre malheureux ami le cardinal Chang qui, si je comprends bien, n'est plus votre concurrent pour ce qui est de l'héroïsme.

À ces mots, Svenson ne put s'empêcher de tressaillir. Miss Poole enroula son bras autour de celui de Svenson et fit claquer sa langue en se penchant vers lui, ce qui de toute évidence mit Aspiche très en colère. Elle portait un parfum de bois de santal, comme Mrs. Marchmoor. Et la douceur de ses mains, son parfum entêtant et délicat, la sueur sur son cou à lui, les coups de marteau dans sa nuque, l'insouciance irritante de la jeune femme donnèrent à Svenson l'impression que son cerveau bouillait. Elle éclata de rire devant son malaise.

– Bien sûr, vous allez me raconter aussi que vous êtes le sauveur et le défenseur des femmes, c'est ce que j'ai entendu dire pas plus tard que ce soir même. Mais regardez bien…

Elle se retourna alors et fit un signe de la main à la femme de la famille Bascombe qui lui répondit aussitôt avec l'énergie désespérée d'un chien battu qui remue la queue.

– Voici Pamela Hawsthorne, l'actuelle propriétaire de Tarr Manor, heureuse comme tout, malgré un fâcheux malentendu…

– Est-ce qu'elle a subi le Procédé?

– Pas encore, mais je suis sûre qu'elle le fera. Non, elle a simplement été soumise à l'efficacité de nos moyens scientifiques. Parce qu'il s'agit effectivement de science, docteur, et comme vous êtes un homme de science, j'espère que vous y adhérerez. La science progresse, savez-vous, comme devrait progresser la fibre morale de notre société. De temps en temps, il faut que ceux qui en savent plus que les autres la traînent un peu pour la faire avancer, comme on traîne un enfant récalcitrant. Je suis sûre que vous comprenez.

Il aurait voulu l'injurier, la traiter de putain, mettre fin brutalement à ce simulacre de badinage affable, mais il n'eut pas la présence d'esprit de trouver les insultes appropriées. Le vertige qu'il éprouvait lui donnait envie de vomir. Il essaya de sourire.

– Vous êtes très convaincante, miss Poole. Puis-je vous poser une question ? Voyez-vous, je suis étranger et...

– Bien sûr.

– Qui est cet homme ?

Il se retourna et lui désigna de la tête l'homme grand qui se trouvait à côté de Crabbé sur la plate-forme de l'escalier et regardait la carrière de haut, comme un pape de la famille des Borgia se gaussant avec mépris depuis un balcon du Vatican. Miss Poole pouffa encore une fois et lui caressa le bras avec indulgence. Il se dit qu'avant de subir le Procédé elle ne possédait pas ce genre de pouvoir et il voulut en comprendre la nature exacte. Que représentait-il pour elle : un enfant, un élève, un simple outil ou un chien qui pourrait être dressé ?

– Mais enfin, c'est le duc de Staëlmaere. C'est le frère de la vieille reine, vous savez.

– Non, je ne le savais pas.

– Oh ! oui ! Si la reine et ses enfants venaient à disparaître, le ciel nous en préserve, le duc hériterait du trône.

– Cela ferait beaucoup de disparitions.

– S'il vous plaît, comprenez-moi bien. Le duc est le frère en qui Sa Majesté a le plus confiance. Et en tant que tel, il travaille en étroite collaboration avec le gouvernement actuel.

– Il semble être tout à fait intime avec Crabbé.

Elle éclata de rire et était sur le point de faire un mot d'esprit quand Aspiche l'interrompit.

– Ça suffit. Il est ici pour soigner le bras de cet homme. Et ensuite il va mourir.

Elle supporta cette intrusion avec beaucoup de grâce et se retourna vers Svenson.

– Ce n'est pas une perspective extraordinaire, docteur. Si j'étais vous, j'envisagerais de changer de camp. Vous ne savez vraiment pas ce que vous manquez. Et si vous n'étiez plus là pour le savoir… ce serait triste, non?

Miss Poole lui adressa un petit signe de tête moqueur et retourna à ses bancs d'école. Svenson lança un regard à Aspiche qui la détaillait avec une délectation évidente. Avait-elle tripoté Aspiche ou Lorenz dans la salle à manger privée du Ste-Royale? C'était Lorenz, il en était presque sûr, mais il semblait que Lorenz fût assez occupé avec sa fonderie et qu'on ne pût pas le déranger.

L'homme vida un des flacons en acier de son ceinturon dans un creuset en métal que ses assistants avaient préparé pour le four chauffé à blanc. Svenson se demanda quelle était la nature exacte de ce procédé chimique. Il semblait y avoir plusieurs étapes dans le raffinage… est-ce que ces étapes avaient différents objectifs, servaient à transformer l'argile indigo pour différents usages? Il revint à miss Poole et se demanda où pouvait bien être son livre de verre en ce moment. S'il arrivait à s'en emparer…

Il fut encore une fois interrompu par Aspiche, qui tira sur son bras engourdi pour l'attirer vers Phelps qui souffrait visiblement en essayant de retirer son manteau noir. Svenson levait les yeux sur Aspiche pour lui demander des attelles et au moins un peu de brandy pour soulager la douleur de l'homme quand il aperçut, éclairés par la lumière orange du four, comme des tatouages venant d'une île sauvage, les traces arrondies des cicatrices du Procédé imprimées sur son visage. Comment avait-il pu ne pas les remarquer avant? Svenson ne put s'empêcher de rire haut et fort.

– Qu'est-ce qui vous fait rire comme ça? gronda le colonel.

– Vous, répondit Svenson avec audace. Vous avec votre tête de clown. Vous savez que la dernière fois que j'ai vu Arthur Trapping, c'était dans son cercueil, méfiez-vous, il avait la même tête. Ce n'est pas parce qu'ils ont donné un peu d'ampleur à votre intelligence que vous n'êtes pas leur jouet, vous savez!

– Taisez-vous avant que je vous tue! Aspiche le poussa vers Phelps qui essaya d'abord de reculer puis que la douleur fit frémir.

– Vous me tuerez de toute façon. Écoutez. Trapping avait des amis puissants, ils avaient besoin de lui. Vous ne pouvez en dire autant, vous n'êtes qu'un homme qui commande des soldats, et la facilité avec laquelle vous avez été promu prouve seulement qu'on pourra vous remplacer aussi facilement. On fait attention à la meute de chiens si on veut chasser, c'est ça l'esclavage, colonel, et votre intelligence accrue devrait être assez vaste pour le comprendre.

Aspiche gifla violemment Svenson du revers de la main. Celui-ci s'effondra, le visage en feu. Il plissa les yeux et secoua la tête. Lorenz avait entendu le bruit de la gifle et s'était retourné vers eux, mais l'expression de son visage était complètement dissimulée derrière ses grosses lunettes.

– Arrangez-lui le bras, ordonna Aspiche.

En fait, le « plâtre » était une sorte de scellant pour le four, mais Svenson pensa que cela pourrait convenir assez bien. Les fractures étaient franches et, à son crédit, Phelps ne s'évanouit pas, bien que Svenson eût toujours eu quelques doutes sur le fait que ce fût vraiment un avantage. Parce que s'il s'était effectivement évanoui, c'eût été plus facile pour tout le monde. Les choses étant ce qu'elles étaient, l'homme était là, épuisé et tremblant, assis par terre avec le bras dans le plâtre. Svenson s'était sèchement excusé de lui avoir cassé le bras, en l'assurant que c'était le duc qu'il voulait atteindre, et Phelps lui avait répondu qu'étant donné les circonstances, c'était compréhensible.

– Votre compagnon…, commença Svenson en s'essuyant les mains sur un chiffon.

– J'ai bien peur que vous l'ayez tué, répondit Phelps, d'une voix que la douleur rendait un peu distante, délicate et douce comme du papier de riz.

Il fit un signe de tête en direction de la bâche. Maintenant qu'ils étaient plus près, Svenson pouvait voir qu'en plus du pied de femme il y avait une chaussure d'homme noire. Quel était son nom déjà, Starck ? Le poids de ce meurtre se mit à peser lourdement sur les épaules de Svenson. Il regarda Phelps, comme s'il devait lui dire quelque chose, mais le regard de l'homme était déjà entraîné ailleurs. Il se mordait les lèvres pour lutter contre le grincement de ses os cassés.

– C'est ce qui arrive quand on est en guerre, lança Aspiche avec mépris. Quand on choisit de se battre, on choisit de mourir.

Le regard de Svenson retourna au tas de cadavres dissimulés sous la bâche en essayant désespérément de se souvenir des chaussures d'Éloïse. Était-il possible que ce fût son pied ? Combien de corps, Seigneur Dieu, se trouvaient sous la bâche ? Il devait y en avoir au moins quatre à en juger par la hauteur, peut-être plus. Il espéra que, puisqu'ils l'avaient pris, lui, ils ne se soucieraient plus d'aller voir à l'auberge ou sur le quai de la gare quand le matin viendrait. Il espéra que, d'une façon ou d'une autre, Éloïse pourrait se sauver.

– Est-ce qu'il va survivre ?

Ce fut là la remarque moqueuse et condescendante que lança le docteur Lorenz qui arrivait du four, ses grosses lunettes pendant autour du cou. Il regarda Phelps, mais n'attendit même pas la réponse à sa question. Ses yeux s'attardèrent sur Svenson pour en faire une sorte d'estimation professionnelle qui ne révéla rien, si ce n'est la profondeur de sa suspicion, tout aussi professionnelle. Puis il dirigea son regard sur Aspiche. Lorenz fit signe à ses assistants qui l'avaient suivi.

– Si nous devons nous débarrasser de ces preuves, alors autant le faire tout de suite. Le four est au maximum de sa température. À partir de maintenant, elle ne peut que baisser. Plus nous attendrons et plus les restes pourront nous trahir.

Aspiche regarda en direction de la carrière et il leva le bras pour attirer l'attention de Crabbé. Le ministre jeta un coup d'œil, comprit ce que le Colonel lui montrait et approuva. Aspiche cria en direction des hommes de Lorenz.

– Allez-y.

On ôta les bâches ; les hommes s'écartèrent de chaque côté et ils se mirent à deux pour ramasser chacun des corps. Svenson recula de quelques pas en chancelant. Sur le dessus se trouvaient les deux femmes du grenier – leur chair luisait encore de cet éclat bleu. Dessous, il y avait Coates et Starck, plus un autre homme qu'il se souvenait vaguement d'avoir croisé dans le train et dont la peau était aussi incandescente. Apparemment, on avait également montré le livre aux hommes. Il fut horrifié en voyant que l'on transportait les deux premiers corps près du four et que l'on ouvrait d'un coup de pied le plus grand des panneaux d'alimentation, laissant voir le foyer chauffé à blanc. Svenson se détourna. L'odeur des cheveux brûlés lui souleva le cœur. Aspiche lui saisit l'épaule et le repoussa pour rejoindre Crabbé à l'autre bout de la carrière. Il eut vaguement conscience que Phelps avançait en trébuchant derrière lui. Au moins, Éloïse n'était pas là… au moins, cela lui avait été épargné.

Quand ils repassèrent devant miss Poole et ses ouailles, il la vit entre les bancs qui tendait des petits livres, des livres recouverts de cuir rouge cette fois, chuchotant un petit mot à chacun. Il supposa qu'il s'agissait d'un nouveau code permettant de comprendre les nouveaux messages. Elle croisa son regard et lui sourit. De chaque côté d'elle se tenaient debout l'homme et la femme qu'il avait rencontrés en premier dans le train. C'est à peine s'il les reconnut. Bien que leurs vêtements aient changé d'aspect, ceux de l'homme étaient couverts de suie et de graisse, et ceux de la femme, nettement moins ajustés sur son corps, c'était surtout leurs visages qui avaient changé. Là où l'on pouvait lire auparavant tension et suspicion, Svenson voyait maintenant de l'aisance et de la confiance, on eût vraiment juré qu'il s'agissait d'individus complètement différents. Ils lui adressèrent aussi un petit signe de tête assorti d'un sourire éclatant. Il se demanda qui ils étaient dans le monde, qui ils venaient juste de trahir et ce qu'ils avaient trouvé dans le livre de verre pour en avoir été aussi transformés.

Svenson aurait voulu découvrir un sens à tout cela pour obliger son cerveau fatigué à penser. Il eut beau tirer conclusion sur conclusion, il n'arriva à rien dans l'état de faiblesse où il se trouvait. Quelle était la différence entre le livre de verre et le Procédé? De toute évidence, le livre pouvait tuer, bien qu'il semblât que ce fût aléatoire, comme une réaction d'intoxication à des crustacés; il ne pensait pas qu'on avait eu l'intention de tuer. Mais quel était exactement l'effet de ce livre? Éloïse avait dit qu'elle y avait plongé, qu'elle avait vu des choses. Il pensa au côté fascinant des cartes de verre et il essaya d'extrapoler pour imaginer ce que l'on pouvait éprouver en regardant le livre... mais quoi d'autre... il sentit qu'il était près de trouver quelque chose... l'écriture... un livre se doit d'être écrit, les pensées doivent y être inscrites... était-ce cela qu'ils étaient en train de faire?

Il repensa à la description de l'Institut que Chang lui avait faite: à cet homme laissant tomber le livre alors qu'il était en train de le fabriquer à partir d'Angélique, celui-là même qu'il avait vu, lui, dans la cuisine de Crabbé. Quelle était la différence entre prendre une personne pour fabriquer un livre et ensuite utiliser les gens qui étaient ici pour l'écrire... ou pour être attirés dans son piège comme dans une toile d'araignée? Et le Procédé? Il s'agissait d'une transformation, d'un processus chimio-électrique utilisant les propriétés de l'argile indigo traitée, mélangée d'une façon ou d'une autre à du verre pour changer le caractère des sujets, diminuer leurs inhibitions et les contraindre à reconsidérer leurs engagements. Cela ne faisait-il qu'éliminer les objections morales? Ou étaient-elles redéfinies autrement? Il songea à tout ce qu'une personne dénuée de scrupules pouvait accomplir au cours d'une vie, et donc à tout ce que pouvaient accomplir ensemble une centaine d'individus de la même espèce et dont le nombre augmentait tous les jours.

Svenson se frotta les yeux en marchant. De nouveau, il se sentait confus, ce qui le ramena à sa première question: quelle était la différence entre le Procédé et le livre de verre? Il se retourna vers miss Poole et sa petite classe au milieu des scories. Il comprit soudain que c'était la direction qui changeait. Au cours du Procédé, l'énergie allait vers l'individu, le libérait de ses inhibitions et le ralliait à la cause. Avec le livre de verre, l'énergie était aspirée à partir de l'individu sous la forme de certaines expériences de sa vie. La mémoire était-elle une forme d'énergie? Indubitablement, c'était là que résidait le chantage: les secrets que ces sous-fifres amers avaient à révéler étaient maintenant cachés dans le livre de miss Poole, et ce livre, comme les cartes, pouvait permettre à n'importe qui d'autre de vivre ces épisodes honteux. Le pouvoir de cette cabale sur les personnes concernées ne pourrait jamais être démenti, ne prendrait jamais fin.

C'était de plus en plus clair pour lui: les livres étaient des instruments et on pouvait les utiliser, comme tous les livres, à toutes sortes de fins, selon leur contenu. De plus, il était possible qu'ils fussent façonnés de diverses façons, pour des raisons différentes, certains complètement écrits et d'autres avec une quantité variable de pages blanches. Il se remémora les tableaux d'Oskar Veilandt, ces compositions si frappantes, si troublantes, qui représentaient très explicitement le Procédé, l'envers de chaque toile portant des symboles alchimiques. Les livres puisaient-ils aussi leurs origines dans l'œuvre de cet homme? Si seulement il était encore en vie! Était-il possible que le comte, qui au sein de la cabale était de toute évidence le maître de cette science dévoyée, eût volé les secrets de Veilandt et qu'il l'eût ensuite fait assassiner?

Pendant qu'il pensait aux livres et à leurs usages, Svenson se demanda si Angélique avait été la seule personne dont d'Orkancz avait voulu faire un livre. Le livre des folles aventures d'une fille de joie. Voilà qui serait des plus convaincants pour rallier les gens à sa cause que d'offrir les détails d'un millier de nuits dans un bordel sans que quiconque eût à quitter sa chambre.

Cependant, il ne s'agirait guère que d'un seul exemple... la limite étant la sensation elle-même... mais quelles aventures, quels voyages ou quelles émotions vécus par une personne ne pourraient être gravés dans ces livres afin que d'autres les consomment, c'est-à-dire, en fassent l'expérience avec leur propre corps ? Quels banquets somptueux ? quels flots de vin ? quelles batailles, quelles caresses, quelles conversations pleines d'esprit... cela n'avait vraiment pas de fin... et sans doute d'ailleurs n'y avait-il pas de fin non plus à ce que les gens seraient prêts à payer pour s'acheter une telle amnésie.

Il reporta son attention sur miss Poole et sur le couple souriant. Qu'est-ce qui les avait transformés ? Qu'est-ce qui avait tué les autres et épargné ces deux-là ? D'une façon ou d'une autre, c'était important de le savoir, parce que c'était le signe que quelque chose n'avait pas marché comme prévu. Si seulement il y avait un moyen de le découvrir, mais tous les indices sur ce qui avait causé leur mort partaient en ce moment même en fumée. Svenson poussa un râle de colère.

Peut-être en savait-il assez, après tout. Leur peau s'était imprégnée de bleu, mais ce n'était pas le cas de ceux qui avaient survécu. Il y avait ce couple austère, qui avait troqué son ressentiment soupçonneux pour une franche aménité...

Svenson chancelait sous l'effet de ces considérations quand Aspiche le prit par l'épaule et le poussa en avant.

– Avancez donc ! Le repos éternel est pour bientôt !

C'est à peine si Svenson l'entendit. Il se rappela Éloïse qui était incapable de se souvenir de ce qu'elle avait révélé sur les Trapping ou sur Henry Xonck. Elle pensait même qu'elle n'avait peut-être rien eu à révéler... mais Svenson savait qu'on lui avait dérobé ses souvenirs, tout comme on avait dérobé les souvenirs de rancune, d'injustice et d'envie au jeune couple vénal pour les graver dans le livre. Et ceux qui étaient morts... qu'est-ce que d'Orkancz avait dit à propos d'Angélique ? Que le sens de l'énergie avait été inversé... c'est également ce qui avait dû se produire ici... L'énergie du livre avait dû entrer profondément dans le corps de ceux qui étaient morts, en laissant des traces après les avoir complètement vidés. Mais pourquoi eux et pas les autres ?

Il regarda encore une fois ceux qui souriaient autour de miss Poole. Aucun d'entre eux ne pouvait se souvenir exactement de ce qu'ils avaient révélé, en fait, ils n'avaient peut-être même pas la moindre idée de la raison de leur présence en ces lieux. Il s'émerveilla de la beauté d'une telle entreprise : chacun d'entre eux pouvait en toute sécurité être renvoyé à sa vie ordinaire, en n'ayant aucune connaissance de ce qui s'était passé en dehors d'une excursion à la campagne et de quelques morts étranges. Mais on trouvait toujours le moyen d'expliquer la mort de ceux à qui l'on n'accordait pas d'importance. Qui protesterait… qui même se rappellerait de ceux qui avaient été tués ?

Pendant quelques instants, les pensées de Svenson allèrent vers Corinna, il songea à quel point il était le seul à garder un véritable souvenir d'elle, et il sentit la rage monter en lui. La mort de Starck pesait lourd sur sa conscience, mais il se servit des paroles de ce nigaud d'Aspiche pour mesurer qui étaient ses ennemis. Pourquoi ce genre d'homme devait-il toujours ramener la complexité du monde à quelques insultes primaires, à un univers fait de grognements ?

Il n'était pas Chang – il n'était pas capable de tuer avec la conscience tranquille, ni même de tuer assez efficacement pour sauver sa peau –, il était Abélard Svenson, mais il savait ce que ces scélérats étaient en train de faire, et il connaissait les véritables responsables : ils étaient là au-dessus de lui sur la plate-forme, Harald Crabbé et le duc de Stäelmaere. S'il parvenait à les tuer, alors Lorenz, Aspiche et miss Poole n'auraient plus d'importance, quels que soient les dégâts qu'ils pourraient faire dans le monde, ils se limiteraient à ce qui serait à la portée de leurs mains et retourneraient au malaise qu'ils connaissaient avant la glorieuse libération que le Procédé leur avait procurée. Le Procédé reposait sur l'organisation de la cabale, sur ces deux là, sur d'Orkancz, di Lacquer-Sforza et Xonck. Et Robert Vandaariff… qui devait être leur meneur. Le docteur Svenson eut la certitude tout à coup que, même s'il se sauvait, il ne retrouverait ni Chang ni miss Temple à la gare de Stropping. Ils étaient soit morts, soit à Harschmort.

Mais que pouvait-il espérer faire ? Aspiche était grand, fort, armé et retors, il aurait même pu représenter un adversaire sérieux pour Chang. Le docteur Svenson était épuisé et sans arme. Il reporta son attention sur le four. Lorenz se dirigeait vers eux et enlevait ses gants en marchant. Au-dessus, Crabbé et le duc discutaient tranquillement ou, plutôt, Crabbé pérorait et le duc acquiesçait, arborant une expression impassible et glaciale. Svenson compta quinze marches en bois pour atteindre leur palier. S'il pouvait prendre ses jambes à son cou, les rejoindre avant Aspiche… mais Crabbé s'interposerait encore entre le duc et lui… Svenson pensa au contenu de ses poches… Avait-il là quelque chose dont il pourrait se servir comme d'une arme… un bout de crayon, un étui à cigarettes, la carte de verre… La carte de verre… il pourrait peut-être la casser entre ses doigts en courant et se servir du côté tranchant pour ouvrir la gorge de Crabbé, puis prendre le duc en otage… le traîner pour monter les marches… son fiacre était peut-être là-haut… réussir à le prendre pour aller à la gare ou directement en ville. Lorenz était sur le point de les rejoindre. C'était la diversion qu'il lui fallait. Il glissa nonchalamment une main dans sa poche et chercha la carte de verre. Il pivota, prêt à bondir.

– Colonel Aspiche, cria le docteur Lorenz, nous avons presque…

Aspiche assena un grand coup sur la tête de Svenson qui tomba à genoux et sentit sa nuque prête à éclater tant la douleur fut forte. il avait l'estomac au bord des lèvres, le goût de vomissures dans la gorge, des larmes au bord des paupières. Quelque part derrière lui – il eut le sentiment que c'était très loin –, il entendit le ricanement de Lorenz puis le sifflement sinistre d'Aspiche à son oreille.

– N'y pensez pas une seconde, vous m'entendez ?…

Svenson songea qu'il allait mourir, mais s'il ne réussissait pas à se mettre debout, il perdrait la minuscule chance qu'il avait encore de s'en sortir. Il cracha, s'essuya la bouche du revers de la manche et remarqua avec surprise qu'il avait encore la carte de verre dans la main. Au prix d'un effort surhumain, il s'appuya avec son autre main sur l'argile sale et il leva un genou. Il poussa, chancela, puis sentit Aspiche qui le prenait par le col de son manteau et le hissait pour le remettre sur ses pieds. Il le lâcha enfin. Svenson tituba et faillit retomber. Il entendit encore une fois le rire sournois de Lorenz, puis Crabbé cria d'en haut :

– Docteur Svenson, avez-vous repensé à l'endroit où pouvaient se trouver vos camarades ?

– On m'a dit qu'ils étaient morts, répondit-il d'une voix faible et enrouée.

– Peut-être, en effet. Nous vous avons fait perdre assez de temps.

Derrière lui, Aspiche dégaina son sabre. Il devait à tout prix se retourner et l'affronter. Il lui fallait casser la carte de verre et lui enfoncer le tranchant dans la gorge, dans les yeux, ou… mais il ne pouvait pas se retourner. Il ne pouvait que lever les yeux vers la mine réjouie de Crabbé qui se penchait par-dessus la rampe. Il pointa son doigt vers les murs de la carrière et cria au vice-ministre :

— Macklenburg !

— Pardon ?

— Macklenburg… Cette carrière… Je saisis le lien : c'est votre argile indigo. Ici, il n'y a qu'un petit gisement. Mais les montagnes de Macklenburg en regorgent. Si vous avez la haute main sur son duc, votre pouvoir n'aura pas de limite… C'est bien ça, votre plan ?

— Notre plan, docteur Svenson ? Ce sont plutôt les faits. Le plan, il concerne ce que nous envisageons de faire du pouvoir que nous avons acquis. Avec l'aide de personnages avisés comme le duc ici présent…

Svenson cracha. Crabbé s'arrêta au beau milieu de sa phrase.

— Une telle vulgarité…

— Vous avez fait insulte à mon pays, cria Svenson, comme vous avez insulté le vôtre. Vous allez payer, tous autant que vous êtes, avec votre arrogance…

Crabbé regarda le colonel Aspiche par-dessus l'épaule de Svenson :

— Tuez-le.

Le coup de feu le prit par surprise, puisqu'il s'attendait à un coup de sabre, et il mit un moment encore à s'apercevoir que ce n'était pas lui que la balle avait atteint. Il entendit le cri, se demandant s'il ne sortait pas de sa propre bouche, puis il vit le duc de Stäelmaere tituber sur le garde-fou, se tenir l'épaule droite où l'on distinguait l'impact bien dessiné de la balle et d'où l'on voyait le sang couler entre ses longs doigts pâles. Crabbé se retourna brusquement, les lèvres en mouvement, alors que le duc tombait à genoux et que sa tête glissait entre les barreaux du garde-fou. Au-dessus, derrière eux, les deux mains agrippées au revolver de service encore fumant, se dressait Éloïse.

— Nom de Dieu, madame ! hurla Crabbé, savez-vous sur qui vous venez de tirer ? C'est un crime qui vous coûtera la vie, c'est de la haute trahison !

Elle tira encore et cette fois Svenson vit la balle transpercer la poitrine du duc et faire couler un flot de sang épais.

Stäelmaere ouvrit la bouche, surpris par le choc et l'intensité de la douleur, puis il s'effondra sur les planches de la plate-forme.

Svenson se tourna, ragaillardi par ce renfort inattendu et, se rappelant ce qu'il avait vu dans une taverne sur les quais d'un port, il écrasa la botte d'Aspiche tout en le poussant violemment des deux mains. Alors que le colonel tombait, tout le poids de Svenson maintint son pied sur le sol à la fois pour qu'il ne pût pas reprendre son équilibre et pour empêcher que son propre poids ne tombât sur sa cheville immobilisée. Svenson entendit les os craquer quand le colonel atteignit le sol avec un cri de douleur et de rage. Il sauta pour se dégager, car Aspiche, à terre, continuait à brandir son sabre, le visage cramoisi, les larmes aux yeux, et il se précipita vers les escaliers. Éloïse fit feu une troisième fois et manqua Crabbé qui avait reculé dans un coin de la plate-forme, les bras devant le visage, traqué par les coups de feu. Svenson lui fonça dessus et lui donna un coup dans l'estomac. Crabbé se plia en avant et grogna en se tenant le ventre. Svenson lui décocha un autre coup, cette fois dans la figure, et l'homme s'affaissa. Svenson eut le souffle coupé, étonné qu'un coup pareil pût lui faire mal à la main, puis il tituba en direction de celle qui l'avait sauvé.

— Dieu vous bénisse, ma chère, murmura-t-il, vous m'avez sauvé la vie. Montons…

— Ils arrivent, souffla-t-elle d'une voix que la peur rendait plus aiguë.

Il regarda en bas et vit Lorenz, ses assistants et tout le groupe des hommes sur les bancs qui accouraient. Lorenz avait aidé Aspiche à se remettre sur ses jambes et le colonel, claudiquant, agitait son sabre dans tous les sens, vociférant des ordres.

— Tuez-les, tuez-les. Ils ont assassiné le duc !

— Le duc ! murmura Éloïse.

— Vous avez bien fait, dit Svenson pour la rassurer. Permettez-moi… c'est qu'ils sont nombreux…

Il attrapa le pistolet et, armant le chien, il se rua par terre vers Crabbé qui était recroquevillé dans un coin. Les hommes montaient les escaliers quatre à quatre alors que Svenson prenait le ministre par le col, le mettait à genoux, et lui appuyait le canon de son arme sur l'oreille. Ses comparses arrivèrent au bord de la plate-forme en jetant sur Svenson et Éloïse des regards de haine. Svenson regarda par-dessus la rambarde vers le fond de la carrière où se trouvait Lorenz qui soutenait Aspiche. Il leur cria :

– Je vais le tuer ! Vous savez que je le ferai ! Rappelez vos hommes.

Il tourna les yeux vers les hommes qui étaient devant lui, leur groupe s'écarta pour permettre à miss Poole de passer. Elle parvint à la plate-forme avec, au bord des lèvres, un sourire glacial.

– Tout va bien, monsieur le ministre ? demanda-t-elle.

– Je suis vivant, marmonna Crabbé. Le docteur Lorenz a-t-il terminé son travail ?

– Oui.

– Et vos ouailles ?

– Comme vous pouvez le constater, elles vont très bien et sont très enthousiastes à l'idée de vous protéger et de venger le duc.

Crabbé soupira.

– Dans le fond, c'est peut-être mieux ainsi. Le travail sera mieux fait. Il faudra que vous prépariez son corps.

Miss Poole hocha la tête puis dirigea son regard, au-delà de Svenson, vers Éloïse :

– Il semble que nous vous ayons sous-estimée, Mrs. Dujong !

– Vous m'avez laissée pour morte ! hurla Éloïse.

– Bien sûr, cria Crabbé en se frottant la mâchoire. Vous n'avez pas passé l'épreuve… il semblait que vous alliez mourir comme les autres. On n'y peut rien, vous avez tort de mettre la faute sur Elspeth. Par ailleurs, regardez-vous maintenant… si intrépide !

– Pensez-vous, monsieur le ministre, que nous avons pris notre décision de façon un peu hâtive ? demanda miss Poole.

– En effet. Peut-être bien que Mrs. Dujong va se joindre à nous, en définitive.

– Me joindre à vous ! hurla Éloïse. Me joindre à vous après… après tout ça ?

– Vous avez oublié, lui cria miss Poole. Même si vous, vous avez oublié pourquoi vous êtes venue, moi, je me souviens très bien… de tous les petits secrets nauséabonds que vous nous avez confiés en échange de votre promotion.

Éloïse était debout, la bouche ouverte, regardant Svenson, puis revenant à miss Poole.

– Je n'ai pas… je ne peux pas…

– Et pourtant, avant, vous vouliez bien, rétorqua miss Poole. Et vous le voulez encore. Vous vous êtes montrée tout à fait intrépide.

– Vous n'avez pas vraiment le choix, ma chère, remarqua Crabbé avec un soupir.

Svenson vit le trouble s'installer sur le visage d'Éloïse et il enfonça le revolver dans l'oreille de Crabbé, interrompant son discours.

– Vous n'avez pas entendu ce que je vous ai dit ? Nous allons partir immédiatement !

– Mais bien sûr, docteur Svenson, on vous a très bien entendu, murmura Crabbé en grimaçant de douleur. Il leva les yeux vers miss Poole. Elspeth ?

La jeune femme avait toujours aux lèvres son sourire de glace.

– Un tel esprit chevaleresque, docteur ! D'abord miss Temple et maintenant Mrs. Dujong… vous êtes un véritable don Juan, vraiment. Je ne l'aurais jamais cru.

Svenson l'ignora et il tira Crabbé vers les escaliers.

– Nous vous quittons.

– Elspeth ! croassa le vice-ministre.

– Vous n'en ferez rien, claironna miss Poole.

– Pardon ? demanda Svenson.

– Vous n'en ferez rien. Combien de balles reste-t-il dans votre arme ?

Aspiche lui répondit en criant depuis le fond de la carrière d'une voix désincarnée :

– Elle a tiré trois fois et c'est un six coups.

– Alors voilà, continua miss Poole en montrant le groupe d'hommes qui se trouvait autour d'elle. Trois coups. Nous, nous sommes au moins dix, et vous, vous ne pouvez tirer au mieux que trois coups. Nous vous aurons.

– Mais la première balle sera pour le ministre Crabbé.

– Le plus important pour nous, c'est que notre travail suive son cours et si vous nous échappez, vous le mettrez en danger. Vous êtes de cet avis, monsieur le ministre ?

– Malheureusement, Svenson, cette femme a raison.

Svenson lui fit une entaille sur le crâne en lui donnant un coup de crosse.

– Taisez-vous.

Miss Poole s'adressa au groupe d'hommes derrière elle :

– Le docteur Svenson est un agent allemand. Il a remporté une victoire en causant la mort du noble frère de notre reine.

Svenson leva la tête vers Éloïse dont les yeux étaient agrandis par la peur.

– Courez, partez maintenant, lui dit-il. Prenez la fuite… Je vais les retenir…

– N'en faites rien, Mrs. Dujong, protesta miss Poole. Nous ne pouvons laisser partir aucun d'entre vous, cela nous est vraiment impossible. Et je vous le promets, docteur, peu importe le temps que votre bravoure vous permettra de couvrir votre protégée, avec la robe qu'elle porte, elle ne pourra guère courir plus vite que ces messieurs sur trois kilomètres de route à découvert.

Svenson hésitait. Il ne croyait pas qu'ils sacrifieraient Crabbé aussi facilement… Mais pouvait-il mettre en péril la vie d'Éloïse en courant ce risque? Et s'il se rendait, quel espoir auraient-ils de survivre? Aucun! Ils seraient réduits en cendres dans le four de Lorenz… et c'était là une perspective épouvantable, qu'il ne pouvait admettre.

– Docteur… Abélard…, murmura Éloïse.

Il leva les yeux vers elle, pétrifié.

– Vous n'allez pas vous joindre à eux. Vous n'allez pas rester…

– Mais que voulez-vous, et si c'est ce qu'elle désire? demanda méchamment miss Poole.

– Ce n'est pas ça qu'elle veut… elle ne peut pas… taisez-vous!

– Docteur Svenson! s'écria Lorenz d'en bas.

Svenson se rapprocha du garde-fou en poussant son otage pour le garder près de lui, et il regarda en bas. L'homme s'était approché du grand assemblage de bâches qui cachait le wagon.

– Peut-être ceci vous convaincra-t-il de l'ampleur de nos visées.

Lorenz tira sur une corde et libéra les bâches. Aussitôt, l'énorme masse qui se dissimulait en dessous s'éleva en tanguant sur six mètres de haut et repoussa brusquement ce qui la couvrait. C'était un ballon à gaz cylindrique, un dirigeable. Comme il montait jusqu'à la limite des câbles qui le retenaient, Svenson aperçut les hélices, les moteurs et la vaste nacelle qui se trouvait dessous. L'engin était encore plus grand que ce qu'il avait imaginé, il se déployait comme un insecte qui sort de son cocon, son squelette métallique était composé d'étais qui claquaient en se tendant tandis qu'il s'élevait, et l'ensemble avait une couleur idéale pour se fondre dans un ciel nocturne. S'il naviguait de nuit, l'aéronef demeurerait invisible.

Avant que Svenson ne pût réagir, Éloïse poussa un cri. Il se retourna brusquement pour la voir perdre l'équilibre et apercevoir la main d'un homme passant entre les marches de l'escalier pour lui attraper la jambe par surprise. Le bras de l'homme avait une manche rouge, c'était Aspiche qui était arrivé d'en bas pendant que Svenson s'était laissé distraire comme un idiot par le spectacle que lui offrait Lorenz.

Impuissant, il la regarda se débattre pour tenter de se libérer en marchant sur le poignet de l'homme avec son pied libre. Cela suffit pour rompre le charme. Les hommes qui entouraient miss Poole se précipitèrent et s'interposèrent entre Svenson et Éloïse. Crabbé se roula en boule sur le sol et fit perdre l'équilibre à Svenson. Avant que le docteur pût les remettre en joue avec son pistolet, ils s'étaient rués sur lui, il avait reçu un coup de poing dans la mâchoire, un coup d'avant-bras derrière la tête et reculé en chancelant sur la balustrade. Éloïse poussa un autre cri : elle était entourée... il avait manqué à tous ses devoirs envers elle. Les hommes le saisirent à bras-le-corps et le jetèrent par-dessus la balustrade.

Il reprit conscience et vit au-dessus de lui le ciel d'une nuit sans nuages qui bougeait au-dessus de lui ; les cahots du gravier et de la poussière battaient régulièrement sa nuque. On le traînait par les pieds. Le docteur mit un moment à comprendre qu'il avait les bras au-dessus de la tête et que les pans de son manteau traînaient en désordre derrière lui, ramassant ainsi la terre meuble comme un râteau tandis qu'on le tirait. On l'emmenait vers le four, il le savait. Il souleva la tête et vit que deux hommes de Lorenz le tiraient, chacun par une jambe. Où était Éloïse ? Il avait mal à la tête et tout son corps était endolori, mais il ne sentait nulle part la douleur vive qui signale une fracture. Étant donné la manière dont on le tirait par les jambes et dont ses bras traînaient, il aurait senti s'il avait eu quelque chose de cassé. Il avait les mains vides. Qu'avait-il fait de son revolver ? Il maudit ses efforts lamentables pour devenir un héros. Il avait été sauvé par une femme et il avait ensuite trahi sa confiance à cause de sa propre inexpérience. Dès que les hommes verraient qu'il était conscient, ils lui éclateraient le crâne avec une brique. Et de toute façon qu'aurait-il bien pu faire sans arme contre eux deux ? Il pensa à tous ceux qu'il avait déçus… comment aurait-il pu en être autrement cette fois encore ?

Les deux hommes lui lâchèrent les jambes sans ménagement. Svenson, encore un peu étourdi, plissa les yeux tandis qu'un des deux hommes le regardait avec un sourire entendu et que le second se dirigeait vers le four.

– Il est revenu à lui, dit celui qui souriait.

– Donne-lui un coup de pelle, lui cria l'autre.

– Je m'en occupe, répondit le premier qui commençait à chercher autour de lui.

Svenson chercha à s'asseoir, à courir, mais son corps, maladroit, endolori et raide, refusa de lui obéir. Il roula sur le côté et obligea ses genoux à le redresser, puis il se releva et essaya de s'éloigner en titubant.

– Où pensez-vous aller comme ça ? lui lança une voix rieuse derrière lui.

Svenson tressaillit, craignant à tout instant de sentir la pelle qui lui entaillerait la nuque. Il chercha des yeux une riposte, une idée quelconque, mais il ne vit que le dirigeable qui flottait au-dessus de la carrière et, encore au-dessus, un ciel sombre et sans pitié. Tout ne pouvait pas finir ici… C'était trop violent, trop banal, il allait être abattu comme un animal dans une cour de ferme. Réagissant à une impulsion subite, Svenson se retourna, fit face à l'homme qui était derrière lui et tendit la main.

– Un moment, je vous prie.

L'homme avait ramassé la pelle et s'apprêtait à le frapper. Son compagnon se tenait quelques pas en arrière avec, à la main, un crochet métallique dont il venait manifestement de se servir pour ouvrir la porte du four. Même à cette distance de la fournaise, Svenson en percevait la chaleur étouffante. Ils lui souriaient.

– Penses-tu qu'il va nous proposer de l'argent ? ironisa celui qui tenait le crochet.

– Certainement pas, répondit le docteur. D'abord parce que je n'en ai pas et ensuite parce que tout l'argent que je pourrais avoir finira dans vos poches, de toute façon, une fois que vous m'aurez assommé.

Les deux hommes acquiescèrent, amusés qu'il eût deviné leur plan infaillible.

– Je ne peux rien vous offrir, mais je peux vous demander, pendant que je respire encore… parce que je sais que vous seriez curieux de le savoir et que je regretterai de quitter des braves gens comme vous... parce que je sais que vous ne faites qu'accomplir votre devoir... dans une situation vous exposant à un aussi grave danger...

Ils le regardèrent quelques instants, étonnés. Svenson avala sa salive.

– Quel danger? demanda l'homme à la pelle, changeant sa prise sur le manche en prévision du coup qu'il allait assener à Svenson en plein visage.

– Bien sûr, personne ne vous en a parlé. Cela n'a pas d'importance, je ne suis pas du genre à me mêler de ce qui ne me regarde pas, mais si vous vouliez, pour le salut de ma conscience, me promettre de jeter cet objet tout de suite après, c'est-à-dire... après moi.

Il mit la main dans sa poche et en sortit la carte de verre qui lui restait, il ne savait pas laquelle au juste, et il la leur tendit pour qu'ils la voient.

– Cela ressemble à un simple morceau de verre, je sais, mais vous devez, pour votre sécurité, la mettre directement dans le feu. Faites-le tout de suite ou laissez-moi le faire.

Avant qu'il pût ajouter un mot, l'homme qui tenait la pelle s'avança et lui arracha la carte des mains. Il recula de deux pas, lança un regard suspicieux et maussade au docteur, puis il baissa les yeux sur la carte de verre. Il s'immobilisa. Son compagnon le fixa, puis il se tourna vers Svenson et s'avança brusquement pour regarder lui aussi la carte de verre par-dessus l'épaule de l'autre en tendant une main calleuse pour s'en saisir. Mais lui aussi s'immobilisa, captivé.

Svenson n'en croyait pas ses yeux. Était-il possible que ce fût aussi facile? Il avança doucement d'un pas mais, comme il tendait le bras pour attraper la pelle, le cycle des images de la carte de verre prit fin et les deux hommes émirent un léger soupir qui arrêta son mouvement. Puis ils se replongèrent dans les images qui reprenaient, les mâchoires relâchées, les yeux inexpressifs.

D'un geste violent et sûr, Svenson s'empara de la pelle et s'en servit coup sur coup pour frapper chacun des deux hommes sur la tête, alors qu'ils levaient les yeux vers lui, encore complètement abasourdis. Il laissa tomber la pelle, ramassa la carte de verre et s'éloigna le plus vite qu'il put. Il n'avait pas frappé avec l'arête de l'outil; pour peu qu'ils aient un peu de chance, ils s'en tireraient tous les deux.

Un vrombissement saccadé résonna sur les murs de la carrière, un vacarme sourd qu'il avait à peine remarqué, supposant que ce qu'il entendait venait de l'intérieur de son crâne endolori. En fait, cela devait être le dirigeable avec ses moteurs et ses hélices! Qu'est-ce qui pouvait propulser un tel engin, il se le demandait bien : le charbon, la vapeur? La nacelle, avec son armature métallique, lui avait paru terriblement fragile. Avait-on entendu sa conversation avec les deux hommes? Avait-il été vu? Il leva les yeux – qu'avait-il bien pu faire de son monocle? – louchant vers l'engin diabolique. Il s'était élevé à la hauteur des roches ferrugineuses rouges, encore retenu au sol, dans la carrière, seulement par quelques câbles. On distinguait des silhouettes par les hublots de la nacelle, mais elles étaient beaucoup trop loin pour qu'on pût les voir distinctement. Toutefois, Svenson ne se souciait pas d'eux, il se demandait ce qui était arrivé à Éloïse. Si on ne l'avait pas emmenée vers le four avec lui, si elle n'était pas morte, alors qu'en avaient-ils fait?

Le grand escalier semblait vide, sauf en haut où un groupe s'était rassemblé à la hauteur de la nacelle accrochée sous le ballon du dirigeable. Sur le sol de la carrière, il ne vit que trois hommes qui s'occupaient des dernières cordes, en portant toute leur attention sur ce qui se passait en haut. Le docteur put enfin se remettre debout. De la poussière et des petits cailloux tombèrent de son manteau. Il se dirigea en claudiquant vers les escaliers. Il traînait la jambe droite. Il avait l'impression qu'on avait mis le feu à sa tête et à ses épaules après les avoir plâtrées. Il s'essuya la bouche sur sa manche sale et il cracha après avoir avalé plus de poussière qu'il n'en avait enlevé. Il avait du sang sur le visage et il ignorait s'il s'agissait du sien.

Les silhouettes que l'on distinguait en haut du gigantesque escalier devaient être les hommes et les femmes du train. Miss Poole se trouvait-elle parmi eux? Non, déduisit-il, il n'y avait sans doute personne avec eux. Ils avaient rempli leur office. Miss Poole devait être en train d'agiter la main depuis la nacelle, en partance pour Harschmort, avec les autres. Mais où pouvait bien être Éloïse?

Svenson hâta le pas, avançant à son corps défendant. Il enfonça ses doigts dans sa poche et en ressortit son étui à cigarettes. Il n'en restait que trois, il en ficha une entre ses lèvres et continua à avancer en boitillant. Il laissa échapper une exclamation de douleur quand il essaya de frotter une allumette sur l'ongle fendu de son pouce. Il changea de main, alluma sa cigarette et aspira à pleins poumons une bouffée de fumée qui lui fut délicieusement pénible, en secouant sa main pour chasser la douleur, traînant son pied droit pour avancer et finalement extirpant de son arrière-gorge un crachat de glaire, de sang et de poussière. Ses yeux se remplirent de larmes, mais la fumée lui fit quand même plaisir et le ramena à la réalité. On ne pouvait plus l'arrêter, il était en train de devenir un être implacable, un héros épique. Il cracha encore une fois et, baissant les yeux pour voir s'il y avait du sang, il aperçut quelque chose dans la poussière qui captait la lumière. C'était du verre, son monocle ! La chaîne s'était cassée quand on l'avait traîné par terre, mais la lentille était intacte. Il la nettoya du mieux qu'il put, en souriant béatement, puis il sortit un pan de sa chemise pour continuer à frotter, car la manche dont il s'était servi avait laissé des traînées de crasse. Il le remit en place.

Crabbé apparut soudain dans l'encadrement d'un hublot. Il criait quelque chose à quelqu'un qui était dans l'escalier. C'était Phelps qui, de toute évidence, était suffisamment remis pour pouvoir se débrouiller tout seul. Aux côtés de Crabbé au hublot, miss Poole agitait la main. Il ne vit pas Lorenz. C'était peut-être lui qui se trouvait aux commandes de l'engin. Le docteur Svenson ignorait tout du fonctionnement de ce genre de machine et même de sa capacité à voler. Aspiche devait être à l'intérieur. Où se trouvait le corps du duc ? Avait-il été chargé sur une voiture à cheval que Phelps ramenait en ville ? Était-ce là qu'il retrouverait Éloïse, vivante ou morte ? Il allait probablement devoir grimper en haut des escaliers et les suivre à Tarr Village.

Il se trouvait à mi-chemin dans la carrière et, à chacun de ses pas, l'aéronef lui apparaissait de plus en plus gigantesque et menaçant au-dessus de sa tête. Personne ne semblait l'avoir vu, ni être parti à la recherche des deux hommes. Quelqu'un allait bientôt se tourner, les hommes qui s'occupaient des câbles les lâcheraient d'un instant à l'autre. Il n'arriverait jamais à monter les escaliers, il ne pourrait pas courir plus vite qu'un enfant. Il fallait qu'il se cache. Svenson s'arrêta et chercha des yeux une anfractuosité dans le rocher, quand quelque chose tomba dans la poussière à une dizaine de mètres de lui. Il regarda, ne put distinguer ce que c'était, puis dirigea son regard vers l'endroit d'où cela provenait. Au-dessus de lui, par le hublot arrière de la nacelle, il vit une main sur la vitre et un visage pâle dans la pénombre. Il chercha des yeux encore une fois ce qui était tombé. C'était un livre, un livre noir, recouvert de cuir… Il releva la tête. C'était Éloïse. Il se traita de sombre idiot.

Le docteur s'élança au pas de charge au moment même où l'un des hommes qui s'occupaient des câbles regarda dans sa direction, mais son cri d'alarme ne fut qu'un son inarticulé. Svenson avança épaules baissées et lui fonça dans le ventre, le déséquilibrant. Ils s'affalèrent tous les deux et le câble se détacha du pieu auquel il était attaché. La corde s'enroula comme un serpent et le dirigeable se mit à heurter ses amarres. Pensant qu'il s'agissait du signal du départ, les deux autres hommes lâchèrent leurs cordes, et, quand ils se rendirent compte de leur erreur, il était trop tard.

Svenson se démena pour se relever et plongea pour attraper le câble qui fouettait l'air. Il était comme fou, il baragouinait tout seul dans sa frayeur et il enfila la main dans la boucle nouée qui se trouvait à l'extrémité de la corde. Le dirigeable s'éleva brusquement et, dans un hurlement de détresse, Svenson s'éleva du sol d'une hauteur de un mètre.

Le dirigeable monta dans le ciel sombre. Les jambes du docteur gigotaient dans l'air et il s'agrippait à sa corde comme jamais il n'aurait soupçonné qu'un être humain pût le faire. Il passa au-dessus du groupe qui se trouvait en haut de l'escalier en se balançant comme un pendule humain. En peu de temps il était sorti de la carrière et se retrouva juste au-dessus d'une prairie moelleuse qui lui parut pendant un instant extrêmement tentante. Pouvait-il se laisser tomber sans se tuer ? Sa main était coincée dans la corde. Et la peur lui donnait une prise plus solide que l'acier, si bien que le temps qu'il mît à extirper une idée de son cerveau paralysé, l'engin avait repris de la hauteur et s'élevait en vrille de plus en plus haut au-dessus du champ.

Enveloppé dans l'obscurité de la nuit, nargué par le vent glacé, le docteur Svenson regarda désespérément vers la nacelle si loin au-dessus de lui, et il commença à grimper le long de la corde, passant une main ensanglantée par-dessus l'autre, à bout de souffle, en sanglots, avec sous les pieds toutes les terreurs hurlantes de l'enfer, les yeux fermés par une douleur atroce.

CHAPITRE 7

LE STE-ROYALE

Quand elle prenait une décision, miss Temple estimait qu'il était ridicule de perdre son temps à revenir dessus. Elle abandonna donc toute considération sur les avantages et les inconvénients de se rendre à l'hôtel Ste-Royale et préféra s'absorber dans la contemplation apaisante des boutiques et des gens qui vaquaient à leurs occupations quotidiennes par la fenêtre du fiacre.

D'ordinaire, ce n'était pas le genre de choses qui retenaient son attention, sauf pour satisfaire une curiosité malsaine et deviner les défauts des gens à partir de leur façon de se tenir ou de s'habiller. Mais, maintenant qu'elle avait eu assez d'audace pour se séparer du docteur et du cardinal Chang et qu'elle se retrouvait au cœur de l'action, elle avait l'impression de pouvoir observer sans se soucier du jugement des autres. Elle se sentait comme une flèche en plein vol. Et, en effet, le simple fait de se mettre en mouvement avait suffi à calmer la tempête d'émotions qui l'avait assaillie dans le jardin du comte et, plus tard, dans la rue.

Si elle n'était pas prête à affronter l'hôtel Ste-Royale, comment pouvait-elle se considérer comme une aventurière ? Les héroïnes ne choisissent pas seulement les combats où elles ont l'avantage, ceux qu'elles sont sûres de remporter, se disait-elle pour se donner du courage. Au contraire, elles font ce qu'elles ont à faire et elles ne restent pas figées dans l'attente d'une hypothétique aide extérieure : elles agissent seules. Aurait-il été plus prudent d'attendre Chang et Svenson et d'arriver en force sur les lieux, même si l'essentiel du plan, c'était elle qui l'avait conçu ? On pouvait soutenir tout au moins que, seule, elle était la mieux en mesure de s'acquitter de cette mission. Car, tout de même, ce qui était en jeu, c'était l'opinion qu'elle avait d'elle-même et l'importance de ce qu'elle avait perdu comparé à ses compagnons.

Elle sourit en imaginant qu'elle les retrouverait devant l'hôtel – tout en se demandant combien de temps il leur faudrait pour la retrouver – avec, en poche, des informations vitales et, derrière elle, la femme en rouge ou le comte d'Orkancz, complètement soumis.

D'ailleurs, le Ste-Royale était le lieu où se jouait son destin. La femme en rouge, cette Contessa di Lacquer-Sforza – encore une preuve, s'il en fallait, que les Italiens ont un penchant pour les noms ridicules –, était sa plus grande ennemie, la femme qui l'avait condamnée à la mort, sans parler du reste.

Et puis, miss Temple ne pouvait s'empêcher de se demander quel rôle cette femme avait joué dans le processus de séduction qui avait emporté Roger Bascombe, car c'était bien de séduction qu'il fallait parler. Objectivement, elle savait que ce qui avait poussé Roger à agir, c'était son ambition. Une ambition facilement manipulée par le vice-ministre dont Roger suivait servilement les avis, en arriviste consciencieux. Toutefois, elle ne pouvait s'empêcher d'imaginer cette femme et Roger dans la même chambre... comme un cobra devant un petit chiot. Elle l'avait séduit, c'était évident, mais concrètement, c'est-à-dire physiquement, jusqu'où? Il avait suffi de la courbe parfaite d'un sourcil ou du tremblement subtil de ses lèvres carmin pour qu'il se mît à genoux. Et puis, avait-elle gardé Roger pour elle toute seule ou l'avait-elle remis à l'une de ses suivantes, une de ces autres dames de Harschmort, cette Mrs. Marchmoor – ou s'appelait-elle Hooke? Il y avait vraiment beaucoup trop de noms dans toute cette histoire. Miss Temple s'assombrit. Penser à la bêtise de Roger la mettait en rogne, et la pensée de ses ennemis qui le manipulaient aussi aisément faisait redoubler cette colère.

Le fiacre s'arrêta devant l'hôtel. Avant que le cocher eût le temps de sauter de son siège pour l'aider à descendre, un portier en livrée s'avança pour lui offrir la main. Miss Temple la prit en souriant et descendit avec précaution. Le fiacre repartit tandis qu'elle se dirigeait vers la porte. Un second portier lui ouvrit, qu'elle remercia d'un signe de tête, puis elle entra dans le grand hall.

Elle n'y reconnut personne. C'était mieux ainsi. Le Ste-Royale était d'un luxe ostentatoire, ce qui chatouillait plutôt le sens moral de miss Temple. Dans ce genre de lieu, tout était fait à la place des clients. Elle comprenait bien que c'était précisément cela qui faisait son charme, mais elle n'approuvait pas du tout. Comment pouvait-on désirer être considéré comme une personne hors du commun, alors que ce n'était pas vous que l'on voyait ainsi mais le décor qui vous entourait?

Toutefois, miss Temple était capable d'apprécier la mise en scène. Il y avait des banquettes de cuir rouge et, sur les murs, de grands miroirs aux cadres dorés, une fontaine scintillante où flottaient des fleurs de lotus, de grandes plantes en pots et, dominant le hall, un vaste balcon en rotonde soutenu par une rangée de colonnes torsadées rouge et or dont les couleurs s'enroulaient comme des rubans tressés. Au-dessus, le plafond était serti de miroirs, de verre et d'or, et un lustre en cristal qui se terminait par une boule de verre à facettes presque plus grosse que la tête de miss Temple y pendait majestueusement.

Elle détailla tout cela lentement, sachant qu'il y avait beaucoup à voir et que de tels spectacles pouvaient facilement vous éblouir et vous détourner de détails autrement plus importants comme, par exemple, sur le mur de gauche, cette rangée de miroirs étrangement convexes, étranges parce qu'ils semblaient être là pour refléter l'ensemble du hall et la rue derrière plutôt que de remplir leur fonction initiale : refléter l'image des clients. On aurait dit des fenêtres et non des miroirs.

Les miroirs évoquèrent aussitôt chez elle les paroles ignobles de l'horrible Spragg à propos de l'astuce des miroirs hollandais et de la façon dont elle s'était exhibée sans le vouloir dans le vestiaire de Harschmort. En essayant de se débarrasser de ce mélange de honte et d'excitation si présents dans son souvenir, elle se concentra sur ce qu'elle avait à faire. Elle s'imagina encore une fois dans le hall essayant de prendre son courage à deux mains pendant que Chang et Svenson entraient à sa suite et la rattrapaient avant qu'elle pût faire quoi que ce fût. Elle se sentit complètement stupide puisque c'était exactement cela qu'elle essayait d'éviter.

Miss Temple se dirigea à grands pas vers la réception. Le réceptionniste était un homme grand aux cheveux fins brossés en avant et enduits d'un peu trop de brillantine, si bien que la pommade habituellement translucide donnait l'impression que son crâne était recouvert de crème. Le résultat n'était pas franchement laid mais très peu naturel et assez déconcertant. Elle lui sourit avec toute la raideur qui lui était coutumière lorsqu'elle traitait les affaires ordinaires et elle lui fit savoir qu'elle était venue rendre visite à la Contessa di Lacquer-Sforza. Il inclina la tête avec respect, répondit que la Contessa n'était pas dans l'hôtel pour le moment et lui indiqua la porte du restaurant en lui suggérant, si elle le souhaitait, d'y prendre un thé en l'attendant. Miss Temple s'enquit du retour de la Contessa. À la vérité, l'homme n'en savait rien, mais il voulut bien lui confier que, d'habitude, elle retrouvait quelques dames pour un thé tardif ou pour l'apéritif vers cette heure-ci. Il demanda si miss Temple connaissait ces dames, car l'une ou plusieurs d'entre elles se trouvaient peut-être déjà dans le restaurant. Elle le remercia et s'avança dans cette direction. Il la rappela pour lui proposer de laisser son nom à la Contessa. Miss Temple lui assura que son habitude à elle, c'était de faire des surprises, et elle entra dans le restaurant.

Avant même qu'elle eût le temps de regarder dans la salle pour repérer le visage de quelqu'un qu'elle connaissait ou qui aurait pu représenter un danger, un type en veste noire s'approcha beaucoup trop près d'elle à son goût et lui demanda si elle venait rencontrer quelqu'un, si elle était là pour prendre le thé, pour dîner ou, conclut-il avec un clin d'œil engageant, pour prendre un apéritif. Miss Temple, qui ne supportait pas qu'on l'importunât quelles que fussent les circonstances, lui commanda du thé et deux scones avec quelques fruits, des fruits frais et pelés. Puis elle passa devant lui en parcourant les tables du regard.

Elle en choisit une en face de la porte, mais assez loin dans le restaurant pour pouvoir surveiller tous ceux qui entreraient sans être vue de l'entrée ou du hall. Elle posa son sac contenant le revolver sur la chaise à côté d'elle, en s'assurant qu'il se trouvait bien sous la nappe amidonnée et donc à l'abri des regards, puis elle s'installa confortablement en attendant son thé, la tête encore pleine de ses réflexions sur sa solitude. Miss Temple décida que cette situation lui convenait tout à fait et qu'elle se sentait vraiment libre ainsi.

Après tout, à qui devait-elle quoi que ce fût? Chang et Svenson pouvaient fort bien s'occuper d'eux-mêmes, et sa tante avait été expédiée au loin avec armes et bagages. Quelle emprise ses adversaires pouvaient-ils désormais avoir sur elle, à part la menacer directement dans son intégrité physique? Absolument aucune, et l'idée de sortir son revolver et d'affronter une foule d'ennemis ici même, dans ce restaurant, lui parut extrêmement séduisante.

Elle toucha le tissu de la nappe. Il était de toute première qualité et cela lui plut. Elle fut tout aussi impressionnée par la vaisselle et l'argenterie du Ste-Royale qui, tout en dessinant une ligne élégante, avaient malgré tout le poids nécessaire, très important, surtout pour un couteau, même si celui-ci n'avait d'autre emploi que de couper un scone en deux et d'étendre ensuite de la crème sur les deux moitiés encore fumantes. Elle avait bu du thé le matin même, mais miss Temple mourait d'envie d'en boire encore. C'était sans aucun doute son repas préféré. Elle aurait été comblée si elle avait pu ne vivre que de scones, de thé, de fruits et, puisqu'il le fallait, d'un peu de consommé de bœuf avant d'aller au lit.

Le thé arriva en premier et elle observa attentivement le garçon pendant qu'il manipulait la théière, l'aiguière d'eau chaude, la tasse, la soucoupe, le passe-thé, l'égouttoir en argent, le petit pot à lait et la petite assiette de rondelles de citron fraîchement coupées.

Lorsqu'il eut tout disposé devant elle, l'homme se retira avec déférence. Miss Temple se mit à tout réinstaller selon son goût, à tout mettre à sa portée : le citron sur le côté (elle ne mettait pas de citron dans son thé, mais elle aimait parfois en sucer une tranche ou deux après avoir mangé tout le reste, comme une sorte d'astringent pour finir le repas ; et d'ailleurs, étant donné qu'elle avait payé pour les rondelles de citron, autant y goûter), le passe-thé avec le lait de l'autre côté, et la théière et l'eau chaude placées de manière à ce qu'elle pût facilement se lever pour pouvoir se servir. En fait, elle devait toujours se lever, étant donné le poids de ces objets et la longueur de ses bras. Enfin, elle s'assura qu'il y avait assez de place sur la table pour les scones, les fruits, la confiture et la crème qui ne tarderaient pas à arriver.

Elle se leva et versa une goutte de thé dans sa tasse pour vérifier s'il était assez foncé. Elle versa ensuite un peu de lait et souleva de nouveau la théière en l'inclinant tout doucement. En faisant attention, on pouvait verser la première tasse sans utiliser le passe-thé, puisque les feuilles étaient gorgées d'eau et restaient au fond de la théière. Le thé avait une parfaite couleur acajou pâle et il était encore assez chaud pour dégager de la vapeur. Miss Temple s'assit et en but une gorgée. C'était parfait, le genre d'infusion à la fois savoureuse et corsée que miss Temple aurait voulu pouvoir couper avec un couteau et manger à la fourchette par petites bouchées.

Après qu'elle eut passé quelques minutes à siroter d'un air affable, le reste de sa commande arriva et elle fut de nouveau satisfaite de constater que la confiture était une conserve de mûres d'une couleur profonde, et qu'on lui servait le fruit qu'elle aimait par-dessus tout, une mangue de serre d'une belle couleur orange, disposée sur une assiette, en tranches juste assez longues et de l'épaisseur d'un doigt. Elle se demanda un instant combien allait lui coûter ce thé, puis elle écarta ce souci. Qui sait seulement si je serai vivante demain matin ? se dit-elle. Pourquoi bouder les plaisirs simples et inattendus qui pouvaient se présenter ?

Même si elle s'efforçait de temps à autre de surveiller l'entrée du restaurant, miss Temple passa les vingt minutes suivantes à couper méticuleusement ses scones pour que chaque moitié fût de la même épaisseur, et à les préparer en y étalant une fine couche de confiture, recouverte ensuite de la quantité idéale de crème.

Quand tout ceci fut prêt, elle mit les scones de côté et s'accorda le plaisir de deux tranches de mangue, l'une après l'autre, en les piquant avec sa fourchette en argent à un bout et en les attaquant par l'autre bout, jusqu'aux dents de la fourchette. Elle termina ensuite sa première tasse de thé et se leva pour s'en verser une autre en prenant soin d'utiliser, cette fois-ci, le passe-thé, puis elle ajouta la même quantité d'eau chaude pour diluer le thé qui avait infusé tout ce temps-là. Elle y trempa les lèvres, ajouta un peu de lait, puis se rassit pour goûter la première moitié du premier scone en alternant chaque bouchée avec une gorgée de thé, jusqu'à ce qu'elle eût fini. Elle mangea une autre tranche de mangue puis retourna à la deuxième moitié du premier scone et, quand elle l'eût terminée, il lui fallut une autre tasse de thé, avec un peu plus d'eau chaude que la précédente. Elle finissait à peine sa mangue et ses scones que, là, debout, de l'autre côté de sa table, se tenait le comte d'Orkancz.

À sa grande satisfaction, miss Temple parvint à lui sourire joyeusement et, malgré sa surprise, à claironner :

– Ah ! il semble que vous soyez enfin arrivé !

De toute évidence, il ne s'attendait pas à ce genre d'accueil.

– Je crois que nous n'avons jamais été présentés, répondit le comte.

– C'est juste. Vous êtes le comte d'Orkancz. Je suis Céleste Temple. Voulez-vous vous asseoir ?

Elle fit un geste pour lui désigner la chaise qui se trouvait à côté de lui et non celle où elle avait posé son sac.

– Voulez-vous un peu de thé ?

– Non, merci, lui dit-il en la dévisageant, à la fois méfiant et intrigué. Puis-je vous demander pourquoi vous êtes ici ?

– N'est-ce pas un peu inconvenant d'interroger une dame ainsi ? Si nous nous apprêtons à avoir une *conversation*, il serait préférable que vous vous asseyiez. Je ne sais pas d'où vous venez, on dit que vous venez de Paris mais, à ce que je sache, même à Paris, les gens ne sont pas aussi grossiers ou, s'ils le sont, c'est beaucoup plus délibérément.

Miss Temple eut un sourire malicieux.

– À moins, bien sûr, que vous ayez peur que je vous tire dessus.

– Comme il vous plaira, répondit le comte. Je ne voudrais pas paraître… discourtois.

Il tira la chaise et s'assit. Sa large carrure donnait l'impression curieuse qu'il était à la fois très près d'elle et très loin, ses mains étant posées sur la table mais son visage semblant étrangement loin derrière. Il ne portait pas son manteau de fourrure, mais un veston noir impeccable et une chemise blanche empesée, avec des boutons de manchette d'un bleu chatoyant. À ses doigts robustes et massifs, qui avaient quelque chose d'effrayant, il portait des bagues en argent, dont plusieurs étaient serties de pierres bleues. Il avait une barbe fournie mais méticuleusement taillée, une bouche tout à fait sensuelle et des yeux d'un bleu étincelant. Tout ce qui émanait de cet homme était étrangement puissant et absolument, étrangement, masculin.

– Voudriez-vous *autre* chose que du thé ? demanda-t-elle.

– Peut-être du café, si vous n'y voyez pas d'objection.

– Je ne vois pas ce qu'il y a de mal à boire du café, répondit miss Temple sur un ton un peu affecté.

Elle fit un signe au garçon et lui passa la commande. Elle se tourna vers le comte.

– Rien d'autre ?

Il secoua la tête. Le garçon se précipita vers la cuisine. Miss Temple prit une gorgée de thé et s'adossa à sa chaise. De la main droite, elle attrapa délicatement la courroie et posa son sac sur ses genoux. Le comte d'Orkancz l'examina, en regardant furtivement sa main cachée.

– Alors… il semble que vous m'attendiez, lança-t-il quelque peu amusé.

– Je savais que l'un de vous arriverait, peu importe lequel, et qu'à son arrivée je le rencontrerais. J'aurais peut-être préféré quelqu'un d'autre, c'est-à-dire que j'ai peut-être des *questions* plus personnelles à régler, mais la substance reste la même.

– Et quelle est cette substance?

Miss Temple sourit.

– Voyez-vous, c'est le genre de question que l'on pourrait poser à une jeune fille un peu idiote, le genre de question qu'un prétendant stupide pourrait me poser s'il était convaincu qu'une honnête conversation tout en flatteries serait le meilleur moyen de m'attirer sur un divan pour me tripoter. Si nous voulons avancer, comte, nous ferions mieux d'être tous deux clairs et sérieux, ne croyez-vous pas?

– Je crois qu'il n'y a pas beaucoup d'hommes qui soient parvenus à vous attirer sur un divan.

Elle mordit dans son scone et prit une gorgée de thé. Depuis quelques minutes, elle regrettait d'avoir été interrompue.

– C'est juste. Il serait peut-être préférable que ce soit moi qui pose les questions?

Il sourit, sans doute malgré lui, mais elle ne pouvait en être certaine, puis il hocha la tête.

– Comme il vous plaira.

Mais à cet instant, le café arriva et miss Temple fut contrainte d'interrompre la conversation pendant que le garçon déposait la tasse, la cafetière, le lait, le sucre et leurs cuillères respectives. Quand il fut reparti, elle laissa le temps au comte de goûter son café et fut contente de constater qu'il le buvait noir, comme cela on en arriverait plus vite au fait. Il posa sa tasse et l'encouragea de la tête.

– La femme… je suppose que pour vous il y a tellement de femmes, continua-t-elle, non, la femme à laquelle je pense venait d'un bordel, une certaine Angélique. D'après ce que m'a dit le docteur Svenson, j'ai cru comprendre que vous aviez été véritablement troublé, et surpris aussi, des effets que votre… Procédé avait eus sur elle à l'Institut royal. Je me demande, et cela, non par simple curiosité mais bien par intérêt, comment dirais-je… *professionnel*, si vous aviez des sentiments sincères pour cette fille, avant ou après que votre travail l'eût détruite.

Le comte avala une gorgée de café.

– Est-ce que vous voyez un inconvénient à ce que je fume? demanda-t-il.

– Si vous y tenez, répondit miss Temple. C'est une bien mauvaise habitude, mais je ne supporterai pas que vous crachiez.

Il hocha la tête gravement et sortit un étui en argent d'une poche intérieure. Après en avoir considéré un moment le contenu, il prit un petit cigare fin et presque noir et fit claquer l'étui en le refermant. Il porta le cigare à ses lèvres, rangea l'étui dans sa poche et sortit une boîte d'allumettes. Il alluma son cigare en tirant dessus à plusieurs reprises, jusqu'à ce que l'extrémité fût incandescente, puis il jeta l'allumette éteinte dans sa soucoupe. Il souffla la fumée, prit une gorgée de café et regarda miss Temple dans les yeux.

– Vous me posez cette question à cause de Bascombe, bien sûr.

– Ah bon?

– Sans aucun doute. Il a fait tomber vos plans à l'eau. En me posant des questions sur Angélique, une femme qui vient des classes inférieures, que nous avons recueillie pour qu'elle participe à notre œuvre et à qui nous avons offert un avancement social, matériel, *spirituel*, vous cherchez également à vous renseigner sur nos sentiments envers lui. Il vient d'un milieu moins louche, mais nous l'avons lui aussi accueilli parmi nous. En fait, vous cherchez aussi à savoir, vous en avez même un féroce besoin, la façon dont, lui, il perçoit notre travail.

Un éclair de colère brilla dans le regard de miss Temple.

– Au contraire, *monsieur** le comte, je demande cela par curiosité, car votre réponse indiquera vraisemblablement si votre destin sera de subir une punition en bonne et due forme devant la justice, ou si vous serez soumis au douloureux, lancinant et impitoyable tourment de la vengeance.

– Vraiment? répondit-il avec une certaine douceur.

– Pour ma part, tout ce qui compte, c'est que votre conspiration échoue et que vous soyez mis hors d'état de nuire, que ce soit par la loi, par une balle de revolver ou encore par l'acharnement de la persuasion. Roger Bascombe ne représente rien pour moi. Mais ce que je ressens envers cette dame, votre amie qui m'a fait grand tort, cette… cette Contessa, d'autres le ressentent envers vous, à cause précisément de cette Angélique. Parce qu'il est bien imprudent de prétendre que lorsque seule la vie d'une simple femme est en jeu, cela ne tire pas à conséquence.

– Je vois.

– Non, je ne crois pas.

Il ne répondit pas et but une gorgée de café. Il reposa sa tasse et parla avec lassitude, comme si le fait de s'expliquer ainsi lui demandait un effort physique.

– Miss Temple, vous êtes vraiment une jeune femme intéressante.

* En français dans le texte.

Miss Temple leva les yeux au ciel.

– Je crains que venant d'un mufle doublé d'un assassin, cela ne signifie pas grand-chose pour moi.

– Comme ça, au moins, je sais ce que vous pensez de moi. Et à qui donc ai-je fait tant de tort?

Miss Temple haussa les épaules. Le comte fit tomber sa cendre dans sa soucoupe et tira encore une fois sur son cigare, ce qui en fit rougeoyer l'extrémité.

– Faut-il que je devine, alors? Ce pourrait très bien être le docteur de Macklenburg, car il est vrai que j'ai tout fait pour qu'il meure, mais je ne le vois pas du tout comme le vengeur fou que vous évoquez, c'est beaucoup plus un *raisonneur*[*]. À moins que ce ne soit cet autre type que je n'ai jamais rencontré, l'homme de main, le mercenaire? Il est bien trop sinistre et cynique. À moins que ce ne soit quelqu'un d'autre encore? Une vieille erreur de jeunesse, peut-être?

Il soupira, comme s'il acceptait le fardeau de ses péchés, puis il tira encore sur son cigare comme pour se réapproprier la pulsion diabolique qui le pilotait. Miss Temple avait les yeux rivés sur le bout incandescent de son cigare.

– Pourquoi êtes-vous venue au Ste-Royale, au juste? lui demanda-t-il.

Elle mordit dans son scone en tirant un certain plaisir de ce badinage sérieux, puis elle but une gorgée de thé pour le faire passer et, en avalant, elle secoua la tête, et les boucles châtaines qui encadraient son visage bougèrent en même temps.

– Je n'ai nullement l'intention de répondre à vos questions. J'ai déjà été interrogée à Harschmort et c'est plus que suffisant. Si vous voulez parler avec moi, ce sera à mes conditions. Sinon, vous êtes tout à fait libre de partir. Vous ne saurez la raison de ma présence ici que lorsque j'aurai décidé de vous la faire savoir.

Elle piqua la dernière tranche de mangue sans attendre sa réponse et commença à la manger en léchant le jus qui coulait sur ses lèvres. En savourant ce goût qui lui plaisait tant, elle ne put s'empêcher de sourire.

– Savez-vous, dit-elle en avalant juste assez de fruit pour pouvoir parler distinctement, que c'est vraiment presque aussi exquis que les mangues du jardin de mon père? Bien que celles-ci soient vraiment bonnes, je crois que la différence est due à la lumière du soleil, à la position même de la planète, voyez-vous? Il y a des forces puissantes autour de nous qui gouvernent

[*] En français dans le texte.

chaque jour de nos vies, et nous, qui sommes-nous? À quoi aspirons-nous? Lequel de ces maîtres servons-nous?

– Je vous félicite pour ces pensées pleines de métaphores, dit le comte sur un ton sec.

– Mais avez-vous une réponse?

– Peut-être bien. Et pourquoi pas… l'art?

– L'art?

Miss Temple n'était pas sûre de comprendre ce qu'il voulait dire et elle s'arrêta de mâcher un instant en plissant les yeux d'un air dubitatif. L'avait-il suivie jusqu'à la galerie d'art (et si oui, à quel moment? lors de sa visite avec Roger? plus récemment? Avait-il été prévenu aussi vite par le responsable de la galerie, monsieur Shanck?), ou voulait-il dire autre chose?… mais quoi? Pour miss Temple, l'art était une curiosité, comme ces os sculptés ou ces têtes réduites que l'on trouvait aux marchés dans les villages, les vestiges de terres inconnues qu'il ne lui serait jamais venu à l'idée de visiter.

– L'art, répéta le comte. Vous connaissez… l'idée?…

– Quelle idée, au juste?

– L'idée de l'art en tant qu'alchimie. Un acte de transformation. Une refonte et une renaissance.

Miss Temple leva la main.

– Je suis navrée, mais savez-vous… ce que vous dites m'amène à vous demander quels étaient vos liens avec un peintre en particulier, un certain Oskar Veilandt. Je crois qu'il a vécu lui aussi à Paris, et qu'il est surtout connu pour une œuvre de grand format, très provocatrice, sur le thème de l'Annonciation. J'ai cru comprendre, mais peut-être n'est-ce là qu'une rumeur malveillante, que ce chef-d'œuvre très expressif avait été coupé en treize fragments disséminés à travers le continent.

Le comte prit une gorgée de café.

– Je suis désolé, mais je ne le connais pas. Il a vécu à Paris, dites-vous?

– En effet, comme une foule d'autres gens désagréables.

– Avez-vous vu son travail?

– Oh! oui!

– Qu'en avez-vous pensé? Avez-vous été choquée?

– Oui.

Il sourit.

– Vous? Mais comment est-ce possible?

– J'ai été choquée de penser que c'était vous qui aviez causé sa mort. Car il est mort et il semble que vous lui ayez emprunté bien des choses : vos cérémonies, votre Procédé, et votre précieuse argile indigo. Il est tellement étrange que de telles choses viennent d'un peintre, mais je présume que c'était aussi un mystique et un alchimiste. Il est très curieux que vous aussi, vous parliez d'alchimie. Mais il paraît que c'est tout à fait normal dans ces milieux, parmi ces gens qui vivent perchés dans leurs mansardes, imbibés d'absinthe. Vous paradez avec tant d'assurance, et pourtant on se demande, monsieur, s'il vous est déjà arrivé d'avoir la moindre petite idée originale.

Le comte d'Orkancz se leva. Il avait son cigare dans la main droite alors il lui tendit la gauche. Par réflexe, miss Temple lui abandonna sa main tout en essayant d'attraper la crosse de son pistolet. Il la souleva pour y déposer un baiser, une étrange moiteur, un léger bruissement sur ses doigts, puis il la lui rendit et recula de quelques pas.

– Vous partez bien vite, dit-elle.

– Prenez cela comme un sursis.

– Pour lequel de nous deux ?

– Pour vous, miss Temple. Car vous vous acharnerez… et votre acharnement vous perdra.

– Ah ! bon !

Ce n'était pas vraiment une réponse caustique, comme on aurait pu s'y attendre mais, étant donné la menace qu'elle lisait dans les yeux du comte, c'était ce qu'elle pouvait faire de mieux pour le moment.

– Oui. Et autre chose…, murmura-t-il, les deux mains à plat sur la table, penché près de son visage, lorsque le temps viendra, vous vous soumettrez de votre plein gré. Tout le monde se soumet. Vous croyez lutter contre des monstres, vous croyez lutter contre nous, mais vous ne luttez en fait que contre votre propre peur… et cette peur se tarira devant le désir. Vous croyez que je ne sens pas que vous êtes affamée ? C'est clair comme de l'eau de roche. Vous êtes déjà à moi, miss Temple – vous n'attendez que le moment où je choisirai de vous prendre.

Le comte se redressa et porta son cigare à ses lèvres, sa langue humide et rose contrastant avec le noir du tabac. Il souffla de la fumée sur le côté, se retourna sans un mot de plus et quitta le restaurant d'un pas alerte, disparaissant de la vue de miss Temple.

Elle n'aurait pas su dire s'il avait quitté l'hôtel ou s'il était monté par le grand escalier vers les étages supérieurs. Il se rendait peut-être dans les appartements de la Contessa. Celle-ci était peut-être rentrée et elle ne l'avait pas vue à cause du comte. Mais pourquoi était-il parti aussi brusquement après l'avoir menacée ? Elle avait parlé de Veilandt. Avait-elle touché une corde sensible ? Le comte d'Orkancz avait-il des cordes sensibles ?

Miss Temple ne savait vraiment pas ce qu'elle devait faire. Les plans qu'elle avait élaborés s'étaient tous évanouis au fur et à mesure qu'était monté en elle le désir de déjouer le comte, de le dominer dans la conversation. Et à quoi cela l'avait-elle menée ? Elle se pinça les lèvres et se rappela la première impression qu'elle avait eue de cet homme dans le train qui la menait vers Orange Canal. Elle se rappela sa carrure imposante, amplifiée par la fourrure, son regard pénétrant et cruel. Il l'avait emplie d'effroi et plus encore après cette étrange présentation rituelle dans l'amphithéâtre. Mais elle était plutôt satisfaite de sa réaction à propos d'Oskar Veilandt. Malgré le récit terrible du docteur sur cette femme gravement blessée et sur le poison, miss Temple avait l'impression que le comte d'Orkancz n'était qu'un homme comme les autres, après tout. Un homme ignoble, certes, arrogant, brutal, sûrement puissant, mais dont la personnalité était construite sur une vanité qu'elle pourrait étudier et qui lui indiquerait comment le mener à sa perte.

Ainsi rassérénée, elle demanda l'addition et finit ce qui restait de son repas en suçotant une rondelle de citron, puis elle sortit de son sac les pièces de monnaie dont elle avait besoin. Elle avait envisagé de faire mettre l'addition sur le compte de la Contessa, puis elle avait estimé que ce genre de mesquinerie n'était pas digne d'elle. En plus, elle n'aimait pas l'idée de devoir quoi que ce fût à cette femme – un sentiment que ne partageait visiblement pas le comte qui ne s'était pas embarrassé de savoir que miss Temple allait payer son café.

Elle se leva, prit son sac, laissa tomber l'écorce de citron dans son assiette et s'essuya les mains sur une serviette froissée. Avec une inquiétude qui ne faisait que croître, elle sortit du restaurant qui commençait à se remplir pour le premier service de la soirée. Chang et Svenson ne s'étaient pas montrés. C'était une bonne chose parce qu'elle n'avait pas encore accompli quoi que ce fût d'important et elle voulait vraiment pouvoir travailler sans eux, mais cela voulait-il dire qu'il leur était arrivé quelque chose? Avaient-ils tenté d'échafauder un plan particulièrement insensé sans elle? Bien sûr que non. Ils s'étaient simplement lancés à la recherche de ceux qui occupaient leurs pensées, Angélique sans doute, et le prince du docteur Svenson. Le fait qu'ils ne se fussent pas présentés allait dans le sens des intérêts de chacun d'entre eux.

Elle retourna à la réception où le même réceptionniste lui expliqua que la Contessa n'était toujours pas arrivée. Miss Temple lança un regard cauteleux autour d'elle et s'approcha de lui. Elle pointa du regard le mur convexe couvert de miroirs et demanda si quelqu'un était entré dans les salons privés pour la soirée. L'employé ne répondit pas tout de suite. Miss Temple baissa la voix et chuchota presque, tout en gardant un ton désinvolte et innocent.

— Vous connaissez sans doute les autres dames du cercle d'amies de la Contessa. Il y en a une qui s'appelle Mrs. Marchmoor, ou… j'ai oublié les noms des autres…

— Miss Poole? demanda le réceptionniste.

— Miss Poole! Oui! Une créature si charmante!

Miss Temple sourit et fit de son mieux pour avoir l'air à la fois innocente et perverse.

— Je me demande si l'une d'entre elles accompagnera la Contessa, ou peut-être le comte… dans l'un de vos salons privés?

Elle alla jusqu'à se mordiller la lèvre et à faire un clin d'œil au réceptionniste. L'homme ouvrit un grand livre relié de cuir rouge, fit glisser son doigt sur la page et le referma en faisant signe à l'un des hommes du restaurant. Lorsque celui-ci se présenta, le réceptionniste lui désigna miss Temple.

— Cette dame se joindra aux hôtes de la Contessa dans la salle cinq.

— Il y a une autre demoiselle, répondit le garçon. Elle est arrivée il y a quelques minutes de cela…

— Ah! Eh bien, c'est encore mieux! affirma le réceptionniste.

Puis se tournant vers miss Temple:

— Vous allez avoir de la compagnie. Poul, veuillez reconduire miss…

— Miss Hastings, dit miss Temple.

— Miss *Hastings* à la salle cinq. Si vous ou l'autre demoiselle avez besoin de quoi que ce soit, il vous suffira d'appeler Poul. Je préviendrai la Contessa lorsqu'elle arrivera.

– Je vous remercie infiniment, lança miss Temple en s'éloignant.

Elle suivit le garçon dans le restaurant où elle remarqua pour la première fois une rangée de portes dont les poignées et les gonds étaient astucieusement dissimulés dans les motifs du papier peint, ce qui les rendait pratiquement invisibles. Comment était-il possible qu'elle n'eût pas vu l'autre femme entrer ? Était-ce parce qu'elle parlait avec le comte ? Se pouvait-il que le comte fût parti précipitamment en l'apercevant ? Avait-il agi ainsi pour détourner son attention ? Miss Temple était extrêmement curieuse de voir qui pouvait bien être cette femme.

Dans le fiacre qui l'avait emmenée à Harschmort, il y avait trois femmes, or elle supposait que deux d'entre elles étaient Marchmoor et Poole (c'était là pure spéculation ; ils avaient pu soumettre tant de femmes), mais elle ignorait totalement qui était la troisième.

Puis elle pensa à tous ces gens qui étaient dans l'amphi-théâtre, comme cette femme au masque de perles vertes qu'elle avait rencontrée dans le couloir. La question était de savoir si cette personne la reconnaîtrait en la voyant. Miss Temple avait porté un masque durant presque tout son passage à Harschmort, et ceux qui avaient vu son visage étaient morts ou bien il s'agissait de personnes connues comme la Contessa… enfin, c'est ce qu'elle espérait, mais comment pouvait-elle en être certaine ? Qui d'autre avait bien pu se trouver derrière le miroir ? Miss Temple blêmit. Roger ? Elle se cramponna à son sac, en sortit une pièce à donner au garçon, et le laissa ouvert pour pouvoir se saisir de son revolver.

Le garçon ouvrit la porte et, à l'extrémité de la table, elle aperçut la silhouette d'une femme qui portait un masque de plumes du même bleu-vert éclatant que sa robe, des plumes de paon qu'encadrait une chevelure blonde et soyeuse. Sa bouche était petite et rouge vif, elle avait le visage pâle et une touche de rouge aux joues, un cou de cygne, de petites mains délicates, et elle portait encore ses gants bleus. En la voyant, miss Temple pensa à ces chiens russes élevés avec beaucoup de soin, sveltes, rapides, qui gémissent constamment et ont la troublante habitude de montrer les dents dès que quelque chose irrite leurs nerfs à vif. Elle mit la monnaie dans la main du garçon pendant que celui-ci l'annonçait :

– Miss Hastings.

Les deux femmes échangèrent un signe de tête. Le garçon demanda si elles avaient besoin de quoi que ce fût. Aucune des deux ne répondit, aucune ne bougea et, après un temps d'arrêt, il hocha la tête et se retira en refermant soigneusement la porte derrière lui.

– Isobel Hastings.

Miss Temple se présenta et désigna une chaise en face de la femme blonde masquée.

– Vous permettez ?

La femme lui fit signe de s'asseoir et, sans la quitter des yeux, miss Temple prit place en arrangeant sa robe de manière à ne pas la froisser. Sur la table, entre elles, étaient disposées plusieurs carafes pleines d'alcools aux teintes ambrées, dorées et écarlates, ainsi qu'une multitude de verres et de gobelets sur un plateau d'argent. Miss Temple n'avait aucune idée de quel verre on devait se servir pour tel ou tel alcool. Elle n'avait d'ailleurs pas non plus la moindre idée de ce que contenaient les bouteilles. Un petit verre de la taille et de la forme d'une tulipe sur une tige droite et transparente était posé devant la femme blonde. Il contenait un liquide vermeil qui brillait comme du sang à travers le cristal. Miss Temple croisa le regard pénétrant de la femme, l'ombre de ses paupières était d'un bleu plus pâle que celui de sa robe. Elle s'efforça de l'aborder sur un ton aimable.

– Il paraît que les cicatrices s'effacent au bout de quelques jours. Est-ce que ça fait longtemps ?

Ses paroles firent sursauter la jeune femme. Celle-ci souleva son verre, en but une gorgée qu'elle avala en se retenant de se lécher les lèvres. Elle reposa son verre sur la nappe, mais continua de le tenir d'une main.

– Je crains que vous ne vous… mépreniez.

La femme avait une voix guindée et précise qui donna à miss Temple une impression de vide, de dénuement, comme si une vie de contraintes et d'habitudes lui avait rétréci l'esprit.

– Je suis navrée, j'ai simplement présumé que… à cause du masque…

– Oui, bien sûr… c'est évident… mais non, ce n'est pas pour ça que… non, je n'ai pas… je suis ici *incognito*.

– Vous êtes une amie intime de la Contessa ?

– Et vous ?

– Je ne dirais pas ça, non, dit miss Temple avec désinvolture, en prenant les devants. C'est plutôt Mrs. Marchmoor que je connais. Même si j'ai déjà parlé avec la Contessa, bien sûr. Si vous me permettez de parler ouvertement de ce sujet, avez-vous assisté à la *chose* à Harschmort, lors de la splendide *présentation* du comte?

– J'y étais… oui.

– Puis-je vous demander ce que vous en avez pensé? Bien sûr, vous êtes ici, ce qui en soi est une réponse, mais au-delà de cela, je suis curieuse…

La femme lui coupa la parole.

– Voudriez-vous boire quelque chose?

Miss Temple sourit.

– Qu'est-ce que vous buvez?

– Du porto.

– Ah!

– Vous y voyez un inconvénient?

La femme parla vite, avec une touche d'impatience irritée dans la voix.

– Bien sûr que non. Peut-être une goutte…

D'un geste théâtral, la femme poussa le plateau vers miss Temple en faisant s'entrechoquer les verres et les bouteilles, mais rien ne se renversa ni ne se cassa. Malgré ce geste étrange, miss Temple eut encore besoin de se lever pour atteindre le plateau, puis elle se versa une petite quantité de porto couleur rubis dans un verre de la même couleur, remit le lourd bouchon en place et s'assit. Elle sentit l'odeur de médicament douceâtre de l'alcool, mais n'en but pas car quelque chose dans cette odeur la prit à la gorge.

– Alors…, poursuivit-elle, nous étions toutes les deux à Harschmort…

– Et le comte d'Orkancz, alors? dit la femme en lui coupant encore la parole. Vous le connaissez?

– Mais certainement. Nous discutions justement il y a quelques instants, répondit miss Temple.

– Où donc?

– Ici même, dans l'hôtel, bien sûr. Il semble qu'il ait une affaire urgente à régler et qu'il ne pourra se joindre à nous.

Pendant un instant, elle crut que la femme allait se lever, mais elle ne put deviner si c'était pour rejoindre le comte ou pour fuir, surprise de le savoir si près. C'était le genre de moment où miss Temple ressentait toute la paradoxale injustice d'être une jeune femme intelligente et perspicace, car plus elle comprenait une situation donnée, plus elle envisageait différentes possibilités et moins elle savait quoi faire. C'était la clairvoyance la plus contrariante et la plus injuste que l'on pût imaginer. Elle ne savait pas si elle devait se lever rapidement et empêcher la femme de sortir ou encore se lancer dans une apologie immonde de l'autorité masculine du comte. Ce qu'elle aurait voulu, c'était que la jeune femme parlât un peu au lieu que d'être obligée, elle, de faire la conversation, pour pouvoir ainsi profiter d'une minute de tranquillité afin de goûter le porto.

En fille des îles qu'elle était, le seul nom de ce vin l'avait toujours attirée, mais elle n'y avait encore jamais goûté puisque, avec les cigares, il était toujours réservé aux hommes à la fin des repas. Elle s'attendait à ce que le goût en fût aussi infect que l'odeur, par principe, presque tous les alcools lui semblaient infects, mais, malgré tout, le nom de celui-ci évoquait les voyages et la mer.

La femme ne se leva pas complètement, et après une ou deux secondes en suspens, elle se rassit. Elle se pencha en avant et, comme si elle lisait dans les pensées contrariées de miss Temple, elle leva son verre délicat et effleura celui de miss Temple que celle-ci leva à son tour. Elles burent. Miss Temple apprécia la douceur vermeille du porto, mais pas la brûlure qu'elle provoquait dans la bouche et la gorge, ni la sensation nauséeuse qu'il lui procura. Elle reposa le verre et se suça la langue en faisant un sourire pincé. La femme masquée avait fini son verre et se leva pour se resservir. Miss Temple fit glisser le plateau vers elle, d'un geste plus élégant que celle-ci ne l'avait fait. Elle examina la femme pendant que celle-ci soulevait la carafe et se servait. Elle but, la carafe toujours à la main puis, à la grande surprise de miss Temple, se servit encore. Enfin, la femme reposa la carafe sur le plateau et se rassit.

Miss Temple se dit en fin de compte avec un sourire sournois qu'elle avait eu tort de désapprouver le geste de la femme car, au contraire, plus celle-ci buvait, plus sa proie pourrait parler librement et plus facile il serait de lui faire subir un interrogatoire.

– Vous ne m'avez pas dit votre nom, dit-elle doucement.

– Et je ne vous le dirai pas, dit sèchement la femme. Je porte un masque. Êtes-vous idiote? Êtes-vous tous complètement idiots?

– Je vous demande pardon, répondit miss Temple avec retenue, réprimant l'envie de lancer son verre à la figure de cette femme. On dirait que vous avez eu une rude journée, aujourd'hui. Quelqu'un d'autre vous a contrariée ? J'espère sincèrement pouvoir vous être d'une aide quelconque.

La femme poussa un soupir en tremblant, et miss Temple put constater avec consternation à quel point une gentillesse même feinte peut venir à bout de l'armure du désespoir.

– Je vous demande pardon, souffla la femme en chuchotant presque.

On aurait dit qu'elle n'avait employé ces quelques mots que très rarement dans sa vie et que si elle le faisait maintenant, c'était en désespoir de cause.

– Non, non, je vous en prie, insista miss Temple, il faut que vous me confiiez ce qui vous est arrivé aujourd'hui pour que vous soyez aussi éprouvée, et ensemble nous trouverons bien une solution.

La femme but d'un seul trait le reste de son porto, s'étouffa un peu, eut du mal à avaler, puis se resservit. Ça devenait inquiétant, il n'était même pas encore l'heure de dîner, mais miss Temple trempa ses lèvres dans son verre et lança :

– Il est vraiment délicieux, n'est-ce pas ?

La femme n'eut pas l'air de l'entendre. Elle se mit à chuchoter, ce qui, avec le ton strident et âpre de sa voix, donnait l'impression d'être face à une attraction de foire, un de ces automates de fête foraine qui vous mettent mal à l'aise et qui « parlent » grâce à un curieux système de chambres à air, de disques et de plaques de métal reliés à une boîte à musique. Miss Temple savait que cette distorsion – ce contraste inquiétant entre la voix de la femme blonde et son corps – était en partie dû au masque. Elle avait beaucoup réfléchi là-dessus et elle fut singulièrement émue par le mouvement des lèvres de corail qui s'ouvraient et se fermaient sur cette avant-scène de plumes éclatantes... par le spectacle troublant de ce visage pâle, de ces lèvres pulpeuses et rebondies qui, même si elles étaient minces, étaient manifestement tendres, par la vue de ces dents blanches et du rose plus profond des gencives et de la langue. Miss Temple eut tout à coup envie de mettre deux doigts dans cette bouche, pour sentir comme elle était chaude. Mais elle se ressaisit et se débarrassa de cette pensée pour le moins choquante, car la femme s'était mise enfin à parler.

– En fait, je suis des plus agréables, et même accommodante, et c'est ça le problème quand on a un tel tempérament, les gens le savent et le tiennent pour acquis, et ils en demandent toujours plus, et c'est dans ma nature... Je me suis toujours efforcée, dans les limites des convenances, de donner tout ce que je pouvais donner à tout le monde, car j'ai essayé de ne pas être orgueilleuse, alors que je pourrais l'être... je pourrais être la fille la plus orgueilleuse du pays. J'ai totalement le droit d'être tout ce que je veux, et c'est très frustrant parce que j'ai parfois le sentiment que je devrais être... que je devrais être une reine, plus qu'une reine à vrai dire parce que la reine est vieille et hideuse... et le pire, c'est que si seulement je choisissais d'être ainsi, si je me mettais à donner des ordres et à crier et à exiger, je l'obtiendrais... j'obtiendrais exactement ça... Mais maintenant, je me demande si c'est vrai... je me demande si ça n'a pas duré trop longtemps et si maintenant les gens m'écouteraient... ils me riraient tous au nez ou du moins dans mon dos, comme ils rient tous dans mon dos, même si je suis ce que je suis... Je me demande s'ils ne feraient pas simplement ce qu'ils font déjà, mais plus ouvertement et sans faire semblant, avec un mépris que je ne pourrais pas supporter. Quant à mon père, il est le pire de tous... Il a toujours été le pire de tous et maintenant il ne me voit plus du tout. Il ne se soucie pas de moi. Il ne l'a jamais fait, du reste, et je suis censée accepter sans discuter le futur qu'on a choisi pour moi. Personne ne sait quelle vie je mène. Vous vous en moquez tous. Et puis cet homme, cet homme vulgaire que l'on s'attend à ce que je... un étranger... c'est répugnant. Et ma seule consolation, c'est que j'ai toujours su que, peu importe qui il se révélerait être, il me briserait le cœur.

La femme but son quatrième verre de porto (combien en avait-elle bu avant l'arrivée de miss Temple?), grimaça et tendit la main vers la carafe. Miss Temple pensa à son propre père, dur, plein de rage, incroyablement distant et d'une bonté qui dépendait des caprices du moment. Sa seule façon de le comprendre était de le prendre comme une force de la nature, comme l'océan ou les nuages, et de ne pas se sentir personnellement touchée par les jours de beau temps ou par les orages. Elle savait qu'il était tombé malade et qu'il ne serait probablement plus de ce monde lorsqu'elle retournerait sur son île, si jamais elle y retournait. Si elle se laissait aller, c'était une pensée qui pouvait lui causer du chagrin, mais elle ne se laissait pas affliger de la sorte, car elle n'arrivait pas à saisir si cette tristesse était différente de celle qu'elle éprouvait à se sentir loin du soleil des tropiques.

Miss Temple était convaincue que tout changement entraînait inévitablement une tristesse. L'absence de son père, causée par la distance ou par la mort, était-elle particulièrement triste? Était-ce triste qu'elle ne pût pas vraiment en être sûre? Elle n'avait pas connu sa mère qui était morte en couches. Combien il était troublant de penser que celle-ci était plus jeune qu'elle maintenant. Il y avait tellement de gens décevants dans le monde, qui pouvait dire si l'absence était une perte? C'était ainsi que miss Temple répondait sèchement aux gens qui lui exprimaient leur sympathie en apprenant la disparition de sa mère. S'il y avait effectivement la moindre blessure enfouie dans son cœur, elle n'avait pas l'intention de passer son temps à essayer de la déterrer pour des gens qu'elle connaissait à peine, et pour les autres non plus, d'ailleurs. Et pourtant, pour des raisons qu'elle ne pouvait pas, ou ne voulait pas, expliquer, elle fut émue par les divagations échevelées de cette jeune femme masquée.

– Si vous pouviez en parler au comte d'Orkancz, demanda-t-elle avec douceur, que croyez vous qu'il vous conseillerait de faire?

La femme eut un rire amer.

– Alors, pourquoi ne partez-vous pas?

– Et où irais-je?

– Je suis sûre qu'il y a bien des endroits…

– Je ne peux pas partir! On m'oblige!

– Refusez les obligations. Ou si vous ne pouvez pas, tournez la situation à votre avantage. Vous disiez que vous devriez être reine…

– Mais personne ne m'écoutera… personne ne peut imaginer…

Miss Temple commençait à s'impatienter.

– Si vous y tenez vraiment…

La femme s'empara de son verre.

– Vous êtes tous pareils avec votre sagesse prétentieuse qui ne vous sert qu'à justifier votre place à ma table! «Soyez libre!» «Élargissez vos horizons!» Fadaises de mercenaires!

– Si on vous harcèle autant, poursuivit miss Temple en choisissant d'être patiente, alors comment êtes-vous parvenue jusqu'ici, seule et masquée?

– D'après vous? cracha presque la femme. L'hôtel Ste-Royale est le seul endroit où j'ai le droit d'aller! Avec deux cochers pour s'assurer que je suis bien livrée et réceptionnée, et sans aucun arrêt en chemin.

– C'est d'un dramatique parfaitement ridicule, commenta miss Temple. Si vous voulez aller ailleurs, allez-vous-en.

– Comment voulez-vous que je m'en aille ?

– Je suis certaine que le Ste-Royale a plusieurs sorties.

– Et après ? Après, où irais-je ?

– Où vous voulez… Je présume que vous avez de l'argent. C'est une très grande ville. Il suffit de…

La femme rit avec mépris.

– Vous ne savez pas ce que vous dites, vous ne pouvez pas savoir…

– Je sais reconnaître un enfant insupportable quand j'en vois un, déclara miss Temple.

La femme leva les yeux vers elle comme si on l'avait giflée. Le porto affaiblissait ses réactions, elle avait en même temps sur le visage une expression d'incompréhension et une colère qui montait en elle, et aucune des deux ne convenait à la situation. Miss Temple se leva et pointa du doigt le seul pan de rideau rouge qui se trouvait sur le mur de gauche.

– Savez-vous ce que c'est ? demanda-t-elle brusquement.

La femme secoua la tête. En poussant un petit soupir, miss Temple s'approcha, le tira sur le côté, et son plan astucieux sembla tomber à l'eau quand elle vit apparaître le mur qui était derrière. Mais avant que la femme pût dire quoi que ce fût, miss Temple vit que ce n'était pas du plâtre qu'il y avait là mais du bois peint, puis elle y repéra des entailles qui assuraient une prise, et les gonds ingénieusement dissimulés qui lui indiquaient comment cela pouvait s'ouvrir. Elle inséra ses doigts dans les trous et souleva les volets de bois pour faire apparaître une vitre teintée, l'autre côté du miroir hollandais au cadre doré qui leur offrait une vue sur le hall de l'hôtel Ste-Royale et sur la rue devant l'entrée.

– Alors ? dit-elle, elle-même troublée par l'impression étrange que lui procurait ce qu'elle pouvait voir.

Elle voyait des gens qui se trouvaient à peine à quelques mètres d'elle et qui ne pouvaient la voir. Pendant qu'elle regardait, une jeune femme s'avança droit sur la vitre et se mit à tirer nerveusement sur ses cheveux. Miss Temple sentit un étrange frisson de familiarité.

– Mais qu'est-ce que cela veut dire ? demanda la femme blonde en chuchotant.

– Simplement que le monde ne tourne pas autour de vos problèmes, et que le complot qui se trame autour de vous ne se limite pas à votre petite personne.

– Mais… mais ça n'a aucun sens… c'est comme regarder dans un aquarium !

Puis la femme porta une main tremblante à sa bouche et chercha la carafe nerveusement des yeux. Miss Temple s'avança vers la table et poussa le plateau hors de sa portée. La femme lui lança un regard implorant.

– Oh ! Vous ne pouvez pas comprendre ! Il y a des miroirs partout chez moi !

Soudain, derrière elles, la porte s'ouvrit et elles se retournèrent toutes les deux vers Poul, le garçon qui escortait une autre dame dans leur salon privé. C'était une femme grande qui avait les cheveux châtains et un joli visage abîmé par les traces encore visibles de cicatrices rougeâtres autour des yeux. Elle portait une robe beige, rehaussée d'une ganse marron foncé, et un triple rang de perles serré autour du cou. Elle tenait un petit sac. Elle vit les deux autres femmes et sourit, glissa une pièce dans la main de Poul et lui fit signe de sortir en s'adressant à elles sur un ton joyeux.

– Vous êtes ici ! Je ne savais pas que vous seriez toutes les deux disponibles. Quel plaisir inespéré ! Et ainsi vous avez pu faire connaissance, n'est-ce pas ?

Poul était sorti et la porte s'était refermée derrière lui. Elle s'assit à la table, à la place que miss Temple venait de quitter, déplaçant le verre de porto sur le côté en arrangeant sa robe. Miss Temple ne reconnut pas son visage, mais elle se souvint de la voix. Il s'agissait de la femme rencontrée dans le fiacre vers Harschmort, celle vêtue de soie qui avait raconté l'histoire des deux hommes qui l'avaient déshabillée. Les cicatrices sur son visage étaient en train de s'estomper. C'était elle qui, dans l'amphithéâtre, avait parlé de sa vie transformée, de sa nouvelle mission de pouvoir et de plaisirs… c'était Mrs. Marchmoor… Margaret Hooke.

– Je me demandais si nous nous reverrions, dit miss Temple sur un ton glacial, comme pour avertir la femme blonde du danger que représentait pour elles cette nouvelle venue.

– Vous ne vous demandiez pas ça du tout, j'en suis certaine, répondit Mrs. Marchmoor. Vous le saviez très bien, puisque vous saviez que vous seriez poursuivie. Le comte semble dire que vous êtes… *intéressante*.

Elle se tourna vers la femme en bleu qui s'était rapprochée de la table, mais qui ne s'était pas encore rassise.

– Qu'en pensez-vous, Lydia ? Étant donné ce que vous avez pu observer, est-ce que miss Temple est une personne qui vaut la peine que l'on s'y attarde ? Est-elle digne de notre investissement, ou devrions-nous l'éliminer ?

Lydia ? Miss Temple regarda la femme aux cheveux blonds. Pouvait-elle être la fille de Robert Vandaariff, la fiancée de cet ivrogne de prince du docteur, l'héritière de la plus grande fortune que l'on pût imaginer ? Celle qu'elle regardait ne répondait pas, elle se contentait de chercher encore la carafe, qu'elle trouva, puis elle en retira le bouchon pour se servir un autre verre.

Mrs. Marchmoor gloussa. Lydia Vandaariff but d'un coup le contenu de son verre – son cinquième ? –, puis elle bêla :

– Taisez-vous. Vous êtes en retard. De quoi est-ce que vous parlez ? Pourquoi est-ce que c'est à vous que je parle alors que c'est Elspeth que je suis censée rencontrer ? ou même la Contessa ! Et puis pourquoi est-ce que vous l'appelez Temple ? Elle a dit qu'elle s'appelait Hastings.

Miss Vandaariff se retourna vers miss Temple, plissant les yeux avec suspicion.

– N'est-ce pas ?

Puis elle se tourna vers Mrs. Marchmoor.

– Comment ça, « poursuivie » ?

– Elle fait une mauvaise plaisanterie, répondit miss Temple. On ne m'a pas retrouvée, bien au contraire, c'est moi qui suis venue ici. Je suis heureuse que vous ayez parlé au comte, ça m'évitera d'avoir à tout expliquer...

– Mais qui êtes-vous ?

Lydia Vandaariff était de plus en plus ivre.

– Elle est une ennemie de votre père, répondit Mrs. Marchmoor. Elle est sans doute armée et elle a l'intention de déclencher une bagarre ou de nous prendre en otage. Le soir du bal, elle a tué deux hommes, pour ce que nous en savons, mais peut-être plus. Et ses complices ont l'intention de tuer votre prince.

La femme blonde dévisagea miss Temple d'un air incrédule.

– Elle ?

Miss Temple sourit.

– C'est ridicule, n'est-ce pas ?

– Mais... vous avez bien dit que vous étiez à Harschmort !

– J'y étais, dit miss Temple. Et j'ai essayé d'être gentille avec vous…

– Que faisiez-vous à mon bal masqué ? hurla miss Vandaariff.

– Elle tuait des gens, dit Mrs. Marchmoor d'un ton acerbe.

– Ce soldat ! murmura Lydia. Le colonel Trapping ! Ils me disaient… qu'il avait l'air tout à fait bien… mais pourquoi… *pourquoi le vouliez-vous mort ?*

Miss Temple leva les yeux au ciel et souffla entre ses dents serrées. Elle avait l'impression de se retrouver perdue sur la scène d'une pièce de théâtre ridicule où s'enchaînaient des répliques sans queue ni tête. Elle avait devant elle une femme dont le père était indubitablement au centre de tout ce complot et une autre qui en était l'une des protagonistes les plus subtiles. Pourquoi perdait-elle son temps à répondre à leurs questions dénuées d'intérêt, alors qu'elle avait les moyens de prendre le contrôle de la situation ? Elle avait souvent constaté à quel point il pouvait être frustrant pour elle de laisser les autres décider, tout en sachant très claire- ment que leurs intentions ne correspondaient pas du tout aux siennes. C'était souvent comme ça avec sa tante et ses femmes de chambre et, maintenant encore, elle se sentait comme un volant ballotté entre ces deux femmes et leur papotage irritant. Elle plongea les mains dans son sac et sortit son revolver.

– Vous allez vous taire toutes les deux, annonça-t-elle. Sauf pour répondre à mes questions.

Miss Vandaariff écarquilla les yeux brusquement en voyant le pistolet noir étincelant qui semblait gigantesque entre les petites mains blanches de miss Temple. En revanche, Mrs. Marchmoor adopta une expression sereine, même si miss Temple doutait réellement de sa placidité.

– Et quelles seraient ces questions ? répliqua Mrs. Marchmoor. Asseyez-vous, Lydia ! Et cessez de boire ! Elle est armée, essayez donc de vous concentrer un peu !

Miss Vandaariff s'assit immédiatement, les mains posées sur les genoux. Miss Temple fut étonnée de la voir obéir aux ordres aussi promptement. Elle se demanda si une telle rigueur n'était pas en fin de compte le seul égard qu'elle pouvait accepter et si, malgré ses récriminations qui semblaient indiquer le contraire, ce n'était pas au fond ce qu'elle désirait.

– Je cherche la Contessa, leur dit-elle. Vous allez me dire où elle se trouve.

– Rosamonde? commença miss Vandaariff. Eh bien, elle...

Elle s'arrêta brusquement en croisant un regard qui lui venait du bout de la table. Miss Temple lança un coup d'œil assassin à Mrs. Marchmoor, puis se tourna vers Lydia qui s'était mis la main devant la bouche.

– Je vous demande pardon? demanda miss Temple.

– Non, rien, chuchota miss Vandaariff.

– Je voudrais bien que vous finissiez votre phrase. «Rosamonde?...»

Miss Temple n'obtint aucune réponse. Elle fut particulièrement irritée de voir le petit sourire de satisfaction qui se dessinait au coin des lèvres de Mrs. Marchmoor. Elle se retourna vers la jeune femme blonde en poussant un soupir d'exaspération.

– Ne venez-vous pas tout juste de déplorer l'injustice de votre situation, les rapaces qui vous entourent, vous et votre père, le fait que votre futur époux est absolument détestable et que, malgré votre position, personne ne vous respecte? Et maintenant, vous vous en remettez à qui? À une femme qui vient tout juste de prendre congé d'un bordel pour changer de travail! Une femme entièrement au service des personnes que vous méprisez tant! Quelqu'un qui ne peut rien vous apporter de bon!

Silence.

L'expression de Mrs. Marchmoor se transforma en un large sourire.

– Je crois bien que cette fille nous joue la comédie à toutes les deux, Lydia. Tout le monde sait que Roger Bascombe, le futur lord Tarr, l'a abandonnée, et il est évident qu'en venant ici elle cherche lamentablement à reconquérir son affection.

– Je ne suis pas ici pour Roger Bascombe! lança miss Temple.

Mais, avant qu'elle pût continuer ou reprendre le contrôle de la conversation, le nom de Roger Bascombe avait poussé miss Vandaariff à recouvrer sa prestance et son ton de supériorité condescendante.

– Ce n'est pas étonnant qu'il l'ait quittée. Regardez-la seulement! Un pistolet dans le restaurant d'un hôtel!... C'est une sauvage! Du genre que l'on calme avec quelques coups de fouet!

– Tout à fait d'accord! acquiesça Mrs. Marchmoor.

Miss Temple secoua la tête devant tant d'idioties.

– Ce que vous dites n'a aucun sens! Tout d'abord, vous prétendez que je suis une tueuse, un agent ligué à d'autres contre vous, et maintenant je suis une pauvre fille transie d'amour! Décidez-vous, je vous en prie, je pourrais comme ça me moquer de vous en toute connaissance de cause!

Miss Temple affronta directement miss Vandaariff en haussant la voix, presque jusqu'à crier.

– Pourquoi l'écoutez-vous? Elle vous traite comme une domestique! Comme une enfant!

Elle se retourna vers la femme au bout de la table qui jouait nonchalamment avec une mèche de ses cheveux châtains.

– Pourquoi miss Vandaariff est-elle ici? Qu'aviez-vous prévu pour elle? votre Procédé? ou simplement l'esclavage de la débauche? J'ai vu, vous savez? Je vous ai vue, vous, et *lui*, dans cette même pièce!

Miss Temple enfonça la main dans son sac vert. Elle avait toujours une des cartes de verre du docteur. Était-ce la bonne? Elle la sortit, y jeta un coup d'œil et trébucha en voulant se mettre debout. Profitant de ce moment d'inattention, Mrs. Marchmoor s'apprêta à se lever, l'air menaçant. Miss Temple se ressaisit en s'extrayant des profondeurs bleues et rajusta l'angle de son revolver, en lui faisant signe de se rasseoir. Ce n'était pas la bonne carte, c'était celle qui la montrait en compagnie de Roger, mais la terrible plongée dans l'univers de la carte serait peut-être suffisante. Miss Temple la brandit devant miss Vandaariff.

– Avez-vous déjà vu l'un de ces objets? demanda-t-elle.

La blonde geignarde se tourna vers Mrs. Marchmoor avant de répondre, puis secoua la tête.

– Prenez-le et jetez-y un coup d'œil, dit miss Temple sèchement. Préparez-vous à un choc! Une intrusion quasi divine dans l'esprit et le corps de quelqu'un d'autre. On est désemparé, emprisonné par la sensation, assujetti aux désirs de cette personne!

– Lydia, ne faites pas ça…, siffla Mrs. Marchmoor.

Miss Temple leva le revolver.

– Lydia… faites-le.

Miss Temple trouva qu'il y avait quelque chose d'étrange dans la facilité avec laquelle on pouvait imposer à quelqu'un d'autre une expérience, tout en sachant, pour l'avoir vécue, qu'elle était troublante ou effrayante ou encore répugnante, et dans la satisfaction sadique que l'on tirait à regarder cette personne la subir. Elle ignorait quelle pouvait avoir été la vie intime de miss Vandaariff, mais elle déduisit, à partir de son comportement enfantin, qu'elle avait plutôt été couvée. Sans la projeter brusquement dans l'union charnelle entre Karl-Horst et Mrs. Marchmoor sur le sofa – quoi qu'elle eût été ravie de le faire –, elle trouvait quand même un peu brutal de lui imposer cette carte, même si elle était moins choquante que l'autre.

Elle se rappela de sa première plongée dans la carte, quand elle avait naïvement assuré au docteur qu'il n'y avait rien qu'elle ne pût supporter. Après, elle avait été incapable de le regarder dans les yeux. Elle se souvenait du choc soudain de la délicieuse et troublante sensation qu'elle avait ressentie quand le prince s'était avancé entre les jambes ouvertes de sa maîtresse, de la douceur indéniable de ce qu'elle avait elle-même éprouvé pendant ce moment-là. Lorsqu'elle était jeune fille, la valeur de sa vertu lui avait été inculquée comme la discipline à un soldat allemand, pourtant, elle n'aurait su dire où elle en était de sa vertu ou plutôt elle ne parvenait pas à faire la distinction entre la connaissance de son corps et celle de son esprit – ou des sensations qu'elle connaissait désormais. Si elle se permettait de réfléchir, un luxe dangereux assurément, il faudrait qu'elle affronte le fait que sa confusion n'était rien de moins que son incapacité à différencier ses pensées du monde qui l'entourait, et que, par la grâce de cette carte de verre maléfique, atteindre l'extase pouvait être aussi concret que sa paire de chaussures sur le tapis.

Miss Temple avait sorti la carte pour montrer séance tenante à miss Vandaariff la capacité de ses ennemis à faire le mal, les dangers de la séduction qu'ils exerçaient et de ce qu'ils lui avaient peut-être déjà proposé. Elle voulait la prévenir en l'effrayant et ainsi la mettre de son côté. Mais en l'observant qui regardait dans la carte, se mordillait la lèvre inférieure, respirait plus rapidement, agitait impatiemment sa main libre sur la table, puis en regardant au bout de la table Mrs. Marchmoor qui observait tout aussi attentivement qu'elle la femme masquée, elle ne savait plus si elle avait bien fait.

Devant l'intensité de l'expression de Lydia, elle alla même jusqu'à se demander si elle ne lui avait pas montré la carte pour être le témoin de sa propre expérience, un peu comme si regarder miss Vandaariff, c'était se regarder elle-même. Car malgré les précautions qu'elle devait prendre et le danger évident, c'était un peu comme si elle se retrouvait dans le hall du Boniface, les yeux plongés dans les profondeurs du verre bleu, les mains froissant distraitement sa robe, avec, pendant tout ce temps-là, le docteur qui savait, même le dos tourné, ce qui se passait dans les tressaillements de son corps.

Miss Temple fut troublée en repensant au comte d'Orkancz qui lui avait prédit qu'elle tomberait, en proie à ses propres désirs!

Elle tendit brusquement la main et s'empara de la carte. Avant que miss Vandaariff pût faire autre chose que patauger dans un état de confusion teinté de honte, la carte était retournée dans le sac.

– Vous voyez? cria miss Temple sur un ton cassant. Une science quasi divine... ressentir l'expérience d'un autre...

Miss Vandaariff acquiesça en silence et riva ses yeux sur le sac.

– Qu'est-ce... comment est-ce possible?

– Ils ont l'intention de vous utiliser pour votre influence, de vous séduire comme ils ont séduit cet homme, Roger Bascombe...

Miss Vandaariff secoua la tête avec impatience.

– Non, pas eux... le verre... le verre!

– Alors, Lydia..., dit Mrs. Marchmoor en riant doucement à l'autre bout de la table avec une note de soulagement dans la voix. Vous n'avez pas été effrayée par ce que vous avez vu?

Miss Vandaariff, les yeux brillants, poussa un soupir de jubilation avinée.

– Un peu... mais en vérité, ce n'est pas ce que j'ai vu, mais ce que j'ai ressenti...

– N'était-ce pas *stupéfiant*? souffla Mrs. Marchmoor dont l'inquiétude était complètement dissipée.

– Oh! Seigneur! Oui! C'était la chose la plus *agréable*! J'étais dans ses mains, dans son désir, je la caressais. Elle se retourna vers miss Temple. Je *vous* caressais!

– Mais... non... non..., dit miss Temple qui s'interrompit en voyant Mrs. Marchmoor rayonner comme un phare. Il y en a une autre... avec *cette* femme! Et votre prince! Beaucoup plus intime... je vous l'assure...

Insatiable, miss Vandaariff ordonna à miss Temple d'un ton sec:

– Faites-moi voir! Est-ce que vous l'avez sur vous? Il le faut... il y en a sûrement beaucoup, beaucoup... laissez-moi voir celle-ci encore... *Je veux les voir toutes!*

Miss Temple dut s'éloigner des mains avides de miss Vandaariff.

– Vous vous en moquez ? demanda-t-elle. *Cette* femme, *là* !… avec votre *fiancé*…

– Qu'est-ce que ça peut bien me faire ? Il n'est rien pour moi ! répondit miss Vandaariff.

Puis, en faisant un geste du revers de la main vers le bout de la table :

– *Elle* n'est rien non plus ! Mais la sensation… plonger dans une telle *expérience*…

Elle était ivre. Elle était troublée, blessée, atteinte et maintenant elle tirait miss Temple par le bras comme un galopin dans la rue qui essayerait de lui voler son sac.

– Contrôlez-vous ! lui dit-elle entre ses dents en s'éloignant rapidement de quelques pas et en levant son pistolet.

C'est alors qu'elle réalisa que lorsqu'on utilise une arme à feu pour forcer les gens à faire quelque chose, il vaut mieux être préparé. Quelque part, elle savait que c'était justement le genre de chose qui faisait de Chang un professionnel, qu'il y avait des choses à apprendre et à retenir, comme par exemple tenir quelqu'un sous la menace d'un pistolet. Si l'on n'était pas prêt, et dans ce cas précis miss Temple n'était pas prête à s'en prendre à miss Vandaariff, on perdait tout pouvoir, comme la flamme d'une bougie que l'on souffle. Miss Vandaariff était trop distraite pour avoir conscience de tout cela. Elle était envahie par son désir qui ne lui laissait pas de trêve. Mais Mrs. Marchmoor, elle, l'avait bien compris. Miss Temple se retourna, le pistolet sur le visage souriant de la femme.

– Ne bougez pas !

Mrs. Marchmoor gloussa encore.

– Vous allez me tirer dessus ? ici ? dans un hôtel plein de monde ? On vous arrêtera. Vous irez en prison et vous serez pendue, nous ferons ce qu'il faudra pour cela.

– Probablement, mais vous mourrez avant moi.

– Pauvre miss Temple… malgré toute votre audace, vous ne comprenez toujours rien.

Miss Temple rit avec mépris. Elle ne savait pas pourquoi Mrs. Marchmoor se permettait de dire une chose pareille, alors elle se réfugia dans un mépris plein de défi.

– De quoi parlez-vous ? geignit Lydia. Où y a-t-il d'autres choses comme ça ?

– Regardez encore celle-ci, dit Mrs. Marchmoor pour la calmer. Si vous vous entraînez, vous pouvez faire avancer les images plus lentement, jusqu'à ce que vous puissiez vous arrêter sur un seul instant, aussi longtemps que vous le voudrez. Imaginez-vous ça, Lydia. Imaginez quels instants vous pourriez boire encore et encore et encore.

Mrs. Marchmoor souleva les sourcils à l'intention de miss Temple et inclina la tête comme pour l'inciter à lui laisser la carte, sous-entendant qu'une fois que l'héritière serait distraite, elles, les deux adultes présentes, pourraient discuter en paix.

Agissant contre son instinct le plus sûr, peut-être simplement curieuse de voir si ce que Mrs. Marchmoor disait pouvait être vrai, miss Temple mit la main dans son sac, en sortit la carte, sentit du bout des doigts sa surface lisse et fraîche et eut envie d'y jeter elle-même un coup d'œil. Avant qu'elle ne se décidât à le faire, miss Vandaariff la lui arracha des mains et courut précipitamment vers sa chaise, les yeux rivés sur le rectangle bleu, le tenant avec respect entre ses deux mains. En quelques instants, Lydia se passait la langue sur les lèvres… la tête ailleurs

– Mais qu'est-ce que cette chose a pu lui faire comme effet ? demanda miss Temple, désemparée.

– Elle ne nous entendra presque pas, et nous pourrons parler clairement, répondit Mrs. Marchmoor.

– On dirait qu'elle ne se soucie guère de son fiancé.

– Pourquoi le devrait-elle ?

– Et vous, est-ce que vous vous en souciez ? demanda miss Temple en faisant allusion à la relation qu'elle avait vue dans le verre.

Mrs. Marchmoor éclata de rire et fit un signe de la tête en direction de la carte.

– Alors vous êtes enfermée dans cette carte-ci… et moi, je le suis dans une autre… avec le prince.

– En effet, vous l'êtes… si vous croyez pouvoir le nier…

– Pourquoi le nierais-je ? Je peux très bien imaginer la situation, bien que j'avoue ne pas m'en souvenir. C'est le prix à payer pour immortaliser sa propre expérience.

– Vous ne vous en souvenez pas ?

Miss Temple était atterrée devant la désinvolture dévergondée de cette dame.

– Vous ne vous souvenez pas… que… avec le prince… devant des *spectateurs*…

Mrs. Marchmoor rit encore.

– Oh! miss Temple, il est évident que la clairvoyance que procure le Procédé vous ferait le plus grand bien! Vous ne poseriez plus autant de questions stupides. Quand vous avez parlé au comte, vous a-t-il demandé de vous joindre à nous?

– Mais pas du tout!

– Ça m'étonne.

– En fait, il m'a menacée… en me disant que je me soumettrais à vous une fois vaincue…

Mrs. Marchmoor secoua la tête avec impatience.

– Mais c'est exactement la même chose. Écoutez, vous pouvez toujours brandir votre pistolet, mais vous ne m'empêcherez pas de vous demander encore une fois de reconnaître l'inévitable et de vous joindre à nos efforts pour le futur. Je ne suis plus du tout assez bête pour me soucier de rancune. C'est une vie meilleure, une vie de liberté, d'action et de désirs comblés. Vous vous soumettrez, miss Temple. Je vous le promets.

Miss Temple n'avait rien à dire. Elle fit un geste avec son arme.

– Debout!

Si Mrs. Marchmoor l'avait convaincue d'une chose, c'était que ce salon privé n'était pas sûr. Elle avait pu y poursuivre son enquête, mais ce n'était pas du tout un endroit où traîner, à moins qu'elle ne fût disposée à affronter la justice. Avec le revolver et la carte dans son sac, elle fit avancer les deux femmes devant elle pour emprunter le grand escalier et se diriger vers les appartements de la Contessa di Lacquer-Sforza. Mrs. Marchmoor collabora avec un sourire complaisant et miss Vandaariff, toujours masquée, lançait des regards furtifs qui découvraient ses joues enflammées et ses yeux vitreux. Mrs. Marchmoor avait répondu au regard inquisiteur du réceptionniste d'un geste coquin, et sans plus de questions, elles pénétrèrent dans l'intérieur luxueux du Ste-Royale.

Les appartements étaient au troisième étage et elles y parvinrent par un deuxième escalier un peu moins ostentatoire que le premier. Un escalier dont la main courante et les barreaux, en laiton poli, reprenaient la courbe de l'escalier principal qui montait du hall. Quand miss Temple remarqua que les escaliers s'enroulaient en rappelant les torsades rouge et or des piliers qui soutenaient l'hôtel, elle se réjouit des efforts de conception qui avaient été mis en œuvre dans l'architecture, ravie que l'on pût y mettre autant d'application, enchantée d'avoir été assez intelligente pour le remarquer. Miss Vandaariff se retourna encore pour la regarder, cette fois-ci avec une expression plus inquiète, presque comme si une vague idée lui avait traversé l'esprit.

– Oui ? demanda miss Temple.

– Non, rien.

Mrs. Marchmoor se retourna vers elle tandis qu'elles marchaient.

– Dites-nous à quoi vous pensez, Lydia.

Miss Temple s'étonna de l'autorité que cette femme exerçait sur l'héritière. Puisque Mrs. Marchmoor portait encore les cicatrices du Procédé, cela ne devait pas faire bien longtemps qu'elle avait rejoint la cabale et qu'elle avait quitté le bordel. Et pourtant, Lydia Vandaariff s'en remettait à elle comme à une gouvernante qu'elle connaissait de longue date. Miss Temple trouva qu'il y avait là quelque chose de tout à fait anormal.

– C'est seulement que je suis inquiète à cause du comte. Je ne veux pas qu'il vienne.

– Mais il pourrait très bien venir, Lydia, répondit Mrs Marchmoor. Vous le savez bien.

– Je ne l'aime pas.

– Est-ce que vous m'aimez ?

– Non. Non, je ne vous aime pas, murmura-t-elle en ronchonnant.

– Bien sûr que non. Et pourtant, nous réussissons à nous entendre parfaitement bien.

Mrs. Marchmoor sourit avec suffisance à miss Temple et indiqua un couloir qui bifurquait.

– C'est par ici.

La Contessa n'était pas dans sa suite. Mrs. Marchmoor avait ouvert la porte avec sa clé et les avait conduites à l'intérieur. Miss Temple sortit son revolver dans le couloir, une fois qu'elles eurent quitté l'escalier, qu'on ne pût plus les voir, et elle les suivit prudemment, jetant des regards un peu partout, craignant une embuscade. Dans le vestibule, elle marcha sur une chaussure et trébucha. Une chaussure ? Mais où étaient les femmes de chambre ? Excellente question, car les appartements de la Contessa étaient un véritable champ de bataille. Peu importe où elle posait son regard, il y avait des assiettes et des verres qui traînaient, des bouteilles, des cendriers, des vêtements de femme de toutes sortes, des robes et des souliers, jusqu'aux effets les plus intimes, des jupons, des bas, des corsets étalés sur le divan du grand salon !

– Asseyez-vous, ordonna-t-elle aux deux autres qui prirent place sur le divan l'une à côté de l'autre.

Miss Temple regarda autour d'elle et tendit l'oreille. Bien que l'éclairage au gaz fût allumé et brillât, elle n'entendit aucun bruit venant des autres pièces.

– La Contessa n'est pas ici, l'informa Mrs. Marchmoor.

– Est-ce qu'on a tout mis à sac pendant son absence ? demanda miss Temple tout à fait sérieuse, mais Mrs. Marchmoor se contenta d'éclater de rire.

– La dame n'a pas la réputation d'être ordonnée, c'est vrai !

– Mais n'a-t-elle pas de domestiques ?

– Elle préfère qu'elles s'occupent d'autre chose.

– Mais cette odeur ? La fumée, l'alcool, les assiettes… est-ce qu'elle tient à attirer les rats ?

Mrs. Marchmoor haussa les épaules en souriant. Miss Temple effleura du pied un corset qui traînait sur le tapis.

– J'ai bien peur que ça, ce soit à moi, murmura Mrs. Marchmoor avec un petit rire.

– Mais pourquoi avez-vous enlevé votre corset dans le salon d'une dame de la noblesse ? demanda miss Temple, presque écœurée mais envisageant déjà les réponses possibles, plus crues et déstabilisantes les unes que les autres.

Elle détourna le regard de Mrs. Marchmoor pour se ressaisir et se vit dans le grand miroir accroché au mur, au-dessus d'elle : une silhouette résolue habillée en vert, quelques anglaises châtaines, plus foncées dans cette lumière au gaz, tirées en arrière, d'autres autour du visage et, tout autour d'elle, le désordre, signe de la débauche. Mais, juste derrière elle, ses yeux furent attirés par un éclair bleu vif et elle se retourna pour découvrir un tableau qui ne pouvait être qu'une toile d'Oskar Veilandt.

– Une autre *Annonciation*…, murmura-t-elle tout haut.

– C'est cela, lui répondit Mrs. Marchmoor derrière elle, en un murmure hésitant et prudent.

En l'entendant, miss Temple eut la sensation d'être observée de près, comme un oiseau traqué par un chat qui avance très lentement.

– Vous l'avez vue ailleurs ?

– Oui.

– Quel fragment ? Que représentait-il ?

Elle ne voulait ni répondre ni réagir à ces questions, mais la puissance de l'image l'incita à parler.

– Sa tête…

– Mais bien sûr, à la galerie de monsieur Shanck. La tête est magnifique… avec une expression divine de sérénité et de plaisir sur le visage, n'est-ce pas ? Et ici… voyez comment les doigts étreignent les hanches… vous voyez, dans l'interprétation de l'artiste, comment elle a été *montée* par l'ange…

De son côté, miss Vandaariff gémissait. Miss Temple voulut se tourner vers elle, mais elle ne put détacher son regard de l'image qui semblait presque sortir de son cadre. Au lieu de cela, elle se dirigea lentement vers le tableau… des coups de pinceau lisses et précis, comme si la surface du tableau était une porcelaine et non une toile recouverte de pigments. La chair était représentée de manière exquise, mais la toile la frappa tant le contexte de l'ensemble manquait. Le sujet en était fascinant mais en même temps affreux à imaginer : on n'y voyait aucun visage, juste des hanches et les deux mains bleues. Elle eut du mal à en détacher son regard. Les deux femmes avaient les yeux rivés sur elle. Miss Temple s'efforça d'adopter un ton badin, fort éloigné de l'intimité inquiétante qu'évoquait le tableau.

– C'est une allégorie, annonça-t-elle. Elle raconte l'histoire de votre complot. L'ange représente votre travail avec le verre bleu, la femme représente tous ceux sur lesquels vous voudriez œuvrer. C'est l'Annonciation, car vous croyez que la naissance… ce qui est dans vos plans… sera… sera…

– Sera notre affranchissement à tous, conclut Mrs Marchmoor.

– Je n'ai jamais vu pareil blasphème ! déclara miss Temple avec assurance.

– Vous n'avez pas vu le reste du tableau, assura miss Vandaariff.

– Chut, Lydia.

Miss Vandaariff ne répondit pas, mais elle se mit soudainement les mains sur le ventre et gémit, visiblement souffrante… puis elle se plia en deux et gémit encore en se balançant, et dans ses gémissements pointait une sorte de peur, comme si elle connaissait déjà la sensation qu'elle éprouvait.

– Miss Vandaariff ? hurla miss Temple. Qu'y a-t-il ?

– Ça ira, lui dit tranquillement Mrs. Marchmoor. Elle tendit la main vers le dos de la femme qui avait mal et le tapota doucement pendant qu'elle se redressait.

– Auriez-vous par hasard bu du porto? demanda-t-elle à miss Temple.

– Non.

– J'ai pourtant vu un deuxième verre…

– J'y ai seulement trempé mes lèvres, rien de plus…

– C'était très prudent de votre part.

– Qu'y avait-il dedans? demanda miss Temple.

Miss Vandaariff continua à gémir et Mrs. Marchmoor se pencha pour lui prendre le bras.

– Allez, venez avec moi, Lydia… vous vous sentirez mieux.

Miss Vandaariff gémit encore plus pitoyablement.

– Allez, Lydia…

– Qu'est-ce qui ne va pas? demanda miss Temple.

– Rien, elle a seulement bu un peu trop du *philtre* préparatoire. Combien de verres l'avez-vous vue boire?

– Six.

– Mon Dieu, Lydia! Heureusement que je suis ici pour vous aider à évacuer l'excès.

En souriant avec indulgence, Mrs. Marchmoor aida miss Vandaariff à se tenir debout. Elle conduisit la jeune femme qui titubait jusqu'à une porte ouverte et elle s'y arrêta pour préciser à miss Temple:

– Nous serons de retour dans un moment. Ne vous inquiétez pas. Nous allons simplement dans le cabinet de la suite. On savait qu'elle boirait le porto, alors on y a ajouté le philtre sans le lui dire. Il fallait qu'elle prenne ce mélange, mais pas en si grande quantité.

– Pourquoi? demanda miss Temple en haussant la voix. Pour la préparer à *quoi*?

Mrs. Marchmoor fit mine de ne pas l'entendre et tendit la main pour lisser les cheveux de miss Vandaariff.

– Ça lui fera du bien de se marier, si j'ose dire, et d'en finir avec ces petits divertissements. Ça ne lui réussit pas du tout.

Miss Vandaariff gémit encore, sans doute pour protester contre ce diagnostic injuste, et miss Temple, agacée mais curieuse, regarda les deux femmes disparaître dans la pièce à côté, comme si elle ne braquait pas son revolver sur elles, comme si elles n'étaient pas prisonnières ou prises en otage! Elle resta où elle était, vexée. Elle entendit le bruit d'un couvercle de pot de chambre qu'on remettait en place, le frou-frou d'un jupon, et elle estima qu'elle devait profiter de cette occasion pour examiner les autres pièces en toute discrétion.

Dans le salon où elle se trouvait, il y avait trois portes : celle qui menait au pot de chambre, qui semblait se trouver dans la pièce des femmes de chambre, et deux autres. Au-delà d'une ouverture en arche, elle pouvait apercevoir un deuxième salon. Dans cette pièce, sur une petite table de jeu, gisaient les reliefs d'un repas à moitié entamé, tandis que, contre le mur du fond, on apercevait un grand buffet jonché de bouteilles. Pendant qu'elle considérait tout cela en tentant de donner un sens à ce qu'elle découvrait, comme elle supposait qu'un vrai enquêteur dût le faire – combien de gens avaient partagé ce repas et jusqu'à quel point avaient-ils bu ? –, miss Temple s'inquiéta en pensant qu'elle avait ingurgité au moins une bonne gorgée de porto. En avait-elle bu assez pour subir dans son corps les effets sournois de leur horrible philtre ? Quel destin préparait-on à miss Vandaariff ? un mariage ? Non, il ne pouvait s'agir de cela, au moins pas au sens courant du terme. Une image de bétail que l'on mène à l'abattoir traversa l'esprit de miss Temple et la fit frissonner d'horreur.

Une main posée sur le front, elle retourna dans la pièce principale et se dirigea rapidement vers la troisième porte qui était entrouverte. Elle entendait toujours les gémissements et les piétinements derrière elle. Cette pièce était la chambre de la Contessa.

Devant elle trônait un énorme lit à colonnes d'où pendaient des rideaux violets. Là encore des vêtements jonchaient le sol : de toutes les tailles, on aurait dit qu'ils parsemaient une chambre très vaste dont les murs et le plancher plongés dans l'ombre avaient disparu. Sur le sol, qui faisait penser à une sorte d'étang noir et calme comme la mort, flottaient des vêtements, comme des feuilles éparses. Elle écarta les rideaux du lit. Une sorte d'instinct primaire assaillit ses narines : le corps de la Contessa avait laissé entre les draps une odeur délicate. Un léger parfum de frangipanier mais, sous cette odeur douce et fleurie, elle sentait autre chose, presque une odeur de pain frais, de romarin, de viande salée et même de citron vert. L'effluve parvint à miss Temple et elle songea que cette créature, toute redoutable et froide qu'elle fût, était une femme aux prises avec sa fragilité et ses désirs… et miss Temple se trouvait dans son antre.

Elle respira profondément et se passa délicatement la langue sur les lèvres.

Miss Temple se demanda si, dans tout ce désordre, la Contessa pouvait avoir laissé un journal, un plan ou un objet, ou quoi que ce fût qui pût servir à expliquer les buts secrets de la cabale. Derrière, elle continuait d'entendre les gémissements et les plaintes de miss Vandaariff. Qu'avait-on fait à cette femme? C'était presque comme si elle était en train d'accoucher!

Miss Temple ressentit encore une fois la morsure de l'anxiété, et une légère transpiration perla sur son front et entre ses omoplates. Ses véritables adversaires, la Contessa et le comte d'Orkancz, pouvaient arriver à tout moment. Était-elle prête à les affronter? Au moment du thé, elle s'en était plutôt bien tirée par des fanfaronnades avec le comte, mais elle était beaucoup moins satisfaite de sa rencontre avec les deux femmes qui étaient, à tous les points de vue, des adversaires beaucoup moins impressionnantes, si toutefois on pouvait utiliser un tel qualificatif pour désigner miss Vandaariff qui était de toute évidence si perdue et si désespérée. Elle ne savait trop pourquoi, mais cette confrontation qui aurait dû être tendue, hostile et même dramatique s'était avérée pleine de mystères, inquiète, sensuelle et relâchée. Miss Temple décida de dénicher tout ce qu'elle pourrait découvrir et de filer au plus vite.

Elle passa tout d'abord la main sous les gros oreillers de plume à la tête du lit. Rien. Il fallait s'y attendre. Elle obtint le même résultat en soulevant rapidement le matelas et en jetant un coup d'œil sous le cadre de lit, puis elle se dirigea sans grand espoir vers la commode de la Contessa pour trouver le tiroir qui contenait ses dessous. Une femme un peu stupide pourrait bien cacher des choses dans un endroit pareil, en s'imaginant que, puisque le tiroir contient des objets intimes, personne n'ira y fouiller.

Bien qu'elle désapprouvât toute forme d'indiscrétion, miss Temple savait bien que toutes ces soieries, ces baleines, ces lacets de corsets et ces bas inspiraient une curiosité quasi animale à presque tous les humains. Qui n'aimerait pas y mettre les mains? Et donc l'idée d'y cacher un journal intime, par exemple, reviendrait à le laisser traîner comme le journal du jour dans un vestibule ou, pis encore, à l'heure du repas, sur la table des domestiques.

Comme elle s'y attendait, elle ne découvrit rien d'intéressant parmi les dessous de la Contessa, mais elle se surprit cependant à glisser ses doigts sur la soie et, en rougissant un peu, elle frotta son nez sur une ou deux de ces choses délicates, puis elle referma le tiroir. Les meilleures cachettes étaient les plus banales, astucieusement à la vue de tous ou dans un tas de souliers, par exemple. Mais elle ne trouva rien d'autre qu'un étalage absolument époustouflant de chaussures de grand prix. Aurait-elle le temps de fouiller toute la commode? Miss Vandaariff était-elle encore en train de gémir?

Miss Temple se tourna pour chercher une cachette censée être astucieuse et qu'elle pourrait avoir sous les yeux. Tout ce qu'elle voyait, c'était des vêtements étalés partout au sol… puis un large sourire se dessina sur son visage. Là, à côté de la commode, contre le mur, dans la pénombre, il y avait une pile de corsages et de châles qui lui parurent volontairement mis de côté dans un endroit où il y avait peu de passage. Elle se mit à genoux et commença à effeuiller rapidement les couches de vêtements. Elle découvrit presque tout de suite, étincelant, soigneusement posé sur un damas italien jaune comme un enfant dans de la paille, un gros livre tout en verre bleu.

Il avait la taille d'un volume moyen d'une encyclopédie, la lettre N ou la lettre F, peut-être, plus de quarante centimètres de haut et un peu moins de large, et d'une épaisseur d'une dizaine de centimètres. La couverture était lourde, comme si le verrier avait voulu imiter le cuir de Toscane repoussé que miss Temple avait pu voir dans les boutiques près du square St Isobel, et opaque parce que, même si elle eut d'abord l'impression de pouvoir voir au travers, les épaisseurs étaient en fait très denses. De la même façon, au premier coup d'œil, le livre semblait avoir une couleur unie, un indigo profond et vif, mais, en le regardant de près, miss Temple se rendit compte qu'il était parcouru de stries sinueuses dans lesquelles la couleur fluctuait selon une palette attirante, du bleu ciel au cobalt, du bleu-vert à l'aigue-marine. Toutes les nuances ondoyantes avaient un effet surprenant et très net sur son œil interne, comme si chacune d'entre elles avait une particularité non seulement chromatique mais aussi émotionnelle. Elle ne voyait rien d'écrit sur la couverture et, en mettant une main sur le livre pour le retourner, elle constata qu'il n'y avait rien d'écrit non plus sur le dos.

Quand elle y toucha, miss Temple faillit s'évanouir. Si la carte de verre pouvait exercer un pouvoir de séduction sur une personne, le livre, lui, déclenchait un maelström de sensations crues prévues pour vous avaler complètement. Miss Temple retira brusquement sa main, le souffle coupé.

Elle regarda vers la porte ouverte. Derrière, les deux femmes ne faisaient plus de bruit. Il fallait absolument qu'elle retournât auprès d'elles, il fallait absolument qu'elle partît, car elles viendraient sûrement la chercher dans la chambre d'une minute à l'autre et, à leur suite, sans doute, le comte et la Contessa. Elle passa sa main dans le châle de damas pour toucher le livre tout à loisir et s'apprêta à l'envelopper pour l'emmener, car il y avait là, bien sûr, un trophée qui impressionnerait le docteur et Chang. Miss Temple baissa les yeux et se mordit la lèvre. Et si elle ouvrait le livre sans toucher le verre… ça la protègerait sûrement… sûrement aussi cela lui permettrait de mieux comprendre et d'en parler avec les autres. En jetant un dernier coup d'œil derrière elle (miss Vandaariff s'était-elle évanouie?), elle souleva la couverture avec précaution.

Les pages, car elle pouvait voir à travers chaque fine pellicule posée par-dessus la suivante, chacune avec ses motifs sans forme, ses tourbillons de bleus, ressemblaient aux ailes délicates d'une guêpe. Des ailes carrées et de la taille d'une assiette qui étaient prises dans la reliure pour qu'on pût les tourner comme les pages d'un livre ordinaire. Elle ne pouvait en être certaine, mais il semblait y avoir des centaines de pages, toutes baignées, comme la couverture, d'une vibrante lueur bleue qui éclairait la pièce d'une lumière spectrale, presque surnaturelle. Elle avait peur de casser le verre en tournant les pages (tout comme elle avait peur de les regarder de trop près), mais quand elle trouva le courage de le faire, elle constata que le verre était en fait très solide. Même si la feuille était fine comme du papier, elle était aussi résistante qu'un carreau épais.

Miss Temple tourna une page étincelante, puis une autre. Elle regarda l'intérieur du livre, cligna des yeux, puis les plissa. Était-il possible que les tourbillons informes soient en train de *bouger*? L'inquiétude dans sa tête s'était transformée en torpeur, une envie de dormir ou du moins de suspendre complètement tout contrôle et toute volonté. Elle cligna encore des yeux. Elle ferait mieux de fermer le livre tout de suite et de s'en aller. La chambre était devenue tellement chaude. Une goutte de sueur perla sur son front et tomba sur le verre, la surface s'assombrit là où était tombée la goutte, puis la tache tourbillonna et se répandit sur toute la page. Miss Temple la regarda avec un effroi soudain… un nœud indigo qui s'ouvrait comme une orchidée ou du sang fleurissant d'une blessure… c'était sans doute ce qu'elle avait vu de plus beau de toute sa vie, même si elle était terrifiée à l'idée de ce qui se passerait une fois que la sombre éclosion aurait recouvert toute la page. Puis ce fut fait, la dernière tache de bleu scintillant s'éclipsa et elle ne put plus voir les pages suivantes à travers la page sombre… elle ne vit plus que les profondeurs de la tache indigo. Miss Temple entendit un halètement, vaguement consciente qu'il venait d'elle, et elle fut avalée.

Les images s'enroulaient autour de son esprit puis, tout à coup, elles le traversèrent. Ce qui était particulier, à la fois agréable et effrayant, c'était qu'elle, elle n'était pas présente. Comme pour Mrs. Marchmoor et la carte, sa conscience était transcendée par l'immédiateté des sensations qui s'emparaient d'elle. Il sembla à miss Temple qu'elle avait plongé dans l'expérience de plusieurs vies enchevêtrées, en une succession délirante, qui semblaient si réelles et si nombreuses qu'elles menaçaient l'idée même de qui était Céleste Temple en tant qu'entité stable. Elle assiste à un bal masqué à Venise en buvant du vin épicé en hiver, l'odeur de l'eau du canal, la pierre humide et froide et les chandelles chaudes, des mains dans la pénombre qui la caressent de derrière et, elle, calme mais aux anges, qui réussit à avoir une conversation avec l'homme d'église masqué qui est devant elle, comme si de rien n'était… Elle rampe lentement dans un passage étroit en briques, le long duquel se succèdent de toutes petites alcôves, une lanterne sourde à la main, elle compte les alcôves de chaque côté, et à la septième à sa droite, elle s'approche du mur et fait glisser un petit disque de fer sur un clou… elle, son œil sur le trou, elle regarde dans une grande chambre à coucher où deux silhouettes s'agrippent l'une à l'autre, un jeune homme musclé aux cuisses pâles comme du lait penché sur une petite table et un autre homme plus âgé derrière lui, le visage cramoisi, écumant comme un taureau… Elle est à cheval, elle s'accroche à l'animal, elle est forte et experte, une main sur les rênes et l'autre portant un sabre redoutable et recourbé, dans une plaine africaine aride, chargeant un bataillon de cavaliers aux visages cuivrés qui portent des turbans blancs, elle hurle de peur et de plaisir, les hommes vêtus de rouge à côté d'elle hurlent aussi, les deux lignes de cavaliers s'avancent l'une sur l'autre à la vitesse d'un coup de fouet, elle penche son corps au-dessus du cou de sa monture lancée au galop, sabre au clair, elle serre le cheval entre ses genoux et, en une fraction de seconde, un choc – la lame de l'Arabe traverse son épaule et la pointe de la sienne s'enfonce dans le cou de l'homme, un jet de sang puis l'atroce torsion de son bras quand les chevaux se séparent, le sabre se libère, un autre Arabe devant elle, il hurle, exalté par la tuerie... Une gigantesque chute d'eau haute comme deux cathédrales, elle est entourée de Peaux-Rouges accroupis, tenant leurs arcs et leurs flèches, leurs cheveux noirs coupés comme ceux des rois du Moyen Âge... Des montagnes de glace flottante, l'odeur de poisson et de sel, un col de fourrure lui chatouille le visage, derrière elle, des voix parlent de peaux, d'ivoire et de métaux enfouis, dans sa large main gantée une troublante figurine sculptée, trapue, avec une bouche lubrique et un œil immense. Une chambre de marbre sombre, scintillante d'or... des petits pots et des bocaux, des peignes et des armes, tous en or, puis le cercueil, et rien de plus que le corps de l'enfant roi, enveloppé dans un épais linceul d'or martelé et attaché par des bijoux, puis sa propre main ouvrant un couteau et elle encore qui se penche pour dessertir une émeraude qui la fascine... Un atelier d'artiste, nue sur un divan, allongée sans pudeur, levant les yeux vers une lucarne ouverte, des nuages gris perle au-dessus d'elle, entre ses jambes, un homme à la peau peinte en bleu qui tient cavalièrement ses pieds nus entre ses mains puis en met un sur son épaule et se retourne, elle aussi se tourne pour demander un avis sur la pose à l'artiste, simple silhouette derrière une gigantesque toile qu'elle ne peut voir comme elle ne peut voir son visage, elle distingue seulement ses mains robustes qui tiennent la palette et le pinceau, mais avant qu'elle ait pu entendre sa réponse, son attention est suavement ramenée à son partenaire de pose qui a descendu sa main et fait glisser voluptueusement deux doigts, effleurant ses lèvres épilées... Une pièce d'une puanteur et d'une chaleur étouffantes, remplie de corps luisants et sombres dans le cliquetis des chaînes, elle va et elle vient, ses bottes claquent sur les planches d'un bateau, elle prend des notes sur un registre... Un banquet avec des hommes en uniforme, grands, pâles et barbus et leurs élégantes dames, rutilantes de bijoux, de grands plateaux d'argent remplis de minuscules verres cerclés d'or, ils contiennent chacun un cordial transparent, c'est fort et teinté d'une touche de réglisse, elle vide verre sur verre, un fond de violons derrière une conversation polie, des plats en argent remplis de caviar noir sur de la glace, des assiettes de pain noir et de poisson à la chair orange, un geste de la tête à l'attention d'un fonctionnaire portant une écharpe bleue qui, désinvolte, lui remet un volume relié de cuir noir dont une page est pliée, elle le lira plus tard et elle sourit en se demandant lequel des invités rassemblés là le livre lui ordonnera de trahir... Accroupie devant un feu de camp entouré de pierres, l'ombre noire d'un manoir qui se dessine contre le ciel éclairé par la pleine lune, de hauts remparts montant des falaises escarpées de pierre rouge, elle jette dans les flammes les morceaux d'un parchemin et regarde les pages se noircir et onduler et les sceaux de cire rouge fondre en petites bulles puis disparaître... Une cour pavée de pierre, une chaude soirée, dans les effluves de jasmin en fleurs et les chants d'oiseaux, étendue sur le dos sur un matelas de soie, les autres autour ne lui prêtent aucune attention, ils boivent, parlent et se moquent des gardes enturbannés et torse nu, ses jambes écartées et les doigts empêtrés dans les cheveux longs et tressés de l'adolescente qui est penchée sur son bassin, qui donne de petits coups insistants, doux, calmes avec ses lèvres et sa langue, la montée d'une sensation qui parcourt son corps, une vague divine prête à se rompre, une vague qui enfle, qui enfle, ses doigts agrippés encore plus fort à cette chevelure, le petit rire entendu de la jeune fille qui choisit à cet instant de reculer, qui glisse seulement le bout de sa langue sur la chair avide et fervente et qui plonge en avant de plus belle, la vague, après un creux, déferle, plus haute, plus pleine, promettant de se rompre comme l'éclosion d'un millier d'orchidées bleues sur et à l'intérieur de chaque centimètre de son corps...

Juste à cet instant sublime, dans les profondeurs lointaines de son esprit, miss Temple sut qu'elle s'était perdue et repéra difficilement dans sa mémoire, ou dans les mémoires de tant d'autres personnes, se mêlant au cri d'extase, une voix faible, les paroles de Mrs. Marchmoor à miss Vandaariff à propos de la carte... se concentrer sur un moment pour le revivre, pour contrôler la sensation, l'expérience elle-même.

La langue agile de la jeune fille déclenche un autre spasme de plaisir entre ses jambes et miss Temple, à travers les yeux de celle qui a donné son expérience à ce livre, baisse la tête et fait un douloureux effort pour se concentrer sur la sensation des cheveux de la fille dans ses mains, ses doigts repoussant les tresses, ornées de perles, puis seulement les perles, leur couleur... elles sont bleues, bien sûr qu'elles sont bleues... verre bleu... Elle s'efforce de les fixer, profondément, elle halète toujours, elle donne des coups de hanches malgré elle, mais elle réussit à détourner son attention de la langue qui la pénètre doucement, elle rejette toute pensée ou sensation jusqu'à ce qu'elle ne voie et ne sente rien d'autre que la surface du verre puis, en cet instant de clarté, de toutes ses forces, elle désire être ailleurs. Elle se libère.

Miss Temple haleta encore puis ouvrit les yeux, surprise de voir qu'elle avait la tête enfouie dans les tissus, par terre, à côté du livre. Elle se sentit faible, elle avait la peau chaude et moite, et s'efforça de se mettre à quatre pattes en regardant derrière elle. La suite de la Contessa était silencieuse. Pendant combien de temps avait-elle regardé le livre ? Elle ne parvint pas à se souvenir de toutes les histoires qu'elle avait vues, auxquelles elle avait participé. Cela avait-il duré des heures ? une vie entière ? ou bien était-ce comme un rêve, où des heures peuvent passer en quelques minutes ? Elle se donna un élan pour se mettre sur ses talons, sentit qu'elle manquait d'équilibre et rougit de honte en sentant quelque chose d'un peu visqueux entre ses jambes. Que lui était-il arrivé ? Quelles pensées étaient désormais gravées dans son cerveau ? quels souvenirs ? Le souvenir d'avoir fait des ravages et d'en avoir subi, des souvenirs de sang et de sel, tour à tour homme et femme ? Avec une ironie un peu boudeuse, miss Temple se demanda si elle n'était pas en passe de devenir la vierge la plus débauchée de toute l'histoire de l'humanité.

En faisant un effort surhumain pour faire bouger son corps éreinté, miss Temple enroula précautionneusement le châle de damas autour du livre et le noua. Elle chercha son sac vert autour d'elle. Elle ne le vit nulle part. Il lui semblait pourtant qu'elle s'était enroulé la courroie sur la main ? Elle en était pourtant bien sûre... mais il avait disparu.

Elle se leva, ramassa le livre enveloppé et tourna les yeux vers la porte encore entrouverte. En faisant le moins de bruit possible, elle scruta l'intérieur du salon par l'entrebâillement. Ce qu'elle vit était tellement étrange que, pendant un instant, elle se demanda si elle avait vraiment quitté le livre. C'était tellement calme, comme si elle apercevait un intérieur pompéien reconstitué dans le monde moderne. Mrs. Marchmoor était assise, adossée au dossier d'un divan, sa robe beige déboutonnée et descendue jusqu'aux hanches, sans corset. Tout le haut de son corps était nu, mis à part son collier de perles qu'elle portait toujours. Miss Temple ne put s'empêcher de contempler son sein gauche, lourd et pâle. Du bout des doigts de sa main gauche, elle en caressait le mamelon avec langueur. Son sein droit était entièrement caché par la tête de miss Vandaariff. Celle-ci ne portait plus de masque et ses cheveux blonds défaits tombaient le long de son dos. Elle était étendue sur le divan, à côté de Mrs. Marchmoor, les yeux clos, les jambes repliées, une main délicatement fermée posée sur sa cuisse et l'autre soutenant tendrement le sein droit qu'elle tétait rêveusement, pour le plaisir, comme un bébé rassasié et ivre de lait.

En face d'elles, assis dans un fauteuil, un petit cigare dans une main et dans l'autre sa canne d'ébène à pommeau de nacre, portant une nouvelle fois son manteau de fourrure, se trouvait le comte d'Orkancz. Derrière lui, quatre hommes étaient debout et formaient un demi-cercle : un homme plus âgé avec un bras en écharpe, un petit homme trapu au visage rougeaud avec des cicatrices violettes autour des yeux, et deux hommes portant l'uniforme de Macklenburg. L'un d'entre eux avait l'air sévère, le regard dur et les cheveux très courts, le visage buriné, les traits tirés et les yeux injectés de sang. L'autre, elle se rendit compte qu'elle le connaissait pour l'avoir vu dans la carte. Elle le connaissait intimement. C'était Karl-Horst von Maasmärck. Grand, pâle, mince, il paraissait faible et efféminé. Son menton fuyant et ses yeux semblables à des huîtres crues laissèrent à miss Temple une impression peu favorable.

Enfin, son regard se porta sur le second divan où se trouvait la Contessa di Lacquer-Sforza dont le fume-cigarette parfaitement en équilibre dégageait une fine volute de fumée qui allait se lover au plafond. La dame portait une veste cintrée en soie violette munie d'une frange de petites plumes noires qui courait sur sa poitrine et autour de son cou pâle. Elle avait des pendants d'oreilles en ambre. Sous sa veste, comme celle d'un personnage féerique, sa robe noire semblait couler de son corps à la pénombre du plancher… sur lequel, aux vêtements épars, s'était ajouté tout ce que contenait le fourre-tout de miss Temple, en morceaux, lacéré, hors d'usage.

Excepté ceux de miss Vandaariff, tous les yeux étaient rivés sur miss Temple, dans un silence de mort.

– Bonsoir Céleste, déclara enfin la Contessa. Vous êtes revenue du livre. Très impressionnant. Tout le monde n'y arrive pas, vous savez ?

Silence.

– Je suis ravie que vous soyez ici, poursuivit la Contessa. Je suis aussi très heureuse que vous ayez eu l'occasion d'échanger quelques propos avec le comte ainsi qu'avec ma compagne, Mrs. Marchmoor, et que vous ayez fait la connaissance de cette chère Lydia, avec qui vous avez bien sûr beaucoup en commun : deux jeunes femmes fortunées dont les vies sont le modèle même de celles qui offrent des perspectives infinies.

Le comte laissa échapper une volute de fumée bleue. Mrs. Marchmoor sourit en regardant miss Temple dans les yeux et en faisant nonchalamment rouler la pointe écarlate de son sein entre son pouce et son index. Les hommes en rang ne bougeaient pas.

– Vous devez comprendre, poursuivit la Contessa, que votre compagnon, le cardinal Chang, n'est plus. Quant au docteur de Macklenburg, effrayé, il a fui la ville et vous a abandonnée. Vous avez vu notre Procédé à l'œuvre. Vous avez regardé dans un de nos livres de verre. Vous connaissez nos noms et nos visages et le détail de notre travail auprès de lord Vandaariff et de la famille von Maasmärck à Macklenburg. Vous devez même – et, là, elle sourit – connaître les faits entourant la nomination imminente d'un certain lord Tarr. Vous savez tout cela et vous pouvez parfaitement deviner bien d'autres choses encore, car je suis convaincue que vous êtes aussi intelligente qu'entêtée.

Elle porta le fume-cigarette laqué à ses lèvres et aspira, puis sa main flotta paresseusement en s'écartant pour se reposer sur le divan. Un sourire ironique et un peu hésitant se profila sur ses lèvres et, en poussant un soupir à peine audible, elle souffla un nuage de fumée du coin de la bouche.

– Pour toutes ces raisons, Céleste Temple, il est clair que vous devez mourir.

Miss Temple ne répondit pas.

– J'avoue, poursuivit la Contessa, que je vous ai peut-être sous-estimée. C'est ce que me dit le comte et je suis sûre que vous savez que le comte se trompe très rarement. Vous êtes une jeune femme forte, fière et déterminée, et bien que vous m'ayez causé un vif désagrément... je vous avouerai même que vous m'avez mise en rage... on m'a suggéré de vous faire une proposition, une offre que normalement je ne ferais pas à quelqu'un que j'ai décidé de détruire. Mais on m'a suggéré... de vous permettre d'être des nôtres et de mettre votre enthousiasme et votre valeur au service de notre entreprise.

Miss Temple resta coite. Elle avait les jambes molles et le cœur de glace. Chang était mort? Le docteur, parti? Elle ne pouvait y croire. Elle s'y refusait.

Comme s'il avait senti de la défiance dans le frémissement des lèvres de miss Temple, le comte ôta son petit cigare de sa bouche et, sur un ton menaçant, de sa voix rauque et grave, il déclara:

– Cela ne saurait être plus simple. Si vous n'êtes pas d'accord, vous aurez la gorge tranchée ici même et dans les minutes qui viennent. Si vous acceptez, vous viendrez avec nous. Soyez assurée que nous ne vous tendrons aucun piège. Abandonnez tout espoir, miss Temple, car l'espoir n'a plus cours... il est dorénavant remplacé par la certitude.

Miss Temple regarda l'expression sévère de son visage, puis la beauté menaçante de la Contessa di Lacquer-Sforza dont le sourire parfait était à la fois chaleureusement invitant et froid comme le marbre. Les quatre hommes la fixaient de leurs regards vides, le prince se grattait le nez avec son ongle. Le Procédé les avait-il donc tous transformés, leur logique barbare était-elle libérée de toute contrainte morale? Elle perçut les cicatrices sur le visage du prince et de l'homme trapu. L'homme le plus âgé avait en commun avec eux ces yeux vitreux et avides, mais ses cicatrices semblaient avoir disparu; quant à l'autre soldat, il était le seul à arborer une expression normale, où alternaient justement la certitude et le doute. Les autres n'affichaient qu'une confiance simple et inhumaine. Elle se demanda lequel d'entre eux la tuerait. Elle se tourna enfin vers Mrs. Marchmoor dont l'expression neutre cachait ce que miss Temple interpréta comme une véritable curiosité... comme si elle ignorait ce que ferait miss Temple ou ce que serait le résultat de son éventuelle soumission.

– Il semble que je n'aie pas le choix, murmura miss Temple.

– En effet, acquiesça la Contessa, puis elle se tourna vers l'homme imposant qui était assis à côté d'elle et haussa les sourcils comme pour indiquer que son rôle dans cette histoire venait de prendre fin.

– Miss Temple, dit le comte d'Orkancz, veuillez avoir l'obligeance de retirer vos chaussures et vos bas.

Elle descendit les escaliers et sortit de l'hôtel Ste-Royale, nu-pieds. C'était un moyen simple de l'empêcher de s'échapper à travers les rues sales et accidentées. Mrs. Marchmoor resta en arrière, mais tous les autres descendirent avec elle : le soldat, le type trapu avec ses cicatrices, et l'homme plus âgé qui les précéda pour s'occuper des fiacres, le comte et la Contessa qui l'entouraient, le prince derrière eux tenant miss Vandaariff par le bras. En descendant le grand escalier, miss Temple vit un nouvel employé au comptoir de l'hôtel qui, lorsque la Contessa lui adressa un signe de tête gracieux, lui répondit respectueusement en s'inclinant. Miss Temple s'étonna qu'une femme de ce genre eût besoin du Procédé, ou de la magie du verre bleu, car elle doutait que qui que ce fût eût la force ou l'envie de lui résister. Miss Temple observa le comte dont le regard neutre était perdu au loin, une main posée sur le pommeau de nacre de sa canne et l'autre tenant le livre bleu enveloppé, comme un roi en exil qui s'apprêterait à reprendre son trône.

Elle sentait les fibres du tapis lui chatouiller les pieds. Lorsqu'elle était petite, elle avait la plante des pieds endurcie et calleuse, habituée qu'elle était de courir pieds nus dans la plantation de son père. Désormais, ils étaient devenus aussi doux et tendres que ceux de n'importe quelle dame qui prend des bains de lait, et cela l'empêchait de s'enfuir, au moins autant que s'ils étaient entravés dans des fers. Avec un pincement au cœur, elle pensa à ses bottines vertes, abandonnées sous le divan. Elle savait que personne ne s'en soucierait et se demanda d'ailleurs s'il y aurait quelqu'un pour se soucier encore d'elle.

Deux voitures attendaient devant l'hôtel : un coupé élégant et rouge et une voiture noire, plus spacieuse, aux couleurs de Macklenburg. Le prince, miss Vandaariff, le soldat et l'homme trapu aux cicatrices montèrent dans la voiture, tandis que l'homme plus âgé grimpa prestement pour s'asseoir avec le cocher. Un portier de l'hôtel tint la porte du coupé pour la Contessa puis pour miss Temple, qui sentit nettement en montant le métal rugueux de la marche s'enfoncer dans la plante de son pied. Elle s'assit en face de la Contessa. Un instant plus tard, la voiture pencha sous l'effet du poids du comte qui se joignait à elles. Il s'assit auprès de la Contessa, et le portier ferma la porte derrière lui. Le comte frappa du pommeau de sa canne sur le toit de la voiture qui s'ébranla. Depuis que le comte lui avait enjoint d'ôter ses chaussures, ils n'avaient pas échangé un seul mot. Miss Temple toussota et les toisa. Les longs silences mettaient souvent son sang-froid à l'épreuve.

— Il y a quelque chose que je veux vous demander, déclara-t-elle.

— Quoi donc? fit le comte de sa voix rauque.

Miss Temple regarda la Contessa, car c'était à elle, en fait, que la question s'adressait.

— J'aimerais savoir comment est mort le cardinal Chang.

La Contessa di Lacquer-Sforza considéra miss Temple avec une intensité pénétrante.

— Je l'ai tué, déclara-t-elle d'un ton qui mettait miss Temple au défi de s'adresser de nouveau à elle.

Il en fallait plus pour intimider miss Temple. En fait, elle prit comme une sorte de mise à l'épreuve de sa volonté la bravade de son vis-à-vis.

— Vraiment? demanda-t-elle. C'était un homme redoutable.

— J'en suis sûre, répliqua la Contessa. Je lui ai fait respirer de la poudre de verre fabriquée à base d'argile indigo. C'est un verre qui a beaucoup d'effets et qui, étant donné la quantité inhalée par le cardinal Chang, est mortel. Bien sûr, « redoutable » est un mot qui a plusieurs acceptions. Le courage physique est souvent le plus simple et le plus facile à vaincre.

L'aisance avec laquelle la Contessa décrivait la liquidation de Chang déconcentança complètement miss Temple. Bien qu'elle ne l'eût connu que peu de temps, le Cardinal lui avait fait une impression si forte que sa disparition soudaine était pour elle profondément cruelle.

— Est-il mort rapidement ou lentement? demanda miss Temple sur le ton le plus neutre possible.

— Je ne dirais pas qu'il est mort rapidement...

Tout en parlant, elle mit la main dans son sac noir brodé de perles de jais et en sortit tour à tour son fume-cigarette, une cigarette et une allumette.

— ...cependant, cette mort est sans doute une mort généreuse car, comme vous avez pu le constater, le verre indigo porte en lui une affinité avec les rêves et... les expériences sensuelles. Il arrive souvent que les pendus meurent dans un état de tumescence extrême...

Elle marqua une pause et haussa les sourcils pour s'assurer que miss Temple arrivait à la suivre :

– ...si ce n'est carrément en déchargeant sur le coup, ce qui veut dire que cette fin est préférable à de nombreuses autres façons de mourir, du moins l'est-elle pour les mâles de notre monde. Je suis persuadée que la mort provoquée par le verre indigo est accompagnée de transports du même genre, peut-être même plus puissants encore. Ou du moins, c'est ce que j'ose espérer, car il est vrai que votre cardinal Chang était un adversaire singulier... en vérité, j'avais peine à lui vouloir du mal, mais je le voulais mort.

– Avez-vous confirmé votre hypothèse en examinant son pantalon ? s'irrita le comte.

Ce n'est qu'ensuite que miss Temple comprit qu'il se moquait.

– Je n'ai pas eu le temps de le faire, dit la Contessa avec un gloussement. La vie est pleine de regrets. Mais que sont-ils ? Les feuilles mortes d'une saison passée : elles tombent, on les balaie, on les oublie.

Le spectre de la mort de Chang – que miss Temple ne pouvait imaginer autrement qu'atroce, avec du sang sortant de sa bouche, de son nez, en dépit des allusions scabreuses de la Contessa – fit tourbillonner les pensées dans sa tête et la ramena à la question plus immédiate de son propre destin.

– Où allons-nous ? demanda-t-elle.

– Je suis sûre que vous le savez, répondit la Contessa. À Harschmort.

– Qu'allez-vous faire de moi ?

– Il ne sert à rien de craindre ce que l'on ne peut éviter, énonça le comte.

– Cela ne sert qu'à nous donner le plaisir de vous voir frémir, chuchota la Contessa.

Miss Temple ne sut comment répondre à cela. Elle essaya pendant quelques secondes de regarder par les fenêtres étroites placées de leur côté de la voiture et non du sien, sans doute pour que la personne qui occupait sa place pût se cacher ou, dans une situation plus banale, pour lui permettre de s'endormir, mais elle ne vit rien qui pût lui indiquer dans quelle partie de la ville ils se trouvaient. Elle s'éclaircit la voix pour recommencer à parler.

La Contessa eut un petit rire.

– Ai-je fait quelque chose qui vous amuse? demanda miss Temple.

– Non, mais vous êtes sur le point de le faire, répondit la Contessa. L'épithète «déterminée» n'est qu'un vain mot pour vous décrire, Céleste.

– Il y a bien peu de gens qui s'adressent à moi avec cette familiarité, dit miss Temple. Vraisemblablement, on les compte sur les doigts d'une seule main.

– Ne sommes-nous pas encore suffisamment intimes? demanda la Contessa. J'aurais cru.

– Alors, dites-moi votre prénom?

L'élégante se mit à rire de plus belle, et même le comte d'Orkancz retroussa ses lèvres en un rictus pas très convaincu.

– Rosamonde, déclara la Contessa. Rosamonde, Contessa di Lacquer-Sforza.

– Lacquer-Sforza? Est-ce un lieu?

– Ça l'était. Maintenant, je crains que ce ne soit guère plus qu'une idée.

– Je vois, dit miss Temple qui ne voyait pas du tout mais qui voulait se montrer accommodante.

– À chacun sa plantation, Céleste… une île à soi, ne serait-ce que dans le cœur.

– C'est bien dommage pour vous…, déclara miss Temple, mais je crois que rien ne remplace une île, une vraie.

– C'est parfois…, le ton de la Contessa devint plus dur, imperceptiblement, …c'est parfois la seule façon de sauver ces endroits et de continuer à les fréquenter.

– Sans qu'ils soient *réels*, vous voulez dire?

– Si c'est ainsi que vous choisissez de voir les choses.

Miss Temple demeura silencieuse, consciente qu'elle ne saisissait pas tout à fait ce que voulait dire la Contessa.

– Mon lieu à moi, je n'ai pas l'intention de le perdre, dit-elle.

– Ma chérie, personne ne le perd jamais, répondit la Contessa.

Ils roulèrent en silence jusqu'à ce que la Contessa sourît aussi gentiment qu'avant et la relançât:

– Mais vous alliez poser une question, non?

– En effet, répondit miss Temple. J'allais vous demander de me parler d'Oskar Veilandt et de ses représentations de l'Annonciation, car vous en aviez une autre dans vos appartements. Le comte et moi avons discuté de l'artiste en prenant le thé.

– *Vraiment*?

– Oui, je faisais remarquer au comte que, pour autant que je sache, il semble être étrangement redevable à ce monsieur.

– Vous trouvez?

– Oui, je trouve.

Miss Temple ne se faisait pas d'illusions : elle n'arriverait sûrement pas à mettre en colère ou à flatter un de ces deux-là pour pouvoir faire diversion et s'élancer hors de la voiture (de toute façon, si elle y arrivait, elle avait toutes les chances de mourir écrasée sous les roues des voitures qui les suivaient), mais les tableaux faisaient un sujet de conversation qui lui permettrait sans doute d'obtenir des renseignements utiles sur le Procédé et qui pourraient peut-être l'aider à éviter d'y être soumise. Elle ne comprendrait jamais la science ou l'alchimie (était-ce la même chose?), car le savoir théorique l'avait toujours laissée indifférente, cependant elle savait que, pour le comte, c'était important. De plus, pour lui, la question du peintre disparu semblait être un sujet délicat. Et elle était particulièrement douée quand il s'agissait de mettre les gens mal à l'aise.

– Et pourquoi dites-vous cela, exactement? demanda la Contessa.

– Parce que, répondit miss Temple, les tableaux de l'*Annonciation* sont clairement des allégories de votre Procédé et même de votre perception de tout votre complot, du progrès qu'entraîneraient les effets de votre précieux verre bleu. Et je ne parle pas de l'aspect franchement sacrilège des images, sauf pour ce qu'il révèle de votre niveau d'arrogance. Bien sûr... – elle continua en lorgnant le comte du coin de l'œil; il ne bougeait pas – ...il semble que tout cela ait été récupéré par le comte, et par vous tous, car les secrets alchimiques de l'homme avaient été imprudemment griffonnés au dos des toiles et vous vous en êtes emparés aux dépens de la vie de monsieur Veilandt.

– Vous avez dit tout cela au comte?

– Bien sûr.

– Et comment a-t-il répondu?

– Il a quitté la table.

– Il faut dire que c'est une accusation grave.

– Au contraire, c'est évident. En plus, après tout ce que vous avez détruit et toute la violence que vous avez déchaî-née, vous ne pouvez pas considérer cette accusation comme invraisemblable ou sans fondement. L'œuvre est monstrueuse et le meurtre de son créateur l'est encore plus, je ne croyais pas que le meurtrier pût être aussi... *sensible.*

En guise de réponse, ce qui alla sans doute un peu au-delà de ce que miss Temple avait espéré provoquer, le comte d'Orkancz se pencha lentement en avant, avança sa main et la plaça sur la gorge de miss Temple. Elle se renfonça dans la banquette et essaya de se convaincre que, s'il avait vraiment voulu lui faire mal sous l'effet de la colère, il l'aurait attrapée plus rapidement. Tandis que ses doigts puissants se resserraient sur sa peau, elle se mit à avoir des doutes et s'enfonça, désemparée, dans le bleu glacial des yeux de cet homme. Il la tenait fermement mais ne l'étranglait pas. Elle fut immédiatement envahie par le souvenir atroce de Spragg. Elle se figea.

– Vous avez vu les tableaux, deux d'entre eux, n'est-ce pas?

Il lui parlait d'une voix grave qui avait tout d'une menace.

– Dites-nous... quelle a été votre *impression*?

– De quoi? glapit-elle.

– De tout ce que vous voulez. Quelles pensées est-ce que cela a suscité en vous?

– Eh bien, comme je vous le disais, une allégorie...

Il serra tellement fort que tout à coup elle crut que son cou allait céder. La Contessa se pencha elle aussi et lui parla doucement.

– Céleste, le comte est en train d'essayer de vous faire *réfléchir.*

Miss Temple fit oui de la tête. Le comte relâcha son étreinte. Elle déglutit.

– Je présume que j'ai considéré ces toiles comme des fantasmagories. Tout comme la femme dans les tableaux s'est abandonnée à l'ange, elle s'abandonne à la sensation et au plaisir, comme si rien d'autre n'existait. Une chose pareille est impossible. C'est dangereux.

– Et pourquoi donc? demanda le comte.

– Parce que, s'il en était ainsi, on ne ferait plus rien! Parce que... parce que... il n'y a pas de frontière entre le monde et le corps, l'esprit... ce serait insoutenable!

– Moi, je trouverais ça au contraire extrêmement agréable, chuchota la Contessa.

– Pas moi! cria miss Temple.

Dans un froissement d'étoffe, la Contessa changea de côté, vint s'asseoir près de miss Temple et pressa ses lèvres contre l'oreille de la jeune femme.

– En êtes-vous bien sûre? Car je vous ai vue, Céleste... je vous ai vue à travers le miroir, et je vous ai vue penchée sur le livre... Savez-vous que?...

– Est-ce que je sais quoi?

– Que quand vous étiez dans ma chambre... agenouillée si gentiment... je pouvais *sentir* votre odeur...

Miss Temple se mit à gémir, faute de savoir ce qu'elle aurait pu faire d'autre.

– Pensez au livre, Céleste, lui souffla la Contessa. Vous vous rappelez ce que vous avez vu! Ce que vous avez fait et ce que l'on vous a fait. Ce que vous êtes *devenue*! Les univers exquis que vous avez parcourus.

À ces mots, miss Temple sentit son sang bouillonner. Qu'est-ce qui lui arrivait? Elle sentit les souvenirs du livre comme les traces de pas d'un étranger dans son cerveau. Il y en avait partout! Elle n'en voulait pas! Mais pourquoi ne pouvait-elle pas les repousser?

– Vous ne savez pas ce que vous dites! cria miss Temple. Ce n'est pas la même chose!

– Et vous, vous n'êtes plus la même non plus, rugit le comte d'Orkancz. Vous avez déjà franchi la première étape sur la voie de la transformation!

Il faisait trop chaud dans la voiture. La main de la Contessa avait trouvé la jambe de miss Temple et disparut prestement sous sa robe. Ses doigts expérimentés glissaient le long de l'intérieur de ses cuisses. Miss Temple hoqueta. Ce n'étaient pas les doigts brusques et violents de Spragg, ils étaient certes tout aussi indiscrets, mais également insistants, mutins, enjoués. Personne ne l'avait jamais touchée de la sorte. Elle était incapable de penser.

– Non... non..., commença-t-elle.

– Qu'avez-vous vu dans le livre?

Le comte la harcelait de sa voix rauque, insistante, terrifiante.

– Vous connaissez le goût de la mort, le goût du pouvoir? Vous savez ce que les amants ont dans le sang? Vous le savez! Vous savez tout cela et bien plus encore! C'est ancré en vous! Vous le ressentez en ce moment même! Serez-vous jamais capable de vous détourner de ce que vous avez vu? Pourrez-vous jamais rejeter ces plaisirs, maintenant que vous avez goûté à leur ivresse, à leur puissance ?

Les doigts de la Contessa se frayèrent un chemin dans la fente de sa culotte en soie et glissèrent sur sa chair mouillée avec la dextérité d'une experte. Miss Temple tenta de se dérober, mais la banquette était trop exiguë et la sensation, tellement agréable.

– Je crois que vous ne ferez pas ça, Céleste, susurra la Contessa.

Elle pressa délicatement la pointe de deux doigts contre sa vulve puis, mouillés, ils s'enfoncèrent plus loin, tandis qu'au-dessus son pouce la caressait avec douceur. Miss Temple ne savait pas ce qu'elle était censée faire, ce contre quoi elle devait lutter en dehors de leur volonté tyrannique... En même temps, elle ne voulait pas lutter, le plaisir qui montait en elle était si intense... mais pourtant elle désirait profondément se libérer de leur emprise de rapaces. En quoi son plaisir pouvait-il les intéresser ? Ce n'était qu'un aiguillon, un outil, une source inépuisable d'esclavage et de contrôle. Les doigts de la Contessa allaient et venaient habilement. Miss Temple geignait.

– Votre esprit est en feu ! souffla le comte. Vous ne pouvez vous en évader. Nous vous tenons, vous devez vous rendre. Votre corps vous trahira, votre cœur vous trahira. Vous êtes déjà abandonnée, entièrement livrée. Vos nouveaux souvenirs s'élèvent et vous encerclent. Votre vie, votre *être*, tout a changé. Votre âme qui fut naguère pure a été souillée par *l'emploi* de mon livre de verre !

Tandis qu'il parlait, elle les sentit, ces souvenirs... dans le tourbillon de ses pensée, des portes s'ouvrirent directement dans son corps fébrile : le bal masqué à Venise, les deux hommes dans l'œilleton de la porte, le modèle de l'artiste sur le divan, le sérail divin, et tant, tant, tant de choses encore. Miss Temple haletait, les doigts de la Contessa parcourant adroitement les parties les plus intimes de son corps, les lèvres de cette femme contre son oreille, attisant son plaisir en poussant de petites plaintes moqueuses. Ces gémissements si provocants de la femme jouant l'extase la poussaient vers plus de délices encore... Miss Temple sentit toute la douceur qui envahissait son corps, un nuage chaud prêt à exploser... mais soudain elle ferma les yeux et se vit dans le fiacre assaillie par ses ennemis, puis elle vit Chang, mort, le visage livide et plein de sang, et le docteur courant en larmes. Puis, enfin, comme si c'était la réponse qu'elle cherchait, elle vit un paysage chaud, clair et couvert de sable blanc et vierge, longeant une mer bleue et indifférente… Elle s'éloigna de la côte – de cette côte qui était la leur, décida-t-elle, pas la sienne…

À cet instant précis, la Contessa retira brusquement sa main et retourna sur l'autre banquette avec le sourire satisfait du triomphe. Miss Temple sut qu'ils n'avaient pas senti, qu'ils n'avaient pas compris qu'intérieurement c'est elle qui avait gagné. Le comte lui lâcha le cou et se rassit. Elle sentit soudain dans son corps le reflux du plaisir et son instinctive rébellion contre la fin de ce qui l'avait excitée. Elle croisa leurs regards et vit qu'ils ne l'avaient menée à bout que pour lui démontrer qu'ils l'avaient soumise. Ils la regardaient avec une condescendance méprisante qui, quelques secondes plus tôt, aurait eu sur elle un effet dévastateur.

Avant qu'elle pût dire quoi que ce fût, la Contessa la gifla, de la main même qui, quelques instants plus tôt, était sous sa robe. La tête de miss Temple partit sur le côté. Puis une deuxième gifle, tout aussi forte, envoya miss Temple au fond de la voiture.

– Vous avez tué deux de mes hommes, dit-elle pleine de hargne. Ne croyez surtout pas que je vais l'oublier.

Étourdie, sous le choc, miss Temple toucha son visage engourdi et y sentit la moiteur de la main de la Contessa, sa propre moiteur à vrai dire. La rage qui monta en elle quand elle reçut la gifle se calma soudain quand elle se rendit compte, à sa grande honte, que dans l'air confiné de la voiture flottait l'odeur de sa propre excitation. Elle tira sur sa robe pour couvrir ses jambes, leva la tête et vit la Contessa s'essuyer méthodiquement les doigts avec un mouchoir. Leurs efforts pour lui montrer qu'elle était à leur merci n'avaient fait que renforcer la défiance de miss Temple. Elle renifla encore une fois, clignant des yeux pour retenir des larmes de douleur, et se sentit réconfortée à la vue de son sac à main vert qui sortait de la poche du grand manteau de fourrure du comte.

Leur trajet en fiacre prit fin à la gare de Stropping, où l'on fit encore marcher miss Temple nu-pieds pour descendre les escaliers et traverser le hall jusqu'à leur train. Elle était sûre que ses pieds seraient noirs de toute la crasse de cette foule de voyageurs et elle n'avait pas tort. Elle s'arrêta pour s'effarer de tant de saleté, faisant grande démonstration de son dégoût avant qu'on ne la rappelât à l'ordre en la poussant en avant.

Elle se retrouva encore une fois entre le comte et la Contessa, le prince et sa fiancée prirent place derrière eux, les trois hommes fermant la marche. Plusieurs des personnes qu'ils croisèrent leur adressèrent un signe de tête poli, et miss Temple supposa que cela s'adressait au prince et à miss Vandaariff, car on les reconnaissait souvent. Cependant, les gens paraissaient déroutés de voir cette jeune dame aux pieds nus qui semblait pouvoir s'offrir une femme de chambre pour la coiffer mais visiblement n'avait pas les moyens de se chausser.

Miss Temple ne fit pas attention à eux, même lorsque leurs regards perplexes viraient à la franche désapprobation. Elle regardait tout autour sans relâche pour trouver comment s'échapper, en vain. Elle rejeta même l'idée de faire appel à deux policiers en uniforme qui se trouvaient là. En compagnie d'aristocrates aussi élégants, personne ne croirait jamais à son histoire d'enlèvement, et encore moins à celle de la conspiration. Elle allait devoir s'évader du train.

C'est le plan qu'elle était résolue à suivre lorsqu'elle remarqua, à son grand désarroi, deux silhouettes qui attendaient avec le contrôleur sur le quai, près de la portière du dernier wagon. Étant donné la description que le docteur Svenson en avait fait, elle devina que l'un d'eux était Francis Xonck, vêtu d'une queue-de-pie boutonnée de travers dont une manche pendait dans le vide. Son bras droit en écharpe était recouvert d'un épais bandage. L'autre homme, grand et vêtu d'un manteau noir, elle aurait pu le reconnaître sans hésiter parmi tous les gens présents dans cette gare, et jusqu'à la fin de ses jours. De fait, miss Temple s'arrêta de marcher, et le comte d'Orkancz lui prit doucement l'épaule. Il la soutint tandis qu'elle faisait quelques pas maladroits, jusqu'à ce qu'elle eût retrouvé son allure normale. Enfin, il la lâcha, sans daigner une seule fois lui adresser un regard. Quant à elle, elle regarda la Contessa juste au moment où celle-ci esquissait un sourire amusé et cruel.

– Tiens, voilà Bascombe et Francis Xonck! Peut-être aurons-nous le temps pendant le voyage d'assister aux retrouvailles des amoureux!

Miss Temple s'arrêta de nouveau et, de nouveau, le comte l'attendit, la poussa de la main à avancer.

Le regard de Roger passa rapidement sur elle; il eut beau se cacher derrière le masque figé du fonctionnaire, elle sentit que lui non plus n'était guère enchanté de ces retrouvailles.

Quand s'étaient-ils parlé pour la dernière fois? neuf jours plus tôt? dix? Alors qu'ils étaient encore amoureux et fiancés. Le mot «amoureux» fit grimacer miss Temple. Quel mot pouvait avoir changé de sens plus que celui-ci au cours des dernières heures? Elle savait désormais que la distance qui les séparait dépassait tout ce qu'elle aurait pu imaginer. Il y avait entre eux des différences de croyances et d'expérience qui étaient certainement aussi immenses que l'océan qu'elle avait traversé avant de pouvoir entrer dans l'univers de Roger Bascombe. Elle devait tenir pour acquis que Roger s'était livré à cette cabale et à son Procédé, à tout un univers de sensualité dépravée, à quelque chose qui tenait de la perversion, si elle se fiait à ce qu'elle avait vu dans le livre. Il avait sans doute participé à l'assassinat de son oncle, sinon comment aurait-il obtenu son titre? Avait-il assisté ou participé à des meurtres ou à d'autres choses encore, avait-il été mêlé à la mort du Cardinal, par exemple? Elle n'osait y croire, et pourtant il était bien là.

Et qu'est-ce qui avait changé en lui? Miss Temple se souvint de la nuit de désespoir qu'elle avait passée à sangloter sur la lettre de Roger. Qu'était-ce comparé à l'assaut de Spragg? Ou aux menaces de la Contessa, ou encore comparé à la violence épouvantable du Procédé? Que représentait cette nuit comparée à ce qu'elle avait découvert en elle-même: des réserves de volonté et de ruse, d'autorité et de réflexion, une capacité à être sur le même pied que le docteur et le Cardinal, à avoir le courage d'une héroïne.

Le regard de Roger s'arrêta sur ses pieds sales. Il l'avait toujours vue impeccable. Elle le surprit en train de l'observer à cet instant: il considérait sans doute qu'elle n'était pas à la hauteur. C'était vraiment comme cela qu'il devait la voir, comme quelque chose qu'il avait rejeté. Pendant quelques secondes, le cœur de miss Temple chavira, puis elle avala une grande bouffée d'air. Ce que Roger Bascombe pouvait penser lui était complètement indifférent et, désormais, il en serait toujours ainsi.

Elle accorda un bref regard à Francis Xonck pour le jauger. Rien de plus. En gros, elle connaissait son histoire: celle de l'insouciant, du bon à rien, le frère du très puissant Henry Xonck. Elle saisit tout de suite son esprit et ses manières de paon occupé à parader et remarqua à quel point il était affecté et ironique, et elle nota avec une certaine satisfaction qu'il avait au bras une blessure de toute évidence sévère et douloureuse. Elle se demanda ce qui avait pu lui arriver et se dit vaguement qu'elle aurait aimé assister à cela.

Puis, les deux hommes s'avancèrent pour faire leurs hommages à la Contessa. Xonck s'inclina d'abord, tendit sa main vers celle de la dame, la prit et la porta à ses lèvres. Comme si miss Temple n'avait pas encore été suffisamment humiliée, elle vit avec accablement Francis Xonck retrousser les narines en prenant la main de la Contessa, celle-là même qui était passée entre ses jambes.

Avec un sourire lubrique que la Contessa lui rendit sur le même registre, au lieu du baise main attendu, Xonck fixa les yeux de la Contessa et lui passa la langue sur les doigts. Puis il lui lâcha la main, claqua les talons, retourna vers miss Temple et lui lança un regard concupiscent et entendu. Elle ne lui tendit pas la main. Il n'essaya pas de la prendre et continua vers le comte pour lui adresser un sourire encore plus large. Mais miss Temple ne faisait plus attention à lui, son regard se riva bien malgré elle sur le baiser que Roger Bascombe posait sur la main de la Contessa. Il remarqua lui aussi son odeur et Roger en fut plus troublé qu'émoustillé, pendant un court instant au moins. Il évita les yeux rieurs de la Contessa, effleura rapidement sa main de ses lèvres puis la lui abandonna.

– Je crois que vous vous êtes déjà rencontrés, dit la Contessa.

– En effet, fit Roger Bascombe.

Il hocha la tête.

– Miss Temple.

– Monsieur Bascombe.

– Je vois que vous avez perdu vos chaussures, dit-il sur le ton de la conversation.

– Je préfère perdre mes chaussures que mon âme, monsieur Bascombe, rétorqua-t-elle en pensant que sa répartie était dure et puérile, ou devrais-je vous appeler lord Tarr ?

Roger croisa fugitivement son regard, comme s'il avait quelque chose à lui dire, mais qu'il ne pouvait pas le faire en pareille compagnie. Puis il se retourna pour s'adresser au comte et à la Contessa.

– Si vous voulez bien, nous devrions monter. Le train va partir.

On installa miss Temple toute seule dans l'un des compartiments d'un wagon que le groupe semblait occuper en entier. Elle avait craint que le comte et la Contessa ne profitent du voyage pour reprendre les mauvais traitements qu'ils lui avaient fait subir pendant le trajet en fiacre, mais quand le comte avait ouvert la porte du compartiment pour la pousser dedans, elle s'était retournée et l'avait vu dans le couloir qui fermait la porte et s'éloignait, imperturbable. Elle avait essayé d'ouvrir la porte. Comme elle n'était pas verrouillée, elle avait sorti la tête et avait vu Francis Xonck debout en train de discuter à quelques mètres de là avec l'officier de Macklenburg. En entendant le bruit de la porte qui s'ouvrait, ils s'étaient retournés vers elle avec tant d'irritation et de menace dans le regard que miss Temple s'était retirée dans le compartiment, craignant qu'ils n'arrivent. Mais ils la laissèrent seule et, après quelques minutes d'anxiété passées debout, miss Temple se rassit et essaya de réfléchir à un plan d'action.

On l'emmenait à Harschmort, seule, désarmée et pieds nus. Quel était le premier arrêt en direction d'Orange Canal? Crampton Place? Gorsemont? Packington? Allait-elle pouvoir ouvrir discrètement la fenêtre du compartiment et se laisser glisser hors du train pendant qu'ils seraient à l'arrêt dans la gare? Pourrait-elle se laisser tomber d'une telle hauteur (c'était un saut de cinq mètres, facilement) sur le lit de gravier des rails sans se blesser les pieds? Si elle ne pouvait pas courir après être sortie, ils l'attraperaient immédiatement, c'était certain. Miss Temple soupira et ferma les yeux. Avait-elle vraiment le choix?

Elle se demanda quelle heure il pouvait être. Ses tribulations avec le livre et dans le fiacre l'avaient vidée. Elle avait soif. Elle aurait aimé pouvoir dormir en toute sécurité. Elle mit ses jambes sur son siège, ramassa sa robe autour, se recroquevilla comme elle le put et se sentit comme un animal que l'on transporte et qui se blottit dans un coin de sa cage. Malgré elle, miss Temple se mit à penser à Roger et elle s'étonna encore de la distance qui les séparait de leurs vies d'autrefois. Jusque-là, lorsqu'elle essayait de comprendre pourquoi il l'avait rejetée, elle se percevait comme un élément parmi d'autres qu'il avait sacrifiés à son ambition: sa famille, son intégrité morale. Mais maintenant, ils étaient dans le même train, à quelques mètres l'un de l'autre. Rien ne l'empêchait de venir la rejoindre dans son compartiment (la Contessa le lui permettrait sûrement, ne serait-ce que par jeu) et pourtant il n'en faisait rien. Elle savait qu'il avait vraisemblablement subi lui aussi le Procédé, qu'il était soumis à ses effets, mais elle trouvait franchement cruel qu'il l'évitât de la sorte. Ne l'avait-il pas déjà tenue dans ses bras? Il ne lui restait donc plus une once de cette sympathie ou de cette affection, ne serait-ce que pour la réconforter un peu, ou pour se rassurer lui-même devant le sort qu'on s'apprêtait à lui faire subir? Il était évident qu'il ne lui restait plus rien de tout cela. Malgré toute la détermination dont elle venait de faire preuve, malgré ses victoires secrètes contre le livre, contre ses ravisseurs – qu'est-ce que cela changeait, dans le fond? –, miss Temple se retrouva, une fois de plus, seule dans son désert, seule devant le vide.

L'officier de Macklenburg ouvrit la porte de son compartiment. Il lui tendit une gourde métallique. Bien qu'elle eût la gorge sèche, elle hésita. Il fronça les sourcils, irrité.

– C'est de l'eau. Buvez.

Elle la prit, ôta le bouchon et but à grosses gorgées. Elle souffla et but encore. Le train ralentissait. Elle s'essuya la bouche et lui rendit la gourde. Il la prit mais ne bougea pas. Le train s'arrêta. Ils attendirent en silence. Il lui proposa de continuer à boire. Elle secoua la tête. Il remit le bouchon. Le train démarra. Le cœur serré, elle vit par la fenêtre passer puis disparaître le panneau de Crampton Place. Quand le train eut repris sa vitesse normale, le soldat lui fit un geste de la tête un peu sec et quitta le compartiment. Miss Temple replia ses jambes sous elle et posa sa tête sur l'accoudoir, bien décidée à se reposer plutôt que de se remettre à pleurer sur son sort.

À chaque arrêt, à Packington, puis à Gorsemont, De Conque et Raaxfall, l'officier reparaissait et la réveillait. Chaque fois, il amenait la gourde d'acier remplie d'eau et chaque fois il gardait le silence jusqu'à ce que le train redémarrât et retrouvât sa vitesse de croisière. Après quoi il la laissait seule. Après De Conque, miss Temple ne s'endormit plus, en partie parce qu'elle ne voulait plus être réveillée sans cesse, mais surtout parce qu'elle n'en avait plus envie. Celle-ci avait été remplacée par un sentiment qu'elle n'arrivait pas à identifier, lancinant, perturbant, qui la faisait s'agiter sur son siège.

Elle ne savait pas où elle se trouvait, ce qui revenait à dire qu'elle ne savait pas *qui* elle était. S'en rendre compte lui fit l'effet d'un coup de fusil. Après avoir été rompue aux tactiques des aventuriers, après s'être sauvée par les toits, après avoir tiré avec des armes à feu, cherché des indices dans un poêle, tout cela comme si c'était l'évolution normale de sa personnalité

– pendant un bref instant de nostalgie, miss Temple se remémora toutes les aventures qu'elle avait vécues ces jours-ci –, il lui semblait maintenant que son échec laissait entrevoir une autre possibilité : elle n'était qu'une jeune femme naïve et têtue, trop superficielle pour comprendre le terrible sort qui l'attendait. Elle pensa au docteur Svenson sur le toit. Il avait été pétrifié, mais pendant qu'avec Chang elle s'était penchée pour inspecter la ruelle, il avait fait d'énormes efforts pour marcher tout seul sur le toit du Boniface et de deux autres immeubles, il avait même enjambé l'espace qui séparait les bâtiments, ce qui n'était pas grand-chose en réalité, mais on sait bien que ce genre de panique n'a rien à voir avec une logique quelconque. Elle savait bien ce que cela lui avait coûté. Elle avait vu sur son visage cette volonté qui lui faisait défaut, comme les événements récents l'avaient prouvé.

Quoique son jugement fût dur, miss Temple trouva que cette clairvoyance lui rendait service et, avec une lucidité rigoureuse, elle se mit à faire une liste de ce qui pouvait lui arriver, dans sa tête, bien sûr, parce que, chose particulièrement agaçante, elle n'avait ni calepin ni crayon – comme elle aurait souhaité avoir un crayon ! Elle ne savait pas si on allait encore la malmener et l'insulter. Elle ne savait pas non plus si, contrairement à ce qu'avait dit la Contessa, on ne l'exécuterait pas de toute façon, avant ou après les supplices. Elle frissonna encore devant l'ampleur des crimes de ses ennemis et elle essaya de respirer en songeant à une éventualité encore plus affreuse : on allait la soumettre. Y avait-il quelque chose de pire que d'être transformée en ce qu'elle méprisait ? Au moins, dans la mort et les supplices, c'était encore d'elle qu'il s'agissait. Mais le Procédé détruirait jusqu'à cette idée d'*elle*.

Là, recluse dans ce compartiment, miss Temple décida qu'elle ne se laisserait pas faire. Même s'il fallait pour cela se jeter dans les flammes, inhaler leur poudre de verre comme Chang, ou simplement pousser le premier garde venu à lui tordre le cou, elle ne capitulerait jamais. Elle se rappela l'homme mort qu'avait décrit le docteur, ce que le verre cassé du livre avait fait à son corps… Si elle pouvait seulement trouver le livre et le faire voler en éclats ou le tenir dans ses bras et plonger tête la première sur le sol, il éclaterait et mettrait ainsi fin à ses tourments. Et peut-être que la Contessa disait vrai, peut-être bien que la mort provoquée par le verre indigo déclenchait réellement des rêves enivrants.

Elle commença à sentir la faim la tenailler – malgré sa passion pour le thé, le repas n'avait pas été très copieux –, et après cinq minutes passées à ne rien faire et sans pouvoir penser à autre chose, elle ouvrit la porte de son compartiment et inspecta le couloir. Le soldat était toujours à son poste mais, avec lui, à la place de Francis Xonck, se trouvait l'homme trapu aux cicatrices.

– Excusez-moi, dit miss Temple. Comment vous appelez-vous?

Le soldat fronça des sourcils, comme si, en s'adressant à lui, elle avait transgressé une règle de l'étiquette. Les yeux un peu moins vitreux et les membres un peu plus souples, l'homme aux cicatrices semblait avoir quelque peu recouvré ses sens et lui répondit d'une voix mielleuse.

– Voici le major Blach et je suis Herr Flaüss, envoyé par le duc de Macklenburg en mission diplomatique pour accompagner le prince Karl-Horst von Maasmärk.

– C'est *lui*, le major Blach?

Si le major Blach était trop orgueilleux pour s'adresser à elle, miss Temple était contente de parler de lui comme s'il eût été un lampadaire. Elle savait qu'il était l'ennemi à la fois du docteur et de Chang.

– Je l'ignorais, poursuivit-elle, car, bien sûr, j'ai beaucoup entendu parler de lui… de vous deux.

En vérité, le peu qu'elle avait entendu à propos de l'envoyé venait du docteur – d'un haussement d'épaules dédaigneux et distrait, elle avait déduit qu'il ne l'aimait pas. Mais elle pensait que les gens aimaient bien savoir que l'on avait parlé d'eux, avec ou sans le Procédé. Évidemment, elle était bien consciente que le major était dangereux.

– Peut-on faire quelque chose pour vous? demanda l'envoyé.

– J'ai faim, répondit miss Temple. J'aimerais bien quelque chose à manger, si c'est possible à bord de ce train. Je sais que nous n'arriverons pas avant une heure à Orange Canal.

– À vrai dire, je n'en sais rien, dit l'envoyé, mais je vais demander.

Il lui fit un petit signe de tête et avança d'un pas silencieux dans le couloir. Miss Temple le regarda partir, puis elle croisa le regard dur que le major posait sur elle.

– Retournez dans le compartiment, lui ordonna-t-il sur un ton brusque.

Quand le train s'arrêta à Ste-Triste, le major entra avec la gourde et un petit paquet enveloppé dans une feuille de papier ciré blanc. Il lui donna cela sans dire un mot. Elle ne l'ouvrit pas, préférant le faire quand elle serait seule étant donné qu'elle n'avait pas vraiment autre chose à faire. Il attendit en silence que le train redémarrât. Lorsque qu'il fut lancé à pleine vitesse, Blach essaya de reprendre sa gourde. Elle ne la lâcha pas.

– Je ne peux pas boire un peu d'eau avec mon repas?

Le major lui lança un regard furieux. Il n'y avait clairement aucune raison de refuser, sauf par pure méchanceté, et encore, car cela aurait voulu dire qu'il s'intéressait un tant soit peu à elle, et cela, il refusait de l'admettre. Il lâcha la gourde et quitta le compartiment.

Le contenu du paquet n'était pas très intéressant: une mince pointe de fromage, une tranche de pain de seigle et deux petites betteraves marinées qui avaient taché de violet le pain et le fromage. Elle mangea quand même le tout, aussi lentement et méthodiquement que possible, en alternant de petites bouchées de chaque aliment et en mâchant au moins vingt fois avant d'avaler. Un quart d'heure à peu près passa ainsi. Elle but le reste de l'eau dans la gourde et remit le bouchon. Elle mit le papier en boule dans sa main et sortit la tête dans le couloir. Le major et l'envoyé étaient toujours au même endroit.

– J'ai fini, dit-elle. Si vous souhaitez récupérer la gourde.

– C'est très aimable à vous, dit l'envoyé et il donna un coup de coude au major qui s'avança vers elle et lui arracha la gourde des mains.

Miss Temple montra la boule de papier.

– Pourriez-vous prendre ceci également? Je suis sûre que vous n'aimeriez pas que je laisse quelques lignes au contrôleur!

Sans dire un mot, le major prit la boule de papier. Miss Temple battit des paupières en le regardant, puis en regardant l'envoyé qui surveillait le couloir pendant que le major se retournait et s'éloignait. Elle revint à son siège en ricanant. Elle n'avait aucune idée de ce que cela pouvait lui avoir apporté d'autre que du divertissement mais, avec sa petite malice, elle sentait qu'elle redevenait elle-même.

À Ste-Porte, le major Blach n'entra pas dans son compartiment. Quand le train se mit à ralentir, miss Temple attendit que la porte s'ouvrît, mais personne ne vint. L'avait-elle agacé au point qu'il lui laissait une chance d'ouvrir la fenêtre ? Elle se leva, regardant toujours la porte vide puis, avec des gestes maladroits et impatients, elle s'attaqua aux taquets de la fenêtre. Elle n'avait même pas réussi à en ouvrir un qu'elle entendit le cliquètement de la porte du compartiment derrière elle. Elle fit demi-tour, prête à affronter la désapprobation du major avec un charmant sourire.

Mais c'était Roger Bascombe qui se tenait dans le cadre de la porte.

– Ah ! fit-elle, monsieur Bascombe.

Il hocha la tête de manière plutôt formelle.

– Miss Temple.

– Voudriez-vous vous asseoir ?

Il lui sembla que Roger hésitait, peut-être parce qu'il l'avait manifestement surprise alors qu'elle tentait d'ouvrir la fenêtre, mais aussi sans doute parce qu'il restait bien des choses à éclaircir entre eux. Elle se rassit en essayant de cacher ses pieds sales du mieux qu'elle le put sous sa robe et elle attendit qu'il s'écartât de la porte encore ouverte. Comme il ne bougeait pas, elle s'adressa à lui avec une politesse teintée d'un soupçon d'impatience.

– Quels risques peut courir un homme en s'asseyant ? Aucun, seulement celui de faire preuve d'une mauvaise éducation s'il reste debout comme un marchand… ou la marionnette d'un soldat de Macklenburg.

Rabroué et – vu la manière dont il avait les lèvres pincées – assez irrité, Roger s'assit en face d'elle. Il respira profondément, comme pour se préparer.

– Miss Temple… Céleste…

– Je vois que vos cicatrices ont disparu, dit-elle d'un ton encourageant. Celles de Mrs. Marchmoor sont toujours visibles et je dois avouer que je trouve cela très choquant. Quant au pauvre monsieur Flaüss, ou devrais-je dire Herr Flaüss, son apparence pourrait tout aussi bien être celle d'un indigène tatoué des régions polaires !

Elle constata avec satisfaction que Roger avait toujours l'air de quelqu'un qui a une tranche de citron coincée sous la langue.

– Vous avez terminé ? demanda-t-il.

– Non, je ne crois pas, mais je vous laisserai parler si c'est ce que vous…

Roger se mit soudain à hurler.

— Cela ne m'étonne pas de vous retrouver aussi obnubilée par les futilités, vous avez toujours été comme ça, mais même *vous*, vous devriez comprendre la gravité de la situation dans laquelle vous vous trouvez !

Miss Temple ne l'avait jamais vu aussi hautain et violent, et elle lui répondit en murmurant sur un ton glacial.

— Je le comprends tout à fait... je vous l'assure... monsieur Bascombe.

Il ne répondit pas. Très agacée, elle réalisa qu'il attendait que sa critique fît son effet. Elle était résolue à ne pas être la première à rompre le silence. Aussi miss Temple se surprit à étudier les changements qui étaient intervenus sur le visage de Roger et dans ses manières. Elle faisait cela bien malgré elle, car elle espérait toujours pouvoir répondre avec mépris à la moindre attention qu'il lui manifesterait. Elle comprit que c'était à travers Roger Bascombe qu'elle pourrait observer le mieux les effets du Procédé. Elle avait rencontré Mrs. Marchmoor et le prince, le pragmatisme de l'une et l'indifférence distante de l'autre, mais elle ne les avait jamais connus intimement avant. Ce qu'elle lut sur le visage de Roger lui fit mal, d'autant qu'elle savait très bien que la transformation qu'il avait subie correspondait à ce qu'il désirait profondément. Roger avait toujours été quelqu'un d'ordonné et de correct, qui portait une attention maniaque aux mondanités et avait en tête les titres et la fortune de chacun, mais elle avait fini par comprendre, et c'était en partie la raison de son affection pour lui, que cette manie venait du fait qu'il n'avait pas de titre et que son poste au gouvernement était encore médiocre. Tout cela était en fait le fruit d'une personnalité naturellement circonspecte. Désormais, tout cela avait changé, et Roger n'utilisait plus cette capacité de jongler dans son esprit avec les positions et les divers intérêts des autres pour se protéger, mais au contraire pour ajouter quelques atouts de plus à son jeu de manipulation.

Elle ne doutait pas un seul instant qu'il regardât les autres membres de la cabale comme un faucon irréprochablement révérencieux, à l'affût du moindre faux pas (elle devina par exemple qu'il s'était délecté en secret de voir Francis Xonck avec le bras en écharpe). Autrefois, lorsque Roger faisait la grimace devant ses réactions ou ses opinions, c'était parce qu'elle avait manqué de tact ou de délicatesse au cours de ces conversations qu'il s'efforçait d'entretenir comme un tissu social fragile, et sa réaction lui procurait une sorte de plaisir espiègle. Maintenant, en dépit de ses efforts pour le tenter ou le provoquer, tout ce qu'elle obtenait, c'était une tolérance pincée et accablée, sur fond de déception d'avoir à perdre son temps avec quelqu'un qui ne pouvait lui offrir aucun avantage. L'écart entre le passé et le présent emplit le cœur de miss Temple d'une tristesse à laquelle elle ne s'attendait pas.

– Je me suis permis de venir vous voir quelques instants, commença-t-il, comme me l'a suggéré la Contessa di Lacquer-Sforza...

– Je suis sûre que la Contessa vous fait toutes sortes de suggestions, l'interrompit miss Temple, et je me doute bien que vous les suivez toutes avec empressement.

Était-elle convaincue de ce qu'elle disait? Il lui avait tendu une perche trop évidente pour qu'elle ne la saisît pas... Cela dit, sa remarque avait raté sa cible et elle tomba à plat.

Après quelques secondes de silence, il continua:

– Vous serez soumise au Procédé quand nous arriverons à Harschmort, donc, même si ces jours derniers nous nous sommes *éloignés,* il est à prévoir qu'après votre épreuve nous nous retrouverons alliés, dans le même camp.

Ce n'était certes pas ce qu'elle s'attendait à entendre. Il la regarda, sur ses gardes, dans une sorte d'expectative, comme si le silence de la jeune femme n'était que le prélude à une autre de ses effusions de méchanceté puérile.

– Céleste, dit-il, je vous prie d'entendre raison. Je vous parle des faits. Si c'est nécessaire, si cela peut clarifier la situation, je peux vous assurer encore une fois que je me situe aujourd'hui bien au-delà de tout attachement... et même de tout ressentiment.

Miss Temple n'en croyait pas ses oreilles. Du ressentiment? Alors que c'était *elle* qu'on avait repoussée aussi grossièrement! C'était tout de même elle qui, lorsqu'ils étaient fiancés, avait dû supporter pendant toutes ces soirées et ces après-midi la compagnie presque momifiante de la famille Bascombe, ces gens à l'esprit empesé et à la fortune médiocre qui, en plus de tout, vous regardaient de haut!

– Je vous demande pardon? parvint-elle à répondre.

– Ce que je veux dire...

Il se racla la gorge.

– Ce que je viens de vous dire, c'est que notre nouvelle alliance... car vous allez changer de camp et, si je connais bien la Contessa, elle insistera pour que nous continuions à travailler ensemble…

Miss Temple plissa les yeux en se demandant ce qu'il pouvait bien vouloir dire.

– …et il serait préférable qu'en tant que personne douée de raison vous vous joigniez à moi en mettant de côté votre affection et votre amertume qui sont désormais inutiles. Je vous l'assure, ce sera moins *douloureux…*

– Et moi, je vous assure, Roger, que c'est exactement ce que j'ai fait. Malheureusement, j'ai été très occupée ces derniers jours et je n'ai pas encore eu le temps de mettre de côté mon *mépris.*

– Céleste, je vous dis tout cela pour votre bien, pas pour le mien… vraiment, c'est de la générosité de ma part…

– De la *générosité*?

– Mais je ne m'attends pas, bien sûr, à ce que vous vous en rendiez compte, murmura-t-il.

– Bien sûr que non! Je n'ai pas encore eu la tête refaite par une *machine*!

Roger la regarda fixement en silence, se leva lentement, remit son manteau en ordre puis, par habitude, lissa ses cheveux en arrière avec deux doigts, et à cet instant encore, au fond de son cœur, elle le trouva adorable. Mais son regard rivé sur elle avait une particularité qu'elle n'avait jamais remarquée auparavant : il exprimait tout à fait ouvertement le mépris. Roger n'était pas en colère, en fait c'était même cette totale absence d'émotion dans les yeux qui faisait le plus mal à miss Temple. Elle ne comprenait vraiment rien de tout cela car, pour elle, dans son corps comme dans sa mémoire, tous les moments de ce genre ne pouvaient être nourris que par l'émotion, mais Roger Bascombe se montrait sous un jour très différent de tous les hommes qu'elle avait connus.

– Vous verrez, dit-il d'une voix froide et grave, le Procédé vous régénérera de fond en comble, et vous vous rendrez compte, pour la première fois de votre vie, j'en suis sûr, de votre fermeture d'esprit. La Contessa prétend que vous possédez des réserves de caractère que je n'ai pas décelées et je ne peux pas prétendre le contraire : je n'ai vraiment rien vu. Vous avez toujours été une fille assez jolie, mais il y en a tellement d'autres. Une fois que vous aurez été entièrement consumée puis régénérée par cette « machine » à laquelle vous ne comprenez rien, j'ai hâte de voir s'il existera quoi que ce soit de remarquable en vous.

Il quitta le compartiment. Miss Temple resta immobile. Dans sa tête résonnaient les paroles mordantes de Roger et les milliers de ripostes qu'elle ne lui avait pas faites. Son visage était en feu, elle serrait les poings. Elle regarda par la fenêtre et vit son reflet dans la vitre, flottant entre elle et le paysage de prés salés qui défilait et s'assombrissait peu à peu. Elle se dit que cette image, vague et transparente, cette image indirecte d'elle-même illustrait parfaitement sa situation : il n'y avait plus beaucoup de lien entre ses désirs et son destin, elle se trouvait livrée au pouvoir des autres, à moitié présente, immatérielle.

Elle soupira en frissonnant. Comment se pouvait-il, après tout ce qui s'était passé, que Roger parvînt encore à avoir une influence quelconque sur elle ? Comment était-il possible qu'elle se sentît aussi malheureuse et désespérée à cause de lui ? Elle était agitée et incohérente, elle n'avait plus de point de repère auquel s'accrocher pour tout éclaircir et trouver des réponses. Son cœur se mit à battre à tout rompre, au point qu'elle fut obligée de s'asseoir, de se mettre les mains sur les yeux et de respirer longuement. Miss Temple redressa la tête. Le train ralentissait. Elle appuya son visage contre la vitre en se protégeant de la lumière du couloir avec la main et put ainsi distinguer la gare, le quai et le panneau annonçant Orange Canal. Elle se retourna pour trouver le major Blach qui lui tenait la porte grande ouverte et l'invitait à sortir.

Deux fiacres attelés de quatre chevaux attendaient au-delà du quai. Le prince se dirigea vers le premier d'entre eux, tenant sa fiancée par le bras, suivi comme précédemment par son envoyé et l'homme plus âgé qui avait un pansement au bras. Le major escorta miss Temple vers la deuxième voiture, lui ouvrit la porte et l'aida à y grimper. Il hocha la tête avec froideur et s'écarta, sûrement pour rejoindre le prince. Puis le comte d'Orkancz prit place et s'assit en face d'elle, suivi de la Contessa qui prit place à côté d'elle, en face du comte. Francis Xonck se plaça à côté du comte en souriant, puis ce fut au tour de Roger Bascombe, complètement impassible. Celui-ci hésita un court instant quand il comprit que la carrure du comte et le pansement énorme du bras de Xonck allaient l'obliger à s'asseoir à côté de miss Temple. Il grimpa et prit place sans plus de commentaires. Miss Temple était fermement encadrée par la Contessa et par Roger, leurs jambes serrées contre les siennes dans une familiarité railleuse. Le cocher ferma la porte et grimpa sur son perchoir. Il fit claquer son fouet et ils se dirigèrent à grand fracas vers Harschmort.

Le trajet commença dans le silence le plus complet. Miss Temple, qui avait cru d'abord que ce silence s'expliquait par sa présence – elle était une intruse qui venait faire échouer leurs intrigues et leurs machinations –, commença à se demander si c'était bien cela. Ils étaient assez prudents pour ne rien dire de compromettant, mais elle sentit qu'à des degrés divers régnaient entre eux une sorte de rivalité et une méfiance palpables... surtout depuis l'arrivée de Francis Xonck.

– Quand le duc sera-t-il parmi nous ? demanda-t-il.

– Sûrement avant minuit, répondit le comte.

– Avez-vous parlé avec lui ?

– C'est Crabbé qui lui a parlé, dit la Contessa. Il n'y a aucune raison pour que qui que ce soit d'autre lui parle. Cela ne ferait que compliquer les choses.

– Je sais que tout le monde a pris le train, tous les différents groupes, ajouta Roger. Le colonel allait en personne chercher le duc, et deux de nos hommes...

– Nos hommes ? demanda le comte.

– Ceux du ministère, précisa Roger.

– Ah !

– Ils sont partis en éclaireurs pour aller à sa rencontre.

– Quelle gentille attention, dit la Contessa.

– Et votre cousine Pamela ? demanda Xonck. Et son petit monstre déshérité ?

Roger ne répondit pas. Francis Xonck éclata d'un rire mauvais.

– Et la petite *princesse* ? demanda Xonck. *La Nouvelle Marie*[*] ?

– Je suis sûre qu'elle va jouer son rôle à merveille, dit la Contessa.

– Elle n'a pourtant pas la moindre idée de ce dont il s'agit..., dit Xonck avec mépris. Et le prince ?

– On s'occupe de lui aussi, dit le comte. Comment parviendra-t-il jusqu'ici ?

– On m'a assuré qu'il arriverait à bon port dès ce soir, répondit Xonck.

---

[*] En français dans le texte.

Miss Temple se demanda pourquoi, parmi tous les gens qui étaient là, c'était lui qui était renseigné sur les bateaux.

– On a fermé et préparé le canal la semaine dernière.

– Et les montagnes ? la merveille scientifique du docteur ?

– Lorenz semble être certain qu'il n'y a aucun problème, dit la Contessa. Apparemment, ça se range très proprement.

– Et le, euh… lord ? demanda Roger.

Ils s'échangèrent des regards entendus et ne répondirent pas tout de suite.

– Monsieur Crabbé se demandait…, commença Roger.

– Le *lord* est d'accord, dit la Contessa. Qu'en est-il des *adeptes*[*] ? demanda-t-elle.

– Blenheim a envoyé un message disant qu'ils étaient tous arrivés discrètement au cours de la journée, répondit Roger, avec un escadron de Dragons.

– Nous n'avons pas besoin d'autres soldats… c'est une erreur, dit le comte.

– Je suis tout à fait de votre avis, dit Xonck. Mais Crabbé insiste. Et, puisque le gouvernement est impliqué, nous nous sommes pliés à ses instructions.

La Contessa s'adressa à Roger par-dessus miss Temple.

– Avons-nous appris du nouveau concernant… notre défunt beau-frère Dragon ?

– Non… pas que je sache. Bien sûr, nous n'avons pas parlé récemment…

– Blach insiste pour dire que c'est réglé, dit Xonck.

– Le colonel a été empoisonné, lança la Contessa d'un ton brusque. Ce n'est pas la méthode utilisée que le major déplore, encore que celui qui a agi a juré à son employeur qu'il n'était pas responsable. Pourtant, s'il l'avait reconnu, il aurait empoché une somme d'argent. Par ailleurs, comment aurait-il pu savoir quand trouver sa victime, juste dans cette période de vulnérabilité qui suit le Procédé ? C'est impossible. Nous ne sommes que quelques-uns, vraiment, à connaître ces détails.

D'un geste de la tête, elle désigna le bras bandé de Xonck et lança avec mépris :

– Et ça, c'est l'œuvre d'un conspirateur qui porte des gants blancs, peut-être ?

Xonck ne répondit pas.

Après un instant, Roger Bascombe se racla la gorge et se demanda timidement, à voix haute :

[*] En français dans le texte.

– Il est peut-être grand temps que le major soit soumis au Procédé.

– Vous faites confiance à Lorenz pour avoir tout emmené à bord? demanda Xonck au comte. Les délais étaient serrés… les grandes quantités…

– Bien sûr, répondit le comte d'un ton bourru.

– Comme vous le savez, poursuivit Xonck, on a envoyé les invitations.

– Vous avez utilisé les formules dont nous avions convenu? demanda la Contessa.

– Bien sûr. Juste assez de menace pour les obliger à être présents… mais si nous n'avons pas assez de *forces* avec ce que nous avons récolté dans les campagnes…

– Je n'ai aucune crainte, dit la Contessa avec un petit rire. Si Elspeth Poole est avec lui, le docteur Lorenz se surpassera.

– Et en retour, elle l'aide… dans certains efforts… éreintants! gloussa Xonck. Je suis sûr que la transaction fait appel à son esprit mathématique. Le sinus, les tangentes et la bissection des sphères, vous voyez ce que je veux dire?

– Et notre petite pie, qu'est-ce qu'on va en faire? demanda Xonck en se penchant et en tournant la tête pour regarder miss Temple en face. Est-elle digne du Procédé? Est-elle digne d'un *livre*? ou de quelque chose de complètement différent? À moins qu'on ne puisse pas la convaincre?

– Il n'y a personne qu'on ne puisse convaincre, dit le comte.

Xonck ne lui prêta aucune attention et tendit le bras pour tirer sur une boucle de miss Temple.

– Peut-être… est-ce encore *autre* chose qui arrivera…

Il se retourna vers le comte.

– J'ai lu ce qu'il y avait derrière chaque tableau, vous savez? Je sais ce que vous essayez de faire avec votre putain asiatique.

Le comte ne répondit pas et Xonck éclata de rire, interprétant le silence de son interlocuteur comme un aveu.

– C'est ça le problème quand on s'associe avec des types intelligents, monsieur le comte. Il y a tellement de gens stupides que ceux qui ne le sont pas s'habituent parfois trop à ce que personne ne devine ce qu'ils ont en tête.

– Ça suffit comme ça, cria la Contessa. C'est à moi que Céleste a causé certains désagréments et, d'après nos accords, c'est à moi qu'elle appartient, sans discussion possible.

Elle tendit la main pour toucher du bout du doigt la trace de balle que miss Temple portait au visage.

– Je vous le promets… personne ne sera déçu.

La voiture suivit son chemin en brinquebalant jusqu'à la cour pavée devant Harschmort House. On entendit le cri du cocher qui arrêtait son attelage. La porte fut ouverte et deux valets de pied en livrée aidèrent miss Temple à descendre. Les pavés étaient froids et durs sous ses pieds. Elle aperçut le prince et son groupe descendre de la deuxième voiture, l'expression de miss Vandaariff variait, elle souriait furtivement, puis fronçait les sourcils. Avant que miss Temple pût s'orienter, le comte la dirigea de sa poigne de fer vers un petit groupe qui se tenait près de l'entrée principale. Sans plus de cérémonie et sans regarder derrière pour voir si les autres suivaient, il la poussa pour la faire avancer, miss Temple essayant tant bien que mal d'éviter de se blesser les pieds sur les pavés inégaux.

Ils ne s'arrêtèrent que pour permettre au comte d'accepter les salutations d'un homme et d'une femme qui se détachèrent d'un groupe formé de domestiques, de soldats de Macklenburg en uniforme noir et de Dragons en veste rouge. L'homme était grand et large d'épaules, ses favoris grisonnants étaient incroyablement épais et son crâne chauve reflétait la lumière des torches, ce qui donnait à son visage un air de masque primitif. Il s'inclina solennellement devant le comte. La femme était vêtue d'une robe foncée, simple mais très seyante. On distinguait clairement les cicatrices qui marquaient son visage autour des yeux, elle avait des cheveux bruns et bouclés, tirés en arrière et attachés simplement par un ruban noir. Elle hocha la tête à l'intention de miss Temple et sourit au comte.

– Bienvenue à Harschmort, monsieur, dit-elle. Lord Vandaariff est dans son bureau.

Le comte fit un signe de tête et se tourna vers l'homme.

– Blenheim ?

– Tout a été fait selon vos ordres, monsieur.

– Occupez-vous du prince. Mrs. Stearne, veuillez accompagner miss Vandaariff à ses appartements. Miss Temple se joindra à vous. La Contessa viendra chercher les deux dames quand ce sera l'heure.

L'homme hocha la tête et la femme fit une petite révérence. Le comte fit avancer miss Temple et la poussa vers la porte. Elle regarda derrière elle et vit la femme, Mrs. Stearne, faire une autre révérence devant la Contessa et miss Vandaariff, se relever, embrasser la plus jeune sur les deux joues et la prendre par la main. Quand Mrs. Stearne eut pris la main de miss

Temple et que miss Vandaariff se fut placée de l'autre côté, le comte relâcha son étreinte et porta attention aux propos qu'échangeaient Xonck, Blach et Blenheim. Les trois femmes pénétrèrent dans la maison, suivies de quatre valets de pied en livrée.

Miss Temple jeta un coup d'œil à Mrs. Stearne, certaine d'avoir enfin retrouvé la quatrième des femmes du premier voyage en fiacre vers Harschmort. C'était elle qui était déguisée en pirate, qui avait subi le Procédé dans l'amphithéâtre, c'était elle qui avait hurlé devant le public en tenue de soirée. Mrs. Stearne croisa son regard et sourit en lui pressant la main.

Les appartements de Lydia Vandaariff donnaient sur un immense jardin à la française situé à l'arrière de la demeure. Miss Temple supposa que c'était autrefois le terrain de manœuvres de la prison. La seule idée de vivre dans un endroit pareil lui paraissait sordide et totalement déplacée, surtout avec cette décoration tout en dentelles. Lydia se retira tout de suite dans son cabinet privé avec deux de ses servantes pour se changer, secouant la tête et donnant des ordres à voix basse, sur un ton irrité. Miss Temple fut installée sur un grand canapé bordé de dentelle. Tout le monde put voir ainsi qu'elle avait les pieds sales, ce qui incita Mrs. Stearne à faire appeler une autre servante qui arriva avec une bassine et un linge. La jeune fille s'agenouilla et lava les pieds de miss Temple avec soin, l'un après l'autre, puis les sécha.

Pendant tout ce temps-là, miss Temple resta silencieuse, son cœur oscillant entre colère et abattement. Elle avait essayé de retenir le chemin menant de l'entrée principale aux appartements de Lydia du mieux qu'elle le pouvait, mais sans grand espoir de réussir à s'échapper par là, puisque qu'il y avait des domestiques et des soldats partout, comme si la demeure s'était transformée en véritable campement militaire. Miss Temple ne put s'empêcher de remarquer qu'il n'y avait pas un seul objet autour d'elle dont elle pouvait espérer se servir comme d'une arme : pas de lime à ongles, de bonbonnière en cristal, de coupe-papier ou même de chandelier.

Quand la servante eut terminé, elle ramassa ses affaires, fit un signe de tête à miss Temple puis à Mrs. Stearne, et sortit en reculant. Les deux jeunes femmes restèrent un instant silencieuses ; seuls les commentaires autoritaires que miss Vandaariff adressait à ses femmes de chambre leur parvenaient malgré la distance et les portes closes.

— Vous étiez dans le fiacre, dit enfin miss Temple. La pirate.

— Oui.

— Je ne connaissais pas votre nom. Depuis, j'ai rencontré Mrs. Marchmoor et j'ai entendu parler de miss Poole...

— Appelez-moi Caroline, dit Mrs. Stearne. Stearne est le nom de mon mari, qui est mort et qui ne me manque pas. Bien sûr, moi non plus je ne connaissais pas votre nom, je ne connaissais le nom de personne, d'ailleurs. Je crois que chacune d'entre nous supposait que les autres étaient des habituées. Mrs. Marchmoor, elle, l'était peut-être, mais je suis sûre qu'elle était effrayée et frissonnante, comme nous toutes.

— Je doute fort qu'elle puisse l'admettre, répondit miss Temple.

— Moi aussi, dit Caroline en souriant. Je ne sais toujours pas comment vous vous êtes retrouvée dans notre fiacre. C'était très audacieux de votre part, c'est sûr. Et ce que vous avez dû faire depuis... je ne peux qu'imaginer à quel point cela a été difficile.

Miss Temple haussa les épaules.

— Bien sûr, poursuivit Caroline en hochant la tête, mais quel choix aviez-vous ? Même si, pour la plupart des gens, la voie que vous avez suivie n'aurait été qu'un inextricable labyrinthe, pour vous, la route était toute tracée, inéluctablement. Comme pour moi, du reste. Nos caractères ne se révèlent qu'au fil des épreuves, aussi affirmés soient-ils. Et nous voilà réunies, en fin de compte, avec peut-être plus de points communs qu'aucune de nous deux ne serait prête à l'admettre... et pourtant, il faudrait être idiote pour ne pas admettre la vérité une fois qu'elle devient évidente.

La robe de cette femme était plus sobre que celle de Mrs. Marchmoor, moins tape-à-l'œil. Miss Temple se rendit compte qu'en fait elle correspondait à une idée un peu moins théâtrale de la façon de s'habiller des riches, et elle fut navrée de constater que son cœur la portait à considérer sa geôlière avec bienveillance. C'était là un événement assez rare dans la vie de miss Temple pour être remarqué. Sans aucun doute, cette femme avait été placée là justement pour cela, parce qu'elle avait conservé une empathie naturelle qui avait survécu au Procédé ou qu'elle pouvait facilement contrefaire pour faire céder miss Temple.

– Je vous ai vue, lança-t-elle sur un ton accusateur, dans le théâtre, vous hurliez…

– J'en suis sûre, dit Caroline, mais c'est un peu comme se faire enlever une mauvaise dent: c'est suffisamment pénible pour paraître injustifiable… et pourtant, après, vous avez l'esprit tranquille… un bien-être… Vous savez, je vivais autrefois sans grande souffrance, juste les petits tracas de tous les jours. Maintenant, je ne peux pas m'imaginer vivre sans cette… voyez-vous… c'est une sorte de béatitude, de bonheur parfait.

– Une béatitude?

– Ça peut vous sembler idiot.

– Pas du tout… J'ai vu Mrs. Marchmoor et son espèce de… de… *spectacle*… et j'ai vu le livre, un de vos livres de verre… j'y ai plongé… les sensations, la débauche… «Béatitude» est peut-être un terme qui s'applique, mais je vous assure que ce n'est pas celui que j'aurais choisi.

– Vous ne devez pas juger Mrs. Marchmoor aussi sévèrement. Elle fait ce qu'elle doit faire en fonction d'un objectif plus vaste. Parce que nous avons tous quelque chose qui nous guide. Même vous, miss Temple. Si vous avez regardé ce que contient l'un de ces livres, alors vous devez le savoir.

Elle fit un geste vers l'endroit où se trouvait miss Vandaariff.

– Il y a tellement de gens fragiles, insatiables, profondément démunis. Tant de choses dans ce que vous avez pu voir dans le livre, ou plutôt dans ce dont vous vous souvenez, prennent racine justement dans la douleur de la solitude. Si une personne a la possibilité de se débarrasser de cette source d'angoisse… peut-on vraiment le lui reprocher?

– L'angoisse et le chagrin font partie de la vie, rétorqua miss Temple.

– Certes, approuva Caroline. Mais ils ne sont peut-être pas… indispensables?

Miss Temple secoua la tête et se mordit la lèvre.

– Vous faites preuve d'une certaine bonté… alors que d'autres… enfin, c'est un nid de vipères. Mes compagnons ont été tués. On me retient ici de force… J'ai déjà été et je serai sans doute encore *violentée*. On peut dire que votre clique de gens bien habillés se comporte comme un vrai régiment de Cosaques!

– J'espère sincèrement que ce n'est pas le cas, dit Caroline. Mais si le Procédé m'a fait comprendre une chose, c'est que ce qui arrive ici n'est que l'expression de ce que vous-même avez décidé… et même de ce que vous avez demandé.

– Je vous demande pardon ?

– Je ne dis pas cela pour vous mettre en colère.

Elle leva une main pour devancer la réponse de miss Temple lui signifiant qu'elle était *déjà* en colère.

– Vous croyez que je n'ai pas vu les bleus sur votre joli cou ? Vous croyez que ça me fait plaisir de voir ça ? Je ne suis pas une femme qui rêve de pouvoir et de célébrité, mais tout en ne prétendant pas savoir pourquoi, je sais qu'il y a eu des morts à cause de rêves de ce genre. Je sais qu'il y a eu des meurtres autour de moi et dans cette demeure même. Je sais que j'ignore les desseins de ceux qui sont au-dessus de moi. Et pourtant je sais aussi que ces rêves, les leurs et les miens, portent avec eux… le revers de leur médaille, si vous voulez : une béatitude, le bonheur d'avoir un but, le bonheur de la simplicité, et en fait, Céleste… le bonheur de l'abandon.

Miss Temple renifla et avala sa salive, résolue à ne pas céder. Elle n'avait pas l'habitude d'entendre son prénom prononcé si souvent et elle trouva cela très déconcertant. La femme présentait le but de toute cette cabale en parlant de raison et d'attention aux autres. Elle était vraiment une adversaire redoutable, justement parce qu'elle avait l'air de ne pas en être une. Elle ne pouvait plus supporter cette pièce avec toutes ces dentelles, et tous ces parfums, trop nombreux, trop lourds, la faisaient suffoquer.

– Je préférerais que vous vous adressiez à moi en m'appelant miss Temple, dit-elle.

– Bien entendu, dit Caroline avec ce qui sembla être un sourire doux et triste.

Elles cessèrent de parler, comme si la fin de leur conversation avait été réglée par le mécanisme d'une horloge, et le silence envahit la pièce, suivi d'une sorte de contemplation. Mais miss Temple était obnubilée par la futilité accablante de l'ameublement qui l'entourait, bien qu'elle ne doutât pas un instant qu'il reflétât l'état d'esprit de miss Vandaariff, et par ce plafond si bas qui, malgré le luxe du bois de cerisier, avait quelque chose de carcéral. Elle observa les murs et se dit qu'il avait fallu réunir au moins quatre cellules pour construire cette seule chambre. Fallait-il vraiment que *cette* chambre luxueuse et impersonnelle fût le dernier endroit qu'elle connaîtrait dans sa vie de personne saine, ayant toute sa tête ?

Soudain, comme si tout ce qui pesait sur ses épaules était devenu trop lourd pour elle, miss Temple fondit en pleurs, son visage se décomposa, ses épaules furent secouées de sanglots, elle cligna des yeux, les joues rouges et les lèvres tremblantes. Il lui était arrivé bien souvent dans sa vie de pleurer à cause d'un affront ou parce qu'on lui refusait quelque chose, pour exprimer sa frustration ou un sentiment d'injustice, quand ceux qui détenaient l'autorité – son père ou la gouvernante – auraient pu accéder à ce qu'elle désirait mais ne le faisaient pas, par cruauté. Maintenant, miss Temple sentait qu'elle pleurait un monde libéré de tout pouvoir… et le visage doux de Caroline, d'autant plus qu'il représentait ses ravisseurs, ne fit que renforcer le sentiment que son malheur ne comptait pour personne. Elle sentit que nul ne savait l'importance de ce qu'elle avait perdu, que désormais elle vivrait sans amour ou sans que qui que ce fût lui réservât une place de choix dans son cœur.

Elle essuya ses yeux et maudit sa faiblesse. Que s'était-il passé qu'elle n'avait pas prévu ? Quelles révélations avaient ébranlé sa détermination si solide, si rationnelle ? Ne s'était-elle pas forgé une carapace pour pouvoir justement affronter cette situation ? Et n'était-ce pas cette fermeté et cette solidité d'esprit qui pouvaient lui faire garder un mince espoir de s'en sortir ? Pourtant, elle ne pouvait s'arrêter de pleurer et gardait son visage entre ses mains.

Personne ne l'approcha ni ne lui parla. Elle resta penchée en avant – qui sait combien de temps ? – jusqu'à ce que, fermant fort les yeux, elle arrivât à apaiser ses sanglots. Elle était terrorisée, plus encore que dans sa lutte à mort avec Spragg qui avait été rapide, violente, serrée… mais là… ils lui avaient donné du temps, tellement de temps, pour qu'elle marinât dans sa peur, et que tout son être fût en ébullition à l'idée que son âme – ou quelque chose de ce genre, quelque chose de fondamental qui faisait de miss Temple ce qu'elle était – serait transformée d'un coup et pour toujours.

Elle avait vu Caroline sur l'estrade, les membres tétanisés dans leurs entraves de cuir, elle avait entendu ses grognements d'animal qui souffre atrocement et en ignore la raison. Elle se souvint d'avoir décidé qu'elle sauterait par la fenêtre, ou qu'elle s'arrangerait pour qu'on l'abattît sur-le-champ pour la punir, mais quand elle leva les yeux et vit Caroline qui l'attendait avec une patience pleine de tendresse, elle comprit qu'on ne la laisserait jamais poser un geste aussi impulsif. À côté de Caroline se trouvaient miss Vandaariff et ses femmes de chambre.

La jeune femme était vêtue de deux tuniques de soie blanche, celle du dessus n'avait pas de manches et le col et l'ourlet du bas étaient bordés d'une frise de cercles brodés verts. Elle était pieds nus et portait un loup recouvert de plumes blanches. Sa chevelure avait été bouclée avec soin et des anglaises encadraient son visage, tandis que d'autres étaient rassemblées derrière la tête, exactement comme celles de miss Temple. Miss Vandaariff lui lança un sourire complice et se mit la main sur la bouche pour dissimuler qu'elle pouffait de rire.

Caroline se tourna vers les femmes de chambre.

– Miss Temple peut se changer ici.

Les deux servantes s'avancèrent et miss Temple remarqua pour la première fois qu'elles avaient un deuxième ensemble de tuniques plié sur leurs bras.

Caroline marchait entre elles, un masque de plumes noires sur les yeux et tenant la main de chacune, toutes les trois suivies par trois soldats de Macklenburg en noir, qui faisaient résonner leurs pas avec leurs bottes. Le sol en marbre du couloir – le grand couloir tapissé de glaces – était froid sous les pieds nus de miss Temple. On lui avait enlevé sa culotte de soie et son corset et, comme la fois précédente, on lui avait donné d'abord la tunique courte transparente, puis la plus longue sans manches, et enfin le masque de plumes blanches. Tout ce temps, miss Vandaariff et Caroline l'avaient observée attentivement.

– De la soie verte, dit Lydia sur un ton approbateur quand elle vit les dessous de miss Temple.

Les yeux de Caroline croisèrent ceux de miss Temple et elle sourit.

– Je suis sûre qu'ils ont été faits spécialement pour vous.

Miss Temple tourna la tête. Elle sentait que ses envies, un peu ridicules et naïves, étaient exposées aux regards de tous, comme son corps.

Les femmes de chambre avaient fini de nouer les cordons des tuniques et elles s'éclipsèrent après avoir fait une révérence. Caroline les avait libérées en leur demandant de prévenir la Contessa qu'elles attendaient ses ordres, puis elle sourit aux deux femmes en blanc.

– Vous êtes toutes les deux tellement jolies, dit Caroline.

– N'est-ce pas ?

Miss Vandaariff sourit et lança un regard timide à miss Temple.

– Je crois que nous avons toutes les deux autant de poitrine l'une que l'autre, mais comme Céleste est plus petite, on dirait que ses seins sont plus gros. Pendant un instant, j'ai été jalouse… j'ai voulu les lui *pincer* !

Elle rit en recroquevillant ses doigts d'un air méchant, comme si elle allait sauter sur miss Temple.

– Mais en fin de compte, vous savez, je suis ravie d'être aussi grande et svelte.

– Je suppose que ce sont les seins de Mrs. Marchmoor que vous aimez par-dessus tout, dit miss Temple d'une voix juste un peu rude, en essayant de retrouver son esprit caustique.

Miss Vandaariff secoua la tête comme une enfant.

– Non, elle, je ne l'aime pas du tout, dit-elle. Elle est trop vulgaire. Je préfère qu'il y ait autour de moi des personnes plus petites, raffinées et élégantes. Comme Caroline, qui verse le thé plus gentiment que qui que ce soit et qui a un cou de cygne.

Avant que Caroline pût répondre et louer à son tour les qualités de miss Vandaariff, elles entendirent quelqu'un frapper discrètement à la porte. Une femme de chambre ouvrit et trois soldats apparurent. Il était temps d'y aller. Miss Temple essaya de trouver le courage de courir vers la fenêtre et de s'y jeter, mais elle fut incapable de faire un geste. Et Caroline la prit par la main.

Ils étaient à peine à la moitié du couloir qu'ils entendirent derrière eux un bruit de bottes. Miss Temple vit l'homme aux favoris, Blenheim, qu'elle avait pris pour le majordome de lord Vandaariff, se précipiter vers eux, un groupe de Dragons vêtus de rouge derrière lui. Il avait une carabine à la main, et tous les Dragons couraient en tenant le fourreau de leur sabre pour éviter qu'il rebondît.

Le groupe les dépassa en un éclair et se dirigea vers l'une des portes au fond, à droite. Une pièce donnant sur l'extérieur de la maison, devina miss Temple qui avait essayé de garder en tête le plan de Harschmort. Caroline pressa le pas en la tirant par la main. Miss Temple put voir qu'elles s'approchaient de la porte qu'elle avait franchie avec la Contessa pour aller dans la pièce où elle avait trouvé ses tuniques, celle qui menait à la salle d'opération... C'était un souvenir tellement lointain qu'il lui parut appartenir à une vie antérieure. Ils continuèrent à avancer. Une fois qu'ils seraient arrivés, devrait-elle essayer de s'enfuir? Sans lâcher sa main, Caroline fit signe à l'un des soldats d'ouvrir la porte. À cet instant, la porte qui était devant eux, celle où avait disparu le groupe de Blenheim, s'ouvrit violemment en vomissant un nuage de fumée noire.

Un Dragon, le visage noirci de suie, leur hurla:

– De l'eau! De l'eau!

Un des hommes de Macklenburg fit demi-tour immédiatement et courut le long du couloir, dans la direction opposée. Le Dragon disparut de nouveau derrière la porte, et miss Temple se demanda si elle oserait s'y précipiter, mais une fois de plus, avant qu'elle pût bouger, Caroline lui serrait la main et la tirait vers elle. Un des soldats de Macklenburg qui restait avec elles ouvrit la porte menant dans la pièce, et un autre les guida rapidement à l'intérieur, loin de la fumée. Quand la porte se referma, miss Temple était sûre qu'elle avait entendu des cris de plus en plus forts et d'autres bruits de bottes qui résonnaient dans le couloir de marbre.

Puis le silence revint. Caroline fit un signe de tête au premier soldat, et il se dirigea vers la porte du fond qui était ingénieusement dissimulée dans le mur, l'ouvrit et la franchit. Le soldat qui restait se plaça devant l'entrée du couloir, adossé à la porte, les mains derrière le dos. Caroline regarda autour, pour s'assurer que tout était en ordre, et relâcha les mains des deux jeunes femmes.

– Il n'y a pas de quoi s'inquiéter, dit-elle. Nous allons tout simplement attendre que le calme revienne.

Mais miss Temple voyait bien que Caroline était inquiète.

– Qu'est-ce qui a bien pu se passer? demanda-t-elle.

– Rien que Blenheim n'ait eu à régler un millier de fois déjà, répondit Caroline.

– Est-ce qu'il y a vraiment un incendie?

– Blenheim est horrible, dit Lydia Vandaariff en ne s'adressant à personne en particulier. Quand c'est moi qui prendrai les décisions, je le ferai mettre à la porte.

Les pensées de miss Temple s'emballèrent. De l'autre côté de l'amphithéâtre, il y avait une autre salle d'attente, c'est peut-être là que le soldat était allé… Elle se souvint que, lors de sa première visite, elle était entrée dans l'amphithéâtre vide. Et si elle s'y précipitait maintenant ? S'il était encore vide, elle pourrait peut-être grimper au balcon puis prendre l'escalier en colimaçon et, de là, elle en était certaine, elle pourrait retrouver le chemin qu'elle avait parcouru avec Spragg et Farquhar dans le parc, par les couloirs des domestiques jusqu'aux fiacres. Il ne lui faudrait courir que sur des planchers, des tapis et de la pelouse, elle pourrait donc très bien le faire pieds nus ! Tout ce qu'il lui fallait, c'était une diversion…

Miss Temple fit mine d'avoir le souffle coupé, prit un air extrêmement choqué et murmura à Lydia Vandaariff en insistant :

– Lydia ! Mon Dieu, mais ne voyez-vous pas que vous vous exposez de façon tout à fait obscène ?

Immédiatement, Lydia regarda ses tuniques et tira dessus sans trouver ce qui n'allait pas, en poussant une sorte de gémissement un peu curieux. Évidemment, l'attention de Caroline se reporta sur elle, tout comme celle du soldat de Macklenburg.

Miss Temple se précipita vers la porte, l'atteignit et tourna la poignée avant que qui que ce fût ne remarquât ce qu'elle faisait. Elle avait ouvert la porte et était sur le point de la franchir quand Caroline poussa un cri de surprise… puis miss Temple cria à son tour, car elle faillit foncer tête baissée sur le comte d'Orkancz. Il était là, dans l'ombre, occupant complètement l'embrasure de la porte de sa carrure massive, encore accentuée par un tablier de cuir épais qu'il portait par-dessus sa chemise blanche et d'énormes gants de cuir qui recouvraient ses bras jusqu'aux coudes. Sous son bras, il tenait un casque garni de cuivre, bardé de lanières de cuir, avec de grosses lunettes semblables aux yeux d'un insecte et d'étranges boîtes de métal soudées à la hauteur de la bouche et des oreilles. Elle s'écarta brusquement de lui et revint dans la pièce.

Le comte jeta un regard désapprobateur à Caroline, puis il regarda miss Temple.

– Je suis venu vous chercher moi-même, déclara-t-il. Il est grand temps que vous soyez affranchie.

 CHAPITRE 8

LA CATHÉDRALE

Après s'être glissé dans l'urne, Chang heurta une paroi métallique chaude et crasseuse, mais il plia les genoux à temps, ce qui lui évita de se fracasser les jambes. Sa chute n'avait pas été longue, mais elle avait suffi à lui donner l'impression d'être suspendu dans le vide un moment et à lui soulever l'estomac, ce qui, dans l'obscurité du conduit, s'était révélé particulièrement déroutant. Après trois ou quatre mètres, un coude du tuyau l'avait freiné et il avait alors vraiment réalisé ce qui lui arrivait : recroquevillé sur lui-même, il avait perdu tout sens de l'équilibre. Le conduit avait repris la verticale et Chang était tombé à pic dans le vide. Puis, quand le haut de son corps heurta l'endroit où le conduit dans lequel il se trouvait en rejoignait un autre, il en eut le souffle coupé. Il essaya en vain de se raccrocher à une prise mais, les parois étant trop lisses, il glissa dans le noir, préoccupé seulement de retenir sa canne qui ballottait sous son manteau. L'impact avait cependant ralenti sa descente : il ne tombait plus, il glissait le long du conduit.

L'air qui remontait jusqu'à lui était de plus en plus fétide et chaud : il pensa avec une certaine amertume que ce tuyau le menait probablement droit dans le four. Il appuyait bras et jambes sur les parois pour ralentir sa chute. Quand il arriva à la bifurcation suivante, il parvint à saisir un rebord et à s'arrêter net, les jambes pendant dans l'obscurité. Au prix d'un effort surhumain, il hissa le haut de son corps dans l'ouverture et réussit ainsi se retenir sans les bras. Il reprit son souffle et se demanda jusqu'où il avait pu descendre et ce qui avait bien pu lui passer par la tête pour avoir ainsi sauté dans ce conduit.

Il ferma les yeux, puisque de toute façon il n'y voyait rien, et il essaya de se concentrer sur ce qu'il entendait. Par le tuyau remontait un bruit continuel de ferraille accompagné, par à-coups, d'un souffle de vapeur exhalant des relents infects de produits chimiques. Adossé au tuyau le plus étroit et le plus frais, il attendit. Le bruit montant des profondeurs avait changé, les vapeurs aussi. Sans trop y prêter attention, il sentit un mal de tête et des nausées le gagner. Il devait sortir de là. Il parvint à se dégager et à se retourner sur lui-même, puis glissa les pieds dans le conduit le plus étroit. Il chassa de son esprit l'idée que le tuyau pût aller en se rétrécissant. Il se refusa à penser qu'il lui faudrait alors remonter le long de ce conduit glissant. Il passa sa canne sous son manteau, la bloqua sous son bras gauche et se laissa descendre aussi lentement que possible. Le dépôt gras moins épais et la pente moins abrupte lui permirent de mieux contrôler sa descente. Plus il s'éloignait du conduit principal, plus l'air se purifiait et moins il craignait de se retrouver dans une fournaise de verre en fusion. Quand le tuyau se mit à l'horizontale, Chang se retrouva sur le dos et essaya désespérément d'effacer de son esprit toutes les histoires de cercueils et de morts vivants. Le tuyau s'incurvait, mais restait à l'horizontale… comme si, pensa-t-il en souriant, il contournait une pièce circulaire. Incapable de se retourner, il progressait très lentement, les pieds en avant, le plus silencieusement possible.

Il dut s'arrêter pour ne pas vomir : mobilisant toute la force de sa volonté, les dents serrées pour arrêter les remontées de bile, il soufflait comme un cheval blessé. Soudain, il distingua quelque chose : un rai de lumière au-dessus de lui traversait l'obscurité. Il tendit prudemment la main et sentit la partie inférieure d'une fermeture métallique. En tâtonnant, il trouva les gonds d'un panneau. Tout n'était pas perdu.

Chang fit glisser le verrou et poussa lentement le panneau. Les gonds cédèrent dans un grincement. Une faible lueur pénétrait dans le tuyau et il se vit, non sans un certain dégoût, couvert de rouille et de crasse. Il poussa encore et le panneau s'ouvrit en couinant. Chang aspira l'air plus pur et s'assit. Seules sa tête et une épaule passaient par cette ouverture. Il découvrit devant lui une pièce remplie de machines, une annexe sans doute peu utilisée, aux murs en briques. Des tuyaux sortaient des murs et se rejoignaient dans une énorme chaudière criblée de rivets, de cadrans et de tuyaux plus fins. Il se renfonça dans le conduit, ressortit le bras droit, la tête, pour enfin extirper le bras gauche et le torse, en se meurtrissant les côtes et l'épaule au passage. Fragile comme un insecte qui sort de son cocon, Chang se dégagea de son trou et fit son entrée dans la pièce. Des seringues, des tubes en verre, une paire de gants en cuir et un de ces terribles casques de cuivre étaient pendus à une rangée de crochets. À côté était suspendu un chandelier mural où brûlait encore le dernier tiers d'une grosse chandelle dégoulinante dont la lueur avait filtré par le panneau. Qu'elle fût encore allumée indiquait que quelqu'un s'était trouvé dans la pièce peu de temps auparavant... et pouvait tout aussi bien y revenir.

À cet instant précis, pourtant, il ne se souciait ni de cette personne, ni de la machine, ni de son usage. Sous la rangée de tuyaux, il remarqua un seau d'incendie en cuir sale, qu'il atteignit en rampant pour y vomir à n'en plus finir, jusqu'à ce que sa gorge fût à vif. En s'adossant au mur, il sortit un pan de sa chemise pour s'essuyer la bouche et enlever de son visage la crasse des tuyaux. Chang se leva avec difficulté et examina son manteau de cuir rouge avec une résignation pleine d'amertume. Le joyau de sa garde-robe était ruiné. On pourrait toujours nettoyer la poussière de charbon, mais il constata en essuyant la couche de produits chimiques qui le recouvrait que le cuir rouge était décoloré et boursouflé, comme si le manteau lui-même saignait. Il enleva toute la crasse qu'il put et s'essuya les mains sur son pantalon sale. Il avait l'impression qu'il venait de nager dans la fange de l'enfer.

En inspirant profondément, encore étourdi, il ressentit une douleur lancinante derrière les yeux, des coups de marteau qui, faute d'opium, ne se calmeraient pas de sitôt, il le savait bien. Il songea que la meute qui était à ses trousses devait être sur le point d'atteindre ces profondeurs de la demeure, ne fût-ce que pour vérifier que ses os crépitaient bien dans la fournaise, ou qu'il s'était asphyxié quelque part dans les tuyaux, pris au piège comme un écureuil dans une cheminée. Chang avait la gorge sèche et sa tête tournait encore terriblement. Il fallait qu'il boive. Sans cela, il mourrait sous la lame du premier Dragon venu.

La porte était fermée à clé, mais la serrure était vieille et Chang put la forcer avec son passe-partout. Elle donnait sur un couloir en briques étroit et circulaire, éclairé par une seule torche qui crépitait sur un support métallique au-dessus de la porte. Il avança rapidement dans l'ombre vers la droite mais, juste après la courbe, le passage était bloqué par un mur de briques dont le mortier était beaucoup plus frais que celui des parois et du plafond. Chang revint sur ses pas, traversa la salle de la chaudière, les yeux fixés sur le plafond oppressant, et suivit le parcours circulaire du couloir. Il était convaincu que cette courbe correspondait au côté de la plus grande salle. S'il voulait respirer plus librement et retrouver miss Temple, il devait absolument trouver une façon de remonter à la surface.

La torche suivante était accrochée près d'une porte ouverte qui menait à un escalier de pierre, en colimaçon, muni d'une rampe métallique. Chang leva les yeux sans pouvoir distinguer grand-chose. Il tendit l'oreille… et perçut un bruit, un ronflement léger, comme du vent ou une pluie forte dans le lointain. Il entreprit de monter.

Vingt marches plus haut, il tomba sur une porte ouverte et un autre couloir circulaire. Le plafond était incliné comme s'il se trouvait sous des gradins. Chang retourna dans l'escalier et ferma les yeux. Sa gorge était en feu. Il avait l'impression qu'on lui écrasait la poitrine de l'intérieur et imaginait la poussière de verre qui rongeait ses poumons épuisés. Il s'efforça de retourner dans le couloir. Il trouva une autre porte exactement au même endroit où se trouvait, à l'étage du dessous, la salle de la chaudière et il l'ouvrit. Chang prit la torche pour éclairer la pièce : une autre chaudière, d'autres tuyaux sortant du mur. Du coin de l'œil, il aperçut un autre seau en cuir par terre. Il s'en approcha et constata avec soulagement qu'il contenait de l'eau. Qu'elle soit sale et croupie lui importait peu. Chang lâcha la torche, ôta ses lunettes et s'aspergea le visage. Il prit une gorgée pour se débarrasser du goût immonde qu'il avait dans la bouche, cracha, puis but encore à grosses lampées. Il s'adossa au tuyau et remit ses lunettes en place. Ça ne valait pas une nuit au Boniface, mais ça ferait l'affaire.

Il trouvait curieux que personne ne fût encore venu le chercher : on le croyait mort, ou il était tombé plus loin qu'il ne le croyait, ou alors on surveillait de près les endroits où il aurait pu atterrir. Tout ça le fit sourire : l'assurance de ses ennemis lui permettait de gagner du temps. Mais il envisagea quand même une autre hypothèse : ses ennemis se contentaient peut-être de s'assurer qu'il ne ferait pas irruption à l'endroit précis où il se passait sans doute quelque chose de bien particulier. C'était possible, et cela avait forcément un rapport avec Céleste.

Quel idiot ! Il se rua vers l'escalier et gravit les marches quatre à quatre. Une autre porte. Puis un autre couloir étroit et poussiéreux au plafond incliné. Il tendit l'oreille. Le ronflement sourd était plus fort, mais il était convaincu qu'il se trouvait toujours dans un labyrinthe de couloirs de service encore au-dessous de l'entrée principale. Lui faudrait-il monter encore pour pouvoir accéder à l'intérieur ?

Il lui fallait dénicher un autre accès. Les étages supérieurs grouillaient sûrement de soldats. Chang courut le long du couloir où il trouva une autre porte menant à une pièce vide dont la chaudière avait été enlevée (ou peut-être pas encore installée) et puis un autre cul-de-sac. Il changea de direction. Le ronflement enflait et, lorsqu'il atteignit le cul-de-sac, sans avoir pu trouver d'autre porte de ce côté du couloir, il posa sa main sur la brique et sentit une faible vibration qui correspondait au ronflement.

Il gravit encore quelques marches de l'escalier et, cette fois, il se cogna à une porte métallique fermée à clé. Il regarda au-dessus de lui, ne vit personne, et tendit l'oreille à l'affût d'un indice. Était-ce des voix? de la musique? Si c'était le cas, il ne se trouvait donc qu'à quelques étages en dessous de la partie centrale de la maison. Il fixa la porte. C'était sûrement l'accès qu'il cherchait. Il faillit éclater de rire. Un imbécile avait laissé la clé dessus.

Chang fit tourner la poignée au moment même où, de l'autre côté, quelqu'un en faisait autant. Il donna un violent coup de pied dans la porte et fonça en dégainant rapidement sa dague: derrière se trouvait le vieux Gray, l'homme de Rosamonde qui avait fait subir le Procédé au malheureux Flaüss. Gray recula en chancelant et poussa une sorte de hululement en tenant son bras, déjà en écharpe, qui avait encaissé le choc. Chang le fit tomber et lui assena un coup de canne au visage. Un coup d'œil rapide autour d'eux lui permit de constater qu'ils étaient seuls.

Le couloir où ils se trouvaient était plus large, avec un plafond incliné. Il était éclairé au gaz, et Chang put entrevoir des portes (ou était-ce des niches?) le long du mur intérieur. Avant que Gray pût relever la tête et bêler « À l'aide », Chang se laissa tomber sur la poitrine de l'homme, immobilisa ses deux bras avec ses genoux et appuya le manche de sa canne sur sa gorge. En sifflant comme un serpent venimeux, ce qui attira immédiatement l'attention de Gray, Chang leva la pointe de sa dague vers le visage du vieil homme et visa l'œil gauche.

– Où est miss Temple? chuchota-t-il.

Gray ouvrit la bouche pour répondre, mais pas le moindre son n'en sortit. Chang relâcha la pression sur sa trachée.

– Essaye encore, souffla-t-il.

– Je... je ne *sais* pas! gémit Gray d'une voix implorante.

D'un coup de poing sur la joue, Chang envoya cogner la tête de Gray contre la pierre.

– Essaye encore, souffla-t-il.

Gray se mit à pleurer. Chang leva le poing. Le vieux écarquilla les yeux, terrorisé, et sa bouche se mit à bouger avant que quelques mots ne se décident à en sortir.

– Je… je ne sais pas !… je ne… je ne l'ai pas vue… Ils vont l'emmener à l'amphithéâtre… ou dans la salle… ailleurs dans la maison ! Je ne sais pas, moi ! Je ne suis chargé que de préparer l'œuvre… le grand œuvre…

Chang assena un autre coup de poing sur la tête de Gray.

– Qui est avec elle ? souffla-t-il. Combien de gardes ?

– Je ne *saurais* vous le dire !

Gray ne retenait pas ses larmes.

– Il y a beaucoup de gens de Macklenburg, de Dragons… Elle est avec le comte et miss Vandaariff… elles vont subir le Procédé ensemble…

– Le Procédé ?

– La Rédemption.

– La Rédemption ?

Chang sentit le plaisir naturel de la violence tourner à la fureur.

– Vous êtes arrivé trop tard ! C'est sûrement déjà commencé. Si vous les interrompez maintenant, vous les tuerez toutes les deux !

Gray leva les yeux, aperçut son reflet dans les verres teintés du Cardinal et se mit à gémir.

– Oh… pourquoi n'êtes-vous pas mort ?… Ils ont tous prétendu que vous l'étiez !

Ses yeux s'agrandirent encore tandis que Chang lui enfonçait sa dague dans le cœur. C'était plus rapide et moins sanglant que de l'égorger. En quelques secondes, le corps de Gray s'était décontracté, puis immobilisé pour l'éternité. Chang se dégagea du cadavre, le souffle lourd, essuya sa dague sur le manteau de Gray et la rengaina. Il sentit en crachant une douleur lui traverser les poumons et murmura d'un ton sinistre :

– Et comment sais-tu que je ne le suis pas ?

Il traîna le corps vers l'escalier, le descendit de quelques marches, puis il fit basculer dans le vide cet homme dont personne ne pleurerait la mort. Peu importe où il avait atterri, il était au moins hors de la vue de ceux qui passeraient par cette porte. Il empocha la clé que Gray avait bêtement laissée dans la serrure et retourna vers le couloir en essayant de deviner à quoi Gray s'occupait. Chang soupira. Il aurait sans doute été plus utile de l'interroger, mais il était mort. Et puis après avoir été traqué, attaqué comme Chang l'avait été, lui était venue une envie folle de riposter avec ses poings. Que ce fût contre un homme âgé et blessé importait peu. Le dernier des derniers parmi ces gens était aussi son ennemi. Il n'hésiterait pas à les tuer tous.

Les niches dans le mur étaient tout bonnement les portes des anciennes cellules : monstres de métal, lourdes, aux poignées arrachées à la cisaille et qui étaient maintenant condamnées avec des verrous enfoncés dans la brique. Chang empoigna sur l'une de ces portes les barreaux d'un judas et essaya en vain de les arracher. Juste derrière les barreaux du fond de la cellule, un rideau de toile était tendu. Il savait que derrière se trouvait la grande salle, mais qu'il ne pourrait s'y rendre par là. Il avança rapidement le long du couloir circulaire.

Gray était l'un des abrutis de l'Institut, comme l'étaient Lorenz et celui qu'il avait surpris en train de fabriquer le livre. Amateur de poésie, Chang était convaincu que le savoir est dangereux, qu'il ne devrait servir qu'à alimenter la réflexion de chacun, mais en aucun cas n'être mis au service du plus offrant. C'était pourtant exactement ce qu'avaient fait les gens de l'Institut en se plaçant sous la gouverne d'hommes aveuglés par leurs rêves de puissance. Les rêves de ces « visionnaires » étaient loin de viser à bonifier la société, mais s'il était honnête, Chang devait convenir que rien ni personne ne pouvait y parvenir. Il eut un sourire de rapace en se disant que la société serait meilleure sans cette vermine de Gray. L'idée qu'on pût le considérer, lui, comme un moteur de progrès civique l'amusa.

Le couloir se terminait par une porte que Chang parvint à ouvrir avec la clé de Gray. Dans la pièce, à peine plus grande qu'un placard, sept tuyaux descendaient du plafond et s'enfonçaient dans le plancher, chacun muni d'un panneau d'accès semblable à celui dont il avait émergé plus bas. Il y régnait une chaleur étouffante et la puanteur des effluves chimiques ainsi que l'âcreté de l'argile indigo étaient telles que lui aussi pouvait les sentir. S'y trouvaient également une série de crochets, desquels pendaient là encore des fioles, des ampoules et des seringues d'une taille étonnante. Le grondement des machines résonnait dans la petite pièce comme si les tuyaux d'un gigantesque orgue bourdonnaient à ses oreilles.

Chang aperçut un mince rai de lumière entre deux tuyaux puis, en y regardant de plus près, il en distingua d'autres… pour finir par se rendre compte que le fond du placard n'était formé que de ces tuyaux. Derrière se trouvait la grande salle avec son éclairage vif. Chang s'accroupit, retira ses lunettes, et colla son œil à l'une des fentes.

Les tuyaux étaient chauds et la perspective, assez étroite, mais ce qu'il vit l'effara : le mur en face de lui s'élevait comme une falaise, une falaise abrupte, parcourue de tuyaux qui grimpaient tout le long de la gigantesque salle voûtée. Puis, à la limite de son champ de vision, il découvrit une tour centrale, comme le moyeu d'une roue, dont la paroi lisse en acier riveté était perforée de petites ouvertures d'où l'on pouvait voir l'intérieur de chaque cellule de l'ancienne prison. Sur le mur d'en face, entre les rangées de tuyaux disposées en gradins, s'alignaient des cellules munies de barreaux : on aurait dit les loges d'un théâtre. Ce qui allait se dérouler dans la salle, quelle qu'en fût la nature, avait été conçu pour se produire devant un public.

De retour dans l'escalier en colimaçon, il monta silencieusement en tenant sa canne à deux mains. Sur la porte suivante, il fut surpris de découvrir une poignée neuve en cuivre et une serrure, plus conforme au décor élégant de Harschmort. Chang était sans doute arrivé au rez-de-chaussée de la maison proprement dite. Gray lui avait révélé que tous le croyaient mort, mais que voulait-il dire exactement ? qu'on l'avait cru mort dans les couloirs du ministère ou dans les conduits de la chaudière ? Ils l'avaient sans doute reconnu dans le jardin… mais, quelle importance ? Il était vraiment ravi de jouer ce rôle du fantôme vengeur. Il entrouvrit la porte : devant lui se trouvait non pas le couloir auquel il s'attendait, mais une petite pièce sombre, fermée par un rideau sous lequel une lueur vacillait au rythme des pas qui résonnaient derrière. Chang se glissa près du rideau et en écarta les pans.

Le rideau ne cachait qu'une alcôve dans une grande remise pleine d'étagères et de meubles couverts de bouteilles, de bocaux, de boîtes en fer et de caisses. Deux porteurs déplaçaient sur un chariot une caisse en bois remplie de bouteilles brunes qui tintaient en s'entrechoquant. Ils s'arrêtèrent pour parler avec quelqu'un que Chang ne vit pas. À leur départ, la pièce redevint silencieuse… mis à part les bruits de bottes et de ferraille que Chang avait entendus plusieurs fois déjà, et celui d'un fourreau qui se balançait au rythme des pas d'un garde, caché par les meubles. Chang devrait calculer soigneusement l'angle de son attaque.

Des pas s'approchèrent.

— Où est passé Gray ?

Cette voix dure et autoritaire, il l'avait déjà entendue dans le jardin.

— Il n'est pas encore revenu, monsieur Blenheim, répondit le garde dont l'accent indiquait qu'il ne venait pas de Macklenburg.

— Mais que faisait-il ?

— Je ne sais pas, monsieur. Il est descendu…

— Qu'il aille au diable ! Il ne sait pas l'heure qu'il est ? l'horaire prévu ?

Ils allaient partir à la recherche de Gray. Sans le bruit des hommes qui portaient la caisse pour couvrir le sien, il n'avait aucun moyen de se déplacer sans être entendu. Ce serait peut-être mieux. Blenheim tirerait le rideau et Chang le tuerait. Le garde donnerait peut-être l'alarme avant de tomber lui aussi… ou l'inverse, le soldat aurait le dessus… D'une façon ou d'une autre, Chang franchirait un pas de plus vers la vengeance.

Mais Blenheim ne bougea pas.

— Tant pis, répliqua-t-il sur un ton sec et agacé. Monsieur Gray peut bien aller au diable. Suivez-moi.

Le bruit de leurs bottes s'éloigna. Où allaient-ils ? Qu'est-ce qui pouvait être si important ?

Chang marchait en mangeant un morceau de pain frais dérobé dans la remise. Il ne reconnaissait rien de son précédent séjour dans les couloirs de service de Harschmort. Il se trouvait à un étage inférieur, bien aménagé mais sans aucun luxe. La maison était en forme de fer à cheval et le conduit aurait pu le faire déboucher n'importe où. Il devait rapidement trouver l'entrée de la tour munie du système panoptique et de la grande salle. Quand avait-il mangé un pain aussi bon ? Il aurait dû en mettre un deuxième dans sa poche. Sa poche ? Il y plongea la main et sentit l'une des bottines de miss Temple. Était-il tout bêtement sentimental ?

Chang s'arrêta net. La réalité de sa situation parvint à son cerveau avec la violence d'une lame : il était enfermé dans la demeure de Robert Vandaariff, au cœur même de la richesse et des privilèges d'une société au sein de laquelle il vivait en exilé, qu'il méprisait et qui le lui rendait bien. Il pensa au pain qu'il était en train de manger : le seul fait d'en jouir, c'était trahir. Une bouffée de haine monta en lui contre tout ce luxe, contre toute cette opulence étouffante qui l'entourait. À Harschmort, le cardinal Chang se perçut tout à coup tel que les habitants de la maison devaient le considérer : un chien enragé, entré on ne savait trop comment, mais condamné d'avance.

Et pourquoi se démenait-il ainsi ? Pour sauver une jeune femme sans cervelle, issue comme les autres de ce monde de nantis ? Pour abattre tous ceux de ses ennemis qui lui tomberaient sous la main ? Pour venger la mort d'Angélique ? Mais comment pouvait-il imaginer être capable ne serait-ce que d'égratigner la surface lisse de ce monde, de ce labyrinthe sans âme ? Il allait périr et sa mort passerait aussi inaperçue que sa vie. Chang ferma les yeux. Son désespoir minait sa rage, son désarroi leur concédait la victoire.

Il se remit en route, mordit dans son pain et regretta de n'avoir rien trouvé à boire. Chang ironisa en lui-même : c'est la bouche pleine, avec une bouteille de bière à la main qu'il devait affronter Blenheim ou le major Blach ou Francis Xonck ! Il engloutit le reste de son pain et dégaina sa dague.

Il évita deux petites escouades de Dragons et une autre d'Allemands en uniforme noir, en marche dans la même direction. Il décida de les suivre, en se disant que c'était sûrement ce qui avait mobilisé Blenheim qui les mobilisait à leur tour. Mais pourquoi ne le recherchait-on pas, lui ? ou Gray ? Pourquoi ? Quand Chang l'avait surpris, Gray était en train de trafiquer quelque chose avec des produits chimiques, le contenu des tuyaux… et aucun soldat n'avait l'air de s'en soucier. Gray s'activait-il pour Rosamonde sans que personne d'autre ne le sût ? S'agissait-il d'une tâche secrète ? La cabale était-elle divisée ? Le contraire l'eût étonné. Voilà sans doute pourquoi personne n'était encore intervenu. Et, sans le vouloir, Chang avait dû aussi faire échouer les plans de Rosamonde. Elle saurait seulement que Gray n'était pas revenu, mais jamais pourquoi. Qu'elle fût rongée par le doute et l'inquiétude le fit sourire. Son homme de main pouvait aussi bien avoir été intercepté par Xonck ou par le comte, qui auraient tout de suite compris comment elle s'apprêtait à les trahir. Il sourit en imaginant l'embarras de la dame.

Chang se remit à songer aux lieux qu'il venait de découvrir : les cellules en gradins d'où les prisonniers (ou les spectateurs) pouvaient voir ce qui se déroulait au-dessous, dans la grande salle où il retrouverait sans doute Céleste. Jusqu'où était-il monté lui-même? Les cellules devaient se situer à peu près à son niveau... mais comment les atteindre? L'alcôve fermée par les rideaux cachait l'entrée de l'escalier de façon si discrète... pouvait-on avoir dissimulé les portes des cellules de la même façon? Les avait-il déjà dépassées? Il arpenta le couloir, ouvrant toutes les portes, scrutant tous les coins. Rien. Il perdait son temps. Pourquoi ne pas suivre les soldats et Blenheim? N'allaient-ils pas assurer la protection du comte, veiller au bon ordre de sa cérémonie? Et Céleste? Était-elle avec eux? Il décida de chercher encore avant de leur courir après.

Une minute passa, puis cinq autres. Impossible de s'arracher à ce qui lui semblait être la bonne piste. Chang passa en trombe d'une pièce à l'autre. Tout cet étage de la maison était vide. Il cracha sans y faire attention sur le plancher de bois clair et grimaça en voyant la couleur écarlate de son crachat, puis il se dirigea vers un coin en retrait. Où se trouvait-il? Il leva les yeux.

Il soupira et se traita d'imbécile. Il venait d'entrer dans un atelier: des étagères pleines à craquer de bocaux et de bouteilles, un grand mortier et un pilon, des pinceaux, des seaux, de grandes tables dont les plateaux portaient des traces de brûlures, des bougies, des lanternes et plusieurs miroirs. Partout, des toiles tendues sur des cadres de tailles diverses. Il se trouvait dans l'atelier d'un artiste. L'atelier d'Oskar Veilandt.

C'était bien lui l'auteur de ces tableaux: on retrouvait sur chacun d'eux la même touche étrange, les mêmes teintes criardes, les mêmes compositions troublantes. Chang ressentit autant d'inquiétude que s'il pénétrait dans une tombe... Oskar Veilandt était mort... S'agissait-il de ses œuvres, d'autres tableaux récupérés à Paris? Robert Vandaariff avait-il entrepris de réunir tout l'*œuvre*[*] de l'artiste? Malgré tous les pinceaux et les flacons, aucun des tableaux ne semblait être en cours d'exécution, comme c'eût été le cas si l'artiste avait été vivant et travaillait encore. Quelqu'un d'autre restaurait-il les tableaux selon les indications de Vandaariff?

D'instinct, Chang s'approcha d'un petit portrait: une femme masquée, portant un collier de fer et une couronne étincelante. Il retourna le tableau. Exactement comme

[*] En français dans le texte.

Svenson l'avait décrit, des symboles alchimiques et des formules mathématiques étaient griffonnés derrière. Il essaya de trouver la signature ou la date, mais ne vit rien. À l'autre bout de la pièce, une grande toile était accrochée au mur et atteignait presque le sol : un portrait en pied, grandeur nature, de Robert Vandaariff en personne, appuyé sur un créneau de pierre sombre. Derrière lui, une étrange montagne rouge et, à l'horizon, un ciel bleu éclatant – ce qui évoqua chez Chang un décor de théâtre. Il tenait dans une main un livre enveloppé et, dans l'autre, deux grosses clés. De quand exactement datait ce portrait ? Si Vandaariff avait connu Veilandt personnellement, alors son implication dans toute cette affaire remontait au moins à l'époque de la mort du peintre.

Mais là, entouré d'un si grand nombre de ses troublantes œuvres, Chang ne pouvait croire un instant que le peintre était réellement mort, tant se dégageait de l'ensemble une impression de menace calculée, machiavélique, triomphante. Chang observa de nouveau le portrait de Vandaariff, et, tout à coup, il lui parut évident qu'il avait sous les yeux l'allégorie d'un prince des Médicis.

Le tableau était accroché plus bas que les autres, son cadre presque au ras du sol. Il traversa la pièce, décrocha le tableau et le posa sur le côté sans beaucoup de délicatesse. Il secoua la tête devant l'évidence : derrière le tableau, il découvrit une autre alcôve et trois marches de pierre qui menaient à une porte.

Chang pénétra dans un couloir incurvé, au plafond bas. De minces faisceaux de lumière traversaient le mur intérieur, comme dans la coque d'un vieux rafiot, ou, plus précisément, comme dans un cachot. Sur le mur, les cellules se succédaient. Chang s'avança vers la plus proche : on avait là aussi enlevé les poignées au burin et condamné les portes. Il regarda par la fente et sursauta.

Au fond de la cellule, à travers les barreaux, on avait une vue d'ensemble de la grande salle. Jamais un lieu n'avait suscité chez Chang un tel effroi : une cathédrale infernale de pierre noire et de métal étincelant. Un monument ambitieux voué aux sombres desseins de son propriétaire.

Au centre de la salle s'élançait la tour métallique, massive, qui descendait du plafond jusqu'au sol. Celui-ci était recouvert de tuyaux luisants et de câbles emmêlés qui sortaient des murs et descendaient jusqu'à la base de la tour, semblables à une mer mécanique dont les vagues viendraient se briser au pied d'un phare étrangement relié à la terre. La lumière éblouissante de la salle provenait des lustres massifs, suspendus par des chaînes d'où pendaient une multitude de lanternes. La paroi lisse de la tour était grêlée de minuscules judas. Dans cette ruche de cellules ouvertes, il était impossible aux prisonniers de savoir si on les surveillait depuis la tour. Dans de telles conditions, Chang le savait, les prisonniers agissaient malgré eux comme si quelqu'un les tenait en permanence sous haute surveillance, et rectifiaient d'eux-mêmes leur comportement, comme si toute leur capacité de révolte était inexorablement écrasée par une main invisible. Cette structure monstrueuse illustrait parfaitement l'idéologie de ses concepteurs et Chang n'en eut que plus de mépris.

Soudain, un bruit métallique se fit entendre et Chang aperçut quelque chose qui bougeait dans l'une des cellules en face de lui... Des jambes... Un homme descendait d'une échelle. Un autre bruit métallique retentit tout à coup beaucoup plus près, à sa droite. Puis un troisième, juste au-dessus de sa tête, dans la cellule qu'il observait. Une trappe dans le plafond s'était ouverte et les jambes d'un homme en uniforme bleu s'étaient glissées à l'intérieur en essayant d'atteindre une échelle fixée au mur que Chang n'avait pas encore remarquée. Des hommes et des femmes se glissaient à l'intérieur des cellules de l'autre côté de la salle.

Les hommes descendaient les premiers, ils aidaient les dames. On leur tendait des chaises pliantes qu'ils installaient dans la cellule comme dans une loge de théâtre. Un brouhaha enthousiaste monta autour de Chang, comme avant un lever de rideau. L'homme en uniforme bleu, une espèce de marin, interpella joyeusement la personne qui le suivait dans la trappe. De là où il se trouvait, Chang ne pourrait absolument rien faire pour empêcher ce qui allait commencer. Il s'était trompé en essayant de retrouver Céleste. Elle allait faire partie du spectacle que le comte se préparait à offrir. À cet instant même, elle devait être en train de descendre dans la tour centrale.

Malgré la douleur vive qui lui transperçait les poumons, il se mit à courir. Chang cracha encore du sang et maudit sa stupidité : pourquoi ne pas avoir tué la Contessa quand il en avait eu l'occasion ? Il s'élança à la recherche d'un escalier qui le mènerait au niveau supérieur. Il le vit en même temps qu'il entendit des bruits de pas qui descendaient dans sa direction. Il était pris au piège. Il dégaina sa dague et attendit, respirant profondément, les lèvres tachetées de rouge.

À sa grande surprise, le capitaine Smythe apparut. L'officier vit Chang et s'arrêta net sur les marches. Il jeta un coup d'œil derrière lui puis s'avança rapidement.

— Nom de Dieu! murmura-t-il.

— Que se passe-t-il? souffla Chang. Quelque chose se prépare en haut…

— Ils vous croient mort… Et, moi aussi, je l'ai cru… mais personne n'a pu trouver de corps. Je me suis engagé à vérifier moi-même.

Smythe dégaina son sabre et avança à grands pas.

— Capitaine… la grande salle…

— Comme un imbécile, je vous ai fait confiance, et vous, vous avez osé tuer un de mes hommes, éructa Smythe, furieux. Celui-là même qui avait sauvé votre vie de traître!

Le capitaine se jeta sur lui. Chang s'écarta d'un bond, trébucha contre le mur du couloir. Le capitaine visa sa tête, Chang l'esquiva en se baissant et roula hors de sa portée. La lame mordit le plâtre et fit voler un petit nuage de poussière.

Smythe se remit en position d'attaque. Chang ne pouvait espérer un seul instant survivre à pareil combat. Il réagit donc en se mettant debout au milieu du couloir, les bras en croix, incitant ouvertement Smythe à le transpercer.

— Puisque vous croyez que j'ai fait ça… allez-y! Mais je vous le dis: je n'ai pas tué Reeves! lança-t-il avec colère.

Smythe s'arrêta net, la lame de son sabre à quelques centimètres du torse de Chang.

— Demandez à vos hommes! Ils étaient là! siffla Chang. On l'a tué d'un coup de carabine. C'est… c'est… comment s'appelle-t-il?… le contremaître… *Blenheim*, le majordome! Ne faites pas l'imbécile!

Le capitaine Smythe resta silencieux. Chang l'observait. Ils étaient assez près l'un de l'autre pour que Chang pût faire dévier sa lame avec sa canne et l'attaquer avec sa dague. Si cet homme ne voulait rien entendre, il s'y résoudrait.

— Ce n'est pas ce qu'on m'a dit…, murmura Smythe très lentement. Vous l'avez utilisé comme bouclier.

— Et qui vous a dit ça? Blenheim?

Le capitaine ne répondit pas, mais il le foudroyait toujours du regard. Chang continua, méprisant.

– Nous étions en train de parler, Reeves et moi. Blenheim nous a vus. Avez-vous seulement examiné le corps? On lui a tiré dans le *dos*.

Ses paroles eurent l'impact d'une gifle violente et Chang put voir Smythe réfléchir, contenir avec effort sa colère, l'esprit assailli de pensées contradictoires. Après un moment, le capitaine baissa son épée.

– J'irai examiner le corps moi-même.

Il tourna la tête vers l'escalier puis son regard revint sur Chang, comme si le voile de la colère s'était levé.

– Vous êtes blessé, dit Smythe en sortant un mouchoir de sa poche pour le lancer à Chang qui l'attrapa au vol, s'essuya la bouche et le visage, et vit la gravité de ses blessures reflétées dans le regard inquiet de l'officier.

Une fois de plus, le sentiment qu'il était vraiment en train de mourir vint saper un instant sa détermination. À quoi bon? Pourquoi avoir fait tout cela? Il regarda Smythe, un homme bon sans aucun doute, amer lui aussi, mais soutenu par son uniforme, par ses hommes qui l'admiraient et, qui sait, par une épouse et des enfants. Chang eut soudain envie de crier qu'il refusait tout, qu'il abhorrait la seule idée de cette prison, qu'il exécrait jusqu'à la gentillesse de Smythe. Tout comme il honnissait le fait d'aimer Angélique ou de s'être abaissé à ressentir quoi que ce fût pour Céleste. Il détourna ses yeux du regard troublé du capitaine et ressentit l'extrême ironie que représentait à cet instant le luxe de Harschmort: il allait mourir ici même.

– Oui, je suis blessé, mais il n'y a rien à faire. Désolé pour Reeves, mais vous devez m'écouter. Ils ont enlevé une femme, je vous en ai parlé, Céleste Temple. Ils préparent quelque chose… une cérémonie infernale, je l'ai déjà vue. C'est pire que la mort, je vous l'assure, et elle préférerait mourir plutôt que de subir cela.

Smythe acquiesça, mais Chang voyait bien qu'il était encore impressionné par le spectacle qu'il lui offrait.

– Mes blessures paraissent plus graves qu'elles ne le sont… c'est que je suis passé par les tuyaux… il n'y a rien à faire contre cette odeur, commenta-t-il.

Il tendit le mouchoir à l'officier, vit la réaction de dégoût de Smythe et le mit en boule dans sa poche.

– Je vous demande pardon mais, pour la dernière fois, que se passe-t-il là-haut?

Smythe scruta les escaliers comme si quelqu'un avait pu le suivre, puis il parla en toute hâte.

— Je suis désolé, mais je ne le sais pas vraiment, je viens tout juste d'arriver dans la maison. Nous étions dehors pour l'arrivée du colonel…

— Aspiche ?

— Oui, une catastrophe s'est produite… ils sont arrivés de la campagne. Un accident… le duc de Stäelmaere…

— Mais, en ce moment même, des gens entrent dans la grande salle pour assister à la cérémonie ! le pressa Chang. Pas le temps de…

— Je ne peux rien dire à ce sujet… La demeure est immense et pleine de monde, répondit l'officier. Tous mes hommes sont occupés par le groupe du duc. Après avoir atterri…

— Atterri ?

— Impossible de vous expliquer maintenant. Toute la maison est sens dessus dessous…

— Alors, il y a peut-être encore un espoir ? dit Chang.

— Mais un espoir pour quoi ?

— Tout ce dont j'ai besoin, c'est d'arriver là-haut et qu'on m'indique le bon chemin.

Smythe était déchiré entre l'envie de l'aider et le besoin de confirmer sa version des faits.

— Lorsque le régiment a été transféré au Palais, tous les officiers ont reçu une substantielle augmentation. Ceux qui nageaient dans les dettes après leurs années passées à l'étranger ont ainsi été sauvés… Tout cet argent, ces récompenses… finalement, c'est un piège.

— Allez examiner le corps de Reeves, lui conseilla calmement Chang. Parlez à ceux de vos hommes qui étaient présents. Ils vous suivront. Attendez et soyez prêts… Quand le temps sera venu, croyez-moi, vous saurez quoi faire.

Smythe le fixa, un peu déconcerté. Chang se mit à rire, un croassement sec, puis il donna à l'officier une tape sur l'épaule.

— Au début, on s'oriente difficilement dans cette maison, lui chuchota Smythe tandis qu'ils montaient les escaliers et se glissaient dans le couloir de l'étage principal. L'aile gauche est occupée par une grande salle de bal, pleine d'invités en ce moment et, dans l'aile droite, un immense hall aux murs tapissés de miroirs, lui aussi bondé, mène à des appartements privés. Dans cette même aile droite, un autre couloir mène à un escalier en colimaçon. Je n'y suis pas monté. Quand je l'ai vu, des gardes de Macklenburg occupaient le couloir.

– Et le centre de la maison ? demanda Chang.

– Le grand hall d'entrée, les cuisines, la buanderie, les quartiers du personnel, les quartiers du majordome, Blenheim, et de ses hommes.

– Et le bureau de Vandaariff ? demanda brusquement Chang qui réfléchissait à voix haute. Dans la partie arrière ?

– Oui, acquiesça Smythe, à l'étage principal. Je n'y suis jamais allé. Toute l'aile de gauche est réservée aux invités spéciaux, et seuls quelques serviteurs de confiance y ont accès. Pas de Dragons.

– Et vous, l'interrogea Chang, que faites-vous ici ? Quand êtes-vous arrivé du ministère ?

Smythe sourit avec amertume.

– Vous allez rire. Pendant que mes hommes étaient remplacés par la relève, j'ai reçu un message. J'ai cru qu'il provenait de mon colonel : je devais de toute urgence me rendre à l'hôtel Ste-Royale. À mon arrivée, bien que les querelles domestiques ne soient pas notre domaine d'intervention habituel, une femme particulièrement hautaine m'a *informé* que je devais l'escorter, sur-le-champ, en train, jusqu'ici.

– Mrs. Marchmoor, bien sûr.

Smythe acquiesça.

– Un type en rouge l'aurait mise dans tous ses états, un véritable scélérat, si j'ai bien compris.

– Nous avons pris le même train, j'étais caché dans le wagon à charbon.

– J'y ai pensé, justement, dit Smythe, mais je ne pouvais pas envoyer un homme à l'avant sans le faire passer par le toit. Nous avions l'interdiction de traverser la voiture noire.

– Qu'y avait-il à l'intérieur ? demanda Chang.

– Je l'ignore. Mrs. Marchmoor avait la clé et y est entrée seule. À notre arrivée à Orange Canal, nous avons été reçus par Blenheim, avec des charrettes et des fiacres. Il est entré dans le wagon noir avec ses hommes, sous la supervision de Mrs. Marchmoor, et ils ont sorti...

– Quoi ? souffla Chang impatient tout à coup de connaître la vérité tout en craignant de l'entendre.

– Encore une fois, je ne sais pas vraiment. C'était recouvert d'une toile. Ça pouvait bien être une autre de leurs caisses ou un cercueil. Mais pendant qu'ils le chargeaient, j'ai clairement entendu Blenheim donner l'ordre au cocher d'aller lentement, pour éviter de casser le *verre*…

Des bruits de bottes qui s'approchaient les interrompirent. Chang se plaqua contre le mur. Smythe s'avança tandis que, dans le couloir, retentissait la voix impérieuse et reconnaissable entre toutes de Blenheim.

– Capitaine ! Que faites-vous sans vos soldats ? et dans cette partie de la maison ?

Chang ne voyait plus Smythe, mais il constata qu'il changeait de ton.

– On m'a envoyé chercher monsieur Gray, répondit-il.

– Envoyé ? s'étonna brusquement Blenheim. Qui vous a *envoyé* ?

L'arrogance de cet homme était effarante. Si Chang avait été à la place de Smythe, sachant que le contremaître venait de tuer l'un de ses hommes, la tête de Blenheim serait déjà en train de rouler par terre.

– La Contessa, monsieur Blenheim. Souhaitez-vous l'interroger ?

Blenheim fit mine de ne pas avoir entendu.

– Et alors ? L'avez-vous trouvé ?

– Non.

– Dans ce cas, pourquoi êtes-vous encore là ?

– Comme vous pouvez le constater, je m'en vais. J'ai cru comprendre que vous aviez transporté le corps de mon soldat dans les écuries.

– Évidemment. La dernière chose que les invités de monsieur souhaitent voir, c'est un cadavre.

– En effet. Néanmoins, comme je suis son officier, je dois m'occuper de ses effets personnels.

Blenheim soupira avec dédain à l'idée d'une tâche aussi insignifiante.

– Alors, vous *m'obligeriez* en vous retirant de cette partie de la maison et en m'assurant que ni vous ni aucun de vos hommes n'y reviendrez. Ce sont les ordres de lord Vandaariff lui-même. Ces lieux sont exclusivement réservés à ses invités.

– Bien sûr… Il est chez lui, après tout.

– Et moi, je suis son intendant, capitaine, dit Blenheim. Si vous voulez bien me suivre.

Chang se précipita en direction du bureau de Vandaariff. Ce qu'il avait vu des plans de la prison n'était pas aussi détaillé qu'il l'eût souhaité, mais il lui semblait vraisemblable que le directeur eût un accès privé à la tour d'observation. Vandaariff avait-il investi le repaire du précédent maître des lieux, après l'avoir agrandi, lambrissé d'acajou et pavé de marbre? Si l'intuition de Chang ne le trompait pas, le bureau de Vandaariff le mènerait à Céleste.

Il en revenait toujours à cela: il voulait la sauver. Il avait pourtant d'autres choses à faire: venger Angélique, trouver la vérité au sujet d'Oskar Veilandt, découvrir quel différend entre ses ennemis avait pu mener à la mort de Trapping. En temps normal, il se serait fait une joie de jongler avec toutes ces missions en même temps, de maîtriser parfaitement la progression de leurs solutions. Mais ce soir, il était pressé et ne disposait d'aucune marge d'erreur, pas de deuxième chance.

Pour ne pas être découvert, il s'obligea à des courses douloureuses pour ses poumons à travers des couloirs vides. Il se cachait en toute hâte quand passaient des invités ou des domestiques. Pour Chang, habitué à exercer un certain mépris à l'égard d'autrui, aucun des habitants de Harschmort n'échappait à l'asservissement, que ce fût par sa profession, son mariage, l'argent, la peur ou le désir. Il pensa à Svenson, soumis à son devoir (envers qui? Chang ne pouvait le comprendre), à ce qu'il croyait être ses obligations et, même s'il détestait ce mot, à son honneur. Sur tout cela, il crachait, comme il crachait son sang sur ce marbre blanc. Et Céleste? Était-elle, elle aussi, asservie à Bascombe? à sa famille? à sa fortune? Chang n'en savait rien. En un éclair, il la revit se démener pour recharger son pistolet dans la chambre du Boniface... Quel curieux petit animal. Avait-elle finalement utilisé son arme?

Il constata que les invités, une fois de plus, portaient des masques et qu'ils étaient en tenue de soirée. Les bribes de leurs conversations se mêlaient en un murmure d'impatience et de surprise.

– Il paraît qu'on va les marier... ce soir!

– L'homme à la cape bordée de rouge... c'est lord Carfax, de retour de la Baltique!

– Avez-vous remarqué les domestiques avec les coffres cerclés de fer?

– Ils vont nous faire signe d'avancer... c'est Elspeth Poole qui me l'a dit!

– J'en suis sûr!… une force stupéfiante…

– Quels rêves… et puis, ensuite, quelle tranquillité d'esprit…

– Ils accourront comme de petits chiots confiants…

– Vous l'avez vu? Dans les airs? Quelle machine!

– Ça disparaît en quelques jours… je le tiens de la plus haute autorité…

– Je l'ai appris par quelqu'un qui a déjà… une étrange révélation…

– Personne ne l'a vu… on l'a même refusé à Henry Xonck lui-même!

– Je n'avais jamais entendu crier comme ça… et je n'avais jamais été témoin d'une telle extase…

– Cette collection, quelle qualité!

– …dit devant tout le monde: «L'histoire n'est-elle pas mieux écrite avec des marques de fouet?» La dame est superbe!

– Personne ne lui a parlé depuis des jours… Apparemment, il va tout révéler ce soir, ses plans secrets…

– Il va parler! Le comte l'a pratiquement promis…

– Et ensuite… l'œuvre sera révélée.

– Oui… l'œuvre sera révélée!

Ces mots sortaient de la bouche de deux hommes à l'allure désinvolte, en queue-de-pie et aux masques de satin noir. Chang, qui s'était enfoncé assez loin dans le dédale des appartements privés, se retrouvait maintenant dans un salon de taille moyenne, caché derrière un piédestal en marbre sur lequel reposait en équilibre une amphore ancienne incrustée de malachite et d'or. Les deux hommes se dirigèrent en riant vers un buffet couvert de bouteilles et de verres. Ils se servirent du whisky et burent joyeusement, appuyés contre les meubles, comme des enfants attendant la permission d'ouvrir leurs cadeaux d'anniversaire.

L'un d'entre eux fronça les sourcils et plissa le nez.

– Qu'y a-t-il? s'enquit l'autre.

– Cette odeur! se plaignit le premier.

– Nom de Dieu! dit l'autre en reniflant. Qu'est-ce que cela peut bien être?

– Aucune idée.

– C'est vraiment épouvantable…

Chang se fit tout petit derrière son piédestal. S'ils continuaient à avancer vers lui, il serait obligé de leur sauter dessus. Des cris s'ensuivraient. On le trouverait. L'un des deux hommes commençait à renifler dans sa direction. L'autre s'écria:

– Attendez !

– Quoi ?

– Croyez-vous qu'ils pourraient avoir commencé ?

– Je ne comprends pas… cette odeur ! Auraient-ils commencé ? Les feux alchimiques !

– Bon sang ! C'est donc ça, l'odeur ?

– Je n'en sais rien… et vous ?

– Aucune idée ! Nous sommes peut-être en retard !

– Dépêchons… Dépêchons…

Ils avalèrent leur whisky, reposèrent leurs verres en toute hâte et passèrent à grands pas à côté de Chang sans le voir, en ajustant leurs masques et en se lissant les cheveux.

– Qu'est-ce qu'ils vont nous faire faire ? interrogea l'un d'eux en ouvrant la porte pour sortir.

– Peu importe, s'écria l'autre, pressé, il faudra s'exécuter !

– Bien sûr !

– Nous allons bientôt être affranchis, s'exclama l'un d'eux avec un petit rire frivole en fermant la porte. Et ensuite, rien ne pourra plus nous arrêter !

Chang sortit de sa cachette. Que lui serait-il arrivé s'il n'avait pas fait cette descente dans les tuyaux et qu'il était arrivé dans ce salon de Harschmort en portant sur lui l'odeur normale de sa chambre ? Ils auraient reconnu cette odeur-là, il le savait, cette odeur était ancrée dans leur vision de la société. Les effluves atroces de Harschmort et du Procédé charriaient avec elles un espoir d'ascension sociale. Elles avaient pour effet de suspendre tout jugement.

Il comprit aussi que la cabale pouvait désormais se permettre d'exposer clairement ses objectifs de pouvoir et de domination. La beauté de la chose, c'était de voir que tous ces ambitieux, rassemblés dans leurs plus beaux atours comme des courtisans, ne se rendaient même pas compte qu'on les avait soumis, alors que, manifestement, leur servilité prouvait le contraire. L'aspect féerique de la soirée et leur initiation ne servaient qu'à flatter davantage leur vanité, pour qu'ils s'exaltent au milieu des soieries, des masques et des intrigues : tous ces pièges n'étaient que tours de passe-passe, manœuvres de charlatans.

Sans oser formuler le moindre soupçon à l'égard de la Contessa et du comte, tous ces gens se fermaient allègrement les yeux, lorgnant le monde extérieur du haut de leur nouvelle « sagesse ». Désormais, eux aussi allaient accéder au pouvoir.

Il comprit la dureté du principe qui fondait toute cette entreprise : tout projet dont le succès repose sur l'exploitation des autres et l'illusion sur soi-même est assuré d'une réussite.

Chang entrouvrit la porte du fond et jeta un œil sur le couloir que Smythe lui avait décrit : des portes alignées sur toute la longueur. C'est une de ces portes qui l'avait mené au corps de Trapping. D'un côté, l'escalier en colimaçon. Le bureau de Vandaariff devait se trouver dans la direction opposée s'il communiquait avec la grande salle.

Mais par où commencer ? Selon Smythe, la maison grouillait d'invités, et les gardes étaient postés dans le couloir... qui, pour une raison qu'il ne s'expliquait pas, était vide. Il ne le resterait que le temps d'ouvrir les trente portes qu'il y avait là. Pouvait-on encore espérer que Céleste fût en vie ?

Il avança sans hésiter, ouvrit les premières portes, l'une après l'autre, avec une impatience croissante. Si ce qui était arrivé à Aspiche et au duc (le plus indigne de tous les membres de la famille royale) avait perturbé le déroulement de la cérémonie dans la grande salle, Chang était décidé à jouer, lui aussi, les trouble-fête. Il dégaina sa dague et parvint à la moitié du couloir. Était-il possible que tout fût commencé ? Chang s'arrêta brusquement. À sa gauche, une porte était entrouverte. Il s'en approcha, jeta un coup d'œil dans l'entre-bâillement pour apercevoir un tapis rouge, du papier peint de la même couleur et un socle laqué sur lequel était déposée une urne chinoise. Il tendit l'oreille et entendit un froissement d'étoffe ainsi qu'une respiration pesante. Il prit son élan et enfonça la porte avec fracas.

Sur le tapis, un soldat de Macklenburg tentait de remonter son pantalon baissé sur les genoux tout en cherchant à attraper son sabre, le ceinturon et le fourreau tombés à ses chevilles. La bouche ouverte, l'homme allait s'expliquer, mais Chang lui enfonça sa dague dans la gorge, étouffant ainsi son cri d'alarme. Il retira sa lame d'un coup sec, s'écarta, tel un toréador, du jet de sang, puis laissa l'homme retomber sur le côté, les fesses nues sous les pans de sa chemise.

Chang trouvait que rien n'illustrait mieux la vulnérabilité de l'humain que les parties génitales et les fesses d'un mort, sauf peut-être une chaussure d'enfant au beau milieu d'une décharge d'ordures... mais ça, ce n'était que du sentiment.

Derrière le soldat mort, une femme élégamment vêtue était étendue sur le tapis, sa robe retroussée au-dessus de la taille, les cheveux en bataille, le visage luisant de sueur autour d'un masque de perles vertes. Le regard fou, elle clignait sans cesse des yeux et sa respiration était rauque et pénible... mais le reste de son corps ne réagissait pas, comme si elle dormait. Ses dessous n'étaient qu'à moitié arrachés : l'homme se préparait clairement à la violer, mais Chang l'avait interrompu au beau milieu de son assaut. On aurait dit que le regard vide de la femme exprimait la plus totale indifférence.

Il resta là, au-dessus d'elle, le regard attiré à la fois par sa beauté et par les spasmes et les tressaillements qui la parcouraient. Il se demanda combien de temps s'était écoulé entre le moment où le soldat avait entendu sa respiration dans le couloir, celui où il était entré doucement et l'avait observée comme un voyeur, et enfin celui du viol. Chang ferma la porte derrière lui, le couloir était encore vide, puis il se pencha pour remettre la robe de la femme en place. Il tendit le bras pour repousser les cheveux qui lui retombaient sur le visage et vit sous sa tête quelque chose comme un oreiller, une chose que ses yeux qui semblaient aveugles avaient avidement dévorée... un livre de verre d'un bleu éclatant.

Le souffle de la femme se transforma en gémissement, sa peau était brûlante, son visage écarlate, comme si elle souffrait d'une fièvre. Chang regarda le livre et se passa la langue sur les lèvres. Avec une détermination qui ne correspondait pas tout à fait à ce qu'il ressentait, il prit la femme sous les bras et la souleva. Le verre émettait une lumière forte qui le fit cligner des yeux. Alors qu'il l'en éloignait, la femme protesta en gémissant comme un chiot endormi dont on interrompt la tétée. Il la reposa et grimaça de douleur, la lueur du livre lui transperçait la tête comme un poignard.

À travers ses gants de cuir, Chang sentit une étrange pulsation et une force qui lui résistait alors qu'il refermait le livre, un rictus sur les lèvres. La femme n'émit plus le moindre son. Chang la regarda en essuyant distraitement sa dague sur le tapis. Sa respiration se calmait progressivement et ses yeux s'éclaircirent. Il écarta délicatement le masque de perles. Il ne la connaissait pas. Sans doute une autre de ces grandes dames parmi tous les gens huppés que l'on avait attirés dans la toile d'araignée de Harschmort.

Chang s'empara d'un coussin sur un canapé non loin de là, l'ouvrit avec sa dague, en retira le rembourrage, glissa le livre dans la taie vide et se leva. La femme finirait par revenir à elle, ses doigts s'agrippaient déjà par intermittence au tapis, elle se demanderait qui avait bien pu la sauver… et si elle se mettait à crier, elle causerait exactement l'émoi qu'il souhaitait. Du seuil de la porte, il jeta un coup d'œil derrière lui. Quelque chose attira son regard. Le papier peint était rouge, orné d'un motif à cercles dorés, vaguement florentin. Chang s'en approcha : au centre de l'un des cercles dorés, le motif semblait usé. Il appuya dessus avec son doigt et le centre du cercle s'ouvrit. Un judas. Chang repassa rapidement à côté de la femme qui remuait la tête d'un air rêveur et essayait de se relever en s'appuyant sur son coude, et il sortit dans le couloir.

Ce qu'il pensait depuis toujours se confirmait une fois de plus : une chose n'était bien cachée que parce que personne ne pensait jamais à la chercher. Maintenant qu'il savait ce qu'il cherchait, un couloir étroit qui serpentait entre les pièces, il devenait assez facile de repérer la porte qui pouvait y mener. Peut-être y avait-il une autre pièce de l'autre côté du judas, mais Chang estima que c'était peu probable, car Harschmort était construit selon des plans très rigoureux. Pourquoi installer un judas dans une seule pièce quand on pouvait construire un passage intérieur qui en longeait plusieurs de chaque côté, de manière telle qu'un homme armé d'un peu de patience et équipé de chaussures silencieuses pouvait effectivement profiter de tout un ensemble d'invités ? Il rit en se disant qu'il venait d'expliquer le succès de Robert Vandaariff en affaires et sa mystérieuse capacité à deviner ce que ses rivaux préparaient. Une réputation qui allait de pair avec son image d'hôte généreux, surtout, pensa Chang en secouant la tête devant tant de ruse, à l'égard de ceux contre lesquels il luttait le plus âprement. À moins de quelques mètres de la porte par laquelle il était entré, Chang en trouva deux autres assez rapprochées.

Chang sortit ses clés, d'abord celles de Gray, puis les siennes. La serrure était en fait assez difficile à ouvrir et d'un modèle différent des précédentes. Il crut entendre un bruit à l'autre extrémité du couloir, près de l'escalier… des applaudissements ? Donnait-on un spectacle ? Il essaya une quatrième clé. Un cliquetis résonna dans tout le couloir, et une porte s'ouvrit sur la mezzanine au-dessus de l'escalier, puis on entendit des pas, beaucoup de pas... ils atteindraient la rampe dans quelques secondes. Sa clé entra dans la serrure, elle tourna. Sans hésiter une seconde, Chang se glissa dans l'obscurité.

Il referma la porte à clé derrière lui et avança à tâtons. Le passage était si étroit que ses coudes frottaient contre la brique poussiéreuse de chaque côté. Le sol, lui, était pavé de carreaux lisses. Sa canne dans une main, le livre enveloppé dans l'autre et en poche les bottines de miss Temple qui heurtaient les murs, il avançait péniblement. Le judas dans la pièce rouge se trouvait à hauteur de tête : il essaya donc de placer ses mains à cette hauteur, pour sentir, tout en marchant, s'il y avait un trou dans la brique. Cela ne devait plus être très loin maintenant... son impatience le fit presque s'affaler quand il trébucha sur une marche dans l'obscurité.

Les deux marches suivantes lui évitèrent de tomber complètement. Il se retrouva à genoux sur ce qui était en fait un petit escabeau en travers du passage. Chang posa prudemment sa canne et le livre, puis tâta le mur et repéra un bouchon grâce au petit rayon de lumière qu'il laissait passer. Il jeta un coup d'œil. La femme avait rampé loin du soldat mort et s'était accroupie sur le tapis. Les mains sous sa robe, elle essayait de remettre en place ses dessous ou peut-être de déterminer jusqu'où le soldat avait pu aller. Elle portait encore son masque, et Chang trouva étrange que, malgré les larmes qui coulaient sur ses joues, elle eût l'air calme et résolue... Était-ce le résultat de ce qu'elle avait expérimenté avec le livre ?

Il remit le bouchon dans le mur et se demanda pourquoi l'escabeau avait été installé sur toute la largeur du couloir... Y avait-il un autre judas sur le mur d'en face ? Chang se déplaça en tâtonnant et il trouva facilement un autre bouchon. Il le retira aussi doucement qu'il le put et se pencha pour regarder dans la deuxième pièce.

Un homme était affalé sur un bureau. Chang le reconnut malgré son bandeau noir. Il avait depuis longtemps appris à reconnaître ceux qu'il suivait dans la rue, et pouvait aisément les identifier de dos ou dans une foule, à leur taille ou à leur façon de se tenir. Celui-ci était un ancien client, l'homme qui était censé avoir recommandé Chang à Rosamonde pour ses talents : John Carver. Chang ne doutait pas un instant que tous les secrets professionnels de Carver pussent être fort utiles à la cabale. Combien d'hommes de loi s'étaient-ils ralliés ?

Les convaincre avait dû être aisé. Le visage de Carver était aussi écarlate que celui de la femme, un filet de bave coulait de sa lèvre sur le bureau. Le livre de verre palpitait sous la main de Carver. Le haut de son visage reposait sur le livre, comme s'il était saisi par une béatitude extatique, les yeux agités de tics, rivés sur les profondeurs du verre. Le bout de ses doigts et la partie de son visage qui touchait le livre étaient bleus... pour ainsi dire gelés ; mais le visage luisant de sueur de l'homme contredisait cette impression.

Avec un certain dégoût, il constata que l'autre main de Carver s'agitait frénétiquement sur son entrejambe. Chang regarda autour de lui : personne, aucun indice utile. Les avantages que la cabale pouvait tirer à montrer ainsi les livres n'étaient pas clairs, sinon que les victimes perdaient connaissance. Est-ce qu'ils en sortaient transformés comme ils l'étaient par le Procédé ? Y avait-il quelque chose *dans* le livre qu'ils étaient censés apprendre ? Le poids du livre qu'il avait sous le bras se fit sentir. Il avait lui-même du verre dans les poumons, et Svenson lui avait décrit avec précision cet homme dont les bras avaient volé en éclats : il savait donc que l'objet pouvait être dangereux, mais comme l'était un outil, une machine... Sa véritable puissance destructrice dépassait l'imagination de Chang. Il remit le bouchon et, du bout de sa canne, il chercha les marches suivantes.

Quand il les eut trouvées, il enleva le bouchon du côté gauche, celui de la pièce où se trouvait la femme, et il regarda encore. Chang était tenaillé par sa conscience : ne devait-il pas se diriger directement vers le bureau ? Mais, ce faisant, il passerait à côté de précieux renseignements... Il devait faire plus vite. Mais en regardant dans la pièce, il fut tout à coup pétrifié. Deux individus vêtus de manteaux noirs aidaient un vieil homme habillé de rouge à s'asseoir sur un sofa. Le visage de l'homme d'église était caché : cela ne pouvait être que l'évêque de Baax-Saornes, l'oncle de la reine et du duc de Staëlmaere, le membre le plus puissant du clergé de tout le pays, conseiller du gouvernement et ennemi de la corruption... et des larbins mal intentionnés étaient là à essuyer la bave qui coulait sur son menton. L'un d'eux enveloppa un paquet dans un morceau de tissu, sans doute un autre livre, tandis que l'autre prenait le pouls de l'évêque. Puis tous deux se retournèrent en entendant frapper à une porte que Chang ne put voir et sortirent rapidement de la pièce.

Sans penser davantage à l'évêque mal en point – que pouvait-il faire pour lui de toute façon ? –, Chang se tourna vers le judas de l'autre côté : un autre homme, affalé sur un livre et les yeux exorbités, le visage empourpré appuyé sur la surface luisante. C'était, sans l'ombre d'un doute, Henry Xonck, dépouillé de son aura habituelle de puissance et d'autorité. Chang eut l'impression que ses attributs avaient été drainés hors de lui... Avaient-ils pu être engloutis par le livre ? C'était une idée absurde, mais il se souvint des cartes de verre, de la façon dont elles étaient imprégnées de souvenirs. Si les livres provoquaient le même effet, mais à plus grande échelle... Mais peut-être les souvenirs étaient-ils directement imprimés à partir de l'esprit des victimes... ou s'en effaçaient-ils ? De combien de souvenirs avait-on dépouillé la mémoire de Henry Xonck, et de quelle partie de son âme ?

Les judas suivants lui donnèrent à voir des scènes identiques, et même si Chang ne put identifier tous les personnages concernés, ceux qu'il put reconnaître suffirent à lui indiquer qu'il s'agissait d'une attaque en règle contre tout ce que le pays comptait de puissants : le ministre des Finances, le ministre de la Guerre, une actrice célèbre, une duchesse, un amiral, un juge du tribunal de grande instance, l'éditeur du *Times*, le président de la Banque impériale, la veuve d'un baron qui tenait le salon le plus influent de la ville et, enfin, ce qui l'incita presque à remettre la suite de ses recherches à plus tard et à intervenir : Madelaine Kraft. Il trouva chacun d'entre eux dans le même état de possession agitée et quasi narcotique, l'esprit totalement absent et le corps ne répondant plus, toute leur attention étant rivée au livre posé devant eux. Dans plusieurs cas, des hommes et des femmes masqués surveillaient les victimes, reprenant parfois le livre et les réveillant, parfois les laissant s'imprégner plus longtemps des profondeurs bleues. Chang ne reconnut aucun d'entre eux.

Quelques jours plus tôt, Mrs. Marchmoor ou Roger Bascombe se seraient acquittés de cette tâche, et avant eux, c'eût été la Contessa ou Xonck en personne. Désormais, leur organisation avait pris de l'ampleur et rallié tant de nouveaux adeptes qu'ils étaient tous libres de vaquer à des tâches plus importantes. Ce qui incita Chang à croire que quelque chose d'autre se tramait dans la maison, peut-être pour couvrir l'assujettissement de ces personnages illustres, mais quelque chose quand même de suffisamment important pour mobiliser les instigateurs de la cabale. Il fonça droit devant lui dans l'obscurité.

Il ne prêta plus attention aux autres judas, se rua vers le fond du couloir en espérant y découvrir une porte. Il tomba en fait sur un tableau. Le bout de sa canne heurta légèrement quelque chose qui n'était pas de la pierre, il tendit la main et trouva un énorme cadre sculpté, d'un format assez semblable au portrait de Robert Vandaariff, mais l'obscurité des lieux l'empêcha de distinguer ce qu'il représentait. À genoux, Chang chercha à l'aveuglette une prise ou un levier quelconque qui lui permettrait d'ouvrir la porte. Mais pourquoi le tableau se trouvait-il du côté du couloir? La porte pivotait-elle entièrement chaque fois qu'on l'utilisait? C'était peu probable, un gond dissimulé, s'ouvrant et se refermant normalement, eût été beaucoup plus facile à utiliser et à cacher. Mais alors, qu'y avait-il sur ce tableau que l'on ne devait pas voir?

Il s'accroupit et soupira. Les blessures, la fatigue, la soif... Chang se sentait comme une loque. Il pouvait certes continuer à se battre, c'était pour lui presque un instinct, mais il avait l'impression de perdre ses capacités intellectuelles. Il ferma les yeux et imagina l'autre côté de la porte: la prise était peut-être cachée... elle ne se trouvait peut-être pas *autour* du cadre mais en faisait plutôt *partie*. Il parcourut des doigts l'endroit où normalement devait se trouver la poignée... lorsqu'il tomba sur le renfoncement. Il comprit l'astuce: la poignée avait été placée à gauche plutôt qu'à droite. La serrure bien huilée s'ouvrit en silence et Chang sentit le poids de la porte bouger entre ses mains.

Il sut immédiatement que c'était le bureau de Robert Vandaariff: l'homme y était attablé, grattant avec une plume d'oie à l'ancienne une longue feuille de parchemin. Lord Robert ne broncha pas. Chang s'avança, l'épaule encore contre la porte, le regard balayant toute la pièce. Cette dernière, recouverte de tapis rouges et noirs, devait remplir plusieurs fonctions à en juger par ses meubles: une longue table de réunion entourée de chaises à dossiers hauts, quelques fauteuils et des divans, le bureau d'un secrétaire, une rangée de hauts classeurs verrouillés pour les papiers, et le bureau du grand homme, aussi large que la table de réunion et recouvert de documents, de cartes enroulées et de toute une série de verres et de tasses sales repoussés par son travail actuel comme de l'écume sur une plage.

Lord Vandaariff était seul. Le visage profondément concentré sur ce qu'il écrivait, il ne semblait pas s'être aperçu de la présence d'un intrus. L'entrée principale de la pièce s'ouvrait sur le mur du fond, derrière la table, mais il semblait que ce fût la seule. Aucun indice de passage secret.

Le regard de Chang fut attiré par un tableau, une autre toile d'Oskar Veilandt, mais pas du même genre que les précédentes... Ce qui y était représenté ressemblait au dos des toiles de *l'Annonciation*. Ce qui, de prime abord, ressemblait à de simples lignes hachurées qui se croisaient était en fait un tissu serré de symboles et de diagrammes. Chang, par intuition surtout, y vit la forme d'un fer à cheval... Des équations mathématiques inscrites à l'arrière-plan et en surimpression apparaissait la forme de Harschmort House. Elle évoquait également l'anatomie féminine, ce dont il se rendit compte avec une certaine gêne, se demandant même si cette idée n'était pas le fruit de sa propre obsession. La courbe en U de la maison et la forme cylindrique de la grande salle, plus longue qu'il ne l'avait imaginée et dont la disposition était curieuse... clairement insérée dans... peu importe les objectifs de l'alchimie de Veilandt, il fallait se rendre à l'évidence : elle était inspirée au moins autant par la copulation que par la trans-mutation des éléments... ou était-ce la même chose ? Quel lien tout cela pouvait-il avoir avec la cérémonie dans la grande salle ou avec Vandaariff lui-même ? Et pourtant... Vandaariff n'avait pas acheté et rénové la prison de Harschmort plus d'un an ou deux auparavant. Le propriétaire de la galerie ne leur avait-il pas dit que Veilandt était mort depuis cinq ans ? C'était impossible, le tableau alchimique sur la porte était clairement l'œuvre du même artiste. Était-il possible que Veilandt ne fût pas mort ? Se pouvait-il qu'il fût ici, de son plein gré ? Étant donné le rythme auquel Vandaariff et d'Orkancz exploitaient toutes ses découvertes, il était beaucoup plus probable qu'il fût prisonnier ou, pis encore, que son esprit fût victime de sa propre alchimie, drainé dans un livre de verre pour que d'autres puissent le consommer.

Chang s'accrocha à ce frêle espoir : et si Veilandt était en vie... et s'il pouvait le retrouver ! Qui d'autre pourrait leur apprendre comment résister ou inverser les effets du verre ? La possibilité de sauver Angélique résidait peut-être là. Son cœur fut immédiatement déchiré entre sa volonté farouche de délivrer Céleste et ce dernier espoir de sauver Angélique. Mais

Veilandt pouvait être n'importe où : enchaîné dans un cachot ou bavant dans une oubliette... ou, s'il avait encore toute sa tête, là où il pourrait le mieux aider la cabale... avec le comte d'Orkancz, au pied de la grande tour.

Chang s'attarda encore sur le tableau. C'était bien un plan de Harschmort... et en même temps, une formule alchimique d'une complexité étourdissante... et clairement pornographique. En se concentrant sur le plan – il faut dire qu'il ne connaissait rien à l'alchimie et n'avait pas de temps à perdre en frivolités érotiques pour le moment –, il essaya du mieux qu'il put de retrouver sur la carte l'endroit où il se trouvait. Réussirait-il à repérer un chemin qui menait à la grande salle et à la tour ?

Un « alpha » indiquait la pièce elle-même et, juste au-dessus, comme si c'était sa puissance multiplicatrice, un petit « oméga » (il connaissait assez le grec pour pouvoir les lire)... De l'oméga partait un trait qui rejoignait le nid de symboles à l'endroit où se trouvait la grande salle. Si la pièce était l'alpha, où se trouvait donc l'oméga ? La lettre devait se trouver juste derrière le bureau de Vandaariff... là où un rideau lourd cachait le mur.

Chang avança à grands pas vers cet endroit en surveillant de près Vandaariff. L'homme n'avait pas cessé d'écrire : il avait dû noircir la moitié d'une page depuis que Chang était dans la pièce. C'était sans doute l'homme le plus puissant du pays, du continent peut-être, et Chang ne put résister à la curiosité. Il s'approcha du bureau pour voir le visage impassible de Vandaariff. Il faut dire que l'odeur terrible de ses vêtements aurait pu suffire à déconcentrer un moine.

Le cardinal Chang eut l'impression que les yeux de Robert Vandaariff ne voyaient strictement rien. Ils étaient bien ouverts, mais on les aurait dit éteints, presque vitreux, comme si ses pensées étaient ailleurs et que son regard s'était figé sur le bureau, bien à côté de la feuille sur laquelle il travaillait à transcrire ses pensées. Chang se pencha plus encore pour examiner le parchemin. Il touchait presque l'épaule de Vandaariff qui ne réagissait toujours pas. D'après ce qu'il put déchiffrer, l'homme décrivait, avec force détails incroyablement compliqués, une transaction financière qui consistait en virements et en opérations bancaires à Macklenburg et en France ; il y était question de taux, de marchés, d'actions et d'échéances de paiements. Chang regarda Vandaariff finir la page, la retourner d'un geste vif et poursuivre sa phrase en haut de la page blanche. Le mouvement soudain de ses bras fit reculer Chang. Sur le plancher, il découvrit un monceau de feuilles, toutes couvertes de l'écriture de Vandaariff, comme s'il y dévidait son cerveau de tous ses secrets financiers. Chang ne put réprimer un frisson devant le grattement insistant et inhumain de la plume et ces doigts aux extrémités teintées de bleu… La pièce n'était pas froide et, sous cette chair pâle, ce bleu était plus vif que tout ce que Chang eût jamais vu sur un homme vivant.

Il s'écarta du lord automate à l'infatigable main arachnéenne et palpa le rideau derrière lui. Il l'écarta pour découvrir une porte fermée à clé. Il sortit maladroitement son trousseau, choisit un passe-partout puis abandonna, soudain effrayé à l'idée de se retrouver en présence d'un homme comme Vandaariff, absent, et dont la plume continuait de griffonner. Il donna un bon coup de pied dans la porte. Au deuxième coup, il sentit le bois se fendre. Se moquant bien de faire du bruit ou de laisser des signes d'effraction derrière lui, il se retrouva titubant dans un tunnel de pierre incurvé qui continuait en pente et dont on ne pouvait distinguer le fond.

Les dalles du tunnel étaient lisses et éclairées par des globes placés à intervalles réguliers. Le passage amorçait une courbe lente sur une centaine de pas, et Chang dut ralentir sa course. Pendant qu'il reprenait son souffle, une main appuyée au mur, laissant échapper un peu de salive sanguinolente, il entendit dans le lointain des voix qui chantaient à l'unisson. Le tunnel obliquait brusquement vers la droite, vers la grande salle. Y aurait-il des gardes ? Les chants couvraient tout autre bruit. Cela venait d'en dessous… des gens qui se trouvaient dans les cellules en surplomb ! Chang se mit à genoux et scruta prudemment le couloir depuis l'angle où il se trouvait.

Le tunnel donnait sur une passerelle étroite, munie de chaînes de chaque côté, et qui s'enfonçait dans une tourelle métallique et sombre s'élevant vers le plafond. Les chants montaient à travers la grille de la passerelle. Chang regarda en bas, mais la faible lumière et ses pauvres yeux l'empêchaient d'apercevoir la salle au-dessous. À l'autre bout de la passerelle se dressait une porte métallique, massive, munie d'une lourde serrure et d'une barre de fer, qu'on avait laissée entrouverte. Chang s'arrêta juste derrière, tendit l'oreille : personne. Il se glissa dans l'obscurité... s'avança vers un autre escalier en colimaçon, constitué celui-ci de plaques de fer soudées.

L'escalier montait probablement vers l'entrée principale de la tour. Mais Chang se dirigea plutôt vers le bas, sentant ses bottes heurter les marches, le bruit de ses pas étant couvert par le chœur des voix. Le chant maintenant lui parvenait plus clairement : il pouvait s'agir d'un opéra italien ou de n'importe quoi d'autre, tant le phrasé imposé par la musique déformait les voix. Il put quand même distinguer quelques bribes, « bleu impénétrable »... « vision éternelle »... « espèce affranchie », ce qui l'incita à accélérer le pas.

L'intérieur de la tour était éclairé par des chandeliers muraux, disposés à intervalles réguliers, mais on avait volontairement tamisé la lumière. Chang ralentit. Une forme vague gisait sur la marche en dessous de lui : un manteau abandonné là. Il le ramassa et l'approcha d'une applique. S'il avait dû jadis être bleu foncé, ce manteau d'uniforme était désormais couvert de saleté et de sang. Les taches encore fraîches en imprégnaient presque entièrement le devant. Pourtant, pas de déchirure ni de trace de blessure dans le tissu. Le sang venait-il de celui qui portait le vêtement ou de son ennemi ? Celui qui le portait avait peut-être saigné de la tête ou peut-être lui avait-on coupé la main. Tout était possible. Chang – dont l'esprit était décidément bien lent ! – finit par remarquer les galons d'officier sur le col raide du manteau... Il regarda à nouveau la coupe, la couleur, la tresse argentée sur chaque épaulette... il s'en voulut d'avoir été aussi bête.

C'était sans aucun doute possible le manteau couvert de sang de Svenson.

Il jeta un bref coup d'œil autour de lui dans l'escalier et il découvrit sur le mur de grandes traînées de sang. Le combat avait eu lieu à cet endroit même, sur les marches, peut-être quelques instants plus tôt. Svenson était-il mort ? Comment avait-il bien pu arriver à Harschmort depuis Tarr Manor ? Chang descendit encore quelques marches, avançant de côté comme un crabe, une joue plaquée sur la paroi métallique. Une trace de sang descendait le long de l'escalier, mais elle s'étalait... Ce n'était donc pas un homme blessé qui avait descendu les escaliers, c'était un homme blessé ou mort que l'on avait traîné.

Chang jeta le manteau. Si le docteur l'avait laissé là, il n'avait aucune raison, lui, de l'emporter. Il dévala les escaliers en faisant grand bruit et en toute hâte. Il lui faudrait descendre à peu près le même nombre de marches que ce qu'il venait de monter, peut-être deux cents. Qu'allait-il donc trouver au bout de sa course ? Le cadavre de Svenson ? Que pouvait bien faire d'Orkancz en ce moment même ? Et pourquoi ne rencontrait-il pas l'ombre d'un garde ?

Chang glissa sur une flaque de sang et s'accrocha à la rampe. Ce n'était vraiment pas le moment de se casser le cou. Les chants s'élevaient encore, même s'il avait dépassé le niveau des cellules d'observation et que le chœur se trouvait maintenant au-dessus de lui. Mais quand Svenson était-il arrivé ? Ce devait être en même temps qu'Aspiche ! Le docteur pouvait-il être la cause du trouble de Smythe ? Chang sourit en y pensant, puis grimaça en songeant au châtiment que le colonel ferait sans doute subir à quiconque se mettrait en travers de son chemin. Il n'aimait pas imaginer le docteur seul face à ces hommes, car Svenson n'était ni un soldat ni un tueur. Ce rôle, c'était le sien.

Et si Svenson était mort ? Alors, peut-être le rôle de Chang consisterait-il à mourir avec lui… et avec miss Temple.

Il descendit une trentaine de marches à toute allure et s'arrêta sur un petit palier. Ses poumons étaient en feu et il savait qu'il valait mieux ne pas arriver en bas au bord de l'évanouissement. Il eut un sourire sinistre en découvrant près de lui l'une des ouvertures de surveillance de la tour. Devant la fente était fixée une plaque de verre fumé. De l'intérieur, il pouvait voir à travers, mais les prisonniers de jadis ne pouvaient pas distinguer de leur cellule si quelqu'un les surveillait. Chang enleva ses lunettes et appuya son visage sur le verre au moment même où les chants se turent.

En face de lui, au-dessus de lui, s'alignaient des cellules bondées de gens bien habillés, masqués, le visage plaqué aux barreaux, comme des déments dans un asile. Il essaya en vain de distinguer les tables. Il était encore trop haut.

Alors qu'il s'écartait de la paroi, une voix surgit du dessous : surnaturelle, étrangement amplifiée, profonde, et qui, incontestablement, en imposait. Il ne la reconnut pas immédiatement. Il n'avait guère entendu que quelques mots de cet homme, des mots chuchotés d'une voix rauque à l'oreille de Harald Crabbé… il avait vu son bras énorme dans un manteau de fourrure, étreignant Angélique. C'était le comte d'Orkancz.

En maudissant ses poumons, il se mit à dévaler l'escalier, sans réfléchir davantage, sautant deux et parfois trois marches d'un coup, la main sur la rampe, tenant sa canne et serrant le livre enveloppé de l'autre main pour qu'il ne heurte rien, les pans de son manteau souillé claquant derrière lui, le poids de ses poches lui battant les jambes. Tout autour de lui, dans la salle, résonnait la voix inhumaine du comte.

– Vous êtes ici parce que vous croyez… en votre for intérieur… parce que vous êtes prêts à vous abandonner à un rêve… de possibilités… de transformation… de révélation… de libération. Peut-être y en a-t-il parmi vous qui seront considérés dignes… véritablement dignes et véritablement prêts à sacrifier leurs illusions… à sacrifier leur univers en entier… *qui n'est rien d'autre qu'un univers d'illusions*… pour atteindre ce degré suprême de sagesse. Au-delà de la libération, il y a *le fait d'être choisi*… tout comme Marie a été choisie entre toutes les femmes… comme Sarah est tombée enceinte après toute une vie de stérilité… comme Léda a reçu la double semence de la beauté et de la destruction… ainsi, les individus qui sont devant vous ont-ils tous été choisis… *désignés* pour atteindre une destinée supérieure… une transformation à laquelle vous allez assister. Vous allez ressentir l'énergie supérieure… vous goûterez cette grandeur… cette ambroisie sublime… réservée jadis aux créatures que les bergers appelaient des dieux… les bergers et les enfants que nous avons tous été…

Chang se cogna contre la rampe, perdit l'équilibre et dut se retenir à deux mains pour ne pas tomber. Il cracha contre le mur en haletant, essaya d'atteindre une autre ouverture et arracha ses lunettes pour voir à travers. En dessous de lui, il aperçut l'intérieur d'une cathédrale de cauchemar, en métal, conçue pour célébrer une messe diabolique. Au pied de la tour, on avait installé une plate-forme qui semblait suspendue sur un réseau de tuyaux argentés et sur laquelle on avait disposé trois grandes tables d'opération entourées de structures métalliques, de plateaux et de machines en cuivre. Sur les tables, trois femmes étaient allongées, attachées par des sangles comme Angélique à l'Institut, nues, le corps disparaissant sous un entrelacs répugnant de tuyaux noirs et lisses.

Leurs visages étaient recouverts d'un masque noir sur lequel étaient fixés des tuyaux plus fins reliés aux oreilles, aux yeux, au nez et à la bouche. Un tissu sombre recouvrait entièrement leurs cheveux. Malgré le fait qu'elles fussent nues, Chang ne pouvait donc absolument pas les reconnaître. Seule la femme qui se trouvait le plus près de la tourelle, qu'il voyait à peine, se distinguait des autres parce que la plante de ses pieds était teintée de bleu, comme l'étaient les mains de Robert Vandaariff.

D'Orkancz se tenait debout à côté de cette dernière, équipé comme à l'Institut d'un tablier, de gants de cuir et d'un casque bordé de cuivre auquel il avait attaché un tuyau relié à la boîte métallique qui formait la bouche du casque. Le comte parlait par ce tuyau et sa voix en était amplifiée, exactement comme celle d'un dieu, pour atteindre chaque recoin de la salle immense. Derrière d'Orkancz se tenaient au moins quatre hommes, habillés de façon identique, et dont on ne pouvait distinguer le visage. Était-ce des hommes de l'Institut, comme Gray et Lorenz? Ou alors se pouvait-il que l'un d'entre eux fût Oskar Veilandt, assistant à tout cela en esclave ou en prisonnier? Chang ne pouvait discerner le pied de la tour. Où se trouvaient les gardes? Où était Svenson? Sur quelle table était allongée Céleste? Aucune des femmes n'avait l'air éveillée. Comment donc réussirait-il à l'emporter loin de ces lieux?

Un bruit métallique retentit dans l'escalier et Chang se retourna. Les marches s'enroulaient autour d'une colonne et le bruit venait de l'intérieur de celle-ci. Il posa la main dessus et sentit une vibration. Le bruit lui fit penser à un monte-charge… Était-il possible que le pilier fût creux? Quel autre moyen pouvait-il y avoir pour faire descendre des choses d'en haut jusqu'en bas? Mais que pouvait-on charrier de cette manière? C'était sa seule chance. Quand ce qui avait été envoyé arriverait en bas, quelqu'un devrait ouvrir la tour pour récupérer l'envoi, et ce serait le moment pour lui de faire une percée. Il remit ses lunettes en hâte, déposa le livre par terre, contre le mur, et se rua dans l'escalier.

Le comte continuait son discours, mais Chang ne s'en souciait plus, c'était toujours les mêmes absurdités, un degré de plus dans tout leur cirque pour impressionner leurs adeptes. Peu importe les véritables effets de cette «transformation», il savait que cela cachait autre chose, tout un réseau fondé sur la cupidité et l'exploitation.

Le bruit cessa.

Alors que Chang amorçait le dernier tournant de l'escalier, il vit deux hommes portant des tabliers, des gants et des casques se pencher vers le monte-charge ouvert et faire glisser une caisse cerclée de fer sur un petit chariot. Derrière eux, la porte menant à la salle était ouverte, un soldat de chaque côté. Sans se soucier des hommes qui poussaient le chariot, Chang se lança depuis les marches sur le soldat le plus proche en poussant un cri, lui assena un grand coup dans la mâchoire avec son avant-bras et lui envoya un genou dans les côtes. Le soldat s'affala. Avant que le deuxième pût dégainer son arme, Chang lui enfonça sa canne dans l'estomac et l'homme se plia en deux, le visage assez près de Chang pour que celui-ci entendît claquer ses dents. Il plongea alors son poignard sous la mâchoire de l'homme et en retira aussitôt la lame.

Le soldat mort s'affaissa en faisant contrepoids, ce qui permit à Chang de se redresser, de se retourner vivement vers le premier homme et de lui envoyer un coup de pied sur le côté de la tête. Les deux soldats ne bougeaient plus. Quant aux hommes casqués, ils avaient les yeux rivés sur lui, aussi effarés que des martiens qui seraient témoins pour la première fois de la violence des hommes.

Chang se retourna vers la porte ouverte. Le comte, muet, le regardait fixement. Avant qu'il pût réagir, Chang entendit un bruit dans son dos et, sans se retourner, il s'élança vers la salle tandis que les deux hommes casqués lui lançaient leur chariot dans les jambes. L'engin lui entailla la cuisse droite, mais le choc ne fut pas suffisant pour le renverser.

Chang tituba sur la plate-forme, pris d'un vertige soudain : la taille de cette salle immense en forme de cathédrale l'étourdissait. Il tenta de reprendre ses esprits. Quatre autres Macklenbourgeois se tenaient sur la plate-forme : trois soldats qu'il vit brandir leur sabre d'un seul mouvement, et le major Blach qui dégainait calmement son pistolet. Chang chercha rageusement tout autour de lui : aucune trace de Svenson, ni rien qui lui indiquât que l'un des hommes au casque de cuivre pût être Veilandt.

Puis il leva les yeux au plafond, si haut qu'il donnait le vertige, et observa le cercle de l'assistance, tous ces visages masqués et ces gens entassés qui regardaient en bas, captivés par le spectacle. Il n'y avait pas de temps à perdre. S'il voulait éviter les soldats, Chang n'avait pas le choix : il devait s'avancer vers les tables et vers d'Orkancz qui s'était précipité pour l'empêcher d'atteindre les femmes allongées.

Les soldats foncèrent droit devant. Chang, lui, se précipita directement sur le comte avant de s'écarter vers la gauche et de plonger sous la première table, entre les tuyaux qui pendaient, pour atteindre l'autre côté. Les soldats vinrent se poster de chaque côté du comte d'Orkancz. Chang se faufila sous la deuxième table et émergea de l'autre côté. Le comte hurla aux soldats de ne pas bouger.

Chang se releva. Le comte lui faisait face de l'autre côté de la première table, le casque encore sur la tête, avec devant lui la femme couverte de tuyaux. Blach se tenait près du comte, prêt à tirer. Les soldats attendaient. Aucune trace de Svenson. Ni de Veilandt, apparemment, du moins pas s'il avait encore toute sa tête, car les deux hommes masqués derrière le comte n'avaient pas cessé de s'activer sur la machine en cuivre, comme des bourdons. Chang examina le bord de la plate-forme. Dessous, partout, une mer de tuyaux métalliques qui sifflaient sous l'effet de la chaleur et des vapeurs de soufre. Il était pris au piège.

– Cardinal Chang !…

Le comte d'Orkancz parlait toujours avec cette voix amplifiée que Chang avait entendue dans la tour. De plus près, le son était si strident qu'il grimaça malgré lui.

– …ne faites pas un geste ! Vous êtes entré par effraction dans un lieu dont vous ignorez tout ! Je vous jure que vous n'avez pas la moindre idée de ce qui vous attend !

Sans penser davantage au comte, Chang tendit la main vers la femme sur la seconde table et déchira le tissu sombre qui recouvrait ses cheveux.

– *Ne les touchez pas* ! cria le comte d'Orkancz.

Les cheveux étaient trop foncés. Ce n'était pas Céleste. Il se précipita immédiatement vers la troisième table. Les soldats avancèrent en même temps que lui jusqu'à la deuxième table, le comte et Blach restèrent à côté de la première. Blach visait Chang à la tête. Chang se baissa à côté de la troisième femme et lui découvrit les cheveux. Trop clairs et moins bouclés… Céleste devait être sur la première table. Il était passé en courant à côté d'elle comme le dernier des imbéciles et il avait laissé d'Orkancz l'empêcher de s'en approcher.

Il se releva. Les soldats avancèrent et Chang détecta un léger mouvement du côté de Blach. Il s'agenouilla et le coup de feu retentit. La balle siffla en passant à côté de sa tête et s'enfonça dans l'un des grands tuyaux, libérant un jet de vapeur qui resta en l'air, vacillant comme une flamme bleu et blanc.

– *Arrêtez!* ordonna le comte.

Près de la troisième table, les soldats se figèrent. Chang se risqua à jeter un coup d'œil par-dessus le monceau de tuyaux, entrevit une chair pâle et moite, puis il croisa le regard menaçant du major.

Mis à part le ronronnement régulier de la fournaise et la note aiguë de la vapeur qui sifflait derrière lui, un silence absolu régnait dans la salle. Il lui fallait triompher de neuf hommes, en comptant les deux qui s'occupaient du chariot et enlever Céleste de la table. Pourrait-il y parvenir sans lui faire de mal? Courait-il le risque de lui faire encore plus de mal que s'il n'intervenait pas? Il savait ce qu'elle aurait voulu qu'il fît, il savait aussi qu'il était désormais absurde de penser s'en sortir vivant. Il sentit la brûlure qui lui tenaillait les poumons. Il était arrivé jusque-là pour assister à ce moment précis et provoquer, humilier ce monde de privilégiés. Chang leva encore une fois les yeux vers les visages masqués, tenus en haleine par ce spectacle inattendu. Il se sentit comme un fauve dans l'arène.

Le comte retira de son casque le tuyau noir par lequel il parlait et le posa prudemment autour d'une machine posée sur un socle et hérissée de leviers et de taquets. Il se plaça exactement en face de Chang et, d'un geste de la tête – qui, affublée de ce casque, ressemblait à celle d'une brute ou d'un ogre de contes pour enfants –, il désigna la femme à côté de Chang, celle dont celui-ci avait dégagé la chevelure.

– Vous cherchez quelqu'un, Cardinal? ironisa-t-il.

Sa voix était moins forte, mais elle sortait de ce qui servait de bouche à son casque et, pour Chang, elle n'avait rien d'humain.

– Je peux peut-être vous aider…

Le comte d'Orkancz tendit la main et retira l'étoffe qui couvrait les cheveux de la dernière femme. Ceux-ci tombèrent en cascade de boucles, sombres, d'un noir de jais. Le comte écarta les tuyaux qui cachaient les pieds. La peau était décolorée, recouverte d'un lustre soyeux, encore plus que ne l'était la main de Vandaariff ou le visage de John Carver. Aussi pâle que la glace polaire, elle luisait de sueur et, sous la sueur, au lieu de la couleur mordorée que Chang avait connue jadis, la blancheur indifférente de la cendre la ternissait. Elle avait un anneau d'argent enfilé au troisième orteil du pied gauche, mais dès qu'il avait aperçu ses cheveux, Chang l'avait reconnue… c'était Angélique.

— Je crois que vous… connaissez cette dame, poursuivit d'Orkancz. Bien sûr, vous connaissez peut-être les autres aussi : miss Poole et Mrs. Marchmoor.

Chang baissa les yeux et tenta de reconnaître Margaret Hooke, qu'il avait vue pour la dernière fois sur un lit de l'hôtel Ste-Royale. Mais il ne voyait plus que ses cheveux, sa carrure, la couleur de la chair qu'il apercevait sous le caoutchouc noir. Il eut envie de vomir.

Chang cracha du sang sur la plate-forme et s'adressa au comte d'une voix éraillée qui trahissait sa fatigue.

— Qu'allez-vous leur faire ?

— Ce qui est prévu. Vous cherchez Angélique ou miss Temple ? Comme vous pouvez le constater, cette dernière n'est pas là.

— Où est-elle ? hurla Chang d'une voix rauque.

— Je crois que vous allez devoir choisir, répondit le comte. Si vous voulez sauver Angélique, il n'est pas humainement possible de l'emmener loin d'ici et *ensuite* d'en faire autant pour miss Temple, car je vois à votre visage que vous subissez encore les effets du verre.

Chang ne répondit rien.

— Tout cela est purement spéculatif, bien sûr. Vous devriez être mort dix fois déjà, n'est-ce pas, major Blach ? Cette fois-ci sera la bonne. Et, dans le fond, cela tombe très bien que tout cela ait lieu aux pieds de la femme à qui, si mes informations sont exactes, vous vouez un amour malheureux.

Tout en fixant le comte, Chang prit autant de tuyaux qu'il le put parmi ceux qui sortaient du corps de Mrs. Marchmoor et fit mine de tirer dessus.

— Si vous faites cela, vous la tuez, Cardinal ! Est-ce ce que vous voulez, détruire une femme sans défense ? D'ici, je ne peux vous en empêcher. Les forces sont à l'œuvre. Aucune de ces femmes ne reculera devant son destin. Je vous l'assure, leur sort est la transformation ou la mort !

— Quelle transformation ? hurla Chang par-dessus le ronflement croissant des tuyaux et le sifflement de la vapeur.

En guise de réponse, d'Orkancz reprit le tuyau dans lequel il parlait auparavant et l'enfonça de nouveau dans son masque. L'écho de ses paroles retentit comme le tonnerre dans les hauteurs voûtées.

– La transformation des *anges*! Les pouvoirs du paradis faits chair!

De toutes ses forces, le comte tira un des leviers en cuivre. Tout à coup, les tuyaux qui pendaient autour d'Angélique se raidirent comme s'ils se remplissaient de vapeurs et de liquides en fusion. Sur la table, son corps s'arc-bouta et elle émit une longue plainte aiguë. Chang ne parvint pas à détourner les yeux. Le comte tira un deuxième levier, et les membres de la jeune femme se mirent à remuer... puis il tira sur un troisième, et Chang horrifié vit leur couleur virer au bleu glacial. D'Orkancz appuya sur deux taquets en même temps et remit le premier levier en place. La plainte redoubla d'intensité, retentissant dans chaque tuyau et résonnant sous la voûte de la cathédrale. Les spectateurs retinrent leur souffle et Chang put entendre des voix venant des cellules, des cris d'excitation et de plaisir, des sifflets d'encouragement.

Le corps d'Angélique s'arc-bouta à plusieurs reprises encore, faisant onduler les tuyaux comme un chien qui s'ébroue. Puis, au milieu des cris et des clameurs, Chang entendit un autre cri qui transperça son cœur comme une pique : le râle d'Angélique, une plainte surgissant des profondeurs de ses poumons, comme si les dernières défenses de son corps étaient sur le point de s'effondrer sous les terribles assauts de la machine. Sans qu'il s'en rendît compte, des larmes roulaient sur les joues du Cardinal. S'il bougeait, il la tuerait, mais n'était-elle pas déjà morte sous ses yeux? Il était paralysé.

La plainte s'arrêta soudain, imposant le silence dans la salle comme l'aurait fait un coup de feu. Chang put à peine en croire ses yeux lorsqu'il aperçut un chatoiement, une vague de fluide qui courait sous la peau d'Angélique, le long de ses membres, sur ses hanches et son torse, puis qui enveloppa sa tête.

La peau de la jeune femme devint d'un bleu brillant, étincelant, translucide, comme si elle... comme si son corps... avait été transmué en verre.

Le comte libéra les taquets et repoussa le dernier levier. Il se tourna vers la foule des spectateurs et leva la main dans un geste triomphal.

– Et voilà!

Des applaudissements et des hourras extasiés fusèrent de l'assistance. D'Orkancz fit un signe de tête, leva la main et se tourna vers Blach en retirant pour un instant le tuyau dans lequel il parlait.

– *Tuez-le*, ordonna-t-il.

Chang était saisi d'horreur, mais sa détermination à agir était d'autant plus solide que ce que le comte avait fait subir à Angélique lui paraissait véritablement obscène… N'avait-il pas violé la nature même de son être?

Il contourna la table et se rua sur les gardes de Macklenburg, révisant, avec chacun des coups terribles qu'il assenait, tout ce qu'il avait appris au cours des milliers de combats de sa vie. Il les attaqua sans répit et esquiva leurs coups, écartant avec sa canne les deux sabres braqués sur sa poitrine dans un synchronisme typiquement germanique. Il se rua sur le soldat le plus proche, lui entailla le visage de la pointe de la mâchoire jusqu'au nez avec sa dague. Le sang gicla sur les tuyaux argentés, et le soldat s'éloigna en titubant. Un autre riposta en se précipitant sur Chang qui cassa la tige de sa canne en faisant dévier le coup par-dessus son épaule. Le soldat s'approchait et il lui enfonça sa dague juste sous les côtes.

Blach tira encore et la balle siffla au dessus de la tête de Chang, pour finir dans le mur de tuyaux. Le troisième soldat s'avança à son tour en marchant sur les corps de ses compagnons. Chang se retourna et se précipita vers Angélique. Blach s'approcha de la tête d'Angélique pour être plus à son aise pour tirer. Le comte d'Orkancz, lui, se tenait à l'autre extrémité de la table. Chang était cerné. Le soldat était juste derrière lui. Chang fit volte-face, trancha une poignée de tuyaux et dirigea la vapeur infecte qui s'en dégageait sur le visage de l'homme. Chang fit tomber son sabre et l'assomma d'un coup de poing à la gorge. Avant que Blach pût faire feu, Chang se servit du corps du soldat comme d'un bouclier pour avancer.

Au premier coup de feu, il sentit le soldat vaciller. Au deuxième, la balle traversa le corps de l'homme et lui brûla l'épaule en la frôlant. Il poussa l'homme qui agonisait sur Blach et se rua vers la porte.

Mais Blach eut le même geste et ils se retrouvèrent nez à nez, à moins d'un mètre l'un de l'autre. Blach le mit en joue et fit feu juste au moment où Chang lui cinglait la main avec sa dague. La dague toucha les doigts de Blach, le coup dévia et l'arme tomba. Blach hurla de rage et se jeta dessus. La porte était encore bloquée par le chariot, et les deux hommes casqués se trouvaient derrière. Chang poussa de toutes ses forces sur le chariot, fit reculer les hommes de quelques pas, mais ils se ressaisirent et poussèrent à leur tour, l'obligeant à reculer dans la salle. Blach récupéra son arme de sa main valide. Le comte raboutait les tuyaux avec de la corde. Blach leva son pistolet. Soudain, Chang aperçut ce qu'il y avait sur le chariot, car le couvercle de la caisse avait sauté dans la bousculade. Sans plus réfléchir, il lâcha sa dague et s'empara de l'objet qui se trouvait à l'intérieur, le lança derrière lui en visant le major et se jeta sur le chariot.

Le livre de verre allait atteindre Blach quand le major appuya sur la détente. Le livre vola en éclats : certains furent projetés sur la paroi de la tour et passèrent la porte, vers les deux hommes casqués qui essayèrent désespérément de les éviter. Mais d'autres volèrent vers le comte d'Orkancz, protégé par la table, comme Angélique par les tubes, et par le major lui-même qui se trouvait exactement dans la trajectoire des projectiles. Les éclats lui lacérèrent le visage et le corps.

Chang se releva et vit Blach se tordre, pris de convulsions, la bouche ouverte, un cri rauque et hideux montant de ses poumons comme la fumée d'un feu qui s'allume d'un coup. Des taches bleues apparurent sur chaque entaille, s'étalèrent, craquèrent, s'effritèrent. Dans un nuage de poussière rose, le râle s'étrangla. Le major Blach tomba à genoux dans un craquement sec, puis son front, en heurtant le sol, vola en éclats comme une assiette en terre cuite glacée de lapis-lazuli.

Un silence de mort emplissait la salle. Le comte sortit lentement de derrière la table. Il posa les yeux sur Chang qui s'écartait du chariot en titubant. Il poussa un hurlement et son cri de rage amplifié fit trembler toute la cathédrale. Il se précipita sur Chang comme un ours enragé. Privé de sa dague – tombée il ne savait où –, Chang s'empara du chariot et le poussa de toutes ses forces vers le comte. Les deux autres hommes étaient à quatre pattes, blessés moins gravement que le major, ayant été protégés par leur tablier. Sans se retourner, Chang se précipita dans l'escalier et commença à gravir les marches.

Presque immédiatement, il glissa sur une flaque de sang, tomba, regarda derrière lui en fouillant dans ses poches pour retrouver son rasoir. Les deux hommes en tablier étaient accroupis et s'écartaient de la porte. Dans l'embrasure se trouvait le comte d'Orkancz qui visait Chang avec le pistolet de Blach. Chang savait qu'il ne lui restait plus qu'une balle et qu'en montant de deux ou trois marches, il serait hors de la ligne de tir. Mais il avait le regard fixé derrière le comte, sur Angélique, en particulier sur son bras droit en verre bleu… qui s'était mis à bouger.

Chang cria.

La main d'Angélique se crispait, essayait de s'agripper à quelque chose. Elle attrapa une poignée de tuyaux et tira dessus. De la vapeur bleue et chaude en jaillit. Le comte se retourna alors qu'elle lâchait prise et qu'elle en saisissait d'autres pour les arracher comme de la mauvaise herbe. Le comte se rua sur elle en appelant ses assistants. Par-dessus les larges épaules de l'homme, Chang, horrifié, vit le visage d'Angélique déformé par la rage, les yeux encore cachés par le masque qu'elle n'avait qu'à moitié arraché, la bouche ouverte, la langue et les lèvres d'un indigo sombre et étincelant, faisant claquer ses dents d'un blanc bleuté comme un chien prêt à mordre. Chang se précipita en haut de l'escalier.

Il gravit quelques marches avant d'apercevoir le livre qu'il avait laissé contre le mur. Chang le ramassa en passant et sortit enfin son rasoir de sa poche. Au-dessous, il entendit un tumulte de voix et le bruit d'une porte qui claquait, puis le cliquetis saccadé du monte-charge qui se remettait en mouvement. En quelques instants, celui-ci était arrivé à sa hauteur et continuait à monter, alors que Chang sentait ses forces décliner. Quiconque se trouvait en haut serait averti de son arrivée bien avant qu'il eût franchi les marches. Allait-il croiser Blenheim et ses hommes? Chang fit un effort immense pour ne pas s'arrêter. S'il pouvait seulement rejoindre le passage menant au bureau de Vandaariff…

Ses pensées furent interrompues par la voix de d'Orkancz qui résonnait dans toute la salle et s'adressait à la foule rassemblée.

– Ne vous inquiétez pas! Comme vous le savez, nos ennemis sont légion et ils doivent être aux abois pour nous envoyer un assassin de cette espèce afin de perturber notre travail. Mais ce travail se poursuit! *Même* les cieux ne pourraient anéantir nos efforts! Voyez ce qui a été accompli sous vos yeux! Voyez la *transformation*!

Chang s'arrêta malgré lui, miné par l'image du bras et du visage d'Angélique. Il se retourna vers le bas de la tour et entendit, derrière la paroi, quelque chose qui ressemblait à un coup de vent, un sursaut d'étonnement collectif venu du public des cellules.

– Vous voyez? poursuivait le comte. Elle est en vie! Elle marche! Et, voyez vous-mêmes... ses *pouvoirs* sont extraordinaires...

Il y eut d'autres cris d'étonnement puis un murmure général, et Chang ne sut distinguer s'il exprimait la joie ou la peur. Que se passait-il donc? Chang sentait encore sur ses joues les larmes qu'il versait pour Angélique, mais il ne pouvait les retenir. Il se pencha vers l'une des ouvertures de la paroi et enleva le cache. Il était complètement absurde de s'arrêter là, ses ennemis allaient sûrement se regrouper en haut d'une minute à l'autre. Pourtant, il avait besoin de savoir. Était-elle encore en vie? Était-elle encore *humaine*?

Il ne pouvait la voir, sans doute se trouvait-elle trop près du pied de la tour, mais il apercevait d'Orkancz. Le comte devait faire face à Angélique et il avait reculé jusqu'à la deuxième table pour s'approcher d'une autre machine d'où sortaient des leviers et des taquets. Chaque table était reliée à une de ces machines par des tuyaux noirs, et Chang eut le sentiment atroce, l'impression presque physique, que les deux autres femmes allaient être transfigurées de la même façon. Il baissa les yeux sur la forme inerte qui gisait sur la troisième table et eut un pincement au cœur en imaginant Margaret Hooke, rebelle, blessée et fière, se tordant de douleur tandis qu'on transmuait sa peau en verre.

Avait-elle choisi de subir cela ou son ambition forcenée l'avait-elle tout bonnement poussée à se livrer corps et âme à d'Orkancz, convaincue par les quelques miettes de pouvoir qu'il lui avait accordées que ses grands projets correspondaient à son intérêt à elle?

La foule haleta encore. Chang sentit ses genoux se dérober et il dut s'accrocher à la rampe pour garder l'équilibre. Il était pris de vertige, comme si on l'avait assommé, puis il se sentit bouger, mais en pensée, entraîné dans une course effrénée à travers différentes scènes, comme en rêve: une chambre, une rue, un lit, un square noir de monde. Puis cet élan se figea sur une image précise: le comte d'Orkancz enveloppé dans son manteau de fourrure, debout devant une porte, tendant un rectangle de verre bleu de sa main gantée.

Même conscient d'être désespérément agrippé à la rampe, Chang sentit sa main s'approcher de celle du comte et il vit qu'elle touchait le verre, il vit les petits doigts délicats qu'il connaissait si bien et sentit tout à coup monter en lui une bouffée de désir érotique tandis qu'il – elle, en fait – était envahi par les souvenirs de la carte de verre. Des sensations aussi fortes que celles que lui procurait l'opium et qui, elles aussi, rendaient insatiable. Des sensations qui lui furent tout à coup ravies avant qu'il pût saisir à qui appartenait cette mémoire, ou même ce qu'elle relatait. Le comte remit la carte dans son manteau et sourit. Chang savait que c'était ainsi que le scélérat s'était présenté à Angélique, et celle-ci était en quelque sorte en train de projeter cette expérience intime dans l'esprit et le corps de chacune des personnes qui se trouvaient dans un rayon d'une centaine de mètres.

L'image quitta son esprit en y laissant une nouvelle bouffée de vertige et il se sentit soudain vide et atrocement seul. Il avait ressenti cette apparition soudaine d'Angélique dans son esprit comme une intrusion mais, quand elle se retira, une part de lui-même la regrettait déjà. Tout son corps le savait : c'était elle, Angélique, celle avec qui il avait tant désiré partager un jour cette intimité impossible. Chang jeta un coup d'œil au pied de l'escalier, résistant à l'envie de redescendre et de se jeter dans ses bras, dans une étreinte d'amour et de mort. Une part de lui-même lui soufflait que peu importait aimer ou mourir, pourvu que ce fût avec elle.

– Vous sentez que vous possédez le pouvoir ! Que vous vivez la vérité !

La voix du comte rompit le charme. Chang secoua la tête et se retourna pour gravir les marches aussi vite que possible. Il n'arrivait pas à comprendre ce qu'il avait ressenti, il ne savait pas très bien quoi faire, alors, selon son habitude, il se retrancha dans l'action pure, dans la fuite, en attendant de trouver un exutoire à sa rage et à son désespoir. Une fois encore, il se lancerait dans la mêlée pour mettre de l'ordre dans son cœur.

La plainte aiguë reprit et s'éleva à travers la salle. Le comte d'Orkancz était passé à miss Poole, et il tirait sur les leviers pour amorcer la métamorphose. Au rugissement des machines s'ajoutaient les exclamations de la galerie de cellules car, maintenant que les spectateurs savaient à quoi s'en tenir, ils n'hésitaient plus à applaudir et à exprimer bruyamment leur satisfaction. Chang fut assailli par l'image de la femme qu'il avait vue, le dos arqué, comme une branche frêle sur le point de craquer, et il courut loin de l'enthousiasme indécent de la foule, comme s'il fuyait l'enfer.

Il ne voyait toujours pas comment trouver Svenson ou miss Temple, mais s'il voulait les aider, il devait à tout prix éviter de se faire prendre. Le sifflement des tuyaux cessa brusquement et, après un court instant de silence, captivée, la foule exulta de nouveau. Le comte se remit à pérorer sur la puissance, la transformation et la vérité. Chacune de ses déclarations délirantes provoquait des applaudissements. La plainte reprit de plus belle. D'Orkancz était maintenant auprès de Margaret Hooke. Chang ne pouvait plus rien faire. Quelques marches plus haut, il aperçut enfin la porte du passage menant au bureau de Vandaariff.

Il s'arrêta, à bout de souffle, et cracha. La porte métallique était fermée et ne bougeait pas. On avait mis la barre de l'autre côté. Chang allait devoir monter jusqu'en haut de la tour, comme un animal traqué et haletant. Une dernière fois, le rugissement des tuyaux cessa brusquement et la foule se souleva. Les trois femmes avaient subi la violente alchimie du comte. Chang serait attendu en haut. Il n'avait pas trouvé Céleste. Il avait perdu Angélique. Son échec était total. Il remit son rasoir dans la poche de son manteau et continua son ascension.

Le palier d'en haut était aussi fait de plaques d'acier, fixées les unes aux autres par de gros rivets, comme ceux des wagons de chemin de fer. La porte massive s'ouvrit sans grincer sur un couloir élégant et lumineux dont les murs étaient peints en blanc, et le sol, dallé de marbre. À cinq mètres de là se trouvait une femme au corps superbe, vêtue d'une robe foncée, les cheveux noués par un ruban et le visage à demi caché par un loup de plumes noires. Elle lui fit un signe de tête solennel. Derrière elle, sabre au clair et attendant les ordres, dix Dragons se tenaient immobiles.

Chang s'avança sur le marbre et son regard fut attiré vers le sol. Les dalles étaient couvertes d'une grande tache de sang provenant certainement d'une blessure grave, mais étalée ensuite par quelque chose qu'on avait traîné. Sûrement la victime. La trace de sang menait directement aux pieds de la femme. Il croisa son regard. Son visage était ouvert et avenant, même si elle ne souriait pas. Chang fut presque soulagé car, même s'il ne s'en rendait pas toujours compte immédiatement, la suffisance de ses ennemis lui pesait terriblement. Mais l'attitude de cette femme avait sans doute plus de rapport avec tout ce sang à ses pieds qu'avec sa présence à lui dans la pièce.

– Cardinal Chang, dit-elle. Si vous voulez bien me suivre.

Chang sortit le livre de verre. Il sentait un flux d'énergie passer à travers ses gants, et, à l'extrémité de ses doigts, une sorte de magnétisme. Il serra plus fort l'objet et le lui montra.

– Vous savez ce que c'est, dit-il d'une voix encore rauque et cassée. Je n'ai pas peur de le briser en mille morceaux devant vous.

– Je n'en doute pas, dit-elle. Il semble que vous n'ayez pas peur de grand-chose. Mais nous n'allons rien régler ici. Ne le prenez pas comme une critique si je vous dis que vous ne savez vraiment pas tout ce qui s'est passé, ni ce qui reste en jeu. Je suis persuadée que vous voudrez avoir des nouvelles de bien des gens, tout comme je sais que nombreux sont ceux qui aimeraient vous voir. Ne vaut-il pas mieux éviter la violence, autant que possible ?

Il se contenta de jeter un coup d'œil furtif au marbre clair et taché de sang qui lui apparut comme l'illustration parfaite de cet endroit sinistre, et il se retint de répondre avec mépris à l'élégance du ton de cette femme.

– Comment vous appelez-vous ? demanda Chang.

– Ça n'a aucune importance, je vous l'assure, dit-elle. Je ne suis qu'une messagère…

Elle dut s'interrompre, car Chang fut pris d'une quinte de toux. Ce qu'il avait vu d'Angélique, la couleur surnaturelle de sa peau, le bleu profond de sa chair et son épiderme cireux, clair, presque transparent, tout cela lui revint soudain de façon insoutenable. Son malaise le fit grimacer, il cracha encore et essaya de s'étourdir dans sa rage afin de résister aux larmes. Comment pouvait-on perpétrer de telles abominations pour divertir tous ces spectateurs si *respectables* ?

– J'ai vu le *grand œuvre*, éructa-t-il les dents serrées. Rien de ce que vous direz ne pourra m'arrêter.

En guise de réponse, la femme s'écarta et l'invita à la suivre. Dès qu'elle se mit en mouvement, les Dragons s'écartèrent, formant ainsi un passage que Chang dut emprunter. À environ dix mètres de là, un deuxième groupe de soldats fit la même chose en claquant les talons et en formant une haie qui menait plus loin à l'intérieur de la demeure.

Derrière, de l'intérieur de la tour, il entendit un tumulte sourd, la foule dans les cellules poussait des cris, mais avant qu'il pût seulement commencer à se demander pourquoi, il sentit ses genoux se dérober, chancelant sous le choc d'une autre vision qui s'imposait à son esprit. À sa grande honte, il se voit, la canne à la main, dans des vêtements soignés, avec sur le visage une vanité désuète et l'expression de quelqu'un qui ne réussit pas à dissimuler sa faim. Il se voit étirer le bras pour prendre la main délicate qu'on lui tend. Il le savait, mais désormais il le *sent* : cette main, on la lui tend avec mépris. Il se voit en un éclair à travers les yeux et le cœur d'Angélique et découvre ainsi que, pour elle, il représente la relique d'une vie passée qu'elle a toujours abhorrée du plus profond d'elle-même.

La vision disparut et Chang chancela. Il leva les yeux et vit les Dragons qui se ressaisissaient, clignant des yeux et reprenant leur posture militaire, tout comme il vit la femme secouer la tête. Elle le considéra avec une certaine pitié, mais se tint sur la réserve. Elle fit signe encore une fois à Chang de la suivre.

– Cardinal Chang, il serait préférable, dit-elle, que nous nous mettions hors de portée de la machine.

Ils marchaient sans piper, des Dragons en rang devant eux et d'autres derrière. Chang luttait pour se débarrasser de l'image d'Angélique, son souvenir le plus cher marqué par le regret, lorsqu'il se rendit compte que la femme lorgnait le livre qu'il tenait à la main. Il ne dit rien, déchiré entre colère et désespoir, son corps dévasté sentant monter en lui, à chaque pas, une vague d'amertume et de fatalisme. Il ne pouvait croiser le regard de ces soldats, ni poser les yeux sur la femme ou sur ces visages replets qui le regardaient passer avec curiosité sans calculer en pensée comment il pourrait les attaquer par surprise, sauvagement, au rasoir.

– Puis-je vous demander où vous l'avez trouvé ? s'enquit la femme en regardant le livre.

– Dans une pièce, rétorqua sèchement Chang. La femme à qui on l'avait donné en était totalement pétrifiée. Quand je l'ai découverte, elle ne se rendait même pas compte qu'un soldat était en train de la violer.

Il parla en essayant de conserver à sa voix le ton le plus cassant. La femme ne broncha pas.

– Puis-je vous demander ce que vous avez fait ?

– En dehors de prendre le livre ? demanda Chang. Cela me paraît tellement loin que je ne m'en souviens plus… Ne me dites pas que ça vous intéresse !

– Est-ce si étonnant ?

Chang s'arrêta et haussa le ton avec une dureté qui lui était peu coutumière.

– Si je me fie à ce que j'ai vu, madame, c'est impossible !

En entendant ce ton, les Dragons s'arrêtèrent, tapant des pieds à l'unisson sur le sol de marbre, sabres au clair. La femme leva la main à leur intention en les exhortant à la patience.

– Bien sûr, je suppose que tout cela est extrêmement perturbant. Je me rends compte que l'œuvre du comte est difficile à imaginer et à défendre. J'ai bien sûr subi le Procédé mais ce n'est rien comparé à ce que… ce à quoi vous avez dû assister… dans la tour.

Son visage était empreint d'une certaine empathie. Chang ne put le supporter. Furieux, il lui montra le plancher taché de sang.

– Et qu'est-ce qui a bien pu se passer ici ? encore un travail *difficile* ? encore une exécution ?

– Vous avez vous-même du sang sur les mains, Cardinal.

Chang baissa les yeux malgré lui. Après Gray et les soldats en bas, il se pouvait effectivement qu'il fut couvert de sang. Il lança à la femme un regard de défi. Personne ici ne méritait la moindre attention. C'était des dupes, des imbéciles, des animaux sous le harnais… comme lui-même aussi, sans doute.

– J'ignore ce qui s'est passé ici, poursuivit-elle. J'étais ailleurs. Mais assurément, cela ne peut que confirmer la gravité de la situation.

Sur les lèvres de Chang se dessina un de rictus de mépris.

– Si vous voulez bien avancer, dit-elle. Nous sommes très en retard…

– Avancer vers où ? demanda Chang.

– Vers là où vous trouverez des réponses à vos questions, bien sûr.

Chang ne broncha pas, un peu comme si, en restant immobile, il pouvait retarder le moment où il apprendrait la mort de miss Temple et du docteur. Les soldats le fixaient. La femme, elle, plongea le regard dans ses lunettes noires et se pencha vers lui. L'odeur infecte de l'indigo fit tressaillir ses narines, mais elle ne broncha pas. Il reconnut dans ses yeux la clarté qu'y avait laissée le Procédé, mais pas la moindre trace d'orgueil ni d'arrogance.

– Nous devons y aller, murmura-t-elle. Vous n'êtes pas le personnage principal de cette histoire.

Avant qu'il pût répondre, ils furent interrompus par quelqu'un qui gesticulait devant eux dans le couloir et dont il reconnut immédiatement la voix stridente.

– Mrs. Stearne! Mrs. Stearne! hurlait le colonel Aspiche. Où est passé Blenheim? On le demande immédiatement!

La femme se tourna en direction de la voix et, en même temps, le rang des Dragons se divisa en deux pour laisser passer leur officier qui approchait, suivi d'une autre patrouille. Chang constata qu'Aspiche boitait. Le colonel plissa les yeux et pinça les lèvres devant Chang, mais ne lui accorda qu'un regard furtif.

– Cher colonel… commença Mrs. Stearne, mais il l'interrompit immédiatement.

– Où est Blenheim? On l'attend depuis un moment déjà. Un tel retard est inacceptable!

– Je n'en sais rien. On m'a envoyée pour récupérer…

– Je sais, dit Aspiche avec mépris en lui coupant la parole comme s'il ne permettait pas que l'on prononçât le nom de Chang, duquel il avait jadis requis les services. Mais vous avez mis si longtemps qu'on m'a demandé de venir vous chercher, vous aussi.

Il se tourna vers les soldats qui l'accompagnaient en aboyant des ordres:

– Trois dans chaque aile, vite! Vous me faites prévenir dès que vous trouvez quelque chose. Il faut absolument le trouver! Exécution!

Les hommes partirent en flèche. Aspiche évita Chang et s'avança de l'autre côté de la femme en lui offrant son bras. Chang pensa un instant qu'il dissimulait ainsi sa claudication, se demanda ce qui avait bien pu arriver à la jambe du colonel et se sentit mieux en l'imaginant.

– Et comment se fait-il qu'il n'ait pas été enchaîné ou abattu, celui-là? interrogea le colonel aussi poliment que possible malgré la colère qu'il éprouvait à devoir poser une question pareille.

– Je n'ai pas reçu d'instructions en ce sens, rétorqua Mrs. Stearne.

En l'examinant, Chang conclut qu'elle ne pouvait avoir plus de trente ans.

– Il est particulièrement dangereux et sans scrupules.

– C'est ce qu'on m'a dit. Et pourtant, dit-elle en se tournant vers Chang avec un visage étonnamment neutre, il n'a vraiment pas le choix. Tout ce qui peut aider le Cardinal, ne serait-ce que pour apaiser son âme, ce sont des réponses à ses questions. C'est vers cela que nous le menons. De plus, je ne veux pas risquer de perdre un autre livre dans une bagarre inutile et le Cardinal en a un entre les mains.

– Des réponses, hein? claironna Aspiche avec mépris en regardant Chang par-dessus l'épaule de la femme. Et à quel sujet? sa putain? cet idiot de Svenson? ou bien?…

– Taisez-vous, colonel, siffla-t-elle, exaspérée.

Chang fut satisfait, mais un peu surpris, de voir Aspiche redresser la tête, ronchonner un peu puis se taire.

La salle de bal se trouvait tout près. La foule de la grande salle était peut-être en train d'y rejoindre celle de l'amphithéâtre. Chang se demanda soudain avec un serrement de cœur si ce n'était pas dans l'amphithéâtre qu'on avait emmené miss Temple, puisqu'il ne l'avait pas trouvée dans la cathédrale. Était-il passé tout près de là où elle se trouvait, assez près pour entendre les gens applaudir à son supplice?

Aspiche les avait obligés à ralentir le pas. Le bruit de bottes des Dragons couvrait tout ce que l'on aurait pu entendre et il se demanda si son exécution ou sa conversion forcée allait être le clou du spectacle. Il avait la ferme intention de se fracasser le livre de verre sur la tête avant qu'ils puissent le toucher. Étant donné ce qu'il avait vu, il semblait que ce fût une fin assez rapide, douloureuse certes, mais également terrible à voir. Ses bourreaux en auraient au moins l'estomac retourné, ne fût-ce qu'un moment.

Il se rendit compte que Mrs. Stearne le regardait. Il inclina la tête comme pour l'inviter à parler… mais, pour la première fois, elle semblait hésiter à le faire.

– Je voudrais bien… si possible… parce que, comme je vous le disais, j'étais occupée ailleurs. Je voudrais bien que vous me disiez ce que… avec le comte… si vous pouviez me dire ce que vous avez vu… en bas.

Chang faillit la gifler.

– Ce que j'ai *vu*?

– Je vous le demande parce que je ne le sais pas. Je connaissais Mrs. Marchmoor et miss Poole, je sais qu'elles ont subi… que le grand œuvre du comte…

– Est-ce qu'elles se sont livrées à lui de leur plein gré?

– Oh! oui! répondit Mrs. Stearne.

– Et pourquoi pas vous?

Elle hésita un court instant et fixa ses yeux qu'elle ne pouvait voir.

– Je… je dois… Mes responsabilités au cours de la soirée…

Elle fut interrompue par un grognement d'Aspiche lui signifiant qu'elle ne devait pas aborder ce sujet et, même, qu'elle ne devait pas adresser la parole à Chang.

– Et, à votre place, ils ont choisi Angélique.

– C'est cela.

– Parce qu'elle était consentante ?

Mrs. Stearne se retourna vers Aspiche avant qu'il se remît à grogner et lui dit abruptement :

– Colonel, taisez-vous !

Elle se retourna vers Chang.

– *J'irai* quand ce sera mon tour. Mais le docteur Svenson – oui, en effet, je sais qui il est, tout comme je connais Céleste Temple – a dû vous dire ce qui est arrivé à cette femme à l'Institut. En fait, j'ai même cru comprendre que vous étiez présent, et que vous étiez même peut-être responsable, *sans l'avoir voulu*, bien sûr, souffla-t-elle alors que Chang ouvrait la bouche pour répondre, mais que vous saviez seulement qu'elle était dans un état critique. Le comte était convaincu que c'était la seule façon de la sauver.

– De sauver quoi ? Vous n'avez pas vu ce que… ce… la *chose* qu'elle est devenue !

– En vérité, non, je n'ai pas…

– Alors, vous ne devriez pas en parler ! hurla Chang.

Aspiche eut un petit rire.

– Il y a quelque chose qui vous amuse, colonel ? cracha Chang sur un ton cinglant.

– C'est vous qui m'amusez, Cardinal. Attendez.

Aspiche s'arrêta et ôta son bras de celui de Mrs. Stearne. Il chercha un de ses petits cigares et une boîte d'allumettes dans la poche de sa veste écarlate. Il leva les yeux vers Chang avec un sourire vicieux et porta le petit cigare à ses lèvres en manipulant les allumettes.

– Vous voyez, on m'avait parlé de vous comme d'un être totalement corrompu, comme d'un personnage sans scrupules ni conscience, prêt à traquer et à tuer n'importe qui moyennant paiement. Et pourtant ! Ne voilà-t-il pas qu'à l'heure de sa dernière heure, maintenant que sa vie est réduite à sa plus simple expression, on découvre que cet homme est attaché à une putain qui se soucie de lui comme d'une guigne. Et avec qui s'est-il acoquiné, ce loup solitaire? Je vous le donne en mille! Avec un idiot de médecin et une fille encore plus idiote, une vieille fille, que dis-je! elle a quoi? vingt-cinq ans? Et le seul homme qui aurait bien voulu d'elle a recouvré ses esprits *in extremis* et l'a mise au rancart comme une vieille rosse.

— Alors, ils sont encore en vie? s'enquit Chang.

— Oh!... je n'ai rien dit de tel! répliqua Aspiche en ricanant et en éteignant son allumette.

Le colonel souffla une délicate volute de fumée du coin de la bouche. Il tendit de nouveau son bras à Mrs. Stearne, mais Chang ne bougea pas d'un pouce.

— Sachez, colonel, que je viens juste de tuer le major Blach et trois de ses hommes ou peut-être cinq, je n'ai pas eu le temps de compter... Je vous assure que je serais tout à fait ravi de vous faire subir le même sort.

Aspiche se moqua et souffla encore de la fumée.

— Mrs. Stearne...

Chang fit porter sa voix pour que tous les Dragons puissent l'entendre.

— ...savez-vous comment j'ai connu le colonel? Laissez-moi vous le raconter...

Aspiche grogna et porta la main à son sabre. Chang souleva le livre au-dessus de sa tête. Les deux rangées de Dragons se mirent en garde, prêts à attaquer. Mrs. Stearne, les yeux écarquillés, s'interposa entre eux tous.

— Colonel... Cardinal... arrêtez...

Chang l'ignora et les deux hommes échangèrent un regard plein de menaces. Chang siffla avec un plaisir évident:

— J'ai rencontré le lieutenant-colonel quand il m'a engagé pour que j'exécute, que j'assassine, son supérieur, le colonel Arthur Trapping du 4e régiment des Dragons.

Ses paroles furent suivies d'un silence, mais leur impact sur les soldats autour était aussi palpable qu'une gifle. Mrs. Stearne semblait effarée. Elle avait connu Trapping, elle aussi. Elle se retourna vers Aspiche et s'adressa à lui en balbutiant.

— Le colonel Trapping...

— C'est absurde! Vous n'avez rien trouvé de mieux pour m'éloigner de mes hommes? hurla Aspiche qui jouait l'honneur bafoué avec un talent évident, Chang dut bien le reconnaître.

Il faut dire qu'aveuglé par lui-même comme il l'était, Aspiche avait peut-être réussi à se convaincre que le contrat n'avait jamais existé.

– Tout le monde sait que vous n'êtes qu'un scélérat, un menteur et un assassin.

– Et qui donc l'a tué, en fin de compte, colonel? persifla Chang. Avez-vous fini par trouver? Combien de temps tiendrez-vous avant qu'ils vous fassent subir le même sort? Combien de temps vous donneront-ils en échange de votre honneur? Vous ont-ils demandé d'assister à l'immersion de son cadavre?

En hurlant, Aspiche dégaina son sabre dont il voulut se servir comme d'une faux, mais sa fureur lui ayant fait perdre un peu l'équilibre, il mit tout son poids sur sa jambe faible et chancela un instant. Chang écarta Mrs. Stearne et frappa Aspiche à la gorge. Le colonel tituba en arrière, les mains sur le cou, suffoquant, le visage écarlate. Chang rejoignit Mrs. Stearne et leva le bras en signe de paix. Mrs. Stearne poussa immédiatement un cri pour arrêter les Dragons qui s'apprêtaient manifestement à charger.

– Arrêtez! Arrêtez, arrêtez tout de suite, tous!

Les Dragons hésitèrent, encore en position d'attaque. Elle se retourna vers Chang et Aspiche.

– Cardinal, taisez-vous! Quant à vous, colonel Aspiche, contentez-vous de jouer votre rôle d'escorte! Nous allons poursuivre immédiatement notre chemin. Si vous continuez vos folies, je ne réponds plus de ce qui pourrait à arriver à chacun d'entre vous!

Chang hocha la tête et fit prudemment un pas de plus pour se tenir à distance du colonel. Il avait tellement apprécié le calme de Mrs. Stearne que son autorité l'avait surpris. Cette force était montée en elle de l'intérieur, comme quelque chose d'acquis, comme la réponse automatique d'un soldat bien entraîné. C'était une émotion, une force de caractère qui permettait à une femme qui, en principe, ne savait pas donner des ordres, de contrôler plus de vingt soldats endurcis, en lieu et place de leur officier. Encore une fois, Chang fut impressionné et déstabilisé par les effets du Procédé.

Ils continuèrent à avancer en silence, en passant par un autre couloir qui longeait les cuisines. Chang regarda à travers chaque porte ouverte, chaque passage, à la recherche d'un signe de Svenson ou de miss Temple ou d'un quelconque espoir de s'échapper. Le plaisir momentané qu'il avait ressenti à provoquer Aspiche s'était évanoui et il se retrouva de nouveau l'esprit rongé de doutes. S'il pouvait lancer le livre par terre en direction des soldats puis se ruer dans la brèche ainsi pratiquée, il savait qu'il aurait peut-être une chance. Mais cela ne servirait à rien s'il ne savait où se diriger. Une fuite à l'aveugle pourrait le mener à une autre cohorte de soldats ou à une foule d'adeptes. Il serait exécuté sans la moindre hésitation.

Chang se retourna lorsqu'il entendit le bruit d'une personne qui courait derrière eux. C'était l'un des Dragons qu'Aspiche avait envoyés pour retrouver Blenheim. Il traversa le rang de soldats derrière eux, salua le colonel et lui fit rapport en l'informant que l'on n'avait trouvé Blenheim nulle part et que ses compagnons étaient en train de se déployer dans les pièces intérieures. Aspiche hocha la tête sèchement.

– Où est le capitaine Smythe ?

Le soldat ne sut que répondre.

– Trouvez-le ! aboya Aspiche, comme s'il avait fallu chercher Smythe depuis le début et que le soldat était incroyablement stupide. Il est sûrement dehors en train de disposer les sentinelles. Amenez-le-moi immédiatement !

Le Dragon salua encore en fois avant de décamper. Aspiche n'ajouta pas un mot, et ils reprirent leur marche.

Plus d'une fois, ils durent s'arrêter pour laisser passer un groupe d'invités qui traversait le couloir, empruntant un trajet différent vers ce que Chang supposa être la salle de bal. Les invités portaient des tenues de soirée et des masques. Pour la plupart, ils souriaient et paraissaient tous très enthousiastes, un peu comme les deux hommes qu'il avait entendus dans le salon plus tôt. En les voyant passer, ils étaient intrigués par les soldats et les trois individus qu'ils escortaient, Aspiche, Mrs. Stearn et Chang, comme s'ils jouaient les personnages d'une intrigue : le soldat, la dame et le démon. Chang s'efforça de lancer un regard particulièrement mauvais à quiconque s'attardait trop longtemps à l'observer, mais à chacune de ces rencontres, il ressentit davantage encore son isolement et il dut admettre qu'il avait été bien trop présomptueux en décidant de se rendre à Harschmort... Il envisagea l'imminence de sa perte.

Au bout d'une cinquantaine de mètres, ils croisèrent un homme trapu, aux lunettes teintées et vêtu d'un manteau épais, un large ceinturon en travers de la poitrine auquel pendaient à peu près deux douzaines de flacons en métal. Il leur fit signe d'arrêter. Aspiche se libéra du bras de Mrs. Stearne, avança en boitant et s'entretint avec lui à voix basse. Chang put malgré tout les entendre.

– Docteur Lorenz! chuchota le colonel. Y a-t-il quelque chose qui cloche?

Le docteur Lorenz ne partageait pas le besoin de discrétion du colonel. Il parla sur un ton aigu, s'adressant autant à Aspiche qu'à Mrs. Stearne.

– Il me faut quelques-uns de vos hommes. Six devraient faire l'affaire. Nous n'avons pas une minute à perdre.

– Il vous faut? s'enquit sèchement Aspiche. Et pourquoi avez-vous besoin de mes hommes?

– Parce qu'il est arrivé quelque chose aux types qui étaient censés m'aider! hurla Lorenz. J'espère que ce n'est pas trop difficile à comprendre!

Lorenz fit un geste en direction d'une porte ouverte derrière lui. Chang remarqua pour la première fois la trace d'une main ensanglantée sur le cadre en bois et une entaille manifestement creusée par une balle.

Aspiche se retourna et claqua des doigts pour désigner six hommes du rang de tête, et passa la porte avec eux. Lorenz les suivit du regard, mais ne les accompagna pas. Il tapotait des doigts les flacons qui pendaient à sa poitrine. Son attention dériva jusqu'à Chang et Mrs. Stearne et se fixa ostensiblement sur le livre que Chang tenait sous le bras. Le docteur Lorenz se passa la langue sur les lèvres.

– Vous savez duquel il s'agit?

Il posa la question à Mrs. Stearne, sans quitter le livre des yeux.

– Non, je l'ignore. Le Cardinal l'a trouvé auprès d'une femme.

– Ah! répondit Lorenz. Il réfléchit un instant. Un masque de perles?

Chang ne daigna pas répondre. Lorenz se lécha encore une fois les lèvres et hocha la tête.

– Je vois, sans doute Lady Mélantes. Avec lord Acton. Et le capitaine Hazelhorst. Et, si je me souviens bien, au début, avec Mrs. Marchmoor elle-même. Je crois bien, oui. Un livre assez volumineux.

Mrs. Stearne ne répondit rien. Chang savait que c'était sa façon à elle de dire qu'elle connaissait l'importance de l'objet et qu'elle n'avait pas besoin des avertissements du docteur.

Un instant plus tard, Aspiche réapparut à la tête de ses hommes. Tous les six portaient une civière visiblement très lourde, recouverte d'une toile fixée au cadre et qui cachait la personne qui se trouvait dessous.

– Très bien, approuva Lorenz. Je vous remercie. Par ici…

Il indiqua une porte de l'autre côté du couloir.

– Vous ne nous accompagnez pas ? demanda Aspiche.

– Il n'y a plus une minute à perdre, répondit Lorenz. J'ai déjà perdu assez de temps comme ça. Si nous voulons procéder, c'est immédiatement qu'il faut le faire. Nos réserves de glace sont à sec ! Madame, veuillez s'il vous plaît présenter mes hommages à tout le monde.

Il la salua et se retira à la suite des soldats.

Ils marchèrent jusqu'au bout du couloir et s'arrêtèrent encore. Aspiche envoya un homme en éclaireur pour s'assurer qu'ils pouvaient continuer à avancer. Pendant qu'ils attendaient, Chang changea sa façon de tenir le livre. Le nombre de Dragons était passé de dix à quatre. Un tir bien visé pouvait les atteindre tous et lui ouvrir un passage… mais pour aller où ? Il observa les soldats de dos et se mit à imaginer la trajectoire des éclats de verre… puis il ne put s'empêcher de penser à Reeves et à son alliance plutôt fragile avec le capitaine Smythe. Ces Dragons ne lui avaient rien fait à lui personnellement. Comment pourrait-il regarder Smythe en face s'il tuait un seul de ses hommes de cette façon ignoble ? Il n'aurait pas hésité à le faire s'il avait eu la moindre chance de réussir… mais il ne voyait vraiment pas comment il pouvait se tirer de là, alors pourquoi se donner tant de mal avec les Dragons ? Il devait se contenter de garder le livre, soit pour tuer les personnages importants de la cabale si jamais il en avait l'occasion, soit pour négocier, si ce n'était sa propre survie, au moins celle de Céleste ou de Svenson. Il fallait continuer à espérer qu'ils étaient toujours vivants.

Il avala sa salive en grimaçant et sentit le regard de Mrs. Stearne posé sur lui. Leur lent trajet depuis la tour avait été assez long pour apaiser le feu de sa colère, seul son corps croulait sous le poids de l'épuisement et de l'affliction. Il sentit quelque chose sur sa lèvre et l'essuya avec son gant : une traînée de sang rouge vif. Il jeta un coup d'œil à Mrs. Stearne, mais son expression ne laissait transparaître aucune émotion.

– Vous voyez, je n'ai plus grand-chose à perdre, dit-il.

– On croit toujours ça, pérora le colonel Aspiche, jusqu'à ce qu'on perde un petit quelque chose et on a alors l'impression que c'est le monde entier qui vient de s'effondrer.

Chang ne dit rien, méprisant profondément jusqu'aux moindres lueurs de perspicacité du colonel.

Le Dragon réapparut dans l'embrasure de la porte en claquant les talons, au garde-à-vous devant Aspiche.

– Excusez-moi, colonel, mais ils sont prêts.

Aspiche jeta son cigarillo par terre et l'écrasa. Il entra dans la salle de bal en boitant, à la tête de ses hommes. Mrs. Stearne surveillait Chang de très près.

La salle de bal était tellement noire de monde que Chang ne pouvait voir à travers la foule, alors que les Dragons leur ouvraient un passage et que les spectateurs se retiraient dans un bruissement de soieries. Ils avancèrent jusqu'au milieu de la pièce, quand tout à coup Aspiche aboya un ordre. Le colonel et ses Dragons se déployèrent dans l'espace ouvert en faisant six pas dans chaque direction, repoussant la foule avant de se retourner vers Chang et Mrs. Stearne restés seuls au centre du cercle.

Mrs. Stearne avança lentement et fit une grande révérence, inclinant la nuque comme si elle saluait un membre de la famille royale. Devant eux, comme des monarques alignés sur une estrade, se trouvaient les têtes sans couronnes de la cabale : la Contessa di Lacquer-Sforza, le ministre Harald Crabbé, et Francis Xonck, le bras bien emmailloté dans un pansement. À côté d'eux, le prince, et à sa gauche, Herr Flaüss qui portait un masque et semblait pouvoir de nouveau se tenir debout ; à sa droite, une femme blonde, mince, vêtue d'une tunique blanche et portant un masque de plumes blanches.

– Vous vous êtes fort bien acquittée de votre tâche, Caroline, dit la Contessa en répondant à sa révérence d'un signe de tête. Vous pouvez retourner vaquer à vos occupations.

Mrs. Stearne se releva et fixa son regard encore une fois sur Chang, avant de se retirer rapidement en traversant la foule. Il se retrouva seul devant ses juges.

– Cardinal Chang, commença la Contessa.

Chang se racla la gorge et cracha une glaire écarlate en direction de l'estrade. Une rumeur offusquée parcourut la foule. Chang vit les Dragons se regarder avec nervosité alors que les invités se pressaient derrière eux.

– Contessa, rétorqua Chang d'une voix rauque et désagréable pour lui rendre ses salutations.

Puis, il posa les yeux sur les autres personnages.

– Monsieur le ministre, monsieur Xonck, Votre Altesse…

– Il nous faut ce livre, déclara Crabbé. Posez-le par terre et écartez-vous.

– Et ensuite ? ricana Chang avec mépris.

– Ensuite, vous serez tué, répondit Xonck. Mais tué *gentiment*.

– Et si je refuse de le faire ?

– Alors, s'empressa d'expliquer la Contessa, vous aurez l'impression que ce que vous avez déjà connu n'était que le prologue anodin de votre supplice.

Chang regarda la foule autour de lui et les Dragons. Toujours aucun signe de Smythe, ni de Svenson, ni de Céleste. Il était parfaitement conscient de la décoration élégante de la salle de bal : le cristal, le plancher étincelant, les murs tapissés de miroir et de verre. Il remarqua les tenues élégantes des spectateurs masqués et le contraste avec le délabrement et la crasse de sa mise. Pour ces gens-là, il le savait très bien, l'état de ses vêtements et de son corps indiquait clairement qu'il était d'une caste inférieure. C'était aussi ce qui lui faisait mal quand il pensait à Angélique, que l'on devait considérer comme un meuble ou du bétail. Pour quelle autre raison lui avaient-ils fait subir l'horrible transformation en premier ? Et pourquoi l'avaient-ils emmenée à l'Institut ? Parce que sa mort ne ferait aucune différence. Et pourtant, elle ne se rendait pas compte de leur mépris. Elle ne voyait pas, au-delà de son ambition désespérée, à quel point on s'était servi d'elle. Puis Chang se souvint de tous les personnages importants de la ville qu'il avait découverts affalés sur des livres de verre, et de Robert Vandaariff, réduit à se comporter en automate gratteur de papier. La cabale ne réservait pas son mépris à une classe en particulier.

Il devait reconnaître qu'il y avait une certaine équité dans l'abus.

Mrs. Stearn se releva et fixa son regard encore une fois sur Chang, avant de se retirer radpiement en traversant la foule. Il se retrouva seul devant ses juges.

Mais Chang ne put s'empêcher de ricaner devant les visages dégoûtés ou furieux qu'il voyait se tendre vers lui derrière le cercle des Dragons qui, eux, semblaient hésitants. On avait offert à chacun des invités l'occasion de lécher les bottes des membres de la cabale, et maintenant ils revendiquaient ce privilège. Qui *étaient* donc ces individus pour pouvoir duper ainsi autant de monde ?

Il pensa avec amertume qu'une bonne partie du travail de la cabale avait déjà été accompli avant même qu'elle n'intervînt : l'ambition affairée de ses adeptes avait toujours été là, tapie dans les ombres de leurs vies, attendant le moment de surgir. Que cette occasion ne fût en fait qu'un hameçon n'était venu à l'esprit de personne, chacun étant trop occupé à se féliciter de l'avoir avalé.

Chang tenait le livre devant lui pour que tout le monde le vît. Quand il leva ses bras, il sentit une pression s'exercer sur ses poumons et fut pris d'une quinte de toux douloureuse. Il cracha encore et essuya le sang qui perlait à ses lèvres.

– Vous allez nous obliger à nettoyer le plancher, fit remarquer la Contessa.

– Je présume que je me suis montré très grossier en refusant de mourir au ministère, répondit Chang d'une voix rauque.

– En effet. Mais vous avez démontré que vous étiez un adversaire digne de ce nom, Cardinal.

Elle sourit à Chang.

– N'est-ce pas, monsieur Xonck ? s'enquit-elle malicieusement, et Chang comprit qu'elle se moquait de la blessure de Xonck.

– Tout à fait ! Le Cardinal illustre bien la tâche qui nous attend tous, cette lutte acharnée que nous devons nous préparer à mener, répondit Francis Xonck en faisant porter sa voix jusqu'aux confins de la salle. La cause que nous avons embrassée rencontrera des adversaires farouches comme l'homme que vous avez devant vous. Ne le sous-estimez pas, mais ne sous-estimez pas non plus votre courage et votre sagesse.

Chang eut un sourire de mépris devant une flagornerie aussi grossière et il se demanda pourquoi c'était Crabbé le politicien qui faisait des discours et non pas Xonck, puisqu'il était doté d'une éloquence aussi doucereuse. La silhouette prostrée de Henry Xonck lui revint en mémoire. Dans très peu de temps sans doute, Francis Xonck serait aussi puissant que tous les Crabbé de la terre. Sur ce, le vice-ministre dut avoir la même intuition, car il s'avança et s'adressa lui aussi à l'auditoire.

– Dans sa tentative d'anéantir notre entreprise, cet homme a commis trop de meurtres, ne serait-ce que ce soir, pour qu'on en fasse la liste. Il a tué nos soldats, maltraité nos femmes comme un barbare ; il est entré par effraction au ministère et dans cette demeure ! Et pourquoi tout cela ?

– Parce que vous êtes un menteur syphilitique...

– *Parce que*, hurla Crabbé en couvrant facilement la voix cassée de Chang, nous proposons une vision qui va mettre fin à l'emprise que cet homme et ceux qui l'envoient ont sur vous tous. Ils vous tiennent à l'écart et ne vous donnent que les miettes pendant qu'ils profitent de votre travail et de ce que vous valez ! Nous disons qu'il faut mettre un terme à tout cela et ils envoient leur sbire pour nous tuer ! Vous en avez été les témoins !

La foule se mit à pousser de cris de rage. Encore une fois, Chang eut le sentiment qu'il ne comprenait rien à ses semblables. À ses yeux, le discours de Crabbé rivalisait d'idiotie, de servilité et de flagornerie avec celui de Xonck. Et pourtant la foule aboyait comme une meute de chiens et réclamait sa mort. Les Dragons commençaient à perdre du terrain. Aspiche était lui aussi pris dans la cohue. Nerveux, il regardait tantôt l'estrade, tantôt Chang avec un air suffisant, comme si tout cela était de sa faute.

– Chers amis... s'il vous plaît ! S'il vous plaît... un instant !

Xonck sourit et leva sa main valide pour faire cesser le bruit. Les hurlements s'interrompirent immédiatement. Leur capacité de contrôle était époustouflante. Chang ne savait même pas si ces gens avaient tous subi le Procédé, cela semblait impossible, ne serait-ce que pour une question de temps, mais il ne pouvait comprendre comment des individus n'ayant pas subi de préparation préalable pouvaient réagir avec une telle unanimité.

– Chers amis, reprit Xonck, ne vous en faites pas, cet homme paiera, et il paiera très vite.

Il regarda Chang avec un sourire plein d'entrain.

– Il faut simplement que nous décidions de la manière.

– Posez le livre, Cardinal, répéta la Contessa.

– Que quelqu'un s'approche de moi, et j'envoie ce livre sur votre beau visage.

– Vous feriez ça ?

– Cela me procurerait même un certain *plaisir*.

– C'est tellement mesquin, Cardinal, vous baissez dans mon estime.

– Eh bien, alors, je vous en demande pardon ! Si cela peut vous satisfaire, je choisirais de vous tuer non parce que vous avez déjà fait de moi un homme mort en me soufflant du verre dans les poumons, mais bien parce que vous êtes sans aucun doute possible mon ennemi le plus mortel. Le prince est un imbécile, j'ai déjà vaincu Xonck, et Crabbé est un lâche.

– Comme vous êtes téméraire ! répondit-elle sans pouvoir dissimuler un petit sourire. Et le comte d'Orkancz, alors ?

– Il agit, mais c'est vous qui lui indiquez la voie. En fait, il est votre créature. Vous complotez même dans l'ombre contre vos propres compagnons. Est-ce qu'ils sont au courant de la mission que vous avez confiée à monsieur Gray ?

– Monsieur… qui ? le sourire de la Contessa se figea soudain.

– Allons ! Ne soyez pas modeste ! Monsieur Gray, de l'Institut. Il était avec vous au ministère, vous savez, quand vous avez fait cadeau à Herr Flaüss de votre précieux Procédé.

Il fit un signe de tête en direction de l'envoyé de Macklenburg, qui, bien qu'il eût l'air de n'y rien comprendre, lui fit signe à son tour. Avant même que la Contessa pût rétorquer, Chang l'interpella encore.

– C'est vous qui indiquiez quoi faire à monsieur Gray, je présume. Pour quelle autre raison pourrais-je l'avoir trouvé dans les profondeurs des sous-sols de la prison en train de trafiquer dans les fournaises du comte ? Je ne sais pas du tout s'il a fait ce que vous lui aviez demandé. Je l'ai tué avant d'avoir la possibilité d'échanger des renseignements avec lui.

Il dut reconnaître qu'elle avait un certain talent. Cela faisait à peine deux secondes qu'il avait fini qu'elle se retourna vers Crabbé et Xonck et leur souffla tout bas avec tout le sérieux du monde :

– Vous étiez au courant ? Est-ce que c'est vous qui avez donné des instructions à Gray ?

– Bien sûr que non, chuchota Crabbé. Gray répondait à vos…

– Alors, c'est le comte ? siffla-t-elle, encore plus en colère.

– Mais Gray répondait à vos ordres, répéta Xonck, qui, de toute évidence, réfléchissait en parlant.

– Alors, que faisait-il dans les sous-sols ? demanda la Contessa.

– Je suis sûr qu'il n'y était pas, dit Xonck. Je suis sûr que le Cardinal *ment*.

Ils se tournèrent vers lui. Sans leur laisser le temps d'ouvrir la bouche, Chang sortit une main de sa poche.

– Ceci était à lui, je pense, dit Chang, et il jeta la grosse clé qui tomba bruyamment sur le plancher devant l'estrade.

Bien sûr, ç'aurait très bien pu être la clé de n'importe qui et tout ce beau monde ne connaissait sans doute pas assez Gray pour la reconnaître, mais l'objet eut l'effet escompté et sembla appuyer ses dires. Chang eut un sourire lugubre, heureux de sentir que son cœur devenait froid comme la glace au fil de cette conversation en forme de devinette qu'il voulait corrosive. Il savait parfaitement bien qu'il n'y a pas plus dangereux qu'un homme perdu, si bien qu'il accueillit avec joie la perspective de passer les derniers moments de sa vie de condamné à semer la discorde parmi ses ennemis. Les personnages de l'estrade se taisaient. La foule aussi était silencieuse, et Chang pensa qu'elle devait ne rien y comprendre et qu'elle remarquait seulement le malaise de ses maîtres.

– Mais qu'est-ce qu'il faisait là…, commença Crabbé.

– Ouvrez la porte ! hurla soudain la Contessa en lançant à Chang un regard menaçant et en haussant le ton pour qu'on entendît jusqu'au fond de la salle sa voix tranchante comme le fil d'un rasoir.

Chang perçut derrière lui un bruit de verrous. Immédiatement, la foule se mit à murmurer, puis s'écarta. Chang lança un regard vers l'estrade. Tous semblaient stupéfaits, comme la foule elle-même devant ce qui venait de faire son apparition dans la salle. Les murmures étaient ponctués de mouvements d'effroi et de cris d'alarme.

La foule céda enfin le passage et libéra l'espace entre Chang et le comte d'Orkancz qui s'avançait lentement vers lui. Celui-ci tenait en laisse une femme attachée par le cou qui marchait derrière lui. Chang en eut le souffle coupé.

Elle était nue, ses cheveux retombaient encore en boucles noires et lustrées sur ses épaules, elle marchait. Ses yeux erraient dans la salle sans se fixer jamais, comme si elle voyait tout pour la première fois. Elle bougeait lentement, mais sans gêne, avec naturel, comme un animal ; elle avançait avec précaution en dévisageant ceux qui l'entouraient. Son corps était d'un bleu étincelant, d'un bleu sombre en profondeur et à la surface aussi lisse que de l'eau, souple mais trahissant une certaine rigidité dans la démarche. Chang avait l'impression que chacun de ses mouvements exigeait d'elle effort et préparation. Elle était belle et surnaturelle. Chang ne pouvait en détourner le regard. Le poids de ses seins, la proportion parfaite de ses côtes et de ses hanches, le galbe de ses jambes. Elle arborait encore ses cheveux magnifiques, mais le corps et le visage d'Angélique étaient complètement glabres. L'absence de sourcils ouvrait son regard et lui donnait l'air extatique des madones médiévales, mais Chang ne put supporter de voir son sexe nu, à la fois innocent et obscène.

Seul le blanc de ses yeux était clair. Elle posa le regard sur lui.

Le comte tira sur la laisse et Angélique avança. Pas un souffle dans la salle de bal. Chang pouvait entendre le tintement de chacun de ses pas sur le bois verni. Il s'efforça de détourner les yeux pour regarder d'Orkancz et remarqua la haine froide qui imprégnait son visage. Il se tourna vers l'estrade : Crabbé et Xonck étaient sidérés, mais la Contessa, bien que peut-être troublée elle aussi, étudiait ses compagnons comme pour mesurer le succès de cette diversion. Chang se tourna vers Angélique. Il ne pouvait s'en empêcher. Il avança vers elle... et l'entendit parler.

– Car... di... nal Chang, dit-elle en prononçant chaque syllabe avec soin, comme jadis, mais sa voix était différente, plus ténue, plus intense... comme si une partie de ce qui lui permettait de parler s'était désintégrée.

Ses lèvres ne bougeaient pas et Chang fut stupéfait de constater que ses mots atteignaient directement son esprit.

– Angélique..., murmura-t-il.

– C'est fini, Cardinal... vous le savez bien... regardez-moi.

Il essaya de faire quelque chose. Il ne pouvait rien faire du tout. Elle se rapprocha.

– Pauvre Cardinal... vous m'avez tellement désirée... et je vous désirais tant aussi... vous souvenez-vous ?

Ces paroles fleurissaient dans la tête de Chang, elles se déployaient comme ces petites boules de papier chinoises qui se défroissent dans l'eau pour se transformer en fleurs magnifiques. Puis il sentit que la présence de la jeune femme le terrassait et que les pensées qu'elle lui envoyait prenaient la place de ses propres sens.

Il n'était plus dans la salle.

Ils étaient ensemble sur les rives du fleuve et ils regardaient l'eau grise au crépuscule. Avaient-ils déjà vécu cette scène ? Bien sûr, il s'en souvenait. Un jour, ils s'étaient rencontrés dans la rue et elle lui avait permis de la raccompagner au bordel. Il avait un souvenir très précis de cette journée-là et il la revivait à travers cette mémoire qu'elle lui transmettait. Il lui avait parlé, même si ses paroles ne voulaient pas dire grand-chose, il avait cherché des mots qui pouvaient la toucher, il lui avait raconté l'histoire des maisons devant lesquelles ils passaient, ce qu'il y avait vécu, la vraie vie de la rive du fleuve. Elle lui avait à peine répondu. À l'époque, il s'était demandé si c'était une question de langue, elle avait alors un accent très prononcé, mais à présent, atterré par les pensées de la jeune femme qui envahissaient son esprit, il apprit qu'elle avait tout simplement choisi de ne pas parler et qu'il jouait dans cet épisode un rôle bien secondaire. Elle l'avait abordé et lui avait permis de l'accompagner pour éviter un client jaloux qui la suivait depuis Circus Garden. Elle l'avait à peine écouté en souriant poliment, en hochant la tête alors qu'il racontait ses histoires idiotes… Elle espérait seulement qu'il en finirait… jusqu'au moment où ils s'étaient attardés sur le quai. Chang s'était tu, puis il avait parlé doucement du trajet du fleuve vers une mer infinie, lui avait assuré que, même dans leurs vies sordides, pouvait filtrer un peu de mystère.

Cette évocation d'une évasion possible, cet écho de ses propres rêves l'avait surprise. Elle avait gardé le souvenir de ce moment et, avant qu'il ne mourût, elle le remercia.

Chang cligna des yeux. Il regarda par terre. Il était à quatre pattes et de la salive sanguinolente coulait de sa bouche. Le colonel Aspiche surgit au-dessus de lui, tenant le livre de verre entre ses mains. Angélique était debout à côté du comte d'Orkancz, son regard errait, indifférent, impassible. Le comte fit un signe de tête en direction de l'estrade, et Chang s'efforça de se retourner. La foule s'écarta… pour laisser passer Mrs. Stearne. Elle entra en tenant par la main une petite femme vêtue d'une tunique de soie blanche. Chang secoua la tête. Il n'arrivait pas à faire fonctionner son esprit, la femme en blanc… il la connaissait… Il cligna des yeux et s'essuya la bouche en avalant sa salive avec difficulté. La tunique était transparente, ajustée à son corps, elle avait les pieds nus… un masque de plumes blanches… ses cheveux châtains, ses anglaises encadraient son visage. Dans un effort surhumain, il se mit à genoux.

Il ouvrit la bouche pour parler tandis que Mrs. Stearne se retournait et retirait le masque de plumes du visage de miss Temple. Les cicatrices du Procédé étaient encore visibles autour de ses yeux gris et elles traçaient une fine ligne brûlée sur l'arête de son nez.

Chang essaya de dire son nom, mais ses lèvres ne lui obéirent pas.

Le colonel Aspiche s'agitait derrière lui. La violence du coup fut telle qu'elle fit tourner la salle autour de Chang et qu'avant de sombrer dans les ténèbres, il se demanda si on ne venait pas de lui couper la tête.

CHAPITRE 9

LE PROVOCATEUR

Le corps n'a pas la mémoire de la douleur elle-même, mais il se souvient d'avoir souffert, et Svenson, en tant que chirurgien, le savait bien. La terreur, elle, reste gravée à jamais. Alors qu'il se hissait à la force de ses bras endoloris vers la nacelle, que le paysage sombre tournoyait au-dessous de lui et que le vent glacial lui gelait le visage et les mains, Svenson basculait dans la folie. Il s'acharnait à penser à autre chose qu'au vide qu'il avait sous ses bottes, mais en vain. Si l'effort l'empêchait de hurler, chaque mouvement provoquait des gémissements d'épouvante.

Toute sa vie, il avait craint les hauteurs, quelles qu'elles soient, et lorsqu'il gravissait l'échelle d'un bateau, il s'obligeait à regarder droit devant, de crainte que son estomac ou son esprit ne le lâchent. Le fait même de penser à une échelle déclenchait chez lui, à son corps défendant, un fou rire, une sorte de jappement nerveux. Sa seule consolation – incroyablement mince, toutefois – venait de ce que, grâce au sifflement du vent et à l'obscurité, personne ne l'eût encore repéré par les hublots. Et de cela pourtant, il ne pouvait même pas en être sûr… il gardait les yeux fermés.

Il en était à peine à mi-chemin sur la corde que déjà il sentait ses bras comme du plomb en fusion. Comment tenir bon? Il entrouvrit les yeux, les referma immédiatement et poussa un cri en sentant monter le vertige que lui procurait le balancement de la nacelle. Le visage aperçu à travers un hublot avait disparu, il ne restait plus qu'une vitre noire. S'agissait-il bien d'Éloïse? Quand elle lui était apparue depuis la terre ferme, il n'en avait pas douté un instant, mais maintenant… Maintenant, il n'était même plus très sûr de son propre nom. Il continua son ascension. Chaque fois qu'il lâchait la corde d'une main pour l'attraper un peu plus haut, son cœur souffrait mille morts, et pourtant il s'obligea à répéter ce mouvement, le visage déformé par l'effort.

Encore cinquante centimètres. Une idée fixe le hantait: pourquoi ne pas arrêter là? pourquoi ne pas lâcher prise? Sa hantise des hauteurs ne venait-elle pas justement de la crainte de céder à l'envie de sauter? Pour quelle raison avait-il toujours redouté les balcons et les fenêtres, si ce n'est à cause de l'attrait du vide ? Ce serait tellement plus simple. Après tout, les verts pâturages lui offriraient une sépulture tout aussi convenable que n'importe quelle mer. Combien de fois y avait-il pensé depuis la mort de Corinna ? Combien de fois avait-il senti le froid monter en lui, quand, appuyé au bastingage d'un navire sur la Baltique, il jouait avec l'idée de sauter par-dessus bord, comme un terrier dépressif mordille un bâton déjà bien rongé ?

Il gagna cinquante centimètres, en grinçant des dents et en donnant des coups de pied dans le vide, mû par la seule force de la volonté et de la colère. En voilà une raison de vivre : la haine qu'il éprouvait pour ces gens, leur condescendance, leurs privilèges, leur *cupidité* éhontée. Il pensa à eux, bien à l'abri du froid dans la nacelle, enveloppés dans leurs fourrures, bercés par le murmure du vent et le bourdonnement des hélices. Encore trente centimètres. Ses bras perdaient de la force. Il ouvrit la main, chercha une prise... agita frénétiquement les jambes. Il se força à penser à autre chose qu'au vide : ce dirigeable... il n'avait jamais rien vu de tel ! Manifestement rempli de gaz, de l'hydrogène certainement. Et puis quoi d'autre ? Comment était-il propulsé ? Comment le ballon pouvait-il soutenir le poids de la nacelle et, plus encore, celui d'un moteur à vapeur... Pouvait-il y avoir une autre source d'énergie ? Y avait-il un lien avec Lorenz et l'argile indigo ? À une autre époque, Svenson se serait passionné pour de telles questions, mais là, il s'y plongeait avec la ferveur stupide d'un homme qui récite les tables de multiplication pour conjurer une catastrophe.

Il ouvrit les yeux et regarda au-dessus de lui. Il se trouvait plus près de la nacelle qu'il ne le croyait, à une dizaine de mètres. La corde était arrimée à l'armature en acier du ballon de gaz, juste derrière la cabine. Aucune fenêtre à cet endroit... mais une porte peut-être ? Et soudain, horrifié, Svenson se rendit compte de la situation. Sous la cabine, de chaque côté, larges d'un peu plus de deux mètres, des hélices tournaient et sa corde passait juste entre les deux. Les pales tournaient tellement vite qu'il ne parvenait pas à évaluer la distance qui les séparait. Plus il montait, plus il risquait d'être broyé par les hélices.

Il n'y avait plus rien à faire, sauf se laisser tomber, et plus sa peur lui en faisait retarder le moment, plus ses bras perdaient de la force. Il se hissa, les yeux clos, et se cramponna plus fermement à la corde avec les genoux pour ne pas trop prendre de ballant. Quand il approcha du haut, le bruit inquiétant des hélices qui fendaient l'air, inexorablement, résonna en lui. Elles étaient là, juste au-dessus. Il pouvait sentir les gaz d'échappement, la même odeur forte d'ozone, de soufre et de caoutchouc brûlé qui avait failli le faire vomir dans le grenier de Tarr Manor. L'aéronef était bel et bien une autre invention de la cabale. Il se hissa à portée des hélices, prêt à se faire arracher un membre.

Les pales des hélices rugissaient autour de lui, et par le plus grand des hasards, il resta entier. Le corps tremblant sous l'effort, Svenson grimpa encore plus haut. La nacelle se trouvait à un mètre. Il devait s'accrocher du premier coup. Mais où? Il leva les yeux. Le câble était fixé à l'armature de l'engin par un mousqueton... Il n'avait donc pas le choix. Encore deux mètres. La tête au-dessus du niveau des hélices, il pouvait presque toucher le mousqueton. Haletant, épuisé comme il ne l'avait jamais été de sa vie, il réussit à se hisser d'une trentaine de centimètres, puis de quelques autres. Enfin, en proie à d'atroces douleurs, il réussit à atteindre le mousqueton et l'étai métallique auquel il était accroché. Il se retenait à la corde avec les genoux et une seule main, ce qui le terrifia. Il s'agrippa à l'étai. Il allait devoir lâcher sa corde. Sans doute pourrait-il s'accrocher avec ses jambes et se glisser par-dessus les hélices, jusqu'au-dessus de la nacelle. Mais pour cela, il devait lâcher la corde.

Tout à coup, comme il fallait s'y attendre, ses nerfs lâchèrent et la corde lui échappa. Par réflexe, le docteur lança les deux bras vers l'étai et s'y cramponna tandis que ses jambes s'agitaient dans tous les sens. En bas, l'hélice avait déchiqueté la corde. Et pour éviter, justement, que ses jambes ne subissent le même sort, il remonta ses genoux vers sa poitrine en gémissant et enjamba la barre de l'étai. Le ballon était là, juste au-dessus de sa tête, et, au-dessous, la mort l'attendait: soit il tombait, soit il était démembré. Il glissa lentement le long de l'étai, sur le métal glacé des traverses. Le froid lui paralysait les mains.

Il lui fallut dix minutes pour descendre trois mètres. Aussi doucement que possible, il chercha à prendre pied sur le métal solide de la nacelle. Il pleurait. Ou était-ce l'effet du vent?

Grand cube en acier noirci, la nacelle était reliée à l'immense ballon par une structure métallique. Le froid, la brume et l'humidité de l'air de la côte rendaient la surface du toit glissante, et le docteur Svenson, paralysé de peur et anéanti par l'effort, était dans l'impossibilité de s'approcher du bord pour s'agripper à cette structure. Il se contenta de s'accroupir au milieu du toit, enlaçant le bout de ferraille qui lui avait permis d'atteindre la nacelle. Tout en claquant des dents, il contraignit son esprit aux abois à faire le bilan de la situation. La nacelle devait avoir quatre mètres de large et dix de long. Il aperçut une trappe ronde, mais pour s'en approcher il eût fallu qu'il se lançât dans le vide. Il ferma les yeux et se concentra sur sa respiration. Des frissons lui parcoururent le corps, malgré son manteau et les efforts qu'il venait de faire, ou peut-être même à cause de ceux-ci car, sous l'effet du vent, la sueur lui gelait la peau.

Il ouvrit les yeux quand une secousse soudaine le surprit et il dut se cramponner davantage à sa traverse. Le dirigeable virait, et, sous l'effet de la force centrifuge, Svenson sentit qu'il lâchait prise. Il fut pris d'un fou rire à se voir ainsi essayer de garder l'équilibre sur un aéronef, alors qu'il avait toujours été saisi de panique à la seule idée de grimper sur une simple échelle. La veille (était-ce vraiment si récent que ça?), ne s'était-il pas retrouvé à quatre pattes sur le toit de la légation de Macklenburg? S'il avait su! Le toit! Mais oui, bien sûr!

En ce moment même, il était agrippé à la solution de l'énigme de l'évasion du prince. On était venu le chercher avec le dirigeable! À une vitesse moindre, les hélices devaient être silencieuses. Ils avaient très bien pu se laisser dériver dans la bonne position et des hommes avaient dû descendre pour libérer le prince. Ni vu ni connu. Même le mégot de cigarette écrasé pouvait s'expliquer ainsi, jeté par la Contessa di Lacquer-Sforza alors qu'elle assistait à la manœuvre depuis le hublot de la nacelle. Ce qui était toutefois encore difficile à expliquer, c'était la raison pour laquelle le prince avait pu être enlevé sans que les autres membres de la cabale, ne serait-ce que Xonck et Crabbé, fussent au courant. La mort d'Arthur Trapping était, elle aussi, une question sans réponse, même parmi ses ennemis… Si seulement il arrivait à résoudre une seule de ces énigmes… il finirait peut-être par tout comprendre.

Après avoir viré, le dirigeable redressa sa trajectoire. Le brouillard s'épaississait autour de Svenson et il avança sur le toit, attentif à ne pas faire trop de bruit. Personne ne devait savoir qu'il était là. Il referma les yeux, s'efforça de respirer plus calmement et d'arrêter de claquer des dents. Il ne bougerait pas d'un pouce tant que ses bras tiendraient le coup et que le dirigeable ne serait pas parvenu à bon port.

Quand il ouvrit les yeux, le dirigeable amorçait un autre virage, moins serré que le précédent et, comme il put le voir à travers les percées du brouillard, à plus basse altitude, soit à une soixantaine de mètres au-dessus de ce qui lui sembla être une prairie marécageuse, sans le moindre arbre en vue. S'apprêtaient-ils à traverser la mer? Il distingua des lumières dans les ténèbres, d'abord vacillantes, puis, à mesure que le dirigeable perdait de l'altitude, de plus en plus nettes. Il put ainsi avoir une idée de leur destination.

Dessous se dressait une immense construction, relativement basse, deux ou trois étages pas plus, mais qui frappait par l'impression de puissance qui s'en dégageait. On aurait dit une mâchoire déboîtée, au centre de laquelle se trouvait un jardin. Alors qu'ils s'en approchaient, le bruit des hélices changea: ils ralentissaient. Svenson distingua une grande esplanade ouverte à l'avant, remplie de fiacres et hérissée de silhouettes, des cochers et des valets, tels des fourmis qui bientôt se transformèrent en souris à mesure que l'engin descendait. De l'autre côté, on agitait deux lanternes depuis le toit, et quelques hommes attendaient pour amarrer le dirigeable. Plus que trente mètres, puis vingt... Inquiet soudain du fait qu'il risquait d'être vu, Svenson se jeta à plat ventre et se cramponna à la poignée glaciale de la trappe. Des cris résonnèrent en dessous, puis l'on entendit le bruit d'un hublot qui s'ouvrait et quelqu'un répondit en criant depuis la nacelle.

Ils atterrissaient à Harschmort House.

Les yeux fermés, moins à cause du vertige que de peur d'être découvert, Svenson entendit tout autour de lui les cris et les sifflements qui accompagnent un atterrissage. Personne ne sortit par la trappe. On lançait les amarres depuis l'avant de la nacelle. Peut-être qu'après l'arrêt des hélices on amarrerait aussi l'aéronef par là où Svenson était monté. Il n'en savait rien, mais on allait le découvrir, c'était l'affaire de quelques minutes.

Sans arme, physiquement épuisé, une cheville foulée, le crâne endolori et les mains en sang, quelle chance avait-il de s'en sortir? Deux ou trois gaillards bien bâtis se chargeraient de lui, voire même le jetteraient du haut du toit. Dans la nacelle, quelques autres de ses ennemis attendaient : Crabbé, Aspiche, Lorenz, miss Poole… et, Dieu sait dans quel état, à leur merci ou, s'il était honnête, peut-être même passée dans leur camp : Éloïse Dujong. En dessous, un petit bruit sec se fit entendre, puis un énorme bruit de ferraille qui se confondit bientôt avec celui de l'acier cognant sur la pierre, et, enfin, des voix : Crabbé appelait quelqu'un, puis miss Poole. On leur répondit d'en bas, puis trop de voix différentes intervinrent pour qu'il pût suivre la conversation. Ils descendaient de la nacelle par une échelle ou un escalier.

– Ah ! enfin !

Crabbé s'adressait à quelqu'un sur le toit.

– Est-ce que tout est prêt ?

– Très agréable voyage, commenta miss Poole à l'intention de quelqu'un d'autre, mais, je dois dire qu'il nous est arrivé… disons… une *mésaventure*…

– Un fichu problème, poursuivit Crabbé. Je n'en sais rien Lorenz dit qu'il peut le faire, mais moi je n'en sais rien… oui, deux fois… la deuxième directement dans le cœur…

– Doucement ! Mais doucement ! hurlait Lorenz. Et de la glace… nous allons avoir besoin d'une baignoire entière… oui, vous tous… Tenez ! Allez, vite ! Pas de temps à perdre !

Une voix trop basse pour que Svenson pût tout comprendre mettait Crabbé au courant des derniers événements… Était-ce Bascombe ?

– Oui… oui… je vois…

Il pouvait imaginer le vice-ministre hocher la tête et marmonner.

– Et Carfax ? Baax-Saornes ? La baronne Roote ? Mrs. Kraft ? Henry Xonck ? Excellent. Et notre hôte illustre ?

– Le colonel s'est blessé à la cheville, oui…

Miss Poole eut un petit rire.

– …en se battant contre le redoutable docteur Svenson. J'ai bien peur que la mort du docteur n'ait été difficile… rien qu'à y penser, je suis blanche comme la cendre !

À ce trait d'esprit, miss Poole et le colonel Aspiche éclatèrent de rire. Dans l'état où il était, Svenson eut un peu de mal à réaliser que le sujet de leur hilarité, c'était le récit de sa propre mise à mort.

– Par ici… par ici… oui ! Je dois dire, miss Poole, que le voyage n'a pas l'air de lui avoir réussi !

– Et pourtant, il y a peu, elle semblait tellement *accommodante*, colonel… cette dame a peut-être seulement besoin d'un peu plus de vos gentilles *attentions*.

Ils emmenaient Éloïse… elle était vivante. Que lui avaient-ils fait? Pis encore, qu'entendait miss Poole par «accommodante»? Il se laissa distraire par le souvenir d'Éloïse assise dans les escaliers, le regard perdu… Elle était allée à Tarr Manor pour une raison précise, même si elle l'avait oubliée depuis. Qui était-elle vraiment? Puis lui revint la ferveur de ses lèvres sur les siennes, et il ne sut plus du tout à quoi s'en tenir.

Enfin, les voix s'éloignèrent. Mais où se trouvaient maintenant les hommes qui devaient amarrer l'aéronef ou ceux qui en avaient la garde? La trappe s'ouvrit dans un cliquetis sourd, puis la poignée tourna dans sa main. Le panneau se souleva en laissant apparaître le visage plein de cambouis d'un homme en tenue de travail. En voyant le docteur, l'homme resta bouche bée. De toutes ses forces, Svenson lui envoya son talon dans la figure et grimaça en entendant un craquement au moment de l'impact. Le type retomba par la trappe ouverte, Svenson essaya en vain de le rattraper, s'élança dans l'ouverture, sans se soucier de l'échelle fixée à la paroi, et se laissa tomber sur le corps gémissant et étourdi de l'homme. Il atterrit sur ses épaules, l'écrasant contre le sol avec un bruit mat. Il se releva en titubant et se raccrocha aux échelons pour retrouver l'équilibre. Une énorme clé anglaise graisseuse dépassait de la poche de l'homme. En la soupesant, Svenson se rappela la clé anglaise qui avait été fatale à monsieur Coates à Tarr Village et du chandelier qui avait coûté la vie au pauvre Starck. Fallait-il vraiment que le meurtre devînt pour lui une tactique aussi naturelle? Quand le comte lui avait rappelé qu'il avait empoisonné un homme, une canaille (certes, mais quelle différence?) à Brême, ses scrupules de jadis s'étaient-ils envolés?

Il avança prudemment à l'intérieur de la nacelle divisée en petites cabines comme l'intérieur exigu mais bien aménagé d'un voilier. Contre les parois, des banquettes en cuir rembourrées, de petits guéridons encastrés et ce qui ressemblait à une armoire à liqueurs pleine de bouteilles solidement arrimées. Svenson essaya de dénouer l'une des attaches en cuir qui faisait office de fermeture. Les mains encore à moitié gelées et endolories, il lui était difficile d'accomplir un geste aussi minutieux. Il grogna d'impatience et s'empara de la clé anglaise pour casser la vitre. Il sortit précautionneusement une bouteille de cognac et la déboucha de ses doigts raides comme des griffes. Il en avala de longues gorgées, heureux de la chaleur qu'elles lui procurèrent, puis reposa la bouteille, soucieux de ne pas trop perdre ses esprits.

Un meuble de plus grande taille était adossé contre le mur d'en face et il essaya de l'ouvrir, en vain. À l'aide de sa clé anglaise, Svenson défonça le bois autour de la serrure. Il y découvrit cinq carabines rutilantes et bien huilées, cinq coutelas étincelants et, accrochés derrière, trois pistolets de service. Svenson jeta la clé anglaise pour s'emparer à la hâte d'un revolver et d'une boîte de munitions, puis il chargea l'arme. Quelqu'un d'autre attendait-il dehors? Il prit un coutelas qui lui parut particulièrement redoutable, une sorte de couperet de boucher très bien affûté, long de plus de soixante centimètres, dont la garde en cuivre étincelant protégeait toute la main. Il ne savait pas du tout comment l'utiliser, mais, songea-t-il, cette arme était si terrible qu'elle pouvait très bien tuer sans qu'on sût s'en servir.

L'homme en bleu de chauffe ne bougeait pas. Svenson s'agenouilla rapidement près de lui et mit son revolver dans sa poche. Il lui prit le pouls sur la carotide. L'homme avait manifestement le nez cassé. Svenson déplaça l'homme pour que le sang s'écoulât sans l'étouffer. Il s'essuya les mains et se releva en sortant le revolver. Maintenant rassuré d'avoir conservé en lui quelque humanité, il prit le chemin de la vengeance.

Le docteur Svenson traversa la cabine suivante, jusqu'à la porte. Une autre trappe munie d'un escalier escamotable menait au toit de Harschmort House, trois mètres plus bas. Un deuxième escalier menait à la cabine de pilotage du dirigeable. Il s'assura que personne ne pouvait le voir du bas des marches et tendit l'oreille. Cette cabine ressemblait à l'autre: des banquettes, des tables. Svenson s'agenouilla, soudain complètement désemparé: des bouts de corde traînaient sur le plancher, portant des traces de sang… c'était sûrement les liens d'Éloïse, attachés à ses poignets, à ses chevilles, sur sa bouche. On l'avait ligotée sans aucun ménagement. Svenson frissonna à l'idée de ses souffrances. On pouvait certes considérer cela comme une preuve de l'innocence d'Éloïse, mais au fond, cette corde et ce sang témoignaient surtout de la profonde cruauté des membres de la cabale. Comme ils avaient déjà sacrifié certains de leurs éventuels adeptes à Tarr Manor, ils n'hésiteraient sûrement pas à mettre à l'épreuve la loyauté d'une nouvelle recrue. Une adepte sincère devait subir toutes les épreuves sans broncher. Quels arguments avaient-ils utilisés pour la convaincre, quelles questions lui avaient-ils posées, que leur avait-elle répondu ? Si seulement il le savait !

Il sortit le revolver de sa poche et prit une profonde inspiration. Descendre par la trappe, une arme dans chaque main, n'était pas chose aisée. Il balaya le toit du regard : pas de sentinelle. L'aéronef était amarré par deux câbles, fixés sous la nacelle, mais laissés sans surveillance. Svenson ne chercha pas à tenter le diable et hâta le pas dans la seule direction que ceux qu'ils poursuivait avaient pu emprunter : celle d'un petit appentis en pierre à une vingtaine de mètres de là, dont la porte était maintenue ouverte par une brique.

Svenson pénétra dans une cage d'escalier vide, aux murs de plâtre lisses et blancs et aux marches dallées. Aucun bruit. Il relâcha doucement la porte jusqu'à la brique qui la maintenait ouverte, recula, se dirigea rapidement jusqu'au rebord du toit qui donnait sur le jardin et ravala sa peur. Des créneaux, semblables à ceux d'un château fort, lui permirent de se tenir. En bas, malgré le brouillard toujours épais, il put distinguer l'immense jardin comme à travers un voile, la forme conique des sapins bien taillés, des urnes, des statues, et des torches dont la lueur perçait les ténèbres. C'était des Dragons qui portaient les torches et il entendit des cris. D'où provenaient-ils ? Ils augmentèrent... Venaient-ils du jardin ? Il entendit une détonation, puis un cri étranglé et, tout de suite après, deux autres détonations. Les torches se regroupaient et il essaya de repérer leur proie. Puisqu'on continuait à s'activer, les hommes avaient raté leur cible, ou alors ils tiraient sur plus d'une personne.

Soudain, quelque chose bougea, une silhouette rampant depuis la ligne des haies jusqu'au gazon en bordure du jardin et se préparant à traverser le gravier pour atteindre la maison. La brume s'accrochait à la végétation et se dissipait à l'orée du jardin... c'était le Cardinal. Les Dragons étaient à sa poursuite ! Svenson agita les bras comme un fou, mais cet idiot de Chang regardait en direction d'une fenêtre. Svenson voulut crier, mais il aurait attiré une patrouille de Dragons vers lui.

Chang replongea dans les ténèbres du jardin, Dieu sait où, et deux Dragons atteignirent l'endroit où il rampait quelques instants plus tôt. S'il avait réussi à attirer son attention, Chang serait probablement mort. Il en frissonna. Les Dragons fouillèrent tout autour d'eux, puis ils levèrent la tête, et Svenson dût se cacher derrière le mur crénelé.

Que diable Chang faisait-il là ? Et comment était-il possible qu'aucun de ces hommes n'eût remarqué l'arrivée de l'aéronef ? Le brouillard, sans doute, et la couleur sombre du dirigeable. Svenson avait eu de la chance : il avait jusqu'ici réussi à ne pas se faire remarquer... il lui fallait maintenant en tirer profit.

Il entendit du bois craquer dans le jardin, regarda de nouveau en bas et fut surpris de voir Chang surgir de la brume, le haut du corps découvert : il se trouvait donc bien au-dessus du niveau du sol. Il donnait des coups de pied dans quelque chose qui se trouvait à l'intérieur d'une gigantesque urne en pierre. Les torches convergèrent autour de lui. Des cris fusèrent. Svenson s'appuya sur le rebord du toit et lança de toutes ses forces son coutelas dans une fenêtre du rez-de-chaussée. Il se remit à l'abri des regards dès que le fracas de la vitre se détacha du brouhaha de la poursuite. Aussitôt, des cris se mêlèrent à des bruits de bottes sur le gravier. Quelques hommes avaient détourné leur attention vers la fenêtre : Chang aurait un peu de répit pour poursuivre ce qu'il tentait de faire... Se cacher dans une urne ? Svenson risqua un autre coup d'œil, mais en vain. À rester où il était, il risquait de se faire prendre. Il franchit la porte de l'escalier et descendit dans la maison. Peut-être le cognac y était-il pour quelque chose, mais savoir qu'il n'était plus tout à fait seul lui redonnait espoir.

L'escalier qui le mena dix marches plus bas, jusqu'au palier du troisième étage, ne servait qu'à accéder au toit. Svenson tendit l'oreille derrière la porte et tourna doucement la poignée. Il s'interrogea un instant sur l'arrogance de ces gens. Qui n'avaient-ils pas enrôlé, à l'exception du trio qu'il formait avec Chang et miss Temple ? En maugréant, il se dit que miss Temple avait certainement mené Chang jusqu'ici, qu'il l'avait retrouvée et suivie à Harschmort. Et maintenant, il faisait de son mieux pour ne pas se faire prendre. Mais ils ignoraient que Svenson était là, lui aussi. Alors que leurs ennemis pourchassaient le Cardinal – et Svenson faisait confiance à son camarade pour leur échapper –, il devrait, quant à lui, s'occuper de miss Temple.

Et Éloïse? Le docteur Svenson soupira malgré lui. Si elle était vraiment celle qu'il espérait (le parfum de ses cheveux flottait encore dans sa tête), comment pouvait-il l'abandonner? Le château était immense, il ne pouvait donc espérer les sauver toutes les deux. Svenson s'arrêta et, une main sur les yeux, il essaya de faire le point. Épuisé, il était tiraillé entre son cœur et sa raison: que représentaient ces sauvetages par rapport à la mission qu'il s'était donnée de récupérer le prince et de racheter l'honneur de Macklenburg? Il ne le savait pas. Il ne pouvait pas tout faire en même temps et, pour l'instant du moins, il était seul.

Sans faire un bruit, Svenson atteignit un palier. De chaque côté, des couloirs partaient vers chacune des deux ailes et, à ses pieds, il y avait les dernières marches du splendide escalier du château. Devant lui, un balcon en marbre; s'il avait pris la peine d'y jeter un coup d'œil (ce qu'il ne fit pas), cela lui aurait permis de voir l'entrée principale, deux étages plus bas. Les deux couloirs étaient déserts. Si miss Temple ou Éloïse avaient été cachées dans une chambre, on aurait sûrement posté un garde devant la porte. Il allait devoir descendre d'un étage.

Mais que cherchait-il au juste? Que connaissait-il des projets de ses adversaires? La cabale utilisait Tarr Manor pour stocker et raffiner une énorme quantité d'argile indigo, ce qui lui permettait d'accroître la production de ce verre maléfique, ou peut-être pour construire et entreposer le dirigeable, ou encore pour une raison plus scabreuse... relevant du génie alchimique d'Oskar Veilandt et mise en pratique par le comte d'Orkancz. La cabale cherchait-elle aussi à enfermer dans le verre les renseignements fournis par les intimes des personnages puissants et haut placés? Avec de telles armes, rien ou presque ne pourrait faire obstacle aux pouvoirs de coercition et de subversion de la cabale. Qui n'avait de secret pour personne? Et qui ne serait pas prêt à tout pour protéger ses secrets? Le spectre d'une telle puissance rappela à Svenson feu le duc de Staëlmaere. Avaient-ils cherché à faire du duc un membre de la cabale, tout en le maintenant relativement isolé, pour acquérir ses faveurs et son soutien? Maintenant que le duc était mort, les intrigues de Crabbé autour du Palais tombaient à l'eau.

Et qu'adviendrait-il d'Éloïse qui l'avait tué? Le camp qu'elle avait choisi n'avait au fond aucune importance, et, à cette seule idée, il frissonna. Maintenant qu'elle s'était révélée aussi téméraire, la cabale allait lui faire subir le Procédé et l'enrôler pour toujours. Et le même destin attendait sûrement miss Temple.

Le docteur descendit le grand escalier en chêne, dos au mur, tendant le cou pour voir si des gardes attendaient plus bas. Parvenu à un palier, entre les deux étages, il regarda en bas. Personne. Il se glissa jusqu'au mur d'en face en avançant à pas feutrés. Des voix montaient de l'entrée principale, mais le couloir, lui, était désert. Où donc étaient passés les voyageurs du dirigeable? Se trouvaient-ils au rez-de-chaussée? Et comment arriver au cœur du château?

Il n'en avait aucune idée, mais il traversa le palier jusqu'au dernier escalier. Cette volée de marches était encore plus large et d'un luxe encore plus ostentatoire que les autres : elle devait donner aux visiteurs la première impression de la demeure. Svenson déglutit. Bien que son champ de vision fût réduit, il réussit à voir un petit groupe de valets de pied en livrée noire et un flot régulier d'invités en tenue de soirée qui entraient. Puis un tumulte de bottes se fit entendre et Svenson vit un homme presque chauve, le visage encadré d'épais favoris, l'air furieux, à la tête d'un détachement de Dragons. À sa vue, les valets lui firent un salut presque militaire en prononçant son nom – Plengham? –, mais l'homme passa sans leur accorder un regard et disparut. Svenson soupira amèrement en baissant les yeux vers les cinq ou six hommes qu'il allait devoir combattre en présence d'une centaine de témoins.

Un bruit derrière lui le fit sursauter : deux jeunes soubrettes qui poussèrent un petit cri en le voyant. Sur leur visage effrayé, Svenson décela immédiatement la déférence qu'on leur avait inculquée et il réagit très vite : plus il leur laissait de temps pour réfléchir, plus elles risquaient de se remettre à crier.

– Ah! vous voilà! gronda-t-il. Je viens tout juste d'arriver avec le ministre Crabbé. Il me faut une bassine et mon manteau a besoin d'un coup de brosse. Faites ce que vous pouvez, et plus vite que ça!

Elles regardaient, effarées, le revolver qu'il tenait à la main. Il le remit dans sa poche, puis ôta son manteau tout en marchant et poussa les deux jeunes filles dans la direction d'où elles venaient. Il lança son manteau sale sur les bras de l'une d'entre elles et fit sèchement un geste de la tête à l'autre.

– Je dois parler à lord Vandaariff – des renseignements capitaux à lui transmettre, une mission extraordinaire. Vous avez vu le prince, bien sûr… le prince Karl-Horst? Répondez quand on vous pose une question!

Les deux servantes firent une révérence.

– Oui, monsieur, répondirent-elles en chœur.

Puis l'une d'elles ajouta:

– Miss Lydia est allée retrouver le prince.

– Très bien, rétorqua Svenson. Grâce à mon accent, vous aurez deviné que je suis un membre de l'entourage du prince… des renseignements capitaux pour votre maître, oui, mais je ne peux me présenter à lui dans cet état, n'est-ce pas?

La jeune fille qui tenait le manteau se précipita pour ouvrir une porte. L'autre soupira, désemparée, et la première en fit autant, se demandant où elles pourraient bien l'emmener. Elles finirent par le faire entrer dans une salle de bains dont les accessoires étaient couverts de dentelle blanche et où l'air, irrespirable, était saturé d'odeurs fortes, mélange de bougies parfumées et de pots-pourris.

Les jeunes filles dirigèrent Svenson vers le miroir devant lequel il eut du mal à ne pas sursauter. Une servante se mit à brosser son manteau sans succès et l'autre lui essuya le visage avec un linge mouillé, mais Svenson vit bien que tout cela ne servait à rien. Un véritable masque de poussière, de sueur, de sang séché recouvrait son visage et il ne savait trop s'il provenait de ses propres blessures ou de celles de ses victimes. Il le saurait bien assez tôt, lorsque le linge rugueux parviendrait à le débarbouiller ou, au contraire, le ferait grimacer de douleur. Ses cheveux blond platine, habituellement minutieusement lissés vers l'arrière pour lui donner un air respectable, étaient hirsutes, poissés de sang et de crasse. Il avait d'abord pensé utiliser les servantes pour s'éloigner et recueillir des renseignements, mais en fait, il devait profiter de l'occasion pour se redonner visage humain. Il repoussa les petites mains qui s'agitaient autour de lui et donna quelques claques sur son manteau et son pantalon poussiéreux.

– Essayez de faire quelque chose pour mon uniforme. Je m'occupe du reste.

Il plongea la tête dans l'eau froide de la bassine et tressaillit à son contact. Il releva la tête, saisit la serviette qu'une des filles lui mit entre les mains, puis se redressa en s'essuyant énergiquement les cheveux et le visage et en tamponnant le sang de ses blessures ouvertes. Il jeta la serviette, soupira avec un certain plaisir et se lissa les cheveux comme il put avec ses doigts. Il surprit la servante qui tenait son manteau à le fixer dans le miroir.

– Votre miss Lydia, lui demanda-t-il, où est-elle maintenant ? avec le prince ?

– Elle est partie avec Mrs. Stearne, monsieur.

– Capitaine, rectifia l'autre. Vous êtes capitaine, n'est-ce pas, monsieur ?

– Bien observé, répondit Svenson en esquissant un sourire débonnaire.

Il jeta un coup d'œil à la bassine et se passa la langue sur les lèvres.

– Veuillez m'excuser...

Svenson se pencha vers le pichet en cuivre, but maladroitement, s'aspergeant le col et la veste. Peu importe ce que pouvaient penser les soubrettes : il avait soif. La dernière fois qu'il s'était désaltéré, cela remontait à l'auberge de Tarr Village, des siècles plus tôt. Il posa le pichet et s'épongea le visage, tira son monocle de sa poche pour se le visser sur l'œil.

– Et le manteau ? demanda-t-il.

– Toutes mes excuses, capitaine, mais votre manteau est en très mauvais état, répondit docilement la servante.

Il le lui ôta des mains.

– En mauvais état ! s'exclama-t-il. Il est crasseux, oui. Vous avez au moins réussi à lui redonner son apparence de manteau, à défaut d'être présentable. Quel exploit ! Grâce à vous, dit-il en se tournant vers l'autre, me voilà redevenu un officier reconnaissable, à défaut d'être respectable... mais tout est de ma faute. Je vous remercie toutes les deux.

Svenson fouilla dans les poches de son manteau et en sortit deux pièces d'argent. Il en donna une à chaque jeune fille. Elles écarquillèrent les yeux... presque méfiantes. C'était trop... Ne demandait-il pas un petit service supplémentaire ? Le docteur Svenson se racla la gorge et son visage s'empourpra, car elles lui souriaient maintenant de façon un peu provocante. Il ajusta son monocle, enfila son manteau avec maladresse et, passant de l'arrogance à la gaucherie, il balbutia :

– Est-ce que vous pourriez m'indiquer la direction qu'a prise Mrs... Mrs. Stearne ?

Les servantes pointèrent du doigt un escalier que Svenson n'aurait jamais aperçu autrement et auquel on accédait par une porte discrète à côté d'un miroir. Svenson n'était pas encore sûr de ce qu'il devait faire. Il suivrait le chemin de Karl-Horst et de sa fiancée, et qui sait? peut-être était-ce aussi celui de miss Temple ou d'Éloïse. La cabale chercherait sûrement à éviter que ses invités, ou ses adeptes comme les appelait miss Poole avec tant de superbe, ne fussent en contact avec ceux qui, comme miss Temple, pouvaient ressembler à des prisonniers sous bonne garde. Mais que se passerait-il s'il rencontrait le prince avant de trouver l'une des femmes? Ses recherches s'arrêteraient-elles forcément là?

Un instant, il imagina un retour triomphal à Macklenburg, à sa vie de devoirs, avec l'autre imbécile à sa traîne, le cœur plus que jamais en berne. Mais que faisait-il du pacte conclu sur le toit du Boniface et qui l'unissait à Chang et à miss Temple? Svenson prit congé des deux servantes qui le regardèrent s'éloigner dans le couloir, tendant le cou comme deux chattes curieuses.

L'escalier, plus simple que celui du hall d'entrée, était tout de même luxueux. Les marches étaient marquetées et les murs reproduisaient en miniature les mosaïques byzantines de Ravenne à l'effigie de Justinien et Théodora. Svenson réprima un sifflet d'admiration à l'idée de la somme que Robert Vandaariff avait dû dépenser pour aménager ce seul petit escalier, puis il essaya en vain d'imaginer combien avaient pu coûter les travaux de transformation de la prison de Harschmort. Sûrement une fortune qui dépassait sa capacité à manier les chiffres.

Au pied des marches, alors qu'il s'attendait à trouver une issue menant à l'entrée principale du rez-de-chaussée, il trouva un portillon, semblable à une porte de cuisine. Il fronça les sourcils en essayant un instant de se situer dans la maison. Lors de sa visite précédente, il était entré avec le prince par la porte principale et avait passé la soirée dans l'aile gauche, autour de la salle de bal, puis dans le jardin où il avait vu le corps de Trapping. Il était maintenant en territoire inconnu. Il poussa doucement la porte jusqu'à ce qu'il pût regarder par l'entrebâillement.

La pièce, au plancher de pierre nue, était meublée de tables en bois brut. Autour de l'une des tables se trouvaient deux hommes et trois femmes dont deux étaient assises, alors que l'autre, plus jeune, debout, versait de la bière dans des chopes en bois. Tous les cinq portaient des vêtements de service en laine, sobres et sombres. Au centre de la table, on avait laissé un plat vide et une pile de bols en bois. Des domestiques prenaient un repas tardif. Svenson bomba le torse et avança en imitant du mieux qu'il put le major Blach, exagérant son accent et sa diction pour paraître plus hautain.

– Excusez-moi! J'exige de trouver le prince Karl-Horst von Maasmärck. Est-il passé ici? Ou, excusez-moi, est-ce que je le trouverai par ici?

Ils le regardaient comme s'il leur avait parlé chinois. Encore une fois, le docteur Svenson imita l'attitude naturelle du major Blach. En d'autres termes, il cria.

– Le prince! Avec votre miss Vandaariff! Par là? Un de vous me le dit tout de suite!

Les malheureux domestiques se recroquevillèrent sur leur chaise. La fin de leur repas du soir, jusque-là agréable, était complètement gâchée par ces beuglements, ces ordres et ces menaces. Trois d'entre eux pointèrent du doigt la porte d'en face avec un empressement servile, et l'une des femmes se leva en hochant la tête pour indiquer elle aussi la même porte.

– Par là, monsieur… il n'y a pas dix minutes… je vous demande pardon…

– *Ach*, c'est très aimable de votre part… s'il vous plaît… et retournez à vos affaires! rétorqua Svenson en avançant vers la porte avant que quiconque ne pensât lui demander qui il pouvait bien être et pour quelle raison un homme aussi sale et débraillé recherchait le prince avec tant d'empressement.

Quand il eut franchi la porte battante, Svenson s'arrêta en tendant la main derrière lui pour la retenir. Il se trouvait à l'extrémité d'un salon ouvert et plus grand, dans un couloir de service bas de plafond, conçu pour passer dans la pièce sans déranger. Au-dessus de lui, installé sur une mezzanine en avancée, un harpiste jouait doucement. De l'autre côté du couloir, à une dizaine de mètres, il aperçut une autre porte battante, mais pour y parvenir, il lui fallait s'exposer à la vue des gens installés dans le salon. Il se mit à couvert derrière le petit pan de mur qui cachait la porte et écouta.

– Il faut qu'ils choisissent, monsieur Bascombe! Je ne peux pas interrompre le cours naturel des choses indéfiniment! Comme vous le savez, au-delà de cette question, il faut tenir compte des transmutations effectuées par le comte, des initiations dans l'amphithéâtre et des nombreux invités choisis pour alimenter les livres. Et croyez-moi, tout cela est crucial…

– Et comme je vous l'ai dit, docteur Lorenz, je ne sais pas ce qu'ils souhaitent !

– De toute façon, c'est bien simple, on l'utilise dès maintenant ou bien on le laisse pourrir et tout sera fichu !

– Oui, vous nous l'avez déjà clairement expliqué…

– Pas assez clairement sans doute puisqu'ils ne réagissent pas ! postillonna Lorenz avec la pédanterie d'un professeur chevronné. Vous allez voir… les tempes, les ongles, les lèvres, la décoloration, le suintement… même vous, vous pourrez percevoir cette odeur…

– Sermonnez-moi autant que vous le voudrez, docteur, nous attendrons les instructions du ministre.

– Mais je vais vous sermonner…

– Et je vous rappelle que ce n'est pas à vous de décider du destin du frère de la reine !

– Je dis que… Vous avez entendu ce bruit ?

C'était une autre voix. Une voix que Svenson ne parvenait pas à identifier.

Les deux autres interrompirent leur dispute.

– Quel bruit ? demanda Lorenz.

– Je ne sais pas. J'ai cru entendre quelque chose.

– Quelque chose d'autre que la harpe ? demanda Bascombe.

– Ah ! cette harpe magnifique ! marmonna Lorenz d'un ton mauvais. C'est parfait pour un membre de la famille royale qu'on vient d'assassiner et qui se retrouve recouvert de glace dans une baignoire qui fuit…

– Non, non… le bruit venait de là…, poursuivit la voix en se tournant vers le côté de la pièce où se trouvait Svenson, assez mal dissimulé.

C'était la voix de Flaüss.

L'envoyé était avec eux. Il reconnaîtrait Svenson et c'en serait fini de lui. Pouvait-il retourner en courant dans la pièce des domestiques ? Mais pour aller où ensuite ? en haut des escaliers ?

Ses pensées furent interrompues par le bruit d'un groupe plus important qui entrait dans la pièce par l'autre porte. Des bruits de pas… ou plutôt, des bruits de bottes. Lorenz reprit, de sa voix neutre et narquoise :

– Très bien. Très aimable à vous d'être enfin arrivés. Vous voyez ce que nous avons à porter… il me faut deux hommes pour transporter une réserve de glace, il paraît qu'il y a une glacière quelque part en ces lieux…

– Capitaine, c'était Bascombe qui interrompait doucement le docteur, pourriez-vous vous assurer que nous ne serons pas dérangés par un visiteur inopportun ou par un domestique ?

– Dès que vous aurez envoyé deux hommes me chercher davantage de glace, insista Lorenz.

– Évidemment, dit Bascombe, deux hommes pour la glace, quatre pour la baignoire, un pour demander respectueusement au ministre s'il a des instructions à donner et un pour monter la garde. Tout le monde est content ?

Svenson retourna discrètement vers la porte derrière lui. Elle lui résista, sans doute bloquée de l'autre côté par les domestiques qui ne voulaient plus être importunés. Coincé, il sortit rapidement son revolver, car le bruit de bottes se dirigeait vers lui.

Avant même qu'il ne fût prêt, un homme, à moins de deux mètres, lui fit face : un grand type avec des cheveux bruns ternes, le capitaine des Dragons, une veste rouge impeccable, un casque en cuivre sous le bras, le sabre dégainé dans l'autre main. Svenson croisa son regard aigu et serra sa prise sur son revolver, mais il ne tira pas. L'idée de tuer un soldat allait à l'encontre de ses principes. Qui pouvait savoir ce qu'on avait dit à ces hommes, ou les ordres qu'on leur avait donnés, surtout venant d'individus comme Crabbé ou même Bascombe ? Svenson pensa à Chang qui, lui, n'hésitait jamais, et il leva son pistolet pour faire feu.

L'homme cligna des yeux en examinant l'uniforme de Svenson, son rang, l'état de sa mise. Sans mot dire, il se retourna pour regarder dans l'autre direction puis il s'avança vers Svenson, comme pour donner l'impression à ceux qui le voyaient depuis le salon qu'il allait vérifier la porte. Svenson frissonna, sans toutefois se résoudre à appuyer sur la détente. Le capitaine se pencha, vérifia la porte derrière lui et constata qu'elle était fermée à clé. Le revolver de Svenson était presque enfoncé dans la poitrine du capitaine qui manifestement n'avait pas l'intention de se servir de son sabre.

– Docteur Svenson, chuchota-t-il.

Svenson acquiesça, stupéfait.

– J'ai vu Chang. Je vais emmener ces gens dans la partie centrale de la demeure, s'il vous plaît, allez dans l'autre direction.

Svenson acquiesça de nouveau.

– Capitaine Smythe ? appela Bascombe.

– Rien à signaler, monsieur, lança Smythe en reculant.

– Vous parliez à quelqu'un ?

Smythe fit un vague signe en direction de la porte en retournant dans le salon, hors de la vue de Svenson.

– Des domestiques sont dans la pièce à côté. Ils n'ont vu personne. C'est peut-être eux que Herr Flaüss a entendus bouger. Maintenant, la porte est fermée à clé.

– Mais bien sûr, approuva Lorenz avec impatience. On y va ?

– Si vous voulez me suivre, messieurs, dit Smythe.

Svenson entendit les portes s'ouvrir, le piétinement et le crissement de bottes des hommes qui soulevaient le duc, le clapotement de l'eau qui débordait de la baignoire, encore des bruits de pas. Puis, les portes se refermèrent. Il attendit. Tout était silencieux. Il soupira, sortit de sa cachette et remit le revolver dans la poche de son manteau.

Herr Flaüss se tenait juste dans l'embrasure de la porte, de l'autre côté de la pièce. Il arborait un large sourire suffisant. Svenson ressortit son revolver. Flaüss poussa un petit grognement incrédule.

– Qu'est-ce que vous allez faire, docteur, me tirer dessus et signaler votre présence à tous les soldats présents dans cette demeure ?

Svenson traversa lentement la pièce et se dirigea vers l'envoyé, en le gardant en joue. Après tout ce qu'il avait subi, ce serait un comble de tomber à cause de cette mesquine et minable créature.

– Je savais bien que j'avais entendu quelque chose, dit Flaüss en souriant, tout comme je savais bien que le capitaine Smythe mentait. J'ignore pourquoi, je trouve en effet très étonnant que vous ayez pu exercer un pouvoir quelconque sur un officier des Dragons, surtout dans l'état pitoyable où vous vous trouvez actuellement.

– Vous êtes un traître, Flaüss, répliqua Svenson. Vous avez toujours été un traître.

Il était à deux mètres de l'envoyé et la porte se trouvait peut-être à un mètre de plus. Flaüss se remit à grogner.

– Comment pouvez-vous prétendre que je suis un traître, alors que je n'ai fait que ce que mon prince m'a ordonné de faire ? Certes, je n'ai pas toujours compris que… et il est vrai qu'il a fallu que l'on m'aide à parvenir à ce niveau de clarté, mais vous vous méprenez toujours autant sur mon compte et sur celui du prince…

— Le prince est un imbécile et un traître, éructa Svenson, envers son pays et envers son père…

— Mon pauvre docteur, vous êtes vraiment très vieux jeu. Beaucoup de choses ont changé à Macklenburg.

Flaüss se passa la langue sur les lèvres et ses yeux se mirent à briller.

— Votre baron est mort. Oui, le baron von Hoern… tout le monde était au courant de son petit réseau d'espions, autrement, pourquoi, selon vous, aurais-je été chargé de surveiller les moindres faits et gestes d'un médecin de la marine? Et, comme vous le savez, le duc est très malade. Votre patriotisme est complètement dépassé. Très bientôt, le prince Karl-Horst *sera* le pays. Et il sera parfaitement en mesure de faire bon accueil aux projets de coopération financière de lord Vandaariff et de ses associés.

Flaüss portait un simple loup noir. Svenson reconnut les sinistres cicatrices qui dépassaient du masque.

— Où est le major Blach? demanda-t-il.

— Quelque part par ici, j'en suis sûr… comme je suis convaincu qu'il sera ravi d'apprendre que l'on vous a fait prisonnier. Nous sommes enfin d'accord lui et moi, encore une bénédiction! Il s'agit vraiment de regarder par-delà les querelles, vers des vérités plus profondes. Si, comme vous le dites, le prince n'est pas vraiment doué pour la politique, il est d'autant plus important que ceux qui l'entourent soient capables de combler cette lacune.

C'était au tour de Svenson de se moquer. Il regarda derrière lui le harpiste qui continuait à jouer et qui ajoutait une autre touche étrange à cette confrontation avec l'envoyé qui avait subi un lavage de cerveau. Il se retourna vers Flaüss.

— Si vous saviez que j'étais là, pourquoi n'avez-vous rien dit à vos maîtres, à Lorenz ou Bascombe?

Il fit un geste avec le revolver.

— Pourquoi m'avoir laissé faire?

— Je n'ai rien fait de tel. Comme je vous l'ai dit, vous ne pouvez pas me tirer dessus sans vous condamner vous-même. Vous n'êtes pas plus fou que vous n'êtes bagarreur. Si vous voulez rester en vie, vous allez me donner votre arme et nous irons ensemble auprès du prince. Je prouverai ainsi que je suis digne de confiance dans l'exercice de mes nouvelles fonctions.

D'autant plus, dois-je préciser, que pour vous rendre jusqu'ici vous avez sûrement dû éviter nombre d'ennemis déclarés.

L'air suffisant qu'avait pris l'envoyé révélait au docteur Svenson l'ampleur des transformations dues au Procédé, mais aussi leurs limites. Auparavant, cet homme n'aurait jamais été assez téméraire pour se lancer dans une confrontation aussi directe, ni assez effronté pour révéler ainsi ses plans secrets. Flaüss avait toujours été du genre à conclure mielleusement des accords puis à comploter ensuite dans le dos des gens, à mener des intrigues sur plusieurs niveaux et à cumuler les conflits d'intérêts. Il avait toujours méprisé la grossièreté du major Blach autant que l'indépendance circonspecte de Svenson, comme si c'était là des façons de se tenir à l'écart qui l'offensaient personnellement. La *loyauté* de l'homme avait indubitablement été clarifiée, comme il le disait, et ses hésitations apaisées par son supplice alchimique, mais Svenson put constater que sa nature intrigante et narcissique était restée intacte.

– Votre arme, docteur Svenson, répéta-t il d'une voix expressément sévère au point d'en être comique. Je vous ai piégé par la logique. Vraiment, j'insiste.

Svenson changea de prise sur son arme en la tenant par le barillet. Flaüss sourit à ce qui lui sembla être une façon civilisée de déposer les armes. Mais, encore une fois, Svenson sentit monter en lui cet étrange potentiel animal qui lui ressemblait si peu et il souleva son arme pour assener un coup de crosse sur la tête de l'envoyé. Flaüss recula en chancelant et poussa un petit cri rauque. Il leva les yeux vers Svenson, avec le regard furieux de celui qui a été trahi, comme si, en faisant fi de sa logique, Svenson avait transgressé toutes les lois de la nature, et il ouvrit la bouche pour crier. Svenson s'avança vers lui, le bras levé, prêt à le frapper encore. Flaüss l'esquiva, plus vite que sa large carrure n'aurait normalement dû le lui permettre, et Svenson frappa dans le vide. Flaüss ouvrit encore la bouche. Svenson fit pivoter le revolver et visa directement le visage de l'envoyé.

– Si vous criez, je vous tire dessus ! Je n'aurai plus aucun intérêt à éviter de faire du bruit, siffla-t-il.

Flaüss ne broncha pas. Il foudroyait Svenson du regard en se frottant le front.

– Vous êtes une brute, éructa-t-il, un véritable barbare !

Svenson traversa le couloir à pas feutrés. Il portait le masque en soie noire de l'envoyé pour mieux se fondre parmi la masse des invités et, respectant les instructions de Smythe, il s'éloigna du centre de la demeure sans vraiment savoir si ce chemin le mènerait sur le terrain de son opération de sauvetage. Il sourit avec amertume en se disant qu'il était probablement en train de gaspiller le peu temps qu'il avait pour sauver les deux femmes, tout comme il avait gaspillé tellement d'autres choses dans sa vie. Il se posait de nombreuses questions au sujet du capitaine des Dragons ; il « avait vu » Chang (n'était-ce pas à cause des Dragons que Chang avait dû fuir dans le jardin ?), mais le connaissait-il ? Si seulement il avait eu le temps de parler avec lui... cet homme savait probablement où se trouvaient Éloïse ou miss Temple. Il avait bien pensé poser des questions à Flaüss, mais sa seule proximité physique lui donnait la chair de poule. Il avait perdu beaucoup de temps avec cette crapule, à le bâillonner, à le ligoter pour ensuite l'abandonner derrière un divan.

Il savait qu'on se rendrait compte de la disparition de Flaüss. Que l'on n'eût pas encore lancé de recherches l'étonnait. Il ne pourrait bientôt plus compter sur le fait que ses ennemis ignoraient sa présence à Harschmort. Mais en même temps, le château était vaste, et en errant dans les couloirs, sans trop savoir où aller, il ne faisait que conserver le faible avantage qu'il détenait encore.

Le couloir menait à une jonction en T. Svenson resta là, ne sachant que faire, comme un personnage de conte pour enfants qui sait que, s'il se trompe de chemin, il tombera sur l'ogre. D'un côté se succédaient de petits salons, comme les maillons d'une chaîne. De l'autre commençait un couloir étroit, aux murs nus, mais dont le plancher était curieusement recouvert de marbre noir. Puis Svenson entendit clairement un cri de femme... en sourdine, comme s'il lui parvenait à travers un mur épais.

Il tendit l'oreille. Plus rien. Il avança dans le couloir sombre, qui lui parut plus dangereux, en hâtant le pas car, s'il avait fait le mauvais choix, il valait mieux qu'il le sût au plus vite.

Les murs étaient percés de petites niches abritant de simples bustes en marbre sur des colonnes de pierre. Les statues étaient des copies (Vandaariff était si riche qu'après tout c'était peut-être des originaux) d'œuvres de l'Antiquité, et le docteur reconnut les visages vides, cruels ou pensifs des petits et des grands Césars : Auguste, Vespasien, Gaius, Néron, Domitien, Tibère. En passant devant ce dernier, Svenson s'arrêta brusquement. Au loin, mais plus distinctement que le cri qui avait précédé, il entendit... des applaudissements. Il se retourna pour repérer d'où ils pouvaient bien provenir et vit, taillées dans le mur blanc derrière le buste de cet empereur pensif et amer, des rainures régulières qui montaient jusqu'au plafond... des *échelons*. Svenson se faufila derrière la colonne et leva les yeux. Puis il regarda autour de lui, prit une grande inspiration et, en fermant les yeux, commença à grimper.

Il n'y avait pas de trappe. L'échelle continuait vers le haut. Le docteur cligna des yeux pour s'adapter à l'obscurité. Il chercha une nouvelle prise et trouva le bout d'un échafaudage en bois, l'extrémité d'une passerelle. Il entendit des voix au loin... puis un murmure, comme un bruissement de feuilles soudain : d'autres applaudissements. Avait-il pénétré dans les coulisses d'un théâtre ? Le docteur déglutit car les cintres d'où travaillaient les machinistes dans les théâtres lui avaient toujours donné des haut-le-cœur, comme le faisait sa tendance compulsive à toujours regarder vers le haut, juste pour ressentir les supplices du vertige. Il se rappela une mise en scène du *Castor und Pollux* de Bonrichardt, et en particulier du final qui en avait fait un triomphe. Le couple éponyme montait aux cieux dans un duo interminable pendant lequel les jumeaux, tous les deux assez corpulents, avaient été hissés péniblement à une trentaine de mètres du sol. Cette apothéose l'avait plongé dans des affres telles qu'il avait failli se jeter sur les genoux de la malheureuse douairière assise à côté de lui.

Le docteur Svenson se hissa sur la passerelle et rampa sans faire de bruit. Devant lui, une faible lueur, peut-être une porte entrouverte au loin laissant passer un seul rayon dans les ténèbres. Quel spectacle pouvait-on donner à Harschmort par une nuit pareille ? La fête de fiançailles avait donné lieu à un double événement, une célébration publique des fiançailles de Karl-Horst et Lydia, et l'occasion pour la cabale de manigancer dans l'ombre. Cette soirée-ci avait-elle également un pendant secret ? Se pouvait-il que ce spectacle fût la face respectable de quelque chose de moins anodin qui se tramait dans la maison ?

Svenson continua à avancer, en grimaçant à cause d'une raideur dans les jambes et de sa cheville qui recommençait à lui faire mal. Il repensa aux paroles de Flaüss : le baron était mort et le duc suivrait bientôt. Le prince était un imbécile et un dépravé, manipulable et contrôlable à souhait. Mais si lui, Svenson, pouvait l'arracher aux griffes de la cabale, Procédé ou pas, n'y aurait-il pas quand même un petit espoir, à condition que ses ministres assument leurs responsabilités et soient sains d'esprit ?

Puis, il eut un rire lugubre au souvenir de sa brève conversation avec Robert Vandaariff, autour du cadavre de Trapping. L'influence de cet homme était telle qu'il était parvenu à effacer tout simplement un événement comme la mort du colonel. Le petit-fils de Robert Vandaariff, surtout s'il héritait enfant et avait besoin d'un régent, serait le meilleur retour sur investissement du financier après le mariage de sa fille. Une fois l'enfant né, Karl-Horst deviendrait inutile et personne ne pleurerait sa mort.

Mais Svenson avait-il vraiment le choix ? Si Karl-Horst mourait sans héritier, la couronne irait aux enfants de sa cousine Hortenze-Caterina, dont le plus âgé n'avait que cinq ans. N'était-ce pas là une meilleure perspective pour le duché que d'être englouti dans l'empire de Vandaariff ? Svenson devait considérer le sens plus profond de la mission que lui avait confiée le baron. Avec ce qu'il savait des forces en présence, s'il ne pouvait empêcher le mariage, ce qui était le plus probable, il faudrait qu'il tue le prince Karl-Horst. Un crime de haute trahison au service d'une raison d'État supérieure.

Ce raisonnement lui laissa un goût de cendres dans la bouche, mais il ne voyait pas d'autre solution.

Svenson soupira et, soudain, comme dans un tour de passe-passe, le rai de lumière en face de lui, qu'il avait d'abord pris pour une porte dans le lointain, se révéla être l'espace entre deux pans de rideau, à moins d'un mètre. Il les écarta avec précaution, laissant entrer la lumière et le bruit, car le tissu était particulièrement lourd, comme s'il avait été tissé avec du plomb pour le rendre ignifuge. Le docteur Svenson pouvait tout voir et tout entendre… et il fut atterré.

C'était une salle d'opération en amphithéâtre. La passerelle où il se trouvait était suspendue juste à droite du public et menait au-dessus de l'estrade, à hauteur du plafond, soit à sept mètres au-dessus de la table surélevée sur laquelle était attachée par des courroies en cuir une femme portant une tunique et un masque blancs. La tribune en pente était pleine de spectateurs élégamment vêtus et masqués, tous absorbés par les propos de la femme, elle aussi masquée, qui parlait sur l'estrade. Le docteur Svenson reconnut immédiatement miss Poole, ne fût-ce que par son irrépressible fatuité.

Derrière eux, sur un grand tableau noir, on avait tracé ces mots : « ET AINSI ILS RENAÎTRONT À LA VIE. »

Debout et un peu chancelante à côté de miss Poole se trouvait une autre femme masquée et vêtue de blanc dont les cheveux blonds étaient légèrement ébouriffés, comme après un effort physique. Svenson remarqua distraitement que la tunique en soie était suffisamment ajustée et transparente pour révéler toutes ses formes. De l'autre côté, un homme portant un tablier en cuir se tenait prêt à la rattraper si jamais elle tombait. Derrière, près de la femme couchée sur la table, un autre homme était accoutré de la même manière, portant des gants en cuir, et il tenait sous le bras quelque chose qui ressemblait à un casque en cuir et en cuivre, identique à celui que portait le comte à l'Institut quand Svenson avait enlevé le prince.

L'homme posa son casque et se mit à sortir des appareils de toute une pile de caisses en bois, des caisses identiques à celles que les Dragons d'Aspiche avaient transportées depuis l'Institut. Il fixa quelques fils de cuivre au mécanisme qui se trouvait à l'intérieur des caisses (de là où il était, Svenson pouvait seulement distinguer que l'engin était en acier étincelant avec des cadrans en verre et des boutons en cuivre) ainsi qu'à chaque extrémité d'une grosse paire de lunettes en caoutchouc noir, en prenant le temps de bien attacher les fils. Svenson se rendit compte, en faisant le lien entre le masque électrique et les cicatrices, qu'ils étaient sur le point de faire subir le Procédé à la femme étendue sur la table, comme ils venaient tout juste de le faire subir à celle qui était debout à côté de miss Poole (d'où les cris !).

L'homme en avait fini avec les fils et il leva son masque affreux, s'arrêtant un instant pour retirer celui que la femme portait déjà. Elle secouait la tête, cherchant en vain à échapper à ses mains, les yeux écarquillés, la bouche bâillonnée, remuant les lèvres comme si elle voulait parler. Ses yeux étaient d'un gris froid et fascinant… Svenson en eut le souffle coupé. L'homme serra violemment les lunettes autour de la tête de la femme, bloquant ainsi la vue du docteur. Svenson ne pouvait évaluer son état… Avait-elle été droguée ? L'avaient-ils battue ? Il savait qu'il avait très peu de temps pour agir, le temps que miss Poole en terminât avec la femme blonde. Ensuite ce serait le tour de miss Temple et l'horrible traitement serait irréversible.

Miss Poole s'approcha d'une petite table roulante servant à déposer des instruments chirurgicaux. Svenson en connaissait bien l'usage. Elle prit une fiole au bouchon de verre. Avec un sourire entendu, elle ôta le bouchon et s'avança vers le premier rang de la tribune en tendant la fiole ouverte pour que les spectateurs la reniflent. L'un après l'autre, et au grand plaisir de miss Poole, ces élégants personnages masqués reculèrent de dégoût. Arrivée au sixième spectateur, miss Poole revint dans la lumière vive auprès de la jeune fille blonde.

– Difficile à supporter même pour les sensibilités les mieux trempées, n'est-ce pas ? Et pourtant, la nature de notre science est telle que ce charmant sujet, cette petite flèche volant vers son *destin*, en a bu, pas seulement une fois, mais tous les jours, pendant vingt-huit jours consécutifs, jusqu'à ce que son *cycle* fût accompli. Avant ce jour, elle n'aurait bu que sous la contrainte ou, comme nous l'avons fait, à la condition qu'on eût mélangé de petites quantités dans un chocolat ou un apéritif. Aujourd'hui, admirez la puissance de sa volonté toute neuve.

Miss Poole se tourna vers la femme en lui tendant la fiole.

– Ma chère, dit-elle, vous comprenez que vous devez boire ceci, comme vous l'avez fait ces dernières semaines.

La femme blonde fit oui de la tête et tendit la main pour saisir la fiole.

– Sentez-la, s'il vous plaît, demanda miss Poole.

La femme obtempéra. Elle plissa le nez, mais ne réagit pas davantage.

– Buvez, s'il vous plaît.

La femme porta la fiole à ses lèvres et en avala le contenu d'un seul coup comme un marin qui écluse un verre de rhum. Elle s'essuya sagement la bouche, resta immobile quelques instants comme pour s'assurer que la substance descendait bien, puis elle rendit la fiole.

– Merci, ma chère, sourit miss Poole. Vous avez été parfaite.

La salle croula sous les applaudissements frénétiques, et la jeune femme sourit timidement.

Le docteur regarda devant lui sur la passerelle. Fixées à un cadre en fer suspendu au plafond, et à portée de main puisque la passerelle servait justement à les atteindre, pendaient des lampes à pétrole, comme dans un théâtre. Celles-ci étaient protégées par des caissons métalliques dont le devant était pourvu d'une lentille en verre dépoli qui permettait d'orienter le rayon de lumière. Un instant, il envisagea (aurait-il été capable d'escalader sans être vu) la possibilité d'éteindre chaque lampe et de plonger ainsi le théâtre dans l'obscurité... mais il y avait au moins cinq lampes alignées sur cinq mètres de grillage. Il ne pourrait jamais les atteindre toutes avant d'être repéré et vraisemblablement abattu. Que pouvait-il faire d'autre ? En se déplaçant le plus discrètement et le plus rapidement possible, le docteur Svenson franchit les rideaux en rampant, au cas où quiconque aurait eu l'idée de lever les yeux.

Miss Poole chuchota quelque chose à la jeune femme blonde, puis la conduisit plus près du public. Celle-ci fit une révérence et le public applaudit poliment. Svenson aurait juré qu'elle rougissait de plaisir. Elle se redressa et miss Poole la confia à l'un des soldats de Macklenburg, qui lui offrit son bras en claquant des talons. Ils descendirent le long d'un des passages en pente pour quitter l'estrade.

De ce même passage surgirent deux autres soldats de Macklenburg, poussant entre eux une troisième femme masquée et vêtue de blanc. Celle-ci traînait les pieds gauchement et avait la tête penchée en avant : elle était soit droguée, soit blessée. Ses cheveux bruns défaits tombaient sur son dos et ses épaules. On ne pouvait distinguer ses traits. Encore une fois malgré lui, le docteur Svenson se surprit à regarder le corps de la dame, la soie blanche qui moulait les courbes de ses hanches, ses bras pâles qui sortaient de ses manches retroussées.

En les voyant arriver, miss Poole se retourna, agacée. Svenson ne put entendre ce qu'elle chuchota aux soldats ni ce qu'ils lui répondirent avec déférence. Pendant ce contre-temps, il regarda miss Temple, le masque horrible plaqué sur le visage, qui essayait en vain de se libérer de ses entraves.

Miss Poole pointa du doigt la troisième femme.

– C'est un autre genre de cas que je vous présente ici, et qui illustre parfaitement les dangers qui menacent notre entreprise et le pouvoir réformateur de notre travail. La femme que vous avez devant vous, observez son aspect négligé et l'humilité de sa condition, a été invitée à se joindre à nous, puis elle a changé d'avis et s'est liguée avec nos ennemis. Pis encore, elle a commis... un meurtre. La femme qui se trouve devant vous a tué l'un des nôtres, pourtant un être irréprochable !

Des murmures et des sifflements fusèrent. Svenson déglutit. C'était Éloïse Dujong. Il ne l'avait pas reconnue : il l'avait connue les cheveux tressés et maintenant ils étaient dénoués. Ce détail pourtant tout à fait banal le toucha profondément. Tous ses doutes sur la loyauté de cette femme s'envolèrent. Voir sa chevelure défaite aurait dû être le signe d'une intimité qu'elle lui aurait accordée, mais en ce moment même elle était droguée, inconsciente, vulnérable. Il rampa jusqu'à la lampe suivante et fouilla dans sa poche pour en sortir son revolver.

– Et pourtant, poursuivit miss Poole, elle vous est présentée ici pour que vous puissiez voir la grande sagesse et l'*économie* de ce que nous réalisons. En effet, les actes perpétrés par cette femme sont aussi une preuve indéniable de courage et de détermination. Mais devrait-on éliminer ces qualités simplement parce qu'elle ne sait pas les employer au mieux de son intérêt ? Nous disons qu'il ne doit pas en être ainsi. Et nous voulons que cette femme soit des nôtres !

Elle fit signe à son assistant. Il se pencha sur miss Temple pour vérifier les contacts électriques, puis il s'agenouilla à côté des caisses. Svenson regarda tout autour de lui, affolé. Dans quelques secondes, il serait trop tard.

– Je vous assure que ces deux femmes sont des traîtresses comme on n'en trouve que chez les Thugs, et pourtant elles vont se joindre à nous, l'une après l'autre, grâce aux vertus du Procédé. Vous avez pu constater ses effets sur un sujet consentant. Vous allez maintenant le voir changer ces ennemies farouches en ferventes adeptes !

Le premier coup partit de l'obscurité des hauteurs. L'homme qui se trouvait près de miss Temple tituba vers l'arrière et s'écroula sous le tableau noir. Le sang de sa blessure coulait sur son tablier. Des cris fusèrent de la tribune. Ceux qui se trouvaient sur l'estrade levèrent les yeux, mais les lampes les éblouissaient et, pendant quelques instants précieux pour Svenson, ils ne purent rien voir. Le deuxième coup de feu atteignit à l'épaule l'autre homme en tablier, ce qui le fit s'éloigner d'Éloïse puis tomber à genoux.

– Il est là ! hurla miss Poole. Tuez-le ! Mais tuez-le donc !

Telle l'effigie de la colère, elle pointait du doigt Svenson. Le soldat de Macklenburg avait perdu l'équilibre quand le deuxième homme s'était effondré, et il soutenait tout le poids d'Éloïse. Il la relâcha, elle s'écroula, puis il dégaina son sabre. Svenson l'ignora : il était hors de portée de sa lame et il savait que les soldats de Ragnarok ne portaient pas d'armes à feu. Il visa miss Poole, mais il hésita à appuyer sur la détente (Comment pouvait-il hésiter ? Avait-il oublié la cruauté dont elle avait fait preuve dans la carrière ?).

La passerelle tangua. Svenson se retourna et vit deux mains sur le rebord. Il se mit à genoux et les écrasa avec la crosse de son pistolet. L'homme qui voulait monter retomba sur les sièges. La passerelle remua encore. Cette fois, trois paires de mains la faisaient bouger. Le docteur perdit l'équilibre et se retrouva sur la rampe en bois. Il baissa un instant les yeux vers la foule enragée : des hommes se montaient sur les épaules, des femmes poussaient des hurlements. Il donna un coup de pied sur la main la plus proche, mais déjà, de chaque côté, des hommes se hissaient sur le rebord. À sa gauche, un jeune homme au physique d'athlète vêtu d'une queue-de-pie, sans doute le cadet d'un lord quelconque, semblait déterminé à souffler l'héritage à son aîné. Svenson lui tira dans le haut de la jambe et n'attendit pas de le voir tomber pour se tourner vers un autre homme, un petit type nerveux en bras de chemise qui sauta par-dessus la rampe et s'accroupit comme un chat à moins d'un mètre. Svenson fit feu de nouveau, mais d'autres mains secouaient la passerelle. Le projectile manqua sa cible, toucha l'une des lampes à pétrole et la fit voler en éclats. Une pluie de métal brûlant, de verre cassé et de pétrole en flammes éclaboussa l'estrade.

L'homme en bras de chemise se lança sur Svenson et lui fit perdre l'équilibre. Sur l'estrade, une femme poussa un cri. De la fumée s'échappa : le pétrole brûlait. Était-ce une odeur de cheveux brûlés ? L'homme était plus jeune, plus fort et plus frais. Il assena à Svenson un coup de coude dans la mâchoire. Celui-ci tenta en vain de le lui rendre et la passerelle tangua de plus belle alors que de plus en plus de mains s'agrippaient et que d'autres hommes grimpaient dessus. Le bois commençait à céder : la passerelle ne tiendrait plus très longtemps. La femme criait toujours. L'homme en bras de chemise prit Svenson à deux mains par le manteau, le souleva et colla son visage au sien en souriant d'un air triomphal, prélude au coup de poing qu'il lui destinait.

La passerelle s'effondra sur l'estrade et les fit choir tous deux par-dessus la rampe et dans la rangée de lampes. Svenson hurla de douleur quand il sentit la brûlure du métal chaud sur sa peau. Puis, suspendus un instant dans le vide comme en état d'apesanteur, et Svenson en frissonna de tout son corps, ils s'effondrèrent sur le sol de l'amphithéâtre.

Le choc de la chute laissa le docteur complètement sonné et, pendant quelques secondes, il resta simplement où il était, plus ou moins conscient de ce qui se passait autour de lui. Il cligna des yeux. Il était vivant. Des cris et des hurlements fusaient de partout. De la fumée... beaucoup de fumée... et une chaleur... en fait, tout indiquait que l'amphithéâtre était en feu. Il essaya de bouger. À sa grande surprise, il se rendit compte qu'il n'était pas sur le plancher... Il se roula sur une épaule et vit le visage cireux de l'homme en bras de chemise, le cou tordu, la langue bleue. Svenson se mit à quatre pattes et comprit qu'il avait encore son revolver quand celui-ci heurta le sol.

En tombant, les lampes avaient dressé un mur de flammes qui interdisait tout passage entre l'estrade et les tribunes. À travers la fumée, il vit des silhouettes et entendit leurs cris et leurs hurlements, mais il se retourna immédiatement lorsqu'il entendit un autre cri, plus près de lui. C'était Éloïse, effrayée mais encore assommée par la drogue, qui essayait d'éteindre les flammes qui léchaient sa tunique. Svenson mit le revolver dans sa ceinture, ôta son manteau et le jeta sur les jambes de la jeune femme en frappant dessus pour éteindre les flammes, puis il l'éloigna rapidement du feu. Il se tourna vers la table et chercha à tâtons la main de miss Temple. Les doigts de la jeune femme s'agrippèrent à son bras, l'implorant désespérément en silence, mais il dut se libérer de son étreinte pour atteindre les attaches des courroies. Il libéra ses bras tant bien que mal, et lorsqu'il y parvint, il fut heureux de voir ses mains à elle ôter vivement le masque infernal. Il libéra ses pieds et l'aida à descendre de la table. Il fut une fois de plus surpris du poids si léger d'une personne aussi forte. Alors qu'elle retirait son bâillon, il se pencha à son oreille et lui cria au-dessus du rugissement des flammes et du crépitement du bois :

– Par ici ! Est-ce que vous pouvez marcher ?

Il la tira vers le sol, sous le nuage de fumée, et vit qu'elle écarquillait les yeux en découvrant qui était son sauveur.

– Est-ce que vous pouvez marcher ? répéta-t-il.

Miss Temple hocha de la tête. Il lui désigna Éloïse que l'on voyait à peine, recroquevillée contre le mur de l'amphithéâtre.

– Elle, elle ne peut pas ! Nous devons l'aider !

Miss Temple acquiesça et il la prit par le bras en se demandant vaguement si ce n'était pas lui le plus mal en point. Il leva les yeux en entendant un tumulte de bruits de bottes dans les tribunes, puis un sifflement suivi d'un nuage de vapeur. Des hommes lançaient des seaux d'eau. Svenson et miss Temple relevèrent Éloïse. Miss Temple faisait bien quinze centimètres de moins qu'elle.

– J'ai vu Chang ! Une machine volante a atterri sur le toit ! L'officier des Dragons est un ami ! Ne regardez pas dans les livres de verre ! bafouilla Svenson, tant il avait de choses à lui dire.

On jetait encore de l'eau d'en haut, les nuages de vapeur rivalisaient avec la fumée. D'autres bruits de bottes s'ajoutèrent au tumulte général. Svenson se retourna pour faire face aux soldats. Il leva le revolver et poussa les femmes derrière lui.

– Partez ! Immédiatement !

Le soldat de Macklenburg était revenu avec des renforts. Svenson pointa son arme et, au même instant, ils furent de nouveau aspergés d'eau et un panache de fumée et de vapeur obstrua l'entrée de l'autre passage. Épuisé, pris de vertige, il eut soudain un haut-le-cœur. Il venait juste de tirer sur trois hommes et d'en battre un quatrième à mort. Était-ce ainsi que vivaient les hommes comme Chang ? se demanda-t-il. Svenson faillit vomir. Il recula et, trébuchant sur les restes d'une lampe, s'étala de tout son long sur le dos en grognant, se cognant la nuque contre le plancher. Il sentit une douleur vive lui traverser le corps, ravivant toutes ses blessures de la carrière et de Tarr Manor. Il ouvrit la bouche, mais aucun mot n'en sortit. On allait le faire prisonnier. Il s'agitait péniblement sur le dos comme une tortue. La salle était presque plongée dans l'obscurité, une seule lampe diffusait une sinistre lueur orange.

Il s'attendait à être attaqué, éventré comme un porc, par cinq sabres en même temps. Autour de lui, il entendait le bruit des flammes et de l'eau, les cris des hommes et, plus loin, ceux des femmes. Ne l'avaient-ils pas vu ? Se contentaient-ils d'éteindre le feu ? Est-ce que les flammes les empêchaient de le poursuivre ? Svenson se roula péniblement sur le ventre et rampa au milieu des éclats de verre et de métal en direction des deux femmes. Il fut pris d'une quinte de toux mais continua, le revolver à la main. Non sans une certaine inquiétude, il se souvint que la boîte de munitions était dans la poche de son manteau, qu'il avait donné à Éloïse. S'il ne la rattrapait pas, il n'aurait que deux balles dans son pistolet... pour lutter contre la toute-puissance de Harschmort.

Svenson parvint au passage en pente et le descendit en rampant. Après un virage, quelque chose bloquait le chemin : une botte... puis une jambe. C'était l'homme qu'il avait touché à l'épaule. Dans l'obscurité, impossible de dire s'il était mort, agonisant ou seulement asphyxié par la fumée. Svenson n'avait pas de temps à perdre. Il se releva en chancelant, passa par-dessus le type et trouva une porte. Il sortit et prit une grande bouffée d'air pur.

La pièce dans laquelle il se trouvait était déserte. Le sol était recouvert d'épais tapis, avec, çà et là, des meubles de rangement en bois, et, sur les murs, des miroirs. L'ensemble lui rappelait le vestiaire d'un opéra ou, ce qui revenait au même, la garde-robe de Karl-Horst au palais de Macklenburg. Que ce fût une pièce communiquant avec une salle d'opération rendait l'image de Robert Vandaariff plus répugnante encore. Les casiers étaient ouverts, et quelques vêtements étaient éparpillés en désordre sur le sol. Il avança un peu en époussetant son uniforme pour enlever les éclats de verre et la cendre, et s'arrêta net. Par terre, près des casiers, il vit la robe qu'Éloïse portait à Tarr Manor ; on l'avait visiblement lacérée pour la lui enlever. Il regarda derrière lui. Personne à sa poursuite. Où étaient passées les deux jeunes femmes ? Il avait mal à la gorge. Il se traîna de l'autre côté de la pièce, jusqu'à une autre porte qu'il ouvrit prudemment pour jeter un œil.

Il referma immédiatement. Le couloir fourmillait de domestiques et de soldats, hurlant pour demander des seaux ou de l'aide. Il était pris au piège. Mais les femmes avaient-elles eu plus de chance ? Il se retourna vers la porte menant à l'amphithéâtre. Ses ennemis arriveraient par là d'une minute à l'autre. Il avait causé trop de dégâts pour qu'on l'ignorât. Svenson était rongé par le remords d'avoir tué des hommes, d'avoir blessé miss Poole, malgré toute la haine qu'elle lui inspirait. Mais qu'aurait-il pu faire d'autre ? Et qu'allait-il encore être obligé de faire ?

Ce n'était pas le moment de se poser toutes ces questions. Les femmes s'étaient-elles cachées dans cette pièce ? Il chuchota fort en se sentant complètement idiot d'agir ainsi :

– Miss Temple ? Miss Temple ! Éloïse !

Il n'obtint aucune réponse.

Il se dirigea vers les casiers pour y jeter un coup d'œil, et ne put s'empêcher de s'arrêter devant la robe d'Éloïse. Svenson la ramassa, caressant les bords déchirés du corsage et les morceaux de dentelle qui pendaient. Des gestes d'une intimité douloureuse. Il l'appuya contre son visage. La robe qu'il laissa tomber en soupirant de désespoir sentait la sueur et l'argile indigo, âcre, mordante, repoussante. Il devait absolument retrouver les femmes. Et à cette pensée, il eut envie de hurler de détresse. Mais où donc était le prince? Qu'est-ce que Svenson pouvait bien faire d'autre que de le tuer avant le mariage? Cette pensée le ramena aux paroles de miss Poole, dans l'amphithéâtre, en présence de la jeune femme blonde, devant les potions immondes. Elle avait parlé du cycle menstruel de la jeune fille… «jusqu'à ce que son cycle fût accompli»… C'était sûrement encore une des horreurs alchimiques du comte ou de Veilandt. Miss Poole avait aussi parlé du «destin» de la jeune fille. Svenson frissonna, tout à coup certain que la blonde docile, l'instrument passif de la cabale, n'était autre que Lydia Vandaariff. Comment lord Vandaariff pouvait-il sacrifier sa propre fille? L'évidence de la réponse fit rire Svenson. Si sa propre chair comptait si peu pour le lord, il était évident que le prince comptait bien moins encore. Et sa succession?

Il secoua la tête. Il réfléchissait trop lentement. Il perdait son temps.

Svenson s'avança vers le placard et sentit sa botte écraser du verre. Ce n'était pas là qu'il s'était épousseté, pourtant le tapis était jonché d'éclats brillants… étincelants… miroitants… il leva les yeux… un miroir? Les portes de deux placards contigus étaient ouvertes et cachaient ce qui se trouvait derrière. Il les écarta et découvrit dans le mur un grand trou aux contours irréguliers, comme si on avait donné un coup de poing dans ce qui avait été un miroir en pied au cadre orné de feuilles d'or. Il avança prudemment au milieu des éclats. Le verre était un peu étrange… décoloré? Il ramassa un des plus gros morceaux, le retourna puis le regarda dans la lumière. D'un côté, c'était un miroir normal mais, de l'autre, il était transparent, laissant passer une image un peu plus sombre. C'était un miroir sans tain et l'une des femmes, miss Temple évidemment, le sachant, elle l'avait défoncé pour passer. Svenson laissa tomber l'éclat et s'introduisit dans l'ouverture en prenant soin de tirer les portes des placards derrière lui afin de ralentir d'éventuels poursuivants. Il passa par-dessus un tabouret qui avait manifestement servi à casser le miroir, car de toutes petites aiguilles scintillantes étaient incrustées dans le siège.

De l'autre côté du miroir, la pièce confirmait toutes les craintes de Svenson sur la vie à Harschmort. Les murs tapissés de rouge rappelaient les maisons de passe et on avait disposé les meubles, une chaise, un petit secrétaire et un divan luxueux, sur un splendide tapis turc. Un autre meuble était rempli de cahiers et de bouteilles d'encre, mais aussi de bouteilles de whisky, de gin et de porto. La lumière rouge des lampes dissimulait l'astuce du miroir. Cette pièce évoquait à la fois l'enfer et le mauvais goût. D'un côté, le docteur savait bien que le rituel qui entoure le plaisir, quand il s'agit de celui des autres, est toujours ridicule mais, de l'autre, il constatait que toute cette installation ne servait qu'à profiter de la crédulité et de l'innocence des gens.

Il s'agenouilla rapidement près du tapis pour trouver des traces de sang qui indiqueraient que l'une des femmes s'était coupée en traversant le miroir. Rien. Il se releva donc et continua à les chercher en traînant les pieds. Le long du passage, on avait aligné d'autres lampes rouges et le trajet était sinueux, sans raison apparente. Quand parviendrait-il enfin à s'orienter dans cette maison ? Combien de fois les domestiques avaient-ils dû se perdre et pendant combien de temps ! Et comment punissait-on un domestique qui entrait par erreur dans une pièce comme celle-ci ? Il s'attendait un peu à trouver un squelette en cage, un avertissement quelconque pour éloigner les servantes et les valets trop curieux.

Il s'arrêta. Ce couloir allait beaucoup plus loin. Il risqua un autre chuchotement :

– Miss Temple !

Il attendit une réponse. Rien.

– Céleste ! Éloïse ! Éloïse Dujong !

Pas un bruit dans le couloir. Svenson se retourna et tendit l'oreille. Il avait du mal à croire que ses poursuivants ne l'aient pas encore trouvé. Il essaya de plier sa cheville et grimaça de douleur. Il s'était refait une foulure en tombant avec la passerelle et bientôt il ne pourrait éviter de traîner la jambe ou de recommencer à sautiller de façon ridicule. Il reprit l'équilibre en posant une main sur la paroi. Pourquoi n'avait-il pas bu un peu plus d'alcool dans l'aéronef ? Pourquoi était-il passé à côté des bouteilles dans le premier salon rouge ? Seigneur, que n'eût-il donné pour une autre gorgée de brandy ! Ou une cigarette ! Depuis quand n'avait-il pas fumé ? Son étui était dans la poche intérieure de son manteau. Il faillit jurer à voix haute. Juste un peu de tabac… il le méritait bien ! Il se mit un doigt dans la bouche pour s'empêcher de crier et le mordit aussi fort qu'il put le supporter, mais n'en fut pas soulagé pour autant.

Il marcha en boitant jusqu'à un croisement. À sa gauche, le couloir continuait. Devant lui, une impasse et une échelle et, à droite, un rideau d'étoffe rouge. Svenson n'hésita pas un instant. Il avait eu son compte d'échelles et il en avait assez de marcher. Il écarta vivement les pans du rideau et pointa son revolver. C'était un deuxième cabinet d'observation dont le mur du fond était, là encore, un miroir sans tain. Si la chambre rouge était vide, celle qui se trouvait de l'autre côté du miroir ne l'était pas.

Ce qui se déroulait devant lui ressemblait à une pièce de théâtre médiéval, une *Danse macabre* dans laquelle la Mort et ses acolytes conduisaient des personnages de différents horizons : un homme d'Église vêtu de rouge, un amiral, des hommes en manteaux élégants, des femmes parées de bijoux et de dentelles. Tous avançaient dans la pièce en traînant des pieds, l'un après l'autre, escortés par des hommes masqués de noir qui les guidaient vers des fauteuils ou des chaises où ils s'affalaient sans plus de cérémonie, manifestement inconscients. S'il n'avait pas été étranger, Svenson les aurait sûrement tous identifiés. Il reconnut quand même Henry Xonck, la baronne Roote (qui tenait salon et avait invité Karl-Horst une seule fois, puis plus jamais parce qu'il avait passé son temps à boire et avait fini endormi sur sa chaise), et lord Axewithe, président de la Banque impériale. Un tel rassemblement était tout simplement inouï, d'autant plus qu'ils semblaient tous complètement soumis.

Au centre de la pièce, une escorte venait déposer sur une table un rectangle de verre bleu, tandis qu'une autre s'occupait du personnage dont elle avait la charge. Un autre livre de verre… mais combien y en avait-il ? Svenson les regarda s'empiler. Quinze ? vingt ? Les mains derrière le dos et le regard rayonnant, satisfait, Harald Crabbé se tenait debout à côté de la table et regardait en souriant la pile de livres monter et cette procession de sommités ahuries que l'on installait dans la pièce. Naturellement, Bascombe se trouvait à côté de Crabbé et prenait des notes dans un registre. Svenson étudia le jeune homme absorbé par son travail : un nez fin, une bouche sérieuse, les cheveux plaqués, les épaules larges, une attitude parfaitement maîtrisée et des doigts agiles qui feuilletaient le registre, pointaient le crayon puis le retiraient comme une aiguille de broderie.

Le docteur Svenson avait bien sûr déjà vu Bascombe aux côtés de Crabbé et il avait entendu sa conversation avec Francis Xonck dans la cuisine du ministre, mais c'était la première fois qu'il l'observait en sachant qu'il avait été le fiancé de Céleste Temple. Il est souvent étonnant de constater les points communs qui rapprochent deux êtres, le plaisir du jardinage, une passion pour les petits-déjeuners, le snobisme, un goût pour la sensualité. Svenson ne put s'empêcher de se demander ce qui unissait ces deux-là, ne fût-ce que pour ce que cela pouvait lui révéler sur sa petite alliée, envers laquelle il avait un devoir de protection (devoir mis en péril par le souvenir des fines tuniques de soie qui moulaient ses formes... de la légèreté de son corps dans ses bras lorsqu'il l'avait aidée à descendre de la table... et même du grognement animal lorsqu'elle avait arraché son bâillon). Svenson déglutit et fronça les sourcils en regardant Bascombe, puis il décida d'emblée qu'il n'aimait pas l'attitude hautaine de cet homme, perceptible jusque dans sa façon de cocher les pages de son registre. Il avait vu assez d'ambitieux au palais de Macklenburg pour déceler l'avidité chez cet homme aussi sûrement que les symptômes de la syphilis chez ses patients. De plus, il pouvait très bien imaginer comment le Procédé avait servi Bascombe. Ce qui auparavant avait dû être tempéré par le doute et le respect était devenu dur comme de l'acier dans le creuset de l'alchimie. Svenson se demanda combien de temps il faudrait à Crabbé pour s'apercevoir qu'il avait un couteau dans le dos.

À côté d'un vieil homme d'Église complètement hébété, les dernières escortes installèrent sur un divan la dernière victime. C'était une belle femme aux traits vaguement orientaux, vêtue d'une robe de soie bleue et portant des boucles d'oreilles en perles. On déposa le dernier livre (il devait bien y en avoir trente !). Bascombe donna les derniers coups de crayon... et fronça les sourcils. Il feuilleta le registre à l'envers et refit ses calculs. Son front soucieux indiquait que quelque chose clochait. Il parla brièvement aux hommes, jusqu'à ce qu'il aperçût une femme somnolente vêtue de vert, particulièrement belle, qui portait un masque de perles de verre que Svenson devina être vénitien et très coûteux. Bascombe demanda encore, assez clairement pour que Svenson l'entendît : « Où est le livre qui va avec cette femme ? » Il n'y eut pas de réponse. Il se tourna vers Crabbé et les deux hommes chuchotèrent. Crabbé haussa les épaules. Il désigna l'un des hommes, qui sortit en trombe avec la mission de trouver ce qui manquait. Le reste des livres fut précautionneusement rangé dans un coffre cerclé de fer. Svenson remarqua qu'ils portaient tous des gants de cuir pour toucher le verre et manipulaient ces objets lentement et avec soin, ce qui lui rappela la prudence des marins qui entreposent des munitions dans un dépôt d'armes.

Le fait d'associer certains livres en particulier avec certains personnages haut placés, de toute évidence, devait sûrement avoir un rapport avec les confidences et les secrets recueillis par la cabale auprès de leurs domestiques ou de leurs proches à Tarr Manor. À Tarr Village, ils avaient récolté et inscrit dans ces livres des renseignements qui leur permettraient de manipuler les plus puissants… Était-il possible que le but eût été de faire du chantage auprès de ces personnages et de les forcer à se rendre à Harschmort, pour ensuite les obliger à franchir l'étape suivante ? Il secoua la tête devant tant d'audace, car l'étape suivante consistait à enregistrer le savoir, les souvenirs, les projets et même les rêves des plus éminents personnages du pays. Il se demanda si les victimes conservaient leurs souvenirs ou si elles n'étaient plus que des coquilles vides, amnésiques. Que se passait-il quand elles reprenaient conscience… savaient-elles où elles se trouvaient… qui elles étaient ?

Mais il y avait plus que cela, ne fût-ce qu'en termes strictement mécaniques. Les hommes portaient des gants pour toucher le verre. Il était même dangereux de regarder dedans, puisque des femmes en étaient mortes à Tarr Manor. Mais comment la cabale utilisait-elle cette précieuse information ? Comment la *lisait*-elle ? S'il était impossible de toucher un de ces livres sans mettre en danger sa vie ou sa raison, quel était l'intérêt de ces objets ? Il y avait sûrement un moyen… une clé…

Svenson regarda derrière lui. Il tendit l'oreille… Un bruit… rien… il était nerveux, voilà tout. Les hommes finirent de remplir le coffre. Bascombe mit le cahier sous son bras et claqua des doigts en donnant des ordres : à ceux-ci d'emporter le coffre, à ceux-là d'accompagner le ministre, et à ces autres encore de rester. Il s'avança avec Crabbé vers les portes. Le ministre avait-il donné quelque chose à son assistant ? Oui… mais Svenson ne put voir ce dont il s'agissait. Puis ils sortirent.

Deux hommes restèrent là un instant, debout, puis, visiblement détendus, ils s'avancèrent, l'un vers le buffet et l'autre vers une boîte à cigares posée sur un guéridon. Ils parlaient en souriant, désignant de la tête les personnages dont ils avaient la charge. Celui qui était à côté du buffet servit deux verres de whisky et s'avança vers l'autre qui crachait le bout d'un cigare. Ils échangèrent un verre contre un cigare qu'ils allumèrent l'un après l'autre. Leurs maîtres étaient sortis depuis moins de deux minutes et ils fumaient déjà comme des princes.

Svenson regarda autour de lui. Le cabinet d'observation dans lequel il se trouvait était moins bien aménagé que le précédent. Il n'y avait rien à boire et pas de divan. Les deux hommes parcouraient la salle, tournaient autour des meubles, faisant des commentaires sur les personnages qu'ils surveillaient. Puis ils fouillèrent dans les poches d'une queue-de-pie et dans le sac d'une dame. Svenson fronça les sourcils devant le comportement de ces charognards et attendit qu'ils s'approchent. Devant lui, l'homme d'Église était toujours assis à côté de la femme orientale dont la tête dodelinait d'avant en arrière, les yeux entrouverts et fixés au plafond. Les perles à ses oreilles brillaient d'un éclat vif sur sa peau foncée… ils les remarqueraient forcément.

Comme s'ils avaient entendu ses pensées, l'un des hommes leva la tête, vit les perles et se précipita vers celle qui les portait. L'autre suivit en mettant le cigare entre ses lèvres et ils se retrouvèrent penchés tous les deux sur la femme inerte, tournant le dos à Svenson à moins d'un mètre de la vitre qui les séparait.

Il appuya le canon de son pistolet contre la vitre et tira. La balle transperça le dos de l'homme le plus près de lui puis, étonnamment, ressortit de sa poitrine pour faire voler en éclats le verre de whisky qu'il tenait à la main. Il s'affala sur le malheureux homme d'Église. Son compagnon fit volte-face et regarda le trou dans le miroir sans comprendre. Svenson fit feu une deuxième fois. Le miroir se fissura d'un coup, formant comme une toile d'araignée qui brouilla sa vision. Il glissa son revolver dans sa ceinture et saisit une petite table couverte de bouteilles d'encre et de papier qui se renversèrent. En trois coups de table, comme des coups de hache, il fracassa le miroir.

Il laissa tomber la table et regarda derrière lui. Le bruit des détonations avait probablement traversé les tunnels sans se propager dans le reste de la maison, et il fallait croire que ceux-ci avaient été bien insonorisés pour plus de discrétion. Mais pourquoi personne ne le poursuivait-il? Sur le tapis, à ses pieds, le deuxième homme respirait avec difficulté, touché à la poitrine. Svenson se mit à genoux, essaya de trouver par où était entrée la balle et conclut rapidement que la blessure était mortelle. Ce n'était plus qu'une question de minutes. Il se releva, incapable de soutenir le regard de cet homme agonisant, et se dirigea vers son compère, bien mort, affalé sur le vieil homme d'Église. Svenson déplaça le corps par terre, déjà assailli par le remords. N'aurait-il pas pu les blesser tout simplement? Tirer une seule fois, les surprendre et les ligoter avec les cordons des rideaux comme il l'avait fait pour Flaüss? Peut-être… mais de tels détails (la vie d'un homme était-elle devenue un simple détail?) lui auraient fait perdre le peu de temps qu'il avait pour retrouver les deux femmes, capturer le prince et arrêter les maîtres de ces types. Svenson vit que l'homme déjà mort tenait encore un cigare allumé entre ses doigts. Machinalement, il s'en saisit, inhala profondément la fumée, les yeux fermés pour mieux apprécier ce plaisir qui lui avait tant manqué.

Les deux hommes ne portaient pas d'armes, il ne pouvait donc remplacer la sienne. Svenson se résigna à poursuivre sa route en se servant de la ruse et en jouant la comédie, avec son revolver déchargé à la main. Il avança dans une enfilade de salons vides à la recherche de Bascombe ou de Crabbé, tout en espérant tomber sur Bascombe. Il avait visé juste en pensant que les livres de Tarr Manor pouvaient servir à absorber ou à enregistrer les souvenirs: le coffre rempli de ces livres avait donc au moins autant de valeur que tout un continent inexploré. Il se rendit aussi compte de la valeur du registre de Bascombe où l'on avait consigné en détail la matière de chacun des livres et, donc, les pensées et les rêves des cerveaux dont on s'était servi pour les fabriquer. En utilisant ces notes, on pouvait, dans cette bibliothèque hors du commun, trouver réponse à toutes les questions. On pouvait aussi en tirer tous les avantages.

Svenson regarda autour de lui, agacé. Il avait traversé un salon de plus pour déboucher sur un vestibule clair et spacieux orné d'une fontaine dont le murmure couvrait tous les bruits qui l'auraient sans doute aidé à choisir une direction. Le docteur se demanda vaguement s'il y avait un Minotaure dans le dédale de Harschmort. Il ne résista pas à l'envie de se regarder dans l'eau de la fontaine et éclata de rire, car le Minotaure était là, devant lui : il avait le visage hagard, meurtri et couvert de suie, le cigare à la bouche et l'arme au poing. Aux yeux des invités de cette soirée de gala, n'était-il pas en effet un monstre assoiffé de vengeance ? Cette idée fit littéralement glousser Svenson, et il rit de plus belle au son rauque et grotesque de sa voix : on aurait dit un corbeau essayant de chanter après avoir bu trop de gin. Il posa son cigare, glissa le revolver dans sa ceinture et plongea ses mains dans l'eau de la fontaine pour boire d'abord, puis pour s'asperger le visage, et enfin pour se lisser les cheveux. Il se secoua les mains, leva les yeux. Quelqu'un arrivait. Il jeta son cigare dans la fontaine et dégaina son pistolet.

C'était Crabbé et Bascombe, suivis de deux de leurs hommes, et, entre eux, Robert Vandaariff, reconnaissable entre tous, une silhouette aiguë comme la pointe d'un couteau. Svenson se précipita de l'autre côté de la fontaine, se jeta au sol et ne put s'empêcher de se sentir piégé comme un personnage d'opérette malgré tout ce qu'il éprouvait de fatigue et de peur.

– C'est incroyable. D'abord le théâtre, et maintenant ceci !

C'était le ministre qui parlait, furieux.

– Bon, mais les hommes sont à leur poste maintenant ?

– Oui, répondit Bascombe. Une escouade de soldats de Macklenburg.

Crabbé grogna.

– Ces gens nous donnent tant de fil à retordre et pourtant ce sont des moins que rien, dit-il. Le prince est un idiot, l'envoyé, un ver de terre, le major, un malotru de Teuton… et le médecin ! Vous avez entendu ? Il est vivant ! Il est à Harschmort ! Il a dû arriver avec nous, mais honnêtement, je ne vois pas du tout comment il a pu s'y prendre. Tout ce que je peux supposer, c'est qu'il a été caché par un complice.

– Mais par qui ? siffla Bascombe.

Comme Crabbé ne répondait pas, il risqua une réponse.

– Aspiche ?

La réponse de Crabbé ne parvint pas jusqu'à Svenson, car les deux hommes avaient quitté la pièce. Svenson se mit à genoux, soulagé de ne pas avoir été découvert, et il les suivit très prudemment. Il ne comprenait pas… Vandaariff marchait entre les deux conspirateurs du ministère, mais ceux-ci ne semblaient pas lui prêter la moindre attention… Quant au lord lui-même, il n'avait pas l'air non plus de participer à leurs manigances. Et qu'était-il advenu du coffre rempli de livres de verre bleu de Bascombe?

— Oui, oui, et c'est mieux ainsi, disait Crabbé, elles vont y prendre part toutes les deux. La pauvre Elspeth a perdu beaucoup de cheveux, et Margaret… eh bien, elle tient à continuer! C'est son caractère, elle est comme ça… mais il semble qu'elle ait eu affaire à ce Cardinal au Ste-Royale… elle… enfin, je ne comprends pas très bien, mais… on dirait que ça l'a mise de mauvaise humeur…

— Et ça sera avec… euh… l'autre aussi? le coupa poliment Bascombe en ramenant la discussion sur le sujet de départ.

— Oui, oui. Elle servira de cobaye, bien sûr. À mon avis, tout cela va trop vite… trop d'efforts dans trop de directions différentes.

— La Contessa s'inquiète de nos échéances…

— Mais moi aussi, Bascombe, rétorqua Crabbé. En revanche vous aurez vous-même constaté la confusion qui règne et les risques pris en essayant de s'occuper simultanément des initiations dans l'amphithéâtre, des transmutations du comte dans la cathédrale, de la cueillette des secrets dans les petits salons et le bureau de lord Robert…, il fit un geste désinvolte en direction de l'homme le plus puissant de l'empire, …et maintenant à cause de cette fichue femme, le duc…

— Apparemment, le docteur Lorenz a bon espoir…

— Oui, il a toujours bon espoir! Mais, voyez-vous, Bascombe, les scientifiques sont satisfaits quand une expérience sur vingt réussit. Le bon espoir du docteur Lorenz ne suffit pas, compte tenu des enjeux qui sont les nôtres. Il nous faut des certitudes!

— Oui, bien sûr, monsieur.

— Un instant.

Crabbé s'arrêta et se tourna vers les deux hommes qui les suivaient. Svenson s'accroupit brusquement derrière un philodendron fané.

— Dépêchez-vous d'aller au sommet de la tour… je ne veux pas de surprise. Assurez-vous que la voie est libre, puis l'un de vous reviendra nous en informer. Nous attendrons ici.

Les hommes partirent en flèche. Svenson jeta un coup d'œil à travers les feuilles poussiéreuses et aperçut Bascombe qui protestait avec déférence.

— Monsieur, croyez-vous vraiment…

— Ce que je crois, c'est que je préfère que personne ne nous écoute.

Il fit une pause pour permettre aux deux hommes de disparaître complètement avant de poursuivre.

— Tout d'abord, commença le vice-ministre en regardant Robert Vandaariff, quel livre a-t-on pour lord V. ici? Il nous faut trouver un substitut, n'est-ce pas?

— Oui, monsieur, quoique pour l'instant cela pourrait être celui qui a disparu, celui de Lady Mélantes…

— Qui doit être récupéré…

— En effet, monsieur. Mais pour le moment on peut le faire passer pour le recueil des secrets de lord Vandaariff, jusqu'à ce qu'on en sabote un autre.

— Très bien, murmura Crabbé.

Ses yeux balayèrent la pièce et il se passa la langue sur les lèvres en se rapprochant de Bascombe.

— Dès le début, Roger, je vous ai offert cette chance, n'est-ce pas? L'héritage, le titre, de nouvelles perspectives de mariage, la promotion au sein du gouvernement?

— Oui, monsieur, et je vous en suis profondément reconnaissant… je vous assure…

Crabbé balaya du revers de la main l'obséquiosité de Bascombe comme s'il repoussait une mouche.

— Ce que je viens de vous dire au sujet des efforts que nous dépensons dans trop de directions à la fois, vous le gardez pour vous, n'est-ce pas?

Une fois de plus, Svenson fut surpris de constater qu'aucun des deux hommes ne semblait se soucier le moins du monde de lord Vandaariff, qui se trouvait à moins d'un mètre d'eux.

— Vous êtes intelligent, Roger, et, comme vous nous l'avez démontré, votre ruse n'a rien à envier à personne. Gardez les yeux ouverts, pour notre bien à tous les deux. Surveillez les commentaires ou les gestes déplacés… qui qu'en soient les auteurs. Vous m'entendez? Nous sommes arrivés à une phase critique et je me méfie de chacun.

– Est-ce que vous sous-entendez que l'un des autres… la Contessa, ou monsieur Xonck…

– Je ne sous-entends rien du tout. Mais nous avons subi ces… *contretemps*…

– Mais ces provocateurs*, Chang, Svenson…

– Et votre miss Temple, ajouta Crabbé, une note d'aigreur dans la voix.

– Si on la compte dans leurs rangs, on ne fait que confirmer ce qu'ils ont tous juré, monsieur, qu'ils n'ont pas de maître, et que leur seul but est de lutter contre nous.

Crabbé s'approcha de Bascombe et sa voix trahit tout à coup son angoisse.

– Oui, oui. Et pourtant ! Le docteur arrive en aéronef ! Miss Temple s'impose dans le plan destiné à Lydia Vandaariff et résiste mystérieusement, sans aucune aide, ce qui est difficile à croire, à l'immersion dans un livre de verre ! Et Chang… combien de personnes a-t-il tuées ? Il n'a fait que des ravages. Tenez-vous ces gens en assez haute estime pour prétendre qu'ils aient pu faire tout cela sans un soutien quelconque ? Et, selon vous, Roger, d'où pourrait leur venir pareil soutien, si ce n'est de l'un d'entre nous ?

Crabbé était livide et sa lèvre tremblait de rage (ou de peur, ou des deux), comme si la seule idée qu'il pût être vulnérable le mettait hors de lui. Bascombe ne répondit pas.

– Vous connaissez miss Temple, Roger, et peut-être mieux que quiconque en ce bas monde. Croyez-vous qu'elle aurait été capable de tuer ces hommes ? de se libérer du livre ? de retrouver Lydia Vandaariff et, pour un peu, de réussir à nous l'enlever comme elle l'a fait ? Si Mrs. Marchmoor n'était pas arrivée…

Bascombe secoua la tête.

– Non, monsieur, la Céleste Temple que je connais n'est capable de rien de tout cela. Et pourtant… il doit y avoir une autre explication.

– Bien sûr, mais vous la possédez, vous ? Comment expliquez-vous la mort du colonel Trapping ? Les trois provocateurs étaient en ces lieux cette nuit-là, mais il est impossible qu'ils aient pu savoir qu'il fallait le tuer sans la complicité d'un traître dans nos rangs !

Ils se turent. Svenson les regardait et lentement, patiemment, il se gratta le nez.

* En français dans le texte.

– Le cardinal Chang a horriblement brûlé Francis Xonck, commença rapidement Bascombe. J'ai du mal à croire qu'il ait accepté de subir une telle blessure pour éloigner les soupçons.

– Peut-être bien… mais il est très malin, et totalement irresponsable.

– Certes. Le comte…

– Seul son verre l'intéresse, et ses transmutations… sa vision, comme il dit. Je suis certain qu'il considère tout cela, en son âme et conscience, comme une toile, comme son chef-d'œuvre en quelque sorte, mais quand même… pour moi, tout cela est un peu trop…

Crabbé déglutit avec difficulté et se lissa la moustache.

– Ce sont peut-être les horreurs qu'il a en tête pour la fille qui me gênent, et encore, je crois que nous ne savons pas tout là-dessus…

Crabbé regarda le jeune homme, comme s'il en avait trop dit, mais Bascombe n'avait pas bronché.

– Et la Contessa ? demanda Bascombe.

– La Contessa…, répéta Crabbé. En effet, la Contessa…

Ils relevèrent tous deux la tête, car un de leurs hommes revenait au pas de course. Ils se turent, le temps qu'il les rejoignît. La voie était libre, leur apprit-il, et Bascombe fit un signe de tête pour lui indiquer de passer devant et d'aller rejoindre son collègue. Il fit volte-face comme un automate et les deux hommes du ministère attendirent qu'il disparût, n'ayant manifestement pas fini de broyer du noir. Svenson se faufila derrière eux. De telles dissensions et cette méfiance au sein de la cabale lui semblaient exaucer une prière qu'il n'avait osé murmurer.

Quand les hommes eurent disparu, il put observer le ministre plus facilement, une petite silhouette déterminée, un porte-documents en cuir sous le bras, comme ceux qui servent à transporter les papiers officiels. Svenson en était certain, il ne l'avait pas avec lui quand ils recensaient les livres, ce qui voulait dire qu'on l'avait donné à Crabbé plus tard. En même temps qu'on lui avait confié lord Vandaariff ? Est-ce que cela voulait dire que le porte-documents contenait des papiers appartenant au maître des lieux ? Svenson ne comprenait toujours pas quelle pouvait être la participation du lord. Après tout, il était arrivé de lui-même dans la pièce, on ne l'y avait pas contraint. Et pourtant, les autres semblaient l'ignorer.

Svenson avait supposé que Vandaariff dirigeait l'organisation : deux jours auparavant, ne l'avait-il pas délibérément éloigné du corps de Trapping ? Quel que soit le délai prévu pour refermer leur piège, le contrôle qu'ils avaient fini par acquérir, le type d'hypnose qu'ils avaient employée pour y arriver... tout cela était très récent. Ils avaient exploité toutes les ressources du château et du nom de Vandaariff, ce qui aurait été impossible sans son accord et sa participation. Et désormais, Robert Vandaariff les suivait, dans sa propre demeure, comme une chèvre apprivoisée. Svenson, qui l'avait aperçu juste avant de se cacher derrière la fontaine, n'avait pas remarqué de cicatrices sur son visage. Comment étaient-ils parvenus à le soumettre ? avec un livre de verre ? Il aurait donné cher pour examiner Vandaariff ! Cela lui aurait suffi pour se faire une idée des effets physiques de ce contrôle de l'esprit, et, qui sait... il aurait peut-être aussi trouvé un moyen d'y remédier.

Pour l'instant, toutefois, seul et sans arme, il devait se contenter de les suivre dans les dédales du château. Des pièces alentour lui parvenait, de plus en plus net, un bourdonnement d'activité humaine : des bruits de pas, des voix, le tintement de couverts, le grincement des roues de chariots. Jusque-là, ils n'avaient traversé aucun espace ouvert, volontairement sans doute, pour soustraire Vandaariff au regard des invités. Svenson se demanda si les domestiques de la maison étaient avertis de l'asservissement de leur maître et comment ils réagiraient en l'apprenant. Il ne voyait pas Robert Vandaariff en patron aimable... peut-être que le personnel était au courant en fin de compte et qu'il se réjouissait de sa chute. Peut-être la cabale s'était-elle servie dans la fortune de Vandaariff pour acheter la loyauté du personnel. Dans les deux cas, Svenson ne pouvait faire confiance aux domestiques... en outre, il savait que ses possibilités d'intervention étaient de plus en plus réduites.

Svenson prit une longue inspiration. Les trois hommes, à une dizaine de mètres devant lui, passaient d'un long couloir à ce qu'il supposa en être un autre. Dès qu'ils eurent franchi le coin, il se précipita pour gagner un peu de terrain. Svenson avança à grandes enjambées, pistolet braqué, le bruit de ses pas se mêlant aux leurs, amorti par le tapis étroit sur lequel ils marchaient tous. Plus que trois mètres, puis deux. Il était juste derrière eux. Ils sentirent sa présence et se retournèrent au moment même où Svenson prenait Vandaariff par le col et lui appuyait le canon de son revolver sur la tempe.

— Ne bougez pas, siffla-t-il. Ne criez pas, ou bien je tire sur cet homme et sur vous deux. Je suis un tireur d'élite et peu de choses me feraient autant plaisir !

Ils ne crièrent pas et, une fois de plus, Svenson sentit au frisson qui lui remontait l'échine qu'il avait en lui une aptitude à la violence qu'il ne soupçonnait pas, alors qu'en fait il savait à peine tirer, même avec une arme chargée. Ce qu'il ignorait, c'était la valeur que Vandaariff représentait à leurs yeux. Il frémit soudain : peut-être le *voulaient*-ils mort mais n'osaient pas le tuer eux-mêmes, surtout maintenant que Crabbé serrait contre son cœur le porte-documents plein de renseignements de première main.

Il lui fallait s'en emparer.

— Ce porte-documents, hurla-t-il au vice-ministre, déposez-le par terre immédiatement et écartez-vous !

— Non, dit sèchement Crabbé, la voix aiguë, le visage blême.

— Immédiatement ! grogna Svenson en tirant le chien et en appuyant avec le canon sur le crâne de Vandaariff.

Crabbé triturait la courroie de cuir, mais il ne déposa pas son précieux cartable. Svenson écarta brusquement son arme de la tête de Vandaariff et visa directement la poitrine de Crabbé.

— Docteur Svenson !

C'était Bascombe, les mains levées en un geste désespéré de conciliation qui ressemblait encore trop, aux yeux de Svenson, à une tentative pour lui ôter son arme. Il dirigea le canon vers Roger qui sursauta, puis de nouveau vers Crabbé qui pressait le cartable contre sa poitrine, puis encore vers Bascombe en écartant Vandaariff d'un pas pour avoir les coudées franches. Il n'était vraiment pas doué pour ce genre d'exercice.

Bascombe déglutit et fit un pas en avant.

— Docteur Svenson, commença-t-il d'une voix hésitante, ça ne marchera pas… vous avez mis le pied sur un nid de guêpes, vous allez vous faire prendre…

— Je veux récupérer le prince, répliqua Svenson, et il me faut ce porte-documents.

— C'est impossible, dit Crabbé d'une voix flûtée, puis, au grand dam du docteur, le vice-ministre se retourna et lança son précieux fardeau comme un disque à travers le couloir.

Il rebondit contre le mur et tomba à une dizaine de mètres. Svenson eut un pincement au cœur. Maudit soit cet homme! S'il avait eu une seule balle, il la lui aurait mise entre les deux yeux.

— Vous voilà bien avancé, bêla Crabbé en bafouillant nerveusement. Comment vous en êtes-vous tiré dans la carrière? Qui vous a aidé? Étiez-vous caché dans l'aéronef? Comment se fait-il que vous soyez encore une fois dans mes pattes au mauvais moment?

La voix du ministre s'était progressivement muée en plainte aiguë. Svenson recula encore en traînant Vandaariff avec lui. Bascombe, qui malgré sa frayeur avait un certain courage, avança lui aussi. Svenson remit le pistolet sur l'oreille de Vandaariff.

— Restez où vous êtes! Vous allez me répondre. Où se trouve Karl-Horst? Le prince, j'insiste…

Svenson entendit soudain un cri plaintif et aigu qui montait de quelque part dans la demeure, comme un train lancé à toute allure et qui freine soudainement, et, à travers ce cri, comme les fils d'argent dans la trame d'un manteau en soie de Damas, les hurlements désespérés d'une femme. Qu'est-ce que Crabbé avait dit au sujet des activités du comte?… la «cathédrale»? Les trois hommes restèrent pétrifiés. Le bruit devint insupportable, puis s'arrêta brusquement. Svenson recula encore tout en traînant Vandaariff.

— Relâchez-le! siffla Crabbé. Vous ne faites qu'aggraver votre cas!

— Aggraver?

Svenson bafouilla devant tant d'impudence. Il aurait donné n'importe quoi pour disposer d'une balle. Il désigna le plancher, d'où leur parvenaient les cris.

— Quelles sont ces horreurs? J'en ai déjà vu assez, de vos horreurs! Vous n'aurez pas cet homme! s'exclama-t-il en tirant Vandaariff vers lui.

— Mais nous l'avons déjà, ricana Crabbé.

— Je sais qu'il est atteint, balbutia Svenson. Mais je sais aussi comment le rétablir! On le croira sur parole et vous irez tous au diable!

— Vous ne savez rien!

Même s'il avait peur, Crabbé ne fléchissait pas, ce qui exaspéra profondément Svenson mais devait s'avérer très utile quand il s'agissait de négocier des traités internationaux.

– Votre Procédé infernal est peut-être irréversible, déclara Svenson, je n'ai pas vraiment eu le loisir de l'étudier, mais je sais que lord Vandaariff n'a pas subi ce traitement immonde. Il n'a pas de cicatrices. Il était parfaitement lucide et sain d'esprit il y a deux jours, soit bien avant que de telles cicatrices ne puissent s'estomper. De plus, je sais, d'après ce que j'ai pu observer dans votre amphithéâtre, que s'il avait effectivement subi le Procédé, il résisterait farouchement à mon étreinte. Non, messieurs, je suis convaincu qu'il est sous l'emprise temporaire d'une drogue à laquelle je compte bien trouver un antidote…

– Vous ne ferez rien de tel, hurla Crabbé, puis il s'adressa à Vandaariff sur un ton sec et autoritaire, comme celui que l'on emploie pour dresser un chien. Robert! Emparez-vous de ce pistolet. Immédiatement!

Au grand désarroi de Svenson, lord Vandaariff se jeta sur le pistolet. Le docteur se dégagea, mais les doigts avides du lord semblaient ne pas vouloir lâcher prise. D'un côté, un lord réduit à l'état de marionnette et, de l'autre, un chirurgien à bout de forces: l'avantage allait au premier. Svenson leva les yeux et vit que Crabbé souriait avec malice.

C'en était trop. Trop d'arrogance. Pendant que Vandaariff s'en prenait à lui, une main autour de son cou et l'autre qui essayait de s'emparer de l'arme, Svenson lui arracha le revolver de la main et l'enfonça dans la figure du ministre, en armant le revolver.

– Dites-lui d'arrêter ou je vous abats! cria-t-il.

Ignorant la menace, Bascombe se rua sur Svenson qui lui balafra la joue avec le canon de son arme et le fit tomber. Au même instant, la main de Vandaariff s'agrippa à celle de Svenson. Le chien du pistolet percuta la chambre vide. Svenson leva les yeux et croisa le regard de Bascombe.

– Il n'a pas de munitions! cria Bascombe, qui hurla ensuite en direction de l'autre extrémité du couloir. À l'aide! Evans! Jones! À l'aide!

Svenson fit volte-face. Il se précipita loin de Vandaariff et se jeta sur le porte-documents, même si cela le rapprochait de l'escorte qui revenait sur ses pas. Ses bottes résonnaient sur le bois verni et glissant. La douleur de sa cheville se réveilla, mais il parvint à ramasser le porte-documents et à courir en clopinant vers Bascombe et Crabbé. Celui-ci cria aux hommes qui – Svenson le sentait – se trouvaient sans doute beaucoup trop près derrière lui:

– Le cartable ! Attrapez le cartable ! Il ne faut pas qu'il s'en empare !

Bascombe s'était relevé et avançait, bras ouverts, pour barrer la route à Svenson, ou du moins l'arrêter jusqu'à ce que les autres puissent lui faire éclater la cervelle. Il n'y avait pas de portes sur les côtés, pas d'alcôves, rien d'autre à faire que de charger. Svenson se souvint de ses années d'université, des jeux dans les dortoirs quand tout le monde était soûl, mais Bascombe était plus jeune et plus enragé, et lui aussi avait des souvenirs dont il pouvait s'inspirer.

– Arrêtez-le, Roger ! Tuez-le !

Même fou de rage, Crabbé réussissait à être autoritaire.

Avant que Bascombe puisse l'atteindre, Svenson lui jeta le porte-documents à la figure, un geste plus humiliant que véritablement offensif, mais qui obligea Bascombe à tourner la tête au moment du choc. Svenson abaissa l'épaule et se rua sur Bascombe qui tenta de l'empoigner. Svenson parvint à se dégager. Les mains de Bascombe glissèrent le long du corps du docteur et parvinrent à attraper sa botte gauche et à lui faire perdre l'équilibre. Svenson roula sur le dos et vit Bascombe par terre, le visage écarlate et couvert de sang. Le docteur voulut décocher un coup de botte dans la figure du jeune homme, mais le coup porta sur le bras de Bascombe, et les deux hommes poussèrent en même temps un cri de douleur au moment de l'impact. Svenson frappait avec sa cheville foulée. Il parvint cependant à se libérer en deux autres coups.

Mais, manque de chance, les hommes en noir étaient là. Il s'efforça de se relever et constata qu'ils s'étaient d'abord arrêtés, par réflexe et par respect, pour aider Bascombe et Crabbé. D'un seul élan, Svenson se précipita sur eux, le porte-documents dans une main, le revolver dans l'autre. Il entendit les protestations de Crabbé : « Non ! Non ! Occupez-vous de lui ! Arrêtez-le ! » et les cris de Bascombe : « Le cartable ! Le cartable ! », mais déjà il était sur eux et frappa au moment où les hommes levaient la tête. Aucun de ses coups n'atteignit sa cible, mais les hommes reculèrent et, malgré eux, lui cédèrent le passage. Ils le suivirent. En dépit de sa peur et de la douleur qui lui tenaillait la cheville, le docteur Svenson était d'humeur à jouer le jeu.

Il courut le long du couloir. Ses bottes glissaient et il grimaçait à chaque enjambée. Où Crabbé avait-il envoyé les deux hommes ? au sommet de quelle tour ? Il fronça les sourcils : depuis le dirigeable, il avait bien vu qu'il n'existait pas de tour à Harschmort. De plus, les hommes étaient arrivés très vite à la rescousse de Bascombe, ce qui revenait à dire qu'ils n'avaient pas pu monter bien haut. Sauf si… Il parvint à un grand vestibule dallé de marbre noir et blanc avec, sur le mur du fond, une étrange porte en fer qui donnait sur un escalier en colimaçon… C'était le haut d'une tour qui *descendait* à partir de là. Avant même d'avoir pu y réfléchir, le docteur Svenson perdit l'équilibre et s'étala de tout son long sur le sol, glissant sur le marbre jusqu'au mur du fond. Il secoua la tête et essaya de se relever. Il dégoulinait… de sang ! Il avait dérapé sur une énorme flaque écarlate. En tombant, il avait étalé le sang sur le plancher et s'était taché tout le côté droit.

Il leva la tête. Ses deux poursuivants arrivaient. Personne n'eut le temps de faire un geste que l'on entendit un autre hurlement perçant derrière la porte menant à la tour. Le bruit devint insoutenable. Ses oreilles ne le trompaient pas, on percevait bel et bien une voix de femme dans cet horrible cri.

Svenson lança le revolver de toutes ses forces sur les hommes et en atteignit un directement au genou. L'homme poussa un grognement et s'affaissa contre le cadre de la porte, tandis que le pistolet volait sur le plancher. Le deuxième homme se précipita sur l'arme et s'en empara au moment où Svenson s'élançait vers la seule porte en vue qui donnait sur un large couloir menant loin de la tour (il ne voulait surtout pas s'approcher de la source du cri). Il entendit derrière lui le cliquètement du chien qui heurtait la chambre vide, puis un grognement de frustration. Svenson ajouta encore à la distance qui les séparait.

Il vira et se retrouva dans un autre petit vestibule avec des portes de chaque côté. Rapidement et en silence, le docteur Svenson passa par une porte battante et la retint pour qu'elle s'immobilisât, en faisant attention de ne pas laisser de traces de sang. Il se trouvait près des cuisines. Il passa à côté de tonneaux, longea des étagères. Il venait d'atteindre une porte quand elle s'ouvrit d'un seul coup. Il l'esquiva et se cacha derrière. Un instant plus tard, il entendit la voix de celui qui le poursuivait.

— Est-ce que quelqu'un est entré par ici ?

— Quand ? demanda une voix bourrue, à moins de cinquante centimètres de là où Svenson s'était caché.

— Juste maintenant. Un type maigre, étranger, couvert de sang.

— Pas ici. Vous voyez du sang quelque part ?

Il entendit les hommes chercher autour d'eux. Le plus proche s'appuya contre la porte et Svenson dut se plaquer encore un peu plus contre le mur.

– Ben… je sais pas où il a bien pu aller, murmura l'homme dans le couloir.

– De l'autre côté, ça mène à la salle des trophées. Pleine de fusils.

– Bon Dieu ! siffla l'homme qui l'avait poursuivi et, quand il l'entendit, Svenson bénit le bruit de la porte qui se refermait.

Après un moment, il comprit qu'on ouvrait un placard, qu'on fouillait dedans et que l'on renversait du gravier. Puis l'homme sortit de la pièce et Svenson poussa un soupir de soulagement.

Le mur contre lequel il s'était appuyé était taché de sang. Svenson considéra qu'il n'y pouvait pas grand-chose et se demanda s'il pouvait trouver quelque chose à boire. Il se retrouvait encore une fois en danger, cerné de toutes parts, mais désormais il en avait l'habitude. Du gravier ? se demanda-t-il, intrigué… Il céda à la curiosité et se glissa vers la plus grande des armoires, assez spacieuse pour qu'une personne pût y tenir. Il s'agissait d'une chambre froide et ce n'était pas du tout du gravier, mais de la glace qu'il y avait là. Un sac de glace pilée qu'on avait vidé sur le cadavre du duc de Staëlmaere étendu dans une baignoire, horrible avec sa peau bleue et ses yeux de reptile entrouverts.

Pourquoi le conservaient-ils ainsi ? Qu'est-ce que Lorenz croyait pouvoir faire ? Le ressusciter ? C'était absurde. Les deux balles qui l'avaient tué avaient causé de sérieuses lésions, surtout la deuxième qui lui avait fait exploser le cœur, depuis le temps, le sang s'était refroidi et avait coulé, les membres s'étaient raidis… Que pouvaient-ils bien avoir l'intention de faire ? Soudain, Svenson fut saisi de l'envie de mutiler plus encore ce corps déjà bien mal en point en lui sectionnant la jugulaire par exemple, pour contrer la folie macabre de Lorenz. Mais un tel geste lui sembla vraiment trop ignoble. Il ne s'abaisserait pas à profaner ce corps, aussi infâme qu'eût pu être celui auquel il avait appartenu, sans quelque bonne raison.

À force de regarder le cadavre, le docteur Svenson sentit le désespoir le guetter. Il soupesa le porte-documents. Son contenu l'aiderait peut-être à retrouver le prince, ou à sauver la vie de ses amis. Sa lèvre frémit et il sourit tristement en y pensant. Quand s'était-il fait des amis pour la dernière fois? Le baron était, ou avait été, son employeur et un mentor perclus de goutte qui avait guidé sa vie au Palais, mais ils ne s'étaient jamais confiés l'un à l'autre. Les officiers avec lesquels il s'était retrouvé à bord des bateaux avaient été des compagnons de mission, mais il avait rarement repensé à eux après les avoir quittés pour d'autres affectations. Ses amis de l'université étaient peu nombreux et la plupart étaient morts. Les membres de sa famille étaient restés dans l'ombre de Corinna et lui étaient complètement sortis de l'esprit. Ces derniers jours, il avait remis son sort et le sens de sa vie entre les mains d'un improbable duo (étaient-ils trois maintenant?) qu'il n'aurait même pas remarqué s'ils s'étaient croisés dans la rue... ce n'était pas tout à fait vrai: l'obstination contenue de miss Temple l'aurait fait sourire, il aurait secoué la tête devant l'air de mystère qu'affichait Chang... et se serait contenté d'apprécier discrètement la robe très sage d'Éloïse Dujong. Mais il les aurait tous sous-estimés, persuadé d'ailleurs qu'ils lui auraient rendu la pareille, incrédules devant ses derniers exploits.

Ces divagations firent grimacer Svenson qui regarda le sang coagulé sur le côté de son uniforme. Mais qu'avait-il accompli en fin de compte? Qu'avait-il fait de toute sa vie? Il vivait dans la brume depuis la mort de Corinna... fallait-il qu'il laissât tomber ses compagnons d'infortune comme il l'avait abandonnée, elle?

Il était fatigué et c'était dangereux. Qu'allait-il faire? Il était là, devant la porte d'une chambre froide, entouré d'ennemis. Quelques crochets pendaient au-dessus de sa tête. Munis d'un petit manche en bois en forme de croix, ils servaient à manipuler les quartiers de viande. En fait, il suffisait d'en prendre un dans chaque main. Svenson en choisit deux et sourit: il avait l'impression d'être un pirate.

Quelque chose attira son regard et il baissa les yeux vers le duc... il n'avait pas bougé, le corps était toujours inerte et bleu. Mais ce n'était pas le bleu de la chair morte et prise dans la glace dont il avait eu plus que son compte lors de son service sur la Baltique. Non, c'était un bleu plus vif... plus bleu. Dans un élan de curiosité, Svenson se plaça derrière le duc, lui mit un crochet sous chaque bras et le hissa hors de la baignoire, jusqu'à ce qu'il pût voir la blessure. Quand elle se trouva hors de l'eau, il fut stupéfait de constater qu'on l'avait colmatée avec de l'argile indigo.

La porte de la pièce attenante s'ouvrit et, dans un sursaut, Svenson lâcha le corps qui replongea dans la baignoire en éclaboussant le plancher d'eau et de glace. La personne qui venait d'entrer à côté aurait sûrement entendu le bruit et constaté que la porte de la chambre froide était ouverte. Il libéra ses deux crochets. Le porte-documents! Où était-il? Il l'avait déposé par terre pour attraper les crochets. Il se maudit d'avoir été aussi bête, laissa tomber un des crochets dans la baignoire et s'empara du cartable au moment même où l'on commençait à ouvrir la porte. Svenson poussa la porte d'un coup d'épaule et entendit avec satisfaction le bruit mat de l'impact sur le corps de la personne qui se trouvait derrière. Un autre des hommes en noir était là qui titubait en arrière, les mains encombrées d'un sac de grosse toile rempli de glace pilée. Il tomba. Le sac se fendit et la glace se répandit sur le sol. Svenson chargea l'homme et lui marcha dessus, évitant ainsi de glisser sur la glace. Il ouvrit brutalement la porte battante en laissant une large trace rouge sur la peinture crème.

Il pénétra dans la cuisine: une table longue et large pour la préparation des repas, une cheminée énorme creusée à même la pierre, des fourneaux et des marmites, des casseroles et des ustensiles métalliques bien alignés. Attablé là, le docteur Lorenz, un manteau noir jeté sur les épaules, d'épaisses lunettes sur le bout du nez, lisait une feuille de parchemin couverte d'une écriture serrée. Sur un linge à côté de lui étaient étalés des instruments, des pics, des couteaux et de tout petits ciseaux pointus, tandis que de l'autre côté s'alignaient des flacons reliés les uns aux autres par des serpentins de distillation. Svenson aperçut un ceinturon jeté sur le dossier d'une chaise. Il contenait la réserve d'argile indigo raffinée que Lorenz avait extraite de la carrière.

Assis à la table qui se trouvait juste à côté de Svenson, un homme en noir fumait un cigare. Deux autres se trouvaient à côté de la cheminée et s'occupaient de divers récipients suspendus au-dessus du feu, à mi-chemin entre bouilloires et casques médiévaux, plus ou moins ronds, cerclés et boulonnés d'acier, munis de becs verseurs de métal brillant d'où sortait de la vapeur. Ces hommes portaient des gants épais en cuir. Sidérés, tous les quatre levèrent les yeux vers Svenson.

La peur et la fatigue se muèrent en fureur vengeresse, et Svenson – comme s'il avait fait cela toute sa vie – s'approcha de la table pour assener un coup violent à l'homme qui y était assis avant même que ce dernier pût lever le petit doigt. Le crochet se planta avec un bruit sinistre dans sa main droite, le clouant ainsi à la table. L'homme poussa un cri. Svenson lâcha le crochet et, d'un coup de pied, il renversa la chaise. Il laissa tomber le porte-documents et, en s'emparant de la chaise, frappa de toutes ses forces celui des hommes autour du feu qui s'élançait vers lui. La chaise retomba sur ses bras tendus et l'arrêta dans son élan. S'écartant avec des allures de torero, ou du moins telles qu'il se les imaginait, Svenson cogna encore, cette fois-ci à la tête et aux épaules. La chaise céda sous le choc et l'homme s'effondra. Le premier poussait encore des cris aigus. Lorenz réclamait toujours de l'aide en braillant. L'autre homme près du feu se rua sur Svenson. Le docteur se précipita vers une étagère remplie de casseroles derrière laquelle se trouvait un billot de boucher. Il était en train de l'empoigner quand il sentit les mains de l'homme s'agripper à sa veste. Il y avait là une rangée de couteaux, mais impossible d'en attraper un. L'homme le tira vers lui, le fit pivoter, puis lui envoya son coude dans la mâchoire. Svenson tomba le dos sur le billot en grognant. Il s'empara du manche d'un outil derrière lui et le brandit vers l'homme en même temps qu'il recevait un coup de poing dans l'estomac qui le plia en deux, mais le coup qu'il rendit fut assez fort pour faire reculer son adversaire. Le docteur leva les yeux, le souffle coupé. Il tenait un de ces gros maillets en bois que l'on utilise pour attendrir la viande et dont la tête est hérissée de pointes. Du sang perlait sur la tête de l'homme. Svenson donna un autre coup qui porta en plein sur l'oreille. L'homme s'affaissa.

Il se tourna vers Lorenz. L'autre homme était toujours cloué à la table, le visage livide, les traits tirés, et Lorenz fouillait furieusement dans son manteau en fusillant Svenson du regard. Si seulement il pouvait atteindre ce ceinturon ! Svenson se redressa et se dirigea vers la table en brandissant son maillet. L'homme à la main clouée le vit revenir et tomba à genoux en poussant un cri. Le visage de Lorenz se crispa et il trouva enfin ce qu'il cherchait : un petit pistolet noir ! Les deux médecins se regardèrent pendant un bref instant.

– Vous êtes tenace, un vrai pou ! siffla Lorenz.

– Vous êtes tous maudits, murmura Svenson, tous autant que vous êtes.

– Ridicule ! Parfaitement ridicule !

Lorenz tendit le bras et visa. Svenson jeta le maillet sur les flacons de verre qui volèrent en éclats, puis se jeta par terre. Lorenz poussa un hurlement de désespoir, non seulement de voir son expérience gâchée, mais aussi parce qu'il avait reçu des éclats de verre dans la figure. Sa balle siffla et s'enfonça dans la porte du fond. Svenson chercha à tâtons le porte-documents, le trouva et s'en empara. Lorenz fit feu une deuxième fois, mais Svenson eut la chance de trébucher sur une casserole, ce qui empira la douleur de sa cheville mais lui permit d'éviter la balle de justesse. Il parvint à la porte et fonça juste au moment où une troisième balle venait se ficher dans le bois au-dessus de sa tête. Il arriva dans le couloir, glissa et, lourdement, tomba assis par terre. Derrière lui, Lorenz meuglait comme un bœuf. Svenson se précipita de l'autre côté du couloir, vers un autre passage, dans l'espoir de tomber sur la salle des trophées... avant que sa tête empaillée n'y trouvât une place d'honneur.

Il claudiquait à l'aveugle dans le couloir sans portes, presque paralysé par l'anxiété, quand il se rendit compte de ce qu'il venait de faire : la barbarie de cette bataille, les mutilations soigneusement préméditées, les hommes qu'il avait fait tomber de la passerelle comme des pantins inanimés, les pauvres types qu'il avait assassinés à travers le miroir, et maintenant cette horrible boucherie dans la cuisine. Tout lui avait paru facile, il avait agi avec un savoir-faire de tueur chevronné, comme Chang. Mais il n'était pas Chang, il n'était pas un tueur : ses mains tremblaient et son visage était trempé de sueur. Il s'arrêta, s'appuya lourdement contre le mur, l'esprit soudainement hanté par l'image de la main de ce pauvre homme, clouée, remuant comme un poisson qu'on vient de pêcher et qui agonise hors de l'eau.

Le docteur Svenson eut un haut-le-cœur et chercha autour de lui une urne, un pot, une plante, mais ne trouva rien. Il sentit le goût âpre de la bile dans sa bouche et se força péniblement à ravaler. Il ne pouvait plus continuer ainsi, à donner de la bande, d'abordage en abordage, sans la moindre idée de ce qu'il cherchait vraiment. Il lui fallait s'asseoir, se reposer, pleurer, il avait besoin d'un peu de répit. Tout autour de lui résonnaient l'écho des préparatifs et la rumeur des invités, de la musique, des bruits de pas : la salle de bal devait être toute proche. Soulagé, il repéra une porte, petite, simple, ouverte, pria de toute sa foi ébranlée pour que la pièce fût vide et il s'y faufila.

Dans l'obscurité, il ferma la porte, s'écorcha le tibia, trébucha et fit un raffut d'enfer qui lui sembla s'éterniser. Puis il se figea et attendit... respira dans le silence et l'obscurité... pas d'autre bruit dans la pièce... et rien dans le couloir. Il souffla. Des manches en bois avaient causé tout ce bruit, des manches de lave-ponts, de balais... il se trouvait dans un placard à balais.

Le docteur Svenson posa prudemment le porte-documents et sonda tout autour de lui. Il sentit les étagères, dont celle qu'il avait heurtée, et prit bien garde de ne rien renverser d'autre. Ses doigts exploraient nerveusement, d'une étagère à l'autre, puis il repéra une boîte en bois, remplie d'objets cylindriques et lisses : des bougies. Il en sortit une, trouva une boîte d'allumettes sur l'étagère du dessous et alluma précautionneusement la mèche : son petit coin de mystère se transforma en un banal catalogue d'articles ménagers : savons, chiffons, cirage, seaux, lave-ponts, balais, cuvettes, tabliers, vinaigre, cire, bougies... il bénit la servante attentionnée qui avait laissé là un petit tabouret. Une servante vraiment très prévenante en effet car, dans le mur près de la porte, une petite chaîne fixée à un clou pouvait être glissée autour de la poignée et servir de verrou, mais seulement de l'intérieur du placard. Svenson serra la chaîne et remarqua que, près de la boîte d'allumettes, ceux qui avaient l'habitude de se servir de ce placard devaient poser leur chandelle, car l'étagère était couverte de cire fondue. Le docteur Svenson ferma les yeux et laissa la fatigue courber ses épaules. Si seulement la servante avait pu laisser un peu de tabac.

Il se connaissait assez pour savoir qu'il pouvait facilement s'endormir là. Il grimaça en se redressant et – comment faisait-il pour l'oublier sans cesse ? – il se souvint du porte-documents. Il l'ouvrit sur ses genoux et en sortit le contenu, une épaisse liasse de parchemin, couvert d'une écriture dense et fine. Il feuilleta la liasse de feuilles en les inclinant pour mieux les éclairer.

Il parcourut le document rapidement. Ce récit détaillé d'acquisitions et de combines venait manifestement de Robert Vandaariff. Svenson reconnut assez de noms et de lieux cités pour suivre cette géographie de la finance : des banques à Florence et à Venise, des courtiers habiles à Vienne et à Berlin, la traite des fourrures à Stockholm, puis des négociants de diamants à Anvers. Mais en lisant de plus près, à feuilleter les pages dans tous les sens afin de mieux comprendre la chronologie des faits (et pour déchiffrer les acronymes : par exemple, RLS signifiait Rosamonde di Lacquer-Sforza et non, comme il l'avait d'abord cru, *Rotterdam Liability Service*, le nom d'une importante compagnie d'assurances pour le transport de marchandises), il se rendit compte qu'il s'agissait d'un récit à deux trames : toute une campagne de pressions et d'acquisitions et toute une série d'individus invraisemblables, comme des îles dans un cours d'eau, choisissant chacun à leur façon comment faire circuler l'argent. Mais ce qui sauta surtout aux yeux du docteur, c'était les nombreuses références au duché de Macklenburg.

Il était clair que Vandaariff avait longuement négocié, ouvertement et par le biais de divers intermédiaires, pour acquérir des terres dans les montagnes du duché, en insistant toujours sur les droits d'exploitation du sous-sol. Svenson avait donc deviné juste lorsqu'il avait vu la terre rougeâtre de la carrière de Tarr Manor et qu'il en avait conclu que les montagnes de Macklenburg étaient encore plus riches en gisements d'argile indigo. Cela confirmait aussi que le minerai était une matière première dont Vandaariff connaissait les propriétés et l'usage. Et comme il l'avait pensé deux jours plus tôt, Vandaariff trempait de toute évidence dans cette affaire.

Petit à petit, le docteur Svenson retrouva les autres personnages importants de la cabale, et comprit comment chacun était entré dans le récit de conquête de Vandaariff. La Contessa était apparue par l'entremise du milieu de la spéculation à Venise, et par son intermédiaire, lord Robert, à la recherche de conseils discrets pour l'achat d'antiquités dans un monastère byzantin récemment découvert lors de fouilles à Thessalonique, avait rencontré le comte d'Orkancz à Paris. Mais c'était une couverture : en fait, il avait fait appel au comte pour qu'il examinât les propriétés d'un minerai que Vandaariff avait acquis en secret auprès des mêmes spéculateurs vénitiens. Toutefois, Svenson fut surpris de ne trouver aucune mention d'Oskar Veilandt, dont les travaux alchimiques semblaient avoir tant inspiré l'œuvre des conspirateurs. Était-il possible que Vandaariff eût connu Veilandt ? Ou que celui-ci fût à sa merci depuis si longtemps qu'il était inutile d'y faire allusion ? Ça ne tenait pas debout et Svenson chercha plus loin s'il était question de l'artiste, mais le récit s'orientait rapidement vers des histoires d'exploration et de diplomatie.

On y parlait de scientifiques et d'explorateurs de l'Institut royal également sollicités pour examiner les échantillons de minéraux, et des ressources de l'industrie utilisées pour certaines expériences de fabrication (c'est là qu'apparaissaient pour la première fois le docteur Lorenz et Francis Xonck). Puis on passait à Macklenburg et aux échanges discrets entre lord Vandaariff, Harald Crabbé et leur contact sur place, le frère cadet dyspeptique du duc, Konrad, évêque de Warnemünde. Mais bien sûr! s'esclaffa Svenson, les yeux au ciel.

Avec ces agents et sa fortune, les projets de lord Vandaariff avaient progressé sans embûches. Les scientifiques de l'Institut localisaient les gisements et Crabbé menait les négociations pour l'achat des terres avec Konrad qui servait d'agent aux aristocrates désargentés à qui elles appartenaient. Mais quelque chose lui disait qu'il y avait plus que cela, car au lieu de demander de l'or, Konrad vendait les terres contre des armes de contrebande fournies par Francis Xonck. Le frère du duc se préparait tout un arsenal pour contrôler Karl-Horst quand il hériterait. Cette astuce fit sourire Svenson. La cabale avait utilisé Konrad à son insu: avant tout, pour introduire une armée secrète qui, une fois qu'ils gouverneraient par l'entremise du fils que le prince allait avoir incessamment (et une fois qu'ils auraient bien sûr éliminé Konrad), leur servirait pour défendre leur investissement. Une invasion, par contre, aurait forcément provoqué un soulèvement. C'était précisément le genre de stratagème qui faisait la réputation de Vandaariff. Et au milieu de tout cela se trouvaient le comte et la Contessa. Car Svenson pouvait saisir ce que le financier lui-même n'avait pas compris: il s'imaginait – à tort – être l'architecte de toute cette affaire, bien qu'en réalité il n'en fût que le moteur. La Contessa et le comte avaient certainement tout mis en route dès le début en manipulant Vandaariff. Il ne voyait pas très bien quand ceux-ci s'étaient joints aux autres, s'ils s'étaient ligués avant ou après que Vandaariff les eût recrutés, mais il s'expliqua immédiatement pourquoi ils s'étaient tous mis d'accord pour s'en prendre à leur bienfaiteur: s'ils avaient laissé faire Vandaariff, c'est lui qui aurait décidé de leur part des bénéfices... Maintenant qu'il était à leur botte, toute sa fortune était à leur disposition.

Bien des questions subsistaient pourtant : pourquoi le nom de Veilandt n'apparaissait-il nulle part et comment la cabale avait-elle réussi à prendre l'avantage sur Vandaariff alors que, le soir des fiançailles, il était encore en pleine possession de ses moyens ? Trapping avait-il été tué parce qu'il avait menacé de révéler à Vandaariff ce qui l'attendait ? Dans ce cas, pourquoi est-ce que certains membres de la cabale semblaient ne pas savoir qui l'avait assassiné ? Ou alors, Trapping avait-il menacé de dévoiler à Vandaariff ce que le comte avait l'intention de faire subir à Lydia, si lord Robert ne le savait déjà ? Mais qu'importaient les états d'âme de Vandaariff s'ils avaient prévu d'en faire leur esclave à tout prix ? À moins que Trapping n'eût découvert autre chose, quelque chose qui aurait pu compromettre l'un des membres de la cabale aux yeux des autres ? Mais alors lequel, et quel pouvait être ce secret ?

Trop de noms, de dates, de lieux et de personnages se bousculaient dans la tête de Svenson. Il reprit le manuscrit. Tant de choses s'étaient passées à Macklenburg qu'il n'avait pas même soupçonnées. Les racines de la conspiration s'y étaient progressivement enfoncées ; la cabale avait accumulé propriétés et influences et, Svenson secouait la tête tout en lisant, s'était acharnée pour en acquérir davantage : il y avait eu des incendies, du chantage, des menaces, des assassinats même... depuis quand cela durait-il ? De toute évidence, depuis des années... il trouva également des allusions à des expériences « utiles à la fois à l'avancement de la science et à des considérations plus pratiques », par lesquelles des maladies avaient été répandues dans certaines zones où les propriétaires refusaient de vendre.

Le sang de Svenson se glaça quand il lut ces mots : « fièvre sanguine ». Corinna... était-il possible que ces gens soient responsables de sa mort ? Qu'ils aient tué des centaines de personnes... contaminé sa cousine... à seule fin de faire baisser le prix d'un terrain ?

Des bruits de pas se firent entendre dans le couloir. Svenson remit rapidement le manuscrit dans le porte-documents, en silence, et souffla la bougie. Encore des pas... Y avait-il aussi des voix ? de la musique ? Si seulement il savait où il se trouvait exactement dans le château ! Il étouffa un rire amer : si seulement il avait une arme chargée, si seulement son corps n'était pas aussi souffrant, aussi délabré...

cela revenait à souhaiter avoir des ailes! Le docteur Svenson tremblait… le danger immédiat… l'urgence de retrouver les autres… le prince… tout cela volait en éclats devant cette vérité à laquelle il ne pouvait plus échapper: ces gens avaient assassiné Corinna, sans s'en soucier le moins du monde, avec désinvolture, ils avaient assassiné sa très chère Corinna.

Il ne sentait plus son corps mais se trouvait comme suspendu au-dessus, il bougeait ses membres mais ne les habitait pas. Tant de temps passé à lutter, à fulminer contre la cruauté du destin et de la condition humaine… pour se rendre compte que tout ce malheur ne venait pas de la propagation aveugle d'une épidémie mais était directement issu de la volonté de quelques individus. Une main sur la bouche, le docteur Svenson étouffa un sanglot. On aurait pu tout éviter, rien de tel n'aurait jamais dû arriver.

Il s'essuya les yeux, frissonna et poussa un soupir. C'était trop dur à supporter. C'était certainement trop dur à supporter dans un placard. Il défit la chaîne, ouvrit la porte et sortit avant que ses nerfs ne craquent. Le couloir était rempli d'invités, masqués et vêtus de manteaux. Il croisa les regards d'un homme et d'une femme et leur sourit. Ils lui rendirent son sourire avec un mélange de politesse et de frayeur devant son aspect. Le docteur profita de ce moment pour les attirer vers lui d'un signe de la main. Ils s'arrêtèrent, alors que les autres continuaient à avancer vers la salle de bal. Il fit un autre signe de la main en prenant un air de conspirateur et en leur adressant un sourire engageant. L'homme s'avança vers lui, la femme lui tenait la main. Svenson fit encore un geste et l'homme s'éloigna de la femme pour s'approcher.

– Je vous demande pardon, chuchota Svenson, je suis au service du prince de Macklenburg qui, comme vous le savez sans doute, est le fiancé de miss Vandaariff. Un complot s'est tramé… on s'est battu… comme vous pouvez le constater, dit-il en montrant son uniforme.

L'homme acquiesça, mais il était évident que Svenson venait de lui fournir aussi bien une raison de s'enfuir que de lui faire confiance.

– Je dois retrouver le prince. Il est sûrement avec miss Vandaariff et son père. Mais je ne pourrai jamais y arriver dans une telle foule sans semer la panique, ce qui, je vous l'assure, serait extrêmement dangereux pour tous ceux qui sont concernés.

Il regarda autour de lui et baissa encore plus la voix.

– Peut-être des espions circulent-ils un peu partout…

– En effet! répliqua l'homme, visiblement soulagé d'avoir quelque chose à dire. Il paraît qu'ils en ont capturé un!

Svenson acquiesça d'un air entendu.

– Mais il y en a sans doute d'autres. Je dois absolument faire parvenir mon message. J'ose à peine vous le demander, mais pourriez-vous éventuellement me prêter votre manteau? Je ne manquerai pas de mentionner votre nom au prince, et à ses associés, bien sûr, le vice-ministre, le comte, la Contessa…

– Vous connaissez la Contessa? souffla l'homme en lançant un regard coupable à la femme qui l'attendait derrière.

– Oh! oui! sourit Svenson en se penchant vers l'oreille de l'homme. Aimeriez-vous que je vous la présente? Elle est d'un charme sans égal.

Revêtu du manteau noir qui cachait son uniforme, les taches de sang, de fumée, les traces de poussière orange, et arborant le masque noir qu'il avait retiré à Flaüss, le docteur se fondit dans la foule qui se dirigeait vers la salle de bal, se frayant un passage sans aucun ménagement pour ceux qui l'entouraient et répondant en allemand à la moindre plainte. Il leva la tête et aperçut au loin le plafond de la salle de bal, mais avant qu'il y parvînt, il entendit des murmures et, par-dessus, une voix aiguë et autoritaire:

– Ouvrez les portes!

La voix de la Contessa. On tira des verrous, puis tout à coup un murmure alarmé monta devant lui, là où les gens pouvaient voir ce qui se passait, suivi d'un silence, comme si la foule était mal à l'aise, intimidée. Mais qui était entré? Que se passait-il?

Il avança, fort peu soucieux des convenances, jusqu'à la salle de bal. Celle-ci était remplie d'invités qui le repoussèrent quand il entra, comme s'ils faisaient de la place pour quelqu'un au centre de la salle. Une femme cria, puis une autre. Leurs cris furent vite étouffés. Il se fraya un chemin à travers la foule visiblement perturbée jusqu'à un cercle de Dragons et, entre deux soldats vêtus de rouge, le sinistre visage du colonel Aspiche lui apparut. Le docteur Svenson détourna immédiatement le regard, mais aperçut, au centre du cercle, le comte d'Orkancz. Après maintes contorsions pour traverser la masse des invités, il s'arrêta net.

Le Cardinal était là, à quatre pattes, inconscient et bavant… Au-dessus de lui, une femme nue, telle une sculpture animée en verre bleu. Le comte la tirait par une laisse rattachée à un collier. Svenson cligna des yeux et déglutit. C'était la femme de la serre… Angélique!… ou du moins c'était son corps, sa chevelure… Svenson comprenait peu à peu ce que le comte avait fait pour en arriver là. Puis, désemparé, il revint au cardinal Chang qui devait être beaucoup plus désespéré qu'il ne l'était lui-même. Il était devenu une loque, sa peau pâle et luisante était maculée de sang et son manteau rouge vif était dans un état pitoyable. Le docteur regarda derrière Chang, en direction d'une estrade… tous ses ennemis y étaient alignés: la Contessa, Crabbé (mais, curieusement, pas Bascombe), Xonck, et Karl-Horst bras dessus, bras dessous avec la femme blonde de l'amphithéâtre: comme il l'avait craint, la cabale exploitait sans scrupules Lydia Vandaariff, victime elle aussi, comme son père.

Un autre murmure, comme le souffle d'une vague, traversa la salle, puis la foule s'écarta pour laisser passer deux autres femmes derrière Chang. La première, sobrement vêtue d'une robe foncée, portait un masque noir et un ruban dans les cheveux. Derrière elle, une femme aux cheveux châtains portait les tuniques de soie blanche. Miss Temple! En la voyant, Chang se redressa sur les genoux. La femme en noir arracha le masque du visage de miss Temple. Svenson en eut le souffle coupé. Les cicatrices du Procédé étaient gravées sur son visage. Elle ne dit rien. Du coin de l'œil, Svenson aperçut Aspiche qui brandissait une matraque, puis son bras retomba et Chang s'affaissa sur le sol. Aspiche fit un signe à deux Dragons et leur désigna la porte où étaient entrées les femmes.

On fit sortir Chang en le traînant par terre. Pas une seule fois, miss Temple ne le regarda.

Ses alliés étaient anéantis, l'un physiquement, l'autre mentalement, et, il fallait bien le reconnaître, aucun espoir de les guérir ne subsistait. Si miss Temple était leur prisonnière, qu'avaient-ils bien pu faire à Éloïse sinon la tuer ou la soumettre de la même façon? Si seulement il ne les avait pas abandonnées! Il avait échoué, encore une fois. Une suite de désastres. Le porte-documents… s'il pouvait le remettre entre les mains d'un autre gouvernement… au moins quelqu'un d'autre serait au courant. Mais au milieu de cette foule massée dans la salle de bal, Svenson le savait pertinemment, c'était là un espoir vain. S'évader de ce château, atteindre la frontière ou un bateau, voilà qui relevait du miracle... Voir le prince minauder sur l'estrade lui fut intolérable : s'il avait eu un pistolet, il lui aurait tiré dessus. Tuer le prince et un ou deux de ces traîtres, c'eût été assez... mais même ce geste sacrificiel lui était refusé.

La voix de la Contessa l'interrompit dans ses divagations.

– Ma chère Céleste, déclara-t-elle, que c'est merveilleux que vous... que vous soyez des nôtres. Mrs. Stearne, je vous remercie d'être arrivée à temps.

La femme en noir fit une révérence respectueuse.

– Mrs. Stearne ! cria le comte d'Orkancz de sa voix rauque, ne souhaitez-vous pas voir vos camarades qui ont été transmuées ?

L'homme fit un geste vers l'arrière et Svenson fut bousculé par les autres invités qui se contorsionnaient et tendaient le cou pour s'offrir le spectacle de deux autres femmes d'un bleu étincelant, nues et portant des colliers elles aussi. Elles avançaient lentement au vu et au su de tous, en faisant tinter leurs pieds sur le parquet. La chair de ces femmes brillait et laissait transparaître dans les profondeurs des striures d'un indigo plus sombre. Les deux femmes tenaient chacune une laisse enroulée dans une main et la tendirent au comte en s'approchant de lui. Quand il eut pris les laisses, elles fixèrent la foule avec une impassibilité glaciale. La femme qui se trouvait le plus près de Svenson... il déglutit... avait les cheveux brûlés au-dessus de la tempe gauche (avec un frisson de malaise, il se rendit compte qu'elle n'avait pas un poil sur le reste du corps). L'amphithéâtre, le pétrole... c'était miss Poole. Son corps frappait à la fois par sa beauté et son inhumanité : cette tension splendide à la surface, cette transparence à la fois vitreuse et douce. Svenson eut la chair de poule en la regardant, sans parvenir toutefois à s'en détacher, et il sentit avec dégoût le désir monter en lui. La troisième femme, même s'il était difficile de distinguer ses traits, ne pouvait être que Mrs. Marchmoor.

Le comte tira légèrement sur la laisse de miss Poole. Elle s'avança vers la femme en noir dont la tête se mit à dodeliner, ses yeux s'assombrirent et elle chancela. Que s'était-il passé ? Miss Poole se tourna vers la foule, du côté où se trouvait Svenson. Il se détourna de son regard étrange, avec l'impression d'être transpercé jusqu'aux os. Ses genoux se mirent à trembler et, pendant un instant terrible, la salle entière s'affaissa. Svenson était dans un salon sombre, assis sur un canapé... sa main, une main de femme, délicate, caressait les cheveux défaits de Mrs. Stearne et de l'autre côté, un homme masqué et vêtu d'un manteau se penchait pour embrasser celle-ci sur la bouche. Le regard de miss Poole (c'était son expérience à elle, comme dans les cartes de verre, ou les livres... en fait, elle était un livre vivant!) se tourna légèrement alors que, de son autre main, elle prenait un verre de vin. Elle portait une tunique de soie blanche comme celle de miss Temple, d'ailleurs les deux femmes portaient les mêmes tuniques d'initiation. Puis le salon disparut d'un seul coup et Svenson, de retour dans la salle de bal, lutta contre les premiers signes d'une nausée qui le prenait à la gorge. Tout autour de lui, les autres invités secouaient la tête, étourdis. Quelle façon incroyable de s'introduire dans l'esprit des gens! On retrouvait les effets des cartes de verre projetés sur une foule entière!

Le docteur Svenson essaya désespérément de donner un sens à tout cela: les cartes, le Procédé, les livres, et maintenant ces femmes, comme des Grâces diaboliques... il n'y avait pas de temps à perdre! Le Procédé, les livres pour faire du chantage et acquérir de l'influence, il pouvait comprendre. Après tout, il n'y avait rien là de très extraordinaire, même à une échelle aussi diabolique, mais ça... ça, c'était de l'alchimie et le mystère restait entier. Et puis comment pouvait-on choisir de se livrer à une telle... une telle... abomination!

Le comte parlait à Mrs. Stearne et à la Contessa, et c'était la Contessa qui répondait, mais il ne parvint pas à entendre ce qu'ils disaient. La vision qu'il venait d'avoir le perturbait encore. Svenson tituba en arrière et vit que tout le monde autour était dans le même état que lui. Il se retourna pour se frayer un chemin à travers la foule, loin de ses ennemis, loin de miss Temple. Il avait fait à peine quelques pas lorsque son esprit fut assailli par une autre vision... une vision de lui-même!

Il était à Tarr Manor, devant miss Poole dans l'escalier de la carrière, Crabbé se sauvait, des hommes couraient derrière le docteur, paraient ses faibles coups, le soulevaient à bout de bras et le jetaient par-dessus la rampe. Encore une fois, il était plongé dans l'expérience de miss Poole qui regardait sa propre déroute! Une expérience tellement immédiate qu'il sentait dans ses nerfs le léger frisson d'amusement que ressentait miss Poole devant ses efforts pitoyables.

Svenson haleta en reprenant conscience, à quatre pattes sur le parquet. Les gens autour de lui s'éloignaient pour lui faire de la place. C'était ce qui était arrivé à Chang. Elle l'avait senti dans la foule. Il essaya de se lever en vitesse, mais des mains l'obligèrent à se diriger vers le centre de la salle.

Il glissa de nouveau, puis s'effondra en agitant le porte-documents. C'était fini. Et pourtant… il lutta pour réfléchir encore, pour ignorer le reste, il entendait des cris, des bruits de pas… mais le docteur secouait la tête, il tenait bon, s'accrochait à… à… ce qu'il venait tout juste de voir ! Dans la première vision de miss Poole, celle où l'on voyait Mrs. Stearne, l'homme sur le canapé, c'était Arthur Trapping, le visage marqué par les cicatrices du Procédé. C'était un souvenir de la soirée de sa mort. Une demi-heure avant son assassinat… et alors que miss Poole tournait la tête pour prendre un verre de vin, Svenson avait aperçu un miroir sur le mur du fond… et dans ce miroir, tapie dans l'ombre d'une porte entrouverte… la silhouette reconnaissable entre toutes de Roger Bascombe.

Il ne put s'en empêcher : il se retourna, désespéré, vers miss Temple dont le regard neutre et indifférent lui brisa le cœur. Aspiche lui arracha le porte-documents des mains, l'envoya à terre d'un coup de matraque, et ses Dragons s'emparèrent du docteur Svenson pour le traîner sans plus de cérémonie vers la mort.

CHAPITRE 10

L'HÉRITIÈRE

Le comte d'Orkancz conduisit les trois femmes par le passage sombre qui menait à l'amphithéâtre. Miss Temple trouva la salle aussi sinistre que dans son souvenir. Son regard tomba sur la table vide, les courroies qui pendaient, les caisses qui s'empilaient dessous et dont certaines, ouvertes, laissaient échapper des lambeaux de feutre orange.

La panique lui coupa les jambes. Le comte l'avait conduite par l'épaule, de sa poigne de fer, et il s'assura que les deux soldats le suivaient bien avant de la confier à Mrs. Stearne. Celle-ci s'avança, prenant fermement par la main miss Temple et miss Vandaariff, toutes deux vêtues de blanc. Malgré sa profonde colère, miss Temple se surprit à lui presser la main. Elle parvint à ne pas la regarder, mais elle était terrorisée. Le comte déposa son casque monstrueux sur le matelas qui recouvrait la table, un matelas en coton taché de rouille. Ou était-ce des taches de sang ? Et il se dirigea vers l'immense tableau noir. À grands coups de craie, il inscrivit en capitales : « ET AINSI ILS RENAÎTRONT À LA VIE ». Cette écriture lui était familière, miss Temple l'avait remarquée lors de sa première visite, mais elle l'avait vue aussi ailleurs que sur ce tableau. Elle se mordit les lèvres. Impossible de rassembler ses souvenirs.

Le comte lâcha sa craie et se retourna.

– Miss Vandaariff passera en premier, annonça-t-il d'une voix rocailleuse, elle a un rôle à jouer dans la célébration et doit donc être suffisamment remise de son initiation. Je vous promets, ma chère, que ce ne sera que le premier des très nombreux plaisirs de cette soirée de fête.

Miss Vandaariff fit de son mieux pour sourire. Quelque temps plus tôt, elle était encore relativement gaie, mais l'aspect sinistre de la salle et les manières sévères du comte avaient réveillé ses inquiétudes. Miss Temple pensa d'ailleurs qu'ils auraient le même effet des statues de marbre.

– Je ne connaissais pas l'existence de cette pièce, s'étonna Lydia Vandaariff d'une voix fluette. Bien sûr, les pièces sont si nombreuses dans cette maison, et mon père… mon père… est si occupé…

– Il ne savait certainement pas que vous vous intéressiez à la science, Lydia, dit Mrs. Stearne en souriant. Il y a sûrement des tas d'autres pièces que vous ne connaissez pas.

– J'imagine.

Miss Vandaariff hocha la tête. Elle scruta les tribunes vides, fut prise d'un hoquet et se mit la main devant la bouche.

– Il y aura des spectateurs ?

– Bien sûr, répondit le comte. Vous faites figure d'exemple. Votre vie a été consacrée au service de votre père. Ce soir, vous servez d'exemple pour notre œuvre, pour votre futur mari mais, beaucoup plus important encore, pour vous-même. Comprenez-vous ?

Elle secoua la tête docilement pour signifier que tout cela lui échappait.

– C'est encore mieux ainsi, rétorqua-t-il, mais je vous l'assure, vous finirez par comprendre...

Le comte fouilla sous son tablier en cuir pour trouver sa montre de gousset. Il plissa les yeux et la remit en place.

– Mrs. Stearne, voulez-vous vous éloigner avec miss Vandaariff ?

Miss Temple respira profondément pour reprendre courage quand Caroline lui lâcha la main et accompagna Lydia près de la table. Le comte fit un signe de tête aux soldats de Macklenburg qui se trouvaient derrière elle.

Avant que miss Temple pût faire un geste, les hommes s'élancèrent pour la tenir et ils la soulevèrent si bien qu'elle se retrouva sur la pointe des pieds. Le comte retira ses gants et les envoya l'un après l'autre dans son casque en cuivre.

– Quant à vous, miss Temple, lança-t-il d'un ton autoritaire et menaçant, vous allez attendre que miss Vandaariff ait subi son initiation. Vous allez assister au spectacle et vous en serez effrayée, car il me semble que vous vous êtes perdue dans cette affaire. Vous allez m'appartenir. Pire encore, et je vous en avertis dès maintenant pour que vous puissiez en être parfaitement consciente, ce don que vous me faites de votre autonomie, vous le ferez de votre plein gré, avec bonheur... avec reconnaissance. Quand vous penserez à votre entêtement et à vos gestes de ces derniers jours, vous les considérerez comme des facéties d'enfant... comme un comportement de caniche désobéissant. Vous aurez honte. Croyez-moi, miss Temple, dans cette salle, vous renaîtrez repentante et sage ou vous mourrez.

Il la regarda dans les yeux. Miss Temple ne répliqua pas.

Le comte grommela et attrapa encore une fois sa montre. Il fronça les sourcils et la remit dans sa poche sous le tablier de cuir.

– On a entendu du tapage dans le vestibule…, commença Mrs. Stearne.

– Je le sais, gronda le comte. Néanmoins, ce… retard… les adeptes que nous avons pressentis savent désormais qu'ils devront attendre. Je commence à croire que nous aurions dû vous envoyer vous…

Il se retourna en entendant un bruit de porte venant de l'autre passage en pente et s'y dirigea.

– Avez-vous une petite idée de l'heure, madame ? rugit-il dans l'ombre.

Puis il revint vers la table et s'accroupit parmi les caisses qui se trouvaient dessous. Sortant de l'ombre derrière lui, une jeune femme bien faite et souriante apparut. Elle avait des cheveux bruns bouclés, un visage rond, un sourire plein d'enthousiasme ; elle portait un masque en plumes de paon et une robe claire et chatoyante, couleur de miel, rehaussée d'une frange argentée autour de la poitrine et au bord des manches. Dans ses bras nus, elle tenait une série de flasques en métal. Miss Temple était persuadée de l'avoir déjà vue, c'était décidément une soirée de soupçons ininterrompus, et soudain elle se souvint : c'était miss Poole, la troisième femme du fiacre qui les avait conduites à Harschmort. C'est elle qui avait été initiée ce soir-là.

– Mon Dieu ! monsieur le comte ! s'exclama miss Poole joyeusement. Je me rends parfaitement compte de l'heure qu'il est et pourtant je vous assure qu'il était impossible d'éviter ce retard. Notre affaire s'est dangereusement prolongée…

Elle se tut quand elle aperçut miss Temple.

– Qui est cette femme ? s'enquit-elle.

– Céleste Temple… Je pense que vous vous êtes déjà rencontrées, répondit le comte. Comment, « prolongée » ?

– Je vous expliquerai plus tard.

Miss Poole désigna miss Temple du regard pour indiquer sans trop de subtilité qu'elle préférait ne pas parler ouvertement de son retard en sa présence, puis elle se retourna pour saluer Mrs. Stearne d'un geste enfantin de la main.

– Qu'il me suffise de vous dire que j'ai dû changer de robe… cette poudre orange, je vous jure… mais avant que vous ne m'incendiiez, laissez-moi aussi vous assurer que je n'ai pas mis à me changer plus de temps qu'il en a fallu à Lorenz pour préparer votre précieuse argile.

Elle tendit les flasques au comte, puis s'éloigna pour rejoindre miss Vandaariff à qui elle adressa un sourire rayonnant.

– Lydia! s'exclama-t-elle en saisissant les mains de l'héritière sous le regard attentif de Mrs. Stearne.

– Oh! Elspeth! s'écria miss Vandaariff, je suis allée à l'hôtel vous rendre visite.

– Je le sais, ma chère, et je suis absolument désolée, car j'ai dû partir pour la campagne.

– Mais j'ai été si malade!

– Pauvre chérie! Margaret était là, non?

Miss Vandaariff acquiesça sans mot dire puis se mit à renifler, comme pour dire qu'être calmée par les soins de Margaret n'était pas ce qu'elle préférait; miss Poole le savait bien.

– À vrai dire, c'est miss Temple qui est arrivée la première, remarqua Mrs. Stearne assez froidement. Elle s'est entretenue un moment avec Lydia avant que Mrs. Marchmoor puisse intervenir.

Sans répondre, miss Poole toisa miss Temple, cherchant à jauger son adversaire. Miss Temple lui rendit son regard condescendant et se rappela leur petite dispute dans le fiacre: c'était bien dans l'œil de miss Poole qu'elle avait enfoncé son doigt et elle comprit que, malgré le Procédé, cette humiliation avait dû marquer l'esprit de cette femme comme la cicatrice laissée par un coup de fouet. Pour le reste, miss Poole était de ces gens toujours de bonne humeur, de ceux dont miss Temple évitait la compagnie, car c'était pour elle trop de guimauve d'un coup. Il lui semblait que le caractère de Mrs. Marchmoor, hautaine et tragique, ou celui de Mrs. Stearne, attentive et réservée, s'était forgé à partir des épreuves de la vie, tandis que la gaieté artificielle de miss Poole relevait à l'évidence du déni. Et, pour miss Temple, c'était d'autant plus abject que, si la jeune femme se montrait très amicale avec Lydia, c'était pour mieux lui faire avaler leur abominable philtre.

– Eh oui, Lydia et moi, nous nous sommes fort bien entendues, commenta miss Temple, je lui ai appris à pocher l'œil des petites écervelées qui ne savent pas rester à leur place!

Le sourire de miss Poole se figea sur ses lèvres. Elle se retourna vers le comte qui s'affairait dans ses caisses, avec ses flasques et son fil de cuivre, puis cria à Mrs. Stearne, suffisamment fort pour que tous pussent entendre :

– Vous avez manqué bien des choses intéressantes chez monsieur Bascombe, ou chez lord Tarr, devrais-je dire. Notre retard s'explique en partie parce que nous avons fait prisonnier le médecin du prince, le docteur... comment s'appelle-t-il déjà ?... C'est un drôle de type. Il est tout à fait mort à l'heure qu'il est. Ce qui nous a retardés aussi, c'est l'une des nôtres. Sa réaction au livre de verre a été négative mais pas fatale, et tout cela a fini, comme je vous le disais, par causer des problèmes assez importants... mais le docteur Lorenz est convaincu que tout pourra s'arranger.

Elle se tourna encore une fois vers le comte. Il avait fini ce qu'il était en train de faire et écoutait, le visage impassible. Miss Poole fit comme si de rien n'était et elle continua à s'adresser à Mrs. Stearne, un sourire narquois au coin des lèvres.

– Le plus drôle, Caroline, et vous serez particulièrement intéressée de le savoir, c'est que cette Éloïse Dujong est la préceptrice des enfants d'Arthur et Charlotte Trapping.

– Je vois, répliqua Caroline prudemment, comme si justement elle ne voyait pas très bien ce que signifiait la remarque de miss Poole. Et qu'est-il arrivé à cette femme ?

Miss Poole désigna d'un geste le passage derrière elle.

– Eh bien, elle attend dans la pièce voisine ! Monsieur Crabbé a eu l'idée de mettre à profit cette résistance si fougueuse, je l'ai donc amenée ici pour qu'elle subisse l'initiation.

Elle regardait maintenant le comte, satisfaite de lui donner des nouvelles qu'il ignorait.

– Cette femme était-elle une intime des Trapping ? s'enquit-il.

– Oui, et des Xonck également, répondit miss Poole. C'est Francis Xonck qui l'a attirée à Tarr Manor.

– A-t-elle fait des révélations ? Sur la mort du colonel ou... ou sur...

Avec une réticence inhabituelle, le comte fit un signe de tête en direction de Lydia.

– Pas que je sache, mais, bien sûr, c'est le vice-ministre qui l'a interrogée en dernier.

– Où est passé monsieur Crabbé ? demanda-t-il.

– En fait, c'est avec le docteur Lorenz que vous devriez vous entretenir en premier lieu, monsieur le comte, car les dégâts causés par cette femme sont tels, si vous vous souvenez qui était présent à Tarr Manor, qu'il sera certainement content d'avoir votre avis.

– Vraiment ? répondit le comte sur un ton hargneux.

– Certainement, et de toute urgence, répondit-elle en souriant. Si seulement vous aviez le don d'ubiquité, monsieur. On vous réclame sur tant de fronts ! Je vous le promets, je soutirerai des renseignements à cette dame, car, vraiment, il semble bien que bon nombre de gens aient désiré la mort du colonel.

– Pourquoi dites-vous une chose pareille, Elspeth ? demanda Caroline.

– Je ne fais que répéter ce qu'en dit le vice-ministre, répondit miss Poole sans cesser de regarder le comte. En raison de ses contacts avec tant de milieux différents, le colonel était bien placé pour découvrir... certains secrets.

– Mais tout le monde ici fait partie du même camp, rétorqua Caroline.

– Et pourtant, le colonel est mort.

Miss Poole se tourna vers Lydia qui écoutait leur conversation avec un demi-sourire un peu embarrassé.

– Et quand il s'agit de secrets... qui peut dire ce que l'on ne sait pas ?

Le comte se saisit tout à coup de son casque et de ses gants, ce qui l'obligea à s'approcher de miss Poole qui, malgré elle, recula d'un pas.

– Vous procéderez d'abord à l'initiation de miss Vandaariff, grommela-t-il, ensuite à celle de miss Temple. Puis, si vous en avez encore le temps, et à cette seule condition, vous vous occuperez de la troisième femme. Ce ne sont pas les initiations en soi qui ont le plus d'importance. Ici, votre objectif premier est d'informer l'assistance de nos travaux.

– Mais le vice-ministre..., commença miss Poole.

– Cela ne vous regarde pas. Mrs. Stearne, venez avec moi.

– Monsieur ?

Mrs. Stearne, à l'évidence, avait pensé rester dans l'amphithéâtre.

– Des choses plus importantes nous attendent, siffla-t-il en se retournant tandis que deux hommes portant tabliers en cuir et casques en cuivre faisaient leur entrée, traînant entre eux une femme qui ne tenait pas sur ses jambes.

– Miss Poole, vous vous adresserez à l'assistance, mais gardez-vous d'actionner les machines.

Puis, en direction des tribunes du haut, il cria :

– Ouvrez les portes !

Il fit volte-face et en un instant il avait disparu dans l'obscurité du passage en pente.

Avec une touche d'inquiétude, Mrs. Stearne regarda miss Temple et Lydia, puis le visage souriant et la silhouette fière de miss Poole, laquelle avait, du moins à son avis, usurpé sa place.

– Nous aurons certainement des choses à nous dire un peu plus tard, susurra miss Poole.

– Certainement, répliqua Mrs. Stearne en emboîtant le pas au comte.

Miss Poole fit alors signe aux deux hommes du comte. Au-dessus d'eux, on avait ouvert les portes, et des gens commençaient d'affluer dans les tribunes, murmurant pour commenter ce qu'ils voyaient sur l'estrade.

– Nous allons installer Lydia sur la table, messieurs.

Tout au long de l'épreuve terrible que miss Vandaariff eut à subir, les deux soldats de Macklenburg retinrent miss Temple très fermement entre eux. Miss Poole lui avait enfoncé de la ouate dans la bouche. Elle avait bien essayé de déplacer le coton avec sa langue, mais elle n'était parvenue qu'à repousser des lambeaux de son bâillon vers le fond de sa gorge et elle craignait maintenant de les avaler et de s'étouffer. Elle se demandait si cette femme nommée Dujong avait rencontré le docteur Svenson. En pensant à ce pauvre homme si aimable, miss Temple versa une larme et essaya de ne pas sangloter : il ne fallait pas que son nez fût bouché ou elle ne pourrait plus respirer du tout. Le docteur... mort à Tarr Manor. Elle ne comprenait pas... Roger était dans le train pour Harschmort, il n'était pas à Tarr Manor. Quel intérêt pour quiconque de se rendre là-bas ? Elle repensa à la carte de verre dans laquelle Roger et le vice-ministre étaient en grande conversation dans une voiture à cheval... Elle avait supposé qu'on avait attiré Roger en lui promettant Tarr Manor. Mais était-il possible que ce fût l'inverse ?... que la nécessité de prendre possession de Tarr Manor les eût conduits à enrôler Roger ?

Mais une autre pensée vint perturber miss Temple... les dernières scènes de la carte... une porte blindée et une salle au plafond très haut... l'homme aux larges épaules penché au-dessus d'une table, sur la table, une femme... c'est cette carte de verre qui venait du colonel Trapping. L'homme au-dessus de la table, c'était le comte. Et la femme… Miss Temple ne savait pas qui elle était.

Ces pensées l'envahissaient alors que lui parvenaient les cris étouffés de Lydia, les bruits stridents de la machine et cette odeur vraiment insupportable. Miss Poole se tenait un peu en contrebas par rapport à la table et elle décrivait les étapes du Procédé à son auditoire comme s'il s'agissait de la recette d'un somptueux festin. Pourtant, à tout instant, le dos arqué de Lydia, la crispation de ses doigts, son visage écarlate, ses feulements d'animal au paroxysme de la douleur démentaient le sourire enthousiaste de l'oratrice. Au grand dam de miss Temple, les spectateurs murmuraient et applaudissaient chaque moment important, comme ils l'auraient fait devant un numéro de cirque. Savaient-ils qui souffrait le martyre devant eux, cette beauté qui pouvait rivaliser avec toutes les reines, vedette de la presse mondaine, héritière d'un empire immense ? Tout ce qu'ils voyaient, c'était une femme qui se tordait de douleur, et une autre qui prétendait le contraire. Miss Temple eut le sentiment que la vie entière de Lydia Vandaariff pouvait se résumer ainsi.

Quand tout fut fini, miss Temple s'accabla de reproches. Elle n'aurait certainement pas réussi à se libérer des deux soldats mais, elle en était sûre, pendant ces instants de chaos, elle aurait eu une chance de s'enfuir. Mais en fait, dès que les hommes du comte eurent détaché Lydia et que, de son ton mielleux, miss Poole commença allègrement à chuchoter à l'oreille de la jeune fille désormais détruite, les soldats reculèrent et soulevèrent miss Temple pour la mettre à sa place. Elle se débattit en donnant des coups de pieds, mais on eut tôt fait de la maîtriser. En quelques secondes, elle se retrouva sur le dos, sentant sous elle le matelas encore chaud et trempé de la sueur de Lydia, les sangles bien serrées autour de ses hanches, de son cou et de sa poitrine, les membres solidement attachés. La table était inclinée pour que l'assistance pût voir tout son corps, mais miss Temple, elle, ne pouvait distinguer que la lueur des lampes à pétrole et une multitude de visages anonymes dans l'ombre, aussi indifférents à sa situation qu'une foule affamée devant le sort de l'animal que l'on va abattre.

Elle regarda fixement Lydia alors que miss Poole interrogeait sans ménagements la jeune femme qui titubait, le visage luisant de sueur, les cheveux plaqués sur la nuque, les yeux dans le vague, la bouche molle. En tremblant, miss Temple pensa à sa courte vie de rebelle, qui avait vu défiler les gouvernantes et les tantes, les rivales et les prétendants, les Bascombe, les Poole, les Marchmoor... Elle allait maintenant rejoindre leurs rangs, une fois qu'on lui aurait arraché ses épines, que sa rapidité d'esprit serait mise à leur service, que sa volonté serait placée sous leur joug comme un animal de trait labourant la terre de son maître.

Mais n'était-ce pas ce qu'elle avait voulu ? Miss Temple était perspicace : le Procédé avait donné à Mrs. Marchmoor et à miss Poole une véritable liberté. Elle ne doutait pas un instant qu'il donnerait à Lydia Vandaariff une volonté de fer. Même Roger – elle gémit dans son bâillon quand le visage de cet homme lui apparut en pensée – avait toujours été coincé par cette timidité propre à ceux qui ont peur et n'osent aller au bout de leurs désirs. Le Procédé ne faisait pas d'eux des gens avisés – elle n'avait qu'à se souvenir de l'incapacité de Roger à faire le lien entre la femme qu'elle était devenue et sa fiancée d'autrefois –, mais il les rendait coriaces. Miss Temple s'étouffa encore une fois quand la ouate qu'elle avait dans la bouche s'enfonça un peu plus dans sa gorge. Elle, elle était déjà coriace. Nul besoin de toutes ces simagrées, et si elle avait possédé la force physique des hommes et la cravache de son père, ces scélérats seraient déjà tous à genoux devant elle.

Miss Temple se rendit aussi compte, en écoutant vaguement le discours de miss Poole, qu'en fait l'essentiel de leur lutte pouvait se résumer à quelques rêves. On avait sorti Mrs. Marchmoor d'un bordel, Mrs. Stearne du vide de son veuvage, et on avait libéré miss Poole de l'espoir enfantin d'épouser le meilleur parti du monde... Tout cela, bien sûr, elle le comprenait. Ce qu'en revanche ils ne comprenaient pas, eux – ce que personne en fait n'avait jamais compris, à commencer par la furie qui lui servait de père, en passant par sa tante, Roger, le comte, la Contessa –, c'était ce qu'elle désirait, elle, ses rêves dorés de soleil, ses rêves de bruine, ses rêves au goût de sel. Elle pensa aux fragments de l'*Annonciation*, aux sinistres tableaux d'Oskar Veilandt, à l'expression étonnée sur le visage de Marie, aux mains luisantes et bleues, aux ongles de cobalt s'enfonçant dans sa chair généreuse... Elle savait bien que ses désirs à elle, même s'ils s'enflammaient devant l'image crue de cette relation physique, étaient d'une autre trempe... ses couleurs à elle... les pigments de ses désirs... existaient bien avant qu'un artiste ne s'en mêlât... les minéraux effrités venant du fond des âges, les sels bruts, les plumes, les os, les coquillages suintants d'encre pourpre posés sur la table et fleurant encore la marée.

Ainsi parlait le cœur de miss Temple, et ses battements puissants avaient chassé la peur. Ce qu'elle ressentait désormais ressemblait plutôt à de la rage. Elle savait qu'elle ne mourrait pas, car ce qu'ils voulaient, c'était corrompre, comme s'ils sautaient l'étape de la mort pour passer à la lente décomposition de son âme, puisqu'ils allaient ici même introduire de la vermine dans son esprit. Elle allait résister. Elle se battrait. Elle allait rester elle-même et elle les tuerait tous! Elle tourna vivement la tête sur le côté quand elle vit surgir l'un des assistants du comte au-dessus d'elle. Il remplaça son masque blanc par les grosses lunettes cerclées de métal qu'il serra jusqu'à ce que la bordure de caoutchouc noir adhère bien à sa peau. Elle gémit dans son bâillon, parce que le métal glacial s'enfonçait dans sa chair.

D'un instant à l'autre, les fils de cuivre allaient conduire le courant. Sachant que le supplice était pour bientôt, miss Temple en était réduite à remuer la tête en se disant avec toute la force de sa volonté que Lydia Vandaariff était une mauviette, que, pour elle, ce ne serait pas difficile du tout, qu'il lui faudrait seulement se débattre et crier, non parce qu'elle y était contrainte, mais pour leur faire croire qu'ils avaient réussi à la soumettre.

Deux soldats amenèrent cette miss Dujong dans l'amphithéâtre, effondrée et sans réaction, et ils la déposèrent sur le sol. La malheureuse avait été emmaillotée dans une tunique blanche, mais ses cheveux pendaient devant son visage, et miss Temple ne pouvait avoir une idée ni de son âge ni de sa beauté. Elle gémit une fois encore dans son bâillon et tira sur les sangles.

Ils n'appuyèrent pas sur l'interrupteur. Elle les maudit de s'amuser ainsi d'elle. Ils allaient tous mourir. Ils seraient tous punis. Ils avaient tué Chang. Ils avaient tué Svenson. Mais ils ne s'en sortiraient pas comme ça... miss Temple ne leur permettrait pas de...

Les sangles qui entouraient sa tête étaient attachées solidement, mais pas suffisamment serrées pour qu'elle n'entendît pas les coups de feu... puis les cris de colère de miss Poole... puis encore quelques coups de feu, puis le ton de miss Poole qui passait de l'indignation à la peur. Mais tout cela disparut dans un fracas énorme et dans un chœur de cris beaucoup plus forts encore… puis elle sentit une odeur de brûlé, et la chaleur d'une flamme, oui, c'était bien une flamme, sur ses pieds nus ! Elle ne pouvait ni parler ni bouger et les verres épais de ses grosses lunettes ne lui permettaient pas de distinguer le plafond qui semblait s'assombrir. Que se passait-il avec l'éclairage ? Le toit était-il en train de s'effondrer ? Les « coups de feu » qu'elle avait entendus avaient-ils fait céder les poutres d'un plafond en mauvais état ? La chaleur devenait plus intense à ses pieds. Allaient-ils l'abandonner et la laisser brûler vive ? Si elle faisait semblant d'être blessée, ils ne la tiendraient pas aussi fermement et elle pourrait s'enfuir… Mais qu'adviendrait-il si ses ravisseurs avaient déjà tous pris la fuite en l'abandonnant aux flammes ?

Elle sentit une main qui tâtonnait le long de son bras, et se tordit pour pouvoir la saisir, peu importe qui cela pouvait être… elle ne pouvait pas tourner la tête et elle n'y voyait rien, car la fumée s'épaississait… elle serra ce bras… il fallait qu'ils la libèrent… il le fallait ! Elle essayait de recroqueviller les pieds pour éviter les flammes et se retint de crier. Le bras qu'elle avait saisi se dégagea et son cœur chavira mais, un instant plus tard, elle sentit que des mains cherchaient à détacher les sangles. Elle était vraiment idiote ; comment espérait-elle qu'on la libère si elle retenait ce bras ? Enfin, la courroie se relâcha et elle put dégager ses mains. Son sauveur s'affaira à lui libérer les pieds et, presque par réflexe, miss Temple jeta ses mains sur son masque et trouva l'écrou qui le retenait car elle avait senti l'endroit où on l'avait serré. Elle s'égratigna les doigts en le retirant. Elle enleva les grosses lunettes, saisit une pleine poignée de fils de cuivre et s'assit en brandissant devant elle tout cet attirail comme un fléau médiéval, prête à le faire tomber sur la tête du fonctionnaire tout à coup rappelé à l'ordre par sa conscience et qui avait pensé à la sauver.

Il avait défait toutes les courroies, et elle sentit les mains de cet homme se faufiler sous ses jambes et derrière son dos pour la soulever de la table et la mettre sur ses pieds. Miss Temple grommela devant tant d'impudence, la tunique de soie aurait aussi bien pu être sa chemise, c'était là une familiarité tout à fait déplacée, quelles que soient les circonstances… D'une main, elle s'apprêta à frapper avec les grosses lunettes, dont dépassaient toutes sortes de boulons qui pouvaient en faire une arme redoutable, de l'autre, elle retira le bâillon trempé qu'elle avait dans la bouche. La fumée était dense. À l'autre bout de la table, des flammes vacillaient, une ligne de flammes orange séparait l'estrade des tribunes et, plus loin, bloquait l'un des passages en pente d'où parvenaient des cris. Elle y distingua des silhouettes qui se dessinaient dans l'obscurité. Elle respira une bouffée d'air vicié et toussa. Son sauveur avait une main autour de ses hanches, et son épaule était tout près. Elle visa la nuque.

— Par ici ! Est-ce que vous pouvez marcher ?

Miss Temple s'arrêta dans son élan… cette voix… elle hésita… puis il la déposa au-delà du rideau de fumée. Elle ouvrit grand les yeux, à la fois surprise par l'homme qui se tenait en face d'elle et par l'état pitoyable de sa mise, un peu comme s'il était passé par l'enfer pour la retrouver.

— Est-ce que vous pouvez marcher ? redemanda Svenson en hurlant.

Miss Temple lui fit signe que oui en lâchant ses lunettes. Elle lui aurait sauté au cou s'il ne lui avait pas poussé le bras pour lui montrer l'autre femme – comment s'appelait-elle déjà, Dujong ? – venue de Tarr Manor et qui gisait maintenant, recroquevillée le long du mur incurvé de l'amphithéâtre, avec le manteau du docteur Svenson sur les jambes.

— Elle, elle ne peut pas, cria-t-il au-dessus du ronflement des flammes. Nous devons l'aider !

La femme leva les yeux vers eux tandis que le docteur la prenait par un bras, et miss Temple, par l'autre. Ils la relevèrent en trébuchant. Miss Temple restait méfiante et un tantinet agacée face à cette nouvelle alliée – heureusement, elle était déjà capable de se mouvoir et de murmurer quelque chose à l'intention de Svenson. Miss Poole n'avait-elle pas parlé de cette femme en disant que Francis Xonck l'avait attirée dans l'affaire ? N'était-elle pas une de leurs adeptes qui possédait des informations privilégiées ? S'il y avait quelque chose que miss Temple voulait éviter, c'était bien la compagnie de ce genre de personne. Elle n'apprécia pas non plus l'air soucieux du docteur alors qu'il passait la main dans les cheveux de cette femme pour dégager son visage couvert de sueur. Derrière eux, elle entendit des bruits de pas et des chuintements, des seaux d'eau que l'on jetait sur les flammes, puis elle toussa à cause de la vapeur et de la fumée qui tourbillonnaient. Le docteur se pencha au-dessus de miss Dujong pour crier à miss Temple :

– …Chang… Une machine… les… Dragons… ne… pas… les livres de verre !

Miss Temple hocha la tête, mais même en dehors du vacarme, elle n'arrivait pas à comprendre ce qu'il lui disait, trop de sensations l'assaillaient, elle marchait sur du métal brûlant et du bois cassé, une main sous le bras de la femme et l'autre devant elle, cherchant à s'orienter dans l'obscurité. Pourquoi toute cette obscurité ? De toute la lumière, il ne restait plus qu'une tache orangée, comme une faible lumière d'hiver qui n'arrive pas à percer le brouillard… Où était passée miss Poole ? Le docteur Svenson se tourna… Du mouvement derrière eux se fit entendre… il abandonna sa part de fardeau à miss Temple qui chancela. Il la poussa en avant. Dans le noir, elle aperçut le docteur qui braquait un revolver sur leurs poursuivants.

– Partez, partez immédiatement ! hurla-t-il.

Comprenant qu'elle n'avait pas le choix, miss Temple plia les genoux, rejeta le bras lourd de la femme sur ses épaules, puis se redressa avec un grognement en lui tenant les hanches avec l'autre main. Elle fit de son mieux pour porter le plus de poids possible, marchant sur la pointe des pieds pour s'éloigner du mur, puis emprunta le passage en pente qui, espérait-elle, lui donnerait assez d'élan pour que miss Dujong fût poussée en avant. Elles cognèrent la courbe du mur opposé en criant toutes les deux (le gros de l'impact étant absorbé par l'épaule de la plus grande des deux), elles donnèrent de la bande en arrière et chancelèrent, perdant presque l'équilibre, jusqu'à ce que miss Temple fût capable de reprendre le bon angle et de continuer d'avancer. Elle heurta quelque chose de mou sur le sol, et les deux femmes tombèrent, mais leur chute fut amortie par le corps inerte qui les avait fait trébucher.

Miss Temple tâtonna, tomba sur du cuir, le tablier… l'un des assistants du comte. Elle sentit une traînée visqueuse sur le sol : ce devait être du sang. Elle s'essuya les mains sur le tablier, se releva en soutenant miss Dujong pour la faire passer par-dessus le corps. Elle souffla en pensant qu'elle n'était vraiment pas taillée pour ce genre d'activité et chercha à atteindre la porte ouverte devant elle. En haletant, elle poussa miss Dujong dans l'embrasure, vers la lumière et l'air plus frais.

Elle traîna laborieusement mais toujours fermement la femme aussi loin que possible sur le tapis, puis fit un faux pas et se retrouva assise par terre. À tâtons, miss Temple retourna vers la porte ouverte. Svenson la suivait-elle ? De la fumée s'insinua dans la pièce. Il ne vint pas. Elle ferma la porte en s'appuyant dessus et reprit son souffle.

Le vestiaire était vide. Elle pouvait entendre le tapage qui venait de l'amphithéâtre derrière elle et des bruits de course dans la salle des glaces de l'autre côté. Elle baissa les yeux vers miss Dujong qui essayait de se mettre à quatre pattes et vit la plante de ses pieds nus complètement noire et les bords jaunis de sa tunique en soie.

– Est-ce que vous m'entendez? lui demanda-t-elle avec impatience. Miss Dujong… Miss Dujong?

La femme se tourna au son de sa voix, les cheveux dans les yeux, tentant de se mouvoir dans cette tunique si mal-commode et dans le long manteau de Svenson. Avec un soupir d'impatience, miss Temple vint s'accroupir devant elle, fit de son mieux pour paraître aimable et prendre soin d'elle. Elles ne disposaient que de très peu de temps.

– Je m'appelle Céleste Temple. Je suis une amie du docteur Svenson. Il est derrière nous, il nous rejoindra, j'en suis sûre, mais si nous ne parvenons pas à nous enfuir, tous ses efforts auront été vains. Est-ce que vous me comprenez? Nous sommes à Harschmort. Ils n'attendent qu'une chose, c'est de nous tuer toutes les deux.

La femme cligna des yeux comme un lézard. Miss Temple la prit par la mâchoire.

– Est-ce que vous me comprenez?

La femme hocha la tête.

– Je suis désolée… ils…

Elle fit un geste vague de la main.

– Je n'arrive pas à penser…

Miss Temple grommela et, toujours en lui tenant la mâchoire, elle arrangea ses cheveux autour de son visage du bout des doigts, avec des gestes vifs, comme un oiseau qui construit son nid. Cette femme était plus âgée qu'elle, et dans son état, il aurait été injuste de dire de combien d'années. Elle se laissa soigner. Une certaine plénitude se dégageait d'elle et, à contrecœur, miss Temple éprouva pour elle une sympathie prudente.

– Ne pas penser, ce n'est pas grave, répliqua miss Temple avec un petit sourire. Je peux penser pour deux… en fait, je préfère. En revanche, je ne peux pas marcher pour deux. Si nous voulons nous en sortir, miss Dujong, il va falloir que vous marchiez.

– Éloïse, murmura-t-elle.

– Pardon ?

– Je m'appelle Éloïse.

– Parfait. Ce sera beaucoup plus facile comme ça.

Miss Temple n'essaya même pas d'ouvrir la porte du fond : le couloir auquel elle conduisait serait plein de domestiques et de soldats. Pourquoi n'étaient-ils pas passés par la pièce où elles se trouvaient pour aller éteindre le feu ? Elle n'en avait pas la moindre idée. L'interdiction d'accéder à ces pièces secrètes, où s'exécutaient tous les projets de la cabale, était-elle maintenue auprès du personnel dans des situations d'urgence comme celle-ci ? Elle se retourna vers Éloïse, toujours à genoux et qui tenait un vêtement en lambeaux, probablement la robe dans laquelle elle était arrivée.

– C'est eux qui l'ont mise en pièces, remarqua miss Temple, en se dirigeant vers les casiers ouverts. C'est leur façon de faire. Je vous demanderais de tourner la tête…

– Est-ce que vous vous changez ? demanda Éloïse en essayant de se mettre debout.

Miss Temple ouvrit grand les portes des casiers et aperçut les fameux miroirs.

– Oh ! non, répondit-elle après avoir trouvé un tabouret en bois. Je vais casser du verre !

Miss Temple ferma les yeux au moment de frapper et tressaillit. Saccager ainsi ces miroirs lui procurait une satisfaction extrême. À chaque coup, elle pensait à l'un de ses ennemis : Spragg, Farquhar, la Contessa, miss Poole, et à chaque mouvement de ses bras, son visage rayonnait un peu plus. Quand elle eut percé une ouverture, pas tout à fait assez large cependant pour pouvoir passer, elle se retourna vers miss Dujong.

– Il y a une pièce secrète, chuchota-t-elle d'un ton de conspiratrice, et devant le signe de tête un peu hésitant de miss Dujong, elle fit volte-face pour continuer à frapper.

Elle aurait facilement pu passer encore une demi-heure à s'affairer, à enlever les éclats ici et là, à retirer les morceaux de glace qui restaient. Mais miss Temple se rappela à l'ordre, elle lâcha son tabouret et alla chercher la robe en lambeaux d'Éloïse, qu'elles disposèrent pour pouvoir marcher dessus sans se couper les pieds. Elles passèrent au travers du miroir. Puis miss Temple ramassa ce qui restait de la robe et le lança dans la pièce d'où elles venaient. Un dernier regard vers la porte :

hélas! pas de Svenson. Puis elle referma les portes des casiers pour cacher le miroir brisé et se retourna vers Éloïse. Celle-ci se serrait dans le manteau du docteur.

– Il finira par nous retrouver, lui promit miss Temple. Prenez-moi donc le bras.

Elles restèrent muettes en avançant à pas de loup sur le tapis du corridor. Sous la lumière des lampes à gaz, leur visage pâle et la soie de leurs tuniques rougeoyaient. Elles devaient à tout prix s'éloigner de l'incendie et, ensuite, s'occuper de leur évasion, se trouver des vêtements... À chaque changement de direction, miss Temple se retournait, espérant un signe du docteur. Ne les avait-il sauvées que pour faire le sacrifice de sa vie? Ou, plus grave encore, pour l'abandonner avec une inconnue en qui elle n'avait aucune confiance?

Le corridor étroit les mena à un carrefour. Sur la gauche, un passage menait à un mur sur lequel était fixée une échelle montant vers une ouverture sombre. Le passage de droite donnait sur un épais rideau rouge. Miss Temple l'écarta avec précaution. De cet autre cabinet d'observation, on avait une vue plongeante sur un salon assez vaste et complètement vide. Si elle voulait rester introuvable, il fallait éviter de casser un autre miroir. Elle s'écarta du rideau. Éloïse serait incapable de grimper à l'échelle. Elles continuèrent à avancer vers la gauche.

– Comment vous sentez-vous? s'enquit miss Temple en mettant le plus de confiance enjouée possible dans son chuchotement furtif.

– Nettement mieux, répondit Éloïse. Merci de votre aide.

– Il n'y a pas de quoi, rétorqua miss Temple. Vous connaissez le docteur. Nous sommes de vieux compagnons d'armes.

– Des compagnons d'armes?

Miss Dujong la regardait: sa petite taille, sa force, les tuniques ridicules. Avec encore une fois une pointe d'irritation, miss Temple discerna toute l'incrédulité du regard de sa compagne.

– Parfaitement. Elle hocha la tête. Il vaudrait peut-être mieux que vous compreniez que le docteur, moi-même et un autre homme, le cardinal Chang, avons uni nos forces pour lutter contre une cabale formée de quelques sinistres personnages aux desseins malveillants. Je ne sais lequel d'entre eux vous connaissez: le comte d'Orkancz, la Contessa di Lacquer-Sforza, Francis Xonck – miss Temple prononça ce nom en levant ostensiblement le sourcil –, Harald Crabbé, le vice-ministre des Affaires étrangères et lord Robert Vandaariff. Quantité de scélérats de moindre importance complètent leur groupe : Mrs. Marchmoor, miss Poole, je pense que vous les connaissez, Caroline Stearne, Roger Bascombe, et puis tout un tas d'Allemands… il est difficile de résumer tout cela, mais apparemment quelque chose concerne le prince de Macklenburg et puis, au centre de tout, il est question d'un étrange verre bleu dont on peut faire des livres, des livres qui contiennent ou qui absorbent les souvenirs, les expériences… c'est vraiment quelque chose de tout à fait extraordinaire…

— Oui, je les ai vus, murmura Éloïse.

— Vraiment ?

Miss Temple parut déçue, elle aurait aimé raconter son expérience si particulière.

— Ils ont montré un livre de ce genre à chacune d'entre nous.

— Qui, « ils » ?

— Miss Poole, le docteur… le docteur Lorenz.

Éloïse avala sa salive.

— Parmi les femmes, certaines n'ont pu le supporter… elles ont été tuées.

— Parce qu'elles ne voulaient pas regarder ?

— Non, non,… parce qu'elles ont regardé. Elles ont été tuées par le livre lui-même.

— Tuées ? En regardant les livres ?

— C'est ce que je pense.

— Moi, je n'ai pas été tuée.

— Vous êtes peut-être très forte, répondit Éloïse.

Miss Temple renifla. Elle aimait les compliments, même quand elle savait que l'enjeu était ailleurs. Comme cette fois-là, quand Roger avait encensé sa délicatesse et son humour et qu'en même temps sa main sur sa taille cherchait à se faufiler plus bas. Miss Temple s'était effectivement détachée du livre d'elle-même, avec la force de sa volonté, une victoire que même la Contessa toujours si condescendante avait bien été obligée de lui reconnaître. L'idée du contraire, l'idée qu'elle aurait pu être complètement avalée, qu'elle aurait pu mourir la fit frissonner un instant. C'eût été très facile, vraiment… le contenu du livre était si attirant. Non seulement n'était-elle pas morte mais mieux encore : puisqu'elle s'en était déjà libérée une fois, y plonger de nouveau atténuerait le pouvoir du livre sur elle. Elle se retourna vers Éloïse, se demandant encore qui elle était vraiment.

– Mais vous aussi, vous devez être forte, il me semble. Nos ennemis vous ont proposé de rallier leurs rangs et vous ont attirée à Tarr Manor. Voilà pourquoi nous portons ces tuniques, voyez-vous, pour être initiées à leurs terribles secrets à l'aide d'un Procédé qui a pour effet de plier notre volonté à la leur.

Elle se tut et regarda ses propres mains qui jouaient avec le tissu de sa tunique.

– Je ne peux pas dire que ce soit pratique, mais la sensation de la soie sur la peau est néanmoins si… eh bien!… si…

Éloïse se mit à sourire, ou tout au moins essaya-t-elle, mais miss Temple se rendit compte que sa lèvre inférieure tremblait légèrement.

– Voyez-vous, c'est juste que… Je ne me souviens pas… Je sais que je suis allée à Tarr Manor pour une raison quelconque, mais je vous jure sur ma vie que je n'arrive pas à m'en rappeler.

– Il vaut mieux que nous continuions à avancer, insista miss Temple.

Elle jeta un coup d'œil à Éloïse pour voir si le tremblement de sa lèvre avait été suivi de larmes. Elle soupira de soulagement en constatant que ce n'était pas le cas.

– Mais vous pouvez me dire ce dont vous vous souvenez à propos de Tarr Manor. Miss Poole a parlé de Francis Xonck et, bien sûr, du colonel Trapping…

– Je suis la préceptrice des enfants du colonel, dit Éloïse, et monsieur Xonck me connaît… En fait, il s'est montré très prévenant depuis la mort du colonel.

Elle poussa un soupir.

– Voyez-vous, je suis la confidente de la sœur de monsieur Xonck, la femme du colonel… Je me trouvais même ici à Harschmort la nuit où le colonel a disparu…

– Vraiment? demanda miss Temple sur un ton un peu abrupt.

– Je me demande si je n'ai pas été témoin sans le savoir de quelque chose d'important ou si je n'ai pas surpris un secret… quelque chose qui aurait attiré la curiosité de monsieur Xonck, qu'il pourrait utiliser contre son frère et sa sœur ou pour dissimuler sa propre participation à la mort du colonel…

– Est-il possible que vous sachiez qui l'a tué ou pourquoi? l'interrogea miss Temple.

– Non, je n'en sais rien du tout! s'écria Éloïse.

– Mais si vos souvenirs se sont évanouis, cela veut dire qu'ils valaient la peine qu'on vous les vole, remarqua miss Temple.

– Oui, mais est-ce parce que j'ai appris quelque chose que je n'aurais pas dû savoir? Ou m'a-t-on séduite, il faut bien employer ce mot, dans le but de me faire jouer un rôle précis?

Éloïse s'interrompit, la main sur la bouche, des larmes au coin des paupières. Miss Temple était touchée par le désespoir sincère de cette femme. Elle savait comme tout le monde, et surtout après son expérience du livre, à quel point la tentation peut faire vaciller même les âmes les mieux trempées. Si elle ne pouvait se souvenir de ce qu'elle avait fait, si elle était là en proie aux regrets, était-il si important de connaître la réalité de cet acte? Miss Temple n'en savait rien, pas plus qu'elle ne pouvait analyser vraiment l'état de sa virginité. Pour la première fois, elle donna à sa voix un certain accent de douceur, de compassion.

– Mais ils ne vous ont pas embrigadée, affirma-t-elle. Miss Poole a dit au comte et à Caroline que vous leur aviez causé bien des ennuis.

Éloïse soupira longuement, sans relever les paroles de miss Temple.

– Le docteur m'a sauvée d'un grenier où j'étais enfermée, puis on l'a capturé. Je l'ai suivi, avec son pistolet, et j'ai essayé à mon tour de le sauver. Et dans le feu de l'action… pardonnez-moi, j'ai beaucoup de mal à en parler… j'ai tiré sur un homme. Je l'ai tué.

– Mais c'était ce qu'il fallait faire, j'en suis sûre, rétorqua miss Temple. Je n'ai tiré sur personne, mais j'ai tué un homme de mes mains et un autre avec la collaboration de la roue d'un fiacre.

Éloïse ne répondit pas, alors miss Temple lui vint en aide en poursuivant.

– J'en ai parlé tout à fait franchement, si tant est qu'il soit véritablement possible de parler aux autres… J'en ai parlé avec le cardinal Chang. Cet homme parle peu, en fait, il est tout ce qu'il y a de plus mystérieux… La première fois que je l'ai vu, j'ai su que… il est vrai qu'il était habillé en rouge ce matin-là dans le train, qu'il avait un rasoir près de lui et qu'il lisait de la poésie… il portait aussi des lunettes noires, parce qu'il a été blessé aux yeux… et même si je ne le connaissais pas, son image est restée gravée dans mon souvenir, et quand je l'ai revu… quand nous sommes devenus des compagnons d'armes avec le docteur… j'ai tout de suite su qui il était. Le docteur a dit quelque chose à son propos… à propos de Chang… il y a quelques minutes, dans l'amphithéâtre. Je n'ai pas compris ce qu'il disait… à cause de tout le vacarme, de la fumée, de l'incendie… mais savez-vous, c'est tout à fait étrange, je l'ai déjà remarqué, à quel point parfois l'urgence d'une information qui assaille l'un de nos sens peut neutraliser les autres. Dans ce cas-ci, l'odeur et la vue des flammes ont complètement anéanti ma capacité d'entendre. Cela me fascine de penser à ce genre de chose.

Elles marchèrent pendant un moment avant que miss Temple ne retrouve le fil de ses pensées.

– Ah! oui… je vous disais… la raison pour laquelle j'ai parlé au cardinal Chang… Bon, d'abord, je dois vous expliquer que le cardinal Chang est un homme dangereux, un vrai tueur… un homme qui a vraisemblablement tué plus d'hommes dans sa vie que moi je ne me suis acheté de paires de chaussures… je lui ai donc parlé, même si cela m'a été très pénible, parce que l'homme que j'ai tué… bon, il a fini par me donner des conseils sur le maniement d'un pistolet… il faut enfoncer le canon le plus possible dans le corps de celui qu'on a l'intention de tuer. Voyez-vous ce que je veux dire? Il me disait comment agir pour m'aider à mettre de l'ordre dans mes sentiments. Mais tout ce qui est arrivé… cela en dit long sur le monde auquel nous appartenons, et sur l'attitude que nous devons avoir. Si vous n'aviez pas tué cet homme, est-ce que vous et le docteur seriez encore vivants? Et si le docteur ne m'avait pas libérée de la table, le serais-je moi-même?

Éloïse ne répondit pas. Miss Temple lisait sur son visage la lutte qu'elle menait, et elle savait d'expérience qu'accepter ce qui s'était passé, c'était perdre une grande partie de son innocence.

– Mais il s'agissait du duc de Staëlmaere, murmura Éloïse. C'est un assassinat. Vous ne comprenez pas… je finirai sûrement au bout d'une corde.

Miss Temple secoua la tête.

– Les hommes que j'ai tués étaient des scélérats, assura-t-elle, et je suis sûre que ce duc en était un également… presque tous les ducs sont des personnages ignobles.

– Oui, mais qui s'en souciera?…

– Ne vous en faites pas, parce que moi je m'en soucie, tout comme vous, et je suis sûre que le docteur Svenson s'en soucie aussi, et c'est cela qui est important. Je me fiche comme d'une guigne de ce que pensent nos ennemis.

– Mais… aux yeux de la loi… c'est leur parole qui comptera…

Miss Temple lui livra son opinion sur la loi en haussant les épaules avec dédain.

– Il vous faudra sans doute quitter le pays. Le docteur pourra peut-être vous ramener avec lui à Macklenburg, ou alors vous pourrez accompagner ma tante dans une tournée des restaurants en Alsace… mais on trouve toujours une solution. Par exemple… mais regardez comme nous sommes stupides à valser comme ça sans savoir où nous allons et sans prendre une seconde pour réfléchir.

Éloïse regarda derrière elles.

– Mais… je pensais que…

– Oui, bien sûr.

Miss Temple hocha la tête.

– On nous poursuivra sûrement, mais l'une de nous deux a-t-elle eu la présence d'esprit de fouiller les poches du docteur? C'est un homme plein de ressources, on ne sait jamais, l'intendant de mon père ne sortait jamais de chez lui sans un couteau, une bouteille, de la viande séchée et de quoi bourrer sa pipe pendant une semaine.

Elle sourit avec malice.

– Et puis, qui sait?… par la même occasion, nous pourrions avoir une idée de la vie secrète du docteur Svenson!…

Éloïse répondit très vite.

– Je suis sûre qu'il n'y aura rien qui puisse…

– Allons donc! Tout le monde a ses petits secrets.

– Je n'en ai aucun, je vous assure… en tout cas rien d'indécent…

Miss Temple se moqua:

– La décence? Vous avez vu ce que vous portez? Regardez-vous… je vois vos jambes… vos jambes nues! À quoi nous sert la décence alors que nous avons été plongées au cœur du danger… que nous nous promenons sans corset! Qui peut nous juger? Ne soyez pas sotte… allez.

Elle tendit la main pour attraper le manteau du docteur, mais elle fronça le nez en constatant dans quel état il était. L'éclairage pouvait masquer les taches, mais il sentait la terre, la graisse et la sueur, sans compter l'odeur très désagréable de l'argile indigo. Elle essaya de l'épousseter sans grand succès, puis elle renonça. Miss Temple enfonça sa main dans la poche de côté et elle en sortit une boîte de cartouches. Elle la tendit à Éloïse.

– Voilà, nous savons maintenant que c'est un homme à avoir des balles sur lui.

Éloïse hocha la tête avec impatience, comme si tout cela se faisait contre son gré. Miss Temple croisa son regard et plissa les yeux.

– Miss Dujong…

– Mrs.

– Pardon?

– Mrs. Mrs. Dujong. Je suis veuve.

– Toutes mes condoléances.

Éloïse haussa les épaules.

– Ne vous en faites pas. J'ai eu le temps de m'y habituer.

– Parfait. En fait, je ne sais pas si vous l'avez remarqué, le ton de miss Temple était sec et résolu, mais Harschmort est la maison des masques, des miroirs et des mensonges, des privilèges sans scrupules. Nous ne pouvons nous permettre l'illusion… et moins encore les illusions sur nous-mêmes, car ce sont elles que nos ennemis exploitent avant tout. J'en ai vu de toutes les couleurs, je vous le jure, j'ai aussi subi toutes sortes de…

Elle perdit tout à coup le fil et fut incapable de poursuivre, prise au dépourvu par l'intensité de son émotion, faisant de grands gestes en secouant le manteau.

– Ça, ce n'est vraiment rien. Fouiller le manteau de quelqu'un d'autre? Le docteur Svenson a peut-être sacrifié sa vie pour nous sauver. Pensez-vous vraiment qu'il hésiterait à nous faire voir le contenu de ses poches si cela pouvait nous aider… ou nous aider à le sauver? Ce n'est vraiment pas le moment de jouer les petites idiotes.

Mrs. Dujong ne répondit pas, elle évita le regard de miss Temple, puis elle hocha la tête et tendit les mains pour prendre tout ce qui pourrait sortir des poches du manteau. Malgré le plaisir évident qu'elle prenait à la chose, miss Temple n'était pas du genre à s'éterniser en critiques une fois qu'elle avait dit ce qu'elle avait à dire, alors elle se mit rapidement à la tâche et elle repéra l'étui à cigarettes du docteur, des allumettes, l'autre carte de verre, un mouchoir extrêmement sale et une poignée de pièces de monnaie. Elles restèrent en arrêt devant ce qu'elles avaient trouvé et, en soupirant, miss Temple entreprit de tout remettre dans les poches du manteau.

– En définitive, il semble que vous ayez raison : nous n'avons pas appris grand-chose.

Elle leva les yeux et s'aperçut qu'Éloïse était en train d'examiner l'étui à cigarettes en argent. Il était sans fioritures, on pouvait seulement y lire ces quelques mots gravés d'une écriture simple et élégante : ZUM KAPITANCHIRURGEN ABELARD SVENSON, VOM C. S.

– C'est peut-être un souvenir de sa promotion au grade de médecin-capitaine, chuchota Éloïse.

Miss Temple hocha la tête. Elle remit l'étui dans la poche tandis qu'elles se demandaient toutes les deux qui avait bien pu lui en faire cadeau. Un camarade de promotion, un amour secret ? Miss Temple plia le manteau sur son bras et haussa les épaules... Si la dernière initiale était S, cela n'avait vraiment aucun intérêt, c'était vraisemblablement la marque de l'affection dévouée d'un parent quelconque.

Elles continuèrent à longer le couloir. Miss Temple était désespérée que le docteur ne les eût pas rattrapées et un peu surprise que personne ne les eût suivies. Elle fit ce qu'elle put pour ne pas soupirer d'impatience quand elle sentit la main de sa compagne sur son bras, puis, se tournant vers elle, elle tenta de faire bonne figure.

– Je suis désolée, commença Éloïse.

Miss Temple ouvrit la bouche. Elle détestait qu'on se confonde en excuses après avoir été réprimandé. Mais Éloïse remit sa main sur son bras et continua :

– Je n'y avais pas pensé... mais il y a des choses que je dois vous dire...

– Ah bon !

– On m'a fait monter à bord du dirigeable. Ils m'ont posé des questions. Je ne sais pas ce que j'ai bien pu leur répondre... en vérité, je ne sais rien qu'ils ne sachent déjà par Francis Xonck... mais, par contre, je sais ce qu'ils m'ont demandé.

– Qui vous a interrogée ?

– Le docteur Lorenz m'a administré une drogue et m'a attaché les mains. Puis, en compagnie de miss Poole, ils se sont assurés que j'étais à leur merci en me posant les questions les plus inconvenantes... Je n'avais aucun moyen de leur résister... j'ai honte rien qu'à y penser...

Sa voix venait des profondeurs de sa gorge. Miss Temple se remémora ce qu'elle avait vécu entre les mains du comte et de la Contessa dans le fiacre et son cœur bondit dans sa poitrine… mais elle ne put s'empêcher de se demander ce qui s'était passé exactement pour Mrs. Dujong. Elle lui caressa le bras. Éloïse renifla.

— Puis le vice-ministre Crabbé m'a interrogée. Sur le docteur. Sur vous. Et sur ce Chang. Et sur le fait que j'ai tué le duc… il n'arrivait pas à croire que je n'avais pas agi pour le compte d'une autre faction.

Miss Temple se moqua.

— Mais ensuite, à voix basse, pour que les autres ne l'entendent pas, il m'a posé des questions sur Francis Xonck. D'abord, j'ai cru qu'il voulait se renseigner sur l'emploi que j'occupe auprès de la sœur de Francis Xonck, mais en fait il voulait en savoir plus sur les projets actuels de monsieur Xonck. Est-ce qu'il m'avait engagée ? Quand j'ai répondu que ce n'était pas le cas, il m'a posé des questions sur le comte et la Contessa, surtout sur elle.

— Ça fait beaucoup de monde, répliqua miss Temple qui bouillait d'impatience. Que vous a-t-il demandé exactement sur eux ?

— S'ils avaient tué le colonel Trapping. Les soupçons semblaient porter surtout sur la Contessa. D'après ce que j'ai compris, il lui arrive souvent d'agir seule et de ne pas trop se soucier de compromettre les projets des autres.

— Et qu'avez-vous révélé à Crabbé ? s'enquit miss Temple.

— Mais rien du tout. Je ne savais rien.

— Et lui, quelle a été sa réaction ?

— En fait… je ne le connais pas du tout…

— Mais si vous deviez risquer une hypothèse ?

— Je dirais qu'il semblait avoir peur.

Miss Temple fronça les sourcils.

— Je ne voudrais pas faire insulte à votre ancien employeur… mais il semble qu'il n'y ait pas grand monde pour pleurer ses qualités inestimables. Pourtant, d'après ce que vous dites, le vice-ministre était bien curieux à son sujet. J'ai aussi entendu le comte d'Orkancz poser des questions sur lui à miss Poole… la Contessa et Francis Xonck également… dans le fiacre, à la gare. Pourquoi tout ce beau monde se soucie-t-il autant d'un tel propre-à-rien ?

— Je ne comprends vraiment pas, ajouta Éloïse.

La personne qui avait tué le colonel avait défié tous les autres membres de la cabale par ce geste... ou était-ce déjà fait, cette personne avait-elle déjà décidé de les trahir ? Sans doute Trapping était-il au courant et on l'avait assassiné avant qu'il ne le révélât aux autres ! Le colonel respirait encore quand miss Temple l'avait quitté : soit on l'avait déjà empoisonné, soit c'était arrivé tout de suite après. Elle s'en allait vers l'amphithéâtre... le temps qu'elle y parvint, le comte y était déjà... comme Roger... Elle avait regardé Roger monter l'escalier en colimaçon. Elle n'avait pas vu Crabbé ou Xonck... elle ne savait même pas à l'époque qui était Xonck... ni ceux de Macklenburg. Mais derrière elle... derrière tout le monde et seule dans le couloir... les suivait la Contessa.

Elles arrivèrent à un cul-de-sac : d'un côté, une troisième alcôve derrière un rideau, et de l'autre, une porte. L'alcôve était meublée d'une méridienne capitonnée de soie et de fourrure, d'armoires à liqueurs et de secrétaires ; elle était aussi équipée d'un tuyau acoustique et d'un judas métallique grâce auxquels on pouvait transmettre des ordres d'un côté à l'autre du miroir. Cette pièce servait à observer mais aussi à interroger ou encore à diriger de près des spectacles privés.

La pièce qui se trouvait derrière le miroir ne ressemblait à aucune de celles que miss Temple avait vues à Harschmort. Elle était plus inquiétante encore que la salle d'opération : un plancher sans vernis, une simple lampe suspendue qui projetait un halo de lumière blafarde sur le seul meuble qui s'y trouvait, une méridienne identique à celle que les deux femmes avaient devant elles, sans soieries ni fourrures mais munie d'entraves métalliques vissées à son armature en bois.

Mais ce ne fut pas la vue de cette méridienne qui bloqua net la respiration de miss Temple quand elle regarda au travers du miroir sans tain, mais celle de la Contessa di Lacquer-Sforza. Dans l'embrasure de la porte, à travers son masque orné de larmes de strass rouge, son fume-cigarette aux lèvres, elle regardait le seul meuble de la pièce. Elle souffla la fumée, fit tomber sa cendre sur le sol et claqua des doigts vers la porte. Deux hommes en marron entrèrent, ils portaient une des longues caisses en bois. Elle attendit qu'ils l'ouvrent et quittent la pièce avant de claquer des doigts de nouveau. L'homme qui entra alors portait un uniforme sombre et un demi-masque doré. Son comportement était un mélange maladroit de respect et de condescendance amusée. Il avait les cheveux clairs et fins, le menton fuyant et, quand il sourit, miss Temple vit ses dents abîmées. Miss Temple regarda son uniforme de plus près... La large bague en or qu'il portait au doigt était un sceau... Le prince de Svenson ! Elle l'avait croisé à l'hôtel Ste-Royale. Elle ne l'avait pas reconnu tout de suite, il était alors vêtu d'un uniforme plus officiel et portait un masque différent. Il s'assit sur la méridienne et s'adressa à la Contessa.

Impossible d'entendre quoi que ce fût. S'approchant sans faire de bruit du judas en cuivre, miss Temple aperçut un petit bouton et essaya de le tourner avec des précautions infinies pour ne pas le faire grincer. Et soudain, elles entendirent le prince.

– ...satisfait bien sûr, et très enthousiaste, quoique fort peu étonné, vous devez le savoir, car si les animaux les plus puissants se reconnaissent dans les vastes forêts, dans la société humaine, ceux qui sont unis par une nature supérieure s'attirent également, et par la suite, les esprits unis dans cette sympathie fondamentale sont bien naturellement emportés dans une sympathie des corps...

Le prince déboutonnait déjà le col de sa tunique. La Contessa n'avait pas bougé. Comment un tel homme pouvait-il ainsi annoncer sans aucune honte et à une femme de ce genre l'aspect prédestiné de la rencontre galante qu'ils étaient sur le point de vivre ? Mais miss Temple savait aussi qu'il ne fallait jamais sous-estimer l'arrogance des princes. Cependant, elle ne put retenir une moue de consternation devant un boniment aussi insipide, que le prince récitait en farfouillant de son doigt pâle et crochu dans la double rangée de boutons de son uniforme. Miss Temple baissa les yeux vers Mrs. Dujong, elle aussi assez déconcertée, et elle lui murmura à l'oreille :

– C'est le prince de Svenson. Et la Contessa...

Mais déjà, la Contessa avait avancé dans la pièce et fermé la porte derrière elle. À ce bruit, le prince fit une pause, le regard concupiscent. Il plaça ses mains sur la boucle de son ceinturon.

– À vous dire la vérité, madame, j'ai attendu ce moment depuis que je vous ai baisé la main pour la première fois.

La voix de la Contessa était forte et perçante, ses mots résonnaient avec clarté, quel qu'en fût le sens.

– Joseph bleu palais bleu consumé par la glace.

Le prince se tut, bouche bée, les doigts immobiles. La Contessa s'approcha de lui, tira une longue bouffée de son fume-cigarette en laque et, tout en parlant, laissa s'échapper la fumée de sa bouche, comme si en exerçant son pouvoir caché elle était devenue encore plus démoniaque.

– Votre Altesse, vous croirez m'avoir possédée dans cette pièce. Et même si cela vous aura comblé d'aise, vous serez absolument incapable d'en faire part à qui que ce soit. Vous comprenez ?

Le prince fit signe que oui.

– Notre rendez-vous vous aura occupé pendant la demi-heure qui va suivre, je n'aurai donc pu rencontrer Lydia Vandaariff ou son père pendant ce temps-là. Au cours de notre rencontre, je vous aurai également confié que le comte d'Orkancz préfère la compagnie des garçons. Vous serez absolument incapable de révéler cette information à qui que ce soit, mais cela vous empêchera de rechigner chaque fois que le comte voudra voir votre femme seul à seul. Est-ce clair ?

Le prince fit encore signe que oui.

– Enfin, malgré notre rencontre de ce soir, vous serez convaincu que cette nuit vous avez défloré miss Vandaariff avant le mariage. Vos appétits sont tellement puissants et elle est absolument incapable de vous résister ! Dans l'éventualité où elle serait enceinte, ce serait par conséquent le fruit de vos transports. Vous comprenez ?

Pour la troisième fois, le prince fit signe que oui. La Contessa se retourna, car quelqu'un frappait discrètement à la porte. Elle l'entrouvrit et, quand elle l'eut reconnue, elle permit à cette personne d'entrer.

Miss Temple retint un cri. C'était Roger Bascombe.

– Oui ? demanda la Contessa d'une voix douce.

– Vous vouliez que je vous prévienne… Je m'en vais chercher les livres et rencontrer le vice-ministre…

– Et remettre les livres au comte ?

– Bien entendu.

– Vous savez celui qu'il me faut ?

– Oui, celui de lord Vandaariff.

– Assurez-vous qu'il est à sa place. Et surveillez monsieur Xonck.

– Pourquoi ?

– Je n'en sais rien, monsieur Bascombe, par conséquent, il faut le surveiller de près.

Roger fit un signe de la tête. Il jeta un regard à l'homme qui se trouvait sur la méridienne et qui suivait leur conversation avec la curiosité innocente d'un chat fasciné par le rayon de lumière renvoyé par un prisme. La Contessa suivit le regard de Roger et sur ses lèvres se dessina un petit sourire narquois.

– Vous direz au comte que tout cela est fait. Le prince et moi-même sommes en plein dans la fièvre d'un rendez-vous galant. Vous voyez bien, non ?

Elle fut prise d'un ricanement guttural devant le ridicule de cette éventualité, puis elle soupira, béate de plaisir, comme perdue dans ses pensées.

– C'est vraiment terrible de ne pouvoir résister à ses pulsions…

Elle sourit à Bascombe puis s'adressa au prince.

– Mon cher Karl-Horst, vous possédez mon corps en ce moment même, votre être est envahi par des sensations… vous n'avez jamais connu une telle extase et jamais plus vous n'en connaîtrez de telle. En revanche, tous vos plaisirs futurs seront mesurés à cette aune… et vous les trouverez bien pauvres.

De nouveau, elle se mit à rire. Le visage tout rose, le prince se dandinait maladroitement sur son siège et ses ongles griffaient un peu le coussin. La Contessa lança à Roger un regard d'une telle ironie qu'il ne fit que confirmer à miss Temple que son ex-fiancé était l'esclave de la Contessa, tout comme le prince. La Contessa se retourna vers Karl-Horst.

– Voilà… c'est fini…, le taquina-t-elle comme s'il était un petit chien attendant une récompense.

En l'entendant, le prince s'immobilisa, respirant par à-coups, gémissant, se cramponnant à son siège. Puis, et miss Temple eut l'impression que quelques secondes seulement s'écoulèrent, il poussa un profond soupir, les épaules affaissées par l'effort, et son petit sourire désagréable réapparut. Il tira doucement sur son pantalon qui prenait peu à peu une teinte légèrement plus foncée, puis il se passa la langue sur les lèvres. Miss Temple poussa une exclamation de mépris et d'horreur devant toute cette scène.

Elle se couvrit aussitôt la bouche avec la main. Le regard de la Contessa se porta directement vers le miroir. Le tuyau acoustique… le judas était ouvert. Elle avait entendu le cri de miss Temple.

La Contessa aboya à l'intention de Roger.

– Quelqu'un est ici ! Courez chercher Blenheim ! Passez de l'autre côté… immédiatement !

Miss Temple et Éloïse reculèrent en chancelant vers le rideau tandis que Roger disparaissait en courant et que la Contessa s'approchait, noire de colère. Quand elle passa près de lui, le prince tenta de se lever et de la prendre dans ses bras.

– Ma très chère…

Sans s'arrêter, elle le frappa en plein visage, ce qui le fit tomber à genoux. Une fois devant le miroir, elle se mit à hurler comme si elle pouvait voir leurs visages effarés.

– Qui que vous soyez… quoi que vous fassiez… vous êtes morts !

Miss Temple saisit Éloïse par la main pour passer le rideau et arriver à la porte. Peu importe où elle menait, il fallait qu'elles sortent du couloir au plus vite. Même masquée, la Contessa en colère ressemblait à une Gorgone. La main sur le loquet de la porte, miss Temple se sentit trembler de terreur. Elles foncèrent sur la porte et la claquèrent derrière elles. Elles poussèrent ensemble un cri devant la silhouette inquiétante qui surgit devant elles. Sur la porte qu'elles venaient de refermer était accroché un tableau saisissant. Un homme en noir y était représenté, le regard pénétrant, la bouche fine et glaciale : lord Vandaariff ! Derrière lui se dressait le spectre de Harschmort. Tout en courant, à bout de souffle, miss Temple se dit qu'il s'agissait d'une œuvre d'Oskar Veilandt. Mais pourtant, n'était-il pas mort ? Et Vandaariff n'habitait Harschmort que depuis deux ans. Elle grogna, furieuse de ne pouvoir s'arrêter un instant pour réfléchir à tout cela.

Elles pénétrèrent toutes deux dans une curieuse antichambre pleine de tableaux et de sculptures, et dont le sol était recouvert de mosaïques. Elles entendaient déjà des bruits de pas qui se rapprochaient et se précipitèrent instinctivement dans la direction opposée, donnant de la bande d'un côté et de l'autre pour arriver dans un vestibule pavé de marbre glissant, à damier noir et blanc. Miss Temple entendit un cri. On les avait repérées. Éloïse partit en courant vers la gauche, mais miss Temple la retint par le bras pour l'entraîner vers la droite, vers une énorme porte blindée noire qu'elle espérait fermer derrière elles pour se couper de ceux qui les poursuivaient. Elles la franchirent, passant pieds nus du sol de marbre à un palier métallique glacial. Miss Temple poussa Éloïse pour lui faire descendre un escalier en colimaçon pendant qu'elle-même tentait de refermer la porte. Elle ne parvint pas à la faire bouger d'un pouce. Elle essaya encore sans y parvenir davantage. Elle se mit à genoux, enleva la cale qui la retenait et parvint enfin à la fermer, juste au moment où elle entendit des bruits de pas résonner sur le marbre. Le loquet s'enclencha et elle se remit à genoux pour replacer la cale. Elle bondit pour rejoindre Mrs. Dujong.

Étant la plus petite, miss Temple choisit de descendre l'escalier en colimaçon du côté où les marches étaient plus étroites. D'une main, Éloïse s'agrippait à elle et, de l'autre, se retenait à la rampe. La cage d'escalier était glaciale et toutes deux avaient les pieds gelés. Miss Temple avait l'impression de trottiner en chemise de nuit dans les échafaudages et les passerelles d'une usine désaffectée. En d'autres termes, elle avait le sentiment de se trouver dans un de ces rêves bizarres qui finissent toujours par vous mettre dans des situations abracadabrantes avec des gens que vous connaissez à peine. En se hâtant de descendre, toujours stupéfaite de l'existence même de cette tour métallique qui s'enfonçait sous terre, miss Temple se demanda dans quelle aventure périlleuse elle les avait encore lancées, car cette tour austère ne lui semblait pas de très bon augure.

Y avait-il quelqu'un en dessous... du bruit? Elle fit signe à Éloïse de s'arrêter et lui tapota le bras pour insister et lui signifier de faire silence, puis elle regarda derrière elle. Ce qu'elles entendaient, ce n'était pas des bruits de pas qui venaient de l'intérieur de la tour, mais bien des bruits de pas qui venaient de l'extérieur, mêlés à d'autres... une échauffourée, des bribes de discours. Miss Temple regarda pour la première fois attentivement les murs de la tour en acier et remarqua de petits panneaux coulissants, comme ceux que l'on trouve parfois sur la cloison des fiacres qui sépare le cocher de la voiture. Éloïse en ouvrit un. Derrière, au lieu d'une ouverture simple, une vitre teintée permettait que l'on vît à travers, et ce qu'elles découvrirent leur coupa le souffle.

Elles surplombaient une immense salle, comme une ruche infernale dont les murs étaient couverts de cellules de prison disposées en gradins et sur lesquelles elles avaient une vue plongeante.

– Du verre teinté, chuchota miss Temple à Éloïse.

Les prisonniers ne pouvaient pas voir qu'on les surveillait.

– Regardez, lui répliqua sa compagne, ce sont là les nouveaux prisonniers, non?

Sous leurs yeux, les cellules du niveau supérieur, comme des loges de théâtre, se remplissaient des invités élégants et masqués de la réception de Harschmort. Par des trappes, ils descendaient du plafond des cellules et commençaient à déplier des chaises, à ouvrir des bouteilles, à agiter leurs mouchoirs au travers des barreaux. Le tout était aussi invraisemblable et, pour miss Temple, aussi inconvenant que si des spectateurs étaient perchés dans la voûte d'une cathédrale.

Leur poste d'observation était situé si haut que, même en se collant contre la vitre teintée et en baissant les yeux, leur regard n'atteignait pas le plancher de la salle. Combien pouvait-il y avoir de cellules? Miss Temple ne parvint pas à se faire une idée du nombre de prisonniers qui pouvaient être enfermés en ces lieux. Quant aux spectateurs, ils étaient au moins une centaine, ou qui sait – les chiffres n'étant pas son fort –, peut-être même trois cents, car de cette foule montait un brouhaha d'impatience aussi fort qu'un moteur qui accélère.

Le seul indice que l'on pouvait avoir sur un tel rassemblement, ou en fait sur l'usage de cette cathédrale, venait des tuyaux de métal étincelant qui couraient sur toute la hauteur de la salle, se rassemblaient en bouquets puis grimpaient sur les murs comme de la vigne vierge sur le tronc d'un arbre. Miss Temple était sûre que les rangées de cellules tapissaient toute la salle, mais les tuyaux l'empêchaient de voir les rangées inférieures. À son avis, les tuyaux étaient importants, quelle que soit la substance qui y circulait; les cellules, par contre, ne l'étaient pas. Mais où tous ces tuyaux allaient-ils?

Elle entendit un grincement et se retourna brusquement. Cela provenait du haut de l'escalier, on essayait de forcer la porte. Elle prit en toute hâte la main d'Éloïse et se précipita pour descendre plus bas.

– Mais où allons-nous? chuchota Éloïse.

– Je n'en sais rien, rétorqua miss Temple à voix basse, mais prenons garde à ne pas nous entraver dans ce manteau!

– Mais le docteur ne pourra jamais nous rejoindre, nous sommes maintenant coupées de lui! Nous filons directement à la rencontre des gens en bas.

Miss Temple émit un grognement en guise de réponse. Il n'y avait d'ailleurs rien à répondre, car elles n'avaient pas le choix.

– Faites attention où vous mettez les pieds, ça glisse.

Le bruit s'amplifiait au-dessus d'elles, celui des spectateurs dans leurs cellules, mais aussi celui de la porte qui cédait sous la poussée de leurs poursuivants, en haut de la tour. Très vite, elles entendirent un cliquetis de bottes à bouts ferrés sur les marches en acier de l'escalier. Sans se consulter, les deux femmes hâtèrent le pas, dévalant la spirale de l'escalier de la tour. Jusqu'où allait-il ainsi ? Miss Temple s'arrêta net et se tourna vers Éloïse qui, comme elle, était à bout de souffle.

– Le manteau, lui dit-elle en haletant, donnez-le-moi.

– Mais je fais ce que je peux pour le porter sans qu'il nous fasse tomber…

– Non, non, ce n'est pas ça… les balles, donnez-moi les balles du docteur, vite !

Éloïse souleva le manteau, essaya de trouver la bonne poche tandis que miss Temple le tâtait à deux mains pour repérer la boîte de munitions qu'elle finit par trouver et ouvrir.

– Mettez-vous derrière moi et continuez à descendre !

– Mais nous n'avons pas d'armes, murmura Éloïse.

– En effet. Mais il fait sombre et nous pouvons peut-être nous servir du manteau pour faire diversion. Vite, retirez tout le reste, l'étui à cigarettes et la carte de verre.

Puis, en poussant Éloïse, elle se mit en toute hâte à répandre les cartouches sur quelques marches. Les bruits de bottes se rapprochaient. Elle se retourna vers sa compagne et lui fit signe impatiemment d'avancer sans elle, et vite ! puis elle se saisit du manteau qu'elle étala quelques marches plus bas que les balles en arrangeant les manches pour lui donner la forme la plus intrigante possible. Elle leva les yeux. Ils ne devaient plus être qu'à une spire de l'escalier plus haut, et elle se rua vers le bas en relevant ses tuniques sur ses jambes pâles.

Elle rejoignait tout juste Éloïse lorsqu'un cri se fit entendre : quelqu'un avait aperçu le manteau. Suivit une première chute, puis une autre, et les cris, l'écho du fracas des balles qui s'éparpillaient, des lames qui fendaient l'air et des hommes qui hurlaient. Les deux femmes s'arrêtèrent, levèrent les yeux, et miss Temple eut à peine le temps d'apercevoir quelque chose de métallique qui glissait vers elle ainsi que l'éclat d'un reflet lumineux. En poussant un petit cri, elle s'élança sur Éloïse de toutes ses forces, soulevant leurs deux corps juste assez pour pouvoir s'asseoir sur la rampe, en équilibre précaire sur leur derrière mais les pieds levés, évitant ainsi le sabre qui s'apprêtait à les faucher et qui glissa sur les marches comme sur de la glace pour rebondir ensuite et continuer sa trajectoire scintillante jusqu'en bas. Les deux femmes sautèrent de la rampe, sidérées d'être saines et sauves, et elles continuèrent à descendre, tandis qu'au-dessus d'elles la furie, le désordre et les blessures provoquaient une clameur assourdissante.

Le sabre allait leur causer des ennuis, c'est ce que pensa miss Temple en maugréant, car, une fois en bas, il indiquerait à quiconque serait là que quelque chose n'allait pas. Après tout, non, ceux qui étaient en bas seraient peut-être tout simplement passés au fil de l'épée ! Elle rit de son indéfectible optimisme. Elle n'avait plus d'idées brillantes. Elles dévalèrent les dernières marches et parvinrent à un palier aussi encombré de caisses qu'un vestibule à la veille d'un départ en vacances. À droite, une porte menait à la grande salle, au pied de la tour. À gauche, un homme en tablier de cuir et casque de cuivre était accroupi devant une trappe ouverte de la taille de celle d'une grande chaudière à charbon et qui s'ouvrait sur la colonne d'acier au centre de l'escalier. L'homme examinait attentivement un plateau en bois où se trouvaient des flacons et des flasques scellées avec du plomb et qu'il avait de toute évidence sortis de la trappe et disposés sur le sol. À côté de la trappe, fixée à la colonne, on pouvait voir une plaque de cuivre couverte de boutons et de manettes. La colonne était un monte-charge.

Au beau milieu du plancher, elles aperçurent le sabre dont la lame était venue se ficher dans un tas de paille d'emballage.

Un autre homme casqué entra, passa devant le tas de paille, s'en alla prendre deux flacons bouchés à la cire, l'un bleu vif et l'autre orange, et s'en retourna sans un mot d'où il était venu. Les deux femmes restaient immobiles, pas encore tout à fait convaincues de ne pas avoir été repérées. Les casques devaient sans doute permettre une vision périphérique très limitée et assourdir tous les sons. Par la porte ouverte, leur parvinrent des ordres pressants, les bruits de toute une activité laborieuse et, elles en étaient sûres, les voix de plusieurs femmes, oui, certainement plus d'une.

Elles entendirent le cliquetis d'une balle qu'un coup de pied faisait rebondir sur les marches et les murs. Les hommes avaient repris leur descente. La balle atterrit sur la pile de caisses près du mur du fond pour s'arrêter sur le sol, à côté du pied de l'homme accroupi. Il leva la tête. Elles étaient perdues.

Une voix d'homme leur parvint par la porte, une voix tonitruante qui tenait un discours sur un registre tel que tout le corps de miss Temple en fut saisi. Elle n'en avait jamais entendu de semblable, même pas sur le bateau qu'elle avait pris pour arriver sur le continent et sur lequel les marins hurlaient. Mais cette voix ne parvenait pas à cette puissance au prix d'efforts considérables, elle était mystérieusement amplifiée, et c'était à la fois étonnant et inquiétant. Elle reconnut la voix du comte d'Orkancz.

– Bienvenue à tous, tonna-t-il.

L'homme au casque leva les yeux. Il vit miss Temple qui sautait les dernières marches en s'esquivant sur le côté.

– Il est temps de commencer, hurla le comte, selon les instructions que l'on vous a données.

La foule rassemblée dans les cellules qui se trouvaient au-dessus se mit à chanter, et c'est bien la dernière chose à laquelle miss Temple se serait attendue.

Elle ne put s'en empêcher : elle jeta un coup d'œil par la porte ouverte.

Le tableau qui s'offrit ainsi à elle, car il s'agissait bien d'un tableau avec la porte pour cadre et, en arrière-fond, les tuyaux scintillants sur le mur d'en face, représentait la salle d'opération en plus vaste, avec trois tables d'examen, comme si dans cet espace la passion diabolique du comte pouvait prendre toute sa mesure. À l'extrémité de chaque table, on avait installé une boîte de commandes en cuivre et en bois dans laquelle l'un des hommes casqués plaçait un livre de verre bleu scintillant. L'homme qui tenait les deux flacons à la main se trouvait au bout de la première table et versait le liquide bleu dans l'ouverture en entonnoir d'un tuyau de caoutchouc. Des tuyaux noirs s'enroulaient autour de la table comme un nid de serpents, visqueux et répugnants, mais plus répugnante encore était la forme tapie dessous, comme une larve blafarde dans un cocon monstrueux. Le regard de miss Temple se posa sur la deuxième table où le visage de miss Poole disparut alors qu'un assistant du comte lui attachait un masque macabre en caoutchouc... Sur la troisième table, un homme fixait des tuyaux à la chair nue de Mrs. Marchmoor. Et puis, en haut, vers les tribunes, apparut la silhouette massive et imposante du comte dont le masque laissait pendre, au niveau de la bouche, un gros tuyau noir et lisse, comme la langue d'un démon. Une seconde environ s'était écoulée, miss Temple referma la porte qui les séparait de la salle.

Et en une fraction de seconde seulement, ce qu'elle venait de voir lui rappela les derniers moments de la carte de verre d'Arthur Trapping. Elle sut alors que la femme sur la table, c'était Lydia Vandaariff.

Derrière elle, Éloïse se mit à crier. L'homme au casque prit miss Temple par les épaules, la plaqua contre la porte puis la jeta sur le sol.

Elle leva les yeux et vit qu'il brandissait le sabre d'une main. Éloïse saisit l'un des flacons rempli de liquide orange sur le plateau et s'apprêtait à le lui lancer. À la grande surprise des deux femmes, au lieu de la passer au fil de son sabre, l'homme chancela en arrière et monta les escaliers quatre à quatre, aussi vite que le lui permettaient son casque et son tablier. Il ne lui manquait plus que des ailes de chauve-souris, pensa miss Temple, pour avoir l'air d'un diable de l'enfer.

Les deux femmes se regardèrent, déconcertées de s'en être tirées à si bon compte. La porte du palier était maintenant secouée de l'extérieur, et la cage d'escalier au-dessus d'elles résonnait des cris de l'homme qui était remonté en courant, des cris auxquels répondaient maintenant ceux de leurs poursuivants. Il n'y avait pas de temps à perdre. Miss Temple attrapa le bras d'Éloïse et la poussa vers la trappe ouverte.

– Entrez là-dedans, murmura-t-elle. Vite !

Sans savoir s'il y avait de la place pour deux, ou si le mécanisme pouvait supporter leur poids, miss Temple se rua sur le panneau de commande en obligeant son esprit épuisé à comprendre comment il fallait s'en servir. La journée avait été interminable et elle n'avait pas mangé ni bu de thé depuis une éternité… Un bouton vert, un rouge et un bleu, et une grosse manette en cuivre. Éloïse replia ses jambes dans la trappe, la mine sombre, un poing serré, l'autre tenant toujours le flacon orange. Les cris venant d'en haut avaient changé, on frappait de plus en plus fort à la porte extérieure. Quand elle appuya sur le bouton vert, le monte-charge eut un soubresaut vers le haut. Le bouton rouge le fit descendre, le bleu ne parut avoir aucun effet. Elle ressaya le vert. Rien. Elle essaya le rouge et le monte-charge redescendit d'à peine quelques centimètres, et ce fut tout.

Les gonds de la porte qui donnait sur le palier commençaient à céder.

Elle avait compris. Le bouton bleu permettait au monte-charge de continuer sa course. Il servait à éviter que le moteur ne fonctionne inutilement dans les changements de direction à mi-parcours. Miss Temple appuya sur le bouton bleu et plongea dans l'ouverture, tandis qu'Éloïse l'attrapait par les hanches pour l'aider à entrer. Elle eut à peine le temps de glisser ses pieds à l'intérieur que, déjà, le monte-charge commençait son ascension dans un conduit aussi sombre qu'une mine de charbon. Ce qu'elles aperçurent avant d'être plongées dans l'obscurité, ce furent les bottes noires des soldats de Macklenburg qui semblaient claudiquer dans les dernières marches de l'escalier.

La taille du monte-charge était vraiment réduite. Après avoir d'abord été soulagée de constater qu'effectivement elles montaient, ensuite que les hommes ne les avaient pas arrêtées, et finalement qu'elle n'avait pas perdu un bras ou une jambe dans la manœuvre, miss Temple essaya de se redresser pour trouver une position plus confortable, mais elle ne parvint qu'à enfoncer son genou dans les côtes de sa compagne, et elle-même reçut la pointe du coude d'Éloïse dans l'oreille. Elle tourna son visage de l'autre côté et se retrouva l'oreille plaquée contre la poitrine de la jeune femme. Le corps d'Éloïse était chaud et humide de transpiration, sa chair était douce, et les battements assourdis de son cœur parvenaient à miss Temple, malgré le vacarme des chaînes du monte-charge, comme une confidence murmurée dans le brouhaha d'un salon bondé. Miss Temple se rendit compte que tout le haut de son corps était collé entre les jambes repliées de sa compagne et que celle-ci avait les genoux sous le menton. Elles n'avaient pas eu le temps de refermer la trappe et, à cause des secousses du monte-charge, miss Temple se tenait les pieds avec un bras pour éviter qu'ils ne frottent contre le conduit. Elles ne disaient mot, mais après quelques instants, miss Temple sentit qu'Éloïse se libérait un bras et lui caressait doucement les cheveux, ce qui la réconforta comme l'avait apaisée le contact chaleureux du corps de sa compagne d'infortune.

– Une fois que nous serons en haut, ils vont essayer de nous faire redescendre avant même que nous ayons le temps de sortir, murmura-t-elle.

– Sûrement, acquiesça Éloïse doucement. Vous devrez sortir avant, je vous pousserai.

– Et moi, je vous tirerai par les pieds.

– Ça ira, j'en suis sûre.

– Que se passera-t-il si on nous attend en haut ?

– C'est bien possible, en effet.

– Nous les prendrons par surprise, la rassura miss Temple avec le plus grand calme.

Éloïse ne répondit pas, mais elle prit la tête de la jeune femme et la serra contre sa poitrine avec un soupir que miss Temple interpréta à la fois comme un signe de douceur et de tristesse, un mélange qu'elle comprenait parfaitement. Miss Temple avait fort peu l'habitude d'une telle intimité physique avec une femme et encore moins d'une quelconque proximité émotive, mais elle savait d'ores et déjà que leurs mésaventures communes avaient rapidement créé un lien entre elles, comme une longue-vue rapproche le navire de la côte. La même chose était arrivée avec Chang et Svenson, des hommes desquels elle ne savait rien mais en qui elle avait toute confiance. En fait, et elle en était fort surprise, en replaçant les événements récents dans le contexte de sa vie, ils étaient les seuls qui comptaient pour elle.

Miss Temple – qui n'avait jamais connu sa mère – se demanda si ce qu'elle éprouvait en ce moment pouvait ressembler à ce qu'offre la présence maternelle : la chaleur d'un corps, la sensation de la vie, du contact physique, de l'affection absolue. Elle se sentait confuse et tout à coup beaucoup moins sûre d'elle-même, alors que de toute évidence ce n'était vraiment pas le moment de se laisser aller à ce genre de faiblesse. Elle rougit devant sa fragilité et son désir, et blottit son visage au creux des bras et de la poitrine de cette femme. Elle soupira et un frisson lui parcourut tout le corps.

Le mécanisme s'arrêta brusquement. La trappe s'ouvrit et miss Temple se retrouva face à face avec deux hommes complètement ahuris, deux hommes portant la livrée noire des domestiques de Harschmort, l'un qui avait ouvert la porte et l'autre qui s'apprêtait à enfourner dans le monte-charge un nouveau plateau couvert de flacons et de flasques. Avant même qu'ils aient pu refermer la porte et que ceux d'en bas aient pu rappeler le monte-charge, elle leur envoya ses deux pieds dans la figure, sachant qu'ils étaient sales comme ceux d'un garnement, ce qui les fit reculer de dégoût sinon de peur. Miss Temple se rua par l'ouverture, poussée par Éloïse, criant comme une folle, les cheveux en bataille, le visage barbouillé de suie et de sueur et, après avoir cherché désespérément des yeux le panneau de commande, elle se précipita pour écraser de son doigt le bouton vert qui immobilisait le mécanisme.

Les deux hommes la regardaient bouche bée et la mine défaite, quand leur regard fut happé par le corps d'Éloïse qui s'extirpait du monte-charge, pieds devant, les tuniques remontées jusqu'en haut des cuisses. La vue de sa culotte en soie et de la fente qui s'ouvrit pour exhiber en un éclair une ombre entre ses jambes cloua les deux hommes au sol avant qu'elle pût dégager le haut de son corps et se retrouver à genoux par terre. Elle tenait encore le flacon orange dans ses mains. À sa vue, les deux hommes reculèrent encore d'un pas et leur visage changea d'expression : un instant auparavant, on y lisait une curiosité lubrique ; ils étaient maintenant presque suppliants.

Quand Éloïse fut complètement sortie, miss Temple relâcha le bouton et sauta sur l'homme qui avait les mains libres pour le pousser de toutes ses forces sur l'autre. Les deux domestiques reculèrent en chancelant, franchirent ainsi la porte métallique et se retrouvèrent sur le marbre noir et blanc, en tentant désespérément de maintenir leur précieux plateau en équilibre. Miss Temple aida Éloïse à se relever et lui prit le flacon orange. Derrière elles, le monte-charge se remit en mouvement et disparut vers le bas. Elles se ruèrent dans le vestibule, mais les deux hommes, qui avaient plus ou moins repris leurs esprits, leur barraient la route.

– Qu'espérez-vous faire avec ça ? hurla celui qui tenait le plateau en désignant de la tête le flacon que miss Temple avait à la main. Où l'avez-vous pris ? Nous aurions pu… nous aurions tous pu…

– Posez ça ! se contenta d'ordonner l'autre homme.

– C'est vous qui allez poser ça, rétorqua miss Temple. Posez le plateau et disparaissez tous les deux, immédiatement !

– Pas question, répliqua l'homme au plateau en plissant les yeux vicieusement. Qui êtes-vous donc pour nous donner des ordres ? Si vous pensez qu'être les putains de nos maîtres vous donne le droit de…

– Foutez le camp ! hurla l'autre. Nous avons à faire. On nous fouettera. Vous nous avez encore fait attendre avec le monte-charge.

Il essaya de les contourner pour atteindre la porte de la tour, mais l'homme qui tenait le plateau ne bougeait pas et les regardait avec une colère dont miss Temple connaissait l'origine : l'orgueil blessé et la mesquinerie.

– Non, elles ne bougeront pas de là, elles ne s'en iront nulle part, elles nous doivent des explications... et elles vont rendre des comptes, à moi ou à monsieur Blenheim.

– Nous n'avons pas besoin de Blenheim, siffla son compagnon, vraiment pas, nom de Dieu !

– Regarde-les ! cria l'homme au plateau dont le rictus devenait de plus en plus affreux. Elles n'assistent à aucune des cérémonies... elles s'enfuient... sinon, pourquoi auraient-elles crié ?

Cette réflexion fit son chemin dans la tête de l'autre homme et ils s'arrêtèrent tous deux pour examiner de plus près ces deux femmes pour le moins court-vêtues.

– Si nous les arrêtons, je te parie que nous aurons une récompense.

– Si nous ne faisons pas ce travail correctement, nous serons renvoyés.

– De toute façon, il nous faudra attendre qu'on nous le renvoie.

– Oui... Tu penses qu'elles ont volé ces tuniques ?

Pendant que les deux hommes se querellaient, miss Temple cherchait une solution, s'éloignant imperceptiblement de la porte. Elle ne doutait pas un instant qu'ils deviendraient vite ridiculement virils. Elle devait agir. Elle avait en main le flacon orange qui, de toute évidence, contenait un produit chimique terriblement violent. Si elle le leur cassait sur la tête, il était fort probable que les deux hommes seraient neutralisés et qu'elles pourraient toutes deux s'enfuir. Mais en même temps, vu la façon dont tout le monde reculait, comme des collégiennes devant une araignée, elle ne pouvait pas être sûre que, une fois le produit répandu, il ne les intoxiquerait pas, elles aussi, ne fût-ce que par les vapeurs. De plus, le flacon était l'arme idéale à conserver pour une autre occasion, un affrontement ou une négociation. De manière générale, miss Temple préférait conserver ce qui était précieux plutôt que de s'en défaire. Mais peu importe ce qu'elle allait entreprendre, il fallait que ce fût assez concluant pour empêcher ces deux types de se lancer à leur poursuite. Elle était vraiment lasse de toutes ces courses qui lui semblaient interminables.

Dans un geste très théâtral, miss Temple brandit le flacon en poussant un cri, comme pour le casser sur la tête de l'homme qui tenait le plateau et qui, de ce fait, ne pouvait pas lever le bras pour parer le coup. Mais la menace était telle qu'il ne put s'empêcher d'essayer. Aussi, quand le bras de miss Temple retomba devant lui, il lâcha son plateau qui vint s'écraser bruyamment sur le sol de marbre, faisant voler en éclats les flacons et les flasques qui s'y trouvaient, à la grande satisfaction de la jeune femme.

Les deux hommes levèrent les yeux vers elle, tous deux la tête dans les épaules pour encaisser le coup, bouche bée en constatant qu'elle n'avait pas lâché le flacon orange, qu'elle n'en avait même jamais eu l'intention. D'un coup, leur regard à tous les quatre se porta sur le plateau dont la surface semblait en éruption, laissant échapper sifflements et vapeurs et dégageant une odeur très particulière qui donna à miss Temple envie de vomir. Cette odeur n'était pas celle de l'argile indigo, infecte et nocive, mais une autre, qui la ramena dans le fiacre, la nuit où elle s'était battue pour se libérer du corps de Spragg qui saignait comme un porc… c'était un concentré de l'odeur du sang humain. Trois des flasques s'étaient cassées et les liquides qu'elles contenaient avaient formé, en se mélangeant, une flaque qui s'était transformée, il n'y avait guère d'autres mots pour le dire, en une mare de sang clair. Le sang coulait du plateau sur le sol en un flux abondant, comme si le mélange des produits chimiques avait non seulement donné du sang, mais en avait produit une énorme quantité semblant jaillir d'une blessure invisible pour couler sur les dalles de marbre.

– Mais qu'est-ce que c'est que ces dégâts?

Tous les regards se dirigèrent vers cette voix pleine de reproches qui venait de la porte ouverte derrière les deux hommes : un homme grand, aux favoris grisonnants et portant des lunettes cerclées de métal, se tenait debout, une carabine à la main. Il portait un long manteau noir dont l'élégance faisait paraître la tête de l'homme plus ronde, et sa bouche mince, plus cruelle encore. Les domestiques courbèrent immédiatement la tête et baragouinèrent de vagues explications.

– Monsieur Blenheim… monsieur… ces femmes.

– Nous étions… le monte-charge…

– Elles nous ont attaqués…

– Ce sont des fugitives…

Blenheim les interrompit, tranchant comme un couperet de boucher.

– Renvoyez ce plateau, remettez en ordre ce qui était dessus et faites-le parvenir immédiatement. Faites venir une femme de chambre pour nettoyer le plancher. Et venez au rapport à mes quartiers dès que ce sera fait. On vous avait avertis que votre tâche était de la première importance. Je ne peux pas vous garantir que vous continuerez à travailler dans cette maison.

Sans un mot de plus, les deux hommes attrapèrent le plateau tout dégoulinant et passèrent devant leur maître en penchant la tête avec obséquiosité. Blenheim renifla l'odeur, puis son regard passa au-dessus de la mare de sang pour s'arrêter de nouveau sur les deux femmes. Ses yeux se posèrent sur le flacon orange que miss Temple avait toujours à la main, mais il se garda bien de laisser paraître quoi que ce fût. Il fit signe avec sa carabine et leur lança :

– Vous deux, vous allez me suivre.

Elles avançaient devant lui, orientées chaque fois qu'il fallait changer de direction par des ordres brefs, jusqu'à ce qu'elles fussent parvenues à une porte en bois brut. Leur Cerbère regarda un instant autour, puis il déverrouilla la porte et les poussa pour qu'elles la franchissent. Il les suivit avec des mouvements rapides, surprenants pour un homme de sa taille, referma la porte et remit la clé en place, parmi tant d'autres qui pendaient à une chaîne en argent. Miss Temple remarqua qu'il plaça le tout dans la poche de son gilet.

– Il sera préférable de parler à l'écart, annonça-t-il en leur décochant un regard froid si morne et si terne qu'il révélait la propension de cet homme à la cruauté pure et simple, pragmatique en quelque sorte…

Il changea sa carabine de main avec une habileté tout à fait inquiétante.

– Vous allez poser ce flacon sur la table qui est à côté de vous.

– C'est ce que vous voulez, hein ? demanda miss Temple, qu'un masque de politesse rendait inexpressive.

– C'est ce que vous allez faire immédiatement, rétorqua-t-il.

Miss Temple jeta un coup d'œil à la pièce. Le plafond était haut et décoré de scènes de nature : une jungle, des chutes d'eau et de grands ciels tragiques qui devaient, du moins elle le supposa, être le reflet de la représentation que l'artiste se faisait de l'Afrique ou de l'Inde, ou de l'Amérique. Sur tous les murs, on avait aligné des vitrines pleines d'armes, d'objets divers, de trophées d'animaux, des têtes empaillées, des peaux, des dents et des griffes. Sur le plancher, des tapis épais, et sur les tapis, des sièges capitonnés de cuir confortable. La pièce sentait le cigare et la poussière, et la jeune femme remarqua, derrière Blenheim, un énorme buffet plein de bouteilles, bien plus nombreuses que tout ce que pouvait produire le monde civilisé dans le genre, pensa-t-elle. Miss Temple supposa que, étant donné l'aspect cabinet d'explorateur de la pièce, toutes ces liqueurs et ces potions devaient provenir des contrées les plus reculées du monde primitif.

Blenheim se racla la gorge très ostensiblement et, avec un petit signe de déférence, miss Temple posa son flacon là où il le lui avait indiqué. Elle lança un coup d'œil à Éloïse et croisa le regard interrogateur de sa compagne. Miss Temple tendit la main et prit celle d'Éloïse, la main qui tenait la carte de verre et, en fait, elle cacha la carte dans sa main à elle.

– Alors, c'est vous, monsieur Blenheim? le questionna-t-elle sans avoir aucune idée de ce que cette phrase pouvait bien sous-entendre.

– C'est moi, en effet, répliqua-t-il sur un ton grave dans lequel on pouvait percevoir une note désagréable de suffisance.

– Je me demandais aussi…, ajouta miss Temple. J'ai entendu votre nom tellement souvent.

Il ne lui répondit pas, mais la regarda très attentivement.

– Oh! oui, tellement souvent! insista Éloïse en essayant de faire quitter à sa voix le registre du murmure.

– Je suis l'intendant de cette maison. Vous êtes en train d'y semer le désordre. Vous étiez dans le passage réservé au maître et vous venez espionner, mettre votre sale nez dans ce qui ne vous regarde pas, comme des taupes que vous êtes… et ne cherchez pas à le nier. Et maintenant, je parie que vous avez perturbé ce qui se passe dans la tour, sans compter que vous avez cochonné mon plancher!

Malheureusement pour Blenheim, parce qu'il était du genre à fonder son autorité sur sa capacité à faire la liste des transgressions possibles, sa litanie ne parvenait à atteindre que ceux qui pouvaient ressentir une once de culpabilité pour toutes ces fautes. Miss Temple hocha la tête pour signifier qu'elle avait saisi ses récriminations.

– En ce qui concerne l'intendance, j'imagine qu'une demeure de cette taille demande beaucoup de travail. Avez-vous beaucoup de personnel? J'ai moi-même énormément réfléchi à la quantité de personnel qu'il faut employer en fonction de la taille d'une maison, ou de l'ambition de ses propriétaires, car souvent les ambitions sociales d'une personne dépassent ses possibilités matérielles…

– Vous espionniez. Vous avez pénétré dans le passage secret du maître…

– Et c'est un endroit qui est un modèle du genre, rétorqua-t-elle. Si vous voulez mon avis, c'est plutôt votre maître qui est une taupe, comme vous dites.

– Que faisiez-vous là? Qu'avez-vous entendu? Qu'avez-vous volé? Qui vous paie?

À chacune de ses questions, le ton de Blenheim devenait plus véhément et il termina, le visage écarlate, ce qui faisait paraître plus blancs ses favoris grisonnants et donnait encore plus à miss Temple l'envie de se moquer de lui.

– Mon Dieu! Monsieur, votre teint… Vous ne devriez peut-être pas abuser du gin!

– Nous étions tout simplement perdues, intervint assez habilement Éloïse, un incendie s'est déclaré…

– Ça, j'en sais quelque chose.

– Regardez nos visages… ma robe…

Et là, Éloïse attira obligeamment le regard de l'homme sur sa tunique noircie qui retombait sur ses mollets bien galbés.

– Cela ne veut rien dire, marmonna Blenheim en se passant la langue sur les lèvres.

Mais pour miss Temple, cela voulait dire beaucoup, car le fait que Blenheim ne les eût pas livrées immédiatement à son maître signifiait qu'il avait une idée derrière la tête. Elle désigna d'un geste vague les têtes d'animaux empaillées, les vitrines pleines d'armes et lui adressa un sourire de conspiratrice.

– Quelle pièce étrange! chuchota-t-elle.

– Je ne vois là rien d'étrange. C'est la salle des trophées.

– Je vous crois, mais cela veut dire que c'est une pièce réservée aux hommes.

– Et alors?

– Eh bien, nous sommes des femmes!

– Donc?

– C'est bien là…, et elle se mit à battre des paupières sans aucune retenue, c'est bien là la question que nous vous posons.

– Comment vous appelez-vous? siffla-t-il entre ses lèvres minces en clignant des yeux. Que savez-vous au juste?

– Il faut d'abord que vous me disiez qui vous servez exactement…

– Répondez-moi sans détour !

Miss Temple dodelina de la tête aimablement devant son éclat de voix, comme si elle n'était pour rien dans la colère de cet homme.

– Nous ne voulons pas vous compliquer les choses, expliqua-t-elle, nous ne voulons pas non plus vous offenser. Si, par exemple, vous êtes profondément attaché à miss Lydia Vandaariff…

Blenheim balaya le sujet du revers de la main. Miss Temple fit un signe de la tête.

– Ou si vous êtes complètement dévoué à lord Vandaariff ou à la Contessa, ou au comte d'Orkancz ou à Francis Xonck, ou au vice-ministre Crabbé, ou…

– Peu importe qui je sers, vous allez me dire ce que vous savez.

– Bien sûr, mais d'abord il faut que vous sachiez que des intrus ont pénétré dans cette maison.

– L'homme en rouge, cracha Blenheim avec impatience.

– Et l'autre aussi, ajouta Éloïse, qui est arrivé de la carrière dans l'aéronef.

De nouveau, Blenheim leur fit signe de passer à autre chose.

– Ceux-là, on s'en occupe, siffla-t-il. Mais comment se fait-il que deux adeptes en tuniques blanches courent partout dans la maison et défient ainsi l'autorité de leurs maîtres ?

– Encore une fois, monsieur, de quels maîtres parlez-vous ? s'enquit miss Temple.

– Mais…

Puis il s'interrompit et fit un brusque mouvement de la tête, comme s'il venait de trouver la confirmation de ce qu'il pensait.

– Bon, très bien… ils complotent les uns contre les autres.

– Nous savions bien que vous étiez un homme intelligent, soupira Éloïse.

Blenheim ne répondit pas tout de suite et miss Temple ne se risqua pas à jeter un regard à Éloïse, mais elle profita de l'occasion pour lui presser la main.

– Tandis que le comte est en bas, dans le hall de la prison, hasarda-t-elle en prenant le ton de la conjecture la plus banale, et que la Contessa est dans une chambre avec le prince… où se trouve monsieur Xonck ? et le vice-ministre Crabbé ?

– Ou, du moins, où pense-t-on qu'ils se trouvent ? l'interrogea Éloïse.

– Et d'ailleurs, où se trouve aussi votre lord Vandaariff ?

– Il est…

Blenheim s'interrompit.

– Savez-vous où se trouve votre maître ? s'enquit Éloïse.

Blenheim secoua la tête

– Vous ne m'avez toujours pas…

– Que pensez-vous que nous faisions ?

Miss Temple permit à son exaspération de s'exprimer.

– Nous nous sommes enfuies du théâtre, de miss Poole…

– Qui est arrivée dans l'aéronef avec le ministre Crabbé, ajouta Éloïse.

– Et nous avons ensuite surpris ce que faisait la Contessa dans votre pièce secrète, résuma miss Temple, et à partir de là, nous avons fait tout ce que nous avons pu pour déranger le comte dans son laboratoire.

Blenheim fronça les sourcils.

– Qui n'avons-nous pas importuné ? l'interrogea miss Temple patiemment.

– Francis Xonck, souffla Blenheim.

– C'est vous qui le dites, monsieur, pas moi.

Il se mordilla la lèvre. Miss Temple poursuivit.

– Voyez-vous… nous ne vous avons rien révélé… c'est vous qui avez considéré tout cela et qui en avez tout simplement déduit ce qu'il y avait à en déduire. Cependant… si nous vous aidions… monsieur… est-ce que cela vous faciliterait les choses ?

– Peut-être. Mais si vous ne me donnez pas de précisions sur ce que vous entendez par aide, je ne le sais pas.

Miss Temple lança un regard à Éloïse, puis elle se pencha vers Blenheim comme si elle voulait partager un secret.

– Savez-vous où se trouve monsieur Xonck en ce moment même ?

– Tout le monde va se retrouver dans la salle de bal…, murmura Blenheim, mais je ne l'ai pas vu.

– Vraiment, répliqua miss Temple comme s'il venait de dire quelque chose de très important. Et si je pouvais vous montrer ce qu'il est en train de faire ?

– Où ?

– Pas où, monsieur Blenheim… en fait, pas où… mais comment.

Miss Temple sourit et elle brandit la carte de verre après l'avoir prise des mains d'Éloïse.

Monsieur Blenheim voulut s'en emparer rageusement, mais miss Temple l'en empêcha.

– Savez-vous ce que c'est que…, commença-t-elle, mais avant qu'elle eut pu continuer, Blenheim lui avait saisi le bras et arraché la carte des doigts.

Il s'écarta et se passa la langue sur les lèvres encore une fois, regarda tantôt la carte, tantôt les deux femmes.

– Faites attention, conseilla miss Temple. Le verre bleu est très dangereux. C'est très déconcertant… si vous n'en avez jamais fait l'expérience…

– Je sais ce que c'est! gronda Blenheim, et il recula de quelques pas vers la porte, en bloquant ainsi l'accès.

Il leva les yeux une dernière fois vers les deux femmes, puis plongea dans le verre.

Le regard de Blenheim se brouilla tandis qu'il entrait dans le monde de la carte de verre. Miss Temple ne pouvait pas dire si cette carte montrait la scène de Roger en train de la reluquer, elle, sur un divan, ou la relation entre le prince et Mrs. Marchmoor. Elle espérait que c'était la deuxième, car elle pouvait enchanter plus sûrement Blenheim. Très lentement, sans faire un bruit, elle se dirigea vers la vitrine la plus proche pour y trouver une dague courte, à la lame sinueuse comme un serpent argenté. La respiration de Blenheim semblait retenue dans sa gorge et son corps frémissait… le cycle de la carte était arrivé à son terme, mais l'homme ne bougeait toujours pas, captivé par la répétition – elle comprit que c'était Mrs. Marchmoor sur le divan. En prenant soin de se camper solidement sur ses pieds, comme le lui avait conseillé Chang, miss Temple s'approcha de Blenheim et lui enfonça sa dague dans les côtes, jusqu'au manche.

Il sursauta, écarquilla les yeux en les relevant de la carte. Miss Temple retira son arme à deux mains, ce qui fit chanceler Blenheim vers elle. Il baissa les yeux vers la lame pleine de sang puis regarda miss Temple en face. Elle le frappa encore, cette fois en haut des côtes. Blenheim laissa tomber la carte et chercha à se saisir de l'arme de la jeune femme. Il tomba à genoux avec un râle, du sang giclait de son ventre. Il ne pouvait plus respirer, ni crier, ce qui était une chance pour les deux femmes. Il bascula sur le côté et cessa de bouger. Miss Temple constata avec satisfaction que le tapis portait un motif rougeâtre et elle s'agenouilla pour s'essuyer les mains.

Elle regarda Éloïse qui n'avait pas bronché, assistant pétrifiée à l'agonie de l'homme qui gisait à terre.

– Éloïse, murmura miss Temple.

Éloïse se retourna vivement, revenue à elle, les yeux grands ouverts.

– Ça va, Éloïse?

– Oh! oui, je suis désolée!… Je… je ne sais pas… je croyais que nous allions filer…

– Il nous aurait suivies.

– Bien sûr, bien sûr! Non… enfin… oui, mon Dieu!

– C'était un de nos ennemis jurés!

Tout à coup, l'assurance de miss Temple vacillait.

– Bien sûr… c'est simplement… ça doit être tout ce sang.

Malgré elle, la pointe de critique avait atteint la résolution meurtrière de miss Temple: après tout, tuer n'était pas pour elle quelque chose de naturel ou qu'elle pouvait accomplir avec insouciance. Elle savait qu'elle avait fait preuve d'intelligence, mais elle était également parfaitement consciente de ce qu'elle venait de commettre, c'est-à-dire un meurtre. Il ne s'agissait même pas d'une rixe. Tout avait changé si rapidement, trop vite pour qu'elle pût avoir le contrôle sur ses convictions et sur ce que ses actions avaient fait d'elle. Elle sentit les larmes lui brûler les yeux. Éloïse se pencha et la prit par les épaules.

– Ne tenez pas compte de ce que je dis, Céleste… je suis une idiote… vraiment! Vous avez fait ce qu'il fallait faire!

Miss Temple renifla.

– Il vaudrait mieux que nous le déplacions pour libérer la porte.

– D'accord.

Elles prirent chacune un bras, mais l'effort qu'elles firent pour traîner derrière une petite bibliothèque le cadavre encombrant de l'homme qui avait fini par expirer les laissa toutes deux à bout de souffle. Éloïse était adossée à un fauteuil de cuir et miss Temple, sa dague toujours à la main, en essuyait la lame sur la manche de Blenheim. Soupirant encore face au poids de ce qu'il fallait accepter si l'on adoptait une pensée pragmatique, elle déposa la dague, commença à fouiller les poches de l'homme et entassa par terre tout ce qu'elle y trouva: des billets de banque, des pièces de monnaie, des mouchoirs, des allumettes, deux cigares intacts et le mégot d'un autre, des crayons, des morceaux de papier vierge, des balles de carabine et un anneau chargé de très nombreuses clés qui pouvaient certainement ouvrir toutes les portes de Harschmort. Dans la poche de poitrine, cependant, se cachait une autre clé… une clé en verre bleu. Les yeux de miss Temple s'agrandirent et elle se tourna vers sa compagne.

Éloïse ne la regardait pas. Elle était affalée dans le fauteuil, une jambe en l'air, les yeux dans le vague. Elle tenait à deux mains la carte de verre devant elle. Miss Temple, debout à côté d'elle, la clé de verre entre les mains, se demanda si elle avait mis longtemps pour fouiller les poches de Blenheim et donc depuis combien de temps sa compagne voyageait au fil des sensations de Mrs. Marchmoor sur son divan. Les lèvres entrouvertes d'Éloïse laissèrent passer un léger halètement et miss Temple commença à se sentir gênée. Plus elle pensait à son expérience du verre bleu – le désir, la connaissance, l'abandon si agréable et, bien sûr, la conscience de soi si grossièrement altérée – et moins elle savait ce qu'elle devait en penser. Les atteintes physiques qu'elle avait subies, ce qui semblait lui arriver chaque fois qu'elle mettait le pied dans un fiacre, avaient fait monter sa colère. Mais ces incursions dans son esprit avaient changé jusqu'à sa façon de considérer les convenances, le désir et l'expérience elle-même. Les certitudes qui étaient les siennes jusque-là en avaient été profondément ébranlées.

Éloïse était veuve et elle avait dû trouver un certain équilibre quant à ces questions physiques dans le mariage. Mais au lieu de la voir réagir selon sa raison et avec une certaine distance, miss Temple fut troublée de voir un peu de sueur perler sur sa lèvre supérieure et, devant le désir de l'autre, elle sentit monter un frisson entre ses cuisses. C'était quelque chose qu'elle n'avait pas connu, sauf si on tenait compte des baisers échangés avec Roger et des tentatives de son fiancé pour la peloter, ce qu'en ce moment, dans un effort farouche de volonté, elle se refusait à faire. Miss Temple ne put s'empêcher, parce qu'elle était à la fois curieuse et orgueilleuse, de se demander quelle image elle avait bien pu donner d'elle-même quand elle s'était trouvée dans la même situation qu'Éloïse.

Les joues de la veuve étaient en feu, elle se mordillait distraitement la lèvre inférieure, les doigts crispés sur la carte, la respiration ponctuée de soupirs, sa tunique souple et légère glissant au gré de ses mouvements et laissant paraître le bout durci de ses seins, le balancement à peine perceptible de ses hanches, une de ses longues jambes qui s'étirait sur le tapis, ses doigts de pieds tendus pour résister à une force invisible. Mais, pour ajouter encore à la fascination gênée de miss Temple, ce masque de plume qu'Éloïse portait encore lui donnait, dans une certaine mesure, l'impression qu'elle observait une femme inconnue et mystérieuse, un peu comme quand elle s'était regardée elle-même dans le miroir sans tain de la Contessa. Elle continua à fixer Éloïse alors que celle-ci se plongeait dans un nouveau cycle de la carte. Miss Temple était maintenant capable de repérer au même halètement léger de sa respiration le moment où Mrs. Marchmoor attirait le corps du prince contre le sien, accrochant ses jambes autour des hanches du jeune homme et le tenant serré… et elle s'étonna d'avoir réussi à détacher son attention de la carte sans difficulté, ou sans difficulté au-delà de son embarras, alors qu'Éloïse semblait complètement envoûtée. Qu'avait-elle dit à propos du livre… sur le fait que des gens en étaient morts, et qu'elle-même s'était évanouie? Avec une fermeté qui, comme peut-être trop souvent dans sa vie, coupa court à sa fascination, miss Temple tendit la main et arracha la carte de verre des mains de sa compagne.

Éloïse leva les yeux, sans aucune conscience de ce qui s'était passé, la bouche ouverte, les yeux troubles.

– Vous vous sentez bien? s'enquit miss Temple. Vous vous êtes complètement perdue dans cette carte.

Elle la brandit devant les yeux d'Éloïse. La veuve se passa la langue sur les lèvres et cligna des yeux.

– Mon Dieu!… Je suis vraiment désolée…

– Vous êtes toute rouge, observa miss Temple.

– Je veux bien vous croire, murmura Éloïse. Je ne m'attendais pas à…

– Cela ressemble au livre, c'est une expérience aussi prenante, même si elle n'est pas aussi profonde. Parce qu'il n'y a pas autant de verre, il y a moins de péripéties. Vous avez bien dit que le livre ne vous a pas convenu.

– En effet.

– La carte ne semblait vous convenir que trop bien.

– Peut-être… et cependant, je crois y avoir découvert quelque chose qui pourra nous servir…

– J'en rougis d'avance…

Éloïse fronça les sourcils, car en dépit de son épuisement, elle n'était pas disposée à accepter aussi facilement les moqueries d'une femme plus jeune qu'elle, mais miss Temple lui sourit timidement et lui tapota le genou.

– Je vous ai trouvée vraiment très jolie, lui confia miss Temple, puis avec un large sourire espiègle, elle ajouta : croyez-vous que le docteur Svenson vous aurait trouvée encore plus jolie ?

– Je ne vois vraiment pas ce que vous voulez dire, murmura Éloïse en rougissant à nouveau.

– Lui non plus, d'ailleurs, répliqua miss Temple. Mais qu'avez-vous donc découvert ?

Éloïse inspira profondément.

– Vous êtes sûre que la porte est bien fermée ?

– Oui, oui.

– Alors asseyez-vous, car nous devons réfléchir.

– Comme vous le savez, commença Éloïse, je suis, ou du moins j'étais, la préceptrice des enfants d'Arthur et Charlotte Trapping, Mrs. Trapping étant la sœur de Henry et de Francis Xonck. On prétend généralement que c'est Henry Xonck qui s'est arrangé pour assurer la promotion rapide du colonel Trapping, mais je vois maintenant qu'en fait c'est Francis Xonck qui a manipulé tout le monde. Il s'est servi de ses nouveaux alliés en espérant pouvoir arracher la fortune familiale à son frère. Tout cela parce que le colonel était au courant de toutes sortes de secrets d'État fort utiles, et ce, avec la bénédiction même de Henry. Le personnage-clé de tout cela, sans le savoir, était le colonel Trapping : il faisait rapport fidèlement à Henry des informations vraies ou fausses que lui fournissait Francis. Par ailleurs, c'est Francis qui m'a convaincue d'aller à Tarr Manor en y apportant tous les secrets que je pouvais connaître, ce qui lui permettrait encore une fois de faire chanter son frère et sa sœur. Mais cela devenait tout à fait nécessaire du jour où le colonel a été assassiné… vous comprenez ? Il a été supprimé malgré le fait que, à son insu ou non, il servait les intérêts de la cabale.

Miss Temple, perchée sur le bras du fauteuil, les jambes ballantes, fit un léger mouvement de la tête, espérant que ces explications prendraient assez rapidement un tour un peu plus intéressant.

Éloïse poursuivit :

– On peut se demander pourquoi exactement le colonel était à ce point discret.

– Le docteur a trouvé la deuxième carte sur le corps du colonel, répliqua miss Temple, la carte réalisée à partir de l'expérience de Roger Bascombe. On l'avait cousue dans la doublure de son uniforme. Mais vous m'avez dit que vous aviez découvert quelque chose…

Mais Éloïse était encore en train de réfléchir.

– Y avait-il là-dedans un secret qui pût être particulièrement… important? Qui pouvait justifier qu'on le dissimule autant… qu'on le protège autant?

– Je dirais que non, en dehors de la partie où l'on me voit… sauf… sauf le moment à la fin. On y entrevoit, j'en suis sûre, Lydia Vandaariff sur une table d'examen et le comte d'Orkancz qui, vous savez… l'examine.

– Quoi?

– Oui, répondit miss Temple, je le comprends maintenant… Quand j'ai vu les tables, bien sûr, je me suis souvenue d'avoir déjà vu Lydia… mais quand j'ai vu la carte pour la première fois, je ne savais pas qui était Lydia.

– Mais, Céleste…

Miss Temple fronça les sourcils car, encore en cet instant, elle n'était pas tout à fait sûre de sa compagne et certainement très mal à l'aise devant tant de familiarité…

– Mais si la carte est restée cousue dans le manteau du colonel, cela veut dire que personne ne l'avait trouvée! Cela veut dire que ce qu'il savait, et dont la carte était la preuve, mourrait avec lui.

– Mais ce n'est pas ce qui est arrivé. Le docteur a trouvé la carte et nous connaissons son secret.

– Exactement.

– Exactement quoi?

Éloïse hocha la tête avec gravité.

– Alors, ce que j'ai trouvé est peut-être plus important encore…

Miss Temple avait atteint les limites de sa patience; elle n'était pas du genre à se retenir de déchirer le papier d'emballage quand on lui offrait un cadeau.

– D'accord, mais vous ne m'avez toujours pas dit de quoi il s'agissait.

Éloïse désigna la carte de verre que miss Temple tenait sur ses genoux.

– À la fin du cycle, raconta-t-elle, vous vous souvenez que la femme…

– Mrs. Marchmoor.

– Elle tourne la tête et on aperçoit des spectateurs. Parmi eux, j'ai reconnu Francis Xonck, miss Poole, le docteur Lorenz. Les autres, je ne sais pas qui ils sont, même si je suis sûre que vous, vous le savez. Cependant, derrière ces gens… il y a une fenêtre…

– Ce n'est pas une fenêtre, rectifia miss Temple tout à coup enthousiaste. C'est un miroir ! Les salons privés du Ste-Royale, qui donnent sur le hall d'entrée, sont tous équipés de miroirs sans tain. En fait, c'est en reconnaissant les portes extérieures de l'hôtel au travers de ces miroirs sans tain que le docteur s'est rendu pour la première fois au Ste-Royale…

Éloïse hocha la tête avec impatience.

– Mais a-t-il remarqué qui était dans le hall de l'hôtel ? Quelqu'un qui, de toute évidence, est sorti des salons privés pour s'éloigner de ceux qui y étaient restés, captivés par… disons… le *spectacle* qu'on y donnait.

Miss Temple fit signe que non.

– Le colonel Arthur Trapping, chuchota Éloïse, qui s'entretenait avec le plus grand sérieux… avec lord Vandaariff.

Miss Temple se couvrit la bouche de la main.

– C'est le comte ! s'exclama-t-elle. Comment ? Je l'ignore dans le détail, mais il a, c'est certain, l'intention de se servir de Lydia… de se servir du mariage… pour réaliser une autre partie du scénario alchimique d'Oskar Veilandt.

Éloïse fronça les sourcils.

– Qui est-ce ?

– Un peintre… un mystique… celui qui a découvert le verre bleu. On nous avait dit qu'il était mort… assassiné à cause de ses secrets… mais maintenant je me demande s'il n'est pas en vie. Il est peut-être prisonnier quelque part…

– Ou peut-être sa mémoire a-t-elle été drainée pour faire un livre ?

– Bien sûr ! Mais la question est de savoir si les autres sont au courant des intentions du comte concernant Lydia. Plus important encore, est-ce que son père est au courant ? Que s'est-il passé si Trapping a trouvé la carte de Roger et reconnu Lydia et le comte ? Le colonel a-t-il compris l'infamie de ses alliés et a-t-il menacé de les dénoncer ?

– J'ai bien peur que vous n'ayez jamais rencontré le colonel Trapping, remarqua Éloïse.

– Pas assez pour avoir le temps d'échanger quelques mots.

– Il est plus vraisemblable qu'il ait parfaitement compris ce que signifiait la carte et qu'il se soit dirigé vers la personne qui a les poches encore plus pleines que son beau-frère.

– Et nous n'avons pas vu lord Vandaariff… en ce moment même, il est peut-être en train de tramer sa vengeance contre le comte. Ou peut-être ignore-t-il tout ? Trapping lui aurait promis des renseignements, mais a été assassiné avant de pouvoir les lui fournir ?

– Blenheim n'avait pas vu lord Vandaariff, songea Éloïse.

– Et les plans du comte pour Lydia sont toujours en cours, constata miss Temple. Je l'ai vue qui buvait ses potions. Et si Trapping avait été tué pour que Vandaariff ne sache rien ?…

– C'est le comte qui est l'assassin ! s'exclama Éloïse.

Miss Temple fit la moue.

– Et pourtant… je suis sûre que le comte était aussi curieux que les autres de connaître le véritable destin du colonel.

– Lord Robert a dû au moins être mis en garde par la mort de son agent secret, raisonna Éloïse. Il n'est pas étonnant qu'il ne se montre pas. C'est peut-être lui qui détient votre fameux peintre… et qui cherche à s'en servir comme monnaie d'échange ? Il est peut-être en train d'ourdir un complot contre tous les autres.

– À ce propos, dit miss Temple en voyant les gros brodequins de Blenheim qui dépassaient derrière une ottomane de cuir rouge, qu'allons-nous faire de ce que j'ai trouvé sur Blenheim… qu'allons-nous faire de cela ?

Elle tendit la clé de verre qu'elle plaça dans la lumière pour en étudier l'éclat.

– Elle est faite du même verre que les livres, constata Éloïse.

– Que peut-elle bien ouvrir ?

– Certainement quelque chose de très délicat… quelque chose qui serait aussi fait de ce verre ?

– C'est bien mon avis aussi, conclut miss Temple en souriant. Ce qui m'amène à un deuxième point… je pense que Blenheim n'avait pas à détenir cette clé. Pouvez-vous imaginer que les membres de la cabale aient confié cette clé, d'une extrême importance pour eux, à quelqu'un qui n'est pas directement des leurs ? Blenheim était l'intendant de la demeure, il ne participe à toute cette affaire que comme les Dragons ou les soldats de Macklenburg, qui ne sont que des laquais, des faire-valoir. Qui a toute confiance en lui ?

– Une seule personne, répondit Éloïse.

Miss Temple hocha la tête.

– Lord Robert Vandaariff.

– J'ai une idée, annonça miss Temple en sautant de son fauteuil par-dessus la traînée sombre qui salissait le tapis – il avait été suffisamment compliqué de traîner le corps qu'elles ne s'étaient pas souciées des taches –, et elle alla fouiller dans l'armoire aux bouteilles.

Avec un plaisir non dissimulé, elle trouva une bouteille d'un certain âge et un petit couteau pointu qui lui permit de percer suffisamment le sceau de cire et le bouchon friable pour pouvoir verser le contenu. Peu lui importait qu'il y ait des débris de bouchon dans le liquide. Elle choisit une carafe presque vide et, en tirant la langue pour se concentrer, elle entreprit d'y vider le porto d'une belle couleur rouge foncé. Quand elle commença à voir les premières traces de dépôt, elle prit un verre à vin et finit d'y vider la bouteille. Puis elle saisit un autre verre et, en se servant du couteau pour passer le liquide, elle y versa le porto en ne gardant dans le premier verre que la lie rougeâtre. Avec un grand sourire, elle leva les yeux vers Éloïse qui la regardait avec sympathie mais la mine un peu déconcertée.

– Impossible de poursuivre notre enquête en restant enfermées dans cette pièce, impossible aussi de rejoindre le docteur ou de nous enfuir ou encore de nous venger car, même si nous emportions ces couteaux de sacrifice, nous pourrions être capturées ou même tuées en essayant de fuir.

Éloïse inclina la tête et miss Temple sourit de sa ruse.

– À moins bien sûr que nous soyons assez rusées pour soigner correctement notre déguisement. Quand nous étions dans la salle d'opération, dans le grand désordre qui a suivi l'incendie, je suis prête à parier que personne n'a compris ce qui arrivait au juste : trop de fumée, de coups de feu et de cris, et bien trop peu de lumière. Là où je veux en venir, c'est que personne ne sait exactement si nous avons subi le Procédé, conclut-elle en agitant ses doigts dans la lie de son verre à vin.

Elles empruntèrent le couloir, pieds nus, le dos bien droit, sans hâte, faisant de leur mieux pour avoir l'air placide tout en observant attentivement la grande agitation autour d'elles. Miss Temple tenait la dague en forme de serpent entre ses mains et elle avait attaché la carte de verre à la ceinture de sa culotte de soie verte. Éloïse avait caché la clé en verre de la même façon et elle tenait le flacon orange. Toutes deux portaient leurs masques de plumes autour du cou pour laisser sécher leur visage. Avec la lie du porto, elles s'étaient méticuleusement dessiné de fausses cicatrices autour des yeux et au-dessus du nez pour imiter celles du Procédé. Miss Temple s'était regardée dans la glace de la commode avec une certaine satisfaction, espérant que personne ne s'approcherait suffisamment pour reconnaître l'odeur du porto.

Pendant qu'elles se trouvaient dans la salle des trophées, le nombre des invités et des domestiques avait considérablement augmenté. Elles se retrouvèrent soudain au milieu d'hommes et de femmes portant capes, hauts-de-forme et robes du soir, masqués et gantés, et qui saluèrent de la tête les deux femmes en tuniques avec la déférence calculée que l'on pourrait réserver à des Peaux-Rouges armés de tomahawks. Elles ne répondaient absolument pas, essayant de contrefaire la stupeur qui suivait le Procédé et que miss Temple avait observée dans l'amphithéâtre. Le fait qu'elles portent des armes ne servait qu'à faire le vide autour d'elles, et miss Temple constata que les invités leur attribuaient un statut supérieur, les considéraient comme les acolytes d'un cercle restreint. Elle aurait aimé brandir sa dague en hurlant à la face de tous ces obséquieux.

Le flot des invités les mena du côté de la salle de bal, mais miss Temple n'était pas convaincue que c'était à cet endroit qu'il fallait qu'elles se rendent. Elle était sûre que c'était ailleurs qu'elles trouveraient ce dont elles avaient besoin (des chaussures, des vêtements, et leurs compagnons) : dans les pièces de service, assez semblables à celle où elle s'était retrouvée avec Spragg et Farquhar, où les meubles étaient recouverts de toiles blanches, où, sur les tables, traînaient des bouteilles vides et des reliefs de repas. Elle cherchait la main d'Éloïse quand un vacarme les fit se retourner toutes les deux. S'avançait une double rangée de Dragons en tuniques rouges et longues bottes noires, avec, à leur tête, un officier à la mine renfrognée. Les soldats obligèrent la foule des invités à se rabattre de chaque côté du couloir, ce qui eut pour effet d'isoler miss Temple en plein centre. Elle fit désespérément signe à Éloïse de se perdre dans la foule, mais on la bouscula et elle se trouva de nouveau sur la trajectoire des soldats, ridicule, au beau milieu de leur chemin. L'officier essaya bien de lui faire baisser les yeux, mais elle regarda encore une fois en direction d'Éloïse qui avait disparu derrière deux messieurs grincheux en tenue d'écuyers.

Les invités s'arrêtèrent un instant pour assister à la collision qui ne pouvait manquer de se produire. L'officier leva brusquement la main et ses hommes s'arrêtèrent net. Le couloir fut tout à coup silencieux... un silence qui permit à miss Temple d'entendre quelqu'un ricaner derrière elle, et qui ricanait sans doute depuis un moment sans qu'elle eût pu l'entendre. Elle se retourna lentement et aperçut Francis Xonck qui fumait un cigarillo, et lui fit une révérence extrêmement méprisante.

– Mais c'est une vraie perle, dit-il d'une voix traînante, une perle trouvée par hasard, alors qu'on ne la cherchait pas dans les contrées reculées de Harschmort.

Il s'arrêta net quand il remarqua ses cicatrices. Miss Temple ne répondit pas, elle baissa la tête pour reconnaître l'autorité de Xonck.

– Miss Temple? demanda-t-il, curieux et vaguement sceptique.

Elle s'inclina pour faire une petite révérence et se redressa. Xonck lança un regard à l'officier, puis il s'approcha de miss Temple pour lui prendre la mâchoire. Elle réagit passivement, sans broncher, et il put à sa guise lui secouer la tête. Il s'écarta et la scruta, des pieds à la tête.

– D'où sortez-vous? cria-t-il. Répondez!

– De l'amphithéâtre, répliqua-t-elle aussi vivement qu'elle le put. Un incendie...

Il ne la laissa pas finir. Cigare aux lèvres, avec son bras valide, il se mit à lui caresser la poitrine. La détermination froide de son visage et son geste pour le moins effronté firent haleter la foule. Stoïque, la voix de miss Temple ne flancha pas alors qu'il continuait à l'agresser en la tripotant partout.

– ...dans les lampes, il y avait de la fumée et des... coups de feu... c'était le docteur Svenson. Je ne l'ai pas vu, j'étais sur la table. Miss Poole...

Francis Xonck gifla violemment miss Temple.

– ...avait disparu. Les soldats m'ont détachée de la table.

Tout en parlant, imitant ce qu'elle avait observé dans l'amphithéâtre avec grand plaisir, elle avança le bras brusquement vers Xonck pour tenter de l'atteindre en plein visage avec sa dague. Malheureusement, il avait vu venir le coup qu'il para avec son bras, puis il la prit par le poignet et serra. Comme si cela lui épargnait d'avoir à se battre, miss Temple lâcha son poignard qui tomba bruyamment sur le sol de marbre. Francis Xonck lui lâcha le bras et s'éloigna. Elle ne fit pas un geste. Il regarda l'officier par-dessus l'épaule de la jeune femme, ramassa le poignard et eut une moue de mépris, ce qui signifiait, elle en était sûre, que l'officier manifestait une certaine désapprobation devant la scène à laquelle il venait d'assister. Il enfila le poignard à sa ceinture et tourna les talons en criant avec désinvolture, sans même se retourner :

— Emmenez cette femme avec vous, capitaine Smythe, et plus vite que ça. Vous êtes en retard.

Miss Temple essaya bien de lancer un regard à Éloïse alors qu'elle s'éloignait, mais la jeune femme avait disparu. Le capitaine Smythe l'avait prise par le bras, sans brutalité mais fermement, la forçant à s'adapter au pas de ses soldats. Elle se permit de jeter un regard sur l'officier, se cachant derrière une expression de curiosité bovine, et elle entrevit un visage qui lui rappela celui de Chang, d'un cardinal Chang accablé par les responsabilités du commandement, par la haine de ses supérieurs, la fatigue, le dégoût et, bien sûr, sans les cicatrices qui le défiguraient. Les yeux du capitaine étaient foncés et d'une douceur qui contrastait avec les rides d'amertume qui les entouraient. Il baissa le regard vers elle avec une ombre de suspicion, et elle fixa la silhouette bien dessinée de Francis Xonck qui s'éloignait, fendant la foule devant eux avec l'aisance impérieuse d'un scalpel.

Il leur fit traverser les rangs les plus serrés de la foule, leur passage offrant un spectacle qui provoqua murmures et ébahissements. Xonck serra des mains au passage, donna de grandes tapes amicales à quelques hommes, embrassa rapidement quelques femmes importantes ou très belles puis, plus loin, ils longèrent la salle de bal pour arriver à une sorte de hall d'où partaient plusieurs couloirs. Xonck étudia encore une fois miss Temple avec une attention scrupuleuse, se dirigea vers deux portes en bois, les ouvrit, y passa la tête et parla à voix basse. Puis il revint à miss Temple. Il prit son cigarillo et le considéra avec dégoût parce qu'il n'en restait plus qu'un mégot, le jeta sur le sol de marbre et l'écrasa.

— Capitaine, vous posterez vos hommes le long du couloir dans les deux directions et vous monterez la garde en particulier devant ces deux portes. Le colonel Aspiche vous donnera d'autres ordres à son arrivée. Pour le moment, ce que vous avez à faire, c'est attendre et vous assurer que cette femme ne bouge pas de là.

Le capitaine hocha la tête sèchement et retourna à ses hommes pour les déployer le long du couloir et devant les portes. Le capitaine se tint lui-même à portée de sabre de la jeune femme et donc de Francis Xonck. Après avoir donné ses ordres, Xonck ne prêta cependant plus aucune attention à l'officier. Il baissa la voix et siffla comme un serpent, prêt à attaquer :

— Vous allez me répondre immédiatement, Céleste Temple, et je saurai si vous mentez... et si c'est le cas, sachez que cela vous coûtera votre tête.

Miss Temple opina du bonnet d'un air absent, comme si tout cela n'avait aucune importance pour elle.

— Qu'est-ce que vous a dit Bascombe dans le train ?

Elle ne s'attendait vraiment pas à cette question.

— Il m'a dit que nous allions devenir des alliés, répliqua-t-elle. Il m'a dit que c'était ce que la Contessa désirait.

— Et qu'a-t-elle dit, la Contessa ?

— Je ne lui ai pas parlé dans le train.

— Avant cela... avant ! À l'hôtel... dans le fiacre !

— Elle m'a dit que je devais payer pour la mort de ses deux hommes. Et elle a posé les mains sur moi de façon très inconvenante...

— Oui, oui, cracha Xonck avec un geste d'impatience, mais qu'a-t-elle dit sur Bascombe ?

— Qu'il serait le prochain lord Tarr.

Xonck parlait tout seul à voix basse, lançant des coups d'œil par-dessus son épaule en direction des deux portes.

— Beaucoup trop de gens sont passés là... quoi d'autre ?... quoi d'autre ?...

Miss Temple essaya de se souvenir de ce que la Contessa lui avait dit d'autre, ou de quoi que ce soit de provocant qui pourrait exacerber les soupçons évidents de Xonck...

— Le comte était présent lui aussi...

— Je le sais...

— Parce qu'en fait elle lui a posé une question.

— Quelle question ?

— Je crois que je n'étais pas censée l'entendre... parce que je n'y ai rien compris...

— Et qu'a-t-elle dit ?

– La Contessa a demandé au comte comment il pensait que lord Vandaariff avait eu connaissance de leur intention de féconder sa fille par un procédé alchimique… autrement dit, s'il savait qui les avait trahis.

Francis Xonck ne répondit pas, il essayait de sonder son regard sans cacher la menace qu'il mettait dans le sien, il tentait de déterminer si elle était véritablement soumise. Miss Temple réussit plus ou moins à chasser la peur de l'expression de son visage en se concentrant sur les ombres changeantes qui se profilaient au plafond devant elle, mais elle voyait bien que Xonck était tellement dérangé par ce qu'elle venait de lui apprendre qu'il allait la frapper d'un instant à l'autre ou l'agresser de façon plus dégradante encore. Mais tout à coup, derrière eux, les portes s'ouvrirent et l'envoyé de Macklenburg pointa la tête, avec ses cicatrices toutes fraîches.

– Ils sont prêts, monsieur Xonck, murmura-t-il.

Xonck s'éloigna en marmonnant, ses doigts s'agitant nerveusement sur le manche du poignard qui pendait à sa ceinture. Puis, en lui lançant un dernier regard inquisiteur, il tourna les talons pour suivre l'envoyé dans la salle de bal.

Au bout de deux ou trois minutes, miss Temple conclut, à entendre le ton des voix qui perçaient confusément au travers des portes, que les membres de la cabale haranguaient leurs invités rassemblés. Debout derrière elle, le capitaine Smythe ne la lâchait pas du regard et ses soldats attendaient les ordres. Elle prit une longue inspiration et expira lentement. Il fallait espérer que l'empressement de Xonck à obtenir des renseignements l'avait empêché de prêter attention à son déguisement qui pouvait certes leurrer les invités peu avertis dans le grand hall, mais sans doute pas les membres plus aguerris de la cabale. Prise d'un accès soudain d'instinct de conservation, miss Temple réajusta son masque sur son visage. Elle soupira. Elle ne pouvait s'enfuir… mais peut-être pouvait-elle éprouver la solidité de sa cage. Elle se retourna vers le capitaine Smythe et lui sourit.

– Capitaine, comme vous avez pu le constater, on m'a interrogée… est-ce que je peux vous poser une question à mon tour?

– Miss?

– Vous avez l'air malheureux.

– Miss?

– On a l'impression qu'à Harschmort les gens sont… disons… tout à fait satisfaits d'eux-mêmes.

Le capitaine Smythe ne répondit pas, il jetait des regards furtifs en direction de ses hommes les plus proches. Miss Temple baissa donc le ton et elle murmura :

– Je me demande simplement pourquoi.

Le capitaine l'observait attentivement. Quand il finit par prendre la parole, il chuchotait lui aussi.

– Si j'ai bien entendu ce que disait monsieur Xonck… vous vous appelez… Temple ?

– C'est ça.

Il se passa la langue sur les lèvres et lui fit un signe de tête pour désigner sa tunique, un petit trou sur sa poitrine laissant voir son corsage en soie sous la blancheur un peu translucide des couches de tissu.

– On m'a dit… que vous aimiez beaucoup la couleur verte…

Avant même que miss Temple pût réagir à ce commentaire plutôt surprenant, les portes s'ouvrirent encore une fois derrière elle. Elle se retourna en se recomposant un visage impassible et se trouva devant Caroline Stearne, elle aussi assez effarée, si inquiète et surprise de voir miss Temple qu'elle ne prêta pas la moindre attention à l'officier qui se trouvait derrière elle.

– Céleste, chuchota-t-elle, vous devez me suivre immédiatement.

Mrs. Stearne conduisit miss Temple par la main à travers une foule silencieuse. Elles parvinrent à se frayer un chemin malgré la mauvaise grâce de tous ces gens qui semblaient ne pas apprécier qu'on les dérangeât alors que leur attention était captivée par ce qui se passait au centre de la pièce. Miss Temple s'arma de courage pour se calmer, s'attendant à ce que, sur un mot de Francis Xonck, on l'oblige à se soumettre publiquement à un examen mené par tous les membres de la cabale, devant des centaines de ces étrangers masqués. C'est seulement parce qu'elle s'était ainsi préparée à subir un choc qu'elle put se contenir quand elle aperçut le cardinal Chang à genoux, crachant du sang, incarnant l'image parfaite de quelqu'un qui a connu l'enfer.

Il leva les yeux vers elle, et son regard, son visage ensanglanté d'une pâleur extrême, la lenteur de ses mouvements, ses yeux heureusement cachés par ses lunettes teintées parvinrent à la jeune femme en même temps qu'elle aperçut derrière lui les regards des autres : Caroline, le colonel Aspiche et le comte d'Orkancz. Celui-ci était debout dans son grand manteau de fourrure et tenait une laisse reliée au cou d'une jeune femme à peu près de la taille et de la corpulence de miss Temple, qui se distinguait d'abord par sa nudité et ensuite, ce qui était beaucoup plus curieux, par le fait qu'elle semblait être faite en verre bleu. C'est quand cette créature se tourna vers elle, avec son expression indéchiffrable et ses yeux sans profondeur, comme ceux des statues romaines, que miss Temple se rendit compte qu'elle était vivante. Elle en fut clouée au sol, stupéfaite, et n'aurait même pas été capable de pousser un cri vers Chang si elle l'avait voulu.

Caroline Stearne abaissa le masque de miss Temple et le laissa pendre à son cou. Elle attendit quelques secondes interminables, certaine que quelqu'un allait la dénoncer, mais personne ne dit mot.

Puis, comme si tout se passait trop vite pour que l'on pût voir la scène, le colonel Aspiche leva le bras et, peu importe ce qu'il tenait à la main, il en assena un grand coup sur la tête de Chang qui s'effondra. Sur un signe de tête de leur colonel, deux Dragons sortirent du cercle de soldats qui retenait la foule et prirent Chang par les bras. Ils le traînèrent ainsi assommé et passèrent devant miss Temple. Elle ne se retourna pas sur son passage et s'obligea à lever les yeux, malgré son cœur qui battait la chamade et les larmes à ses paupières, pour croiser le regard intelligent et pénétrant de Caroline Stearne.

Derrière, la voix de la Contessa déchira le silence comme un coup de fouet particulièrement violent.

– Ma chère Céleste, cria-t-elle, que c'est merveilleux que vous… que vous soyez des nôtres. Mrs. Stearne, je vous remercie d'être arrivée à temps.

Caroline, qui se trouvait déjà devant la Contessa, lui adressa une révérence pleine de respect.

– Mrs. Stearne ! cria le comte d'Orkancz de sa voix rauque, ne souhaitez-vous pas voir vos camarades qui ont été transmuées ?

Le geste du comte relevait d'un art consommé de la mise en scène. Comme tous les autres, Caroline se retourna pour voir deux autres femmes de verre se suivre dans le cercle ouvert par la foule, leurs pas tintant sur le sol, leurs bras ballant, leur corps nus arborant une allure à la fois provocante et terrible. Miss

Temple mit un moment avant de reconnaître (qu'avait donc dit le comte à Caroline : camarades ?) Mrs. Marchmoor et miss Poole, avec quelques traces de brûlure sur la tête. Elle eut un choc. Comment expliquer que ses ennemies aient accepté, de leur plein gré, d'être transformées ainsi, d'être réduites à des… des objets !

Le comte ramassa la laisse de miss Poole et la tira un peu pour la diriger vers Mrs. Stearne. Les lèvres de miss Poole s'entrouvrirent à peine en un sourire glacial et Caroline chancela sur place, la tête sur le côté. Quelques instants après, tandis que le même effet s'étendait aux premiers rangs de la foule comme une risée sur un plan d'eau, miss Temple se sentit avalée et projetée dans une scène si saisissante de réalité qu'elle en oublia presque la salle de bal.

Assise sur un somptueux canapé dans un salon sombre, éclairé seulement par quelques bougies, elle caresse les beaux cheveux défaits de Caroline Stearne. Elle porte les tuniques d'initiation, et comme miss Temple le constate, miss Poole les porte aussi. À côté de Mrs. Stearne, un homme en manteau noir et affublé d'un loup de cuir rouge, se penche sur elle pour l'embrasser, un baiser auquel Mrs. Stearne répond avec passion. Cela ressemble à l'histoire de Mrs. Marchmoor et des deux hommes dans le fiacre, mais cette fois il s'agit d'un homme et de deux femmes. Miss Poole se met à rire avec condescendance devant le désir de Mrs. Stearne et elle se tourne pour prendre un verre de vin… son regard se dirige alors vers une porte ouverte où, à contre-jour, elle aperçoit une silhouette que miss Temple identifie immédiatement : c'est Roger Bascombe.

La vision se retira de l'esprit de miss Temple comme si on lui avait brusquement ôté un bandeau des yeux, et elle se retrouva dans la salle de bal, où tous ceux qu'elle voyait clignaient des yeux et semblaient sonnés, tous, sauf le comte d'Orkancz qui arborait un air de supériorité et souriait, visiblement satisfait. Il lança à Caroline une plaisanterie grossière sur la communauté des femmes et l'idée de prendre le voile, mais miss Temple n'y prêta aucune attention tant ses pensées étaient absorbées par ce qu'elle venait de voir…

Miss Poole et Caroline Stearne portaient les tuniques blanches, et l'homme assis avec elles sur le canapé, elle l'avait déjà vu – elle lui avait pris son manteau pour se couvrir ! –, ce n'était nul autre que le colonel Trapping. Miss Temple essayait de comprendre le sens de tout cela, comme si elle était pressée d'ouvrir une porte et qu'elle ne trouvait pas la bonne clé... c'était cette même nuit à Harschmort... juste avant le meurtre du colonel, parce que les femmes portaient leurs tuniques blanches mais n'avaient pas encore subi le Procédé. C'était donc pendant qu'elle traversait la galerie de miroirs, quand elle avait croisé cet homme étrange avec les caisses, quelques minutes avant qu'elle n'entrât elle-même dans la pièce où se trouvait Trapping. Elle avait déjà déduit que Roger et la Contessa étaient les membres de la cabale qui se trouvaient le plus près de Trapping au moment de sa mort... Était-il possible que ce fût plutôt deux femmes qui l'eussent tué en suivant les instructions du comte?

Si le colonel avait conclu un accord secret avec lord Vandaariff... mais alors pourquoi miss Poole avait-elle choisi de partager ce souvenir précis avec Caroline Stearne, puisqu'il s'agissait d'un épisode qui soulèverait forcément des questions au sujet de la mort du colonel? Elle avait constaté une rivalité entre les deux femmes dans l'amphithéâtre, alors était-ce seulement une façon de ridiculiser devant tout le monde l'affection de Caroline pour un homme mort, et pire encore, pour quelqu'un qui avait trahi la cabale?

Un cri rauque la fit sursauter, puis elle fut entièrement submergée par une autre vision: un escalier en bois, éclairé par la lueur orange d'une torche sous un ciel d'encre, des hommes qui se précipitent et une silhouette en pardessus noir: le ministre Crabbé! Les hommes se regroupent pour soulever quelqu'un qui se débat, vêtu d'un manteau bleu acier. Un bref aperçu de son visage tiré et de ses cheveux blond platine confirme qu'il s'agit du docteur Svenson, juste avant que la foule ne le pousse, sans la moindre hésitation, par-dessus une rambarde.

Miss Temple leva la tête. Elle comprit que c'était une vision de la carrière de Tarr Manor et, de retour de nouveau dans la salle de bal, elle sentit une agitation dans la foule, une sorte de vague qui convergeait vers le centre de la salle et qui poussa le docteur Svenson, hagard, à bout de souffle et meurtri, à quatre pattes, exactement là où s'était trouvé Chang. Svenson leva les yeux, cherchant désespérément une issue. Il aperçut le visage de miss Temple et il en fut pétrifié. Le colonel Aspiche s'avança, lui enleva des mains un porte-documents en cuir, puis lui assena sans aucune pitié un coup de matraque. Comme ils l'avaient fait pour Chang avant lui, ils traînèrent le docteur Svenson hors de la salle en passant à côté de miss Temple.

Incapable de le regarder sans se trahir, miss Temple riva alors son regard sur les femmes de verre. Elle frissonna, consternée à la vue de miss Poole, si toutefois cette statue qui bougeait, qui passait le bout de sa langue céruléenne et lisse sur ses lèvres, pouvait encore porter ce nom. Cette vision, aussi troublante fût-elle, retardait néanmoins le moment où elle devrait affronter le regard violet et perçant de la Contessa. Mais Caroline la prit par la main pour la conduire vers l'estrade où se trouvaient les membres de la cabale, la Contessa, Xonck, Crabbé, puis le prince, et Lydia Vandaariff qui portait encore son masque et ses tuniques blanches, et, derrière le couple, tapi comme un enfant sournois qui écoute aux portes, l'envoyé, Herr Flaüss. Contre toute logique, miss Temple regarda la Contessa en face alors que celle-ci la fixait de son œil implacable et glacé. Elle fut soulagée de constater que c'était Harald Crabbé, et non la Contessa, qui s'avançait pour prendre la parole.

– Chers invités… chers amis dévoués… chers adeptes… nos projets sont maintenant arrivés à terme… comme des fruits que l'on s'apprête à cueillir. Nous devons désormais nous appliquer à les récolter et à éviter qu'ils ne tombent sur le sol, stériles, abandonnés. Vous devinez l'importance de cette nuit et vous comprenez que nous entrons dans une ère nouvelle. Qui oserait en douter lorsque, sous nos yeux, ces anges d'une autre époque nous le démontrent? Et pourtant, c'est ce soir que tout se jouera: le prince et miss Vandaariff partiront se marier à Macklenburg, le duc de Staëlmaere sera nommé à la tête du conseil privé de la reine… les personnages les plus puissants de cette nation ont cédé leurs pouvoirs… et vous tous, c'est sans doute le plus important, vous vous acquitterez de vos missions respectives et vous accomplirez vos destinées! Nous pourrons ainsi construire notre rêve commun.

Crabbé s'arrêta. Il regarda d'abord le colonel Aspiche qui aboyait un ordre dont le ton contrastait avec le ton mielleux du vice-ministre, et toutes les portes de la salle de bal se fermèrent brutalement. Puis il se tourna vers le comte d'Orkancz qui donna de petits coups de laisses, tel le dompteur d'un cirque diabolique, et envoya les créatures de verre à différents endroits dans la foule. On aurait dit des lions dans une arène, jaugeant le nombre de martyrs, et miss Temple fut tout aussi perturbée de voir que c'était la troisième femme, celle qui avait la même taille qu'elle, que le comte avait envoyée dans sa direction. La créature avança jusqu'au bout de la laisse et, après l'avoir tendue au maximum, elle resta debout en bougeant les doigts, impatiente. Ceux qui se trouvaient près d'elle reculaient avec un certain malaise. Miss Temple sentit une pression sur ses pensées. Celles-ci étaient désormais voilées d'une sensation de froid bleu glacial...

— Vous comprendrez, poursuivit Crabbé, qu'il n'y a pas de place pour les risques ni pour le doute. Il nous faut des certitudes, comme vous tous, qui vous êtes engagés, avez besoin que chaque homme et chaque femme dans cette salle de bal vous procure des certitudes ! Vous ne trouverez personne dans cette salle qui n'ait subi le Procédé, ou qui n'ait soumis ses intérêts à l'un de nos livres, ou fait preuve d'une loyauté inconditionnelle... du moins, c'est ce que nous supposons. Vous comprendrez donc que nous avons le devoir de nous en assurer.

Le comte tira sur la laisse de Mrs. Marchmoor. Elle s'arc-bouta et parcourut la foule du regard. Les hommes et les femmes devant elle furent assommés et vacillèrent, se turent, geignirent ou pleurèrent, certains perdirent l'équilibre et tombèrent, alors que l'on inspectait leur esprit pour repérer toute trace de duperie. Miss Temple s'aperçut que le comte aussi avait les yeux fermés, il se concentrait... Était-il possible que Mrs. Marchmoor pût lui transmettre ce qu'elle voyait ? Puis le comte ouvrit brusquement les yeux. Un homme qui portait des vêtements d'équitation gris était tombé à genoux. Le comte d'Orkancz fit signe au colonel Aspiche et à deux autres Dragons d'évacuer l'homme qui s'était écroulé et sanglotait de peur. L'assistance ne semblait éprouver aucune pitié. Le comte referma les yeux, et Mrs. Marchmoor poursuivit sa silencieuse inquisition.

Après Mrs. Marchmoor, ce fut au tour de miss Poole de se déplacer tout aussi implacablement dans une autre partie de la foule. Elle isola deux autres hommes et une femme à qui l'on donna vite des raisons de regretter d'avoir assisté à cette soirée. Miss Temple se demanda si ces gens étaient, comme elle, des ennemis désespérés de l'infâme cabale mais, dès que les soldats les eurent délogés, il fut évident que c'était tout le contraire. Ces gens étaient des arrivistes qui avaient réussi à s'immiscer dans ce qu'ils espéraient être une *soirée*[*] privée,

[*] En français dans le texte.

réservée à la crème de la société. Bien qu'elle fût ébranlée par leurs implorations, elle n'accorda pas une seule pensée de plus à leur destin, car miss Poole avait accompli sa tâche et le comte tirait sur la laisse de la troisième femme.

L'onde invisible transmise par le regard perçant de la femme lui parvint comme les flammes d'un incendie, ou comme la mèche d'un détonateur au bout de laquelle elle allait trouver la mort. Miss Temple était désemparée. Elle allait être démasquée. Devait-elle s'enfuir ? Devait-elle pousser la créature en espérant qu'elle volerait en éclats ? Miss Temple allait être dénoncée d'une minute à l'autre. Elle prit une grande inspiration pour se donner du courage et se contracta comme pour se préparer à recevoir un coup. Caroline se tenait toute droite, sur le qui-vive elle aussi, pâle comme un linge, et jeta un rapide coup d'œil à miss Temple. Miss Temple comprit soudainement que Caroline était terrifiée. Mais aussitôt, son regard fut happé par quelque chose qui se passait derrière miss Temple. On entendit un bruit. La porte ? Puis la voix sèche du vice-ministre Crabbé.

– Si vous voulez bien, monsieur le comte, ça ira comme ça !

Juste derrière miss Temple, un groupe tout à fait étonnant avait fait son entrée dans la salle. Autour, les gens inclinaient respectueusement la tête devant le grand homme, pâle comme la mort, aux longs cheveux gris fer et à la veste ornée de décorations, une écharpe bleu vif en bandoulière. À l'instar de celle des femmes de verre, sa démarche était raide. Il se cramponnait d'un côté à une canne noire et, de l'autre, il s'appuyait sur un petit homme à lunettes, au visage anguleux et aux cheveux gras, qui ne parut pas à miss Temple être l'escorte idéale pour un personnage royal. Étant donné ce qu'avait annoncé le vice-ministre, elle sut qu'il s'agissait du duc de Staëlmaere, un homme qui, selon les rumeurs, ne se laissait servir que par des aristocrates ruinés parce que la seule présence de roturiers lui faisait horreur. Qu'est-ce qu'un tel homme faisait au milieu d'une foule aussi peu choisie ? Marchant de l'autre côté du duc, comme s'ils eussent été un couple de jeunes mariés, se trouvait lord Robert Vandaariff. À ses côtés, Roger Bascombe lui soutenait le bras.

– Nous n'avons pas tout à fait fini l'examen, intervint Francis Xonck, ce qui, comme vous l'avez remarqué vous-même, monsieur le ministre, est absolument essentiel.

– Tout à fait, monsieur Xonck, rétorqua Harald Crabbé en opinant du bonnet et en parlant assez fort pour que la foule l'entendît, mais nous ne pouvons pas poursuivre ! Nous avons devant nous deux des personnages les plus éminents de la nation, et peut-être même du continent ! L'un d'entre eux est même notre hôte. Il me semble plus prudent, et poli, de faire passer leurs intérêts avant les nôtres.

Miss Temple intercepta le regard furtif que Francis Xonck posait sur elle et comprit qu'il avait surveillé de près les résultats de l'enquête qui la concernait. Elle se détourna vers les nouveaux arrivants, car même si elle voulait éviter Bascombe, elle le préférait à Xonck ou à la Contessa, et elle comprit que l'intervention de Crabbé n'avait rien à voir avec elle, mais que le regard scrutateur de la femme de verre aurait balayé aussi les personnages importants qui venaient d'entrer et aurait révélé le fond de leurs pensées au comte d'Orkancz. Mais qui Harald Crabbé voulait-il ainsi protéger ? le duc ? Vandaariff ? Ou bien son assistant, Bascombe, et les plans secrets qu'ils avaient échafaudés ensemble ? Et pourquoi Caroline avait-elle semblé aussi effrayée ?

Elle mourait d'envie de taper du pied tellement toutes ces questions sans réponse la contrariaient. Vandaariff était-il le chef de la cabale ou non ? Était-il engagé dans une lutte contre d'Orkancz pour sauver sa fille ? Est-ce que le geste de Crabbé et la présence de Roger indiquaient leur allégeance à Vandaariff ? Mais alors, comment expliquer que Roger se soit dissimulé dans l'ombre juste avant l'assassinat de Trapping ? Tout à coup, miss Temple se souvint que son ancien fiancé s'était présenté dans le salon secret, là où la Contessa s'en était pris au prince. Était-il possible que Roger eût une allégeance secrète ? Si Roger avait tué Trapping (et pour elle c'était inimaginable), l'avait-il fait pour servir la Contessa ?

Le duc de Staëlmaere prit la parole d'une voix saccadée et sèche, comme s'il avait la bouche pleine de cendres froides.

– Demain, je serai nommé à la tête du conseil privé de Sa Majesté la reine… la nation traverse une crise… la reine est en mauvaise santé… le prince héritier n'a pas d'enfants et c'est un être sans valeur… Ainsi, ce soir, il a reçu le cadeau de ses rêves, un cadeau qui devrait captiver son âme faible… un *livre de verre merveilleux* dans lequel il se noiera.

Miss Temple fronça les sourcils. Ce n'était pas du tout le genre de discours auquel elle se serait attendue de la part d'un aristocrate de ce rang. Elle jeta un coup d'œil furtif derrière elle et comprit que l'attention de la femme de verre était rivée sur le duc. Quant au comte d'Orkancz, il remuait légèrement les lèvres dans sa barbe à chaque mot du duc de Staëlmaere.

– Le conseil privé gouvernera… Notre *vision*, mes alliés… trouvera son expression… elle sera appliquée dans le monde entier. Voilà ce que je promets… devant vous tous.

Puis le duc se tourna vers l'homme à ses côtés et lui fit un signe de tête glacial.

– Milord…

Même si la voix de Robert Vandaariff n'était pas aussi sépulcrale que celle du duc, elle fit frissonner miss Temple plus encore : en effet, avant de dire le moindre mot, il se tourna vers Roger qui lui tendit, avec toute la déférence d'un clerc, une feuille de papier pliée… Mais le plus curieux, c'est que Vandaariff s'était tourné quand Roger lui avait tiré la manche. Vandaariff déplia la feuille de papier et, sur un nouveau signe de Roger – ce que miss Temple surveillait de près –, il se mit à lire d'une voix enthousiaste mais aussi creuse que des bruits de pas dans une salle déserte.

– Il n'est pas dans mes habitudes de faire des discours, ainsi, je vous demande de me pardonner d'avoir à vous le lire. Ce soir, j'envoie ma fille unique, ma princesse, Lydia, épouser l'homme que je considère comme mon propre fils.

Roger, le regard rivé au plancher, tira une troisième fois sur la manche du lord et celui-ci fit un geste de la tête à l'attention du prince et de sa fille, juchés sur leur estrade. Miss Temple se demanda quels sentiments pour son père la jeune fille cachait derrière son masque… Le Procédé avait-il atténué son immense besoin d'affection et la colère qu'elle ressentait de se sentir abandonnée ? Quel effet pouvait avoir sur elle un discours officiel aussi vide ? Lydia fit une révérence et un vague rictus passa sur ses lèvres. Se rendait-elle compte que son père était manipulé par Roger Bascombe ? Était-ce pour cette raison qu'elle souriait ?

Lord Robert se tourna de nouveau vers les invités et repéra où il s'était arrêté sur la feuille qu'il tenait devant lui :

– Demain, ce sera comme si cette nuit n'avait jamais eu lieu. Vous ne reviendrez jamais à Harschmort. Aucun d'entre vous ne se souviendra d'être jamais venu ici, vous ne vous reconnaîtrez pas les uns les autres. Vous considérerez les nouvelles du duché comme aussi insignifiantes que n'importe quel commérage. Mais les efforts de mon collègue le duc se refléteront dans cette nation, et de cette nation, vers toutes les autres. Certains d'entre vous deviendront mes agents et voyageront en fonction des besoins de notre entreprise, mais avant que vous ne partiez ce soir, vous recevrez tous des instructions sous la forme d'un livre codé que vous remettra mon majordome, monsieur Blenheim.

Vandaariff leva la tête pour désigner Blenheim dans la foule… mais Blenheim n'était pas là. Une vague de confusion parcourut la foule : les visages se tournaient d'un côté et de l'autre, les personnages de l'estrade se mirent à froncer les sourcils et à lancer des regards inquisiteurs en direction du colonel Aspiche, qui répondit en haussant les épaules avec dédain. Roger prit une initiative habile, ce qui à la fois impressionna et exaspéra miss Temple : il se racla la gorge et avança d'un pas.

– En l'absence de monsieur Blenheim, c'est moi qui vous remettrai les livres d'instructions, dans le bureau du majordome, tout de suite après la fin de cette assemblée.

Il jeta un rapide coup d'œil vers l'estrade, chuchota quelque chose à l'oreille de lord Robert, puis retourna à sa place. Lord Robert reprit son discours.

– C'est avec grand plaisir que je participe à cette entreprise, et je suis reconnaissant envers ceux qui ont imaginé son succès. Soyez tous les bienvenus dans ma demeure.

Roger reprit délicatement la feuille de papier. La foule couvrit d'applaudissements les deux grands hommes qui se tenaient là, inexpressifs, comme deux statues sous la pluie.

Miss Temple était renversée. Aucun conflit ne surgissait entre Vandaariff et le comte : la soumission de lord Robert était totale. Les nouvelles de Trapping ne lui étaient jamais parvenues et le destin de Lydia était scellé, quelle que fût l'horreur de ce qu'on préparait pour elle. Qu'Oskar Veilandt fût prisonnier du château n'avait pas la moindre importance, pas plus que l'identité de l'assassin de Trapping.

Miss Temple fronça encore les sourcils. Si Vandaariff avait été assujetti, pourquoi Crabbé avait-il interrompu l'inquisition de la femme de verre ? Si les membres de la cabale ne savaient pas eux-mêmes qui avait assassiné Trapping, les choses pouvaient-elles se régler ainsi ? Le conflit autour du destin de Lydia n'était-il qu'une fissure dans la cohésion du groupe de ses ennemis ? Était-il possible qu'il y en existât d'autres ?

En même temps, miss Temple se demandait qui ils pouvaient bien vouloir duper avec toute cette mascarade du duc et de lord Robert. Elle avait entendu des poissonnières à moitié ivres tenir sur les quais des discours plus édifiants et plus persuasifs. Elle fit comme Caroline Stearne et inclina la tête quand les deux personnages et leurs assistants (leurs marionnettistes, plutôt ?) traversèrent la salle. Alors qu'ils passaient devant elle, elle leva la tête et croisa le regard de Roger Bascombe qui, avec cette façon bien à lui de cacher sa curiosité, fronça les sourcils en voyant les cicatrices sur son visage. Quand ils arrivèrent au fond de la salle, elle fut étonnée de voir le comte donner la laisse de Mrs. Marchmoor à Roger, et celle de miss Poole à l'homme plus petit au visage anguleux. Tandis que les Dragons ouvraient les portes, elle vit son fiancé, dont elle avait du mal à détourner son regard, s'approcher du colonel Aspiche et lui arracher des mains le porte-documents en cuir qu'elle avait vu d'abord entre les mains du docteur Svenson…

Derrière miss Temple, la Contessa s'adressa à la foule devançant ainsi Xonck et Crabbé. Agacés par son exposé intempestif, ils acquiescèrent néanmoins abondamment à son discours.

– Mesdames et messieurs, vous avez entendu notre hôte. Vous savez ce qu'il vous reste à faire. Une fois ces tâches accomplies, vous serez libérés. Les plaisirs de Harschmort sont à vous pour cette nuit, et à l'avenir… tous les plaisirs du monde vous appartiennent. Je vous souhaite à tous une excellente nuit… Réjouissons-nous tous de notre victoire.

La Contessa fit un pas en avant et, en souriant, elle se mit à applaudir l'assemblée. Sur l'estrade, les autres se joignirent à elle, puis toute la foule, tous ravis de manifester leur joie pour s'attirer les bonnes grâces de la Contessa et se congratuler mutuellement. Miss Temple applaudit comme tout le monde, tel un singe savant. Puis elle vit la Contessa murmurer quelque chose à Xonck et Crabbé. Sans se concerter, les membres de la cabale descendirent de l'estrade et se dirigèrent vers les portes. Avant que miss Temple pût réagir, Caroline Stearne lui chuchota quelque chose à l'oreille.

– Nous devons les suivre, lui dit-elle, quelque chose ne va pas.

Alors qu'elles se dirigeaient vers les portes ouvertes, sous les regards curieux des invités qui sortaient tous allègrement dans la direction opposée derrière le duc et Vandaariff, miss Temple sentit quelqu'un d'autre derrière elle. Bien qu'elle n'osât pas regarder, car une telle curiosité ne correspondait pas à l'attitude confiante et guindée qu'inculquait le Procédé, elle entendit un tintement qui lui indiqua qu'il s'agissait du comte et de la dernière des Grâces de verre, la femme qu'elle ne connaissait pas. Elle en fut rassurée : une ardoise vierge valait mieux que les sourires sarcastiques et entendus ou l'incrédulité pénétrante de Marchmoor et Poole ; quoique, au fond, elle sût que cela ne faisait pas vraiment de différence car, peu importait la personne qui fouillerait son esprit, elle serait démasquée. Tout ce qu'elle pouvait espérer, c'était que le même instinct qui avait poussé Crabbé à éviter l'examen du duc et de Vandaariff les pousserait à ne pas prendre le risque d'autoriser la femme à exercer ses dons dans un espace aussi réduit, car les autres membres de la cabale refuseraient de livrer leurs esprits à l'examen du comte... du moins s'ils se trahissaient les uns les autres...

Elle pénétra dans le hall où elle avait attendu avec le capitaine Smythe, qui s'était retiré quelques mètres plus loin pour ne pas interrompre les délibérations de ses supérieurs. Ceux-ci attendaient avec une silencieuse impatience qu'arrivât le dernier d'entre eux, et lorsqu'il fut là, on ferma toutes les portes pour protéger leurs échanges des oreilles sensibles d'un adepte qui passerait par là. Pendant qu'on verrouillait les portes, miss Temple se demanda avec une certaine nostalgie ce qui avait bien pu arriver à Éloïse, et si Chang et Svenson étaient encore vivants, des pensées qui furent brusquement chassées par l'apparition de la Contessa di Lacquer-Sforza qui allumait une cigarette, tirant trois bouffées avant de parler, comme si chacune alimentait les feux de sa colère. Fait encore plus inquiétant : aucun des hommes puissants qui se trouvaient autour d'elle ne se permit d'interrompre ce rituel.

– Qu'est-ce que c'était que ça ? lança-t-elle d'une voix rageuse en fixant Crabbé.

– Je vous demande pardon, Contessa...

– Pourquoi avez-vous interrompu les examens ? Vous avez vu vous-même qu'on a pu démasquer cinq intrus, et n'importe lequel d'entre eux aurait pu faire échouer nos plans pendant notre séjour à Macklenburg. Vous savez cela, vous savez que notre travail n'est pas *terminé*.

– Ma chère, si cela vous tenait tant à cœur...

– Je n'ai rien dit parce que monsieur Xonck, lui, a dit quelque chose, mais vous l'avez contesté, devant tout le monde. Si un seul d'entre nous avait insisté, nous aurions précisément fait la preuve de notre désunion ; celle-là même que nous avons, au prix de tant d'efforts, tenté d'éviter.

– Je comprends.

– Non, je ne crois pas que vous compreniez.

Elle souffla un nuage de fumée, foudroyant Crabbé d'un regard aussi assassin que celui de la Méduse. Crabbé fit de son mieux pour se racler la gorge et trouver quelque chose à dire, mais avant qu'il prononçât le moindre mot, elle lui avait déjà coupé la parole.

– Nous ne sommes pas dupes, Harald. Vous avez interrompu les examens afin que le comte ne démasque pas certaines personnes.

Crabbé fit vaguement un geste en direction de miss Temple, mais encore une fois, il fut interrompu par le rire méprisant de la Contessa.

– Ne me faites pas cette insulte. Nous en viendrons bien assez vite à miss Temple. Je veux parler du duc et de lord Vandaariff qui n'auraient pas dû poser de problèmes du tout, à moins, bien sûr, qu'on nous ait trompés sur leur état. Nous sommes assez nombreux à avoir vu le cadavre du duc pour que je puisse affirmer que le docteur Lorenz a plutôt bien fait son travail et, de surcroît, en étroite collaboration avec le comte. Il ne reste donc que lord Robert et, si je me souviens bien, c'est *vous* qui étiez responsable de sa transformation.

– Il est entièrement sous notre contrôle, protesta Crabbé. Vous l'avez constaté vous-même…

– Je n'ai aucune preuve ! Il est très facile de jouer la comédie !

– Demandez à Bascombe…

– Excellente idée, bien sûr ! Nous allons demander son avis à un assistant qui vous est entièrement dévoué. Maintenant, je peux dormir sur mes deux oreilles !

– Ne vous fiez à personne, alors, rétorqua Crabbé de plus en plus en colère. Rappelez lord Robert, allez le voir vous-même, faites ce que vous voulez. Vous verrez qu'il est notre esclave ! Exactement comme nous l'avions prévu !

– Alors pourquoi, demanda Xonck d'une voix dangereusement calme, avez-vous interrompu l'examen ?

Crabbé bégaya, en faisant vaguement un geste de ses mains.

– Pas précisément pour la raison que j'ai évoquée sur le coup, je l'admets, mais simplement pour ne pas compromettre l'apparente autorité du duc et de lord Robert en les soumettant à un examen ! Nous devons absolument rester cachés derrière ces chefs de file, et si nous les avions soumis à l'examen, ils seraient passés pour ce qu'ils sont : nos esclaves ! Tant de choses déjà ne se sont pas déroulées comme prévu. Pour commencer, Blenheim devait accompagner son maître afin de sauvegarder les apparences. Si Roger n'avait pas été là pour réagir promptement et s'avancer…

— Et où se trouve Blenheim ? trancha la Contessa.

— Il semble qu'il ait disparu, madame, répondit Caroline. J'ai interrogé les invités, comme vous me l'aviez demandé, mais personne ne l'a vu.

La Contessa poussa un grognement et regarda le colonel Aspiche qui était arrivé le dernier et se tenait près de la porte, derrière miss Temple.

— Je ne sais pas, protesta-t-il. Mes hommes ont fouillé partout…

— Très intéressant, alors que Blenheim devrait être fidèle à lord Robert, observa Xonck.

— Lord Robert est sous notre contrôle ! insista Crabbé.

— Du moins, sous le contrôle de votre Bascombe, ajouta Xonck. Et ces papiers, qu'est-ce que c'était ?

Il s'adressait à Aspiche qui ne comprit pas la question.

— Le porte-documents, hurla Xonck. Vous l'avez enlevé des mains du docteur Svenson ! Bascombe vous l'a enlevé !

— Je n'en ai aucune idée, répondit le colonel.

— Vous êtes aussi nul que Blach, railla Xonck. Et où est-il, celui-là ?

Le comte d'Orkancz poussa un profond soupir.

— Le major Blach est mort. Le cardinal Chang…

Xonck avala la nouvelle, roula les yeux puis haussa les épaules. Il se tourna de nouveau vers le colonel Aspiche.

— Où est Bascombe, maintenant ?

— Avec lord Robert, répondit Caroline. Quand monsieur Blenheim…

— Mais où voulez-vous qu'il soit ? cria Crabbé de plus en plus exaspéré. Il distribue les livres d'instructions, il fallait bien que quelqu'un le fasse en l'absence de Blenheim !

— Quelle chance qu'il se soit proposé ! ironisa la Contessa sur un ton glacial.

— Mrs. Marchmoor est avec lui, éructa Crabbé. Assurément, vous lui faites autant confiance que je fais confiance à Bascombe! Tous deux ont certainement démontré leur loyauté envers nous tous!

– Capitaine, lança la Contessa en s'adressant à Smythe, envoyez deux de vos hommes chercher monsieur Bascombe dès qu'il aura terminé. Emmenez-le ici, avec lord Robert s'il le faut.

Smythe fit signe à ses hommes et les Dragons quittèrent la pièce bruyamment.

– Où est Lydia? demanda Xonck.

– Avec le prince, répondit Caroline. Ils prennent congé des invités.

– Merci, Caroline, ajouta la Contessa, au moins une personne suit.

Elle s'adressa à Smythe.

– Dites à vos hommes de le ramener aussi.

– Vous me les amènerez, dit le comte d'une voix rauque. Nous n'en avons pas terminé avec eux.

Les paroles menaçantes du comte restèrent en suspens, et les autres gardèrent le silence, comme si ajouter quelque chose eût pu réamorcer leur conflit désormais réglé. Le capitaine désigna deux autres Dragons et retourna à sa place, de l'autre côté de la pièce, les yeux rivés sur ses bottes comme s'il n'entendait rien.

– Nous pouvons régler tout cela très facilement, déclara le vice-ministre en se tournant vers le comte d'Orkancz. Il suffit de consulter le livre dans lequel les pensées de lord Robert ont été consignées. Celui-ci démontrera clairement que j'ai fait ce que nous avions convenu. Nous y trouverons un compte rendu de sa participation à toute cette affaire, des faits que lui seul peut connaître.

– Il y a au moins un livre qui a été détruit, grinça le comte.

– Détruit? *Comment*? demanda la Contessa.

– Chang.

– Qu'il brûle en enfer! rugit-elle d'une ton hargneux. Il a vraiment dépassé les bornes. De quel livre s'agissait-il?

– Je ne le saurai pas avant d'avoir vérifié dans le registre, répondit le comte.

– Alors, allons-y, intervint Crabbé avec agressivité, afin que je sois innocenté le plus vite possible.

– Les livres sont en transit vers le toit, dit le comte. Pour ce qui est du registre, comme vous le savez, c'est votre assistant qui le détient.

– Nom de Dieu! s'écria Xonck. Ce Bascombe est en train de monter en grade!

– Il le ramènera avec lui, protesta Crabbé, comme ça, ce sera réglé. Tout cela est une perte de temps ridicule qui n'a fait que semer la division et qui nous a dangereusement mis en retard. Or, la réponse évidente à toutes ces questions se trouve devant nous.

Il désigna miss Temple du menton.

– C'est elle et ses compagnons qui ont causé tous ces problèmes! Qui sait si ce n'est pas l'un d'entre eux qui a tué Blenheim?

– Comme c'est le cardinal Chang qui a abattu monsieur Gray…, ajouta calmement Xonck en se tournant vers la Contessa.

À ces mots, Crabbé, enhardi par ce changement de direction dans l'enquête, manifesta son approbation.

– Ah! Mais oui! J'avais oublié… ça m'était entièrement sorti de l'esprit! Contessa?

– Quoi donc? Chang est un assassin et monsieur Gray a disparu. Je veux bien croire que ce dernier a été tué. Je ne sais où… Je lui avais donné l'ordre d'assister le docteur Lorenz auprès du duc.

– Et pourtant, Chang a dit qu'ils s'étaient rencontrés au sous-sol… près des tuyaux! affirma Crabbé.

– J'ignorais cela…, signala le comte d'Orkancz de sa voix rauque.

La Contessa leva les yeux vers lui.

– Vous étiez occupé avec vos *dames*, rétorqua-t-elle.

Miss Temple perçut un léger frémissement de malaise sur le visage de la Contessa alors qu'elle avisait la petite femme en verre qui se tenait là, placide comme un léopard dompté, indifférente à leurs chamailleries. À côté du manteau de fourrure sombre du comte, sa couleur indigo vif était plus saisissante encore.

– Chang a prétendu que monsieur Gray avait, sous mes ordres, touché à votre œuvre, ce qui se serait avéré si votre travail s'était mal déroulé. Or, si je ne m'abuse, vous avez procédé à trois transmutations avec succès. Puisque c'est un procédé qui, je l'avoue, me dépasse complètement, je vous soumets vos propres résultats comme preuve que le cardinal Chang est un menteur.

– À moins qu'il ait tué Gray *avant* que celui-ci ait pu faire des dégâts, précisa Crabbé.

– C'est de la spéculation vaine et sans fondement, vociféra la Contessa.

– Ce qui ne veut pas dire que ce n'est pas vrai…

La Contessa fit un bond vers le vice-ministre, et la main qui semblait occupée à ranger son étui à cigarettes dans son sac se retrouva tout à coup sur la gorge de Crabbé, enfonçant une pointe scintillante sur une veine qui palpitait.

Crabbé déglutit.

– Rosamonde…, commença le comte.

– Répétez cela, pauvre petit nabot repoussant, siffla la Contessa, et je vous déchire la gorge comme une manche mal cousue.

Crabbé ne broncha pas.

– Rosamonde…, répéta le comte.

– Oui ? répondit-elle sans se détourner de Crabbé.

– Puis-je me permettre de suggérer… la jeune femme ?

La Contessa s'écarta de Crabbé, esquivant ainsi une éventuelle réplique armée, et fit volte-face vers miss Temple. Elle avait le visage enflammé de plaisir, semblait-il, et ses yeux pétillaient d'excitation. Miss Temple se dit qu'elle n'avait jamais été autant en danger.

– Vous avez subi le Procédé dans l'amphithéâtre ? lui susurra la Contessa. C'est bien ça, n'est-ce pas ? Oui, tout de suite après Lydia Vandaariff ?

Miss Temple acquiesça rapidement.

– Quel dommage que miss Poole ne puisse pas le confirmer. Mais ici, nous ne sommes pas si démunis… voyons… orange pour Harschmort… prostituée… hôtel, je suppose… et bien sûr, condamnée…

La Contessa se pencha et siffla dans l'oreille de miss Temple :

– Madeleine orange, Royale orange, consumée par la glace !

Miss Temple fut prise au dépourvu, elle essaya de trouver quoi répondre, puis se souvint trop tard du prince dans le salon secret…

La Contessa empoigna miss Temple par la mâchoire et l'obligea à la regarder en face. Elle ricana froidement, sortit la langue et la passa sur les yeux de miss Temple. Miss Temple gémit alors que la Contessa la léchait encore, appuyant sa langue sur son nez et ses joues, enfonçant la pointe entre ses cils. Avec un rire triomphant, la Contessa repoussa miss Temple qui trébucha et tomba dans les bras que le colonel Aspiche avait tendus vers elle.

Miss Temple leva la tête et vit l'élégante dame s'essuyer la bouche du revers de la main et se pourlécher les lèvres d'un air moqueur.

– Un Harker-Bornath 37, je dirais… très bonne année… c'est un scandale de le gaspiller sur une sauvage. Sortez-la d'ici.

On la traîna sans plus de ménagement dans un couloir tout proche, puis on la jeta ni plus ni moins comme un sac de marchandises dans une pièce peu éclairée et gardée par deux soldats de Macklenburg en uniforme noir. Elle tomba sur les genoux puis se retourna vers la porte ouverte, les cheveux sur le visage, juste à temps pour voir Aspiche claquer la porte violemment. Puis on verrouilla la porte et le bruit de bottes s'éloigna. Miss Temple s'accroupit et poussa un soupir. Avec la manche de sa tunique, elle essuya son visage encore tout collant de salive et de porto et regarda autour d'elle.

Comme elle se l'était imaginé plus tôt, c'était exactement le même genre de salon désaffecté et poussiéreux que celui où elle avait rencontré Spragg et Farquhar. Miss Temple poussa un cri en se rendant compte qu'elle n'était pas seule. Elle bondit sur ses pieds et se jeta sur les deux silhouettes affalées par terre sur le ventre. Ils étaient chauds, tous les deux, et ils respiraient ! Elle pleura de joie. Enfin, elle retrouvait ses camarades ! Elle rassembla toutes les forces qui lui restaient et les retourna tous deux.

Le visage de miss Temple était trempé de larmes, mais elle sourit lorsque le docteur Svenson fut pris d'une horrible quinte de toux. Elle fit de son mieux pour placer ses genoux sous ses épaules et l'aider à se redresser. Dans la pénombre, elle ne pouvait voir s'il était blessé, mais elle sentit l'odeur âcre de l'argile indigo qui avait imprégné ses vêtements et ses cheveux. Elle le fit pivoter afin qu'il pût s'appuyer sur un canapé tout près. Il se remit à tousser, puis récupéra suffisamment pour mettre la main devant la bouche. Miss Temple repoussa les cheveux qui cachaient son visage et sourit.

– Docteur Svenson, murmura-t-elle.

– Ma chère Céleste… est-ce que nous sommes morts ?

– Non, docteur…

– Très bien. Et Chang ?

– Non plus, docteur… Il est juste là…

– Sommes-nous toujours à Harschmort ?

– Oui, ils nous ont enfermés.

– Et vous avez gardé tous vos esprits ?

– Oh oui !

– Épatant !… je suis à vous tout de suite… je vous demande pardon.

Il se retourna et cracha, prit une profonde inspiration, geignit et se hissa pour s'asseoir, les yeux fermés.

– Seigneur Dieu ! murmura-t-il.

– Je viens de quitter nos ennemis, dit-elle. Tant de choses se passent.

– J'imagine, oui… pardonnez ce moment d'absence…

Miss Temple s'était précipitée vers le Cardinal en essayant de ne pas pleurer devant le spectacle de sa déchéance. L'odeur terrible était sur lui encore plus forte, et les croûtes de sang autour de son nez, de sa bouche et de son col ainsi que la pâleur de mort sur son visage témoignaient de l'extrême gravité de son état. Elle lui essuya le visage avec sa tunique en lui tenant la tête de l'autre main, puis elle se rendit compte que ses lunettes étaient tombées lorsqu'elle l'avait retourné. Elle regarda les cicatrices atroces qu'il avait autour des yeux et se mordit les lèvres en pensant aux supplices qu'avait subis le pauvre homme.

La respiration de Chang faisait dans sa poitrine un bruit semblable à celui d'une boîte de clous que l'on secoue. Était-il en train de mourir ? Miss Temple lui mit la tête contre sa poitrine et le berça en chuchotant doucement :

– Cardinal Chang… il faut que vous reveniez à vous… c'est Céleste… je suis avec le docteur… nous ne pouvons survivre sans vous…

Svenson se souleva, prit le poignet de Chang et lui posa l'autre main sur le front. Puis il lui palpa le cou et plaça son oreille contre sa poitrine pour écouter sa respiration irrégulière. Il se leva, poussa un soupir, écarta délicatement miss Temple et inspecta la nuque de Chang du bout des doigts, là où la matraque du colonel avait frappé.

Miss Temple regardait, impuissante, les doigts pâles du docteur dans les cheveux noirs de Chang.

– Je croyais que vous aviez subi le Procédé, dit-il avec douceur.

– Non, j'ai réussi à contrefaire les cicatrices, répondit-elle. Je suis navrée de… enfin, je ne voulais pas vous décevoir…

– Chut! C'était une très bonne idée.

– Mais la Contessa m'a quand même démasquée.

– Il n'y a aucune honte à avoir. Je suis heureux de vous retrouver entière. Puis-je vous demander... j'ai presque peur de le faire...

– Éloïse et moi avons été séparées. Elle avait les mêmes fausses cicatrices. Je ne crois pas qu'ils se soient emparés d'elle, mais je ne sais pas où elle se trouve. Bien sûr, je ne sais pas vraiment *qui* elle est non plus.

Le docteur lui sourit, pâle, désemparé mais le regard douloureusement clair.

– Moi non plus... c'est bien le plus étrange.

Il lança à miss Temple un regard clair et troublant.

– Bien sûr, le sait-on vraiment jamais?

Il détourna le regard et se racla la gorge.

– Je suis bien d'accord avec vous, renifla miss Temple, émue par cet aperçu inattendu du cœur du docteur, mais néanmoins, je suis vraiment navrée de l'avoir perdue.

– Nous avons tous deux fait de notre mieux... c'est déjà merveilleux que nous soyons encore en vie...

Elle acquiesça et voulut rajouter quelque chose, mais elle ne savait pas quoi dire. Le docteur soupira en réfléchissant, puis il pinça soudainement le nez de Chang avec une main et, de l'autre, lui couvrit la bouche. Miss Temple sursauta.

– Mais qu'est-ce que...

– Un instant...

Il n'en fallait pas moins. Tel un ressuscité, Chang ouvrit tout à coup les yeux et ses épaules se contractèrent. Il essaya de s'emparer de Svenson et le bruit de ses poumons redoubla. Le docteur enleva ses mains dans un grand geste et le Cardinal fut à son tour saisi d'une toux grasse accompagnée de jets de salive mêlée de sang. Svenson et miss Temple prirent chacun un de ses bras et le soulevèrent pour le mettre à genoux et soulager ainsi sa détresse physique.

Chang se passa les doigts sur la bouche et les essuya sur le sol; il ne servait à rien de les essuyer sur ses vêtements, comme le constata miss Temple. Il se tourna vers eux, cligna des yeux puis porta les mains à son visage. Miss Temple lui tendit ses lunettes en souriant.

– C'est tellement bon de vous voir tous les deux, murmura-t-elle.

Ils restèrent assis un moment, s'accordant le temps de rassembler leurs esprits et leurs forces et, dans le cas de miss Temple, de sécher ses larmes et de reprendre le contrôle de sa voix qui tremblotait. Il y avait tant de choses à dire et à faire ; elle se moqua de sa complaisance, tout en reniflant.

– C'est vous qui avez l'avantage, Céleste, murmura Chang d'une voix rocailleuse. Comme je vois que le docteur a du sang dans les cheveux, je suppose que nous sommes deux à ignorer où nous sommes, qui nous surveille... et même l'heure qu'il est.

– Combien de temps s'est écoulé depuis qu'ils nous ont faits prisonniers ? demanda Svenson.

Miss Temple renifla encore.

– Très peu de temps. Mais tellement de choses se sont passées depuis que nous nous sommes parlé pour la dernière fois, depuis que je vous ai quittés... je suis tellement désolée... j'ai été idiote et puérile...

Svenson fit un geste pour apaiser ses inquiétudes.

– Céleste, nous n'avons pas de temps pour cela... et d'ailleurs, ce n'est pas grave...

– Non, j'y tiens.

– Céleste...

C'était Chang qui s'efforçait de se lever.

– Taisez-vous, tous les deux, l'interrompit-elle en se levant pour être plus grande qu'eux deux. Je serai brève, mais je dois avant tout vous présenter mes excuses pour vous avoir laissés à Plum Court. C'était vraiment idiot de ma part. J'ai bien failli y rester, et vous aussi, d'ailleurs.

Elle leva la main pour ne pas laisser le docteur Svenson l'interrompre.

– Deux soldats de Macklenburg attendent derrière la porte ainsi qu'une dizaine de Dragons, leur officier et leur colonel dans le couloir. La porte est verrouillée et, comme vous pouvez le constater, il n'y a aucune fenêtre dans cette pièce. Je suppose que nous n'avons pas d'armes...

Chang et Svenson tâtèrent distraitement leurs poches, sans rien trouver.

– Nous en trouverons, ce n'est pas grave, affirma-t-elle rapidement pour ne pas perdre le fil.

– Si nous réussissons à sortir d'ici, ajouta Svenson.

– Oui, bien sûr... le principal, c'est de contrer les projets de nos ennemis.

– Et quels sont-ils exactement? demanda Chang.

– Voilà le problème, je n'en ai compris qu'une partie, mais vous, vous devez en connaître aussi des bribes.

Sans perdre une seconde, comme elle l'avait promis, miss Temple se lança à perdre haleine dans son récit : le Ste-Royale, le philtre de miss Vandaariff, le tableau dans la chambre de la Contessa, sa lutte avec le livre de verre, son autre combat (en version abrégée) avec le comte et la Contessa dans le fiacre, son voyage en train vers Harschmort et son trajet vers l'amphithéâtre. Chang et Svenson ouvrirent tous deux la bouche à quelques reprises pour ajouter des détails, mais elle poursuivit son histoire : le salon secret, la Contessa et le prince, l'assassinat de Blenheim, ce qu'Éloïse avait découvert dans la carte de verre, Trapping, Vandaariff, Lydia, Veilandt, la salle de bal et, pour finir, la violente altercation entre la Contessa et ses alliés, moins de dix minutes auparavant. Le récit qu'elle leur chuchota dura à peine deux minutes.

Quand elle eut terminé, miss Temple reprit son souffle en espérant qu'elle n'avait rien oublié de crucial.

– Ainsi, dit le docteur en se levant pour s'asseoir sur le canapé, ils ont le contrôle du gouvernement par l'entremise du duc, qui, je vous le jure, a bel et bien été tué. Et ils s'apprêtent à s'emparer du duché de Macklenburg…

– Je ne veux pas vous offenser, docteur, intervint miss Temple, mais je ne comprends pas ce que Macklenburg peut avoir de plus que tous ces autres royaumes d'Allemagne.

– Ces duchés, oui. C'est parce que nous avons dans nos montagnes plus de gisements d'argile indigo qu'on pourrait en trouver dans une centaine de Tarr Manors réunis. Ils ont la mainmise sur ces terres depuis longtemps…

Sa voix se mit à trembler légèrement et il secoua la tête.

– Quoi qu'il en soit, s'ils partent ce soir pour Macklenburg…

– Nous allons devoir partir nous aussi…, murmura Chang.

Puis il se remit à tousser et fit de son mieux pour faire comme si de rien n'était en fouillant dans les poches de son manteau.

– Je trimballe ceci depuis un bon moment en prévision de nos retrouvailles…

Miss Temple poussa une exclamation de surprise et dans ses yeux perla le scintillement d'une larme. Ses bottines vertes ! Elle s'assit par terre et glissa avec délices ses pieds dans ses trésors retrouvés. Puis elle serra les lacets et leva les yeux vers Chang qui souriait en continuant à tousser.

– Je ne peux vous dire à quel point elles me sont précieuses, dit-elle. Vous vous moqueriez… vous riez déjà. Je sais que ce ne sont que des chaussures, et j'en ai des paires et des paires. Pour être franche, je m'en souciais comme d'une guigne il y a quatre jours mais, aujourd'hui, je ne voudrais les perdre pour rien au monde.

– Mais je comprends tout à fait, la rassura doucement Svenson.

– Oh! s'exclama miss Temple. J'ai aussi des choses qui vous appartiennent. Elles viennent de votre manteau, que nous avons perdu; comme je vous le disais, nous avons pris la carte et il y avait aussi un étui en argent pour vos cigarettes! Mais, maintenant que je le dis… ce n'est pas moi qui les ai, c'est Éloïse. Dès que nous la retrouverons, vous les récupérerez…

– En effet… c'est… très bien…

– Nous avons pensé que vous y teniez peut-être.

Le docteur acquiesça puis détourna le regard en fronçant les sourcils, comme s'il ne voulait rien dire de plus. Chang toussa encore, la poitrine congestionnée.

– Il faut faire quelque chose pour vous, affirma Svenson, mais Chang secoua la tête.

– Mes poumons…

– De la poudre de verre, poursuivit miss Temple. La Contessa a expliqué comment elle vous avait tué.

– Navré d'avoir déçu cette dame, ironisa-t-il.

Svenson regarda Chang d'un air grave.

– Le verre seul serait nocif pour vos poumons. Il a de telles propriétés toxiques que c'est un miracle que vous n'ayez pas succombé aux visions hypnotiques.

– Je les préférerais à cette toux, croyez-moi.

– N'y a-t-il pas moyen de l'évacuer? demanda miss Temple.

Le docteur réfléchit. Le Cardinal cracha encore et commença son récit.

– Mon histoire est simple. Comme nous ne savions pas où vous étiez allée, nous nous sommes séparés. Le docteur est allé à Tarr Manor, et moi, au ministère; aucun des deux n'avait deviné juste. Je suis tombé sur Bascombe et la Contessa, j'ai assisté au Procédé, j'ai combattu Xonck, j'ai failli mourir, puis j'ai retrouvé votre trace, mais trop tard, au Ste-Royale (d'où les bottines) et j'ai attrapé le train pour Harschmort.

Quand je suis arrivé ici, j'ai vu tous les personnages haut placés qui ont été soumis, j'ai vu comment on draine leur esprit dans ces livres, j'ai vu Robert Vandaariff aussi abruti qu'un singe qui noircissait des pages et des pages du récit de ses secrets. Je n'ai pas réussi à empêcher la transmutation de trois femmes…

À cet instant, Chang s'arrêta, et miss Temple comprit combien cet homme avait repoussé non seulement les limites de ses forces physiques mais aussi celles de son cœur, et le sien en fut chaviré. Puis Chang se racla la gorge :

– J'ai quand même réussi à tuer votre major Blach et un autre homme de main de la Contessa, monsieur Gray. Mais pour le reste, j'ai échoué et on m'a fait prisonnier…

– Ah oui ! Ils se sont violemment disputés à propos de Gray ! s'exclama miss Temple.

– Il accomplissait une mission à l'insu des autres, j'en suis certain. Je ne sais pas de quoi il s'agissait.

Il leva la tête vers miss Temple.

Avez-vous dit que ce sont des Dragons qui assurent notre garde ?

– Pas à la porte directement, non, mais dans le couloir, oui. Une douzaine d'hommes avec leur officier, le capitaine Smythe et leur colonel…

– Vous avez dit Smythe ?

Le visage de Chang s'illumina tout à coup.

– Je l'ai croisé, ajouta Svenson. Il m'a sauvé la vie !

– Il me connaît aussi, pour une raison qui m'échappe, s'exclama miss Temple. C'était d'ailleurs assez troublant…

– Si nous pouvons nous débarrasser d'Aspiche, Smythe se ralliera à notre cause, j'en suis sûr, affirma Chang.

Miss Temple jeta un coup d'œil vers la porte.

– Eh bien, si c'est tout ce qu'il nous faut, alors nous serons bientôt en route ! Docteur ?

– Je peux vous raconter en chemin, sauf que vous devez savoir qu'il y a un aéronef sur le toit… c'est par ce moyen que je suis venu de Tarr Manor. Ils pourraient l'utiliser pour rejoindre un navire sur le canal ou aller plus loin vers la côte…

– Ou pour aller jusqu'à Macklenburg, ajouta Chang. Les engins que j'ai vus sont prodigieusement puissants.

– Vous avez raison…, acquiesça Svenson, C'est ridicule de sous-évaluer leurs capacités. Mais cela aussi peut attendre. Nous devons empêcher le mariage. Nous devons arrêter le duc.

– Et nous devons retrouver Éloïse, s'exclama miss Temple, surtout qu'elle a la clé de verre !

– Quelle clé de verre ? demanda Chang de sa voix rocailleuse.

– Je n'en ai pas parlé ? Je crois que c'est ce qui permet de lire les livres en toute sécurité. Nous l'avons trouvée dans la poche de Blenheim.

– Mais pourquoi la détenait-il ? s'interrogea Chang.

– C'est bien ce que je me demande !

Miss Temple lui fit un grand sourire.

– Bon, tous les deux, retournez par terre… ou plutôt non, ça ira si vous vous mettez sur le canapé… mais gardez les yeux fermés et ne bougez pas.

– Céleste, qu'est-ce que vous faites ? demanda Svenson.

– Je m'occupe de notre évasion, bien sûr.

Elle frappa à la porte et appela aussi gentiment que possible les gardes postés de l'autre côté. Personne ne répondit, mais miss Temple continua à cogner, même si elle dut changer de main plusieurs fois parce que ses jointures étaient endolories. Finalement, on tira le loquet et la porte s'ouvrit précautionneusement de quelques centimètres, suffisamment pour que miss Temple pût entrevoir le visage circonspect d'un jeune soldat de Macklenburg, plus jeune qu'elle, ce qui ne fit qu'accroître la douceur de son sourire.

– Je vous demande pardon, mais je dois absolument voir le colonel. J'ai un message pour la Contessa… la Contessa, vous comprenez ?… un message de la plus haute importance pour elle.

Le soldat ne broncha pas. La comprenait-il seulement ? Le sourire de miss Temple se durcit et elle se pencha vers l'avant en parlant plus fort, sur un ton indéniablement sec.

– Je dois voir le colonel ! Immédiatement ! Ou vous serez puni !

Le soldat se tourna vers son camarade en se soustrayant au regard de miss Temple, ne sachant manifestement pas quoi faire. Miss Temple hurla de toutes ses forces.

– Colonel Aspiche ! J'ai des nouvelles pour vous ! Si la Contessa ne reçoit pas ce message, elle va vous couper les oreilles !

Dès qu'elle se mit à crier, le garde claqua la porte et essaya tant bien que mal de la verrouiller, mais miss Temple entendit un bruit de pas rapides et furieux. Quelques instants après, Aspiche ouvrit grand la porte, le visage cramoisi par l'âge, un cigare dans une main, l'autre sur le manche de son sabre, et il la foudroya du regard comme un maître d'école prêt à fouetter un élève récalcitrant.

– Je vous remercie infiniment, dit-elle.

– Quel est ce message qui vous fait crier à tue-tête ? rugit-t-il. Ce ne sont pas des manières, surtout si j'apprends qu'il s'agit d'un mensonge.

– Pas du tout, voyons ! répliqua miss Temple frissonnante, un trémolo théâtral dans la voix. Inutile de m'effrayer ainsi… l'état dans lequel se trouvent mes compagnons et les pouvoirs de la Contessa m'ont laissée sans défense. J'essaie seulement de sauver ma vie.

Elle s'essuya le nez avec sa manche.

– Et quel est ce message ? répéta Aspiche.

Miss Temple jeta un coup d'œil aux gardes derrière lui qui la regardaient avec une curiosité non dissimulée, puis elle se pencha vers lui en chuchotant :

– En fait, c'est assez *délicat*…

Aspiche se pencha vers l'avant à son tour, tendu et méfiant. Les lèvres de miss Temple effleurèrent son oreille.

– César… Bleu… régiment… bleu… consumé… par la glace…

Elle leva les yeux et vit que le regard du colonel était immobile et fixait un point situé derrière son épaule.

– Il serait peut-être préférable que nous fussions seuls, lui susurra-t-elle.

Aspiche fit volte-face vers les gardes, furieux.

– Laissez-moi avec les prisonniers, hurla-t-il.

Les gardes reculèrent en chancelant et Aspiche tendit les deux mains vers la porte et la ferma en la faisant claquer. Il se tourna de nouveau vers miss Temple, le visage totalement inexpressif.

– Cardinal… docteur… vous pouvez vous lever.

Elle continuait de murmurer pour que les gardes ne l'entendent pas. Chang et Svenson se levèrent lentement en fixant le colonel avec une curiosité anxieuse.

– On inculque à tous ceux qui subissent le Procédé une espèce de phrase qui permet de les contrôler, expliqua miss Temple. J'ai entendu la Contessa en utiliser une avec le prince, et une deuxième fois, quand elle a essayé d'en utiliser une sur moi, pour prouver que je n'avais pas été convertie. Je n'étais pas capable de résoudre entièrement le code… j'ai essayé de deviner…

– Vous avez pris ce risque en devinant ? demanda Svenson.

– Oui, et je ne me suis pas trompée. C'est une série de mots : le premier est une couleur, et j'ai déduit que celle-ci dépend de l'endroit où le Procédé a été pratiqué. Vous vous souvenez que les caisses contenaient du feutre d'une couleur différente d'une fois à l'autre...

– À Harschmort, orange, dit Chang, et à l'Institut, bleu.

– Et comme il a été converti avant que les caisses ne soient apportées de l'Institut, la couleur du colonel était le bleu.

– Et le reste de la phrase ?

– Le deuxième mot est en rapport avec leur rôle et s'inspire des personnages de la Bible ou de l'Antiquité. Tout cela fait partie de toute la mise en scène ostentatoire du comte. Pour le prince, c'était Joseph parce qu'il sera le père de l'enfant de quelqu'un d'autre, et pour la pauvre Lydia, ce doit être Marie. Pour moi, c'eût été Madeleine, comme pour toutes les autres initiées en tuniques blanches, et pour le colonel, en tant que représentant de l'État, j'ai eu raison de croire que c'était César. Pour le reste, c'est la même logique : « régiment » au lieu de « palais » ou « Royale »...

– Est-ce qu'il comprend tout cela ? demanda Svenson.

– Je crois que oui, mais il attend aussi des ordres.

– Et s'il se tranchait la gorge ? proposa Chang avec un petit rire gras.

– Et s'il nous disait s'ils ont capturé Éloïse ? suggéra Svenson qui s'adressa lentement et clairement au colonel Aspiche. Savez-vous où se trouve Mrs. Dujong ?

– Fermez votre sale gueule, avant que je m'en occupe moi-même, rugit Aspiche.

Svenson recula vivement d'un pas, les yeux écarquillés.

– Ah ! dit miss Temple, peut-être n'y a-t-il que la personne qui a prononcé la phrase qui puisse donner des ordres !

Elle toussota.

– Colonel, savez-vous où nous pourrions trouver Mrs. Dujong ?

– Pas du tout, répondit-il sèchement d'une voix morne.

– Bien... quand l'avez-vous vue pour la dernière fois ?

Les lèvres du colonel se retroussèrent en un sourire éhonté et vicieux.

– Dans l'aéronef. Le docteur Lorenz lui posait des questions et, quand elle ne répondait pas, miss Poole et moi, on se relayait...

Le poing du docteur Svenson heurta sa mâchoire et le fit rebondir contre la porte. Miss Temple se tourna vers Svenson qui geignait de douleur en se frottant le poing, puis vers Aspiche qui bafouillait de rage et essayait de se redresser. Avant qu'il y parvînt, Chang avait lancé son bras en avant et s'était emparé du sabre du colonel pour le dégainer, dévoilant une faux scintillante, ce qui fit fuir miss Temple qui poussa un cri. Quand elle se retourna, le Cardinal brandissait la lame devant la poitrine de l'homme. Aspiche ne bougeait pas.

– Docteur? demanda-t-elle doucement.

– Toutes mes excuses…

– Pas du tout, voyons. Ce colonel est un animal infâme. Votre main?

– Ça ira.

Elle s'approcha d'Aspiche, le visage plus dur qu'auparavant. Elle savait qu'Éloïse avait dû subir son lot d'épreuves, mais miss Temple repensait à sa propre irritation lorsque la femme, droguée et chancelante, avait ralenti leur fuite hors de l'amphithéâtre. Elle était ravie de pouvoir évacuer son sentiment de culpabilité et ses remords sur l'affreux personnage qui se trouvait devant elle.

– Colonel, vous allez ouvrir cette porte et nous emmener dans le couloir. Vous donnerez l'ordre aux deux gardes d'entrer dans cette pièce, puis vous les enfermerez. Si jamais ils protestent, vous ferez de votre mieux pour les abattre. Vous m'entendez?

Aspiche acquiesça, ses yeux oscillant entre la pointe du sabre qui flottait devant lui et ses yeux à elle.

– Alors, obtempérez! Nous n'avons pas de temps à perdre.

Les Allemands ne causèrent aucun souci tant ils étaient entraînés à suivre des ordres. En quelques minutes, ils se retrouvèrent dans le vestibule où les membres de la cabale s'étaient disputés. Les Dragons qui avaient gardé le couloir avaient disparu avec leur officier.

– Où est le capitaine Smythe? demanda-t-elle à Aspiche.

– Il aide monsieur Xonck et le vice-ministre.

Miss Temple fronça les sourcils.

– Alors que faisiez-vous ici? Ne vous avaient-ils pas donné des ordres?

– Bien sûr que oui… de vous exécuter tous les trois.

– Mais que faisiez-vous dans le couloir?

– Je finissais mon cigare! répondit sèchement le colonel Aspiche.

Chang ne put s'empêcher de rire.

– Tout homme finit toujours par montrer son véritable visage, murmura-t-il.

Miss Temple se glissa jusqu'aux portes de la salle de bal. L'immense pièce était déserte. Elle rappela son prisonnier.

– Où sont-ils tous partis? Il ouvrit la bouche pour répondre, mais elle l'interrompit. Où sont tous nos adversaires: la Contessa, le comte, le vice-ministre Crabbé, Francis Xonck, le prince et sa future mariée, lord Vandaariff, le duc de Staëlmaere, Mrs. Stearne...

– Et Roger Bascombe, rajouta le docteur Svenson.

Elle se tourna vers lui, et Chang acquiesça tristement.

– Et Roger Bascombe? soupira-t-elle. Dans l'ordre, je vous prie.

Les lèvres tremblantes, ce qui témoignait d'un vain effort pour opposer une résistance à la mainmise de miss Temple, le colonel les informa que leurs ennemis s'étaient répartis en deux groupes. Le premier s'occupait de parcourir le château pour rassembler les invités et les sommités somnolentes dont on avait drainé les pensées pour les inscrire dans les livres de verre. Tout ce beau monde allait saluer, avec les honneurs dus à son rang, le départ du duc qui partait s'occuper de son coup d'État*. Il s'agissait de la Contessa, du vice-ministre, de Francis Xonck ainsi que de lord Vandaariff, de Bascombe, de Mrs. Stearne et des deux femmes en verre, Marchmoor et Poole.

Le deuxième groupe, dont Aspiche ignorait les activités, était composé du comte d'Orkancz, du prince Karl-Horst von Maasmärck, de Lydia Vandaariff, de Herr Flaüss et de la troisième femme de verre.

– Je ne l'ai pas reconnue, mentionna miss Temple. Ce devrait être Caroline, mais ce n'est pas elle.

– C'est Angélique, la jeune femme que connaît Chang, répondit le docteur Svenson avec délicatesse. La femme que nous avons cherchée dans la serre. Vous aviez raison, elle n'est pas morte là-bas.

– Non, au lieu de cela, le comte l'a utilisée comme cobaye pour ses expériences, précisa Chang de sa voix cassée. Si la transmutation avait échoué, il s'évitait d'avoir à sacrifier les deux autres, et si elle fonctionnait et réglait le problème de son corps mutilé, c'était encore mieux. L'un dans l'autre, il s'agit d'un remarquable exemple d'économie.

* En français dans le texte.

Ni Svenson ni miss Temple ne relevèrent, laissant Chang déverser son amertume et sa colère. Il se frotta les yeux sous ses lunettes et poussa un soupir.

— La question qu'il faut se poser, c'est ce qu'ils sont en train de faire et quel est le groupe que nous devrions suivre. Si nous sommes d'accord pour arrêter le duc et empêcher le mariage du prince, et pour nous séparer...

— Je ne crois pas, l'interrompit rapidement miss Temple. Dans les deux directions, nous trouverons des ennemis en nombre... il semble que la force croît avec le nombre.

— Je suis d'accord, ajouta le docteur. Moi, je propose qu'on poursuive le duc. Le reste de la cabale s'en va à Macklenburg. Le duc et Vandaariff leur sont indispensables pour maintenir le pouvoir ici. Si nous parvenons à arrêter cela, nous réussirons peut-être à faire chavirer toute la conspiration.

— Vous voulez dire que nous les tuerons ? demanda Chang.

— Nous le tuerons encore une fois, dans le cas du duc, murmura le docteur, mais oui, moi, je suis pour qu'on les assassine tous.

Il soupira amèrement.

— C'est exactement le sort que je réserve à Karl-Horst, si jamais son cou me tombe sous la main.

— Mais c'est vous qui en avez la charge ! précisa miss Temple un peu surprise par le ton de Svenson.

— L'individu dont j'ai la charge est devenu leur créature, répondit-il. À mes yeux, il n'est rien de plus qu'un chien atteint de la rage ou qu'un cheval à la patte cassée. Il doit être abattu et de préférence avant qu'il conçoive un héritier.

Miss Temple se mit la main sur la bouche.

— Mais bien sûr ! Le comte utilise son alchimie pour engrosser Lydia, c'est l'apogée de *sa* partie du plan, c'est l'*Annonciation* alchimique d'Oskar Veilandt faite chair ! Et ils vont faire ça cette nuit, peut-être même en ce moment !

Le docteur Svenson fit claquer sa langue en grimaçant et son regard oscilla entre Chang et miss Temple.

— Je crois quand même que nous devrions arrêter le duc. Sinon...

— Sinon, la vie de miss Temple ainsi que la mienne dans cette ville seront détruites, poursuivit Chang.

— Et le prince et Lydia ? demanda miss Temple.

Svenson acquiesça, puis il poussa un soupir.

— Je crains qu'ils ne soient déjà condamnés...

Chang émit un bruit curieux, un peu comme celui d'un corbeau qui se gargariserait.

– Sommes-nous vraiment mieux lotis, docteur? Gardez un peu de pitié pour nous!

Suivant les ordres de miss Temple, Aspiche les escorta vers l'entrée de la maison, mais il devint vite évident qu'ils ne pourraient plus avancer bien loin dans cette direction: les invités arrivaient de plus en plus nombreux pour assister au départ du duc. Prise d'une inspiration subite, miss Temple se souvint du chemin qu'elle avait emprunté avec Spragg et Farquhar, le passage du jardinier qui serpentait entre les ailes de la maison et la contournait jusqu'aux fiacres. Deux minutes plus tard, accompagnés d'un Aspiche renfrogné malgré le sort qui lui avait été jeté, ils arrivèrent juste à temps pour voir la procession descendre du grand escalier jusqu'au carrosse noir du duc, imposant, impérial.

Le duc se déplaçait lentement et avec prudence, comme un insecte brindille particulièrement délicat, guidé d'un côté par le petit homme aux cheveux gras, «le docteur Lorenz», chuchota Svenson en le voyant, et, de l'autre, par Mrs. Marchmoor, qui n'avait plus de laisse et dont le corps scintillant était désormais recouvert d'un manteau noir. Derrière eux suivaient en file la Contessa, Xonck, le vice-ministre Crabbé et derrière, encore sur les marches, Robert Vandaariff, Roger Bascombe et miss Poole (elle aussi sans laisse et vêtue d'un manteau) qui saluaient le duc de la main.

On installa le duc dans sa voiture et, un instant plus tard, Mrs. Marchmoor le rejoignit. Miss Temple regarda ses compagnons: s'ils voulaient se jeter sur le carrosse, c'était clairement le moment idéal, mais à son grand désarroi, avant qu'elle eût le temps de dire un mot, tous les invités se préparèrent à partir, poussant des cris pour saluer le duc, pour se saluer entre eux en se frayant un chemin entre les voitures. Toute attaque contre le carrosse du duc était impossible.

– Qu'est-ce qu'on peut faire? chuchota-t-elle. Il est trop tard!

Chang soupesa le sabre dans sa main.

– Je peux y aller... Tout seul, je peux me déplacer plus vite... je peux les traquer jusqu'au Palais...

– Pas dans votre état, observa Svenson. Ils vous attraperaient et vous tueraient, vous le savez très bien. Regardez les soldats! Ils ont une escorte complète!

Miss Temple aperçut en effet deux rangées de Dragons à cheval, une quarantaine de cavaliers qui se mettaient en position devant et derrière le carrosse. Le duc était vraiment hors de portée.

– Il va convoquer le conseil privé, affirma Chang. Il va faire passer toutes les lois qu'ils voudront.

– Avec tout le pouvoir du duc et l'argent de Vandaariff, le trône de Macklenburg et les réserves inépuisables d'argile indigo... plus rien ne pourra les arrêter, murmura Svenson.

Miss Temple fronça les sourcils. C'était peut-être un geste inutile, mais elle essaierait quand même.

– Au contraire, cardinal Chang, si vous voulez bien rendre son sabre au colonel... j'insiste.

Chang la regarda d'un air perplexe, mais il rendit prudemment son arme à Aspiche. Avant que l'homme pût faire un geste, miss Temple s'adressa à lui sur un ton ferme.

– Colonel Aspiche, écoutez-moi bien. Vos hommes protègent le duc, c'est très bien. Personne d'autre, vous m'entendez ? Personne ne doit approcher le duc pendant son trajet de retour vers le Palais. Vous allez partir sur-le-champ, prendre une monture et vous joindre à son escorte. Immédiatement. Ne parlez à personne, ne repassez pas par le château, prenez la monture de l'un de vos hommes s'il le faut. Quand vous serez arrivé au Palais, en faisant bien attention d'éviter que Mrs. Marchmoor ne scrute vos pensées, vous prendrez le temps, tout le temps qu'il faudra, car vous devez absolument réussir, mais, avant que le conseil privé ne se réunisse, vous devrez trancher à coups de sabre la tête du duc de Staëlmaere. Vous m'avez bien comprise ?

Le colonel Aspiche acquiesça.

– Très bien. Vous ne parlerez de cela à personne. Allez, ouste !

Elle sourit en regardant l'homme avancer prestement sur l'esplanade pleine de monde, investi de sa mission, et se diriger vers les chevaux les plus proches. Elle fit semblant de ne pas remarquer les mines ahuries de Svenson et de Chang à côté d'elle.

– On verra bien s'ils parviennent à la lui recoller avec de la colle à papier, affirma-t-elle. Alors, maintenant, nous allons chercher le prince ?

Le colonel ne savait pas exactement où étaient partis le comte et son groupe, il savait seulement que c'était quelque part sous la salle de bal. Pour avoir arpenté Harschmort en tous sens, Chang était sûr de pouvoir trouver l'endroit, alors miss Temple et le docteur Svenson le suivirent, par le chemin du jardinier, jusqu'à l'intérieur du château. Pendant qu'ils marchaient, miss Temple leva les yeux vers Chang, intimidant malgré toutes ses blessures, et elle se dit qu'elle aimerait pour un instant pouvoir lire dans ses pensées, comme une de ces femmes de verre. Ils allaient sauver ou éliminer, et cela revenait au même, le prince et Lydia, mais l'amour perdu de Chang serait là, elle aussi. Avait-il l'intention de la récupérer? de forcer le comte à lui redonner forme humaine? ou de mettre un terme à son supplice? Elle sentit le poids de sa propre tristesse, le regret et la douleur qui l'affligeaient depuis que Roger l'avait abandonnée, cette solitude qui lui était si familière. Aussi douloureux fussent-ils, ces sentiments lui semblaient négligeables parce que c'était les siens. Ils ne pouvaient se comparer à ce qui accablait un homme comme Chang depuis toujours. Comment pouvait-il en être autrement? Entre eux deux, il y avait un mur. Un mur infranchissable?...

– Les deux ailes sont symétriques, graillonna-t-il, et j'ai exploré les étages inférieurs et supérieurs de l'autre côté. Si je ne m'abuse, l'escalier menant en bas devrait être... à peu près... ici...

Il sourit et miss Temple fut de nouveau frappée, peut-être à cause de la vulnérabilité actuelle de Chang. Son sourire avait quelque chose de provocant: physiquement, il vous attirait, et moralement, il vous effrayait. Il désigna, au fond d'une banale alcôve, un rideau de velours qu'il écarta pour dévoiler une porte de métal qu'on avait laissée entrouverte.

– C'est vraiment faire preuve de beaucoup d'assurance, ricana-t-il en l'ouvrant plus grand, que de laisser une porte ouverte... ils n'ont toujours pas appris à se méfier?

On entendit des bruits de pas et il se retourna pour regarder derrière eux, le visage soudain endurci.

– Nous non plus..., murmura Svenson, et Chang leur intima d'un geste d'entrer rapidement.

Il ferma la porte derrière eux en laissant le verrou s'enclencher.

– Ça les retardera, chuchota-t-il. Vite!

Ils entendirent quelqu'un tirer la porte à plusieurs reprises, alors qu'ils descendaient l'escalier en colimaçon jusqu'à une autre porte, elle aussi entrouverte, par laquelle Chang se glissa pour jeter un œil.

– Puis-je me permettre de suggérer que nous nous procurions des armes ? chuchota le docteur.

Au lieu de répondre, Chang se faufila par la porte, sur la pointe des pieds, les laissant le suivre du mieux qu'ils pouvaient. Ils pénétrèrent dans un étrange couloir incurvé, comme on en trouve à l'opéra ou dans les amphithéâtres romains, avec une succession de portes donnant sur des loges ou une arène.

– C'est comme à l'Institut, murmura Svenson à l'attention de Chang.

Ils avaient avancé, plaqués contre le mur, et ne voyant désormais plus la porte de l'escalier derrière eux, quand tout à coup Chang s'immobilisa en entendant un bruit étouffé derrière la courbe suivante. Il leva sa main ouverte pour leur faire signe de s'arrêter, puis il avança seul, rasant le mur.

Chang s'arrêta. Il se retourna vers eux, sourit puis s'élança. Miss Temple entendit un cri de surprise, puis plusieurs bruits sourds. Chang réapparut et leur fit signe d'avancer.

Par terre se trouvait l'envoyé de Macklenburg, Herr Flaüss, respirant avec difficulté et saignant du nez. Près de sa main qui tressaillait se trouvait un revolver dont s'empara Chang qui l'ouvrit afin de vérifier le barillet. Alors que le docteur Svenson s'agenouillait près de l'homme qui haletait, Chang tendit l'arme à miss Temple pour qu'elle la prît. Elle secoua la tête.

– Assurément, vous ou le docteur, murmura-t-elle.

– Alors, le docteur, répondit Chang. Je suis plus efficace avec une lame ou mes poings.

Il baissa la tête vers le docteur qui vidait rapidement les poches de l'envoyé, en dépit des gestes de vaine protestation de l'homme blessé. Svenson leva les yeux : des bruits de pas derrière eux, dans l'escalier. Il se leva en laissant choir l'envoyé. Chang mit le pistolet entre les mains de Svenson, prit le docteur par la manche et miss Temple par le bras, les mena plus loin dans le couloir jusqu'à ce qu'ils ne puissent plus voir Flaüss. Svenson protesta à voix basse.

– Mais, Cardinal, ils sont sûrement à l'*intérieur*…

Chang les attira tous deux dans une alcôve et se mit la main sur la bouche pour étouffer une quinte de toux. Dans le couloir, miss Temple entendit des bruits de pas pressés… qui s'interrompirent brusquement. Elle sentit le corps de Chang se tendre et vit le pouce de Svenson appuyer lentement sur le chien du pistolet. Quelqu'un s'approchait d'eux, lentement… les bruits de pas s'arrêtèrent... puis se retirèrent. Elle tendit l'oreille... et entendit le sifflement hautain et furieux d'une femme.

– Laissez cet imbécile...

Chang attendit un instant, puis se pencha vers ses compagnons.

– Comme nous ne nous sommes pas débarrassés du corps, nous n'avons pas pu entrer discrètement. En ce moment, ils fouillent la pièce parce qu'ils supposent que nous sommes entrés. Cela suffira à interrompre ce qui se passe à l'intérieur. Si nous entrons maintenant, nous avons peut-être une chance de surprendre leurs arrières.

Miss Temple respira profondément. En cinq minutes, elle était devenue soldat. Avant qu'elle pût comprendre et surtout protester contre ce nouveau statut, Chang était parti et le docteur Svenson l'avait prise par la main et l'attirait derrière lui.

L'envoyé était dans l'encadrement d'une porte, assis, mais toujours sonné. Ils passèrent devant lui sans autre réaction de sa part qu'un petit reniflement, puis se dirigèrent vers deux étroites volées de marches, situées de part et d'autre d'une ouverture, qui menaient aux balcons courant autour de la salle. Chang se cacha rapidement à gauche avec Svenson, et miss Temple, directement derrière lui. L'odeur pestilentielle de l'argile indigo fit plisser le nez de miss Temple. Devant eux, dans le vestibule, ils entendirent la Contessa.

– Il a été attaqué... vous n'avez rien entendu?

– Non, répondit la voix sèche et gutturale du comte. Je suis occupé et mon travail est bruyant. Attaqué par qui?

– Je n'en sais rien, rétorqua la Contessa. Le colonel Aspiche a tranché la tête de chacun des suspects potentiels... d'où ma *curiosité*.

– Le duc est parti?

– Comme prévu, suivi de ceux que nous avons choisis pour la cueillette des livres. Et comme convenu, leur distraction et leur amnésie ont été mises sur le compte d'une épidémie de fièvre sanguine, dont nos propres adeptes répandront la rumeur, une histoire qui a aussi l'avantage de justifier la mise en quarantaine de Harschmort et qui nous permet de séquestrer lord Robert aussi longtemps qu'il le faudra. Mais là n'est pas notre problème en ce moment.

– Je vois, grogna le comte. Étant donné que je suis en train de suivre une procédure très délicate, j'aimerais beaucoup que vous m'expliquiez, par tous les diables, ce que vous faites tous ici.

Miss Temple fit de son mieux pour suivre les autres et gravir en silence une volée de marches. Lorsque sa tête atteignit le niveau du balcon, elle aperçut une coupole en pierre, éclairée par plusieurs lustres en fer d'allure sinistre et hérissés de pics. Lorsqu'elle voyait un lustre, même dans les meilleures circonstances, miss Temple ne pouvait s'empêcher d'imaginer les catastrophes qu'il pourrait provoquer en tombant (surtout lorsqu'elle passait dessous). Vu sous ce jour, le laboratoire était encore plus effrayant. Le balcon était plein de livres, de papiers et de caisses, le tout recouvert d'une épaisse couche de poussière. Svenson lui fit signe de s'approcher de la balustrade pour regarder à travers les barreaux.

Miss Temple n'était pas allée à l'Institut, mais elle avait eu un aperçu saisissant de la plate-forme infernale située au pied de la tour métallique. Dans cette salle (qui avait dû être jadis une sorte de bibliothèque d'après les rayonnages qui couraient encore le long des murs) régnait un mélange étrange qui tenait du laboratoire (les tables étaient jonchées de bocaux fumants, de fioles remplies de liquides bouillonnants, de parchemins et d'outils aux formes inquiétantes) et de la chambre à coucher, car au milieu de la pièce, dont on avait repoussé les meubles, trônait un immense lit. Miss Temple eut un haut-le-cœur, mais ne put détourner le regard. Sur le lit, ses jambes nues pendant sur le côté, était étendue Lydia Vandaariff. Sa tunique blanche avait été remontée sur ses cuisses, et ses bras tendus, attachés par une corde de soie blanche. Son visage était en sueur comme si elle avait fait un effort et ses mains s'accrochaient à ses liens comme s'ils étaient pour elle un réconfort plus qu'un châtiment. Entre ses jambes, les draps étaient mouillés, de même que le plancher de pierre sur lequel s'étalait une flaque de liquide bleuâtre veiné d'arabesques écarlates. L'ourlet brodé de sa tunique avait été baissé dans un vague élan de pudeur, mais on voyait bien les mouchetures bleu et rouge sur ses cuisses blanches. Elle regardait au plafond et clignait des yeux.

Karl-Horst von Maasmärck était affalé dans un fauteuil près de là, un verre à moitié plein dans la main et une bouteille de brandy posée par terre entre ses jambes. Le comte portait son tablier en cuir, et son manteau de fourrure était jeté sur un tas de chaises empilées derrière lui. Il tenait un objet métallique bizarre, une sorte de tube muni de poignées, de valves et d'un bec pointu qu'il était en train d'essuyer avec un chiffon.

Sur les murs, derrière eux, treize toiles étaient accrochées à des clous sommairement enfoncés dans les bibliothèques. Miss Temple se tourna vers Chang et les pointa du doigt. Il les avait vues aussi. Il mit sa main à plat, puis la retourna comme pour tourner une page. Au Ste-Royale, Lydia avait marmonné quelque chose au sujet des autres fragments de l'*Annonciation*, signalant qu'elle les avait vus regroupés. Miss Temple savait que les toiles représentaient toute l'œuvre reconstituée, mais contrairement à ce qu'elle aurait imaginé, le comte les avait orientées face au mur, et ce qu'elle vit n'était pas l'intégralité de l'œuvre qu'elle mourait pourtant d'envie de voir, mais le dos des toiles : les formules alchimiques d'Oskar Veilandt. Les peintures n'étaient qu'un voile décoratif qui camouflait la recette détaillée de cette Annonciation particulière, l'épouvantable fécondation de Lydia Vandaariff par cette science perverse.

Autour de chacune des toiles, on avait collé des diagrammes et des notes supplémentaires, sans doute pour aider le comte à comprendre les instructions sacrilèges de Veilandt. Miss Temple regarda la jeune fille étendue sur le lit et se mordit les doigts pour ne pas crier...

Puis elle entendit, venant d'en dessous, un soupir d'impatience et le bruit d'une allumette que l'on frottait. Miss Temple rampa pour avoir une vue plus large de la pièce. Avec un frisson d'effroi, elle aperçut la Contessa et ses acolytes. Comment ne les avaient-ils pas entendus dans le couloir ? Francis Xonck et Crabbé se tenaient à côté de la Contessa, son fume-cigarette aux lèvres, et, derrière eux, au moins six silhouettes en manteaux noirs, armées de gourdins. Elle se retourna vers Chang et Svenson et vit que Chang regardait ailleurs, sous le balcon d'en face. Scintillante dans l'ombre, sa peau reflétant les flammes orange du creuset du comte, la troisième femme de verre, Angélique, attendait en silence. Miss Temple observa son corps, consciente qu'il s'agissait de celle que Chang aimait... en fait, celle dont il achetait les faveurs, car c'était bien une prostituée... ce qui voulait dire que... Miss Temple rougit, ses souvenirs du livre se mêlèrent à des images de Chang et Angélique... puis elle secoua la tête et concentra toute son attention sur la conversation plutôt agitée qui se déroulait au-dessous.

— Nous n'avions nullement l'intention de vous déranger, commença Xonck en détournant les yeux avec un certain dégoût, mais, pour des raisons que l'on ne s'explique pas, nous ne réussissons pas à trouver de *clé* qui fonctionne.

— Où est Lorenz? demanda le comte.

— Il prépare l'aéronef, répondit Crabbé, et il est entouré de soldats. Je préfère le laisser tranquille.

— Et Bascombe?

— Il est avec lord Robert, rétorqua la Contessa. Nous allons le retrouver avec le coffre de livres et son registre, mais il n'a pas de clé non plus et, pour diverses raisons, je préfère qu'il reste en dehors de tout cela.

Crabbé leva les yeux au ciel.

— Monsieur Bascombe nous est absolument loyal…

— Et votre clé? demanda le comte en foudroyant le vice-ministre du regard.

— Ce n'est même pas ma clé, rétorqua vivement Crabbé. Je ne crois même pas être le dernier à l'avoir eue en main. Comme vous l'a expliqué la Contessa, nous étions en train de récupérer les livres, pas d'en vérifier le contenu…

— Alors, qui l'a eue en dernier? cria le comte avec impatience.

Il changea sa prise sur l'horrible objet qu'il tenait à la main.

— Nous ne le savons pas, répliqua la Contessa. Je crois bien que c'était monsieur Crabbé, mais il soutient que c'était monsieur Xonck qui, à son tour, prétend que c'était Blenheim…

— Blenheim? s'étonna le comte.

— Pas directement, précisa Xonck, mais Trapping. Je crois que Trapping l'a prise pour lire un des livres… peut-être seulement comme ça, peut-être pas…

— Quel livre?

— Nous ne le savons pas, répondit la Contessa. Nous avons cédé à tous ses caprices. Quelque chose m'échappe toujours concernant sa mort. Soit c'est Blenheim qui a pris la clé sur le cadavre de Trapping quand on l'a déplacé, ou bien c'est lord Robert qui la lui a remise.

— Si je comprends bien, Blenheim n'est toujours pas réapparu?

La Contessa acquiesça.

— La question est de savoir s'il est mort, déclara Crabbé, ou s'il fait cavalier seul.

— Nous pourrions peut-être interroger lord Robert, suggéra le comte.

– En effet, si seulement il avait encore sa mémoire, observa Xonck, mais, comme vous le savez, elle a été inscrite dans un livre… un livre que nous ne retrouvons pas. Et même si nous le retrouvions, nous ne pourrions pas le lire sans clé! Tout cela est absurde!

– Je vois, répondit le comte, le visage assombri par la réflexion. Et qu'est-il arrivé à Herr Flaüss?

– Nous n'en savons rien! lança Crabbé.

– Mais ne pensez-vous pas que nous devrions savoir? demanda le comte calmement.

Il se retourna vers Angélique et frappa dans ses mains. Elle s'avança immédiatement dans la lumière, comme un tigre dompté, attirant l'attention méfiante de tous.

– Si quelqu'un se cache ici, lui dit le comte en levant les yeux vers les balcons, trouvez-le.

Les yeux écarquillés, miss Temple se tourna vers Chang et Svenson. Que pouvaient-ils faire? Elle chercha des yeux autour d'eux… Nulle part où se cacher! Le docteur Svenson se redressa sur ses talons et sortit son arme, mesurant du regard la distance qui le séparait d'Angélique. Chang mit une main sur le bras du docteur. Le docteur s'en libéra et arma son pistolet. Miss Temple sentit l'inquiétante onde de froid approcher son esprit. Ils seraient repérés d'un moment à l'autre.

Mais le silence tendu qui régnait dans la pièce fut rompu par un fracas venu du balcon d'en face, juste au-dessus d'Angélique. En une fraction de seconde, Xonck avait sa dague serpentine dans la main et montait en trombe les escaliers étroits qui y menaient. Miss Temple entendit des bruits d'échauffourée, puis les protestations d'une femme dont Xonck traînait le corps qui se tordait, en bas des escaliers. Il la jeta à genoux devant les autres. C'était Éloïse.

Miss Temple vit l'expression pétrifiée de Svenson. Avant qu'il pût faire un geste, elle attrapa sa main qui tenait le pistolet et la serra très fort. Ce n'était pas le moment d'agir impulsivement.

Xonck s'écarta d'Éloïse, comme tous les autres, car lorsque le comte fit un geste de la tête, Angélique s'avança, faisant tinter ses pieds sur le sol de pierre comme les sabots d'un poulain ferré de neuf. Éloïse secoua la tête et leva les yeux, complètement abasourdie par la splendide créature nue, puis elle se mit à crier. Miss Temple serra le bras du docteur aussi fort qu'elle le put et

Éloïse continua à crier, mais sa voix s'éteignit et l'effroi qui figeait ses traits se mua en passivité, puis elle se mit à trembler. La femme de verre avait sauvagement pénétré son esprit et en fouillait le moindre recoin avec une efficacité impitoyable. Une fois encore, miss Temple remarqua que le comte avait fermé les yeux et qu'il se concentrait. Éloïse ne dit pas un mot. La bouche ouverte, à genoux, elle se balançait, hypnotisée par son inquisitrice aux yeux bleus et froids.

Puis ce fut terminé. Éloïse s'effondra. Le comte vint se placer juste au-dessus d'elle et la toisa.

– C'est Mrs. Dujong, murmura Crabbé. Elle était à la carrière. C'est elle qui a tiré sur le duc.

– En effet. Elle s'est échappée de l'amphithéâtre avec miss Temple, ajouta le comte. C'est miss Temple qui a tué Blenheim. Son corps est dans la salle des trophées. C'est bien Blenheim qui avait la clé. Mrs. Dujong l'a glissée dans son corsage, avec un étui à cigarettes en argent et une carte en verre bleu. Les deux objets étaient dans le manteau du docteur Svenson.

– Une carte de verre ? demanda la Contessa.

Elle dirigea malicieusement son regard de l'autre côté de la pièce.

– Et que montre-t-elle, cette carte ?

L'effort faisait haleter Éloïse qui s'efforçait de se hisser sur les genoux et les mains. Le comte introduisit brusquement ses mains dans son corsage, cherchant à tâtons les objets qu'il avait décrits. Il se releva et jeta un coup d'œil à l'étui à cigarettes. Tout cela, sans répondre à la question de la Contessa. Il lui lança l'étui en argent qu'elle attrapa avec plus ou moins d'adresse.

– C'est aussi à Svenson, dit-il en regardant le prince qui était toujours affalé dans son fauteuil et les regardait à travers un voile d'ahurissement aviné. Dans la carte est imprimée une expérience avec Mrs. Marchmoor dans un salon privé du Ste-Royale… un *échange* avec le prince. Apparemment, Mrs. Dujong en est restée très *impressionnée*.

– Et… c'est tout ? demanda la Contessa, prudemment.

– Non.

Le comte poussa un profond soupir.

– Ce n'est pas tout.

Il fit un autre signe de tête à Angélique.

La femme de verre se dirigea vers les autres membres de la cabale, ce qui sembla les plonger tous en plein désarroi. Ils reculèrent.

– Qu… qu'est-ce que vous faites? bafouilla Crabbé.

– J'entends résoudre cette énigme, déclara le comte de sa voix rauque.

– Vous ne pouvez pas achever tout cela sans notre aide, siffla Xonck en faisant un geste en direction de la fille sur le lit. Nous n'en avons pas assez fait pour vous? Nous n'avons pas assez soutenu vos *visions*?

– Des visions qui vous ont profité, Francis.

– Je n'ai jamais dit le contraire, mais si vous comptez me transformer en coquille vide comme Vandaariff…

– Je n'ai aucunement cette intention, rétorqua le comte. Ce que je suis en train de faire est dans notre intérêt commun.

– Avant de nous traiter comme des bêtes, Oskar… et de faire de moi votre ennemie, intervint la Contessa en haussant la voix avec violence, vous pourriez peut-être expliquer ce que vous avez l'intention de faire.

Miss Temple réprima une exclamation de surprise et se sentit parfaitement idiote. Oskar! Bien sûr, c'était évident. Le comte n'avait pas volé les œuvres d'Oskar Veilandt, le peintre n'était ni séquestré ni envoûté… Les deux hommes n'en faisaient qu'un! Qu'est-ce que tante Agathe lui avait dit? Que le comte était né dans les Balkans, qu'il avait grandi à Paris, un héritage inattendu? En quoi cette version était-elle incompatible avec ce que Shanck avait raconté au sujet de Veilandt? L'école à Vienne, le studio à Montmartre, la mystérieuse disparition… dans la richesse et la respectabilité! Elle le savait maintenant! Elle vit Chang secouer amèrement la tête. Svenson, lui, n'avait d'yeux que pour la silhouette affalée d'Éloïse.

Le comte se racla la gorge et brandit la carte de verre.

– Des spectateurs assistent à l'*échange*, dont vous, Rosamonde, et vous, Francis. Mais l'astucieuse Mrs. Dujong a perçu, derrière le miroir sans tain, un second échange, dans le hall d'entrée… le colonel Trapping discutant fort sérieusement avec Robert Vandaariff.

Cette révélation imposa le silence.

– Qu'est-ce que ça veut dire? demanda Crabbé.

– Ce n'est pas tout, poursuivit le comte.

– Monsieur, nous n'avons que peu de temps, protesta Crabbé. Dites-nous simplement…

– La mémoire de Mrs. Dujong fait allusion à une deuxième carte, que le docteur a sortie de la doublure de l'uniforme de

Trapping. De toute évidence, on n'avait pas complètement fouillé son cadavre. Entre autres choses, cette carte contient une image de moi en train de procéder à un examen préparatoire sur la personne de Lydia.

– Arthur avait l'intention de la remettre à Vandaariff, affirma Xonck. Cet imbécile ambitieux n'aurait jamais pu résister…

Crabbé fit un pas en avant en plissant les yeux.

– Est-ce votre façon de nous annoncer que c'est *vous* qui l'avez tué? demanda-t-il au comte en parlant entre ses dents. Sans le dire à qui que ce soit? Mettant tout en péril en précipitant notre calendrier? Je comprends pourquoi lord Vandaariff était aussi agité et pourquoi nous avons dû…

– Mais c'est exactement le problème, Harald, rugit le comte. Je vous dis tout cela parce que je n'ai pas touché un seul cheveu d'Arthur Trapping.

– Mais… mais alors, pourquoi…

Crabbé commença à parler, mais il se tut ensuite. Tous les membres de la cabale s'observaient les uns les autres.

– Vous dites que c'est Svenson qui lui a donné cela? demanda la Contessa. Et où l'a-t-il trouvée, lui?

– Elle l'ignore.

– Il me l'a prise, bien sûr, dit lentement une voix pâteuse de l'autre côté de la pièce.

Karl-Horst essayait de se servir un autre verre.

– Il a dû la trouver dans ma chambre. Je n'avais jamais remarqué Trapping… il faut dire que j'étais beaucoup plus intéressé par *Margaret*! C'était le premier morceau de verre que je voyais, un présent que l'on m'avait fait pour m'encourager à participer.

– Et qui vous a fait ce présent? demanda Francis Xonck.

– Qui sait? Est-ce vraiment si important?

– C'est peut-être une information cruciale, Votre Altesse, répondit la Contessa.

Le prince fronça les sourcils.

– Eh bien… dans ce cas…

Miss Temple eut l'impression que chacun des membres de la cabale surveillait le prince avec le minimum de retenue, chacun ayant envie de le gifler jusqu'à ce qu'il crache ce qu'il savait, mais aucun n'osant montrer son impatience ou son inquiétude aux autres… Ils patientèrent ainsi pendant qu'il se pinçait les lèvres, se grattait l'oreille et suçotait une dent creuse, jouissant de toute leur attention. Miss Temple commençait à s'inquiéter elle-même. Et si Angélique poursuivait son investigation ? Qui pouvait dire si la femme de verre sentait leur présence ? Miss Temple avait des fourmis dans les jambes à force de rester accroupie, et l'air poussiéreux lui chatouillait le nez. Elle lança un regard à Chang, vit qu'il serrait les lèvres et comprit qu'il s'était retenu de tousser tout ce temps-là. Elle n'y avait pas pensé, mais l'éventualité (c'était presque inévitable) qu'il pût les faire repérer la terrifia. Il fallait qu'ils fassent quelque chose, mais quoi ? quoi donc ?

– Je suppose que c'était le docteur Lorenz, ou bien, comment s'appelait-il déjà ? monsieur Crooner, de l'Institut, celui qui est mort de manière si atroce. Ce sont eux qui faisaient fonctionner les machines. C'était une sorte de souvenir. Je ne sais pas comment ce traître de Svenson a pu la trouver tout seul, je l'avais cachée très astucieusement...

– Très bien, Votre Altesse, l'interrompit la Contessa, vous nous avez été d'un grand secours.

Elle s'approcha du comte et prit les objets qu'il avait trouvés sur Éloïse. Elle parla avec une colère non dissimulée.

– Tout cela ne nous mène nulle part. Nous avons trouvé ce que nous cherchions : la clé. Revenons immédiatement aux livres pour voir ce que peut nous apprendre le témoignage de lord Robert. Nous saurons peut-être enfin pourquoi on a tué le colonel.

– Vous ne croyez pas que c'est Chang qui l'a tué ? demanda Crabbé.

– Parce que c'est ce que vous croyez, vous ? rétorqua la Contessa sur un ton méprisant. Je serais ravie de l'apprendre, ma vie en serait considérablement simplifiée. Mais non, nous nous souvenons tous à quel point il a été délicat et risqué de parachever notre emprise sur Robert Vandaariff qui jusque-là était convaincu que toute cette campagne avait été conçue par lui. Nous savons que le colonel avait un négoce de secrets... Qui sait combien de secrets il connaissait ? Elle haussa les épaules. Chang est un tueur. Ça, c'est de la politique. Monsieur, nous vous laissons à votre ouvrage.

Le comte fit un geste de la tête en direction de Lydia.

– C'est fait...

– Déjà ?

La Contessa regarda le corps épuisé de miss Vandaariff.

– Eh bien, je présume qu'elle n'aurait pas apprécié d'avoir à prolonger les choses !

– Le plaisir, Rosamonde, est dans le résultat final, dit le comte de sa voix rauque.

– Mais oui, bien sûr, répliqua-t-elle en balayant du regard les draps tachés. Nous vous avons interrompu assez longtemps comme ça. Nous nous retrouverons à l'aéronef.

Elle fit volte-face pour quitter la pièce, mais s'arrêta quand Xonck s'approcha en désignant Éloïse du menton.

– Qu'est-ce que vous comptez faire d'elle?

– Est-ce à moi de décider? demanda le comte.

– Seulement si c'est ce que vous souhaitez, répondit Xonck en souriant. Je voulais simplement être poli…

– Je préférerais poursuivre mon ouvrage, rétorqua le comte d'Orkancz.

– Ravi de vous rendre ce service, dit Xonck.

De son bras valide, il traîna Éloïse sur ses pieds et la traîna hors de la pièce. Un instant plus tard, la Contessa, Crabbé et leur escorte les suivirent.

De sa main, Chang avait bâillonné Svenson. Le docteur était dans tous ses états, mais s'ils faisaient le moindre bruit, Angélique sentirait leur présence et elle les tiendrait à sa merci aussi facilement qu'elle l'avait fait pour Éloïse. Miss Temple se pencha pour observer ce qui se passait dans le laboratoire. Le comte était retourné à sa table de travail. Il lança un regard vers Lydia et Angélique, ignora le prince et dévissa une petite valve sur le côté de son outil métallique. Miss Temple observa le comte qui versait dans la valve, avec plus de délicatesse qu'elle ne l'eût cru possible de la part d'un homme de cette stature, le liquide fumant de l'une de ses fioles chauffées. Il ne renversa pas la moindre goutte et il referma la valve. Il souleva l'instrument en marchant vers le lit, puis le posa près de la jambe de Lydia.

– Lydia, êtes-vous réveillée?

Lydia fit signe que oui. C'était la première fois que miss Temple la voyait bouger.

– Est-ce que vous souffrez?

Lydia fit une grimace, mais secoua la tête. Elle tourna la tête, distraite par un mouvement. C'était le prince qui se resservait à boire.

– Votre fiancé ne se souviendra de rien, lui assura le comte. Et vous non plus. Détendez-vous… il vous faut choisir ce dont vous ne pouvez pas arrêter le cours.

Le comte prit l'outil et leva la tête vers le balcon. Il haussa la voix en s'adressant à toute la pièce.

– Il serait préférable que vous descendiez de vous-mêmes. Si c'est la dame ici qui vient vous chercher, elle vous fera passer par-dessus la balustrade.

Miss Temple se tourna vers Chang et Svenson, atterrée.

– Je sais que vous êtes là, cria le comte. Il y a évidemment une raison pour laquelle j'ai *attendu* pour vous parler... mais je ne vous le demanderai pas une deuxième fois.

Chang libéra Svenson et chercha derrière lui une autre issue. Avant que les autres aient pu l'en empêcher, le docteur bondit sur ses pieds et cria depuis le balcon vers le comte.

– J'arrive... puissiez-vous brûler en enfer. Je descends...

Il se tourna vers eux, le regard furieux, et leur fit signe de garder le silence. Il se dirigea à pas lourds vers l'escalier mais, en passant, il lança le pistolet dans les mains de miss Temple et se pencha vers son oreille.

– S'ils ne se marient pas, chuchota-t-il, la progéniture ne sera pas *légitime*!

Miss Temple attrapa maladroitement le pistolet et leva les yeux vers lui. Svenson était déjà parti. Elle se tourna vers Chang qui essayait d'étouffer une violente quinte de toux. Un mince filet de sang coulait sur son menton. Elle se retourna vers la balustrade. Le docteur apparut, les mains loin du corps et ouvertes pour montrer qu'il n'avait pas d'arme. Il grimaça de dégoût en voyant Lydia Vandaariff de plus près, puis il désigna la femme de verre.

– Je présume que c'est votre créature qui m'a flairé?

Le comte éclata de rire, d'un rire particulièrement détestable, et secoua la tête.

– Pas du tout, docteur, vous savez bien que nous sommes tous deux des hommes de science et de recherche. Mon aperçu de l'esprit de Mrs. Dujong ne montrait aucun souvenir d'une attaque sur la personne de Herr Flaüss. J'ai simplement déduit que le coupable était toujours caché quelque part.

– Je vois, dit Svenson. Mais je ne comprends toujours pas pourquoi vous avez attendu pour me dénoncer.

– Vous ne voyez pas? dit le comte sur un ton condescendant et plein de suffisance. Tout d'abord, où se trouvent vos compagnons?

Le docteur chercha quoi répondre, en serrant les poings, puis explosa de toute sa rage.

– Allez au diable! Puissiez-vous brûler en enfer! Vous avez très bien entendu! Le colonel Aspiche leur a tranché la gorge!

– Mais pas la vôtre ?

Svenson rit avec dédain.

– Il n'y a aucun mérite à cela. Chang était déjà à moitié mort, ce n'était plus qu'une question de secondes. Miss Temple…

Svenson se passa une main sur le front.

– Vous pouvez être sûre qu'elle s'est défendue comme une furie. C'est ainsi qu'elle m'a réveillé et que j'ai pu fracasser le crâne du colonel avec une chaise… mais malheureusement, et je m'en voudrai éternellement, pas à temps pour la sauver.

– Quelle histoire émouvante !

– Vous êtes abject, cracha Svenson.

Il fit un geste vers Lydia sans quitter le comte du regard.

– Vous êtes le pire de tous, car vous avez gaspillé des dons que les autres n'ont jamais eus. Je vous tirerais une balle dans la tête, monsieur, et vous enverrais en enfer avec Aspiche avec moins de remords que je n'en aurais à écraser un pou.

Ses mots furent suivis d'un éclat de rire, mais ce n'était pas celui du comte. Au grand étonnement de miss Temple, le prince s'était levé de sa chaise et s'était avancé vers celui qui avait naguère été son serviteur, son verre à cognac encore lové dans la main.

– Qu'est-ce qu'on va faire de lui, monsieur ? Je présume que c'est à moi de sévir… c'est mon traître, tout compte fait. Que me suggéreriez-vous ?

– Vous êtes un imbécile et un ignorant, siffla Svenson. Vous ne vous en êtes jamais rendu compte… même pas maintenant ! Mais bon Dieu, Karl, regardez-la ! Regardez votre fiancée ! On lui inocule l'enfant d'un autre !

Le prince se tourna vers Lydia, son visage aussi ahuri que d'habitude.

– De quoi parle-t-il, très chère ?

– Je ne sais pas, cher Karl.

– Et vous, monsieur ?

– Nous ne faisons qu'assurer sa bonne santé, le rassura le comte.

– Cette femme est à moitié morte, rugit Svenson. Réveillez-vous, pauvre crétin ! Lydia, pour l'amour de Dieu, jeune fille, sauvez-vous ! Il n'est pas trop tard pour fuir !

Svenson tempêtait, hurlait, gesticulait. Miss Temple sentit Chang la prendre par le bras et, s'en voulant d'être une fois de plus en retard sur la musique, elle comprit enfin que le docteur faisait tout ce chahut pour qu'ils puissent descendre les escaliers sans qu'on les entendît. Ils les dévalèrent rapidement jusqu'à ce qu'on ne pût plus les voir de la pièce. Elle baissa les yeux sur le pistolet. Pourquoi diable le docteur le lui avait-il donné à elle ? Pourquoi n'avait-il pas essayé lui-même de tirer sur le prince ? Pourquoi ne l'avait-il pas remis à Chang ? Elle vit que Chang avait aussi baissé les yeux vers l'arme, puis elle croisa son regard.

Elle comprit instantanément et, bien qu'elle ne pût voir les yeux de Chang, elle sentit ses larmes affluer.

– Docteur, vous allez vous calmer ! hurla le comte en claquant des doigts à l'attention d'Angélique.

Soudain, Svenson cria, tituba et tomba à genoux. Le comte leva la main encore une fois et attendit que le docteur eût recouvré ses esprits pour parler.

– Et je ne tolérerai plus que vous dépréciiez ainsi cette œuvre…

– Une œuvre, dites-vous ? aboya Svenson en gesticulant et en désignant les fioles et Lydia. Des bouffonneries moyenâgeuses, oui ! Qui coûteront la vie à cette pauvre fille !

– Ça suffit ! hurla le comte en avançant vers lui, menaçant. Est-ce un bouffon qui a créé les livres ? Qui a figé pour l'éternité l'essence même de toutes ces vies ? Sous prétexte qu'il s'agit d'une science ancienne, vous la rejetez d'un revers de la main parce que vous êtes un soi-disant docteur, dépourvu de subtilité, sans aucun sens des nuances de l'énergie, des concepts élémentaires. Vous ignorez tout cela, vous qui n'avez jamais cherché l'essence chimique du désir, de la ferveur, de la peur, des *rêves*… vous qui n'avez jamais découvert les formules qui sont à l'origine de l'art, de la religion, le pouvoir de redonner chair aux mythes les plus sacrés et les plus profanes !

Le comte se tenait debout au-dessus de Svenson, la bouche tordue en un rictus, comme s'il s'en voulait d'avoir parlé aussi intimement à un tel individu. Il se racla la gorge et continua après avoir retrouvé sa froideur coutumière.

– Vous m'avez demandé pourquoi j'ai attendu avant de vous dénoncer. Vous aurez sûrement perçu quelques dissensions parmi mes alliés… des questions pour lesquelles je voudrais avoir des réponses… sans pour autant être prêt à les partager. Vous pouvez parler librement ou avec l'aide d'Angélique mais, quoi qu'il en soit, vous allez parler.

– Je ne sais rien, cracha Svenson. J'étais à Tarr Manor, je n'ai rien à voir avec vos intrigues de Harschmort…

Le comte l'ignora et manipula nonchalamment son instrument resté à côté de la jambe pâle de Lydia.

– Lorsque nous avons parlé dans ma serre, on avait séquestré votre prince. À l'époque, ni vous ni moi ne savions qui l'avait enlevé ni comment on avait pu s'y prendre.

– C'était la Contessa, répondit Svenson. Avec le dirigeable.

– Oui, je sais. Je veux savoir *pourquoi*.

– Elle vous a sûrement donné une raison !

– Peut-être… ou peut-être pas…

– Des bandits qui se disputent, ricana le docteur. Alors que vous sembliez liés par une amitié si *particulière*…

Le prince s'avança et frappa Svenson sur la tempe.

– On ne parle pas comme ça à ses supérieurs ! déclara-t-il comme s'il tenait une conversation polie, puis il eut un rire méprisant et satisfait.

Svenson leva la tête vers le prince, le visage brûlant de dédain, mais il continua à s'adresser au comte.

– Bien sûr, je n'en sais rien. Tout ce que je peux faire, c'est *déduire*, comme vous le dites. Le prince a été enlevé quelques heures seulement après que je l'eus sauvé. On ne l'a dit ni à vous ni à certains autres. Manifestement, la Contessa avait besoin du prince pour servir ses propres intérêts. Que représente le prince dans vos plans à vous ? Une dupe, un pion, un vide sur le siège du pouvoir…

– Soyez maudit, sale voyou ingrat ! cria le prince. Quelle insolence !

– Cela peut sembler évident pour certains, s'impatienta le comte.

– Alors, il me semble que la réponse est aussi évidente, dit Svenson sur un ton hautain. On introduit dans l'esprit de tous ceux qui subissent le Procédé une phrase qui permet de les contrôler, n'est-ce pas ? J'ai malencontreusement récupéré le prince avant qu'on pût lui inculquer quoi que ce fût. Sachant cela et sachant aussi que tout le monde serait enclin à prendre le prince pour un imbécile, la Contessa a saisi l'occasion d'instiller dans son esprit son contrôle à elle, avec l'intention de s'en servir en temps utile contre ses alliés putatifs… quelque chose d'inattendu, comme par exemple, vous pousser hors d'un aéronef. Bien sûr, si l'on interroge le prince, il ne s'en souviendra pas du tout.

Le comte restait silencieux. Miss Temple était épatée par la présence d'esprit du docteur.

– Comme je le disais… c'est assez évident, conclut Svenson en reniflant.

– C'est peut-être… une invention de votre part… mais c'est suffisamment crédible pour que je prenne le temps de fouiller la mémoire du prince. Mais auparavant, docteur, car je crois que vous mentez, c'est vous que je vais examiner. Angélique ?

Svenson bondit sur ses pieds en poussant un cri, mais le cri fut brutalement étouffé quand l'esprit d'Angélique pénétra le sien. Chang se précipita depuis l'escalier, miss Temple à sa suite. Svenson était à genoux, le visage entre les mains ; au-dessus de lui, le prince s'apprêtait à lui décocher un coup de pied à la tête. Angélique était debout à côté. Le prince leva les yeux vers eux, abasourdi et contrarié d'avoir été interrompu. Le comte s'arracha de l'esprit de Svenson en poussant un rugissement. Angélique se retourna à peine trop lentement et miss Temple pointa son arme sur elle. Elle se trouvait à quelques mètres lorsqu'elle appuya sur la détente.

Le coup atteignit le bras tendu de la femme de verre au coude, le traversa dans une pluie d'éclats scintillants, l'avant-bras et la main tombèrent par terre et se fracassèrent au contact du sol dans une volute de poussière indigo. Miss Temple vit Angélique ouvrir la bouche, mais c'est dans son esprit qu'elle entendit le cri, écorchant sans distinction toutes les personnes présentes dans la salle. Miss Temple tomba à genoux, les larmes aux yeux, et fit feu une deuxième fois. La balle traversa le torse d'Angélique dont la surface se craquela. Miss Temple continua d'appuyer sur la détente, chaque impact approfondissant les fissures. Le cri redoubla d'intensité et miss Temple fut paralysée, presque aveugle, engloutie par les souvenirs mêlés qui lui transperçaient l'esprit : Angélique enfant au bord de la mer, l'odeur fétide du bordel, les soieries et le champagne, les larmes, les coups, les ecchymoses, les étreintes froides et l'espoir vif et tendre que ses rêves désespérés s'étaient enfin réalisés. Sous les yeux de miss Temple, le torse s'ouvrit sous les côtes et céda. Le haut du corps s'affaissa sur le bas dans un nuage de fumée indigo et de poussière étincelante et mortelle. Le tout se fracassa sur la pierre.

Miss Temple n'aurait su dire si le silence venait d'un mutisme général ou si c'était le cri qui l'avait rendue sourde. Les vapeurs dans l'air lui faisaient tourner la tête et elle se mit la main sur la bouche en se demandant si elle avait inhalé de la poussière de verre bleu. Les restes d'Angélique étaient éparpillés à terre, des tessons bleus dans une flaque indigo. Miss Temple leva la tête et cligna des yeux. Chang était adossé au mur, les yeux fixés sur la scène. Svenson était à quatre pattes tentant de se libérer. Lydia était sur le lit et tirait sur ses liens en geignant. Le prince était étendu par terre, près de Svenson, il sifflait de douleur et se palpait faiblement la main, là où un éclat de verre avait traversé sa peau qui avait commencé à bleuir. Seul le comte était encore debout, mais son visage avait la couleur de la cendre.

Miss Temple dirigea son arme vers lui et appuya sur la détente. La balle fit voler en éclats les instruments de chimie sur sa table, projetant le liquide en ébullition sur son tablier. Le bruit réveilla la pièce entière. Le comte se rua en avant, saisit son outil métallique resté sur le lit et le brandit comme une massue. Miss Temple le visa une deuxième fois, à la tête, mais avant qu'elle pût faire feu, elle sentit que Chang s'emparait de son bras. Elle grogna, surprise (il lui faisait mal) et vit que, de son autre main, il avait attrapé Svenson par le col et les tirait tous deux vers la porte avec ce qu'il lui restait de forces. Elle se retourna vers le comte qui, malgré sa rage, faisait attention de contourner la mer d'éclats de verre, et elle fit de son mieux pour bien viser. Svenson réussit à se tenir debout seul quand ils eurent atteint la porte, mais Chang ne le lâcha pas. Miss Temple tendit son bras pour faire feu, mais Chang la tira brusquement dans le couloir.

– Il faut que je le tue! cria-t-elle.

– Il ne vous reste plus de balles! siffla Chang entre ses dents. Si vous appuyez sur la détente, il le saura!

Ils avaient fait deux pas de plus lorsque le docteur se retourna en essayant de se libérer de l'étreinte de Chang.

– Le prince… il doit mourir…

– Nous en avons fait assez…, affirma Chang d'une voix voilée en les poussant tous deux en avant.

– Ils vont se marier…

– Le comte est redoutable, et nous, nous sommes affaiblis et sans armes. Si nous l'affrontons, au moins l'un d'entre nous mourra.

Chang pouvait à peine parler.

– Nous avons d'autres tâches à accomplir et, si nous arrêtons les autres, nous arrêterons aussi votre idiot de prince. Souvenez-vous de Mrs. Dujong.

– Mais le comte…, protesta miss Temple en se retournant pour voir s'il s'était lancé à leur poursuite.

– Il ne peut nous poursuivre seul. Il doit s'occuper du prince et de Lydia.

Chang se racla la gorge en grognant et cracha derrière Svenson.

– Et puis, le comte a été blessé… dans son orgueil.

Il avait la voix rocailleuse. Miss Temple risqua un coup d'œil. Elle avait fini par courir avec les autres et fut désemparée de voir des traces de larmes sous les lunettes de Chang et d'entendre des sanglots ponctuer sa respiration laborieuse. Elle s'essuya le visage et fit de son mieux pour les suivre.

Ils parvinrent à l'escalier et fermèrent la porte derrière eux. Chang s'y adossa, puis il se mit à tousser, les mains sur les genoux. Svenson lui jeta un regard inquiet et lui mit la main sur l'épaule. Il leva les yeux vers miss Temple.

– Vous avez très bien réagi, Céleste.

– Pas mieux que quiconque, répondit-elle sur un ton un peu insistant.

Devant la détresse de Chang, elle ne voulait pas qu'on parle d'elle.

– C'est vrai.

Miss Temple frissonna.

– Ses pensées… à la fin, dans mon esprit…

– Le comte l'utilisait d'une manière tellement cruelle, commenta Svenson, et le monde aussi. Une telle souffrance ne devrait pas exister.

Mais miss Temple savait que le plus horrible, pour Angélique, n'avait pas été la transmutation mais bien sa mort prématurée. Son terrible cri silencieux en était un de révolte, aussi primal et inutile que l'ultime cri d'un moineau entre les serres d'un faucon. Miss Temple n'avait jamais connu, et encore moins été possédée, pour ainsi dire, par un tel effroi devant la mort, et elle se demanda si elle mourrait ainsi lorsque viendrait son tour, cette nuit même peut-être… elle renifla… ou ce jour même, elle n'avait aucune idée de l'heure qu'il pouvait être. Lorsqu'ils avaient regardé partir les fiacres dehors, il faisait encore nuit, mais ils se trouvaient désormais au sous-sol. Il lui semblait impossible que ce fût hier seulement qu'elle avait rencontré le docteur Svenson dans le hall du Boniface.

Elle déglutit et secoua l'effroi qui envahissait son esprit. Avec un enthousiasme qui la résumait bien, miss Temple qui venait de penser à la mort songeait maintenant au petit-déjeuner.

– Lorsque tout sera réglé, déclara-t-elle, je serais ravie de manger quelque chose.

Chang leva les yeux vers elle. Elle lui sourit, faisant de son mieux pour soutenir la dureté de son visage et l'obscurité vide de ses lunettes.

– Eh bien… c'est vrai, cela fait longtemps…, répondit poliment Svenson, comme s'il parlait du temps qu'il faisait.

– Et cela risque de durer encore un peu plus, parvint à répliquer Chang d'une voix rauque.

– Sans aucun doute, répondit miss Temple, mais comme je ne suis pas faite en verre, j'ai cru qu'on pouvait aborder ce sujet.

– Tout à fait, ajouta maladroitement Svenson.

– Une fois que cette affaire sera réglée, bien sûr, précisa miss Temple.

Chang se redressa, l'air un peu plus calme.

– Nous devrions y aller, murmura-t-il.

Miss Temple souriait en gravissant les marches, enhardie par l'espoir d'avoir pu détourner quelque peu l'affliction de Chang, ne fût-ce qu'en l'agaçant. Elle se rendait bien compte qu'elle ne pouvait pas comprendre ce qu'il ressentait, même en ayant perdu Roger, car elle ne saisissait pas le lien qui unissait Chang et Angélique. Quel genre d'attachement pouvait naître de ce genre de commerce? Elle était assez intelligente pour constater que tous les mariages reposaient sur une forme quelconque de négoce, par exemple le mariage de ses parents avait uni la terre et l'argent pour pouvoir l'exploiter mais, pour miss Temple, les objets négociés, les titres, les terres, l'argent, les héritages ne pouvaient se confondre avec les corps. La seule idée de monnayer son corps, que l'échange allât jusque-là, était trop crue pour qu'elle pût la concevoir. Elle se demanda ce que sa mère avait pu ressentir lorsqu'elle et son père l'avaient conçue. Elle leva les yeux vers Chang qui montait les marches devant elle. Comment se sentait-on lorsqu'on n'avait pas tout ce poids sur les épaules? libre comme un animal sauvage?

– Nous n'avons pas croisé Herr Flaüss en sortant, fit remarquer le docteur Svenson. Il est peut-être parti avec les autres.

– Et où sont-ils allés? demanda miss Temple. À l'aéronef?

– Je ne crois pas, répondit Svenson. Ils sont sûrement en train de régler leurs contentieux avant de pouvoir continuer. Ils sont en train d'interroger lord Vandaariff.

– Et peut-être aussi Roger, ajouta miss Temple seulement pour montrer qu'elle pouvait prononcer son nom sans difficulté.

– Ce qui nous laisse deux options : les chercher ou nous rendre à l'aéronef.

Svenson s'adressa à Chang.

– Qu'en pensez-vous ?

Chang se retourna en essuyant sa bouche tachetée de rouge, à bout de souffle.

– L'aéronef. Les Dragons.

Le docteur Svenson hocha la tête.

– Smythe.

La demeure était étonnamment silencieuse lorsqu'ils parvinrent au rez-de-chaussée.

– Sont-ils tous partis ? demanda Svenson.

– Par où ? s'enquit Chang de sa voix gutturale.

– C'est en haut. C'est plus simple par le grand escalier, si la voie est libre. Mais je me permets de suggérer encore une fois que nous nous procurions des armes.

Chang poussa un soupir puis acquiesça, non sans une certaine impatience.

– Où ?

– Eh bien…

De toute évidence, Svenson n'en savait rien.

– Suivez-moi, suggéra miss Temple.

On avait déplacé le corps de Blenheim, mais il y avait encore une tache sur le tapis. Ils ne perdirent guère de temps ; toutefois, miss Temple sourit en voyant la curiosité qui se lisait sur le visage de ses compagnons tandis qu'ils pillaient les armoires pleines des trophées de chasse de Robert Vandaariff. Miss Temple choisit une dague, la première lui avait bien servi, alors que Chang prit deux couteaux à la lame large et recourbée et au manche presque aussi long que la lame.

– Une espèce de machette, expliqua-t-il.

Miss Temple acquiesça, sans comprendre à quoi il faisait allusion mais ravie de le voir satisfait. Elle s'amusa de voir le docteur Svenson décrocher une lance africaine du mur et glisser une dague sertie de pierres dans sa ceinture.

– Je ne suis vraiment pas un homme d'épée, dit-il en remarquant l'air intrigué de la jeune femme et le petit sourire sec de Chang. Plus je suis loin de ces armes et mieux je me porte. Je me sens tout à fait ridicule mais, si ça peut nous aider à survivre, je suis prêt à revêtir la cape et les grelots du bouffon.

Il jeta un coup d'œil à Chang.

– Nous allons sur le toit ?

Alors qu'ils se dirigeaient vers l'escalier principal, miss Temple sentit que son souffle était étonnamment court et qu'une goutte de sueur coulait dans son dos. Et si le capitaine Smythe n'avait pas désobéi ? Et s'il n'était pas là ? Et si, au lieu des soldats attendus, ils tombaient sur la Contessa, Xonck et Crabbé ? Que devrait-elle faire ? Que ses nerfs lâchent lorsqu'elle était toute seule ne posait pas de problème, mais devant Chang et Svenson ? À chaque pas, sa respiration s'accélérait et elle perdait de l'assurance.

Ils atteignirent l'entrée principale, une grande surface dallée de marbre noir et blanc, où miss Temple avait rencontré la Contessa di Lacquer-Sforza pour la première fois il y avait si longtemps déjà. Les lieux étaient maintenant déserts et n'étaient animés que par le bruit de leurs pas. Les grandes portes étaient fermées. Svenson tendit le cou pour voir en haut de la volée de marches et miss Temple suivit son regard. De ce qu'elle put distinguer, il n'y avait pas âme qui vive entre le rez-de-chaussée et le haut de l'escalier.

Derrière eux, dans le silence de mort du château, retentit un coup de feu. Miss Temple sursauta. Chang pointa son doigt en direction de l'aile la plus éloignée.

– Le bureau de Vandaariff, chuchota-t-il.

Svenson ouvrit la bouche, mais Chang l'interrompit d'un geste de la main. Avaient-ils tiré sur Éloïse ? Quelques secondes plus tard, un bruit de porte qui claquait et des pas au loin se firent entendre.

– Ils arrivent, dit sèchement Chang. Dépêchons-nous.

Ils étaient parvenus au troisième étage lorsque leurs ennemis atteignirent la grande entrée en dessous. Chang fit signe à miss Temple de se plaquer au mur et s'accroupit. Elle reconnut la voix de la Contessa, mais fut incapable de comprendre les mots qu'elle prononçait. Au-dessus d'elle, Svenson se dirigeait à tâtons vers une porte discrète. Miss Temple se précipita derrière lui, puis le dépassa et gravit les marches plus étroites pour rejoindre Chang. Il la prit par le bras, approcha son visage du sien et attendit que le docteur les rejoignît pour chuchoter :

– Il y aura un garde de l'autre côté de la porte. Nous ne devons absolument pas blesser un seul Dragon avant de rejoindre Smythe. Il faut que ses hommes soient plus nombreux que nos ennemis. Si nous parvenons à attirer son attention, nous aurons une chance de le rallier à nous.

— Alors, je dois y aller en premier, dit miss Temple.

Chang fit non de la tête.

— C'est moi qui le connais le mieux…

— Oui, mais n'importe quel Dragon qui se respecte vous attaquera en vous voyant. Alors que moi, on ne m'attaquera pas tout de suite, j'aurai donc plus de temps pour appeler le capitaine.

Chang soupira, mais Svenson acquiesça immédiatement.

— Céleste a raison.

— Je le sais bien… mais je n'aime pas ça, abdiqua Chang en réprimant un autre accès de toux. Allez-y!

Miss Temple ouvrit la porte et passa de l'autre côté, la dague dans son corsage. Sur le toit, elle grimaça en sentant le vent glacial et salé venu de la mer. Il y avait un Dragon en tunique rouge de chaque côté de la porte. À une vingtaine de mètres de là, le dirigeable se balançait, inquiétant comme un prédateur de cauchemar, avec son gigantesque ballon rempli de gaz auquel était suspendue une longue nacelle métallique, presque de la taille d'un navire mais noire et rutilante tel un wagon. Des Dragons y chargeaient des caisses qu'ils passaient à des soldats vêtus d'uniformes noirs. Dans la nacelle, à travers un hublot éclairé par la lueur d'une bougie, elle vit le visage anguleux du docteur Lorenz, les lunettes autour du cou, occupé à manœuvrer des commandes. Le toit était une véritable ruche, mais elle ne vit Smythe nulle part.

Au bout de deux secondes, les gardes crièrent en la voyant et la saisirent par les bras. Elle fit de son mieux pour se faire entendre à travers le vacarme des rafales de vent.

— Oui… oui, veuillez m'excuser… je m'appelle Temple et je cherche… je vous demande pardon… je cherche le capitaine…

Avant qu'elle pût finir sa phrase, celui qui était à sa droite se mit à brailler en direction de l'aéronef.

— Monsieur, nous tenons quelqu'un, monsieur!

Miss Temple aperçut la mine effarée du docteur Lorenz regarder par le hublot. Il disparut immédiatement, sans doute pour descendre, et elle essaya de crier à la suite du soldat:

— Capitaine Smythe! Je cherche le capitaine Smythe!

Les hommes échangèrent un regard étonné. Elle tenta de se libérer de leur étreinte, mais ils la tenaient bien. Puis, en haut de la passerelle de débarquement, apparurent côte à côte les silhouettes du capitaine Smythe et du docteur Lorenz. Miss Temple crut qu'elle était perdue. Ils descendirent tous deux la passerelle sans qu'elle pût distinguer l'expression du visage du capitaine. La porte derrière elle s'ouvrit et le cardinal Chang mit une lame sous le cou de chacun des deux Dragons. Miss Temple se retourna. Il y avait sûrement quelque chose qui n'allait pas parce que le docteur Svenson, la lance sous le bras, tenait la poignée et essayait de maintenir la porte fermée.

– Ils sont juste en dessous, chuchota-t-il.

– Qui est là ? demanda Lorenz d'une voix moqueuse. Quelle vermine coriace ! Capitaine… si vous voulez bien ?

– Capitaine Smythe, s'écria miss Temple. Vous savez qui nous sommes ! Vous savez ce qui s'est passé cette nuit… vous les avez entendus ! Votre ville ! Votre reine !

Smythe n'avait pas bougé, il était toujours à côté de Lorenz, sur la passerelle.

– Qu'est-ce que vous attendez ? fulmina Lorenz, puis il se tourna vers les Dragons postés sur le toit, une douzaine d'hommes à peu près. Abattez ces scélérats immédiatement !

– Capitaine Smythe, hurla miss Temple, ce n'est pas la première fois que vous nous venez en aide !

– Quoi ?

Lorenz sauta sur Smythe, et le capitaine, sans hésiter, tendit brusquement le bras et poussa le docteur Lorenz du haut de la passerelle, le faisant tomber avec un bruit mat sur le gravier du toit, quelques mètres plus bas.

Immédiatement, Chang retira ses lames et libéra miss Temple. Les Dragons bondirent de l'autre côté et dégainèrent leurs sabres, prêts à attaquer Chang mais attendant la réaction de leur officier, sans savoir quoi faire au juste. Smythe continua à descendre, une main sur le manche de son sabre.

– Il fallait bien que cela arrive, dit-il.

Le docteur Svenson se mit à grogner : quelqu'un essayait d'ouvrir la porte et forçait sa prise sur la poignée. Il réussit à la maintenir fermée, mais lança un regard inquiet à Chang qui se tourna vers Smythe. Le capitaine jeta un coup d'œil vers le haut de la rampe où se trouvaient deux soldats de Macklenburg déconcertés. Convaincu qu'ils n'attaqueraient pas, Smythe s'adressa à ses hommes :

– Aux armes !

D'un seul geste, tous les autres membres du 4e régiment des Dragons dégainèrent leurs sabres. Svenson lâcha la porte et bondit auprès de miss Temple et de Chang.

La porte s'ouvrit brusquement et Francis Xonck apparut, une dague à la main. Il avança sur le toit, vit que les sabres étaient au clair et que ses ennemis n'étaient pas prisonniers.

– Alors, capitaine Smythe, demanda-t-il d'une voix traînante, quelque chose ne va pas ?

Smythe fit un pas en avant, sa lame toujours dans son fourreau.

– Qui d'autre est avec vous ? demanda-t-il. Faites-les sortir tout de suite.

– J'en serai ravi, dit Xonck.

Il s'écarta pour laisser sortir les autres membres de la cabale : la Contessa, le comte et Crabbé puis, derrière eux, le prince, Roger Bascombe (avec ses registres sous le bras), et enfin Caroline Stearne soutenant Lydia Vandaariff qui titubait.

Six hommes en noir suivaient Caroline : quatre d'entre eux transportaient une lourde malle et les deux autres traînaient Éloïse Dujong. Miss Temple soupira de soulagement : le coup de feu n'avait donc pas tué sa compagne. Les Dragons reculèrent pour séparer les deux groupes. Xonck jeta un coup d'œil à miss Temple et s'avança pour s'adresser à Smythe.

– Je ne voudrais pas avoir l'air de me répéter mais... quelque chose ne va pas ?

– Ça ne peut plus continuer comme ça, rétorqua Smythe en désignant Éloïse et Lydia Vandaariff. Relâchez ces femmes !

– Je vous demande pardon ? s'exclama Xonck comme s'il n'en croyait pas ses oreilles mais trouvait cette possibilité extrêmement divertissante.

– Relâchez ces femmes !

– Eh bien, répliqua Xonck en souriant à Lydia, en fait, cette femme-là ne souhaite pas qu'on la relâche car, si on le faisait, elle s'écroulerait. Elle ne se sent pas très bien, voyez-vous ? Je vous demande pardon, mais... avez-vous parlé à votre colonel ?

– Le colonel Aspiche est un traître, affirma Smythe.

– À mes yeux, le traître ici, c'est *vous*.

– Eh bien, vos yeux vous trompent ! Vous êtes un renégat.

– Un renégat qui en sait long sur les dettes de votre famille, capitaine, ricana Xonck, et qui sait aussi que votre salaire fait office de garantie. Ce salaire, vous ne le toucherez peut-être plus jamais, c'est le prix de la déloyauté, savez-vous ? ou est-ce celui de la bêtise ?

– Si vous souhaitez mourir, monsieur Xonck, il vous suffit de prononcer un mot de plus.

Smythe dégaina son sabre et s'avança vers Xonck qui battit en retraite, un sourire méchant aux lèvres.

Miss Temple tâtonna pour trouver sa dague, mais la tint cachée. L'air ambiant était lourd et chargé d'humidité. La cabale allait sûrement se replier devant Smythe et ses hommes, comment espérer résister à pareille armée? Le capitaine Smythe pensait visiblement la même chose car, au lieu de poursuivre Xonck, il désigna de la pointe de son sabre le groupe qui s'égaillait.

– Jetez vos armes et retournez dans la maison. Nous allons régler cela à l'intérieur.

– Cela ne se passera pas comme ça, rétorqua Xonck.

– Je ne tiens pas à faire couler le sang, mais je n'en ai pas peur, déclara Smythe assez fort pour que tous l'entendent, surtout les femmes. Jetez vos armes et…

– C'est impossible, capitaine.

C'était Harald Crabbé.

– Si nous ne sommes pas à Macklenburg dans deux jours, tous nos efforts auront été vains. Je ne sais ce que vous ont raconté ces racailles, dit-il en désignant d'un geste vague miss Temple, Svenson et Chang, mais je peux vous assurer que ce sont des meurtriers sans scrupules…

– Où est monsieur Blenheim? intervint Smythe sans se soucier de Crabbé.

– Ah! c'est une excellente question! lança Crabbé. Monsieur Blenheim a été assassiné… et par *cette* jeune femme, justement!

Il pointa un doigt accusateur vers miss Temple qui tourna son regard vers Smythe pour s'expliquer mais, avant qu'elle pût commencer, le capitaine la salua en inclinant la tête. Il se retourna vers le vice-ministre dont l'accusation n'avait manifestement pas eu l'effet escompté.

– Elle m'a donc épargné cette peine, car monsieur Blenheim a assassiné l'un de mes hommes, répondit Smythe.

Puis il hurla des ordres avec une dureté qui fit sursauter miss Temple.

– Jetez vos armes! Retournez à l'intérieur! À partir de cette minute, c'en est fini de vos manigances!

Le bruit sec d'une détonation leur parvint du toit, une balle toucha le capitaine Smythe qui se tourna puis s'effondra sur les genoux en perdant son casque. Miss Temple aperçut le docteur Lorenz sous la passerelle, un revolver encore fumant à la main. Sans hésiter un seul instant, Xonck se précipita, assena un coup de pied dans la mâchoire du capitaine et le fit tomber à la renverse. Il se tourna vers les hommes derrière lui et hurla, un éclair de folie dans le regard :

– *Tuez-les tous!*

La bataille éclata. Lorenz tira une deuxième fois et abattit un Dragon qui n'était pas loin de lui. Les deux soldats de Macklenburg dévalèrent la passerelle, sabres au clair, en poussant un cri de guerre en allemand. Les hommes en noir s'élancèrent derrière Xonck en brandissant leurs matraques, certains d'entre eux, armés de pistolets, faisaient feu à volonté. Les Dragons, sidérés que l'on eût abattu leur officier, se mirent en position de défense dans la plus totale confusion. Les lames fendaient l'air furieusement et des balles perdues sifflaient aux oreilles de miss Temple. Elle tâcha de saisir sa dague, mais Chang la prit par les épaules et la poussa vers l'aéronef. Elle retrouva l'équilibre, se retourna et vit Chang parer un coup de matraque avec un de ses couteaux et enfoncer l'autre dans l'épaule de l'un des hommes en noir.

Il se tourna vers elle et cria :

– Coupez les amarres!

Mais bien sûr! Si elle réussissait à couper les câbles, l'aéronef décollerait tout seul et s'en irait à la dérive de l'autre côté de la mer... il leur faudrait au moins deux semaines pour arriver à Macklenburg! Elle se jeta sur l'amarre la plus proche et, à genoux, se mit à la taillader avec sa dague. C'était un gros câble de chanvre noir enduit de goudron, mais la lame était affilée et quelques fils commencèrent bientôt à céder, de plus en plus vite car, ainsi libéré, le dirigeable tirait plus fort sur ses amarres. Elle leva la tête en écartant les boucles qui lui tombaient devant les yeux et fut effarée de cette vision d'enfer, de tout ce sang versé.

Chang luttait contre un soldat de Macklenburg et se démenait désespérément avec ses lames courtes contre l'épée plus longue de son adversaire. Xonck, le visage éclaboussé de sang, une épée à la main, se battait contre un Dragon. Le docteur Svenson brandissait sa lance comme un dément et tenait ses ennemis à distance. Puis, le regard de miss Temple fut attiré vers le comte... une lueur bleue vacillait sous son bras. Le Dragon qui affrontait Xonck trébucha et son bras armé retomba, comme s'il était soudain devenu trop lourd. En un éclair, la lame de Xonck le transperça. Un autre Dragon se retrouva à genoux et Lorenz l'abattit. Miss Poole se trouvait dans l'embrasure de la porte, enveloppée dans son manteau ; c'est elle qui terrassait les Dragons l'un après l'autre, sur les ordres du comte. Miss Temple appela à l'aide tout en sciant désespérément le câble.

– Cardinal Chang ! Cardinal Chang !

Chang n'entendait pas, il continuait de se battre contre le soldat allemand et tentait de sauver sa peau. Au milieu de tout ce vacarme, on l'entendait tousser. Un autre homme tomba, abattu par Xonck. Les Dragons chargèrent ceux qui se trouvaient près de la porte, tuant au passage deux hommes en noir. Les membres de la cabale se dispersèrent d'un seul coup, Crabbé et Roger rejoignirent Caroline et Éloïse ; le prince, Lydia et la Contessa qui hurlait quelque chose à Xonck se mirent à genoux, les mains sur la tête, et le comte s'avança avec miss Poole pour mettre fin à l'assaut. Les Dragons, il en restait peut-être six, chancelèrent sur place comme de jeunes arbres dans le vent. Xonck assena un coup d'épée sur la nuque de celui qui était le plus près. Rien ne semblait pouvoir l'arrêter. Miss Temple n'avait jamais assisté à une scène d'une telle barbarie.

Elle se trouva prise dans un tourbillon. Une fraction de seconde après, elle était sur le ventre, le visage collé au gravier, remuant la tête, clignant des yeux. Elle tenta de remettre la main sur sa dague puis se hissa sur les coudes. Complètement étourdie, elle se rendit compte que c'était de l'intérieur de son corps qu'elle avait été atteinte. Comme si le docteur l'avait comprise, elle le vit enfoncer sa lance ridicule dans le corps de miss Poole, la clouant ainsi à la porte en bois. La créature de verre se débattait comme un poisson hors de l'eau, mais ses mouvements ne faisaient qu'aggraver ses blessures. Elle chancela tout à coup, trébucha et la lance remonta jusqu'à son épaule. Son corps éventré était toujours recouvert de son manteau, et miss Temple ne put discerner que son cou arqué et sa bouche qui s'agitait. Le comte essayait en vain de l'immobiliser pour la protéger, mais elle ne pouvait ou ne voulait l'écouter. Elle finit par s'effondrer. La lance sectionna son corps qui s'ouvrit en tombant, comme un jouet cassé.

De l'autre côté du toit, tous cherchaient à comprendre, ébahis par le cri silencieux de miss Poole qui les avait atteints. Mais l'accalmie fut de courte durée : Xonck et l'un des soldats de Macklenburg se précipitèrent sur les Dragons qui restaient. Chang reprit son combat contre son adversaire et, de façon tout à fait inattendue, Roger Bascombe se jeta sur Svenson. Miss Temple se remit au travail en tenant sa dague à deux mains.

L'amarre céda d'un coup, ce qui la fit tomber à la renverse. Elle courut vers l'autre câble, mais l'aéronef se mit à pencher, faisant tanguer la passerelle et donnant l'alerte à ceux qui s'y trouvaient. Lorenz visa miss Temple et fit feu… mais son chargeur était vide ! Il jura, ouvrit le barillet pour le débarrasser des cartouches vides et chercha des munitions dans sa veste. Un Dragon surgit derrière lui, mais Lorenz, ayant intercepté le regard de miss Temple, fit volte-face et tira dans la poitrine du soldat les deux balles qu'il venait de charger. Puis il se retourna vers miss Temple. Que pouvait-elle faire ? Elle continua à scier l'amarre.

Lorenz la fixait tout en glissant d'autres balles dans son arme. Il jeta un œil par-dessus son épaule. Xonck venait de tuer un autre Dragon. Il n'en restait donc que trois : l'un s'élançait vers Xonck et les deux autres chargeaient les membres de la Cabale. Svenson et Roger se démenaient, tous deux à terre, enlacés dans un corps à corps sans merci. Le câble était sur le point de céder. Elle leva les yeux vers Lorenz qui armait son revolver et s'avançait vers elle.

Elle lui lança sa dague comme elle l'avait vu faire dans les fêtes foraines. Lorenz cligna des yeux, le coup partit et manqua sa cible. Il poussa un cri lorsque la dague l'atteignit à l'oreille. La jeune femme s'élançait déjà vers les autres, dans la direction opposée. Une autre détonation éclata, mais miss Temple, petite et agile, était douée pour l'esquive et, dans sa course, elle espéra de toutes ses forces que Lorenz préférerait protéger l'aéronef que lui tirer dessus.

Essoufflé, Chang était agenouillé au-dessus d'un soldat de Macklenburg. Svenson, lui, tenait Roger en respect avec sa dague. Quant à Xonck, debout, il écrasait de sa botte la gorge d'un Dragon qui se débattait. Les deux soldats qui avaient attaqué la cabale se démenaient près de la porte, l'un tenait la Contessa par le cou, gardant en respect le comte et le prince, l'autre montait la garde entre Éloïse et Caroline Stearne, toutes deux à genoux. On ne voyait plus de soldats de Macklenburg ni d'hommes en noir. Tous étaient à bout de souffle, des nuages de vapeur sortaient de leurs bouches haletantes dans l'air froid. Tout autour, les blessés gémissaient. Miss Temple essaya en vain de repérer Smythe au milieu de ce carnage. Il s'était peut-être déplacé, ou un autre corps était tombé sur le sien. Elle sentit des larmes lui monter aux yeux, car elle n'avait pas réussi à couper les câbles, mais elle vit l'expression de soulagement de Chang lorsqu'il s'aperçut qu'elle était en vie, puis elle se tourna et se rendit compte que Svenson éprouvait la même chose.

– Alors, monsieur, lança le docteur Lorenz, je tire sur la fille ou sur les hommes ?

– Ou bien dois-je écraser le cou de cet homme ? poursuivit Xonck, comme si les Dragons près de la porte n'existaient pas. Les problèmes de préséance sont parfois si difficiles à résoudre... Ma chère Contessa, que suggérez-vous ?

La Contessa répondit d'un haussement d'épaules adressé au Dragon qui semblait pourtant la tenir solidement.

– Eh bien, Francis... c'est en effet assez compliqué !...

– Quel dommage pour Elspeth !

– C'est exactement ce que je me dis... Je dois avouer qu'encore une fois j'ai sous-estimé le docteur Svenson.

– Ne croyez pas vous en tirer comme ça, cria Chang, la voix cassée par l'effort. Si vous tuez cet homme ou si Lorenz nous tire dessus, ces Dragons n'auront aucun scrupule à tuer la Contessa et le comte. Vous devez battre en retraite.

– Battre en retraite ? ironisa Xonck. Venant de vous, Cardinal, cela m'étonne beaucoup, mais dans le fond, ce n'est que le point de vue d'un lâche. J'ai toujours douté de votre courage, d'homme à homme.

Chang cracha.

– Vous pouvez douter de tout ce que vous voudrez, ignoble pourriture de...

Le docteur Svenson l'interrompit, faisant un pas en avant :

– Beaucoup de ces hommes mourront si on ne leur vient pas en aide... les vôtres autant que les nôtres...

Xonck les ignora tous deux et s'adressa aux deux Dragons.

– Lâchez-la et vous aurez la vie sauve. C'est votre seule et unique chance.

Ils ne bronchèrent pas, alors Xonck écrasa la gorge de l'homme qui était à ses pieds et qui protesta en émettant une sorte de sifflement, comme le bruit de l'air sortant d'un ballon.

– C'est à vous de choisir, s'amusa-t-il.

Ils ne bougeaient toujours pas. Il se retourna soudain et cria à Lorenz :

– Tirez sur quelqu'un... celui que vous voudrez.

– Mais vous êtes vraiment des idiots ! hurla Svenson. Vous n'avez pas besoin de continuer le carnage.

– Ô ! ne raisonnez pas en *besoin**, ricana Xonck, et il écrasa la trachée de l'homme sous sa botte, lentement, avec méthode.

D'un geste rapide, la main de la Contessa cingla le visage du Dragon qui la tenait prisonnière. Du sang perla sur la joue du soldat : elle tenait son stylet à la main. Xonck brandit son épée pour attaquer le dernier soldat. Celui-ci parvint à peine à parer le coup, trébucha et heurta Caroline Stearne qui le frappa derrière le genou. Le comte, en lui tordant le bras, parvint à le désarmer. Soudain, miss Temple sentit qu'on la prenait par la taille et qu'on la soulevait. C'était Chang qui la propulsait vers la passerelle. Lorenz tira et sa balle siffla à leurs oreilles.

– Allez ! Montez ! cria Chang, et miss Temple s'exécuta, car l'aéronef était leur dernier refuge.

Svenson la poussa sans ménagements et il fit demi-tour pour tirer Chang. Les balles fusaient, faisant voler des éclats de bois. Elle se précipita sur une porte, en franchit une autre, puis une troisième, et se retrouva dans un cul-de-sac. Elle se retourna en poussant un cri. Dans leur précipitation, les deux autres la bousculèrent et elle alla cogner contre un placard. Avec cette synchronisation parfaite des moments désespérés, Chang claqua la porte et Svenson ferma le verrou.

Ils avaient survécu à la bataille pour se retrouver prisonniers.

Hors d'haleine, le visage trempé de sueur, en larmes, miss Temple leva les yeux vers Svenson et Chang. Elle avait du mal à déterminer lequel des deux était dans l'état le plus pitoyable : Chang, que ses derniers combats avaient achevé, était maculé de sang autour de la bouche et du nez ; quant à Svenson, son regard abattu rendait son visage plus pâle encore.

– Nous avons abandonné Éloïse, chuchota-t-il. Ils vont la tuer.

– Personne n'est blessé ? s'inquiéta Chang en interrompant le docteur. Céleste ?

Miss Temple secoua la tête, incapable de prononcer un seul mot, encore sous le choc de la sauvagerie dont elle avait été témoin. La guerre pouvait-elle vraiment être pire ? Elle ferma les yeux et lui revint en mémoire le son qu'avait fait la botte de Francis Xonck sur le cou du Dragon. Elle éclata en sanglots puis, honteuse, se mordit le poing. Mais elle ne put éviter de pleurer à chaudes larmes et se détourna.

– Éloignez-vous de la porte, murmura Chang en écartant Svenson. Ils pourraient tirer sur la serrure.

---

* En français dans le texte.

– Nous sommes faits comme des rats, affirma Svenson.

Il regarda la dague dans sa main, inutile, minuscule.

– Le capitaine Smythe... tous ses hommes... *tous*...

– Et Elspeth Poole, rajouta Chang en faisant de son mieux pour parler distinctement. Et leurs larbins, et les deux Allemands... la situation pourrait être pire encore...

– *Pire* ? s'offusqua Svenson.

– Nous ne sommes toujours pas morts, docteur, précisa Chang, quoique son visage tiré et ensanglanté eût été en bonne place dans un cimetière.

– Le prince non plus ! Ni le comte, ni la Contessa, ni même cet animal de Xonck...

– Je n'ai même pas réussi à couper les câbles, lança miss Temple en reniflant.

– Ah ! ça suffit, tous les deux ! les houspilla Chang.

Un éclair fusa dans les yeux de miss Temple : elle n'appréciait guère ce ton, même dans la situation difficile dans laquelle ils se trouvaient... mais le Cardinal n'était pas vraiment en colère... il était sombre.

– Vous n'avez pas coupé les câbles, Céleste. Mais vous avez fait ce que vous avez pu. Et moi, ai-je réussi à abattre Xonck ? Non... tout ce que j'ai réussi à faire, et c'est vraiment pitoyable, c'est d'empêcher un garçon de ferme de Macklenburg de manier un coupe-chou trop grand pour lui. Est-ce que le docteur a sauvé Éloïse ? Non... mais, en tuant miss Poole, il nous a sauvé la vie à tous les deux, et la sienne aussi. Nos ennemis qui, comme nous devons le présumer, se trouvent tous derrière cette porte sont décimés, moins confiants, très contrariés eux aussi parce que nous sommes toujours en vie.

Sa harangue terminée, Chang fut pris d'une quinte de toux épouvantable, plié en deux, la tête entre les genoux. Miss Temple s'essuya le nez sur sa manche et rejeta en arrière les boucles tombées devant ses yeux. Elle renifla et chuchota à Svenson :

– Nous allons la sauver... ce ne sera pas la première fois.

Il ne répondit rien. Puisqu'il lui épargnait ses sarcasmes, elle considéra qu'il était d'accord. Elle poussa un petit soupir rapide.

– Très bien, alors...

Miss Temple se cramponna à l'armoire pour ne pas retomber et cria de surprise quand la nacelle pencha vers la gauche puis se redressa avec une rapidité ahurissante.

– Nous montons ! s'exclama Svenson.

Miss Temple se précipita à un hublot et regarda en bas, déjà le toit de Harschmort s'éloignait. En quelques secondes, un brouillard sombre les enveloppa et, dessous, le toit et la maison illuminée furent avalés par les ténèbres. Après une série d'explosions, les hélices se mirent en marche et l'engin se stabilisa. Miss Temple sentait les vibrations du moteur se propager sur les meubles et le sol.

– Eh bien…, commenta-t-elle, il semblerait que nous soyons finalement en partance pour une petite excursion à Macklenburg.

– Sauf s'ils nous jettent à la mer en cours de route, remarqua le docteur.

– Ah ! fit miss Temple.

– Vous avez toujours envie d'un petit-déjeuner ? susurra Chang.

Elle le foudroya du regard : pareille remarque lui semblait franchement injuste. Mais les choses en restèrent là, car quelqu'un frappa doucement à la porte. Elle lança un regard à ses compagnons, mais ils ne dirent mot. En soupirant, elle répondit donc de la façon la plus désinvolte du monde.

– Oui ?

– Miss Temple ? C'est le ministre Crabbé. Je me demandais si vous auriez l'obligeance d'ouvrir cette porte pour vous joindre à notre discussion.

– Quelle discussion ? répondit-elle.

– Mais celle où nous déciderons de votre sort, ma chère. Il serait préférable de ne pas la mener à travers une porte.

– Cette porte nous paraît tout à fait commode, rétorqua miss Temple.

– Peut-être… mais dois-je préciser que Mrs. Dujong n'est pas de votre côté de la porte. D'ailleurs, bien que je souhaiterais à tout prix éviter de paraître désagréable, je voudrais vous faire remarquer que la porte est faite en bois et que sa serrure est susceptible de céder sous les balles : elle n'est vraiment commode qu'en *apparence*. Assurément, nous avons beaucoup à discuter, faut-il vraiment que nous gâchions cet excellent panneau de chêne parce que vous ne voulez pas l'admettre ?

Miss Temple se tourna vers ses compagnons. Svenson regarda derrière elle l'armoire sur laquelle elle était appuyée. Il s'en approcha et força la serrure d'un petit coup sec de sa dague mais, à l'intérieur, il ne trouva que des couvertures, des cordes,

des bougies, des manteaux en laine et une boîte de chapeaux et de gants. Il se tourna vers Chang qui était appuyé contre la porte et haussa les épaules.

– Nous ne pouvons pas sortir par le hublot, dit Svenson.

– C'est vous qui tenez la seule arme dont nous disposons, ajouta Chang, car il avait laissé tomber les siennes pour hisser miss Temple sur la passerelle. Il serait peut-être préférable de la cacher.

– D'accord, mais vous le ferez mieux que moi.

Svenson donna la lame à Chang qui la glissa dans son manteau. Le docteur prit la main de miss Temple, la serra fort et fit un signe de tête à Chang qui ouvrit la porte.

La pièce voisine était la plus grande des trois pièces que comprenait la nacelle. Tout autour étaient disposées des armoires et des banquettes encastrées, sur lesquelles étaient assis les membres de la cabale qui surveillaient de près leur entrée : d'un côté, le prince, Harald Crabbé et Roger Bascombe, de l'autre, le comte, la Contessa et, dans l'embrasure de la porte la plus éloignée, Francis Xonck, une épée à la main et du sang plein sa chemise. Derrière lui, on pouvait distinguer d'autres silhouettes et du mouvement, et miss Temple essaya de déduire qui ce pouvait être. Qui manquait-il ? Avaient-ils fait embarquer des renforts pour le combat final ? L'apparition de Lydia Vandaariff, qui avait troqué ses tuniques pour une robe chatoyante en soie bleue, fut la réponse à ses questions. Elle entra en passant sous le bras de Francis Xonck et s'avança, toujours un peu chancelante, en direction du prince, ce qui força Roger à lui céder sa place. Juste derrière Lydia apparut Caroline Stearne, toujours très attentionnée et qui l'avait sans doute aidée à enfiler son corset, qui prit place à côté du comte.

– Je présume que c'est le docteur Lorenz qui pilote l'aéronef ? se renseigna Chang.

– C'est bien lui, répliqua Crabbé.

– Où se trouve Mrs. Dujong ? demanda le docteur Svenson.

Xonck indiqua vaguement la pièce derrière lui.

– Elle est en sécurité… Il paraît qu'elle reprend des forces.

Svenson ne répliqua pas. Mis à part Xonck, personne n'était armé, mais vu les talents de cet homme et la petite taille de la pièce, miss Temple se demanda si les autres en avaient vraiment besoin. Miss Temple était vraiment perplexe : puisque leurs ennemis ne les abattaient pas immédiatement, quelles étaient leurs intentions ?

À leur façon de se répartir dans la pièce, on pouvait remarquer les dissensions qui les séparaient : d'un côté Crabbé et Roger et, sous leur protection, le prince (le prince se serait allié à n'importe qui pourvu que ce fût le plus fort), et, de l'autre, le comte et la Contessa, avec Caroline sous leur influence (bien que miss Temple n'eût aucune idée de l'importance que celle-ci pouvait avoir... Formait-elle plutôt un deuxième échelon de la cabale avec Lorenz et Roger, ou étaient-ils tout bonnement trois pantins victimes du Procédé ?), puis, au milieu, Francis Xonck, l'allié de personne, dont le potentiel de violence valait largement, surtout dans un espace aussi confiné que celui-là, la ruse de Crabbé, les connaissances du comte et le charme provocant de la Contessa.

Crabbé leva les yeux vers la Contessa et souleva les sourcils d'un air interrogateur. Elle acquiesça (elle manifestait son accord ou accordait une permission) et Crabbé toussota. Il pointa une armoire juste à côté de Mrs. Stearne.

– Avant de commencer, quelqu'un parmi vous voudrait-il boire quelque chose ? Vous devez être épuisés, je sais, moi, que je le suis, et permettez-moi de vous dire à quel point je suis épaté de constater que, tous les trois, vous tenez encore debout. Caroline peut vous servir... nous avons du whisky, du brandy, de l'eau...

– Si vous buvez, répondit Chang, alors, bien sûr.

– Excellent... bien sûr, à boire pour tout le monde... et toutes mes excuses, Caroline, de vous transformer ainsi en cabaretière... Roger, vous pouvez peut-être l'aider. Pour simplifier, nous pourrions servir du brandy pour tous.

Suivit un silence un peu gêné pendant lequel, tacitement, toutes les conversations se turent jusqu'à ce que l'on eût fini de servir les verres. Miss Temple regarda Roger s'approcher de Chang et de Svenson, un verre dans chaque main. Il avait un masque de réserve toute professionnelle et ne leur adressa pas même un regard. Elle fut interrompue dans ses observations par Caroline qui s'approcha pour lui offrir un verre. Miss Temple lui fit signe qu'elle n'en voulait pas, mais Caroline lui mit le verre dans la main : elle ne pouvait guère que le prendre ou le laisser tomber par terre. Elle baissa les yeux vers le liquide ambré, le renifla et décela l'odeur amère qu'elle associait à tant de choses pénibles et dégradantes.

Cette scène était presque irréelle, surtout après le carnage sur le toit... Elle s'était préparée à un autre combat à mort et pourtant ils étaient tous là à faire des mondanités, comme dans un salon en vogue, à ceci près que les hommes et les femmes buvaient ensemble ; le tout sonnait tellement faux que les yeux de miss Temple se plissèrent. En reniflant bruyamment, elle posa son verre sur une étagère et s'essuya les mains.

– Vous préféreriez quelque chose d'autre, miss Temple ? demanda Crabbé.

– Je préférerais que vous déclariez vos intentions. Si monsieur Xonck compte nous tuer, alors qu'il essaye.

– Quelle impétuosité ! remarqua Crabbé avec un sourire mielleux et adoptant tout à coup un air complice. Nous ferons de notre mieux pour vous satisfaire. Mais avant tout, je lève mon verre au prince de Macklenburg et à sa fiancée !

Il leva son verre et le vida d'un coup. Les autres portèrent un toast « Au prince ! » et « À Lydia ! » Le prince sourit de bon cœur et Lydia aussi, plus discrètement. Tout à coup, elle fut prise d'une quinte de toux qui n'avait rien à envier à celles de Chang. Le prince lui tapota l'épaule tandis qu'elle essayait de reprendre son souffle, son estomac se soulevant douloureusement à cause de la tension. Roger s'avança et lui offrit un mouchoir dont la jeune demoiselle s'empara rapidement pour le mettre devant sa bouche et cracher dedans. La toux s'apaisa enfin et, pâle et à bout de souffle, Lydia rendit son mouchoir à Roger en essayant de sourire. Roger le replia adroitement avant de le remettre dans sa poche… mais miss Temple eut le temps de remarquer la tache bleue et brillante qui s'y trouvait.

– Est-ce que tout va bien, très chère ? demanda le prince.

Avant que Lydia pût répondre, Chang vida son verre et se gargarisa à grand bruit avant d'avaler son brandy. Le docteur Svenson versa le contenu du sien sur le plancher. Crabbé les observa et soupira tristement.

– Eh bien… on ne peut pas toujours plaire à tout le monde ! Caroline ?

Mrs. Stearne ramassa les verres. Crabbé toussota et fit un geste vague pour désigner la pièce qu'ils occupaient.

– Alors, commençons.

– Tous les efforts que vous avez déployés pour nous nuire nous ont empêchés de déterminer ce que vous connaissiez de nos projets ou à qui vous aviez pu en parler, commença le ministre. Mrs. Marchmoor sera bientôt en ville, Angélique et la pauvre Elspeth ne sont plus. Il leva la main. S'il vous plaît, sachez que, si c'est moi qui vous parle, c'est que je suis le plus susceptible de contenir ma rage. Si c'était l'un de mes associés qui avait résumé ainsi les faits, vous auriez été abattus sur-le-champ. Nous pourrions bien évidemment vous faire subir le Procédé, ou distiller vos mémoires dans un livre, mais tout cela exige du temps et des installations que nous n'avons pas. Il est vrai aussi que nous pourrions attendre d'arriver à Macklenburg, mais nous devons apprendre un certain nombre de choses immédiatement. En atterrissant à Macklenburg, nous devons savoir où nous en sommes exactement et s'il y a... parmi nous... un traître.

Le ministre tendit son verre à Roger pour qu'il le remplît encore et poursuivit.

– Ce dernier affrontement sur le toit, un pénible gâchis pour nous *tous*, ne fait que confirmer ce que nous pensions déjà : nous aurions dû vous faire subir le Procédé pour mettre vos talents au service de notre cause. N'essayez pas de protester, il est trop tard pour discuter de cela et, d'ailleurs, étant donné tous les dégâts que vous avez causés, ce n'est plus possible. La situation ne saurait être plus claire. Mrs. Dujong est entre nos mains. Vous allez répondre à nos questions ou elle mourra... Vous imaginez très bien à quel genre de mort je fais allusion, une mort si lente et si douloureuse que tant de cris dans un espace clos comme celui-ci... Quand elle finira par expirer, nous passerons à un autre d'entre vous... peut-être miss Temple, tiens... et ainsi de suite. Tout cela est aussi inévitable que le jour qui se lève. Comme vous avez ouvert cette porte pour éviter qu'on ne l'enfonce inutilement, je vous offre la possibilité d'éviter cette fois-ci la mort de vos camarades...

Miss Temple détailla les visages alignés devant elle : le sourire bête et suffisant de Crabbé, le dédain un peu ahuri du prince, l'avidité vulpine de Lydia, le front plissé et sérieux de Roger, le regard malveillant de Xonck, les yeux furieux et froids du comte, le sourire glacial de la Contessa et la patience attristée de Caroline. Rien ne lui prouvait que le ministre disait la vérité, mais elle sentait tout de même leurs dissensions. Ce n'était pas tant leur degré de connaissance du complot qu'ils cherchaient à connaître que la trahison en leur sein qu'il voulaient déterminer.

– Il serait plus facile de vous croire, monsieur, répondit-elle, si vous ne *mentiez* pas aussi effrontément. Vous nous enjoignez de parler pour éviter la torture, mais qu'arrivera-t-il lorsque nous aurons révélé un détail qui incriminera l'un d'entre vous ? Vous pensez que cette personne acceptera notre parole ? Bien sûr que non ! Quiconque sera ainsi démasqué exigera que vos cruautés nous soient infligées quand même, pour confirmer ou infirmer nos accusations !

Les yeux du vice-ministre scintillèrent, il secoua la tête en ricanant et avala une gorgée de brandy.

– Bon sang ! Roger, je crois qu'elle vaut mieux que ce que vous pensiez ! Miss Temple, vous m'avez bien eu. C'est ici que prennent fin mes efforts pour épargner les boiseries ! Très bien, on vous tuera tous les quatre à petit feu, dans les plus grandes douleurs. Si l'un d'entre vous a quelque chose à dire, c'est tant mieux… sinon, eh bien… nous serons enfin débarrassés de vous et des foutus ennuis que vous nous avez causés !

Xonck s'avança d'un pas, jouant avec son sabre, prêt à s'en servir. Miss Temple recula, mais un pas suffit pour qu'elle se trouve acculée au mur. Le docteur essaya de rassurer la jeune femme en lui pressant la main, puis il cria aussi fort qu'il le put :

– Oui, parfait, monsieur le ministre… et Xonck nous abattra sans doute *avant* que nous ayons pu ouvrir la bouche… n'est-ce pas cela qui vous conviendrait le mieux ?

Crabbé se leva, furieux et impatient.

– Ah ! Vous voilà… encore à essayer de semer la discorde entre nous… Francis…

– Je vous en prie, Francis, tuez-nous vite ! Servez les intérêts du ministre comme vous l'avez toujours fait ! Comme quand vous avez envoyé par le fond le cadavre de Trapping, dans le fleuve !

Xonck s'arrêta et garda la poitrine de Svenson à portée de la pointe de son épée.

– Je sers mes propres intérêts.

Svenson baissa les yeux vers la pointe du sabre et pouffa de rire, bien que miss Temple sentît sa main trembler.

– Bien entendu ! Mais… pardonnez ma question : qu'a-t-il bien pu arriver à Herr Flaüss ?

Personne ne répondit. Crabbé regardait fixement Xonck pour qu'il procédât lorsque la Contessa prit la parole, en choisissant méticuleusement ses mots.

– Il s'est avéré que Herr Flaüss était un traître.

– Le coup de feu ! s'exclama miss Temple. Vous l'avez abattu !

– Il a fallu s'y résoudre, affirma Crabbé.

– Comment a-t-il pu vous trahir ? gronda Chang. C'était votre créature !

– Pourquoi posez-vous cette question ? demanda la Contessa au docteur en insistant.

– Pourquoi cela vous intéresse-t-il ? siffla Crabbé à la Contessa, derrière le dos de Xonck. Francis, s'il vous plaît…

– Je me demande simplement si cela a quelque chose à voir avec le livre disparu, celui de Vandaariff, ajouta Svenson. Vous savez, celui où l'on a… comment dites-vous encore ? *distillé* sa mémoire ?…

Encore un silence. Miss Temple avait le cœur au bord des lèvres. Soudain, elle comprit que leur exécution n'était plus tout à fait à l'ordre du jour.

– Ce livre a été cassé par le cardinal Chang dans la tour, expliqua le comte de sa voix rauque, c'est comme ça qu'il a tué le major Blach…

– Est-ce que c'est ce qui est écrit dans son registre ? insinua Svenson en désignant Roger avec mépris. Si c'est le cas, il doit manquer deux livres, le premier avec Lady Mélantes et Mrs. Marchmoor, entre autres… et un deuxième…

– Qu'est-ce que vous attendez ? hurla Crabbé. Francis, abattez-le !

– …ou, du moins, s'il y avait réellement un deuxième livre ! poursuivit Svenson, ironique. Car en fait, si l'on avait distillé l'esprit de Robert Vandaariff dans un livre, un esprit qui contrôle tout le continent, qui possède les clés de l'avenir, quiconque détenant le livre et possédant une clé aurait eu accès à toutes ces richesses ! Mais celui qui avait la charge de le faire n'a pas fabriqué de livre… donc, en fait, c'est bien vrai, on a cassé un livre, mais l'autre n'a jamais existé !

La Contessa interpella Xonck sur un ton ferme :

– Francis, continuez à les surveiller ! puis, se tournant vers Crabbé : Harald, qu'avez-vous à répondre à cela ?

– Répondre ? Qu'est-ce que vous voulez que je réponde ? Que je réponde au… à cette… cette…

Avant que le ministre eût fini de bafouiller, Chang défiait Roger :

– J'ai vu de mes yeux Vandaariff dans son bureau. Il a tout couché sur un parchemin ! Si je n'avais pas fracassé un livre, il aurait fallu qu'ils le fassent eux-mêmes, afin de vous faire croire que la mémoire de Vandaariff avait disparu, alors qu'ils détenaient le seul exemplaire du manuscrit !

– Un exemplaire rangé dans un porte-documents que j'ai volé au ministre lui-même…, lança Svenson, et que Bascombe m'a arraché des mains dans la salle de bal. Je suis sûr qu'il l'a encore sur lui. À moins que Flaüss vous ait surpris lorsqu'il vous a rejoints dans le bureau de lord Vandaariff… ce qui lui aura coûté la vie?

Miss Temple se rendit compte qu'elle avait retenu son souffle. Les mots avaient claqué de part et d'autre à une telle allure! Francis Xonck avait assisté à cet échange le regard méfiant, la lame prête à transpercer l'un d'entre eux. Elle sentait que Svenson était à bout de nerfs et que Chang, tendu comme un arc, pouvait sauter à tout instant au visage de Xonck… mais elle comprenait aussi que le ministre et Roger tentaient désespérément de réfuter les arguments de leurs propres prisonniers: la tension changeait de camp.

– Aspiche a repris le porte-documents des mains de Svenson dans la salle de bal, annonça Xonck sans se tourner vers les autres. Et Bascombe le lui a enlevé… mais je ne l'ai pas vu quand nous nous sommes retrouvés dans le bureau.

– Il a été rangé dans les bagages, intervint Caroline Stearne d'une voix douce depuis son siège. Quand nous préparions le départ…

– Ce document est-il ici, oui ou non? l'interrompit Xonck.

– Oui, répondit doucement Roger. Comme le disait Caroline, il est rangé en lieu sûr, mais le docteur Svenson se trompe. Il s'agit des notes que lord Vandaariff a rédigées au fil du développement de ses affaires. J'ignore d'où vient cette idée du livre de Lady Mélantes… deux livres, et puis pas de livre…

– Le docteur Lorenz a identifié le livre manquant comme étant celui de lady Mélantes, éructa Svenson.

– Le docteur Lorenz se trompe. Le livre de Lady Mélantes, qui concerne également Mrs. Marchmoor et lord Acton, a été rangé en lieu sûr. Le seul livre qui manque, celui qui a été cassé dans la tour, est celui de lord Vandaariff. Vous pouvez vérifier mon registre, mais vous êtes en outre tous cordialement invités à vérifier directement parmi les livres.

C'était un discours efficace, dosant à merveille le ton offensé de celui qui est accusé à tort et une touche très efficace d'arrogance professionnelle: une spécialité Bascombe. Ses supérieurs, vraisemblablement sûrs de la capacité du Procédé d'asservir les individus, semblaient convaincus. Mais miss Temple savait qu'il mentait. Elle le savait à sa façon très particulière de se frotter nerveusement la jambe avec son pouce.

Elle éclata de rire. Il lui lança un regard furieux pour la faire taire.

– Oh! Roger!... gloussa-t-elle en secouant la tête.

– Taisez-vous, Céleste! siffla-t-il. Vous n'êtes pas à votre place, ici!

– Et vous avez convaincu tout le monde, c'est évident, se moqua-t-elle. Mais vous oubliez à quel point je connais vos travers. Vous m'auriez même convaincue, moi aussi, car vraiment votre discours était parfait, si vous n'aviez pas tiré sur Herr Flaüss après avoir persuadé tout le monde de sa déloyauté... Ou l'avez-vous tué pour qu'il garde le silence? Mais c'est bien vous, Roger, qui l'avez tué... n'est-ce pas?

Quand elle eut fini, on n'entendit plus dans la nacelle que le bourdonnement des hélices. Xonck se pinça les lèvres et scruta toute l'assemblée du regard, mais son sabre ne broncha pas. La Contessa se leva.

– Rosamonde, commença Crabbé, c'est ridicule... ils tentent de nous diviser... c'est leur seul espoir...

Mais la Contessa ne lui prêta aucune attention et traversa lentement la pièce pour rejoindre Roger. Il recula, se plaqua d'abord contre le mur, puis sembla se retrancher dans son corps même, frémissant devant le regard bien peu amène de la Contessa.

– Rosamonde, gronda le comte, si nous l'interrogions ensemble...

Mais, à cet instant, la Contessa se dressa, tel un cobra prêt à attaquer, et chuchota quelque chose à l'oreille de Bascombe. Miss Temple n'en saisit que des bribes, mais elle comprit très vite que la Contessa prononçait la phrase de contrôle de Roger et qu'en faisant cela avant les autres, c'était à elle et à elle seule qu'il répondrait. La Contessa s'éloigna et Roger s'affaissa pour s'asseoir par terre, l'expression vide et les yeux éteints.

– Rosamonde...

Crabbé tenta de placer un mot, mais une fois de plus la Contessa l'ignora et s'adressa sur un ton cassant à Roger dont la tête se trouvait à hauteur de ses cuisses.

– Roger... est-ce que le docteur Svenson dit la vérité?

– Oui.

Avant que Crabbé n'intervînt, la Contessa poursuivit :

– Les mémoires de lord Robert ont-ils été distillés dans un livre?

– Non.

– Ont-ils été écrits?

– Oui.

– Et ces papiers sont à bord?

– Oui, je les ai dissimulés dans le sac du prince. Flaüss a insisté pour s'occuper du sac et s'est rendu compte que les papiers étaient dedans.

– Alors vous l'avez tué.

– Oui.

– Et dans tout cela, Roger, pour qui travailliez-vous? Qui donnait les ordres?

– Le vice-ministre Crabbé.

Crabbé garda le silence, bouche bée, le visage blême. Il jetait des regards anxieux tantôt au comte, tantôt à Xonck. Toujours face à Roger, la Contessa appela Mrs. Stearne derrière elle.

– Caroline, auriez-vous la gentillesse de demander au docteur Lorenz où exactement nous nous trouvons sur notre itinéraire?

Caroline, dont le regard était rivé sur la silhouette affaissée de Bascombe, leva les yeux, surprise, et quitta la cabine.

– Eh bien!... murmura le prince, outré. Il a mis ces papiers dans mon sac? Et il a tué l'un de mes hommes pour cette raison? Maudit soyez-vous, Crabbé! Maudite soit votre insolence!

Lydia Vandaariff tapota le genou de son fiancé.

– Votre Altesse, siffla Crabbé, paniqué, Bascombe ment... je ne sais comment cela est possible... cela pourrait être n'importe qui ici! N'importe qui connaissant sa phrase de contrôle! N'importe qui pourrait lui ordonner de répondre ainsi à ces questions... et de me compromettre...

– Et comment cette personne pourrait-elle connaître ces questions? l'interrogea la Contessa d'une voix rageuse, puis elle désigna les prisonniers. Il y en a au moins une qui a été posée par le docteur Svenson!

– À ce que je sache, quiconque a pris le contrôle de l'esprit de Bascombe pourrait très bien s'être ligué avec ces trois-là! hurla Crabbé. Cela expliquerait certainement qu'ils aient survécu!

À ces mots, la Contessa écarquilla les yeux.

– L'esprit de Bascombe! Mais bien sûr... bien sûr, petit cachottier! Vous n'avez pas interrompu les examens dans la salle de bal à cause de lord Robert ni à cause du duc… mais parce que Roger se trouvait là. Il avait soudain été contraint d'accompagner Vandaariff ! Parce qu'autrement le comte aurait pu voir clair dans son esprit, vous voir comploter contre nous comme en plein jour !

Elle revint vers le comte et lui désigna Bascombe.

– Ne me croyez pas, Oskar… posez vos questions, je vous en prie, une question que je n'aurais pas prévue ! Ou alors vous, Francis… faites ! Pour ma part, j'ai trouvé ce que je cherchais, mais continuez ! Roger, vous répondrez à toutes les questions que l'on vous posera !

Le visage du comte demeura impassible, mais miss Temple savait qu'il se méfiait déjà de la Contessa et se demandait vraiment lequel de ses complices (les deux ? tous ?) l'avait trahi.

– Francis ? dit-il de sa voix rauque.

– Je vous en prie.

Le comte d'Orkancz se pencha.

– Monsieur Bascombe… selon vous, est-ce que le vice-ministre Crabbé a joué un rôle dans l'assassinat du colonel Arthur Trapping ?

La Contessa se retourna brusquement vers le comte, l'air méfiant, le regard dur et perçant.

– Oskar… pourquoi…

– Non, répondit Roger.

Le comte voulut poser une autre question, mais il fut interrompu par le retour de Caroline Stearne. Le docteur Lorenz, lui, resta dans l'embrasure de la porte.

– Contessa, chuchota-t-elle.

– Merci, Caroline… puis-je vous demander encore d'aller chercher le sac du prince ?

Caroline sentit la tension dans la pièce. Pâle tout à coup, elle inclina la tête et se précipita hors de la cabine. La Contessa se tourna vers Lorenz :

– C'est très gentil à vous d'être venu, docteur… quelqu'un vous remplace-t-il aux commandes ?

– Ne vous en faites pas, madame, j'ai deux hommes de confiance dans la *mâture*, répondit-il, ravi de sa référence nautique.

Le sourire du docteur s'estompa quand il vit que l'on interrogeait Bascombe, et non les prisonniers.

– Notre position ? lui demanda sèchement la Contessa.

– Nous sommes juste au-dessus de la mer, précisa Lorenz. À partir de là, comme vous le savez, nous avons plusieurs itinéraires possibles : nous pouvons rester au-dessus de l'eau où nous risquons moins d'être repérés, ou traverser directement et suivre la côte. Avec ce brouillard, ça devrait aller aussi…

– Et en combien de temps pourrions-nous arriver à Macklenburg ? s'enquit le comte.

– Les deux trajets devraient durer au moins dix heures. Plus si nous naviguons contre le vent… comme c'est le cas en ce moment…, dit Lorenz en passant sa langue sur ses lèvres minces. Puis-je demander ce qui se passe ?

– Rien qu'un petit conflit entre partenaires, répondit Xonck par-dessus son épaule.

– Ah bon ! Et puis-je savoir pourquoi *ils* sont encore vivants ?

La Contessa se tourna pour les regarder et posa finalement son regard sur miss Temple. Aucune douceur dans ce regard.

– Nous vous attendions, docteur. Je ne veux pas que l'on retrouve les corps sur la terre ferme. La mer les prendra… et si l'un d'eux échoue sur la plage, ce ne sera qu'après avoir passé plusieurs jours dans l'eau. À ce moment-là, même la charmante miss Temple sera aussi grise et informe qu'un vieux riz au lait.

Caroline revint, le sac dans une main et une liasse de papier dans l'autre.

– Madame…

– Vous êtes parfaite, comme toujours, Caroline, commenta la Contessa. Je suis tellement contente que vous ayez conservé votre chair. Pouvez-vous lire ces documents ?

– Oui, madame. C'est bien l'écriture de lord Vandaariff. Je la reconnais.

– Et à quel sujet a-t-il écrit ?

– Je ne sais par où commencer… il s'agit d'un compte rendu exhaustif…

– Bien entendu.

– Madame… ne serait-il pas préférable…

– Merci, Caroline.

Mrs. Stearne inclina la tête et demeura auprès de Lorenz. Ils regardaient tous les deux la pièce avec une fascination nerveuse. Le comte fronçait les sourcils, la sueur perlait au front de Xonck, et le visage de Crabbé était tellement livide qu'on aurait dit que le sang n'y montait plus. Seule la Contessa souriait, mais c'était un sourire qui effrayait miss Temple plus que tous les autres, car au-dessus de ses lèvres carmin et de ses dents blanches et pointues, ses yeux scintillaient comme des lames violettes. La Contessa était *contente*, elle attendait de voir ce qui allait se passer avec l'avidité charnelle d'une mère qui embrasse son enfant.

La Contessa s'approcha de Xonck et lui chuchota à l'oreille.

— Qu'est-ce que vous dites de ça, Francis ?

— J'en dis que j'aimerais déposer cette épée, s'esclaffa-t-il, ou m'en servir.

Il posa le regard sur Chang. La Contessa appuya sa tête contre la sienne, comme une petite fille.

— C'est une très bonne idée. Mais je me demande si vous avez vraiment assez de place pour donner un coup d'épée.

— Un peu plus d'espace me conviendrait mieux, il est vrai.

— Voyons ce que je peux faire pour vous, Francis.

En virevoltant avec la grâce d'une ballerine, la Contessa s'approcha du vice-ministre Crabbé, son stylet affûté comme un rasoir dans le creux de la main, et elle l'enfonça sur le côté de son crâne, juste devant l'oreille. Les yeux écarquillés, le corps raidi, pendant quatre longues secondes, Crabbé resta immobile le temps que le souffle de vie le quittât. Il s'affaissa sur les genoux du prince Karl-Horst. Celui-ci se leva en poussant un petit cri, et le vice-ministre rebondit sur le sol de la cabine dans un bruit sourd.

— Et pas de sang à nettoyer, sourit la Contessa. Docteur Lorenz, si vous voulez bien ouvrir la trappe… Votre Altesse ? Si vous voulez bien aider Caroline à se débarrasser de la dépouille du ministre…

Elle était là, rayonnante, alors que les autres se penchaient sur le diplomate assassiné dont les yeux encore grands ouverts semblaient surpris par cette mort si subite. Avec maladresse, ils le traînèrent du mieux qu'ils purent là où Lorenz était agenouillé, dans la cabine attenante. Assise sur le divan, Lydia suivait des yeux le cadavre en gémissant, l'estomac encore une fois au bord des lèvres. Elle cracha quelque chose dans ses mains et, avec un soupir dégoûté, la Contessa lui jeta un mouchoir de soie que Lydia attrapa avec gratitude, des perles bleues au coin des lèvres.

— Contessa, commença-t-elle d'une voix tremblante de peur.

Mais l'attention de la Contessa fut détournée par le cliquètement d'un verrou : Lorenz soulevait une trappe percée dans le plancher. Un courant d'air froid envahit la cabine. Miss Temple regarda par l'ouverture et réalisa que le soleil se levait.

– Il semble que nous nous partagions l'avenir en portions toujours plus grandes, remarqua la Contessa. Trois parties égales, messieurs ?

– Trois parties égales, murmura le comte.

– Je suis d'accord, dit Xonck un peu tendu.

– Alors, c'est entendu ! déclara-t-elle.

La Contessa mit la main sur l'épaule de Xonck et la serra doucement.

– Achevez-les.

Chang brandit sa dague vers Xonck. Il para le coup de sabre de son adversaire et l'écarta en se ruant en avant. Mais Xonck pivota et frappa Chang à la gorge avec son bras bandé. Chang tomba à la renverse. L'impact provoqua chez les deux hommes un cri de douleur. Le docteur Svenson se précipita sur Xonck mais avec un léger retard, et Xonck lui repoussa le manche de la dague dans l'estomac. Le docteur suffoqua et tomba à genoux. Xonck se tourna alors vers miss Temple et tendit sa lame vers son visage. Elle ne broncha pas et regarda Xonck, grimaçant de douleur… soudain hésitant.

– Francis ? s'étonna la Contessa d'une voix à la fois glaciale et amusée.

– Quoi ? siffla-t-il.

– Qu'attendez-vous au juste ?

Xonck déglutit.

– Je me demandais si vous ne préféreriez pas vous occuper de celle-là vous-même.

– C'est très aimable à vous… mais je suis fort satisfaite de pouvoir vous regarder faire.

– Je me demandais, c'est tout.

– Et je vous assure que j'apprécie votre geste, comme je me rends compte que vous pourriez aussi souhaiter garder miss Temple pour un examen plus intime… mais j'apprécierais encore plus que vous en finissiez une bonne fois pour toutes et que vous l'embrochiez comme le vilain cochonnet qu'elle est.

Les doigts de Xonck se crispèrent sur le manche de son sabre et modifièrent leur prise. Miss Temple vit la pointe redoutable à moins d'un mètre de sa poitrine. La lumière faisait scintiller la lame d'argent mue par le rythme de la respiration de l'homme. Puis Xonck lui lança un regarda mauvais. Elle allait mourir.

– D'abord, c'était le ministre qui voulait qu'on en finisse… maintenant, c'est la Contessa, dit-elle. Bien sûr, lui, il avait ses raisons…

– Dois-je le faire moi-même ? demanda la Contessa.

– Ne vous acharnez pas sur moi, Rosamonde, lui rétorqua Xonck, soudain agressif.

– Mais le comte n'a pas pu finir de poser ses questions, lança miss Temple.

Xonck ne plongea pas. Elle cria d'une voix qui s'approchait du hurlement :

– Il a demandé si le ministre avait tué le colonel Trapping ! Il n'a pas demandé qui d'autre aurait pu le tuer ! Si c'était Roger ! ou encore la Contessa !

– Quoi ? fit Xonck.

– *Francis* ! hurla la Contessa.

Elle rugit et passa à côté de Xonck pour faire taire miss Temple, le stylet bien en main. Miss Temple tressaillit, ne sachant pas si on allait lui trancher la gorge ou lui perforer le crâne.

Brusquement, Xonck fit volte-face et, avec son bras bandé, il entoura la taille de la Contessa et la fit atterrir sur le canapé où Crabbé venait d'expirer.

Miss Temple n'avait jamais vu de regard aussi furieux que celui que la Contessa lui lança… un regard d'une férocité à faire dresser les cheveux sur la tête.

– Rosamonde…, commença Xonck tandis que miss Temple se précipitait pour ramasser la dague de Chang.

À peine trop tard. Xonck lui assena un coup sur la tête du plat de sa lame et l'expédia sur Svenson.

Elle secoua la tête, tout le côté droit lui faisait mal. La Contessa était toujours assise sur le canapé, à côté du prince et de Lydia, malheureux comme des enfants perdus au milieu d'une querelle entre leurs parents.

– Rosamonde, reprit Xonck, qu'est-ce qu'elle veut dire ?

– Mais rien ! s'exclama la Contessa. Le colonel Trapping n'a plus aucune importance… le traître, c'était Crabbé !

– Le comte est au courant de tout, parvint à dire miss Temple, de sa voix voilée.

– Tout quoi ? demanda Xonck en pointant pour la première fois son sabre vers le comte d'Orkancz qui était assis en face de la Contessa.

– Il ne le dira pas, murmura miss Temple, car il ne sait plus à qui faire confiance. Vous devez poser la question à Roger.

Le comte se leva.

– Asseyez-vous, Oskar, dit Xonck.

– Tout cela est allé bien assez loin comme ça, répliqua le comte.

– Restez assis ou je vous jure que c'est moi qui aurai votre maudite tête ! hurla Xonck.

Le comte daigna avoir l'air surpris et il se rassit, sérieux. La Contessa était livide.

– Je n'aime pas qu'on me prenne pour un imbécile, siffla Xonck entre ses dents. Trapping était l'un de mes hommes, c'était à moi de l'éliminer ! Celui qui l'a tué est mon ennemi, même si je préfère ne pas y croire…

– Roger Bascombe ! cria miss Temple. Savez-vous qui a tué le colonel Trapping ?

En rugissant de fureur, Xonck empoigna miss Temple par sa tunique, la fit mettre à genoux puis la projeta à travers la cabine. Elle franchit la porte et atterrit en criant aux pieds de Caroline Stearne. Le souffle coupé, elle resta là à cligner des yeux, vaguement consciente qu'elle avait un peu plus froid. Elle se retourna et vit des lambeaux de sa tunique dans la main de Xonck. Il croisa son regard furibond et elle gémit, convaincue qu'il allait s'approcher et lui écraser le cou tout comme il l'avait fait pour le Dragon… mais au milieu du silence et des respirations haletantes, Roger Bascombe répondit à sa question.

– Oui, dit-il simplement, je le sais.

Xonck s'arrêta net, les yeux rivés sur Roger :

– C'est la Contessa ?

– Non.

– Attendez… avant cela, intervint le comte, *pourquoi* a-t-il été tué ?

– Il était au service de Vandaariff et pas au nôtre ? demanda Xonck.

– Oui, répondit Roger. Mais ce n'est pas pour cette raison qu'on l'a tué. La Contessa était au courant des véritables allégeances du colonel.

Xonck et le comte se tournèrent vers elle. La Contessa ricana de leur crédulité.

– Mais bien sûr que je le savais, ironisa-t-elle en regardant Xonck. Francis, vous êtes tellement arrogant que vous supposez que tout le monde, et Trapping en particulier, veut la même chose que vous, c'est-à-dire le pouvoir de votre frère. Vous cachez votre ruse derrière un masque de libertin, mais Trapping n'avait pas cette profondeur, il était ravi de dévoiler les secrets de votre frère, et les vôtres, au plus offrant !

– Mais alors, pourquoi ? demanda Xonck. Pour protéger le projet de l'Annonciation du comte ?

– Non, répondit Roger. Trapping n'avait pas encore négocié de prix pour sauver Lydia… il avait seulement donné des indices à Vandaariff…

– Alors, c'est bien Crabbé qui l'a tué… Trapping a dû être mis au courant de ses plans pour drainer la mémoire de Vandaariff…

– Non, répéta Roger. Le vice-ministre l'aurait sûrement tué… tout comme le comte… si seulement ils en avaient eu le temps et l'occasion.

Xonck se tourna vers la Contessa :

– Alors, c'est bien vous qui l'avez tué !

La Contessa souffla d'impatience.

– Vous n'avez donc rien suivi, Francis ? Vous ne vous souvenez pas de ce qu'Elspeth Poole, stupide, arrogante et si peu regrettée, nous a montré comme vision dans la salle de bal ? Sa vision ?

– C'était Elspeth et Mrs. Stearne, répondit Xonck en regardant Caroline derrière la porte.

– Avec Trapping, dit le comte, la nuit des fiançailles.

– Nous avons été envoyées auprès de lui ! protesta Caroline. La Contessa nous a donné l'ordre de… de…

– Exactement, dit la Contessa. Je faisais de mon mieux pour le satisfaire dans un endroit où on ne le dérangerait pas !

– Car vous saviez qu'on ne pouvait pas lui faire confiance, dit le comte.

– Mais on pouvait le distraire… jusqu'à ce qu'on trouve le temps de s'occuper de Vandaariff nous-mêmes, précisa la Contessa. Ce que nous avons fait par la suite !

– Si le colonel avait prévenu Vandaariff, tout notre projet aurait été compromis ! cria Caroline.

– Nous en sommes tous conscients ! rétorqua sèchement la Contessa.

– Alors, je ne comprends pas, s'étonna Xonck. Qui a tué le colonel Trapping ? Vandaariff ?

– Vandaariff n'aurait jamais tué son propre agent, répondit une voix rauque venue du fond et que miss Temple reconnut comme étant celle du docteur Svenson, qui s'était redressé.

– Mais Blenheim avait la clé de Trapping !

– C'est Blenheim qui a déplacé le corps, dit Svenson, en suivant les ordres de Vandaariff. À cette époque, il contrôlait encore sa demeure.

– Alors qui ? grogna le comte. Et pourquoi ? Et si ce n'était ni pour l'héritage de Vandaariff ni pour le contrôle de la fortune des Xonck, comment se fait-il que le meurtre de cet imbécile notoire ait pu déchirer ainsi notre alliance ?

La Contessa se déplaça sur le canapé et lança un regard furieux à Roger, dont la lèvre tressaillait insensiblement et trahissait ses vaines tentatives de garder le silence.

– Dites-le nous, Roger, ordonna la Contessa. Immédiatement !

Devant le visage de son ancien amoureux, miss Temple eut l'impression d'être face à une marionnette, très ressemblante, certes, mais artificielle à en pleurer. Sa passivité, son ton de voix ou ses yeux inexpressifs n'étaient pas en cause, non, tout cela pouvait s'expliquer par la situation présente. C'était plutôt le sens même de ses paroles. Miss Temple avait toujours remarqué sa façon de s'exprimer, sa façon de la prendre par le bras en parlant, ou même les remous que ses paroles déclenchaient en elle. Désormais, c'était ses propos mêmes qui révélaient le gouffre qui les séparait. Parce qu'ils avaient été fiancés, elle s'était imaginé que, symboliquement au moins, ils resteraient liés, quoi qu'ils fassent chacun de leur côté. Maintenant, elle sentait monter en elle (comme l'aube par la trappe) la certitude que leur complémentarité n'était plus qu'un vague souvenir, une idée morte. Elle ne savait plus qui il était, et plus jamais elle ne le saurait. L'avait-elle d'ailleurs jamais su ? C'était un imbécile. Elle ne ressentait plus aucune tristesse pour lui, ni pour elle-même, puisqu'elle l'avait balayé de sa vie. En fait, tandis que Roger parlait dans l'air glacial, le cœur de miss Temple pleurait le monde, ou ce qu'il pouvait en saisir. Elle vit pour la première fois qu'il n'était que poussière, que châteaux en Espagne qui, si elle les ignorait, finiraient par ne plus la hanter.

– La nuit avant de subir le Procédé, commença Roger, j'ai rencontré une femme à l'hôtel Ste-Royale. Nous nous sommes unis dans un élan de passion réciproque. En vérité, je n'avais pas du tout l'intention de subir le Procédé, j'avais même envisagé de révéler toute l'affaire aux plus hautes autorités. Mais j'ai rencontré cette femme... nous portions tous les deux des masques, je ne connaissais pas son nom, mais, comme moi, hésitante, elle attendait l'appel du destin.

Quand je comparai l'avancement que j'obtiendrais sans doute en trahissant le vice-ministre et le risque absolu que je courais en le suivant, je compris que cette femme avait tout abandonné pour cette aventure, qu'elle s'était défaite de ses liens et avait renié ses espoirs et son passé. Je savais que subir le Procédé signifiait renoncer à mes rêves romantiques et au mariage mais, en une seule nuit, cette femme m'avait profondément bouleversé, éveillant en moi mélancolie et tendresse pour cet instant précieux que nous avions passé ensemble. Le lendemain, je n'étais plus le même et toutes mes idées sur l'amour avaient été ébranlées, elles étaient devenues plus raisonnées, mieux canalisées, elles étaient au service d'objectifs plus larges. Trois jours plus tard, je l'ai revue, encore une fois masquée, dans ses tuniques d'initiée du Procédé... je l'ai reconnue à son parfum... à sa chevelure. Ils m'avaient envoyé la chercher pour la conduire à l'amphithéâtre où elle devait subir son irréversible changement. Je l'ai trouvée accompagnée d'une autre femme et d'un homme que je savais être un traître. Au lieu de les emmener tous, j'ai envoyé son amie devant, j'ai demandé à l'homme de se retirer et, à elle, j'ai dit qui j'étais... Compte tenu de nos caractères, je savais qu'une solide complicité était possible entre nous, à l'insu de tous les autres... j'étais convaincu que nous pourrions nous allier, partager des informations à votre sujet, Contessa, au sujet du ministre Crabbé, de monsieur Xonck, du comte, de lord Robert, pour servir nos propres intérêts et notre ambition à tous les deux. Et nous nous sommes effectivement alliés, sans fonder cette alliance sur ce que l'on appelle l'amour, mais plutôt sur des intérêts pratiques... Ensemble, nous nous sommes mis à votre service à vous, nos maîtres, nous avons patiemment vu nos supérieurs être asservis ou assassinés, et nous nous sommes hissés au plus près du pouvoir, pour en recueillir l'héritage, le temps venu, pendant que vous vous acharniez les uns contre les autres, comme vous le faites à l'instant même. Nous n'avons pas votre avidité, votre concupiscence, vos appétits, nous sommes restés silencieux, dans l'ombre de tous les projets, de tous les secrets, car le Procédé nous a rendus beaucoup plus forts que vous ne pouvez l'imaginer. Tout cela, nous l'avons vu ensemble, nous pouvions de nouveau rêver, alors que nous avions abandonné tout espoir de le faire. Plus tard seulement, je me suis rendu compte que l'homme n'était pas parti comme je l'avais cru.

Il nous avait vus ensemble… il avait tout entendu… et voulait qu'on le paye… de diverses façons. C'était impossible.

– C'est vous qui l'avez tué ? murmura Xonck. Vous ?

– Pas moi, répliqua Roger. Elle. Caroline.

Dans la pièce, tout le monde se tourna vers Caroline Stearne.

– Attrapez-la ! cria Xonck, et le docteur Lorenz tendit le bras devant miss Temple pour saisir Caroline par la taille.

Caroline se débattit et envoya un coup de coude dans la gorge du docteur. Elle se tourna brusquement vers l'homme qui suffoquait et le poussa à deux mains. Le docteur Lorenz disparut par la trappe, et son cri s'évanouit, emporté par le vent.

Personne ne fit le moindre geste, puis Caroline rompit elle-même le charme en envoyant un coup de pied dans les jambes du prince et un coup de poing au visage de Lydia, libérant ainsi la voie vers l'escalier qui menait à la timonerie. Un instant plus tard, un cri déchirant résonna dans toute la cabine et le corps de l'un des marins du docteur Lorenz dégringola les marches. L'homme perdait du sang, il était blessé au dos.

Miss Temple s'écarta vivement à la fois de l'homme en sang et de la trappe ouverte, pendant que le chaos éclatait autour d'elle. La Contessa s'était levée et poursuivait Caroline, elle tenait son stylet dans une main et soulevait sa robe de l'autre pour enjamber le marin. Le comte et Xonck la suivaient de près, mais Xonck n'avait pas fait un pas que Chang et Svenson se ruèrent sur lui. Le comte se retourna, regarda derrière lui puis devant, hésita, et enfin ouvrit un petit placard contenant une rangée de coutelas rutilants. Pendant que Chang luttait avec Xonck pour lui prendre son sabre, Svenson empoigna les cheveux de l'homme et lui cogna la tête par terre de toutes ses forces. La prise de Xonck sur son sabre se relâcha, Svenson le frappa encore et lui ouvrit l'arcade sourcilière. Le comte prit un coutelas. Malgré sa taille considérable, cette arme entre ses mains ressemblait à un vulgaire couteau de cuisine. Miss Temple poussa un cri :

– Docteur ! Attention !

Svenson recula alors que Chang réussissait enfin à saisir le sabre, forçant ainsi le comte à s'arrêter. Miss Temple ne pouvait plus voir le comte, mais elle pensait que si sa connaissance de l'alchimie ne faisait aucun doute, l'escrime ne devait pas être son fort, du moins devant un adversaire comme Chang, même dans son état.

Mais son cri eut un autre effet : il attira l'attention de Lydia et du prince. Karl-Horst s'accroupit d'un air fourbe et la regarda méchamment, mais ce qui désespéra miss Temple, c'est qu'elle vit Lydia se faufiler derrière la trappe ouverte, où se trouvait Éloïse, bâillonnée et attachée au mur. Lydia se précipita sur ses liens avec une mine résolue, les yeux rivés sur miss Temple.

Trop de choses se passaient en même temps. Chang toussait atrocement. Miss Temple ne pouvait le voir, pas plus qu'elle n'apercevait Svenson, tous deux cachés par le dos large et l'énorme manteau de fourrure du comte. Lydia défit un premier nœud, puis s'acharna sur un deuxième. Le prince s'approchait d'elle, les mains crispées. Il s'arrêta pour contempler son corps. Elle se rendit compte à quel point elle était dénudée sans sa tunique. Que le prince trouvât le temps, à cet instant critique, de lorgner une femme qu'il avait l'intention de tuer ne fit qu'exalter son courage.

Elle feignit de se diriger vers les escaliers, puis se précipita de l'autre côté, sauta par-dessus la trappe et se jeta sur Lydia, la forçant à lâcher les cordes. Miss Temple fit un autre saut de côté, par-dessus les jambes d'Éloïse, évita les bras du prince et se rua sur le comte, empoignant son manteau de fourrure à deux mains, repérant la poche. Il se retourna et, de son bras puissant, il la projeta sur le canapé le plus éloigné. Miss Temple s'étala à mi-chemin entre le comte et Chang. Dans sa main, elle tenait ce qu'elle avait réussi à sortir de la poche dans laquelle le comte l'avait mis lui-même tant d'heures auparavant au Ste-Royale : son sac de cuir vert. Elle y plongea la main et, sans prendre la peine de sortir le revolver, elle fit feu à travers le tissu. La balle fit voler en éclats le placard à côté de la tête du comte. Il se tourna en poussant un hurlement de surprise. Miss Temple tira encore. La balle s'enfonça dans la fourrure de son manteau. Elle fit feu une troisième fois. Le comte toussa violemment, comme si quelque chose était coincé dans sa gorge, il perdit l'équilibre et se fracassa le front contre le coin du placard. Il réussit à se redresser et la regarda fixement, du sang perlant au-dessus de son œil. Il se retourna pour s'éloigner, de manière presque désinvolte, et trébucha. Ses genoux se bloquèrent et cet homme immense tomba vers l'avant, comme un arbre.

Xonck grogna en essayant de ramper pour s'éloigner. Chang se mit à genoux et l'assomma d'un coup à la mâchoire avec le manche du sabre. Derrière la porte, le prince et Lydia fixaient la scène avec une horreur mêlée de défi, car ils avaient détaché Éloïse et la tenaient en équilibre au-dessus de la trappe. La moindre impulsion et elle plongeait vers la mort.

Miss Temple sortit le revolver de son sac et se leva, baissant ce qui lui restait de jupons sur ses culottes de soie affriolantes, soulagée de constater que personne n'avait pu voir ce qu'elle avait bien été obligée de montrer en tombant sur le canapé. Chang et Svenson passèrent devant elle et avancèrent jusqu'à la porte du fond. Chang brandissait le sabre de Xonck, et Svenson, un coutelas. Elle se plaça entre eux deux et arrangea une dernière fois ses jupons. Le prince et Lydia n'avaient pas bougé, muets et immobiles devant ce qui venait d'arriver au comte et à Xonck. Tous entendirent un cri atroce provenant de la timonerie.

On ne saisissait pas un mot de la dispute qui opposait la Contessa et Caroline par-dessus le ronflement de la trappe ouverte, mais elle était ponctuée des hurlements de rage de la Contessa et des cris de Caroline, volontaires mais effrayés. Les hurlements du dernier membre de l'équipage – tout laissait croire qu'il était Allemand – compliquaient le tout.

– Ne vous en faites pas, Éloïse ! cria miss Temple. Nous venons vous chercher !

Bâillonnée, Éloïse ne put répondre. Les yeux écarquillés, elle fixait l'abîme au-dessus duquel elle était suspendue par la poignée de cheveux que tenait Lydia, alors qu'à quelques pas derrière celle-ci le prince lui tenait les jambes. Ils pouvaient jeter Éloïse pieds et poings liés par-dessus bord à tout instant.

– Lâchez-la ! hurla Chang. Vos maîtres sont tombés ! Vous êtes seuls !

– Lâchez vos armes ou nous la tuerons ! hurla le prince.

– Si vous faites du mal à cette femme, menaça Chang, je vous tuerai. Tous les deux. Si vous n'y touchez plus, je n'en ferai rien.

Le prince et Lydia échangèrent des regards nerveux.

– Lydia, argua le docteur Svenson, il n'est pas trop tard ! Nous pouvons inverser ce qui a été fait ! Karl, écoutez-moi !

– Si nous la libérons…, commença le prince, mais Lydia s'était mise à parler en même temps et couvrit ses paroles.

– Ne nous traitez pas comme des enfants ! Vous n'avez aucune idée de ce que nous savons ni de ce que nous valons ! Vous ne savez pas, n'est-ce pas, que toutes les terres de Macklenburg que mon père a achetées ont été mises à mon nom ?

– Lydia…, essaya de la raisonner le prince, mais elle le souffleta, furieuse, et poursuivit :

– Je suis la prochaine princesse de Macklenburg, que je me marie ou pas, que mon père soit en vie ou pas, et même si je suis l'unique survivante de ce voyage ! J'insiste : déposez vos armes. Je ne vous ai rien fait ! Je n'ai rien fait à qui que ce soit !

Elle les fixait furieusement, haletante.

– Lydia !

Le prince venait de remarquer la tache bleue sur ses lèvres et lança soudainement un regard confus à Svenson.

– Tais-toi, ne leur parle pas ! Tiens bien ses jambes !

L'estomac de Lydia se souleva encore et elle gémit douloureusement, crachant sur le devant de sa robe.

– Tu devrais te battre contre eux ! se plaignit-elle. Tu aurais dû les tuer tous les trois ! Mais pourquoi êtes-vous tous si inutiles ?

Dans la timonerie, au-dessus, l'homme d'équipage cria et tout à coup l'aéronef tangua à gauche. Chang fut projeté contre le mur, miss Temple par-dessus lui, Le docteur Svenson se retrouva à genoux et le coutelas atterrit entre ses mains. Le prince fut précipité vers la trappe ouverte, mais ne lâcha pas Éloïse. Il percuta de plein fouet Lydia avec la tête d'Éloïse, comme on manie un bélier. Les deux femmes glissèrent vers l'ouverture. Lydia poussa un cri, ses cuisses heurtèrent le rebord de la trappe et elle se mit à glisser dans le trou. Le corps d'Éloïse disparut jusqu'à la taille, seule la prise du prince sur ses jambes l'empêchait de tomber, une prise clairement en train de faiblir alors que celui-ci se demandait s'il ne devait pas la lâcher afin de sauver sa fiancée.

– Tenez-la ! cria Svenson en se jetant en avant pour attraper les mains de Lydia qui se cramponnaient furieusement au rebord.

L'aéronef tangua de plus belle dans l'autre sens de façon tout aussi soudaine. Miss Temple perdit l'équilibre en essayant d'atteindre Svenson. Chang sauta vers le prince qui, lui, recula, effrayé, en relâchant Éloïse. Mais Chang s'empara des jambes de la jeune femme, enfonça les doigts entre ses liens et plaça son pied contre la porte de la trappe pour se retenir. Il cria à miss Temple en lui désignant la timonerie :

– Arrêtez-les… ils vont nous tuer tous !

Miss Temple ouvrit la bouche pour protester, mais vit Chang remonter Éloïse jusqu'aux hanches et Svenson faire de même avec Lydia. Le prince était recroquevillé derrière eux.

Elle empoigna son revolver et se précipita vers les escaliers.

Le deuxième homme d'équipage était affalé sur les marches du haut, une écume sanglante aux lèvres. Sur les murs de la timonerie couraient des panneaux de métal munis de leviers et d'interrupteurs et, face aux fenêtres du devant, là où miss Temple avait vu le docteur Lorenz depuis le toit, se trouvait le gouvernail lui-même, en cuivre et en acier poli. Quelques leviers avaient été arrachés, d'autres étaient bloqués dans une position qui faisait horriblement grincer les engrenages. Le plancher incliné indiquait clairement que l'aéronef avait viré et descendait lentement en tournoyant.

Devant elle, Caroline Stearne était étendue sur le dos, les bras en croix, et à quelques centimètres de sa main vide gisait un stylet ensanglanté. Accroupie, la Contessa était juchée sur elle, les cheveux en bataille, du sang recouvrait comme un gant la main qui tenait l'arme. Une flaque écarlate s'était formée sur le côté, suivant l'inclinaison du plancher. La Contessa leva les yeux vers miss Temple et ricana.

– Regardez qui est là, Caroline ! Votre petite protégée.

Elle enfonça la pointe de son stylet dans la gorge de Caroline. Miss Temple tressaillit. Le corps immobile de Mrs. Stearne ne réagit pas.

– Et où sont tous les autres ? demanda-t-elle, un sourire narquois aux lèvres. Ne me dites pas qu'il ne reste que vous ! Ou alors, si vous êtes ici, il serait plus juste de dire que c'est moi la dernière. C'est toujours pareil !

Elle se leva, sa robe dégoulinant de sang, et, de sa main libre, elle fit un geste vers les machines qui grinçaient.

– Ce n'est pas que j'en avais quelque chose à faire… je me moquais bien de qui avait tué Trapping… si seulement cette idiote romantique n'avait pas tué Lorenz et l'équipage… et surtout, si elle n'avait pas provoqué ma colère, nous pourrions être en train de prendre le thé. Tout ça pour rien ! Rien ! Je veux simplement avoir des gens à contrôler ! Mais maintenant… écoutez seulement !

Elle désigna les engrenages qui gémissaient et se mit à rire.

– Nous sommes tous condamnés ! Cela me met en rage.

Elle s'approcha et miss Temple leva son arme… elle regardait encore dans la timonerie depuis les marches. La Contessa aperçut le revolver et éclata de rire. Soudain, elle s'empara d'un levier et l'abaissa. Le dirigeable changea brusquement de direction avec une secousse qui l'ébranla jusque dans sa structure et qui projeta miss Temple tout en bas, au pied des marches, où gisait le corps du premier membre d'équipage, ce qui amortit sa chute. Un bruit saccadé montait d'une des hélices. Le grincement s'amplifia et devint plus aigu. Miss Temple entendit les pas de la Contessa qui descendait les marches en fer.

Elle parvint à se dégager du cadavre, mais elle bougeait trop lentement et avait laissé tomber son revolver. Elle regarda devant elle, les cheveux dans les yeux. La trappe était fermée, mais la soudaine secousse avait renversé tout le monde. Chang était assis par terre avec Éloïse et coupait ses liens. Svenson était à genoux et faisait face à Lydia et au prince, tapis dans un coin, hors de sa portée. Miss Temple rampa vers eux, se sentant aussi raide qu'une tortue.

– Cardinal! haleta miss Temple. Docteur!

Ignorant totalement miss Temple, la voix de la Contessa résonna du haut des marches.

– Roger Bascombe, réveillez-vous!

Chang et Svenson se retournèrent alors que Roger reprenait conscience. Il bondit sur ses pieds, vit Xonck et le comte par terre et se rua vers l'armoire à munitions qui était ouverte. Chang saisit le sabre. Miss Temple constata avec affliction tout le sang qui maculait sa bouche. Il essaya de se lever. Le docteur Svenson récupéra son coutelas et se hissa en s'agrippant à un crochet de cuivre fixé au mur. Il interpella la Contessa.

– C'est fini, madame! L'aéronef est en train de tomber!

Miss Temple regarda derrière elle, soulagée de n'être pas morte, mais comment s'en était-elle tirée? La Contessa s'était arrêtée sur le petit palier au milieu de l'escalier, au niveau d'une petite alcôve, typique des vaisseaux en tous genres où l'espace est utilisé de façon astucieuse, dans laquelle ses larbins avaient déposé un gigantesque coffre.

Miss Temple se hissa sur les genoux. Elle vit son revolver, glissa à mi-chemin sur le plancher et cria au docteur en se jetant sur son arme:

– Elle a les livres! Elle a les livres!

La Contessa sortit deux livres du coffre… à mains nues! Mais comment faisait-elle? Miss Temple vit son visage transfiguré par l'extase. Comment se pouvait-il qu'elle ne fût pas engloutie?

– Roger! hurla la Contessa. Êtes-vous vivant?

– Je le suis, madame.

Il reculait devant Chang qui approchait de l'autre côté du corps immobile de Xonck.

– Contessa, commença Svenson, Rosamonde…

– Si je lance ce livre, cria la Contessa, il se fracassera sans aucun doute par terre et certains d'entre vous, surtout ceux qui sont légèrement vêtus et assis, en mourront. J'en ai plusieurs. Je peux les lancer un à un et, puisque tous ces livres seront inexorablement détruits, je sacrifierai tous ceux qu'il faudra sacrifier. Miss Temple, ne vous approchez pas de ce revolver !

Miss Temple interrompit le mouvement de sa main qui resta suspendue au-dessus du pistolet.

– Vous allez tous jeter vos armes ! hurla la Contessa. Docteur ! Cardinal ! Faites-le immédiatement, sinon, je lance le livre… sur… elle !

Elle lança un regard mauvais à miss Temple. Svenson laissa tomber son coutelas qui heurta le sol à grand bruit et glissa sur le sol incliné jusqu'au prince qui s'en empara. Chang ne bougea pas.

– Cardinal ?

Chang s'essuya la bouche et cracha. Sa mâchoire était barbouillée de sang et rappelait les peintures de guerre des Peaux-Rouges ou des pirates de Bornéo. Sa voix lasse semblait venir d'un autre monde.

– C'est fini, de toute façon, Rosamonde. Je serai mort à la fin du jour, quoi qu'il advienne, mais nous sommes tous condamnés. Regardez par les hublots… nous sommes en chute libre. La mer recouvrira bientôt vos rêves et les miens.

La Contessa soupesa un livre dans sa main.

– Ne voulez-vous pas éviter une mort douloureuse à votre miss Temple ?

– Ce serait plus rapide que la noyade, répondit Chang.

– Je ne vous crois pas. Jetez votre arme, Cardinal !

– Si vous répondez à une question.

– Ne soyez pas ridicule…

Chang modifia sa prise sur le sabre et leva son bras en arrière, pour s'en servir comme d'une lance.

– Croyez-vous que votre livre me tuera avant que j'aie pu vous envoyer ceci dans le cœur ? Vous voulez vraiment courir ce risque ?

La Contessa plissa les yeux et considéra les différentes options.

– Quelle question, alors ? Et vite.

– En fait, ce sont deux questions, sourit Chang. Premièrement, que faisait monsieur Gray lorsque je l'ai tué ? Et deuxièmement, pourquoi avez-vous enlevé le prince de sa légation ?

– Cardinal Chang… mais pourquoi ? demanda la Contessa en poussant un soupir contrarié. Pourquoi est-ce que vous voudriez le savoir maintenant ?

Chang sourit. Ses dents pointues étaient roses de sang.

– Parce qu'il est bien possible que je ne sois plus en mesure de vous le demander demain !

La Contessa éclata de rire et descendit deux marches. Elle pointa Chang du menton en regardant Svenson et miss Temple. Son visage s'assombrit lorsqu'elle vit miss Temple s'emparer de son revolver avant de se déplacer.

– Rejoignez votre camarade, leur siffla-t-elle, puis elle regarda Éloïse avec dédain. Quant à vous, Mrs. Dujong, c'est à se demander si pour vous le désespoir n'est pas un métier… Dépêchez-vous !

Puis elle s'adressa au prince en adoucissant le ton :

– Votre Altesse… pourriez-vous grimper à la timonerie et faire ce que vous pouvez pour ralentir notre chute ? Je crois bien que vous pourrez lire sur les panneaux des indications qui pourront vous être utiles… Lydia, vous restez là où vous êtes.

Karl-Horst se précipita en haut des marches et la Contessa continua à descendre, enjambant le corps de l'homme d'équipage et faisant face à ses adversaires. Le docteur avait attiré Éloïse à lui et tenait sa main, tandis que miss Temple se sentait plutôt seule entre le docteur et Chang. Elle jeta un coup d'œil à Roger dans l'embrasure de la porte du fond, derrière son épaule. Ce visage pâle et déterminé, elle ne le lui connaissait pas.

– Quelle bande de rebelles à la manque ! s'exclama la Contessa. En toute logique, je dois reconnaître votre succès, même s'il est le fruit du hasard, et admettre que j'aurais préféré qu'il en fût autrement. Mais le Cardinal a raison. Nous allons probablement tous mourir, du moins est-ce le destin qui vous attend, vous… quant à moi, j'ai perdu mes associés. Très bien, alors… monsieur Gray… ce n'est plus un secret, même pour le comte, fût-il encore vivant. Je lui ai demandé de modifier le mélange d'argile indigo pour que la chair des nouvelles créatures soit moins élastique. Pour me protéger, voyez-vous... même si elles devenaient trop puissantes, elles resteraient fragiles. En l'occurrence, peut-être même trop fragiles... eh bien... disons que j'ai agi sur un coup de tête.

Elle se remit à rire, un rire qui, même dans une situation aussi dramatique, conservait tout le charme de sa mélodie. Puis elle poussa un soupir qui se transforma en chuchotement :

– Quant au prince... je préfère qu'il n'entende pas ce qu'il doit continuer à ignorer. En plus de saisir l'occasion de lui inculquer une phrase de contrôle que je suis la seule à connaître, je lui ai aussi injecté un poison pour lequel je suis la seule à détenir un antidote. Une simple précaution, en somme. J'ai fait adhérer en secret la mère de son jeune cousin, celui qui doit hériter si le prince meurt sans descendance. Si Karl-Horst vient à disparaître, l'enfant de Lydia, et tous les projets du comte pour lui, serait engagé dans une lutte pour la succession qui serait sous mon contrôle. Et si le prince survit, il continuera à absorber l'antidote à son insu. Dans le fond, il ne s'agit que de préparatifs.

– Et vous parlez de tout cela de façon tellement abstraite ! murmura Svenson.

Là-haut, le prince avait dû trouver une commande utile, car l'une des hélices cessa de tourner, puis la deuxième suivit un instant plus tard. Miss Temple jeta un regard en direction des hublots, mais les rideaux étaient restés tirés. Continuaient-ils à chuter ? Dans la nacelle, on n'entendait que le sifflement du vent. Ils dérivaient.

– Nous verrons bien, lui répondit la Contessa. Roger ?

Miss Temple se retourna en entendant un bruit derrière elle qui ne venait pas de Roger Bascombe. Fait étrange, Francis Xonck était debout et s'appuyait de sa main blessée sur un canapé tandi que de l'autre, il se tenait la mâchoire, grimaçant de douleur, montrant deux dents cassées. Il lança un regard glacial à miss Temple et tendit sa bonne main à Roger qui lui remit immédiatement son coutelas.

– Ah ! Bonjour, Francis ! lança la Contessa.

– Nous parlerons tout à l'heure, répondit Xonck. Levez-vous, Oskar. Nous n'en avons pas fini.

Sous les yeux de miss Temple, l'énorme masse écrasée par terre se mit à remuer comme un ours qui sort d'hibernation, et l'homme se redressa sur les genoux. Son manteau de fourrure s'entrouvrit et laissa voir le devant de sa chemise imbibée de sang, mais elle put constater qu'il coulait d'une légère estafilade qui lui traversait le torse... Le coup qu'il avait reçu sur la tête l'avait fait tomber, mais pas la balle qu'elle avait tirée. Le comte parvint à s'asseoir sur un canapé. Il la regarda avec une haine déclarée. Ils étaient à nouveau pris au piège entre les livres et le coutelas de Xonck. C'était insupportable. Miss Temple fit volte-face vers la Contessa et tapa du pied en pointant son revolver. La Contessa sursauta de plaisir à l'idée d'être mise au défi.

– Mais qu'est-ce qui vous prend, Céleste?

– C'en est fini, rétorqua miss Temple. Vous lancerez le livre si vous en êtes capable, mais je vais faire de mon mieux pour tirer sur celui que vous tenez de l'autre main. Il éclatera et vous perdrez le bras, et, qui sait, peut-être aussi le visage, la jambe... Peut-être êtes-vous la plus fragile de toutes.

La Contessa éclata de rire, mais miss Temple savait qu'elle riait précisément parce que ses propos visaient juste et que la Contessa appréciait son franc-parler.

– Ce fut passionnant de vous entendre exposer vos plans, Rosamonde, cria Xonck. Le prince... monsieur Gray.

– N'est-ce pas? répondit-elle gaiement. Et vous auriez été tellement surpris de voir tout cela dévoilé à Macklenburg! Quel dommage de n'avoir jamais pu assister à l'aboutissement de *vos* plans secrets... avec Trapping ou avec les munitions de votre frère... ou encore les vôtres, Oskar, les instructions secrètes que vous avez données à vos dames de verre, la naissance triomphale de votre création issue des entrailles de Lydia! Qui sait quelle monstruosité vous avez pu implanter en elle? J'en aurais été émerveillée et totalement dépassée!

La Contessa rit de plus belle et secoua la tête comme une petite fille.

– Vous avez détruit Elspeth et Angélique! rugit le comte.

– Oh non! Je n'ai rien fait de tel! Ne soyez pas si capricieux, cela ne vous va pas du tout. D'ailleurs, qui étaient ces filles? Des créatures dans le besoin... il y en a des milliers qui peuvent les remplacer! Vous en avez d'autres, juste sous vos yeux! Céleste Temple, Éloïse Dujong et Lydia Vandaariff... un autre trio idéal pour votre sacrement impie!

Elle ricana un peu trop fort en prononçant ces dernières paroles, se reprit un instant puis pouffa de rire. C'était une chose d'avoir l'esprit léger, mais aux yeux avertis de miss Temple, la Contessa était en plein délire.

– Karl-Horst von Maasmärck, brailla-t-elle. Venez ici et amenez-moi deux autres livres ! Il paraît qu'il faut en finir avec tout cela, alors finissons-en !

– C'est inutile, dit Xonck. Ils sont pris au piège.

– Certes, s'esclaffa la Contessa. Si je lançais ce livre, le verre pourrait voler au-delà et vous toucher. Ce serait vraiment tragique !

Le prince descendit les marches lourdement et apparut avec, sous un bras, deux livres enveloppés dans sa veste et, dans une main, un flacon rempli d'un liquide orange identique à celui que miss Temple avait volé dans les réserves du comte. Xonck se tourna vers le comte et murmura, assez fort pour que miss Temple pût entendre :

– Elle ne porte pas de gants...

– Rosamonde..., commença Xonck, peu importe ce qui s'est passé... nos plans restent valides...

– Je peux lui faire faire ce que je veux, vous savez ? s'exclama la Contessa en riant.

Elle se tourna vers le prince et cria :

– Une valse, peut-être ?

Le prince se mit à virevolter maladroitement sur le métal glissant du palier. Il semblait ne rien comprendre aux gestes de son propre corps et dut jongler avec ses fragiles fardeaux. Le comte et Xonck s'élancèrent tous deux vers lui.

– Les livres, Rosamonde... il va les laisser tomber ! cria Xonck.

– Je devrais peut-être commencer à les lancer de toute façon, et Céleste peut essayer de me tirer dessus si elle en est capable...

– Rosamonde ! cria de nouveau Xonck, le visage livide.

– Est-ce que vous auriez peur ?

Elle fit signe au prince de s'arrêter, ce qu'il fit, haletant et confus, puis elle leva le bras comme pour le faire reprendre.

– Rosamonde, lança le comte. Vous n'êtes plus vous-même... le verre sur votre peau... il affecte votre esprit ! Posez les livres, leur contenu est irremplaçable ! Nous sommes toujours des alliés, Francis les tient avec sa lame...

– Mais Francis ne me fait pas confiance, répliqua-t-elle. Et moi, je ne lui fais pas confiance non plus. Ni à vous, Oskar. Comment se fait-il que vous ne soyez pas mort si on vous a tiré dessus ? C'est encore votre alchimie ? Et moi qui m'étais faite à l'idée...

– Contessa, arrêtez ça tout de suite !

C'était Lydia Vandaariff. Elle s'était avancée très près de la Contessa et lui tendait la main, tandis que, de l'autre, elle se tenait encore le ventre. Elle titubait et sur son menton coulait une bave bleuâtre, mais bien que ses mouvements fussent hésitants, sa voix était toujours aussi grincheuse et exigeante.

– Tout échoue à cause de vous ! Moi, je veux être princesse de Macklenburg, comme vous me l'aviez promis !

– Lydia, l'interpella le comte de sa voix rocailleuse, vous devez vous reposer… être prudente…

La jeune femme l'ignora et haussa le ton jusqu'à ce que sa voix se mue en une plainte aiguë et revêche.

– Je ne veux pas être une des femmes de verre ! Je ne veux pas porter l'enfant du comte ! Je veux être une princesse ! Vous devez déposer ce livre et nous dire quoi faire !

Un autre spasme la fit hoqueter.

– Miss Vandaariff, écartez-vous, chuchota Svenson.

Elle eut encore un haut-le-cœur qui lui fit cracher quelque chose de bleu. Elle faillit s'étouffer puis avala. Elle continuait à s'adresser à la Contessa en gémissant mais, cette fois, elle pleurait aussi de rage.

– Nous pouvons tuer les autres n'importe quand, mais les livres sont précieux ! Donnez-les-moi ! Vous m'avez tout promis… mes rêves ! J'exige que vous me les donniez immédiatement !

La Contessa lui lança un regard fou, mais miss Temple eut l'impression qu'elle considérait sérieusement la requête de Lydia, même si les mots venaient de loin et ne s'entendaient qu'à moitié, quand tout à coup Lydia poussa un soupir d'impatience et fit l'erreur d'essayer de s'emparer du livre le plus proche. Faisant preuve de la même célérité que lorsqu'elle avait exécuté Crabbé, la Contessa éloigna brusquement ce livre de la portée de Lydia et lui enfonça vivement l'autre dans la gorge.

La Contessa lâcha ensuite le livre et Lydia tomba à la renverse, la chair de son cou bleuissant déjà, le sang au fond de sa gorge et dans ses poumons se cristallisant et crissant comme du gravier sous une roue. Elle mourut avant de toucher le sol. Son cou solidifié se brisa et sa tête roula, comme tranchée par la hache d'un bourreau invisible.

Depuis l'escalier, le prince émit un beuglement de surprise, rugissant au spectacle de la mort de Lydia, la mâchoire tremblante, incapable de prononcer le moindre mot. Que ce fût de peine d'avoir perdu sa fiancée ou parce qu'il était outragé qu'on eût osé s'en prendre à l'un des siens, miss Temple put constater pour la première fois que le prince était capable d'avoir des sentiments au-delà de son insatiable désir. Mais ce qui pouvait rendre le prince plus aimable aux yeux de miss Temple ne le rendait que plus dangereux aux yeux de la Contessa. Elle lui lança son deuxième livre dans les jambes. Le verre vola en éclats au-dessus de ses bottes et le prince bascula vers l'arrière en hurlant. Ses jambes flanchèrent, il essaya de rattraper les livres qu'il portait et heurta violemment les marches, alors que ses bottes restèrent sur place, bien droites. Le haut de son corps glissa et s'immobilisa contre celui de l'homme d'équipage.

La Contessa se tenait là, debout, seule. Dans le vide, ses doigts se contractaient. L'éclat délirant de ses yeux s'estompa progressivement et elle regarda autour d'elle, soudain consciente de ce qu'elle avait fait.

– Rosamonde, chuchota Xonck.

– Taisez-vous, siffla-t-elle, le dos de sa main devant sa bouche. Je vous en prie…

– Vous avez détruit mon *Annonciation*!

Une note dissonante perçait dans la voix cassée du comte, comme une plainte en sourdine. Il se leva et zigzagua pour s'emparer d'un autre coutelas dans le placard.

– Oskar… arrêtez!

C'était Xonck, le visage blême et tiré.

– Attendez!

– Vous avez détruit l'œuvre de toute ma vie! hurla le comte en brandissant un coutelas et en se jetant sur miss Temple.

– Oskar! cria la Contessa. Oskar… attendez!

Éloïse prit miss Temple par l'épaule et l'éloigna vivement de la trajectoire du comte, au moment même où l'homme aux larges épaules se frayait un chemin, les yeux rivés sur la Contessa qui reprenait son stylet. Miss Temple tenait son pistolet, mais il lui semblait impossible de tirer tant ce combat lui échappait: elle assistait impuissante à la lutte à mort que ses ennemis se livraient entre eux.

Le Cardinal, lui, ne sentait pas cette distance. Lorsque le comte passa près de lui, Chang le prit par l'épaule et le fit pivoter. Le comte se retourna, surpris dans son élan, puis, un éclair de folie dans les yeux, il brandit maladroitement son coutelas.

– Vous osez ! hurla-t-il à Chang.

– Angélique, lui cracha Chang en guise de réponse.

Il lui enfonça le sabre dans le ventre puis le fit remonter jusqu'aux côtes. Le comte suffoqua, puis se contracta. Chang arrêta son geste, repoussa sa lame, et l'enfonça encore jusqu'à la garde. Les jambes du comte se dérobèrent et, quand il tomba, Chang lâcha son arme. Le sang noir du comte coulait dans sa fourrure.

Sa toux transformée en râle, Chang tomba à genoux puis s'affaissa contre le cadre de la porte. Miss Temple poussa un cri et se jeta à ses côtés. Elle sentit les doigts habiles du docteur s'emparer de son pistolet. Son regard passa du visage hagard de Chang à Svenson qui pointait l'arme vers Francis Xonck, pris de court par la mort du comte. Xonck fixa Svenson qui le regardait, impitoyable. Il essaya désespérément de trouver quelque chose à dire.

– Docteur… trop de choses restent en suspens… votre patrie…

Svenson appuya sur la détente. Xonck fut projeté en arrière comme si un cheval l'avait atteint d'une ruade. Le docteur se trouvait maintenant face à Roger Bascombe.

Il tendit le bras puis changea d'idée et se retourna vers la Contessa, de l'autre côté de la cabine. Il tira mais Roger s'élança sur lui et dévia son bras. Le coup partit dans le vide et la Contessa courut vers les escaliers en poussant un cri.

Svenson lutta avec Roger pour garder le pistolet, mais Roger, plus jeune et plus fort, le lui arracha des mains quand le docteur trébucha sur la jambe de Xonck. Une horrible grimace déforma son visage et il pointa l'arme vers Svenson. Miss Temple s'écria :

– Non, Roger, ne faites pas ça !

Il leva la tête vers elle, exalté par la haine et la colère.

– C'est fini, Roger. Ils ont échoué.

Elle savait qu'il restait une balle dans le revolver et Roger était trop près pour manquer sa cible.

– Non, ce n'est pas fini, répondit Roger Bascombe sur un ton méprisant.

– Roger, vos maîtres sont morts. Où est la Contessa ? Elle vous a abandonné. Nous sommes en train de dériver. Le prince et le duc de Staëlmaere sont tous les deux morts.

– Le duc ?

– Il va être tué par le colonel Aspiche.

Roger la regarda d'un air incrédule.

– Et pourquoi le colonel ferait-il une telle chose ?

– Parce que je lui en ai donné l'ordre. J'ai découvert la phrase de contrôle du colonel.

– Sa quoi ?

– Tout comme je connais la vôtre, Roger.

– Je n'ai pas de phrase de contrôle…

– Oh ! Roger… après tout ce qui s'est passé, vous ne le savez toujours pas ?

Roger plissa les yeux et leva le pistolet vers le docteur Svenson. Miss Temple parla vite et distinctement en le regardant droit dans les yeux :

– Apôtre bleu ministère bleu consumé par la glace.

Le visage de Roger se détendit subitement.

– Asseyez-vous, lui ordonna miss Temple. Nous parlerons quand nous en aurons le temps.

– Où est la Contessa ? demanda Éloïse.

– Je ne sais pas, répondit miss Temple. Comment va Chang ?

Le docteur Svenson rampa jusqu'au Cardinal.

– Éloïse, aidez-moi à le déplacer. Céleste…, il désigna les marches en fer, puis le prince, la bouteille orange, si elle n'est pas cassée, amenez-la-moi tout de suite !

Elle accourut, en faisant attention de ne pas marcher sur le verre cassé, heureuse d'avoir ses bottines, faisant de son mieux pour ne pas regarder les corps mutilés.

– Qu'y a-t-il dedans ? demanda-t-elle.

– Je ne sais pas, mais c'est peut-être une chance pour le Cardinal. C'est, je crois, ce qui a sauvé Angélique dans la serre, il y avait des taches orange sur le matelas…

– Mais tous ceux que nous avons croisés en étaient terrifiés !dit Éloïse. Si je faisais mine de la casser, ils s'enfuyaient tous en courant !

– Vous avez raison, c'est certainement mortel et pourtant… le feu combat le feu, ou, dans ce cas-ci, la glace.

Miss Temple trouva la bouteille blottie au creux du bras du prince. Elle la prit, non sans avoir jeté un rapide coup d'œil à son visage repoussant : sa bouche ouverte sur ses dents tachées et ses gencives rouge sang, ses lèvres et sa langue teintées de bleu. Elle regarda le haut des marches. Le coffre de livres était toujours au même endroit et, mis à part le vent, aucun bruit ne se faisait entendre dans la timonerie. Elle retourna vers Chang en courant. Agenouillée derrière lui, Éloïse lui soutenait la tête et essuyait le sang sur son visage. Svenson versa du fluide orange sur le mouchoir puis, en soupirant, mais d'un geste décidé, il le posa sur le nez et la bouche de Chang. Aucune réaction.

— Est-ce que ça marche ? demanda miss Temple.

— Je ne sais pas, répondit le docteur. Mais je sais que sans cela, il mourra.

— On dirait vraiment que cela ne marche pas, remarqua miss Temple.

— Où est la Contessa ? demanda Éloïse.

Miss Temple regarda Chang. Le docteur avait déplacé ses lunettes et elle pouvait voir ses cicatrices, des blessures de la même teinte que le sang qui coulait sur son visage et son cou. Et pourtant, sous ces traces d'une violence passée qui, elle n'en doutait pas, faisait partie intégrante de son âme, miss Temple décela une douceur, une impression de ce que ses yeux avaient pu être, un lieu où pouvait régner l'affection, le bien-être, la paix. Que se passerait-il si Chang mourait ? Qu'adviendrait-il de lui dans le cas contraire ? Il disparaîtrait, sans aucun doute, dans une fumerie d'opium. Ce genre d'exutoire lui étant interdit, qu'allait-il advenir d'elle ? Elle regarda Éloïse et le docteur travailler ensemble et retourna auprès de Roger. Elle lui enleva le pistolet des mains et se dirigea vers les marches.

— Céleste ? demanda Svenson.

— Francis Xonck a votre étui à cigarettes dans la poche de sa veste, n'oubliez pas de le récupérer.

— Qu'est-ce que vous faites ? demanda Éloïse.

— Je vais chercher la Contessa, répondit miss Temple.

La timonerie était silencieuse et miss Temple gravit les marches en passant à côté du cadavre de l'homme d'équipage. Sur la plate-forme couverte de sang gisait le corps de Caroline. Le désarroi se lisait encore dans ses yeux ouverts, sa belle gorge pâle était déchirée comme si un loup l'avait attaquée. La Contessa n'était pas là mais, au plafond, on avait ouvert une autre trappe. Avant de grimper, miss Temple s'approcha des hublots. Les nuages et le brouillard s'étaient enfin dissipés. Quel qu'eût pu être son cap à l'origine, la trajectoire du dirigeable avait totalement dévié. On ne voyait que de l'eau grise et une pâle lueur sur les vagues sombres, pas très loin en dessous, car ils étaient à peu près à la même hauteur que le toit de Harschmort. Allaient-ils finir noyés dans la mer glacée ? après tout cela ? Chang était probablement déjà mort. Elle avait quitté la pièce entre autres pour ne pas assister à cette scène. Elle poussa un soupir. Comme un petit singe acharné, miss Temple grimpa sur une étagère, atteignit la trappe et sortit dans le froid.

La Contessa était sur le toit de la nacelle et se tenait à une traverse sous le ballon. Le vent fouettait sa robe, et ses cheveux défaits flottaient comme le drapeau d'un bateau pirate. La tête et les épaules à l'extérieur, miss Temple appuya les coudes sur le toit de métal gelé. Elle regarda les nuages autour d'elle. Pouvait-elle simplement tirer sur la Contessa de là où elle se trouvait? ou devrait-elle plutôt refermer la trappe et la laisser dehors? Mais c'était la fin et miss Temple comprit qu'elle ne pourrait effectuer aucun de ces deux gestes. Elle était clouée sur place, peut-être précisément comme elle l'avait toujours été.

– Contessa! cria-t-elle dans le vent, puis, un nom qui sembla étrangement familier dans sa bouche: Rosamonde!

La Contessa se retourna et lui sourit avec une lassitude gracieuse; miss Temple en fut surprise.

– Retournez à l'intérieur, Céleste.

Miss Temple ne bougea pas. Elle serrait fort le revolver dans sa main. La Contessa vit le pistolet et attendit.

– Vous êtes une créature foncièrement mauvaise! cria miss Temple. Vous avez fait tant de choses horribles!

La Contessa se contenta de hocher la tête. Ses cheveux volèrent un instant devant son visage. Elle remua légèrement la tête pour les remettre dans le vent. Miss Temple ne savait que faire. Mais surtout, elle réalisa que son incapacité à parler ou à agir était la même que celle qu'elle avait ressentie face à son père. Cependant, elle admit aussi que cette femme, cette terrible femme, l'avait fait entrer dans une vie nouvelle, et qu'elle le savait. Ou du moins en avait-elle apprécié la possibilité, si bien qu'elle seule avait été en mesure de déceler dans les yeux de miss Temple le désir, la douleur, la détermination... de la voir telle qu'elle était. Il restait encore beaucoup à dire et à apprendre, les raisons de sa violence par exemple, pourtant miss Temple savait que c'était peine perdue. Elle aurait voulu prouver son indépendance, mais la Contessa s'en serait moquée. Elle aurait voulu une vengeance, mais la Contessa ne se serait jamais avouée vaincue. D'ailleurs, miss Temple ne pouvait en aucun cas vaincre le seul adversaire à l'avoir toujours battue sans le moindre effort, en lui tirant dans le dos; pas plus qu'elle n'aurait pu attirer l'attention de son père en brûlant ses plantations.

– Monsieur Xonck et le comte sont morts, cria-t-elle. J'ai envoyé le colonel Aspiche tuer le duc. Vos plans ont échoué.

– Oui, je vois cela. Vous vous êtes parfaitement bien débrouillée.

– Vous m'avez fait... vous m'avez changée...

– Pourquoi regretter le plaisir, Céleste? demanda la Contessa. Il y en a déjà si peu dans la vie! Et n'était-ce pas divin? Je me suis beaucoup amusée.

– Pas moi!

La Contessa tendit un bras au-dessus d'elle, le stylet dans la main, et lacéra la toile du ballon. Un gaz bleu s'échappa de la déchirure.

– Retournez à l'intérieur, Céleste, cria la Contessa.

Elle tendit le bras et perça encore la toile : un air aussi bleu qu'un ciel d'été en jaillit. La Contessa se cramponnait à la traverse dans ce nuage céruléen, ses cheveux au vent et sa robe couverte de sang, telle un ange des ténèbres.

– Je suis différente de vos adeptes! tempêta miss Temple. J'ai tout appris par moi-même! Je vous ai vue faire!

La Contessa fit un troisième trou dans le ballon qui se dégonflait et le jet de gaz se dirigea droit sur miss Temple. Elle suffoqua et secoua la tête, les yeux en feu. Après un dernier regard sur le visage glacial de la Contessa di Lacquer-Sforza, elle referma la trappe et tomba en poussant un cri sur le plancher glissant de la timonerie.

– Nous allons sombrer! hurla-t-elle.

Elle réussit à éviter le sang et les tessons éparpillés. Pour son plus grand bonheur, Chang était à quatre pattes et toussait. Les taches autour de ses lèvres n'étaient plus rouges mais bleues.

– Ça marche, dit Svenson.

Muette, miss Temple prit conscience, à l'idée que Chang put survivre, de l'immensité du chagrin qui l'aurait étreinte s'il était mort. Elle leva la tête vers le docteur qui l'observait, heureux et épuisé.

– La Contessa? demanda-t-il.

– Elle a percé le ballon de l'aéronef. Nous allons toucher l'eau incessamment!

– Il faut aider Chang... Éloïse, prenez la bouteille... et vous, miss Temple, occupez-vous de lui, ordonna Svenson en désignant Bascombe qui attendait patiemment, assis sur un canapé.

– Que je m'occupe de lui comment ? demanda miss Temple.

– Comme il vous plaira, rétorqua le docteur. Réveillez-le ou tirez-lui une balle dans la tête. Personne ne protestera. Ou laissez-le. Mais je vous conseille de choisir, ma chère. J'ai appris qu'il vaut mieux être hanté par ses actes que par ceux auxquels on n'a pas su faire face.

Il ouvrit la trappe dans le plancher et fit claquer sa langue, inquiet. Miss Temple sentit l'air marin. Svenson referma en vitesse la porte de la trappe.

– Nous n'avons pas le temps... il faut sortir par le toit, immédiatement. Éloïse !

Ils soulevèrent tous deux Chang par les bras et l'aidèrent à gravir les marches. Miss Temple se tourna vers Roger. Le dirigeable eut un soubresaut quand il vint heurter les vagues.

– Céleste, oubliez-le ! hurla Éloïse. Venez tout de suite !

L'aéronef avait amerri.

– Réveillez-vous, Roger, ordonna miss Temple d'une voix rauque.

Il cligna des yeux et son visage reprit vie. Il regarda autour de lui et constata sans comprendre que la pièce était vide.

– Nous sommes en train de couler, dit-elle.

– Céleste !

L'écho du cri de Svenson résonna dans les escaliers.

Roger aperçut le pistolet dans la main de miss Temple. Elle lui coupait la route vers la seule issue possible. Il se passa la langue sur les lèvres. L'aéronef était bercé par les vagues.

– Céleste..., murmura-t-il.

– Tant de choses se sont passées, Roger, commença miss Temple. Je me rends compte... c'est plus fort que moi...

Elle renifla, croisa son regard effrayé, méfiant, implorant et elle sentit les larmes lui monter aux yeux.

– La Contessa m'a dit qu'il ne fallait pas regretter, il y a quelques instants...

– S'il vous plaît, Céleste... l'eau...

– ...mais je suis différente d'elle. Je ne suis même plus moi-même, mon caractère a changé... je suis envahie par les regrets, semble-t-il... pour tout ce qui a souillé mon cœur... je ne suis plus une enfant...

D'un geste désespéré, elle désigna le carnage tout autour d'eux.

– Tous ces morts... Lydia... et même cette pauvre Caroline...

– Caroline ? répéta Roger un peu trop vite, en se rendant compte que ce n'était pas le moment d'aborder ce sujet, compte tenu des circonstances et du pistolet que miss Temple tenait en main.

Elle comprit qu'il hésitait. Elle avait toujours du mal à admettre l'idée que Roger l'avait rejetée, non seulement par ambition mais également parce qu'il lui avait préféré Caroline Stearne. Ce n'était pas de cela qu'elle voulait parler. Elle croisa dans son regard ses propres hésitations.

– Elle est morte, Roger. Elle est aussi morte que vous et moi.

Roger accusa le choc de la nouvelle et miss Temple comprit que les mots qu'il prononça ensuite n'étaient ni cruels ni vengeurs, mais qu'ils représentaient tout ce qui dans sa vie lui avait fait obstacle.

– C'est la seule femme que j'ai aimée, dit Roger.

– Alors, c'est une bonne chose que vous l'ayez rencontrée, répondit miss Temple en se mordant la lèvre.

– Vous ne vous rendez pas compte, vous ne pouvez pas comprendre, dit-il d'une voix amère et douloureuse.

– Je crois que oui…, commença-t-elle avec douceur.

– Comment pourriez-vous comprendre ? cria-t-il. Vous n'avez jamais rien compris : ni moi ni qui que ce soit d'autre… Votre orgueil, votre insupportable orgueil…

Elle souhaita ardemment que Roger se tût, mais il poursuivit et ses émotions déferlaient comme les vagues qui se brisaient sur la nacelle.

– Elle m'a fait voir des merveilles… j'ai éprouvé des sensations sublimes, j'ai espéré comme jamais !

Il se mit à rire, avec mépris, avec violence. Des larmes coulaient sur ses joues.

– Elle s'est abandonnée à moi, Céleste… sans même savoir qui j'étais… sans se soucier du fait que nous pouvions mourir ! Que tout n'est que poussière ! Que notre amour pouvait mener à ça ! Elle le savait déjà !

Il la repoussa brusquement et elle heurta le placard. Il continua de hurler en gesticulant.

– Roger, s'il vous plaît…

– Et vous, qui êtes vous, Céleste ? Comment pouvez-vous être encore vivante… vous, si froide, au cœur si mesquin et si insensible… comment se fait-il que vous n'ayez pas abandonné en chemin ?

Il lui serra le bras et la secoua.

– Roger…

– Caroline s'est donnée… elle a tout donné! Vous l'avez assassinée… vous m'avez assassiné… vous avez assassiné le monde entier…

Il la prit par les cheveux, elle sentit son souffle, puis il lui saisit le cou. Il sanglotait. Leurs yeux se croisèrent. Elle ne pouvait plus respirer.

Miss Temple appuya sur la détente et Roger Bascombe recula, surpris, puis il s'effaça comme une volute de fumée, une silhouette en manteau noir qui s'effondra sur le canapé et glissa par terre. Miss Temple laissa tomber le pistolet et éclata en sanglots. Elle ne savait plus qui elle était.

– *Céleste*!

C'était Chang qui hurlait depuis le toit. Elle leva la tête, sentit le froid lui glacer les pieds et vit l'eau qui montait dans la cabine. Elle chancela jusqu'à l'escalier, aveuglée par les larmes, avançant à tâtons, haletante. Une vague de chagrin la submergea. Le docteur Svenson s'accroupit et la hissa sur le toit. Elle aurait voulu se recroqueviller dans un coin de la nacelle et se noyer. D'autres mains, celles d'Éloïse et de Chang, la tirèrent. Quelle importance? qu'ils meurent à l'intérieur de la nacelle ou sur le toit, de toute façon, ils allaient couler. Pourquoi avoir agi ainsi? Qu'est-ce que ça changeait?

Elle sentit le bras de Chang autour de ses épaules qui tremblaient. Au-dessus d'eux, le ballon se dégonflait et le vent le poussait. Toujours aussi gigantesque, il traînait maintenant dans l'eau et faisait pencher le toit de la nacelle. L'eau de mer éclaboussait le visage de miss Temple, les vagues faisaient tanguer dangereusement ce radeau instable. Chang se cramponna à une traverse, comme le firent le docteur et Éloïse. Miss Temple regarda autour d'elle.

– Où est la Contessa? renifla-t-elle.

– Elle n'était pas là, répondit Svenson.

– Elle a peut-être sauté, dit Éloïse.

– Alors, elle est morte, affirma Svenson. L'eau est trop froide, sa robe, trop lourde. Même si elle avait survécu à sa chute, elle aurait coulé.

Chang toussa. On entendait bien que ses poumons étaient maintenant dégagés.

– Je vous dois une fière chandelle, docteur, à vous et à votre élixir orange. Je suis frais et dispos, prêt pour la noyade!

– C'est un honneur pour moi de vous avoir aidé, répondit Svenson avec un sourire un peu pincé.

Miss Temple frissonna. Les vêtements qu'elle portait ne la protégeaient ni du vent ni de l'eau glaciale. Elle ne supportait pas ce froid. Les autres pouvaient plaisanter autant qu'ils le souhaitaient, elle ne voulait pas mourir, pas après tout cela. Et mourir noyée, encore moins. Elle le savait, c'était une mort atroce, lente et douloureuse. Elle souffrait bien assez comme ça. Elle regarda ses bottines vertes et ses jambes nues. Combien de temps cela pourrait-il durer? Elle était allée si loin en si peu de temps! Ses appartements au Boniface se trouvaient aussi éloignés dans l'espace et le temps que son île natale. Elle renifla. Au moins avait-elle retrouvé la mer.

Miss Temple sentit sa peau s'engourdir et pourtant, quand elle baissa les yeux, elle vit que l'eau n'avait pas monté. Elle tendit le cou vers la timonerie inondée, l'eau montait toujours et la robe trempée de Caroline Stearne tournoyait sous la surface. Mais pourquoi ne coulaient-ils pas? Elle se tourna vers les autres.

– Est-il possible que nous nous soyons échoués? demanda-t-elle en claquant des dents.

Ils regardèrent tous dans la timonerie, à la recherche d'un indice. L'eau était trop sombre pour qu'on en devinât la profondeur. Devant eux, de toutes parts, on ne voyait que la haute mer, mais derrière, la vue était bloquée par le ballon du dirigeable qui se dégonflait, claquait au vent et s'affaissait dans l'eau. Dans un subit accès d'énergie, Chang se hissa sur l'étai métallique et grimpa sur la toile. À chacun de ses pas, un nuage de fumée bleue s'échappait du ballon.

– Nous pourrions être n'importe où, dit le docteur Svenson en ajoutant après un moment de silence: Je veux dire, sur la carte...

Un instant plus tard, ils entendirent Chang pousser un cri de joie. Il revenait vers eux, trempé jusqu'à la taille, écrasant la toile sous ses pas.

– Terre! cria-t-il. Dieu soit loué, c'est la terre!

Le docteur Svenson détourna le regard et hissa miss Temple sur les traverses, puis il fit de même pour Éloïse, pendant que miss Temple lui tendait la main à son tour. Ils s'aidèrent mutuellement à grimper sur le ballon qui était en train de disparaître. Avant d'arriver au bout, à mi-chemin, ils avaient déjà de l'eau jusqu'aux genoux. Ils aperçurent une ligne blanche et floue à l'endroit où se cassaient les vagues puis, au-delà, une ligne d'arbres plus foncée.

Chang attendait miss Temple qui lui sauta dans les bras. L'eau était glaciale, mais elle éclata de rire en la sentant éclabousser son visage. Puis elle s'éloigna de Chang, prit un repère sur le rivage et plongea. Le froid la saisit jusqu'à la racine des cheveux. Miss Temple nagea en direction de la rive. Ses larmes et sa sueur se dissolvaient dans la mer. Si elle ne se dépêchait pas, le froid aurait raison d'elle. Elle savait qu'elle aurait encore plus froid en sortant de l'eau, trempée et exposée au vent et, pour toutes ces raisons, elle se doutait bien que la mort pouvait encore l'attendre.

Mais de tout cela, elle se moquait. Elle sourit. Pour la première fois depuis longtemps, elle savait exactement où elle était et où elle s'en allait. Elle sentit en nageant qu'elle rentrait chez elle.